公務員の
勤務時間・休暇法詳解

第6次改訂版

一般財団法人 公務人材開発協会
人事行政研究所
［編著］

学陽書房

はしがき

公務員の勤務時間及び休暇は、給与と並ぶ基本的な勤務条件の一つとして、重要な位置づけをなしてきたものであり、本書は、昭和四十五年『勤務時間と休暇』として発刊されて以来、各職場で勤務時間や休暇制度の運用に直接携わる方々から「赤本」の呼び名で、公務員の勤務時間及び休暇制度の解説書として、広くご愛読いただいております。その間、公務員の勤務時間・休暇制度の変革に併せ『公務員の勤務時間・週休二日制・休暇』、『公務員の勤務時間・休暇法詳解』と題名を変えながら改訂を重ねてきたところであり、今回は平成三十一年以降の関連諸制度の改正を網羅するため、改訂版を刊行することとなりました。

近年、少子高齢化という構造的な問題を背景に誰もが活躍できる社会の実現や、ワーク・ライフ・バランスに対する意識の高まり、働き方に対するニーズの多様化など、公務を取り巻く社会環境が著しく変化し行政需要が複雑・高度化する中で、限られた職員数で課題に的確かつ効率的に対応することや、育児や介護と仕事の両立を支援していくことが求められています。このような状況を踏まえ、公務運営の確保に配慮しつつ、職員の仕事と家庭生活の適切な両立や職員の健康保持増進が図られるよう、長時間労働の是正や柔軟な働き方の促進など適正な勤務環境の実現に向けた環境を整備する必要があり、そうした観点から、公務員の勤務時間の弾力化・多様化を図るため、勤務時間・休暇など関連諸制度の見直しが相次いで行われています。

本書は、今回の改訂に当たり、平成三十一年四月に施行された超過勤務時間数の上限等に関する措置や平成五年四月に施行されたフレックスタイム制及び休憩時間制度の柔軟化措置のほか、平成三十一年以降に新設された休暇（出生サポート休暇、非常勤職員の結婚休暇・配偶者出産休暇・育児参加休暇等）などを追補しました。その他関連諸制度の改正を含めて勤務時間法体系の下における勤務時間・休暇制度について詳細に解説しており、実務担当者の皆様方に十分ご活用いただけるものと思います。

勤務時間・休暇制度の適正な運用は、職員の勤務条件の安定性の観点から重要なものであり、公務秩序の維持及び公務能率の向上のためにも必要不可欠なものです。本書をご活用いただき各職場において公務員の勤務時間・休暇制度の適正な運用が確保され、また、これらについて広く理解が深まることを願う次第です。

令和五年十一月

一般財団法人　公務人材開発協会
人事行政研究所

目次

第四部　休　暇

第五部　短時間勤務職員の勤務時間・休暇――739

凡例

労基法	労働基準法（昭和二二年法律第四九号）
国公法	国家公務員法（昭和二二年法律第一二〇号）
給与法	一般職の職員の給与に関する法律（昭和二五年法律第九五号）
給与特例法	国有林野事業を行う国の経営する企業に勤務する職員の給与等に関する特例法（昭和二九年法律第一四一号）
派遣法	国際機関等に派遣される一般職の国家公務員の処遇等に関する法律（昭和四五年法律第一一七号）
育児・介護休業法	育児休業、介護休業等育児又は家族介護を行う労働者の福祉に関する法律（平成三年法律第七六号）
育児休業法	国家公務員の育児休業等に関する法律（平成三年法律第一〇九号）
勤務時間法	一般職の職員の勤務時間、休暇等に関する法律（平成六年法律第三三号）
任期付研究員法	一般職の任期付研究員の採用、給与及び勤務時間の特例に関する法律（平成九年法律第六五号）
規則　九―　二	人事院規則九―二（俸給表の適用範囲）
規則一〇―　四	人事院規則一〇―四（職員の保健及び安全保持）
規則一〇―　七	人事院規則一〇―七（女子職員及び年少職員の健康、安全及び福祉）
規則一〇―一一	人事院規則一〇―一一（育児又は介護を行う職員の早出遅出勤務並びに深夜勤務及び超過勤務の制限）
規則一五―　一	旧人事院規則一五―一（職員の勤務時間等の基準）
規則一五―　四	旧人事院規則一五―四（非常勤職員の勤務時間及び休暇）
規則一五―　六	旧人事院規則一五―六（休暇）

第一部　総　説

一　勤務条件としての重要性

勤務時間及び休暇は、勤務条件のうち、給与と並び重要な事項である。すなわち、一日、一週間、あるいは一月のうち、何時間をどのように勤務するのか、また、どのような場合に休暇がとれるのか、そして、それは有給なのか無給なのか等は、一般に、勤労者が勤務を提供するについて関心を寄せる諸条件の中でも、その勤務を提供し、又はその提供を継続するかどうかの決心をするに当たって、考慮の中心となるべき重要な利害関係事項であるからである。憲法第二十七条第二項が、「賃金、就業時間、休息その他の勤労条件に関する基準は、法律でこれを定める。」と規定しているのは、その重要性のあらわれといえよう。このことは、国家公務員の場合においても例外ではない。特に、国家公務員は、国民全体の奉仕者として、公共の利益のために勤務するものであり、職務の遂行に当たっては適当な勤務条件が必要であることから、公共の利益の保障及び向上に直接影響する意味において、勤務時間及び休暇のもつ意義は、より一層重要である。

また、価値観や社会意識の変化等に伴い勤務時間、休暇等の給与以外の勤務条件のもつ意義はますます大きくなっており、このため、使用者と労働組合との交渉においても、総労働時間の短縮や時機に応じた休暇制度等の改善は、賃上げと同様に重要な争点となっているところである。このような事情は、国家公務員においても、同様であり、各方面の要望等を踏まえつつ、社会一般の情勢に応じて、働き方改革の実現をはじめとする種々の勤務時間・休暇制度の改善が行われてきている。また、最近では、少子高齢化対策の一環として職業生活と家庭生活との両立を支援するための制度が拡充されてきている。

二　勤務時間法の制定

平成六年六月、「一般職の職員の勤務時間、休暇等に関する法律」（勤務時間法）が制定され、同年九月から施行された。

1　勤務時間法制定の目的

価値観の多様化等を背景に、勤務時間、休暇等給与以外の勤務条件に対する職員の関心等が急速に増大した一方、従来の勤務時間、休暇等の制度は、給与法にいわば「間借り」していたほか、国家公務員法の一部を根拠とするなど法体系自体が複雑で、全体として未整備であったため、法体系を組み替え、新たな法律の制定をはじめとして、時代に即し、かつ、勤務条件として充実した法制を構築することが適当と考えられた。

また、完全週休二日制実施（平成四年五月）後の勤務時間・休暇制度においては、

① 引き続き総実勤務時間の短縮を図っていくこと

② 不規則な勤務形態となることが避け難い交替制等勤務職員の健康・福祉に配慮した措置を推進していくこと

③ 社会の高齢化・女性の社会進出・核家族化の進展などの社会状況の下で個人生活と職業生活との調和を図る仕組を整備していくこと

などが、重要な課題であり、当面、週四十時間勤務制の原則の明定、休日の代休制度の新設、介護休暇制度の新設等が必要と認められた。

このため、人事院は、平成四年八月及び平成五年八月の給与勧告時の報告で、検討方向等について、提言を行った後、平成五年十二月十七日、国会及び内閣に対して、「一般職の職員の勤務時間、休暇等に関する法律」（勤務時間法）の制定についての意見の申出を行った。

2　勤務時間法施行までの経緯

この人事院の意見の申出を受けて、政府において所要の法律案が作成され、平成六年四月十八日の事務次官等会議を経て、翌十九日、閣議決定が行われ、同日、第百二十九回国会に提出された（閣法第六十三号）。

所要の国会での審議を経て、同年六月八日、勤務時間法は成立し、同月十五日、平成六年法律第三十三号として公布された。

勤務時間法は、「公布の日から起算して六月を超えない範囲内において政令で定める日から施行する。」（附則第一条）とされており、同年七月二十七日、「一般職の職員の勤務時間、休暇等に関する法律の施行期日を定める政令」（平成六年政令第二百五十号）が公布され、同年九月一日から施行された。

なお、勤務時間法の委任事項、実施細則を定める人事院規則（人事院規則一五―一四（職員の勤務時間、休日及び休暇）及び人事院規則一五―一五（非常勤職員の勤務時間及び休暇））及び運用通知（職員の勤務時間、休日及び休暇の運用について（通知）（職職―三二八人事院事務総長）及び人事院規則一五―一五（非常勤職員の勤務時間及び休暇）の運用について（職職―三二九人事院事務総長））も、同年七月二十七日、制定ないし発出され、同年九月一日から施行された。

3　主な措置内容

勤務時間法においては、旧給与法（勤務時間法による改正前の給与法をいう。）等の下での制度と比較して、次の諸点が、主な措置内容として挙げられる。

① 週所定勤務時間（四十時間）の法律上の明定
② 交替制等勤務職員の四週八休原則の法律上の明示
③ 休日（祝日、年末年始の休日）に勤務した場合の代休制度の新設

④　介護のための三月を限度とした減額方式による無給休暇制度の新設

⑤　勤務条件の確保の観点から、基本的な制度（フレックスタイム制、休憩時間、超過勤務・宿日直勤務等）や勤務条件の基準（一日の勤務時間（八時間）等）はできるだけ法律へ格上げ

⑥　各省各庁の長の主体性を尊重し、事務簡素化を進める見地から、勤務時間の割振りを各省各庁の長の権限とし、人事院の関与についても縮小すること

また、人事院規則についても、法体系の整備の趣旨から、従来、常勤の職員について、勤務時間等の基準（旧人事院規則一五―一）、宿日直（旧人事院規則一五―九）、休暇（旧人事院規則一五―一一）、研究職員等のフレックスタイム制（旧人事院規則一五―一三）などに分かれて規定されていたものを、一本の規則（人事院規則一五―一四）で規定することとしたほか、内容的にも、交替制等勤務職員の連続勤務日の上限の改善、休憩時間の置き方の基準の弾力化などが、新たに措置された。

第二部　勤務時間

第一章　勤務時間の基本

第一節　公務員の勤務時間の在り方

一日あるいは一週間の勤務時間を〝何時間にするか〟ということは、政府の行うべき公務の遂行という観点からみても、また職員の勤務能率という観点からみても、重要な問題である。行政サービスの提供という観点からみると、まず問題になるのは、国民に対して官庁の窓口を何時から何時まで開いておくかということであり、いわゆる官庁執務時間や開庁時間の問題である。

官庁執務時間は、行政機関が組織体としての執務態勢をとるべき時間とされており、官庁の管理運営上の概念として「官庁執務時間並休暇ニ関スル件」（大正十一年閣令第六号）において定められているが、これをどのように決めるかは、行政需要にいかに対応するかの観点から考えられる。国民の側からいうと、国民が必要のあるときには、いつでも官庁が窓口を開いておいてくれることが望ましく、極端にいえば、二十四時間を通じて開庁されていることを要求されるかもしれないが、これを職員の側からみると、健康保持の見地から二十四時間連続の勤務は不可能であり、交替制で勤務するとなると、公務員の定員を二倍から三倍に増やさなければならないことになる。これは、国家財政上からも限界のあることであり、実際的でもないので、社会生活上、最も行政需要の多い時間帯に合わせて、一般の行政官庁においては、午前八時半から午後五時までが官庁執務時間とされているのである。したがって、通常の場合、一般の行政官庁は、この執務時間に合わせて、その門を開け、又は閉じているのであるが、この管理運営に係る官庁執務時間と勤務条件としての職員の勤務時間の概念は、関連するが別個のものである。

職員の勤務時間の長さを、何時間とするかは、官庁執務時間とは別個に考えられるべきものであって、それは、広く人事管理上の観点から、職員の勤務能率や健康安全の見地に立って考慮される。例えば、閉庁時間中にも勤務を要するからといって、守衛の勤務時間がいたずらに長時間に及ぶことは許されないのであって、そこには一定の限界が存在するのである。

このようにみてくると、公務員の勤務の態様には、種々のものがあることがわかるが、大別して、土・日曜日が週休日で、一日の勤務時間が原則として七時間四十五分の一般の職員と、交替制勤務等の特別の形態によって勤務する必要のある職員（「交替制等勤務職員」と呼ばれている。）に分けられる。一般の職員の代表的なものは、非現業的な官庁における事務職員など主として行政職俸給表㈠の適用を受ける職員であり、八時半から十七時十五分までの時間帯において勤務することが基本であるが、大都市では通勤緩和のため時差通勤が実施されている。職員が勤務すべき時間は、従前、内閣総理大臣が一律に定めていたが、勤務時間法においては、各省各庁の長が定める（勤務時間の割振りを行う）ことに変更されたところであり、勤務の実態に合った柔軟な割振りが行われることが期待されている。なお、原則として全ての職員を対象とするフレックスタイム制が導入されており、職員の申告を経て、四週間を平均して週三十八時間四十五分になる限りにおいて、一日の勤務時間を七時間四十五分以外として割り振ることができることとされている（第二章第五節参照。）。

これに対して特別の形態によって勤務する必要のある職員のうち代表的なものは二十四時間体制の交替制勤務職員

であり、その多くは現業的官庁に見出される。その勤務態様は種々であるが、その代表的な例は、航空管制官、皇宮護衛官、入国警備官、刑務官、海上保安官、船舶に乗り組む職員などである。これらの職員の勤務する官署は、公務の性質上、多くの場合一日二十四時間の間、片時も業務を絶やすことのできない任務をもつものであり、その職務に応じて二交替制あるいは三交替制の勤務体制をもってこれに当たっているが、その勤務時間は、原則として一般の職員と同じ水準の一週間当たり三十八時間四十五分である。それらは、それぞれの職務の困難性の度合、職場環境、勤務要員の員数等の諸条件を勘案して、それぞれ勤務時間の割振りが行われているのであるが、勤務の性質上どうしても夜間勤務、特に深夜勤務を余儀なくされるものであるから、多くの場合、割り振られた勤務時間の外にいわゆる仮眠時間等の休憩時間が加えられた勤務態様をとることが多い。

さて、ここで、勤務時間の長さを決定するに際して、考慮されるべき要素を考えてみたい。

公務員の勤務時間を決定するに当たっては、公務の遂行あるいは行政サービスの提供という観点と、職員の勤務能率という観点の両面から考察されなければならないことは、さきに述べたとおりであるが、これをなお詳細に検討すると、種々の要件がかかわっていることがわかる。

まず第一に、職員は人間として、あるいは社会的な存在としての生活に要する時間が必要である。すなわち、睡眠時間は一般に八時間は必要とされており、食事・入浴などに要する時間や通勤時間、ひいては文化教養に接するための自由時間なども必要である。これらの時間を考慮すれば、勤務時間にはおのずから限界があることになるのである。このような考え方を前提とすると、勤務時間の長短は、ただちに休養、睡眠の時間あるいは文化教養の時間に影響を与えることになるのであるから、一日二十四時間からこのような生活に要する時間を差し引いた残りの時間が勤務時間の長さの限界であるという考え方が生まれる。そして、それがおおむね七時間四十五分であるとするのである。このような考え方は、勤務時間を勤務外の事情から割り出そうとするものであるが、職員が社会的存在として個人としての生活をもっている以上、一般的な目安を立てる上で重要な意味をもっている。

勤務能率の維持や職員の健康保持の両面の要請に応えるためには、労働科学的な見地から検討することが必要であり、疲労測定や生理衛生学的な検討を経て、個々の職種や職場の勤務時間が合理的に設定されることが理想である。これらの検討を欠くときには、災害率、罹病率、欠勤率等が高まることが予想され、真の勤務能率を確保することはできないからである。

第二節　勤務時間の長さ

一日あるいは一週間の労働時間は何時間が最適であるかについては、労働時間をまず労働生産性との関連においてとらえる使用者と自分の私生活の時間と対立的に考える労働者とでは見方を異にしており、双方を納得させる客観的な基準はない。その決定は、いろいろの要因によって左右されるが、その時点における社会的、経済的環境を背景として、主として労働者の疲労とその回復の問題、余暇利用の問題及び労働生産性の問題を、労使の交渉を通じて調整し、決定するということになろう。公務においても、行政の継続性及び安定性を維持し、業務の能率的遂行を図るための公務運営上の要請と職員の社会生活上の要請とを衡量し、併せて民間との均衡を考慮して勤務時間が定められている。

なお、「勤務時間」と呼ぶ場合には、通常、二つの概念がある。量としての勤務時間と日々の具体的勤務時間帯としての勤務時間である。勤務時間法第五条が「職員の勤務時間は、休憩時間を除き、一週間当たり三十八時間四十五分とする。」と規定しているのが、前者の意味であり、すなわち、勤務時間の長さないしは勤務時間数のことをいう。

これに対して、始業の時刻から終業の時刻までの具体的勤務時間帯（休憩時間を除く。）が、後者の意味であり、勤務時間法においては、「割り振られた勤務時間」としている（勤務時間法第八条、第十条等）。また、両者をあわせた概念としては、「正規の勤務時間」という用語が用いられている（勤務時間法第十三条、給与法第五条等）。

職員の一週間の勤務時間は、三十八時間四十五分である。

旧給与法（第十四条第一項）では、週所定勤務時間は、四十時間から四十八時間の幅の範囲内で人事院規則で定めることとされ、廃止前の規則一五―一（職員の勤務時間等の基準）第四条で一週間につき四十時間（特別の勤務に従事する職員は一週間当たり四十時間）とされていた。このような法形式にしたのは、公務における勤務時間を社会一般の情勢に容易に対応させることができるようにするためであった。なお、制定時の実際的な事情としては、当初この規定に基づいて昭和二十四年一月一日施行された旧人事院規則一五―〇（職員の勤務時間）において、一週間の勤務時間が四十八時間と定められ、以前の閣令第六号による一週間の実働三十数時間に比べ大幅な勤務時間の延長となったが、これは必ずしも民間の実態に適応させたものではなく、戦後の経済復興のための緊急措置として行われたものであり、そもそも当初から、近々社会一般の情勢に適応させて勤務時間を短縮すべき要請があったということもあるようである。このような事情もあり、同年十月二日、同規則の改正により一週間の勤務時間は四十四時間とされた（但し、同年七月二十三日より、夏期の特例として、四十四時間とされていた（旧規則一五―五）。）。

さらに、昭和六十四年一月一日に給与法が改正施行され、週休土曜日が勤務を要しない日とされたことに伴い、人事院規則における一週間の勤務時間に関する規定も四十年ぶりに改正され、週休土曜日を含む週にあっては四十時間、それ以外の週にあっては四十四時間（特別の勤務に従事する職員は一週間当たり四十二時間）とされ、その後、完全週休二日制（週四十時間制）の実施に伴い、平成四年五月一日に給与法が改正施行されたことを受け、前述のとおり、規則一五―一で一週間につき四十時間（特別の勤務に従事する職員は一週間当たり四十時間）とされていたものである。

しかしながら、週所定勤務時間は基本的な勤務条件であるところ、平成四年五月から給与法で定めた幅の下限である四十時間となっていること、労基法においても一部猶予措置はあるものの週四十時間労働制が平成六年四月から実施されたこと等を踏まえ、勤務時間法においては、従来の規則に具体的な勤務時間を委任する方法ではなく、週所定勤務時間が四十時間であることが法律上明定された。

その後、平成二十年に、人事院は、民間の労働時間が職員の勤務時間より一日十五分程度、一週一時間十五分程度短い水準で安定していたことなどから職員の勤務時間を改定すべきことを勧告し、これに基づき勤務時間法が改正され、平成二十一年四月一日から職員の勤務時間は一週間三十八時間四十五分とされたところである。

○勤務時間法

（一週間の勤務時間）

第五条　職員の勤務時間は、休憩時間を除き、一週間当たり三十八時間四十五分とする。

第三節　勤務時間管理の在り方

勤務時間の在り方を考える際には、その長さや割振りの基準等の他に、どのように実際の勤務時間を管理すべきかという問題がある。実際に勤務時間管理が問題となり得るのは、例えば始業時刻までに出勤していないなど勤務時間内における服務管理上の観点を契機とするほか、超過勤務が長時間にわたった場合など職員の健康及び福祉の観点を契機とすることも考えられる。この職員の健康及び福祉の観点を契機とする勤務時間管理については、勤務時間法第四条第一項における「勤務時間、休日及び休暇に関する事務の実施に当たっては、公務の円滑な運営に配慮するとともに、職員の健康及び福祉を考慮することにより、職員の適正な勤務条件の確保に努めなければならない」という各省各庁の長の責務にその端緒をみることができようが、規則一五―一四運用通知第十及び第十八に勤務時間管理員が登場する以外に勤務時間法制において明確な定めは設けられておらず、実際の勤務時間管理については各省各庁の長が責任を持つこととなっている。なお、現在、給与簿の補助簿として措置されている出勤簿等があるが、これらは給与の支給に当たって基礎となる書類であり、その定めも国公法第六十八条及びこれを受けた人事院規則九―五（給与簿）等において設けられている。

この点、民間法制においては、「労働時間の適正な把握のために使用者が講ずべき措置に関するガイドライン」（平二九・一・二〇　厚生労働省策定）において、「使用者は、労働時間を適正に把握するなど労働時間を適切に管理する責務を有している。」とした上で、使用者が始業・終業時刻を確認し、記録する方法としては、原則として、使用者が自ら現認することによるか、タイムカード、ＩＣカード等の客観的記録を基礎として確認することとされている。

平成二十一年に勤務時間の短縮が行われ、この結果、一日の所定勤務時間に四十五分という十五分単位の勤務時間が生ずることとなり、これを管理するに当たっては分単位の厳格な勤務時間管理が必要となった。とりわけ昨今の公務員に対する厳しい視線を考慮すると、服務管理上の観点からも厳正な勤務時間管理がこれまで以上に求められているといえよう。

第二部第三章第七節で述べるとおり、超過勤務の適正な管理のためには、職員の在庁時間の的確な把握等を行うことが必要であり、この観点からも、厳正な勤務時間管理を徹底することが重要である。なお、勤務時間管理については管理職員の役割が重要であり、この点については、「超過勤務を命ずるに当たっての留意点について」（平三一・二・一職職―二二）においても、「管理者は、超過勤務の運用の適正を図るため、常に職員の超過勤務及び在庁の状況並びに健康状態の把握に努めることとし」、特に留意事項として、「超過勤務時間の確認を行う場合は課室長等や周囲の職員による現認等を通じて行うものとし、客観的な記録を基礎として在庁の状況を把握している場合は、これを参照することもできること」など、超過勤務時間の管理を徹底するよう定められているところである。

○労働時間の適正な把握のために使用者が講ずべき措置に関するガイドライン（平二九・一・二〇　厚生労働省策定）（抄）

4　労働時間の適正な把握のために使用者が講ずべき措置

(1)　始業・終業時刻の確認及び記録

使用者は、労働時間を適正に把握するため、労働者の労働日ごとの始業・終業時刻を確認し、これを記録すること。

(2)　始業・終業時刻の確認及び記録の原則的な方法

使用者が始業・終業時刻を確認し、記録する方法としては、原則として次のいずれかの方法によること。

ア　使用者が、自ら現認することにより確認し、適正に記録すること。

イ　タイムカード、ＩＣカード、パソコンの使用時間の記録等の客観的な記録を基礎として確認し、適正に記録すること。

(3)　自己申告制により始業・終業時刻の確認及び記録を行う場合の措置

上記(2)の方法によることなく、自己申告制によりこれを行わざるを得ない場合、使用者は次の措置を講ずること。

ア　自己申告制の対象となる労働者に対して、本ガイドラインを踏まえ、労働時間の実態を正しく記録し、適正に自己申告を行うことなどについて十分な説明を行うこと。

イ　実際に労働時間を管理する者に対して、自己申告制の適正な運用を含め、本ガイドラインに従い講ずべき措置について十分な説明を行うこと。

ウ　自己申告により把握した労働時間が実際の労働時間と合致しているか否かについて、必要に応じて実態調査を実施し、所要の労働時間の補正をすること。

特に、入退場記録やパソコンの使用時間の記録など、事業場内にいた時間の分かるデータを有している場合に、労働者からの自己申告により把握した労働時間と当該データで分かった事業場内にいた時間との間に著しい乖離が生じているときには、実態調査を実施し、所要の労働時間の補正をすること。

エ　自己申告した労働時間を超えて事業場内にいる時間について、その理由等を労働者に報告させる場合には、当該報告が適正に行われているかについて確認すること。

その際、休憩や自主的な研修、教育訓練、学習等であるため労働時間ではないと報告されていても、実際には、使用者の指示により業務に従事しているなど使用者の指揮命令下に置かれていたと認められる時間については、労働時間として扱わなければならないこと。

オ　自己申告制は、労働者による適正な申告を前提として成り立つものである。このため、使用者は、労働者が自己申告できる時間外労働の時間数に上限を設け、上限を超える申告を認めない等、労働者による労働時間の適正な申告を阻害する措置を講じてはならないこと。

また、時間外労働時間の削減のための社内通達や時間外労働手当の定額払等労働時間に係る事業場の措置が、労働者の労働時間の適正な申告を阻害する要因となっていないかについて確認するとともに、当該要因となっている場合においては、改善のための措置を講ずること。

さらに、労働基準法の定める法定労働時間や時間外労働に関する労使協定（いわゆる三六協定）により延長することができる時間数を遵守することは当然であるが、実際には延長することができる時間数を超えて労働しているにもかかわらず、記録上これを守っているようにすることが、実際に労働時間を管理する者や労働者等において、慣習的に行われていないかについても確認すること。

(4)　賃金台帳の適正な調製

使用者は、労働基準法第百八条及び同法施行規則第五十四条により、労働者ごとに、労働日数、労働時間数、休日労働時間数、時間外労働時間数、深夜労働時間数といった事項を適正に記入しなければならないこと。

また、賃金台帳にこれらの事項を記入していない場合や、故意に賃金台帳に虚偽の労働時間数を記入した場合は、同法第百二十条に基づき、三十万円以下の罰金に処されること。

(5)　労働時間の記録に関する書類の保存

使用者は、労働者名簿、賃金台帳のみならず、出勤簿やタイムカード等の労働時間の記録に関する書類について、労働基準法第百九条に基づき、三年間保存しなければならないこと。

(6)　労働時間を管理する者の職務

事業場において労務管理を行う部署の責任者は、当該事業場内における労働時間の適正な把握等労働時間管理の適正化に関する事項を管理し、労働時間管理上の問題点の把握及びその解消を図ること。

(7)　労働時間等設定改善委員会等の活用

使用者は、事業場の労働時間管理の状況を踏まえ、必要に応じ労働時間等設定改善委員会等の労使協議組織を活用し、労働時間管理の現状を把握の上、労働時間管理上の問題点及びその解消策等の検討を行うこと。

○労働時間の適正な把握のために使用者が講ずべき措置に関するガイドラインについて（平成二九・一・二〇　基発〇一二〇第三号）

１　ガイドラインの趣旨、内容

(3)　ガイドラインの４(1)について

労働時間の把握の現状をみると、労働日ごとの労働時間数の把握のみをもって足りるとしているものがみられるが、労働時間の適正な把握を行うためには、労働日ごとに始業・終業時刻を使用者が確認し、これを記録する必要があることを示したものであること。

(4)　ガイドラインの４(2)について

ア　始業・終業時刻を確認するための具体的な方法としては、ア又はイによるべきであることを明らかにしたものであること。また、始業・終業時刻を確認する方法としては、使用者自らがすべての労働時間を現認する場合を除き、タイムカード、ＩＣカード、パソコンの使用時間の記録等（以下「タイムカード等」という。）の客観的な記録をその根拠とすること、又は根拠の一部とすべきであることを示したものであること。

イ　ガイドラインの４(2)アにおいて、「自ら現認する」とは、使用者が、使用者の責任において始業・終業時刻を直接的に確認することであるが、もとより適切な運用が図られるべきであることから、該当労働者からも併せて確認することがより望ましいものであること。

ウ　ガイドラインの４(2)イについては、タイムカード等の客観的な記録を基本情報とし、必要に応じ、これら以外の使用者の残業命令書及びこれに対する報告書等、使用者が労働者の労働時間を算出するために有している記録とを突合することにより確認し、記録するものであること。

なお、タイムカード等の客観的な記録に基づくことを原則としつつ、自己申告制を併用して労働時間を把握している場合には、ガイドラインの４(3)に準じた措置をとる必要があること。

(5)　ガイドラインの４(3)について

ア　ガイドラインの４(3)アについては、自己申告制の対象となる労働者に説明すべき事項としては、ガイドラインを踏まえた労働時間の考え方、自己申告制の具体的内容、適正な自己申告を行ったことにより不利益な取扱いが行われることがないこと等があること。

イ　ガイドラインの４(3)イについては、労働時間の適正な自己申告を担保するには、実際に労働時間を管理する者が本ガイドラインに従い講ずべき措置を理解する必要があることから設けたものであること。

実際に労働時間を管理する者に対しては、自己申告制の適正な運用のみならず、ガイドラインの３で示した労働時間の考え方等についても説明する等して、本ガイドラインを踏まえた説明とすることを示したものであること。

ウ　ガイドラインの４(3)ウについては、自己申告による労働時間の把握は、曖昧な労働時間管理となりがちであることから、使用者は、労働時間が適正に把握されているか否かについて定期的に実態調査を行うことが望ましいものであること。

また、労働者からの自己申告により把握した労働時間と入退館記録やパソコンの使用時間の記録等のデータで分かった事業場内にいた時間との間に著しい乖離が生じている場合や、自己申告制が適用されている労働者や労働組合等から労働時間の把握が適正に行われていない旨の指摘がなされた場合等には、当該実態調査を行う必要があることを示したものであること。

エ　ガイドラインの４(3)エについては、自己申告による労働時間の把握とタイムカード等を併用している場合に、自己申告した労働時間とタイムカード等に記録された事業場内にいる時間に乖離が生じているとき、その理由を報告させること自体は問題のある取組ではないが、その報告が適正に行われないことによって、結果的に労働時間の適正な把握がなされないことにつながり得るため、報告の内容が適正であるか否かについても確認する必要があることを示したものであること。

オ　ガイドラインの４(3)オについては、労働時間の適正な把握を阻害する措置としては、ガイドラインで示したもののほか、例えば、職場単位毎の割増賃金に係る予算枠や時間外労働の目安時間が設定されている場合において、当該時間を超える時間外労働を行った際に賞与を減額する等不利益な取扱いをしているものがあること。

また、実際には労働基準法の定める法定労働時間や時間外労働に関する労使協定（いわゆる三六協定）により延長する時間を超えて労働しているにもかかわらず、記録上これを守っているようにすることが、実際に労働時間を管理する者や労働者等において慣習的に行われていないかについても確認することを示したものであること。

(6)　ガイドラインの４(4)について

労働基準法第百八条においては、賃金台帳の調製に係る義務を使用者に課し、この賃金台帳の記入事項については労働基準法施行規則第五十四条並びに第五十五条に規定する様式第二十号及び第二十一号に、労働日数、労働時間数、休日労働時間数、時間外労働時間数、深夜労働時間数が掲げられていることを改めて示したものであること。

また、賃金台帳にこれらの事項を記入していない場合や、故意に虚偽の労働時間数を記入した場合は、同法第百二十条に基づき、三十万円以下の罰金に処されることを示したものであること。

(7)　ガイドラインの４(5)について

労働基準法第百九条において、「その他労働関係に関する重要な書類」について使用者に保存義務を課しており、始業・終業時刻等労働時間の記録に関する書類も同条にいう「その他労働関係に関する重要な書類」に該当するものであること。これに該当する労働時間に関係する書類としては、労働者名簿、賃金台帳のみならず、出勤簿、使用者が自ら始業・終業時刻を記録したもの、タイムカード等の労働時間の記録、残業命令書及びその報告書並びに労働者が自ら労働時間を記録した報告書等があること。

なお、保存期間である三年の起算点は、それらの書類毎に最後の記載がなされた日であること。

(8)　ガイドラインの4(6)について

人事労務担当役員、人事労務担当部長等労務管理を行う部署の責任者は、労働時間が適正に把握されているか、過重な長時間労働が行われていないか、労働時間管理上の問題点があればどのような措置を講ずべきか等について、把握、検討すべきであることを明らかにしたものであること。

(9)　ガイドラインの4(7)について

ガイドラインの4(7)に基づく措置を講ずる必要がある場合としては、次のような状況が認められる場合があること。

ア　自己申告制により労働時間の管理が行われている場合

イ　一の事業場において複数の労働時間制度を採用しており、これに対応した労働時間の把握方法がそれぞれ定められている場合

また、労働時間等設定改善委員会、安全・衛生委員会等の労使協議組織がない場合には、新たに労使協議組織を設置することも検討すべきであること。

第二章　週休日・勤務時間の割振り

第一節　週休日と勤務時間の割振りの関係

勤務時間法第五条及び第十一条の規定により一週間の勤務時間が定められても、それだけでは、職員は現実にどのような態様で勤務するのか明らかではなく、その勤務時間を各週のどの日にどれだけ配分するか、また、どの日が休みになるかが重要になってくる。そこで、週休日の設け方、勤務日への勤務時間の割振り方について、法律、規則において基準が設けられているのである。

従来、「勤務時間の割振り」とは、一週間の勤務時間につき、職員がいかなる日にどのような時間帯で勤務すべきかを具体的に定めることであるとされ、この中には週休日（従前の勤務を要しない日）の設け方をも含む概念であった。しかしながら、昭和六十四年一月一日施行の改正給与法第十四条第三項においては、以前は勤務時間を割り振る日についてまず定め、その残りの日が週休日であるかのような表現であったのを改め、まず週休日の原則を定め、そして、その他の日に勤務時間を割り振るという規定とされた。このような規定振りは、完全週休二日制（週四十時間勤務制）の実施に伴い平成四年五月一日に改正施行された給与法においても変更されず、勤務時間法第六条においては、第一項で、まず、週休日について規定した上で、第二項で、勤務時間の割振りについて定めている。これは、職員にとっては、日々の勤務時間の長さや時間帯が重要であることもさることながら、一週間（あるいはその他の一定の期間）のうち、何日、どの日が休みとなるかということが、より重要であろうというところから規定されたものであり、その背景には、週休日が、単に勤務からの解放により体力を回復し、健康を維持するためだけのものではなく、職員が家庭生活、社会生活を充実させ、より積極的に余暇を利用するためのものであると位置づけられてきたからといえよう。

週休日については、法令上、従前は「勤務を要しない日」と称されていたが、用語として「休日」との区別が不明瞭であることから、内容を適切に表すために、勤務時間法においては「週休日」と表現が改められたところである。なお、通常の用語として、一般には、週休日の設け方も含めて「勤務時間の割振り」といって差し支えないと考えられる。

○勤務時間法

（週休日及び勤務時間の割振り）

第六条　日曜日及び土曜日は、週休日（勤務時間を割り振らない日をいう。以下同じ。）とする。ただし、各省各庁の長は、定年前再任用短時間勤務職員については、これらの日に加えて、月曜日から金曜日までの五日間において、週休日を設けることができる。

２　各省各庁の長は、月曜日から金曜日までの五日間において、一日につき七時間四十五分の勤務時間を割り振るものとする。ただし、定年前再任用短時間勤務職員については、一週間ごとの期間について、一日につき七時間四十五分を超えない範囲内で勤務時間を割り振るものとする。

３　各省各庁の長は、職員（人事院規則で定める職員及び次条の規定の適用を受ける職員を除く。以下この条において同じ。）について、始業及び終業の時刻について職員の申告を考慮して当該職員の勤務時間を割り振ることが公務の運営に支障がないと認める場合には、前項の規定にかかわらず、人事院規則で定めるところにより、職員の申告を経て、四週間を超えない範囲内で週を単位として人事院規則で定める期間（次項において「単位期間」という。）ごとの期間につき前条に規定する勤務時間となるように当該職員の勤務時間を割り振ることができる。

4　各省各庁の長は、次に掲げる職員について、週休日並びに始業及び終業の時刻について、職員の申告を考慮して、第一項の規定による週休日に加えて当該職員の週休日を設け、及び当該職員の勤務時間を割り振ることが公務の運営に支障がないと認める場合には、同項及び第二項の規定にかかわらず、人事院規則で定めるところにより、職員の申告を経て、単位期間ごとの期間につき第一項の規定による週休日に加えて当該職員の週休日を設け、及び当該期間につき前条に規定する勤務時間となるように当該職員の勤務時間を割り振ることができる。

一　子（民法（明治二十九年法律第八十九号）第八百十七条の二第一項の規定により職員が当該職員との間における同項に規定する特別養子縁組の成立について家庭裁判所に請求した者（当該請求に係る家事審判事件が裁判所に係属している場合に限る。）であって、当該職員が現に監護するもの、児童福祉法（昭和二十二年法律第百六十四号）第二十七条第一項第三号の規定により同法第六条の四第二号に規定する養子縁組里親である職員に委託されている児童その他これらに準ずる者として人事院規則で定める者を含む。）の養育又は配偶者等（配偶者（届出をしないが事実上婚姻関係と同様の事情にある者を含む。以下この号において同じ。）、父母、子、配偶者の父母その他人事院規則で定める者をいう。第二十条第一項において同じ。）の介護をする職員であって、人事院規則で定めるもの

二　前号に掲げる職員の状況に類する状況にある職員として人事院規則で定めるもの

第七条　各省各庁の長は、公務の運営上の事情により特別の形態によって勤務する必要のある職員については、前条第一項及び第二項の規定にかかわらず、週休日及び勤務時間の割振りを別に定めることができる。

2　各省各庁の長は、前項の規定により週休日及び勤務時間の割振りを定める場合には、人事院規則で定めるところにより、四週間ごとの期間につき八日（定年前再任用短時間勤務職員にあっては、八日以上）の週休日を設け、及び当該期間につき第五条に規定する勤務時間となるように勤務時間を割り振らなければならない。ただし、職務の特殊性又は当該官庁の特殊の必要により、四週間ごとの期間につき八日（定年前再任用短時間勤務職員にあっては、八日以上）の週

休日を設け、又は当該期間につき同条に規定する勤務時間となるように勤務時間を割り振ることが困難である職員について、人事院と協議して、人事院規則で定めるところにより、五十二週間を超えない期間につき一週間当たり一日以上の割合で週休日を設け、及び当該期間につき同条に規定する勤務時間となるように勤務時間を割り振る場合には、この限りでない。

勤務時間の割振りは、各省各庁の長が行うもの（勤務時間法第六条第二項から第四項、第七条及び第八条）である。他方、勤務時間法は、各省各庁の長が、勤務時間等に関する事務処理を行う際の責務として「公務の円滑な運営に配慮するとともに、職員の健康及び福祉を考慮することにより、職員の適正な勤務条件の確保に努めなければならない。」（同法第四条第一項）としているが、職員の生活サイクルそのものに大きく影響する勤務時間の割振りは、各省各庁の長が行う重要な事務処理の一つということができよう。

また、勤務時間の割振りとは、先に述べたように、一週間の勤務時間について、週休日を設けた上で、具体的に勤務日のどの勤務時間帯に勤務すべきかを定めることである。これには、例えば日勤とか夜勤とかのように業務担当を区分し、それぞれについて、勤務開始時刻と終了時刻、その間における休憩時間等の位置を定める段階（線表の作成）と、一定の日のこの区分された勤務（直）に個々の職員を割り当てる段階があり、前者を（狭い意味での）割振りと呼び、後者を割当てないしは当てはめと称している場合もあるが、勤務時間法上の「勤務時間の割振り」とは両者を含んだ概念である。

具体的な勤務時間の割振りは、法規的には勤務時間法と規則一五―一四に規定されている基準により定められ、現実には業務の態様及びその質量とこれに当たる職員の数によって規制される。各省各庁の長においては、これらの基準、職場の状況等を踏まえ適切に割り振ることが求められるが、特に交替制勤務職員については、夜間勤務が含まれること、一日の業務量が平均していないこと、従事する職員数に余裕がないこと等から、一回の勤務が長時間にならざるを得なかったり、実働時間に比し拘束時間が長すぎたりする等種々の問題が提起されることがある。

これらの問題の解決は、単に一つの職場における割振り技術だけでなし得るものではないものもあって難しい面も含んでいるが、勤務時間の割振り如何が職員の健康や私生活に多大な影響を及ぼすことに留意し、勤務時間法第四条第一項の趣旨の実現に一層の努力がなされなければなるまい。

○勤務時間法

（各省各庁の長の責務等）

第四条　各省各庁の長は、勤務時間、休日及び休暇に関する事務の実施に当たっては、公務の円滑な運営に配慮するとともに、職員の健康及び福祉を考慮することにより、職員の適正な勤務条件の確保に努めなければならない。

第二節　週休日

一　週休日の意義

週休日とは、勤務時間法第六条第一項に規定する「勤務時間を割り振らない日」であって、特に勤務（超過勤務又は宿日直勤務）を命ぜられない限り、職員に就労の義務がない日である。

労働に伴う疲労は日々の睡眠によって回復が図られるが、これが十分でないと疲労の蓄積が著しくなって、身体の抵抗力が弱まり病気にかかり易くなるにとどまらず、直接作業上にも種々の支障や失敗をまねくようになる。これは労使双方にとって望ましいものではなく、蓄積疲労を除去するために継続する労働日の間に適切な休業日を置くことが必要となる。また、職員が、家事や教養の向上に費やす時間は、一日の労働を終えた後のみでは必ずしも十分とはいえないし、更に娯楽、社交等により明日への活力培養を図るために、全一日を仕事の緊張から解放されてすごすことができる時間が必要となる。このため、一般の職員については土曜日及び日曜日を週休日と定めたところであるが、このような一律の定めを置くことができない交替制等勤務職員については、特に十分な休業日の確保が要請される。

週休日は、このように疲労を除去する効果を持つと同時に、働く者が健康で文化的な生活を維持する主要な時間としての意味を持つものである。

週休日は、暦日の午前零時から午後十二時までの丸一日、職員が勤務を離れて自由に使用できるものであり、僅かの時間であっても、勤務時間が割り振られている場合は、その日は週休日ではない。なお、労基法では、労働時間が八時間で三交替連続作業が行われ、そのことが就業規則等で定められ、かつ、交替が規則的に定められている場合は、例外的に、暦日のいかんを問わず連続二十四時間の休みを与えればよいとされている例（昭六三・三・一四　基発一五〇）がみられるが、この点、公務と異なる。

【事例】

（**質問**）給与法第十四条第四項但し書に規定する「勤務を要しない日」とは、午前零時より午後十二時まで正規の勤務時間が割り振られていない日を指すと解してよいか。

したがって、一昼夜勤務（午前八時三十分より翌日の午前五時まで勤務）の場合は、第二日目（宿明け日）を「勤務を

要しない日」として処理することはできないと解してよいか。〔昭三四・八・一二　各地一―七九一　人事院名古屋地方事務所長〕

（回答）御照会のことについては貴見のとおり解して差し支えありません。〔昭三四・八・二一　給二―四二七　給与局給与第二課長〕

（注）本事例中の旧給与法第十四条第四項但し書は勤務時間法第七条に、「勤務を要しない日」は「週休日」に相当する。

【労基法の取扱い】

法三十五条の休日は暦日によるべきことが原則であるが、例えば、八時間三交替連続作業のような場合において休日暦日制の解釈をとることは、連続二十四時間以上の休息が二暦日にまたがる際は一週二暦日の休日を与えなければならないこととなり、その結果は週休制をとつた立法の趣旨に合致しないこととなる。そこで、番方編成による交替制における「休日」については、左記のいずれにも該当するときに限り、継続二十四時間を与えれば差し支えないものとして取り扱われたい。

記

一　番方編成による交替制によることが就業規則等により定められており、制度として運用されていること。

二　各番方の交替が規則的に定められているものであつて、勤務割表等によりその都度設定されるものではないこと。

〔昭六三・三・一四　基発一五〇〕

二　週休制の原則

キリスト教国においては、日曜日を安息日として作業を休むのが古い習慣となっていたが、一九二一年の第三回国際労働機関（ＩＬＯ：International Labour Organization）総会において採択された「工業的企業に於ける週休の適用に関する条約」（第十四号）においても週休制の原則がとられ、これが次々と他の業種に拡張され、その後一九五七年の第四十回総会において、「商業及び事務所における週休に関する条約」（第百六号）が採択され、「七日の各期間の中に二十四時間以上の中断されない週休」を与えるべき原則が定められている。

わが国においても、戦前の「工場法」（明治四十四年法律第四十六号）及び「鉱業法」（明治三十八年法律第四十五号）では、女子及び十六歳未満の労働者について月二回の休日制が定められ、また、鉱夫を二組以上に分け、交替に午後十時から午前五時までの間就労させる場合は、少なくとも月四回の休日を与えることが定められていた。「商店法」（昭和十三年法律第二十八号）では、月一回の休日を与えるべきことを定め、更に常時五十人以上の使用人を使用する店舗における女子及び十六歳未満の年少者については月二回の休日を定めていた。なお、週休制の原則をより広く法制的にとり入れたのは、戦後昭和二十二年の労基法の制定によってである。

公務においては、古くから週休制が採用されているが、旧給与法も勤務時間に関する規定を設けた当初から週六日労働制とし、原則として、日曜日を勤務を要しない日と定めていた。旧規則一五―一第六条も、第一項で勤務時間が週四十四時間の職員について同様の定めをするとともに、第二項でその他の職員についても変則的ではあるが、週六日労働制を規定していた。

週休日を原則として日曜日に特定したのは、週休日を一定とすることは職員の生活のリズムを安定させるためにも望ましいことであり、社会一般の慣行と歩調を合わせることによって、職員の社会的生活により多くの便宜を与えるべく配慮されたものである。

その後の週休二日制の導入において、日曜日以外で休みとする日を原則として土曜日としたのも、社会一般の週休二日制の形態に合わせたものであり、その背景には、連休の有効性が認められ、その確保が重視されていることがあり、さらに、従来からいわゆる土曜半ドンが広く行われていたため、土曜日を休日とすることが比較的容易であったということもいえよう。

第三節　勤務時間の割振り権者

勤務時間法施行前においては、勤務時間の割振りは旧給与法第十四条第三項及び第四項、旧規則一五―一第五条の規定により、会計検査院の職員にあっては会計検査院が、人事院の職員にあっては人事院が、その他の職員にあっては内閣総理大臣（早出・遅出職員、フレックスタイム制が適用される職員、交替制等勤務職員及び旧給与法第十四条第二項職員（勤務時間延長職員）にあっては各庁の長（内閣総理大臣、各省大臣、会計検査院長又は人事院総裁））が定めるものとされていた。しかし、勤務時間法においては、その主体性を尊重する観点から、職員の割振り権者を、事務を統括し、服務を統督する各省各庁の長（内閣総理大臣、各省大臣、会計検査院長及び人事院総裁並びに宮内庁長官及び各外局の長）に変更するとともに、法律上、直接その旨を規定し、人事院規則への委任を廃した。これに伴い、「政府職員の勤務時間に関する総理庁令」（昭和二十四年総理庁令第一号）は、廃止された。現在、勤務時間法第三条において、各省各庁の長は「内閣総理大臣、各省大臣、会計検査院長及び人事院総裁並びに宮内庁長官及び各外局の長をいう」こととされている。

なお、勤務時間の割振りの権限は、部内の職員に委任することができることとされている（勤務時間法第四条第二項）。国公法第五十五条第二項のような受任者の範囲の制限は特段設けられていない。

第四節　一般の職員の割振り

勤務時間法第六条第二項は、一般の職員の勤務時間の割振りについて定めている。その定めに際しては、まず、第一項において一週間における週休日について定め、それ以外の日に勤務時間を割り振るという形をとっており、勤務日については、曜日を定め具体的な一日の勤務時間を七時間四十五分としている。

勤務時間の割振りに際して、このように週休日について先に定める形をとっているのは、先にも述べたとおり、週休日の置き方が、職員にとっての重要な勤務条件であるとの考え方からである。

○勤務時間法

（週休日及び勤務時間の割振り）

第六条　日曜日及び土曜日は、週休日（勤務時間を割り振らない日をいう。以下同じ。）とする。ただし、各省各庁の長は、定年前再任用短時間勤務職員については、これらの日に加えて、月曜日から金曜日までの五日間において、週休日を設けることができる。

2　各省各庁の長は、月曜日から金曜日までの五日間において、一日につき七時間四十五分の勤務時間を割り振るものとする。ただし、定年前再任用短時間勤務職員については、一週間ごとの期間について、一日につき七時間四十五分を超えない範囲内で勤務時間を割り振るものとする。

一　一日の勤務時間の定め

一般の職員について月曜日から金曜日までの各日に割り振られる勤務時間は、勤務時間法第六条第二項の規定により一日七時間四十五分とされている。

なお、従来は、「勤務を要しない日」（週休日）を除き、勤務時間の割振り権者の定めも含め大部分の事項が人事院規則で定められていたが、勤務時間法においては、勤務条件の確保の観点から、基本的な制度や勤務条件の基準はできるだけ法律に定めることとされた。また、「公務の円滑な運営に配慮するとともに、職員の健康及び福祉を考慮することにより、職員の適正な勤務条件の確保に努めなければならない」旨の責務を負う各省各庁の長の主体性を尊重し、例えば、超過勤務による職員の疲労の蓄積を防ぐため、公務の運営に支障を来さない範囲内で、業務の繁閑に応じて勤務時間の始業時刻を日ごとに弾力的に設定すること（いわゆる早出遅出勤務）ができるなど、各省各庁の長が、勤務の実態に合わせて、柔軟に勤務時間の割振りを行うことができることとされている。

二　時差通勤

昭和三十年代、東京、大阪等大都市圏への人口集中によりこれらの大都市での通勤事情は悪化し、通勤地獄と称されるような通勤ラッシュとなったことに対する緩和策として、総理府交通対策本部（当時）が時差通勤の実施を呼びかけ、政府は率先してこれに応じ、昭和三十七年に当時の「政府職員の勤務時間に関する総理庁令」を改正して第二項を加え、主務大臣が内閣総理大臣の承認を得て時差通勤を実施できることとしたのが職員の時差通勤の始まりである。このように職員の時差通勤は、交通混雑を緩和するための政府の施策に協力し、他面交通混雑による職員の健康及び安全の面の負担を軽減しようとするものである。

時差通勤は、当初は東京、大阪で実施されたが、その後、一連の交通混雑緩和のための交通対策本部決定に基づき、対象地域が拡大され、現在は、東京都、大阪市、名古屋市、福岡市、仙台市、横浜市、広島市（海田町を含む。）、さいたま市及び川崎市において実施されている。

時差通勤の規定については、勤務時間法施行に伴い前記総務庁令が廃止され、内閣総理大臣の承認が不要となった。

三　早出遅出勤務

一日の勤務時間の長さを変えずに勤務時間の始業時刻を日ごとに弾力的に設定するという早出遅出勤務として、現在のところ、第三章第十節において述べる育児又は介護を行う職員の早出遅出勤務の他、業務上の早出遅出勤務、疲労蓄積防止のための早出遅出勤務、修学等のための早出遅出勤務、障害の特性等に応じた早出遅出勤務が行われている。規則一〇—一一に詳細な規定のある育児又は介護を行う職員の早出遅出勤務を除くと、これらはいずれも勤務時間法第四条及び第六条第二項等の規定を根拠としており、これを受けてそれぞれ必要な範囲で手続等が規定されている。

１　業務上の早出遅出勤務

一般の職員について月曜日から金曜日までの各日に割り振られる勤務時間は、勤務時間法第六条第二項の規定により一日七時間四十五分とされており、具体的にどの時間帯に割り振るかについては、各省各庁の長が柔軟に勤務時間の割振りを行うことができることとされていることは先ほど述べたとおりである。このことから、勤務時間法第四条及び第六条第二項等を根拠として一日の勤務時間の長さを変えずに始業時刻を業務の必要性を判断して弾力的に設定して早出遅出勤務を行うものである。対象者や手続等については特段の規定はなく、その実施は各省各庁の長の裁量に委ねられている。

２　疲労蓄積防止のための早出遅出勤務

超過勤務による職員の疲労の蓄積を防ぐため、公務の運営に支障を来さない範囲内で、業務の繁閑に応じて勤務時間の始業時刻を日ごとに弾力的に設定する早出遅出勤務であって、「超過勤務を命ずるに当たっての留意点について（通知）」（平三一・二・一　職職―二二）においてこれを活用すべきことが規定されている。この対象となるのは、その趣旨から超過勤務により疲労の蓄積が認められる職員であり、「「超過勤務を命ずるに当たっての留意点について」に定める早出・遅出勤務の活用について（通知）」（平三一・二・一　職職―二三）において、勤務時間の割振りモデル例が示されている。

○「超過勤務を命ずるに当たっての留意点について」に定める早出・遅出勤務の活用について（通知）（平三一・二・一　職職―二三）

「超過勤務を命ずるに当たっての留意点について（通知）」（平成三一年二月一日職職―二二）において、職員の超過勤務による疲労の蓄積を防ぐため、早出・遅出勤務等の弾力的な勤務時間の割振りについてお願いしているところですが、各府省における早出・遅出勤務のより円滑な運用の促進を図るため、別添のとおり、参考となるモデルを設けました。平成三十一年四月一日以降、御活用ください。同勤務についての規定を定めていない場合や、同勤務についての手続等が十分に周知されていない場合は、必要な措置を講じていただきますよう、お願いします。

なお、これに伴い、「「超過勤務の縮減に関する指針について」に定める早出・遅出勤務の活用について」（通知）（平成二五年一〇月二一日職職―三三三）」は、廃止します。

○早出・遅出勤務の場合の勤務時間の割振りを行う際の参考モデル

〔例１〕　早出・遅出の「組」のパターンに合わせて、特定日の勤務時間の割振りを変更する場合

〔例１の１〕　一定の要件の下で、管理者（各省各庁の長又は権限の委任を受けた者。以下同じ。）が割振りを変更する方式

(1)　要件

（例ａ：業務の例示を定めない場合）

● 管理者は、連日にわたり超過勤務により夜間に退庁することを余儀なくされる職員につき、当該職員の負担の軽減に資すると認めるときには、通常よりも遅い始業時刻を指定することができる（なお、遅出勤務の場合、通常よりも終業時刻が遅く指定されていることから、管理者は、当該職員の負担の軽減に資するよう、できる限り終業時刻を超えて超過勤務を行わせないように努めるものとする。括弧書きは、例ａ・例ｂで共通）。

（例ｂ：業務の例示を定める場合）

● 管理者は、国会関係、国際関係、法令協議、予算折衝等の業務により深夜に退庁することを余儀なくされた職員につき、当該職員の負担の軽減に資すると認めるときには、通常よりも遅い始業時刻を指定することができる。

● なお、管理者は、（例ａ）又は（例ｂ）に掲げるような職員について、業務上、やむを得ず通常よりも早い時刻から勤務する必要がある場合で、かつ、勤務時間の割振りを変更することにより通常より早い時刻に退庁させることができる場合には、当該職員の負担の軽減に資するよう、できる限り勤務時間の割振りをその早い時刻から開始するよう変更して、通常より早い終業時刻で退庁させるよう努めるものとする。

● あわせて、その場合の具体的な勤務時間（早出・遅出の勤務時間）の割振り（休憩時間を含む。）のパターン（組）をあらかじめ定める（表１）。

(2)　手続

①　割振り方法

● 管理者は、職員のこれまでの超過勤務の状況（特に遅出勤務を指定する前日の超過勤務の状況）、体調、業務の状況等を考慮した結果、当該職員の翌日の勤務時間を通常より遅い始業とすることが適当と判断した場合には、遅出勤務を指定する前日中に当該職員に対して翌日の勤務時間をどの組にするかにつき口頭で通知する。

● 管理者が職員より早く退庁する等により職員の退庁時刻を直接把握することができない場合には、退庁時刻が○時以降のときは翌日の勤務時間はⅣ番、○時以降のときはⅤ番とするなどの条件付の割振りを口頭で通知する（あくまでも職員の任意による組の選択ではないことに留意する。）。

（表１）勤務時間の参考モデル

通常の勤務時間（時差通勤）

	勤務時間	休憩時間
A番	8：30～12：00，13：00～17：15	12：00～13：00
B番	9：00～12：00，13：00～17：45	12：00～13：00
C番	9：15～12：00，13：00～18：00	12：00～13：00
D番	9：30～12：00，13：00～18：15	12：00～13：00

早出の勤務時間

	勤務時間	休憩時間
Ⅰ番	7：00～12：00，13：00～15：45	12：00～13：00
Ⅱ番	7：30～12：00，13：00～16：15	12：00～13：00
Ⅲ番	8：00～12：00，13：00～16：45	12：00～13：00

遅出の勤務時間

	勤務時間	休憩時間
Ⅳ番	10：00～12：00，13：00～18：45	12：00～13：00
Ⅴ番	10：30～12：00，13：00～19：15	12：00～13：00
Ⅵ番	11：00～12：30，13：30～19：45	12：30～13：30
Ⅶ番	13：00～18：00，19：00～21：45	18：00～19：00

● なお、当該職員を翌日に早期始業・早期退庁させる場合には、翌日の勤務の状況に応じて、あらかじめ定められたパターン（組）から選択して、その都度割振りを行う。

② 確認方法

早出・遅出勤務が指定された職員は、当該指定された日の登庁後、氏名、前日の退庁時刻（条件付割振りの場合）、変更後の勤務時間（組）、その始業時刻までに登庁したことなどを管理簿等に記入し、管理者の確認を受けた上で、これを勤務時間管理員に提出する。

③ 割振りの効果

職員の勤務時間は、原則として、通知の翌日に限り変更された勤務時間とする。

〔例１の２〕 前日の終業時刻に着目して、管理者が翌日の割振りをあらかじめ定められたパターン（組）で変更する方式

(1) 要件

● 管理者は、国会関係業務への対応等により、深夜・早朝に退庁することを余儀なくされた職員につき、当該職員の負担の軽減に資すると認められるときには、あらかじめ定められた勤務終了時刻に応じて、翌日の始業時刻を指定することができ

（表２）退庁時刻と翌日の勤務時間の参考モデル

退庁時刻	翌日の勤務時間
23時まで	通常の勤務
23時以降24時まで	Ⅳ番（10:00～18:45）
24時以降25時まで	Ⅴ番（10:30～19:15）
25時以降26時まで	Ⅵ番（11:00～19:45）
26時以降	Ⅶ番（13:00～21:45）

＊具体的な勤務時間の割振りについては、（表１）の参考モデルを参照のこと

る（表２）（なお、当該職員を翌日に早期始業・早期退庁させる場合には、あらかじめ定められたパターン（組）によることができないので、翌日の業務の状況に応じて、その都度割振りを行う。）。

(2)　手続

● 管理者は、職員と当日の終業見込み時刻や翌日の業務等の予定に関する打合せを行い、遅出勤務とすることが必要であると認められる場合には、あらかじめ定められた組の勤務時間で翌日の勤務を行うよう指定する。

● 早出・遅出勤務をした職員は、出勤後、氏名、前日の退庁時刻、変更後の勤務時間（組）、その始業時刻までに登庁したことなどを管理簿等に記入し、管理者の確認を受けた上で、これを勤務時間管理員に提出する。

〔例２〕早出・遅出の「組」のパターンに合わせて、一定期間の勤務時間の割振りを変更する場合

職員の超過勤務の縮減及び職員の疲労蓄積の防止の観点から、各府省の事情等に応じて、次のような規定を設けることも考えられる。

(1)　要件

（例ａ：業務上の勤務時間の割振りを職員の健康及び福祉の観点も含めて行うことを確認的に規定する場合）

● 国会関係業務、国際関係業務等、業務の必要上、一定期間、連続して通常より早い時刻から勤務させることが必要な業務又は通常より遅い時刻から勤務させることが必要な業務につくことが見込まれる職員につき、管理者は、職員の健康及び福祉も考慮の上、期間を指定して、通常より早い始業時刻又は遅い始業時刻を定めることができる。

（例ｂ：早出勤務を行うことが職員の能率的な業務遂行や公務の能率的運営に資する

場合）

- 早朝から静かな執務環境で専門性の高い業務や調査研究業務を行う場合など、通常より早い時刻から勤務することで、職員がより能率的に業務を遂行することができると認められる場合には、管理者は、職員からの申出に基づき、公務の円滑な運営に配慮するとともに、職員の健康及び福祉を考慮の上、期間を指定して、通常よりも早い始業時刻及び終業時刻を定めることができる。
- あわせて、その場合の具体的な勤務時間の割振り（休憩時間も含む。）のパターン（組）を定める（勤務時間の参考モデルは、表１に同じ。）。

(2)　手続

①　原則

対象とされた職員は、指定された期間中は早出・遅出の勤務時間が基本となる。

②　例外

早出・遅出勤務により業務に支障が生じるおそれがある場合については、管理者は、前日中に職員に対して口頭で通常の勤務時間で勤務することを通知することによって、通常の勤務時間の割振りとすることができる。

この場合、職員は、原則として、通知を受けた翌日に限り通常の勤務時間となる。

３　修学等のための早出遅出勤務

修学等のための早出遅出勤務は、従前より各省各庁の長が定めることが可能であったが、各府省において修学等を希望する職員について、必要な場合に活用できるよう、平成十八年四月に「修学等のための早出遅出勤務の円滑な運用に関する指針について」（平一八・四・二五職職―一五七）において統一的な基準が定められたものである。この指針においては、夜間大学の課程や職務に何らかの関連性のあるセミナー、資格講座等について修学等を行う職員が対象となる。ただし、任期付職員や臨時的職員など一定期間内に必要な職責を果たすことを目的として採用される職員は、その性質上対象とはならないとされている。また、役職、職種等により対象を限定しないことを基本とするが、必要に応じて、最低勤続年数、利用回数等を要件として設定することが可能とされている。

その他の手続等に関しては、育児又は介護を行う職員の早出遅出勤務に準じて行うことを基本とするが、必要に応じて異なる手続とすることも可能とされている。

○修学等のための早出遅出勤務の円滑な運用に関する指針について（平成一八年四月二五日　職職―一五七）

複雑・高度化する行政課題に対応するため、職員一人一人の能力を最大限に発揮させることが求められている中で、職員の修学等を支援することは、職員個人の能力・資質を伸ばし、長期的には公務能率の維持・向上に寄与するものと考えられます。

このような観点から、各府省が必要に応じて修学等を支援するための方策として、早出遅出勤務を活用することが考えられますが、これに関し、各府省に統一的な運用を確保するための指針を定めましたので、公務の運営に特段の支障が生じない限り、これに基づき内部規定の整備その他の運用に努めてください。

1　修学等のための早出遅出勤務の適用に当たっての基本的考え方

(1)　修学等のための早出遅出勤務をさせる場合、修学等の範囲や勤務時間帯の設定は、各府省の職場と職員の事情に応じて設定するものであること。

(2)　一日の正規の勤務時間が七時間四十五分とされている職員に、修学等のための早出遅出勤務をさせる場合には、公務能率と職員の健康・福祉の観点から、始業の時刻を午前五時以後とし、かつ、終業の時刻を午後十時以前とすること。この時間帯においては、各府省の職場の事情に応じて勤務時間を割り振ることが可能であること。

(3)　(2)の割振りに当たっては、育児又は介護を行う職員の早出遅出勤務と同様、職場と職員の事情に応じて柔軟に対応できるよう、あらかじめ訓令等により設定した複数の勤務時間帯の中から職員が選択することが基本となること。

2　修学等のための早出遅出勤務における勤務時間の割振りについて

修学等のための早出遅出勤務における勤務時間の割振りについては、次の(1)〜(3)のいずれかの方法によるものとし、さらに(1)～(3)において、あらかじめ設定した勤務時間以外についても柔軟に割り振ることができるよう、例えば、人事担当課と協議の上で設定時間帯以外の勤務時間を別途割り振ることができる旨の規定を設けることも可能であること。

(1)　育児・介護、疲労蓄積防止等の早出遅出勤務以外に、別途、修学等のための早出遅出勤務をさせるため、新たに複数の勤務時間帯を設定して、その中から勤務時間を割り振ること。

(2)　育児・介護、疲労蓄積防止等の既存の早出遅出勤務の枠組を活用し、修学等を新たに利用目的に追加して、その中から勤務時間を割り振ること。

(3)　(1)、(2)のように新たに早出遅出勤務の枠組を設けず、時差通勤のための勤務時間帯を利用して、時差通勤職員として職員に勤務時間を割り振ること。

3　修学等の範囲について

(1)　公務能率の維持・向上の観点から、修学等の範囲については無限定とすべきでなく、夜間大学の課程や職務に何らかの関連性のあるセミナー、資格講座等に限定することが基本であること。この場合、必要に応じて、各省各庁の長の判断により、職務に密接な関連性のあるものに更に限定することは可能であること。

(2)　職務との関連性の判断は、職場のみならず府省等を単位として考えることも可能であること。

4　対象職員について

(1)　任期付職員や臨時的職員など一定期間内に必要な職責を果たすことを目的として採用される職員は、その性質上対象とはならないこと。

(2)　役職、職種等により対象を限定しないことを基本とすること。

(3)　必要に応じて、最低勤続年数、利用回数等を要件として設定することが可能であること。

5　手続等について

(1)　2(1)及び(2)における修学等のための早出遅出勤務の請求手続等は、育児・介護のための早出遅出勤務の例に準じて行うことを基本とするが、必要に応じて異なる手続きとすることも可能であること。

(2)　2(3)については、時差通勤職員として取り扱うものであるため、職員からの請求を要件とする必要はないこと。ただし、育児・介護、疲労蓄積防止等他の早出遅出勤務の場合と同様の手続又は異なる手続を要件として設けることも可能であること。

(3) (1)及び(2)において、育児・介護、疲労蓄積防止等他の早出遅出勤務と異なる手続を設ける場合は、手続の相違点等について職員への周知を徹底すること。

(4) 修学等のための早出遅出勤務は、希望する勤務時間に変更することを請求できることとするものであり、職員が自由に勤務時間を設定することを認めるものではないこと。

(5) 修学等のための早出遅出勤務は、職員個人の事情を契機とする割振りの変更であることから、各省各庁の長は、公務運営の支障の有無、他の職員への影響等、各職場における状況を十分把握した上で、早出遅出勤務の適用の可否について判断するものであること。

(6) 必要に応じて入学証明書、在学証明書等の提出を求めることが望ましいこと。

6　その他

(1) 各省各庁の長は、早出遅出勤務において、職員はあくまでも正規の勤務時間すべてを勤務するものであることに留意し、その活用が進むよう、制度の周知・徹底を図るなど、職場における上司及び同僚の理解を得られるような環境整備を行うこと。

(2) 長時間勤務が慢性化した職場など活用が難しい職場もあるものと考えられるが、修学等のための早出遅出勤務が職員個人の能力の向上及び公務能率の維持・向上につながることを考慮して、請求があった場合には、例えば、週一日であっても活用の可能性を探るなど、職務に対する職員の士気の維持・向上に努めること。

(3) 早出遅出勤務の活用に当たっては、職場内の他の職員の負担が増大することのないよう、また、制度の活用が一部の職員に偏ることにより職員間で不公平感が生じないよう、十分に留意すべきこと。

(4) 修学等のための早出遅出勤務をさせる場合には、授業等の開始時刻及び通学等に要する時間を勘案した上で職員の勤務時間を割り振るよう努めること。

（参考例）

修学等のための早出遅出勤務請求書

<table>
<tr><td colspan="5">（部局長等）　　　　　　　　　　　　　　請求年月日　令和　年　月　日
　　　　　　　　　　　　　　　　　殿

次のとおり修学等のための早出遅出勤務を請求します。

請求者　所　属
　　　　氏　名</td></tr>
<tr><td rowspan="3">1　請求に係る修学等の内容</td><td>大学等の名称</td><td colspan="3"></td></tr>
<tr><td>修学等の内容</td><td colspan="3"></td></tr>
<tr><td>証明書類の有無</td><td>□有</td><td>□無</td><td></td></tr>
<tr><td>2　請求に係る期間</td><td colspan="4">期間　令和　年　月　日から　令和　年　月　日まで
□毎日　□毎週　　曜日
□その他（　　　　　　　　　　）</td></tr>
<tr><td>3　請求に係る早出遅出勤務の始業及び終業の時刻並びに当該時刻とする理由</td><td colspan="2">時　分 始業
時　分 終業</td><td colspan="2">【理由】</td></tr>
<tr><td colspan="5">（注）
1について
修学等の内容については、できる限り詳細に記入すること。
証明書類が添付できない場合には、その理由を具体的に記入すること。
2について
当該請求に係る修学等の最終予定日を請求期間の終了日として請求すること。
3について
この欄の始業及び終業の時刻は、あらかじめ定められた早出遅出勤務に係る始業及び終業の時刻のうち、請求するものを記入すること。</td></tr>
</table>

（参考例）

□　修学等のための早出遅出勤務通知書
□　修学等のための早出遅出勤務変更通知書
□　修学等のための早出遅出勤務取消通知書

令和　　年　　月　　日

（請求者）
　　　　　　　　　　　　殿

（部局長等）

令和　　年　　月　　日に請求のあった早出遅出勤務については、

□下記の期間を除き、公務の運営に支障がない
□下記の理由により、下記の期日以降の早出遅出勤務の時間帯を変更する
□下記の理由により、下記の期日以降の早出遅出勤務を取り消す

ことを通知する。

記

□公務の運営に支障がある期間

年　月　日	時　間　帯
令和　　年　　月　　日	

□時間帯の変更及び取消の期日並びにその理由

期　日	令和　　年　　月　　日
理　由	

（参考例）

修学等の状況変更届

（部局長等）　　　　　　　　　　　　　　　　令和　　年　月　日　届出

------------------------------殿

所　属------------------------------
氏　名------------------------------

修学等のための早出遅出勤務に係る修学等の状況について次のとおり変更が生じたので届け出ます。

１　届出の事由

□　修学等を中止した

□　修学等の期日等が変更となった

□ 期日　　□時間帯　　□曜日	
変　更　前	変　更　後

□　修学等の内容が変更になった
（変更後の具体的内容：　　　　　　　　　　　　　　　　　　）

□　その他（　　　　　　　　　　　　　　　　　　　　　　　）

２　届出の事実が発生した日

令和　　年　　月　　日

4　障害の特性等に応じた早出遅出勤務

公務部門は、民間の事業主に対し率先して障害者を雇用すべき立場にあるが、平成三十年度に入って、多くの国の機関で法定雇用率を達成していない状況であったことが明らかになったことから、政府一体としてこの事態に対応するため、平成三十年八月二十八日、「公務部門における障害者雇用に関する関係閣僚会議」が設置され、同年十月二十三日、「公務部門における障害者雇用に関する基本方針」が策定された。この基本方針において、人事院に対して、障害者の希望や障害特性に応じた働き方の推進のため、「早出遅出勤務の特例の設定、フレックスタイム制の柔軟化、休憩時間の弾力的な設定等の必要な措置を講ずる」こと等が要請された。

人事院は、この要請を受けて、障害者が働きやすい環境を確保する観点に立って検討を行い、障害者である職員について、早出遅出勤務の指針を示すこと、フレックスタイム制のコアタイム、週休日、最短勤務時間数等について柔軟化すること、職員の状況に応じた休憩時間の複数回の設定、休憩時間の延長・短縮ができるようにすることとし、平成三十年十二月七日に関係人事院規則等を改正し、平成三十一年一月一日からこれらの措置を施行した。

障害の特性等に応じた早出遅出勤務もこの一環として措置され、障害者である職員が、自らの希望や障害の特性等に応じて、無理なく、かつ、安定的に働くことができるよう、「障害の特性等に応じた早出遅出勤務の円滑な運用に関する指針について」（平三〇・一二・七　職職―二四七）において、各府省における適正な運用を確保するための指針が示された。この指針においては、一日の勤務時間を変えることなく、あらかじめ訓令等により設定した複数の勤務時間帯（一日の勤務時間が七時間四十五分である場合、始業時刻は午前七時以後（令和五年四月一日以降は「午前五時以後」）、終業時刻は午後十時以前に設定）から職員が選択した時間帯に割り振ることを基本としつつ、それ以外の勤務時間帯についても職員の申出に応じて勤務時間を割り振ることができる規定を設けることも可能とされている。

○障害の特性等に応じた早出遅出勤務の円滑な運用に関する指針について（通知）（平三〇・一二・七　職職―二四七）

障害者である職員が、自らの希望や障害の特性等に応じて、無理なく、かつ、安定的に働くことができるような環境の整備が求められています。

一般職の職員の勤務時間、休暇等に関する法律（平成六年法律第三十三号）に基づく勤務時間の割振りについても、そのような観点から可能な限りの配慮を行うことが必要であり、具体的な方策の一つとして、早出遅出勤務を活用することが考えられます。

これに関し、各府省における適正な運用を確保するための指針を定めましたので、平成三十一年一月一日以降は、これによってください。

1　障害の特性等に応じた早出遅出勤務は、障害者である職員（人事院規則一五―一四（職員の勤務時間、休日及び休暇）第四条の五の二に規定する職員をいう。以下同じ。）が有する事情に応じて、その勤務時間を設定するものであること。

2　障害の特性等に応じた早出遅出勤務における勤務時間の割振りについては、あらかじめ訓令等により設定した複数の勤務時間帯の中から当該職員が申し出る勤務時間帯に勤務時間を割り振ることとすること。ただし、当該職員が有する事情に応じて、あらかじめ設定した勤務時間帯以外にも柔軟に勤務時間を割り振ることができるよう、例えば、各職場において、管理者が人事担当課と協議の上で設定時間帯以外に当該職員の申出に応じて勤務時間を割り振ることができる旨の規定を設けることも可能であること。

3　一日の正規の勤務時間が七時間四十五分とされている障害者である職員に早出遅出勤務をさせる場合には、公務能率並びに職員の健康及び福祉の観点から、始業の時刻を午前五時以後とし、かつ、終業の時刻を午後十時以前とすること。

4　早出遅出勤務をさせるか否かは、各省各庁の長が、公務運営の支障の有無、他の職員への影響等各職場における状況を十分把握した上で判断するものであること。ただし、勤務時間をその職員が希望するとおりに割り振ることができない場合には、その旨を当該職員に通知するとともに、当該職員からの求めに応じて、その理由を説明すること。

5　障害の特性等に応じた早出遅出勤務を行っている職員は、障害者である職員でなくなった場合など早出遅出勤務に係る状況について変更が生じた場合には、各省各庁の長にその旨を届け出ることとすること。

6　各省各庁の長があらかじめ2の申出、4の通知又は5の届出に関する書類の様式を定める場合の参考例を示せば、別紙一から別紙三までのとおりであること。

7　2の申出又は5の届出については、書面によることを基本とするが、当該書面に係る記載事項を記載した電子メールを職員が送信する方法、各省各庁の長が職員から聴取した内容を各省各庁の長において記録する方法等、書面に代わる方法によることも可能であること。

8　障害の特性等に応じた早出遅出勤務の活用が進むよう、制度の周知・徹底を図るなど、職場における上司及び同僚の理解を得られるような環境の整備を行うこと。

（別紙１）

障害の特性等に応じた早出遅出勤務申出書

（各省各庁の長）　　　　　　　　年　月　日 殿 次のとおり障害の特性等に応じた早出遅出勤務の希望を申し出ます。 所　属 氏　名		
１　申出に係る職員の区分	□　身体障害者手帳、療育手帳又は精神障害者保健福祉手帳の交付を受けている者等（障害者の雇用の促進等に関する法律（昭和35年法律第123号）第37条第２項に規定する対象障害者） □　勤務時間の割振りについて配慮を必要とする者として規則１０―４（職員の保健及び安全保持）第９条第１項に規定する健康管理医が認めるもの	
２　申出に係る期間	期間　　年　月　日から　　年　月　日まで □毎日　　□毎週　　曜日 □その他（　　　　）	
３　申出に係る早出遅出勤務の始業及び終業の時刻並びに当該時刻とする理由	時　分 始業 時　分 終業	【理由】
（注）　始業及び終業の時刻は、あらかじめ定められた早出遅出勤務に係る始業及び終業の時刻のうち、希望するものを記入すること。		

（別紙２）

□　障害の特性等に応じた早出遅出勤務通知書
□　障害の特性等に応じた早出遅出勤務変更通知書
□　障害の特性等に応じた早出遅出勤務取消通知書

年　　月　　日

所　属
氏　名　　　　　　　　　　殿

（各省各庁の長）

＿＿＿＿＿＿＿＿＿＿＿＿

年　　月　　日に申出のあった早出遅出勤務については、

□下記の期間を除き、公務運営の支障等がない
□下記の理由により、下記の期日以降の早出遅出勤務の時間帯を変更する
□下記の理由により、下記の期日以降の早出遅出勤務を取り消す

ことを通知する。

記

□公務運営の支障等がある期間

年　月　日	時　間　帯
年　　月　　日	

□時間帯の変更及び取消の期日並びにその理由

期 日	年　　月　　日
理 由	

（別紙３）

障害の特性等に応じた早出遅出勤務に係る状況変更届

（各省各庁の長）　　　　　　　　　　　　　　　　年　月　日

殿

所　属
氏　名

障害の特性等に応じた早出遅出勤務に係る状況について次のとおり変更が生じたので届け出ます。

１　届出の事由

□　申出に係る職員の区分に変更があった
（変更後の区分）
□　⑴　身体障害者手帳、療育手帳又は精神障害者保健福祉手帳の交付を受けている者等（障害者の雇用の促進等に関する法律（昭和35年法律第123号）第37条第２項に規定する対象障害者）
□　⑵　勤務時間の割振りについて配慮を必要とする者として規則１０－４（職員の保健及び安全保持）第９条第１項に規定する健康管理医が認めるもの

□　⑴及び⑵の職員ではなくなった

□　障害の特性等に応じた早出遅出勤務を必要としなくなった

２　状況変更の発生日

年　月　日

第五節　フレックスタイム制

一　公務におけるフレックスタイム制の概要

職員の勤務時間は、勤務時間法第六条第二項の規定により、各省各庁の長がいわば一方的な裁量により、一日につき七時間四十五分となるように割り振ることが原則であり、フレックスタイム制は、その特例として、職員の申告を考慮した柔軟な勤務時間の割振りを可能とするものである。その割振りの基準は職種等によりいくつかの区分に分かれており、詳細は後述するが、概要を示せば、各省各庁の長が、職員の申告を経て、四週間を超えない期間（一般の職員についていえば四週間）ごとの期間につき勤務時間が一週間当たり三十八時間四十五分となるように当該職員の勤務時間を割り振ることができるものとされている。これにより、一日の勤務時間数を七時間四十五分以外にすることや、始業・終業の時刻をずらすといった弾力的な勤務時間の割振りを可能とし、職員の希望を踏まえた柔軟な形態での勤務を可能としている。一方、適切な公務運営の確保の観点からコアタイム（組織的な対応を行うために勤務時間を割り振らなければならない時間帯）などの一定の基準が定められており、適切な公務運営の確保に配慮した仕組みともなっている。なお、四週間ごとの期間につき一週間当たり三十八時間四十五分というのは、四週間で百五十五時間の勤務時間が割り振られていればよいという意味であり、例えば、一週目：三十五時間、二週目：三十五時間、三週目：四十五時間、四週目：四十時間といった勤務時間の配分も認められるものである。

民間労働法制におけるフレックスタイム制は、労働者に始業・終業の時刻の決定を委ねるものである。一方、公務におけるフレックスタイム制は、職員の申告を考慮するものの、始業・終業の時刻は各省各庁の長が決定する仕組みとなっており、両者の制度は異なっている。これは、公務においては、適切な行政サービスを提供する必要があり、そのための体制を確保する必要があるため、適切な公務運営の確保に責任を有する各省各庁の長が最終的な割振り権限を持てる構成としているものである。一方で、各省各庁の長の割振り権限に無制限な裁量を認めることは、職員の申告を考慮する割振り形態としてのフレックスタイム制の趣旨を減殺することとなり適当でないため、割振り基準には、一定の限度や要件を定めている。

二　導入・改正の経緯

1　研究職員への導入

フレックスタイム制導入前の公務における勤務時間の割振りを類型化すれば、旧給与法第十四条第三項本文の規定に基づく官執勤務職員及び同項ただし書の規定に基づく交替制等勤務職員に大別することができ、これら職員の勤務時間は、各庁の長がそれぞれの業務の必要性等に応じて、いわば一方的に割り振っていた。

しかし、公務における多種多様な職種について各々その業務内容を見ると、特に試験研究業務については、実験・観測等を集中的・継続的に行う必要があるものであり、他の職種と比較して業務遂行方法のかなりの部分が研究者個人の主体的な判断に委ねられているため、このような業務に従事する職員については、勤務時間を固定的・一律的に定めるよりは、むしろ、勤務時間を割り振るに当たり業務の特殊性等を踏まえた職員の判断を反映した弾力的な勤務時間の設定ができるように措置し、当該業務の勤務時間のより効率的な配分を促進することが適当と考えられた。

このような事情を勘案し、職業生活と個人生活との調和、総実勤務時間の短縮、創造的な勤務環境作りの促進を図り、また、人材確保等に資する方策として、人事院は平成四年八月の「職員の勤務時間等に関する報告」において、試験研究業務についてフレックスタイム制を導入する旨言及した。その後、平成五年一月十四日、当該制度を実施するための規則一五—一三の公布及び同規則の運用通知の発出を経て、平成五年四月一日から公務におけるフレックスタイム制が実施された。また、勤務時間法制定に伴い、規則一五—一三及びその運用通知を廃止し、規則一五—一三の中の基本的事項を勤務時間法第六条第三項に定め、規則一五—一四及び同規則の運用通知に細部を定めることとされた。

2　研究職員に対するフレックスタイム制の弾力化

フレックスタイム制度導入当初は、同制度が公務においてまったく新たな制度であり、引き続き効率的な公務運営を確保する必要があること、勤務時間管理の面への影響についても見定める必要があることなどから、コアタイム・フレキシブルタイム等は原則として一律に設定されていた。その後、平成六年五月に人事院が実施した「公務におけるフレックスタイム制の実施状況調査」によれば、フレックスタイム制は概ね良好に定着していると認められるものの、実際の割振り状況を見ると制度の趣旨が必ずしも十分に活用されていないという状況もみられた。このため、人事院は、平成七年の勧告時に、「研究職員等のフレックスタイム制の実効的な活用をはじめ、各省庁において、業務の実情を考慮した割振りの弾力化に取り組むことが適当であり、本院としても、所要の検討を進めていく」旨報告した。

他方、平成七年十一月、我が国における科学技術の水準の向上を図ることを目的とした科学技術基本法が施行され、平成八年七月二日、同法に基づく科学技術基本計画が閣議決定されたことにより、研究活動の活性化を図り、国際的な競争力を持つ研究者を創出するため、より自由な研究環境を整備することがより一層重要な行政課題となった。

人事院は、このような状況を踏まえ、コアタイムの短縮等フレックスタイム制をより弾力化し、研究公務員の勤務時間の選択の幅を広げ、同制度の一層の活用を図るため、平成八年の勧告時の報告において、「研究公務員に係るフレックスタイム制については、自由な研究環境の一環として、コアタイムの短縮等を行い、同制度の一層の活用を図っていくこととしたい」旨表明し、平成八年十二月九日、原則として毎日四時間とされていたコアタイムを最短で一週間に一日二時間とすること等を内容とする改正規則一五―一四―三を公布し、同規則は平成九年一月一日から施行された。

３　専門スタッフ職俸給表の導入に伴う適用拡大等

平成二十年四月から新たに設けられることとなった専門スタッフ職俸給表の適用を受ける職員については、調査、研究等の業務を自律的に行うこと及びそれらの業務を集中的・継続的に行う必要があることから、勤務時間を弾力的に設定することができることとするため、平成十九年十一月に勤務時間法が、平成二十年二月に規則一五―一四及び同規則運用通知が改正され、同年四月一日からフレックスタイム制の適用対象に追加することとされた。

さらに、従来フレックスタイム制の適用を認められていなかった調査研究業務に従事する研究職俸給表適用職員についても、調査、研究等を行う専門スタッフ職俸給表適用職員がフレックスタイム制を適用できる職員に加えられることにかんがみ、フレックスタイム制を適用することができるよう併せて措置されている。

４　矯正医官への適用拡大

矯正施設等に勤務する医師（矯正医官）については、多くの欠員を抱える状況にあったため、平成二十五年七月に「矯正医療の在り方に関する有識者検討会」が設置され、その確保策等についての検討が行われた。同検討会が平成二十六年に法務大臣に対し建議した「矯正施設の医療の在り方に関する報告書」の中で、矯正医官の確保策の一つとして、勤務時間の柔軟化が掲げられていたことを踏まえ、法務大臣は、矯正医官にフレックスタイム制を適用するための法律改正について、人事院総裁の見解を求めた。

当時のフレックスタイム制の適用対象は、フレックスタイム制を適用する方が公務能率が向上すると考えられる職種に限られており、矯正医官に対する適用の可否についても、待遇改善の観点ではなく、公務能率の向上に資するかが判断基準として検討された。矯正医官については、病院、大学等において、その知識及び技能の維持向上を図るため、公務として、診療の立会い、症例の調査研究等を行っていること、また、二十四時間三百六十五日にわたって厳格な生活管理がされている矯正施設内において、生活習慣病等の調査研究を行っている矯正医官もおり、これらの職員については主体的かつ継続的・集中的に業務を行うことを可能にすることで公務能率の向上に資すると考えられたことから、人事院においても適用を適当と認め、人事院総裁から法務大臣に対しその旨の見解を表明した。

これらの経緯を踏まえ、フレックスタイム制の適用を含む「矯正医官の兼業及び勤務時間の特例等に関する法律」(平成二十七年法律第六十二号)が成立し、平成二十七年十二月一日から、矯正施設等に勤務する矯正医官についても、フレックスタイム制が適用されることとなった。なお、後述5の原則全ての職員への適用拡大により、同法による適用は不要となったため、司法における関係規定は、当該拡大のための勤務時間法改正の際に削除された。

5　原則として全ての職員を対象とした拡充、育児又は介護を行う職員に対するより柔軟な勤務形態の仕組みの導入

フレックスタイム制は、適用する方が公務能率の向上に資すると考えられる職種が対象とされてきており、これらの職員以外に対する適用の拡大については、公務においては、官庁の開庁時間中には、公務能率の確保のため、全職員が職場で勤務することが基本となると考えられていたことから、引き続き検討する課題とされていた。一方、平成二十六年十月に、内閣人事局長を議長とし、各府省の事務次官等を構成員とする「女性職員活躍・ワークライフバランス推進協議会」において決定された「国家公務員の女性活躍とワークライフバランス推進のための取組指針」の中で、各府省等における適切な公務運営を確保しつつ、幅広い職員がより柔軟な働き方が可能となるようなフレックス

タイム制の導入について、人事院に対し、検討の要請がなされた。

人事院においては、ワーク・ライフ・バランスに対する意識の高まりや、働き方に対するニーズの多様化等を踏まえ、より柔軟な働き方を可能にするフレックスタイム制の拡充について、関係者の意見を聴きつつ検討が重ねられた。その結果、職員に柔軟で多様な勤務形態の選択肢を用意することは、職員がその能力を十分に発揮し、高い士気をもって効率的に勤務できる環境を整備することとなり、ひいては、公務能率の一層の向上にも資すること、ワーク・ライフ・バランスの実現が求められている中で、柔軟な勤務形態を導入し、働きやすい環境を整備することは、職員の仕事と育児や介護等との両立を支援するとともに、人材確保にも資することから、公務の運営に支障がないよう十分に配慮した上で、原則として全ての職員を対象に、フレックスタイム制を適用することが適当であるとの結論に至り、平成二十七年八月六日、勤務時間法改正の勧告が行われた。また、勧告では、育児又は介護を行う職員に係るフレックスタイム制は、これらの職員が育児や介護の時間を適切に確保できるよう支援するため、より柔軟な勤務形態となる仕組みとするものとした。この勧告に基づき、勤務時間法の改正が行われ、改正後の勤務時間法に基づく人事院規則等の改正が行われた結果、平成二十八年四月から、原則として全ての職員に対しフレックスタイム制が拡充されることとなった。なお、新たに対象とされた職員については、組織的な対応を行うために勤務しなければならない時間帯（コアタイム等）を長く設定して各省各庁の長が必要な勤務態勢を確保できるようにするなど、適切な公務運営の確保に配慮した仕組みとされたが、従前から対象とされてきた職員のコアタイム等については、拡充後においても維持することとされた。

6　障害の特性等に応じたフレックスタイム制の導入

人事院は、障害者が働きやすい環境を確保するため、障害者である職員について、フレックスタイム制のコアタイム、週休日、最短勤務時間数等について柔軟化することとし、平成三十年十二月に規則一五―一四及び同規則運用通知の改正が行われた（平成三十一年一月一日施行）（背景事情は、第四節三４参照）。

７　フレックスタイム制による割振りの基準等の柔軟化

令和二年以降、新型コロナウイルス感染症への対応を契機として、官民を問わずテレワークによる働き方が広がってきたことなどの情勢の変化を踏まえて、人事院は、テレワーク等の柔軟な働き方に対応した勤務時間制度等の在り方を検討することとした。そのため、令和四年一月から令和五年一月にかけて、学識経験者により構成される「テレワーク等の柔軟な働き方に対応した勤務時間制度等の在り方に関する研究会」を開催し、令和四年七月には、フレックスタイム制及び休憩時間制度の柔軟化を早期に実施すべきとの中間報告が取りまとめられた。人事院は、この中間報告の提言内容を踏まえ、フレックスタイム制及び休憩時間制度をより柔軟化するため、令和五年一月に規則一五―一四及び同規則運用通知の改正を行った（令和五年四月一日施行）。

具体的には、改正前のフレックスタイム制は、原則として全ての職員に適用されているものの、一般の職員については、職員が官署で共に勤務することを前提に、コアタイムや一日の最短勤務時間数が長く設定され、職員の勤務時間の選択の幅が狭くなっていた。この改正により、一日の最短勤務時間数は「六時間」から「二時間以上四時間以下の範囲内で各省各庁の長が定める時間」に、コアタイムは「毎日五時間」から「毎日二時間以上四時間以下の範囲内で各省各庁の長が定める時間」に短縮された。また、一日の最短勤務時間数を下回ることができ、かつ、コアタイムのない日を各省各庁の長が週一日まで設定できることとされた。さらに、フレキシブルタイムは「午前七時から午後十時まで」から「午前五時から午後十時まで」に範囲を拡大された。このように、フレックスタイム制による勤務時間の割振りの基準について、一定の幅を持った形でより柔軟化し、各府省がその幅の範囲内で業務の実情等に応じて府省・部署ごとに最適な割振り基準のパターンを設定できるよう改められた。また、これにあわせて、特定職種の職員（研究職員等、専門スタッフ職員、矯正医官）、育児・介護を行う職員及び障害者である職員についても、フレックスタイム制による勤務時間の割振りの基準をより柔軟化する措置が講じられた。

三　フレックスタイム制の対象、各職種ごとの割振りの基準等

1　勤務時間法第六条第三項及び第四項の位置付け

勤務時間法第六条は、第一項において週休日を日曜日及び土曜日とする旨の原則を定め、第二項において勤務時間の割振りを一日七時間四十五分とする旨の原則を定めている。一般の職員のフレックスタイム制について定めた第三項は、同項に規定されているように、第二項の勤務時間の割振りの特例として位置付けられている。育児・介護を行う職員等のフレックスタイム制について定めた第四項は、第二項の特例としての性格に加え、第一項の週休日の特例としての性格をも有している。

〇勤務時間法

（週休日及び勤務時間の割振り）

第六条

3　各省各庁の長は、職員（人事院規則で定める職員及び次条の規定の適用を受ける職員を除く。以下この条において同じ。）について、始業及び終業の時刻について職員の申告を考慮して当該職員の勤務時間を割り振ることが公務の運営に支障がないと認める場合には、前項の規定にかかわらず、人事院規則で定めるところにより、職員の申告を経て、四週間を超えない範囲内で週を単位として人事院規則で定める期間（次項において「単位期間」という。）ごとの期間につき前条に規定する勤務時間となるように当該職員の勤務時間を割り振ることができる。

4　各省各庁の長は、次に掲げる職員について、週休日並びに始業及び終業の時刻について、職員の申告を考慮して、第一項の規定による週休日に加えて当該職員の週休日を設け、及び当該職員の勤務時間を割り振ることが公務の運営に支障がないと認める場合には、同項及び第二項の規定にかかわらず、人事院規則で定めるところにより、職員の申告を経

て、単位期間ごとの期間につき第一項の規定による週休日に加えて当該職員の週休日を設け、及び当該期間につき前条に規定する勤務時間となるように当該職員の勤務時間を割り振ることができる。

一　子（民法（明治二十九年法律第八十九号）第八百十七条の二第一項の規定により職員が当該職員との間における同項に規定する特別養子縁組の成立について家庭裁判所に請求した者（当該請求に係る家事審判事件が裁判所に係属している場合に限る。）であって、当該職員が現に監護するもの、児童福祉法（昭和二十二年法律第百六十四号）第二十七条第一項第三号の規定により同法第六条の四第二号に規定する養子縁組里親である職員に委託されている児童その他これらに準ずる者として人事院規則で定める者を含む。）の養育又は配偶者等（配偶者（届出をしないが事実上婚姻関係と同様の事情にある者を含む。以下この号において同じ。）、父母、子、配偶者の父母その他人事院規則で定める者をいう。第二十条第一項において同じ。）の介護をする職員であって、人事院規則で定めるもの

二　前号に掲げる職員の状況に類する状況にある職員として人事院規則で定めるもの

2　対象職員

フレックスタイム制は、原則として全ての職員を対象とするものであるが、業務の性質上特定の勤務時間に勤務する必要がある職員については対象外とされている。具体的には、勤務時間法第七条の規定により勤務時間を割り振られているいわゆる交替制等勤務職員と、課業時間に従い勤務する必要がある大学校等の学生が対象外とされている。適用除外とする学生については規則一五―一四第二条において規定しているが、大学校等の学生であっても、各省各庁の長においてフレックスタイム制の適用が可能と判断されたものについては対象外として規定していない。

これらの法律・人事院規則において対象外とされる職員以外にも、申告があったとしても適用が困難な職員、すなわち、職員が適用を希望したとしても、適用すると公務の運営上の支障が生じると認められる職員もいると考えられる。各省各庁の長が、各職場ごとに、人員状況、業務内容、職員の業務分担、繁忙時間帯等の事情を勘案して判断した結果、申告の内容にかかわらず適用が困難な職員がいると判断した場合には、その旨を内規等により示すことにな

ると考えられる。ただし、フレックスタイム制は適切な公務運営を確保しつつ、より柔軟な勤務形態の下で職員の能力発揮や公務貢献を期待するものであることから、このような取扱いはあくまで通常の勤務時間以外によっては公務運営の体制が確保できない場合などのきわめて例外的な場合の措置でなければならない。各省各庁の長においては、適用を希望する職員から申告が行われた場合には、可能な限り適用するよう措置を講ずることが適当であろう。

○規則一五―一四

（勤務時間法第六条第三項の適用除外職員）

第二条　勤務時間法第六条第三項の人事院規則で定める職員は、皇宮警察学校初任科、航空保安大学校又は気象大学校の学生とする。

３　一般の職員の勤務時間の割振りの基準等

フレックスタイム制による勤務時間の割振りは、人事院規則の定めるところにより行うこととされており、割振りの単位期間、勤務日のコアタイム及びフレキシブルタイムといった申告・割振りの基準や、割振り時の変更や割振り後の変更の基準が人事院規則及びその委任を受けた運用通知に規定されている。これらの基準は、①一般の職員、②研究職員等及び専門スタッフ職員、③矯正医官、④育児・介護を行う職員及び障害者である職員とでそれぞれ異なる内容となっている。一般の職員の基準については、対象範囲がかなり広く、その基準が公務運営に与える影響も大きいと考えられることから、公務の運営に支障を来さないことを考慮したものとなっており、具体的には次のように措置されている。

⑴　勤務時間の割振りの基準等

ア　単位期間

フレックスタイム制をどのような期間を単位として実施するかについては、本質的にはそれぞれの業務の実態を踏まえて判断すべきであると考えられるが、あまりに短い単位期間の設定は勤務時間の弾力的な配分を可能にするというフレックスタイム制の効果を減殺するおそれがあり、逆にあまりに長い単位期間の設定は、業務計画を十分に踏まえた勤務時間の設定を困難にするという意味で勤務時間の割振りの適正な運用を阻害するおそれがあると考えられる。このような事情を考慮し、一般の職員については、原則として、四週間を単位としてフレックスタイム制を実施することとしている。例外的に、①部局内の職員の単位期間の始期を統一する必要がある場合及び②単位期間中に離職することが明らかな場合には、一週間、二週間又は三週間の単位期間とすることが可能とされており、職員が希望する場合にはできる限りフレックスタイム制を活用できるよう措置されている。

○規則一五―一四

（単位期間）

第四条の二　勤務時間法第六条第三項の人事院規則で定める期間は、同項の規定に基づく勤務時間の割振りについては四週間（四週間では適正に勤務時間の割振りを行うことができない場合として人事院の定める場合にあっては、人事院の定めるところにより、一週間、二週間又は三週間）とし、同条第四項の規定に基づく週休日及び勤務時間の割振りについては一週間、二週間、三週間又は四週間のうち職員が選択する期間とする。

○規則一五―一四運用通知

第三　勤務時間法第六条第三項の規定に基づく勤務時間の割振り並びに同条第四項の規定に基づく週休日及び勤務時間の割振り関係

18　規則第四条の二の「人事院の定める場合」は次に掲げる場合とし、各省各庁の長は、当該場合の区分に応じ、同条の規定により勤務時間法第六条第三項の規定に基づく勤務時間の割振りに係る単位期間をそれぞれ次に定める一週間、二週間又は三週間とする。

(1)　部局又は機関内の職員について規則第四条第二項の規定による勤務時間の割振りに係る単位期間が始まる日を同一の日とすることが公務の円滑な運営に必要と認める場合において、勤務時間を割り振ろうとする日の初日が当該部局又は機関内の他の同条第一項の申告を行った職員の勤務時間の割振りに係る単位期間の中途の日であるとき　当該初日から当該単位期間の末日までの期間

(2)　勤務時間を割り振ろうとする日の初日から起算して四週間を経過する日前に国家公務員法（昭和二十二年法律第百二十号）第八十一条の六第一項の規定による退職その他の離職をすることが明らかである場合　当該初日から当該離職をする日までの期間

イ　コアタイム

フレックスタイム制は、職員に柔軟で多様な勤務形態の選択肢を用意することにより、職員が能力を発揮し高い士気をもって勤務できる環境を整備し、ひいては公務能率の向上を図るものでもあるため、できる限り職員の希望する勤務時間の割振りを実現できる仕組みとすることは重要な要素である。しかし、一方で、公務においては国民に行政サービスを適切に提供する必要があり、その体制を確保するには、特に行政機関の開庁時間中について組織的な業務遂行のための時間を確保する必要がある。このため、各省各庁の長が必ず勤務時間を割り振らなければならない時間帯（フレックスタイム制の適用を受ける職員が勤務しなければならない時間帯）、すなわちコアタイムが設けられている。一般の職員については、月曜日から金曜日までの午前九時から午後四時までの時間帯において、標準休憩時間（各省各庁の長が、職員が勤務する部局又は機関の職員の休憩時間等を考慮して定める標準的な休憩時間をいう。）を除き、一日につき二時間以上四時間以下の範囲内で各省各庁の長が部局又は機関ごとにあらかじめ定める連続する時間は、当該部局又は機関に勤務するイからオまでの基準により勤務時間を割り振る職員に共通する勤務時間とすることとされている。

ただし、区分期間（単位期間をその初日から一週間ごとに区分した各期間（単位期間が一週間である場合にあっては、単位期間）をいう。）ごとにつき一日を限度として各省各庁の長があらかじめ定める日については、コアタイムを設けないことができる。

実際の具体的なコアタイムの時間帯等は、各省各庁の長又はその委任を受けた者が、各部局又は機関それぞれの公務運営上の必要性に基づき定めることとなる。

ただし、コアタイムを適用することが職員の健康及び福祉の確保の観点から適当でない場合もあると考えられるため、規則一五―一四第三条第四項の規定により、一定の場合にはコアタイムの例外を設けることができるとされており、現在は、次に掲げる例外が定められている。

①　超過勤務による職員の疲労蓄積を防止する必要がある場合

勤務時間法第六条第二項の規定により勤務時間を割り振られたいわゆる官執勤務職員については、第四節で述べたとおり、疲労蓄積防止のための早出遅出勤務の場合の割振りモデル例を示している。フレックスタイム制適用職員についても、超過勤務による疲労の蓄積を防ぐため同様の措置を講ずる必要が生ずることが考えられるが、その際、コアタイムの存在が支障となることは適当でないため、超過勤務による疲労の蓄積を防止する必要があると認められる場合には、コアタイムに勤務時間を割り振らないことができることとするものである。

②　在宅勤務の前後の休憩時間に住居と勤務場所との間を移動する場合

職員が一日の勤務時間の一部について在宅勤務を行う場合、住居と勤務場所との移動はいわゆる通勤であり勤務と取り扱うことは適当ではないと考えられるため、当該移動は休憩時間中に行うこととなる。一般的には、午前又は午後のいずれかを在宅勤務とし、昼の休憩時間を利用して移動することが多いと思われるが、通勤時間が長い場合、一般的な昼の休憩時間では足りないことがあり、このような場合には、移動に要する時間を含めた長さの休憩時間を置くこととなる。その際、コアタイムの存在が支障となることは適当でないため、在宅勤務に係る移動のために休憩時間を置く場合には、コアタイムに勤務時間を割り振らないことができることとするものである。

③　障害者である職員の休憩に必要な時間を確保する場合

障害者である職員への合理的配慮として、休憩に必要と認められる時間を確保するため、コアタイムに勤務時間を割り振らずに休憩時間を置くことができることとするものである。

なお、これらの特例は、フレックスタイム制による勤務時間を一度割り振った後、変更して適用される場合が多いと考えられるが、その場合には当然、(4)で解説する変更の基準も適用されることに注意が必要である。

○規則一五―一四

（勤務時間法第六条第三項の規定に基づく勤務時間の割振りの基準）

第三条　勤務時間法第六条第三項の規定に基づく勤務時間の割振りは、次に掲げる基準に適合するものでなければならない。

二　月曜日から金曜日まで（前号ロに定めるあらかじめ定める日を除く。）の午前九時から午後四時までの時間帯において、標準休憩時間（各省各庁の長が、職員が勤務する部局又は機関の職員の休憩時間等を考慮して、その時間並びに始まる時刻及び終わる時刻を定める標準的な休憩時間をいう。次項及び第四条の三第一項第三号において同じ。）を除き、一日につき二時間以上四時間以下の範囲内で各省各庁の長が部局又は機関ごとにあらかじめ定める連続する時間は、当該部局又は機関に勤務するこの項の基準により勤務時間を割り振る職員に共通する勤務時間とすること。

4　職員の健康及び福祉の確保に必要な場合として人事院の定める場合に係る勤務時間法第六条第三項の規定に基づく勤務時間の割振りについては、人事院の定めるところにより、第一項第二号又は第二項第一号ロ若しくは第二号ロに定める基準によらないことができるものとする。

○規則一五―一四運用通知

第三　勤務時間法第六条第三項の規定に基づく勤務時間の割振り並びに同条第四項の規定に基づく週休日及び勤務時間の割振り関係

6　規則第三条第四項（規則第四条の三第二項において準用する場合を含む。以下この項において同じ。）の「人事院の定める場合」は、次に掲げる場合とし、規則第三条第四項の規定による勤務時間の割振りは、必要と認められる範囲内で、同条第一項第二号又は第二項第一号ロ若しくは第二号ロに定める基準によらないことができるものとする。

(1)　超過勤務（規則第十六条に規定する勤務をいう。以下同じ。）による職員の疲労の蓄積を防ぐため、始業の時刻を規則第三条第一項第二号又は第二項第一号ロ若しくは第二号ロに規定する各省各庁の長があらかじめ定める連続する時間（以下「コアタイム等」という。）の始まる時刻より後に設定し、又は終業の時刻をコアタイム等の終わる時刻より前に設定する必要がある場合

(2)　職員が勤務時間の一部の時間帯において在宅勤務（職員の住居における勤務をいう。第六の第四項において同じ。）を行う場合において、当該職員の住居と通常の勤務場所との間の移動のため、コアタイム等の時間帯に休憩時間（標準休憩時間（規則第三条第一項第二号に規定する標準休憩時間をいう。以下同じ。）の時間に当該移動に要する時間を加えた時間を超えない範囲内のものであって、当該在宅勤務を行う時間帯の直前又は直後に置かれるものに限る。）を置く必要があるとき。

(3)　規則第四条の五の二に規定する職員の休憩に必要と認められる時間を確保するため、コアタイム等の時間帯に休憩時間を置く必要がある場合

ウ　フレキシブルタイム

フレックスタイム制は、一律的・固定的な勤務時間設定の枠をはずし、職員の申告を考慮した弾力的な勤務時間の配分を可能にするものであるが、職員の日々の始業・終業時刻や、一日の勤務時間の長さを変動させることとなるため、たとえ職員の申告に基づくものであるとしても、無制限な勤務時間の割振りを認め極端な割振りを可能とするこ

とは、職員の勤務時間の安定性や健康・福祉の確保の観点から適当ではない。このため、始業時刻及び終業時刻を設定することができる時間帯、すなわちフレキシブルタイムが設けられており、人事院規則においては、始業時刻は午前五時以後に設定し、終業時刻は午後十時以前に設定することとされている。なお、人事院規則の範囲内であれば、例えば庁舎管理上午後八時以降の割振りができない場合には、午後八時までと設定して運用することも可能である。ただし、極端に狭い範囲とすることは適当でないため、午前八時より後に又は午後八時より前に設定する場合には、その理由を添えて人事院に報告することとされている（運用通知第三の第二十八項）。

○規則一五―一四

（勤務時間法第六条第三項の規定に基づく勤務時間の割振りの基準）

第三条　勤務時間法第六条第三項の規定に基づく勤務時間の割振りは、次に掲げる基準に適合するものでなければならない。

三　始業の時刻は午前五時以後に、終業の時刻は午後十時以前に設定すること。

○規則一五―一四運用通知

第三　勤務時間法第六条第三項の規定に基づく勤務時間の割振り並びに同条第四項の規定に基づく週休日及び勤務時間の割振り関係

26　各省各庁の長は、勤務時間法第六条第三項の規定により勤務時間を割り振り、又は同条第四項の規定により週休日を設け、及び勤務時間を割り振ることとした場合には、あらかじめ次の事項について職員に周知するものとする。周知した事項を変更する場合においても、同様とする。

(1)　規則第三条第一項第一号イ又は第四条の三第一項第二号イの規定により各省各庁の長があらかじめ定める時間

(2)　規則第三条第一項第一号ロ又は第二項第一号イ(2)若しくは第二号イ(2)の規定により各省各庁の長があらかじめ定める日

(3)　コアタイム等
(4)　始業及び終業の時刻を設定することができる時間帯
(5)　標準勤務時間の始まる時刻及び終わる時刻
(6)　標準休憩時間
(7)　その他必要な事項

28　各省各庁の長は、第二十六項(4)の時間帯の開始を午前八時より後に設定し、又は当該時間帯の終了を午後八時より前に設定する場合には、当該時間帯及び当該開始の時刻又は当該終了の時刻とする理由について人事院に報告するものとする。当該時間帯によらないこととした場合においても、同様とする。

エ　一日の最短勤務時間数

一般の職員のフレックスタイム制は、日曜日及び土曜日が週休日（勤務時間法第六条第一項）である職員の、月曜日から金曜日までの日の「一日七時間四十五分」の勤務時間の割振り（同条第二項）の特例であるため、日曜日及び土曜日以外の日を週休日としたり、これら以外の日も週休日とすることまでを可能とするものではない。従って、一般の職員としてフレックスタイム制の適用を受ける場合には、原則として月曜日から金曜日までの毎日について勤務時間が割り振られる。また、適切な公務運営を確保する観点から、人事院規則において一日に割り振る勤務時間数についての下限が定められており、具体的には、一日につき二時間以上四時間以下の範囲内で各省各庁の長があらかじめ定める時間以上の勤務時間を割り振ることとされている。ただし、前述イの区分期間ごとにつき一日を限度として各省各庁の長があらかじめ定める日（休日等を除く。）については、当該時間未満の勤務時間を割り振ることができることとされている。したがって、各省各庁の長が当該時間を二時間と定めた場合、当該日に割り振る勤務時間を二時間未満（例えば十五分）とすることも可能であるが、勤務時間法第六条第一項の規定により、勤務時間を零として週休日にすることはできない。

○規則一五―一四

（勤務時間法第六条第三項の規定に基づく勤務時間の割振りの基準）

第三条　勤務時間法第六条第三項の規定に基づく勤務時間の割振りは、次に掲げる基準に適合するものでなければならない。

一　勤務時間は、次に定めるとおりとすること。

イ　一日につき二時間以上四時間以下の範囲内で各省各庁の長（勤務時間法第三条に規定する各省各庁の長をいう。以下同じ。）があらかじめ定める時間以上とすること。ただし、休日（勤務時間法第十四条に規定する祝日法による休日又は年末年始の休日をいう。以下同じ。）その他人事院の定める日（以下この条及び第四条の三において「休日等」という。）については、七時間四十五分（法第六十条の二第二項に規定する定年前再任用短時間勤務職員及び任期付短時間勤務職員（以下「定年前再任用短時間勤務職員等」という。）にあっては、当該定年前再任用短時間勤務職員等の単位期間（勤務時間法第六条第三項に規定する単位期間をいう。ロ及び第四条の七において同じ。）ごとの期間における勤務時間を当該期間における勤務時間法第六条第一項の規定による週休日（同項に規定する週休日をいう。以下同じ。）以外の日の日数で除して得た時間。次項及び第四条の三第一項第二号イにおいて同じ。）とすること。

ロ　単位期間をその初日から一週間ごとに区分した各期間（単位期間が一週間である場合にあっては、単位期間。次項及び第四条の三第一項において「区分期間」という。）ごとにつき一日を限度として各省各庁の長があらかじめ定める日（休日等を除く。）については、イに定めるあらかじめ定める時間未満とすることができること。

オ　休日等における勤務時間

職員にフレックスタイム制を適用する場合であっても、その申告に基づき割り振ることが必ずしも適当ではない日が存する。例えば、勤務時間法第十四条に規定する休日には、特に勤務することを命ぜられる者を除き、正規の勤務時間においても勤務することを要しないこととされているが、このような日についても職員の申告を考慮して割り振ることとすると、休日にいたずらに長時間の勤務時間を設定して実質的な勤務時間を他の職員より減らそうとするなどの恣意的な申告を招くおそれがあり適当ではない。また、丸一日出張をする場合や、勤務時間法第十条に定めるみなし制度が適用される研修を受ける場合、休暇を使用して一日の勤務時間のすべてを勤務しないことを予定していることが明らかな場合についても基本的には通常勤務制職員の一日あたりの勤務時間と同じ時間数を割り振ることが適当な事情が存するものと考えられる。このため、このような日（休日等）には、勤務時間が一日につき七時間四十五分（定年前再任用短時間勤務職員等にあっては、当該職員の単位期間ごとの期間における勤務時間を当該期間における勤務時間法第六条第一項の規定による週休日以外の日の日数で除して得た時間）となるように割り振ることとされている。

○規則一五―一四運用通知

第三　勤務時間法第六条第三項の規定に基づく勤務時間の割振り並びに同条第四項の規定に基づく週休日及び勤務時間の割振り関係

1　規則第三条第一項第一号イの「人事院の定める日」は、次のとおりとする。

(1)　職員が日を単位として出張する日

(2)　職員が規則第十条第一号に掲げる研修（同条の人事院が定める基準に適合するものに限る。）を受ける日

(3)　第十七の第二項による計画表等により、職員が休暇を使用して一日の勤務時間の全てを勤務しないことを予定していることが明らかな日

カ　イからエの基準よりも更に柔軟化する場合

令和五年四月からのフレックスタイム制の柔軟化に際し、前述イからエの基準よりも更に柔軟な割振り基準のパターンを各府省・部署ごとに設定できる措置が講じられている。具体的には、フレックスタイム制による勤務時間の割振りの基準について、各省各庁の長は、規則一五―一四第三条第一項又は第二項に定める基準（コアタイム、フレキシブルタイム、一日の最短勤務時間数（休日等における勤務時間の設定を除く。））よりも更に柔軟化することが、公務の能率の向上に資し、かつ、職員の健康及び福祉に重大な影響を及ぼすおそれがないと認める場合には、人事院と協議して、更に柔軟な割振り基準を府省・部署ごとに設定することができることとされた。ただし、その基準が、深夜（午後十時から翌日午前五時）に係る勤務についてのものであって、その深夜がまたがる両日について、深夜における勤務時間を業務上必要最小限のものとなるように割り振るとともに、①午前五時から標準休憩時間の終わる時刻までの時間帯、②標準勤務時間の始まる時刻から終わる時刻までの時間帯、③標準休憩時間の始まる時刻から午後十時までの時間帯、のいずれかの時間帯に勤務時間を割り振らないものであるときは、人事院との協議を要しないものとされている。

○規則一五―一四

（勤務時間法第六条第三項の規定に基づく勤務時間の割振りの基準）

第三条

5　各省各庁の長は、第一項又は第二項（いずれも休日等に割り振る勤務時間に係る部分を除く。）に定める基準によらないことが、公務の能率の向上に資し、かつ、職員の健康及び福祉に重大な影響を及ぼすおそれがないと認める場合には、人事院と協議して、当該基準について別段の定めをすることができる。この場合において、当該別段の定めが人事院が定める基準に適合するものであるときは、当該人事院との協議を要しないものとする。

○規則一五―一四運用通知

第三　勤務時間法第六条第三項の規定に基づく勤務時間の割振り並びに同条第四項の規定に基づく週休日及び勤務時間の割振り関係

7　規則第三条第五項（規則第四条の三第二項において準用する場合を含む。次項及び第九項において同じ。）の規定による人事院との協議は、次の事項を記載した文書により事前に相当の期間をおいて行うものとする。当該人事院との協議をして定めた別段の定めを変更する場合においても、同様とする。

(1)　別段の定めの内容

(2)　別段の定めによることとする職員の範囲

(3)　別段の定めによることが公務の能率の向上に資すると認める理由

(4)　別段の定めによることが職員の健康及び福祉に重大な影響を及ぼすおそれがないと認める理由

(5)　その他必要な事項

8　各省各庁の長は、規則第三条第五項の規定により人事院との協議をして定めた別段の定めによる必要がなくなった場合には、速やかにその旨を人事院に報告するものとする。

9　規則第三条第五項の「人事院が定める基準」は、別段の定めが、深夜（午後十時から翌日の午前五時までの間をいう。以下この項において同じ。）に係る勤務についてのものとして、規則第三条第五項に定める場合に該当するものであって、かつ、次のいずれにも適合するように勤務時間を割り振るものであることとする。

(1)　当該深夜における勤務時間が、業務上必要最小限のものとなるように割り振ること。

(2)　当該深夜の属する両日の勤務時間が、次のいずれかに適合すること。

ア　午前五時から標準休憩時間の終わる時刻までの時間帯を含まないこと。

イ　標準勤務時間（各省各庁の長が、職員が勤務する部局又は機関の職員の勤務時間帯等を考慮して、七時間四十五分となるように定める標準的な一日の勤務時間をいう。以下同じ。）の始まる時刻から終わる時刻までの時間帯を含まないこと。

ウ　標準休憩時間の始まる時刻から午後十時までの時間帯を含まないこと。

(2)　申告

フレックスタイム制の適用を希望する職員が申告するのは、勤務時間が割り振られることとされている日（月曜日から金曜日まで）の始業時刻及び終業時刻（さらにはその結果としての勤務時間数）である（休憩時間の時間帯についても、職員から一定の基準に適合する申告があったときには、当該申告を考慮して休憩時間を置くこととされている（第三章第二節参照））。また、申告の内容は規則一五―一四第四条第一項において、勤務時間の割振りの基準に適合しなければならないとされているが、これは、各省各庁の長は、割振りの基準に適合しない割振りはできないため、割振りの基準に適合しない申告が実際無意味であることを考えれば、いわば当然のことといえよう。

申告を行う時期については、特に明記されていないが、各省各庁の長は単位期間の開始以前に勤務時間を割り振ることとされている（規則一五―一四運用通知第三第十二項）こととの関係から、当該日開始以前に行うことが必要であり、実際には、各部局等において割振り手続に必要な期間を考慮して設定する申告期限までに提出することになろう。

なお、申告は後述するように「申告簿」により行うこととされている。

○規則一五―一四

（勤務時間法第六条第三項の規定に基づく勤務時間の割振りの手続）

第四条　勤務時間法第六条第三項の職員の申告は、前条に定める基準に適合するものでなければならない。

(3)　勤務時間の割振りの方法

各省各庁の長は、一般の職員から始業時刻及び終業時刻についての申告を受けた場合には、単位期間の開始以前に、当該申告を考慮して勤務時間を割り振るものとされている（ただし、特定専門スタッフ職員（後述4(1)参照）について、公務の能率の向上に資すると認める場合には、後述４⑷の方法により勤務時間を割り振るものとされている。）。この場合、各省各庁の長としては、申告どおりに勤務時間を割り振ることで公務の運営に支障がないと認められるか否かを考慮し、支障が認められないのであれば、申告どおりに勤務時間を割り振ることになろう。一方で、公務の運営に支障があると認められる場合には、当該申告の内容とは異なる勤務時間の割振りを行う必要が生じるが、この場合の割振りの基準については、規則一五―一四第四条第二項第一号において別に人事院の定めるところによることとされている。具体的な基準は運用通知第三の第十三項に規定されており、①一日の勤務時間数を延長（短縮）する場合は、通常の勤務時間である七時間四十五分を上回らない（下回らない）ようにすること及び②始業及び終業の時刻を変更する場合には、職員が申告した時間、官庁執務時間又は標準勤務時間（各省各庁の長が、部局又は機関の職員の勤務時間帯等を考慮して七時間四十五分となるように定める標準的な一日の勤務時間）の枠内に収まるようにすることとされている。このような基準を設けているのは、フレックスタイム制は、職員の申告を考慮した弾力的な勤務時間の割振りを可能とするものであり、申告をしたがために、かえって意に沿わない割振りとなることは適当でないからである。このような観点から、各省各庁の長が勤務時間の割振りに際し調整を行う場合には、その変更の程度が申告がなかった場合と比べて過剰にならないようにしている。具体的に解説すれば、①は職員が勤務時間の短縮（延長）を希望する日の勤務時間が申告をしなかった場合と比べて延長（短縮）されないよう担保するものであり、②は職員が申告をしなかった場合であっても勤務時間の割振りが行われることが想定される時間帯（官庁執務時間又は標準勤務時間に重なる時間帯）の範囲内で勤務時間の割振りがなされるよう担保するものである。

また、申告及び割振りは十五分を単位として行うこととされており、例えば一日の勤務時間の合計が七時間十分というような申告及び割振りを行うことは認められない。しかし、このことは、休憩時間を挟んで分割されている個々の勤務時間をすべて十五分単位としなければならないものではなく、例えば休憩時間を挟んだ四時間十分と四時間五分の勤務時間（一日の勤務時間八時間十五分）の申告、割振りは差し支えない。

○規則一五―一四

（勤務時間法第六条第三項の規定に基づく勤務時間の割振りの手続）

第四条

2　各省各庁の長は、次の各号に掲げる前項の規定による申告（次項第二号を除き、以下この条において単に「申告」という。）の区分に応じ、当該各号に定めるところにより勤務時間を割り振るものとする。

一　次号に掲げる申告以外の申告　当該申告を考慮して勤務時間を割り振るものとする。この場合において、当該申告どおりの勤務時間の割振りによると公務の運営に支障が生ずると認める場合には、別に人事院の定めるところにより勤務時間を割り振ることができるものとする。

○規則一五―一四運用通知

第三　勤務時間法第六条第三項の規定に基づく勤務時間の割振り並びに同条第四項の規定に基づく週休日及び勤務時間の割振り関係

10　職員が規則第四条第一項又は第四条の四第一項の申告をする場合には、十五分を単位として行うものとする。各省各庁の長が規則第四条第二項若しくは第四条の四第三項の規定により勤務時間を割り振り、又は規則第四条第三項若しくは第四条の四第四項の規定により勤務時間の割振りを変更する場合においても、同様とする。

12　規則第四条第二項の規定による勤務時間の割振り並びに規則第四条の四第三項の規定による週休日の設定及び勤務時間の割振りは、単位期間の開始以前に行うものとする。

13　規則第四条第二項第一号後段の規定による勤務時間の割振りは、次に定める基準に適合するように行うものとする。この場合において、申告どおりに勤務時間を割り振ると公務の運営に支障が生ずる日について勤務時間数を変更して勤務時間を割り振るときは、必要な限度において、当該支障が生ずる日以外の日について勤務時間数を変更して勤務時間を割り振るものとする。

(1)　申告された勤務時間を延長して勤務時間を割り振る日については、延長後の勤務時間が七時間四十五分（定年前再任用短時間勤務職員等にあっては、その者の単位期間ごとの期間における勤務時間を当該期間における勤務時間法第六条第一項の規定による週休日以外の日の日数で除して得た時間。以下この(1)、第十六項(1)ア及び第二十項(1)において同じ。）を超えないようにし、申告された勤務時間を短縮して勤務時間を割り振る日については、短縮後の勤務時間が七時間四十五分を下回らないようにすること。

(2)　始業の時刻は、申告された始業の時刻、標準勤務時間の始まる時刻又は官庁執務時間（大正十一年閣令第六号（官庁執務時間並休暇に関する件）第一項に定める官庁の執務時間をいう。以下同じ。）の始まる時刻のうち最も早い時刻以後に設定し、かつ、終業の時刻は、申告された終業の時刻、標準勤務時間の終わる時刻又は官庁執務時間の終わる時刻のうち最も遅い時刻以前に設定すること。

(4)　勤務時間の割振りの後の変更

各省各庁の長が勤務時間を一旦割り振った後であっても、職員の希望の変化や、割振り後の業務計画の変更、突発的業務の発生といった事情により、既に割り振られている勤務時間により勤務することが必ずしも適当ではない状況に至る場合があり得る。このような場合、一般の職員については、次のとおり、勤務時間の割振りの後の変更が認められている（ただし、特定専門スタッフ職員（後述4(1)参照）について、公務能率の向上に資すると認める場合には、後述4(5)のとおり変更する。）。

ア　職員から勤務時間の始業時刻又は終業時刻について変更の申告があった場合の変更

フレックスタイム制の規定により勤務時間を割り振られた職員は、勤務時間の割振りの後に生じた事情により、既に割り振られている勤務時間を変更する必要が生じた場合には、変更を要する日の始業時刻又は終業時刻を変更する旨の申告を行うことができる（規則一五―一四第四条第三項第一号）。この場合に、各省各庁の長は、変更の申告どおりに勤務時間を変更するか、又は、申告を認めずに既に割り振っている勤務時間を変更しないかのいずれかを選択することとなる。すなわち、職員から変更の申告があった場合に、各省各庁の長が既に割り振っている勤務時間を変更の申告と異なる勤務時間に変更することは認められない。これは、職員から変更の申告があったことを奇貨として職員が希望しない内容の変更をすることを防ぐための基準である。なお、各省各庁の長において、公務の運営上の事情により変更の申告の全てを受け入れることは困難であるが、その一部についてのみであれば変更が可能であると考える場合においては、単に変更の申告を却下するのではなく、職員に変更できる範囲等を示した上で、再度の変更申告の希望を確認するなど、なるべく職員の希望を考慮できるような対応をすることが望ましいといえるだろう。

また、変更の申告による割振りの変更は、一日の勤務時間数の変更を含めて行うことができる。ただし、ある勤務日の勤務時間数を変更する場合には、これに伴い他の勤務日の勤務時間数を変更して、単位期間における勤務時間数が一週間当たり三十八時間四十五分となるように調整しなければならないことは当然であり、この調整が困難である場合には、勤務時間数の変更を含めた勤務時間の割振りの変更をすることはできない。

イ　職員から休憩時間の始まる時刻及び終わる時刻について申告があった場合の変更

令和五年四月のフレックスタイム制の柔軟化にあわせ、休憩時間制度の柔軟化も行われたが、その際、職員から休憩時間の始まる時刻及び終わる時刻について一定の基準に適合する申告があったときには、当該申告を考慮して休憩時間を置くものとする等の措置が講じられた（規則一五—一四第七条第四項、同運用通知第六の第八項）（第三章第二節参照）。このため、当該申告を考慮して休憩時間を置くために既に行った勤務時間の割振りを変更する必要があるときは、その勤務時間の割振りを変更することができることとしたものである（規則一五—一四第四条第三項第二号）（第三章第二節参照）。

ウ　職員の申告によらない変更

勤務時間の割振りの後に生じた事由により、既に割り振っている勤務時間で職員を勤務させると、公務の運営に支障が生ずると認めるに至ることもあり得るところである。規則一五―一四第四条第三項第三号の規定は、このような事情の変更に対応するために設けられた規定であるが、公務の運営に支障が生ずると認められれば広く変更できることとすると、職員の申告を考慮して割り振るフレックスタイム制の趣旨を減殺するとともに、職員の勤務時間の安定性も損なうこととなる。また、各省各庁の長においては、勤務時間を割り振る段階で単位期間中の公務運営の状況を適切に想定し必要な調整を行っておくことが本来であり、いったん勤務時間を割り振った以上は、その勤務時間において職員を勤務させることが原則である。従って、無闇な変更が行われないよう厳格な基準を定めており、具体的には、各省各庁の長側からの割振り変更は、「公務の運営に著しい支障が生ずると認める場合」に限るものとされている。その変更の際は、申告の内容と異なる当初の割振りをする場合と同様の基準によるよう規定している。加えて、ある日の勤務時間数を変更することに伴い、勤務時間数を変更することとなる他の日の選択や、その変更内容については、できる限り職員の希望を考慮するものとしている。これは、公務運営上の事情により割振りを変更する必要がある日とは異なり、いわばその反射効として割振りを変更しなければならなくなる日については、まずは当初の割振りが変更されたことによる職員の希望の変化を考慮することが適当と考えられるためである。このように、各省各庁の長からの事後の割振り変更については厳格な基準が定められており、職員の勤務時間がいたずらに不安定なものとならないよう措置されている。

○規則一五―一四（勤務時間法第六条第三項の規定に基づく勤務時間の割振りの手続）

第四条

3　各省各庁の長は、次の各号のいずれかに該当する場合には、前項の規定による勤務時間の割振り又はこの項の規定により変更された後の勤務時間の割振りを変更することができる。
一　職員からあらかじめ前項の規定により割り振られた勤務時間又はこの項の規定により割振りを変更された後の勤務時間の始業又は終業の時刻について変更の申告があった場合において、当該申告どおりに変更するとき。
二　職員から第七条第四項の規定により休憩時間の始まる時刻及び終わる時刻についての申告があった場合において、同項の規定により休憩時間を置くために勤務時間の割振りを変更するとき。
三　前項の規定による勤務時間の割振り又はこの項の規定による勤務時間の割振りの変更の後に生じた事由により、当該勤務時間の割振り又は当該変更の後の勤務時間の割振りによると公務の運営に支障が生ずると認める場合において、別に人事院の定めるところにより変更するとき。

○規則一五―一四運用通知

第三　勤務時間法第六条第三項の規定に基づく勤務時間の割振り並びに同条第四項の規定に基づく週休日及び勤務時間の割振り関係

15　規則第四条第二項第一号の規定により割り振られた勤務時間に係る同条第三項第三号の場合における変更は、各省各庁の長が当該勤務時間を変更しなければ公務の運営に著しい支障が生ずると認める場合に限るものとし、かつ、第十三項⑴及び⑵に定める基準に適合するように行うものとする。この場合において、勤務時間の割振りを変更しようとする日（以下「変更日」という。）について既に割り振られている勤務時間数を変更して勤務時間を割り振るときは、必要な限度において、当該変更日以外の日について既に割り振られている勤務時間数を変更して勤務時間を割り振ることができるものとし、その日の選択及び勤務時間の割振りの変更に当たっては、できる限り、職員の希望を考慮するものとする。

ところで、単位期間が始まる前の当初の勤務時間の割振りの段階で明らかになっている休日等（⑴オ参照）について七時間四十五分等の勤務時間を割り振ることは容易であるが、出張や研修、休暇についていえば、当初の勤務時間の割振りが一旦行われ、単位期間が開始した後に明らかになることもあると考えられる。

　このような場合には、当該勤務日にたまたま七時間四十五分等の勤務時間が割り振られている場合を除き、勤務時間の割振りを変更する必要が生ずる。この場合、まずは、職員に割振り変更の必要性を説明し、納得を得た上で、当該職員が当該勤務日の勤務時間を七時間四十五分等に変更する旨の申告を行い、これを受けて各省各庁の長が当該勤務日の勤務時間を申告どおりに変更して割り振ることが考えられる。他方、職員が自ら変更の申告を行わない場合には、その申告を強要することはできないため、「公務の運営に著しい支障が生ずると認める」場合に該当するか否かを判断した上で、勤務時間の割振り変更を行うかどうかを判断することとなる。この点について、各省各庁の長から事実上変更の申告を持ちかけるような運用とすることや、研修や出張を命ずる必要がある場合にまで「公務の運営に著しい支障が生ずると認める」という厳格な要件を課すことは問題ではないかとする意見もあろう。しかしながら出張等に限らず各省各庁の長側からの変更については、職員の意向を聴取する等の手続が必要とされており（運用通知第三の第十五項後段）、フレックスタイム制により勤務時間を割り振られた職員の勤務時間数を変更する場合には、各省各庁の長と職員の間での何かしらの調整は必須であること、出張等に伴う変更について各省各庁の長が判断できるのは、実際に出張等を命じようとする勤務日の割振り変更の必要性のみである一方、特定の勤務日の割振り変更は当該勤務日のみならず単位期間中の他の勤務日の割振りにも影響するものであり、各省各庁の長側から変更する場合には慎重な検討が必要であることをあわせ考えると、前述のような対応とせざるを得ないと考えられよう。フレックスタイム制を活用しようとする職場においては、職員の希望を考慮しつつ、適正な公務運営を確保するため、各省各庁の長と職員との間での調整が生じることは通常想定される事態であるため、各職場においてそのような調整を円滑に実施できる状況にしておく必要がある。

　なお、特殊な例として、勤務時間の割振りの後に休日等に該当する日が生じた場合であっても、フレックスタイム制の適用を受ける職員の勤務時間を四週間ごとの期間につき百五十五時間とすることとされていることとの関係から、当該勤務日の勤務時間を七時間四十五分等に変更することが物理的に不可能な場合があり得よう。例えば、六時間の勤務時間が割り振られている単位期間の最後の勤務日が、前日に突然休日等に該当することとなった場合などがそれである。すなわち、このような場合に、当該勤務日の勤務時間を七時間四十五分等に変更すると、その単位期間の勤務時間数が百五十六時間四十五分となってしまう。

この点については、このような場合についても七時間四十五分等の勤務時間を割り振り、これに伴って生ずる単位期間における勤務時間数の過不足は、例えば次の単位期間で清算するとの方法も考えられないではない。しかし、そのような方法を円滑に実施するためには極めて複雑な制度を用意する必要があり、各省庁における勤務時間事務担当者に相当な負担を強いることとなる。さらには、このような方法を採ったとしても、次の単位期間において再び同様の措置が必要にならないとも限らず、そのような場合には、一週間当たり三十八時間四十五分という基本的な要件が、いつまで経っても確定しないなどの不都合が生ずる。このような事情を考慮し、勤務時間の割振りの後において特定日に該当することとなった勤務日の勤務時間を七時間四十五分等に変更することが物理的に不可能な場合には、これを七時間四十五分等に変更することなく、既に割り振られている勤務時間によることとせざるを得ない場合もあり得よう。

4　特定職種の職員の勤務時間の割振りの基準等

二で述べたとおり、フレックスタイム制は、まずは試験研究業務の特殊性に着目・考慮して研究職員等を対象に導入され、その後、同趣旨により、専門スタッフ職員、矯正医官と対象が拡大されてきたものである。これらの特定職種の職員を対象としたフレックスタイム制は、その適用が公務能率の向上に資すると認める場合（専門スタッフ職員にあっては、公務の能率の向上に特に資すると認める場合）に適用できることとされており（規則一五―一四第三条第二項柱書き）、業務遂行方法のかなりの部分が職員個人の主体的判断にゆだねられている等の事情により、一般の職員に設定した基準より柔軟なものとなっている。従って、特定職種の職員であっても、そのような場合に該当しなければ、一般の職員の基準に従いフレックスタイム制を適用することとなる。

なお、特定職種の職員のうち、育児・介護を行う職員又は障害者である職員が、特定職種の職員に適用される基準より、5で述べる育児・介護を行う職員及び障害者である職員に対する基準（勤務時間法第六条第四項の規定による週休日及び勤務時間の割振りの基準）の方が自分にはより適当であるとして、育児・介護を行う職員又は障害者である職員としてフレックスタイム制の適用を受けようとする場合が考えられる。このような場合には、職員が勤務時間法第六条第四項の規定に基づく申告を行うことは妨げられない。

(1)　特定研究職員、任期付研究員及び研究支援職員並びに特定専門スタッフ職員の勤務時間の割振りの基準等

①給与法別表第七の研究職俸給表の適用を受ける職員（試験所、研究所その他の試験研究又は調査研究に関する業務を行う機関の長及び次長を除く。）（特定研究職員）、②任期付研究員法第三条第一項の規定により任期を定めて採用された職員（任期付研究員）及び③試験研究に関する業務の遂行を支援する業務に従事する職員（特定研究職員のうち試験研究に関する業務に従事する職員又は任期付研究員の指揮監督の下に業務の相当の部分を自らの判断で遂行する職員に限る。）（いわゆる研究支援職員）並びに④給与法別表第十の専門スタッフ職俸給表の適用を受ける職員（調査、研究又は情報の分析を主として行う職員その他各省各庁の長が人事院と協議して定める職員に限る。）（特定専門スタッフ職員）は、業務の特殊性等により、次の基準によりフレックスタイム制を適用可能とされている。

ここで、試験研究又は調査研究に関する業務を行う機関の長及び次長を対象から除外しているのは、これらの職員は、自ら試験研究又は調査研究の業務に従事することもあろうが、組織の管理監督業務の占める割合が大きいものと考えられるためである（ここでいう次長とは、官職の名称にかかわらず、当該機関においてその長の職務全般につい

てこれを直接補佐する職員を指す。）。また、当該機関には当然に研究職俸給表適用職員の他に、機関の人事、会計等庶務的事項を担当する行政事務職員も勤務しているが、これら職員の業務は試験研究に関する業務の遂行を支援する業務そのものとはいえず、業務の本質は他の組織における同種の業務と何ら異なるものではないため、特定研究職員等としての基準の適用はない旨規則一五―一四運用通知で確認的に規定している。

なお、前述のとおり、特定研究職員等については「公務の能率の向上に資すると認める場合」に次の基準を適用できるのに対して、特定専門スタッフ職員については「公務の能率の向上に特に資すると認める場合」に次の基準を適用できることとされている（規則一五―一四第三条第二項柱書き）。

ア　単位期間

一般の職員と同様である。

イ　コアタイム

月曜日から金曜日まで（後述エの区分期間ごとにつき一日を限度として各省各庁の長があらかじめ定める日を除く。）のうち一日以上の日の午前九時から午後四時までの時間帯において、標準休憩時間を除き、一日につき二時間以上四時間以下の範囲内で各省各庁の長が部局又は機関ごとにあらかじめ定める連続する時間は、当該部局又は機関に勤務するイからオまでの基準により勤務時間を割り振る職員に共通する勤務時間とすることとされている。

特定研究職員等や特定専門スタッフ職員については、コアタイムを週に一日以上としている点が特徴的であるが、これは、これらの職員の主体的判断を尊重しつつ、これらの職員であっても、一週間に一回程度は実際に出席しなければならない事務連絡のための会議等があると考えられることを考慮したものであり、その時間数が二時間以上とされているのも、会議開催・連絡調整等の事務運営面で必要と認められる最低限の時間数を踏まえたものである。また、一般の職員と同様、週一日を限度として、コアタイムを設けないことができる。

なお、疲労蓄積防止、在宅勤務の適切な実施の確保、障害者である職員への合理的配慮のための特例は一般の職員と同様に適用される。

ウ　フレキシブルタイム

一般の職員と同様である。

エ　一日の最短勤務時間数

一日につき二時間以上の勤務時間を割り振ることとされている。これは、フレックスタイム制による勤務時間の弾力化を妨げず、かつ、コアタイムの設定基準と同様に、連絡調整に必要な最低時間数であると認められる二時間を最低基準としたものである。ただし、一般の職員と同様、区分期間ごとにつき一日を限度として各省各庁の長があらかじめ定める日（休日等を除く。）については、二時間未満の勤務時間を割り振ることができることとされている。

オ　休日等における勤務時間

一般の職員と同様である。

カ　イからエの基準よりも更に柔軟化する場合

一般の職員と同様である。

○規則一五―一四

（勤務時間法第六条第三項の規定に基づく勤務時間の割振りの基準）

第三条

2　次の各号に掲げる職員については、各省各庁の長が始業及び終業の時刻について職員の申告を考慮して勤務時間を割り振ることが公務の能率の向上に資すると認める場合（第一号に規定する特定専門スタッフ職員（給与法別表第十専門スタッフ職俸給表の適用を受ける職員のうち、調査、研究又は情報の分析を主として行う職員その他各省各庁の長が人事院と協議して定める職員をいう。次条第二項第二号において同じ。）にあっては、公務の能率の向上に特に資すると認める場合）には、前項の規定にかかわらず、当該各号に掲げる職員の区分に応じ、当該各号及び同項第三号に定める基準に適合するものとなるように勤務時間法第六条第三項の規定に基づき勤務時間を割り振ることができる。

一　給与法別表第七研究職俸給表の適用を受ける職員（試験所、研究所その他の試験研究又は調査研究に関する業務を行う機関の長及び次長を除く。以下この号において「特定研究職員」という。）、任期付研究員法第三条第一項の規定により任期を定めて採用された職員（以下この号において「任期付研究員」という。）若しくは試験研究に関する業務の遂行を支援する業務に従事する職員（特定研究職員のうち試験研究に関する業務に従事する職員又は任期付研究員の指揮監督の下に業務の相当の部分を自らの判断で遂行する職員に限る。）又は特定専門スタッフ職員　次に掲げる基準

イ　勤務時間は、次に定めるとおりとすること。

(1)　一日につき二時間以上とすること。ただし、休日等については、七時間四十五分とすること。

(2)　区分期間ごとにつき一日を限度として各省各庁の長があらかじめ定める日（休日等を除く。）については、二時間未満とすることができること。

ロ　月曜日から金曜日まで（イ(2)に定めるあらかじめ定める日を除く。）のうち一日以上の日の午前九時から午後四時までの時間帯において、標準休憩時間を除き、一日につき二時間以上四時間以下の範囲内で各省各庁の長が部局又は機関ごとにあらかじめ定める連続する時間は、当該部局又は機関に勤務するこの号の基準により勤務時間を割り振る職員に共通する勤務時間とすること。

○規則一五―一四運用通知

第三　勤務時間法第六条第三項の規定に基づく勤務時間の割振り並びに同条第四項の規定に基づく週休日及び勤務時間の割振り関係

2　規則第三条第二項の規定による人事院との協議は、次の事項を記載した文書により、事前に相当の期間をおいて行うものとする。

(1)　協議の対象となる職員が占める官職及びその職務内容

(2)　規則第三条第二項又は第四条第二項第二号の規定を適用しようとする理由

(3)　その他必要な事項

3　規則第三条第二項第一号の「次長」とは、試験所、研究所その他の試験研究又は調査研究に関する業務を行う機関において、その長の職務全般についてこれを直接補佐する職員をいう。

4　規則第三条第二項第一号の「試験研究に関する業務の遂行を支援する業務」には、人事、会計その他の庶務に関する業務は含まれないものとする。

(2)　矯正医官の勤務時間の割振りの基準等

矯正医官については、被収容者の診療といった本来の業務に加え、その能力の維持向上の機会として、矯正施設の外の医療機関、大学その他の場所における医療に関する調査研究又は情報の収集若しくは交換や、矯正施設内における医療に関する調査研究を業務として行う場合がある。具体的には、診察や手術等の見学、薬物中毒等の症例データの収集などを行うことが想定されるが、このような業務に従事する職員については、公務能率向上の観点から、次に掲げる基準によりフレックスタイム制が適用されている。

ア　単位期間

一般の職員と同様である。

イ　コアタイム

矯正医官のフレックスタイム制においては、他の職種と異なり、部局又は機関ごとのコアタイムは設定していない。一方で、月曜日から金曜日まで（後述エの区分期間ごとにつき一日を限度として各省各庁の長があらかじめ定める日を除く。）の午前九時から午後四時までの時間帯において、標準休憩時間を除き、各省各庁の長が「矯正医官ごとに」あらかじめ定める連続する二時間が勤務時間の一部となるようにすることとされている。これは、矯正医官については、部局又は機関に共通の勤務時間を設けるよりはむしろ、矯正施設における被収容者の診察時間の確保の観点から、各官署において医師不在の時間帯をできるだけ少なくし、矯正医官が交替で診療に当たることができるよう措置することが公務運営の体制を確保することに繋がること、また、被収容者に対する医療を行う際に必要な刑務官の体制を確保するためにも、各矯正医官が勤務しなければならない時間帯をあらかじめ定める必要があるためである。勤務時間を割り振らなければならない時間数を二時間としているのは、一回の診察時間として想定される時間が二時間であることによるものである。

なお、疲労蓄積防止、在宅勤務の適切な実施の確保、障害者である職員への合理的配慮のためのコアタイムの特例と同様の特例が、矯正医官ごとの勤務時間の一部としなければならない時間についても適用される。

ウ　フレキシブルタイムの設定

一般の職員と同様である。

エ　一日の最短勤務時間数

イで述べたとおり、一日につき二時間以上の勤務時間を割り振ることとされているが、一般の職員と同様、区分期間ごとにつき一日を限度として各省各庁の長があらかじめ定める日（休日等を除く。）については、二時間未満の勤務時間を割り振ることができることとされている。

オ　休日等における勤務時間

一般の職員と同様である。

カ　イからエの基準よりも更に柔軟化する場合

一般の職員と同様である。

○規則一五―一四

（勤務時間法第六条第三項の規定に基づく勤務時間の割振りの基準）

第三条

２　次の各号に掲げる職員については、各省各庁の長が始業及び終業の時刻について職員の申告を考慮して勤務時間を割り振ることが公務の能率の向上に資すると認める場合（第一号に規定する特定専門スタッフ職員（給与法別表第十専門スタッフ職俸給表の適用を受ける職員のうち、調査、研究又は情報の分析を主として行う職員その他各省各庁の長が人事院と協議して定める職員をいう。次条第二項第二号において同じ。）にあっては、公務の能率の向上に特に資すると認める場合）には、前項の規定にかかわらず、当該各号に掲げる職員の区分に応じ、当該各号及び同項第三号に定める基準に適合するものとなるように勤務時間法第六条第三項の規定に基づき勤務時間を割り振ることができる。

二　矯正施設（矯正医官の兼業の特例等に関する法律（平成二十七年法律第六十二号）第二条第一号に規定する矯正施設をいう。以下同じ。）の長である矯正医官（同条第二号に規定する矯正医官をいう。以下同じ。）以外の矯正医官であって、矯正施設の外の医療機関、大学その他の場所における医療に関する調査研究若しくは情報の収集若しくは交換又は矯正施設内における医療に関する調査研究に従事するもの　次に掲げる基準

イ　勤務時間は、次に定めるとおりとすること。

(1)　一日につき二時間以上とすること。ただし、休日等については、七時間四十五分とすること。

(2)　区分期間ごとにつき一日を限度として各省各庁の長があらかじめ定める日（休日等を除く。）については、二時間未満とすることができること。

ロ　月曜日から金曜日まで（イ(2)に定めるあらかじめ定める日を除く。）の午前九時から午後四時までの時間帯において、標準休憩時間を除き、各省各庁の長があらかじめ定める連続する二時間が、勤務時間の一部となるようにすること。

(3)　申告

申告については、それぞれの職種毎の基準に適合するように行わなければならないが、申告の時期や手続について

は、一般の職員と同様である（３(2)参照）。

(4)　勤務時間の割振りの方法

各省各庁の長は、特定職種の職員（前述３(3)のとおり、特定専門スタッフ職員については、公務能率の向上に資すると認める場合を含む。）の申告を受けた場合には、単位期間の開始以前に、当該申告どおりに勤務時間を割り振るものとされている。一般の職員のように「申告を考慮して割り振る」のみならず、「申告どおりに割り振る」ことを原則としているのは、これらの職種については、その業務遂行を職員の主体的判断に任せることにより公務能率の向上に資すると考えられるためである。一方、個別の申告をみたときには、申告どおりの勤務時間とすると公務の運営に支障が生ずると認められる場合もある。そのような場合にまで申告どおりの割振りを求めることとするのは、公務能率の向上には必ずしも繋がらないため、別に人事院の定めるところにより申告の内容とは異なる勤務時間の割振りを行うことも可能となっている。

その基準は規則一五―一四第四条第二項第二号に基づき運用通知第三の第十四項に規定しており、一般の職員よりも変更できる範囲が制限されている。具体的には、一日の勤務時間数を延長（短縮）する場合は、通常の勤務時間である七時間四十五分を上回らない（下回らない）ようにするという、勤務時間の数の延長・短縮の場合に通常の勤務時間数を上限（下限）とする考え方は一般の職員の基準と同様であるが、勤務時間帯の変更については、一般の職員は変更可能な最も早い（遅い）時刻のみを定めているのに対し、特定職種の職員の変更については、本人が申告した始業（終業）の時刻と、標準勤務時間の始業（終業）の時刻の間に、変更後の始業（終業）の時刻を設定しなければならないこととされている。

このように、特定職種の職員については、仮に各省各庁の長が申告どおりの割振りをしない場合であっても、その始業・終業の時刻が職員の申告した時刻になるべく近づくような基準とされており、職員の判断がより重視される形となっている。

○規則十五―一四

（勤務時間法第六条第三項の規定に基づく勤務時間の割振りの手続）

第四条

2　各省各庁の長は、次の各号に掲げる前項の規定による申告（次項第二号を除き、以下この条において単に「申告」という。）の区分に応じ、当該各号に定めるところにより勤務時間を割り振るものとする。

二　前条第二項に定める基準に係る申告及び特定専門スタッフ職員の申告（始業及び終業の時刻について当該特定専門スタッフ職員の申告を考慮して勤務時間を割り振ることが公務の能率の向上に資すると認める場合の勤務時間の割振りに係るものに限る。）　これらの申告どおりに勤務時間を割り振るものとする。ただし、これらの申告どおりの勤務時間の割振りによると公務の運営に支障が生ずると認める場合には、別に人事院の定めるところにより勤務時間を割り振ることができるものとする。

○規則一五―一四運用通知

第三　勤務時間法第六条第三項の規定に基づく勤務時間の割振り並びに同条第四項の規定に基づく週休日及び勤務時間の割振り関係

14　規則第四条第二項第二号ただし書の規定による勤務時間の割振りは、前項(1)に定める基準に適合するように行うものとするほか、始業の時刻を申告された始業の時刻と標準勤務時間の始まる時刻との間に設定し、かつ、終業の時刻を申告された終業の時刻と標準勤務時間の終わる時刻との間に設定するものとする。この場合において、申告どおりに勤務時間を割り振ると公務の運営に支障が生ずる日について勤務時間数を変更して勤務時間を割り振るときは、必要な限度において、当該支障が生ずる日以外の日について勤務時間数を変更して勤務時間を割り振るものとし、その日の選択及び勤務時間の割振りに当たっては、できる限り、職員の希望を考慮するものとする。

(5)　勤務時間の割振り後の変更

特定職種の職員（前述3(4)のとおり、特定専門スタッフ職員については、公務能率の向上に資すると認められる場合を含む。）についても、割振り後の勤務時間の変更が可能とされているが、その変更の基準は、一般の職員よりも職員の申告に近い形となるよう措置されている。

ア　職員から勤務時間の始業時刻又は終業時刻について変更の申告があった場合の変更

職員の申告による変更の基準は、一般の職員と同様である。すなわち、各省各庁の長は、職員から変更の申告を受けた場合には、変更の申告どおりに勤務時間を変更するか、又は、申告を認めずに既に割り振っている勤務時間を変更しないかのいずれかを選択することとなる。

イ　職員から休憩時間の始まる時刻及び終わる時刻について申告があった場合の変更

特定職種の職員についても、一般の職員と同様である。すなわち、職員から休憩時間の始まる時刻及び終わる時刻について一定の基準に適合する申告があったときには、当該申告を考慮して休憩時間を置くものとするとされており（規則一五—一四第七条第四項、同運用通知第六の第八項）（第三章第二節参照）、当該申告を考慮して休憩時間を置くために既に行われた勤務時間の割振りを変更する必要があるときは、その勤務時間の割振りを変更することができることとされている。

ウ　職員の申告によらない変更

特定職種の職員については、勤務時間の割振り後に生じた事由により、既に割り振っている勤務時間で職員を勤務させると公務の運営に支障が生ずると各省各庁の長が認める場合に、勤務時間の割振りを変更することが可能である。ただし、その変更の基準については、一般の職員よりも厳格な基準が定められている。最も大きな違いとしては、特定職種の職員の場合は、単位期間の開始まで一週間未満となってからは、勤務時間数の変更はできないこととされている。つまり、各省各庁の長は、単位期間の開始まで一週間を切ってからは勤務時間数を変更するような大幅な変更はできないのであり、この点、特定職種の職員の業務遂行についての判断が尊重される形となっている。また、単位期間開始の一週間前までに変更を行う場合の基準は、特定職種の職員の勤務時間を調整して割り振る場合の基準⑷参照）と同様とされている点についても、一般の職員より厳格な基準となっている。

○規則一五―一四

（勤務時間法第六条第三項の規定に基づく勤務時間の割振りの手続）

第四条

３　各省各庁の長は、次の各号のいずれかに該当する場合には、前項の規定による勤務時間の割振り又はこの項の規定により変更された後の勤務時間の割振りを変更することができる。

一　職員からあらかじめ前項の規定により割り振られた勤務時間又はこの項の規定により割振りを変更された後の勤務時間の始業又は終業の時刻について変更の申告があった場合において、当該申告どおりに変更するとき。

二　職員から第七条第四項の規定により休憩時間の始まる時刻及び終わる時刻についての申告があった場合において、同項の規定により休憩時間を置くために勤務時間の割振りを変更するとき。

三　前項の規定による勤務時間の割振り又はこの項の規定による勤務時間の割振りの変更の後に生じた事由により、当該勤務時間の割振り又は当該変更の後の勤務時間の割振りによると公務の運営に支障が生ずると認める場合において、別に人事院の定めるところにより変更するとき。

○規則一五―一四運用通知

第三　勤務時間法第六条第三項の規定に基づく勤務時間の割振り並びに同条第四項の規定に基づく週休日及び勤務時間の割振り関係

16　規則第四条第二項第二号の規定により割り振られた勤務時間に係る同条第三項第三号の場合における変更は、次に定めるところによる。

(1)　変更日の属する単位期間が始まる日の前日から起算して一週間前の日までに勤務時間の割振りの変更を行うときは、次に掲げる基準に適合するように行うものとする。この場合において、変更日について既に割り振られている勤務時間数を変更するときは、必要な限度において、当該変更日以外の日について次に掲げる基準に適合するように既に割り振られている勤務時間数を変更して勤務時間の割振りを変更することができるものとし、その日の選択及び勤務時間の割振りの変更に当たっては、できる限り、職員の希望を考慮するものとする。

ア　勤務時間を延長する日については、延長後の勤務時間が七時間四十五分を超えないようにし、勤務時間を短縮する日については、短縮後の勤務時間が七時間四十五分を下回らないようにすること。

イ　変更前の始業の時刻と標準勤務時間の始まる時刻との間に始業の時刻を設定し、かつ、変更前の終業の時刻と標準勤務時間の終わる時刻との間に終業の時刻を設定すること。

(2)　変更日の属する単位期間が始まる日の前日から起算して一週間前の日後に勤務時間の割振りの変更を行うときは、当該変更日について既に割り振られている勤務時間数を変更せず、かつ、次に掲げる基準に適合するように行うものとする。

ア　変更日の勤務時間が七時間四十五分以下の場合には、変更前の始業の時刻と標準勤務時間の始まる時刻との間に始業の時刻を設定し、又は変更前の終業の時刻と標準勤務時間の終わる時刻との間に終業の時刻を設定すること。

イ　変更日の勤務時間が七時間四十五分を超えている場合には、変更前の始業の時刻と標準勤務時間の始まる時刻との間に始業の時刻を設定し、かつ、変更前の終業の時刻と標準勤務時間の終わる時刻との間に終業の時刻を設定すること。

5　育児・介護を行う職員及び障害者である職員の週休日の設定及び勤務時間の割振りの基準等

平成二十八年四月の原則として全ての職員を対象とするフレックスタイム制の拡充は、平成二十七年の人事院勧告・報告において述べているように、柔軟で多様な勤務形態の選択肢を用意することによる職員の能力発揮、士気向上や、働きやすい環境を整備することによる人材確保等を踏まえた措置であったが、この際、とりわけ育児又は介護を行う職員については、職員が育児や介護の時間を適切に確保できるよう支援するために、より柔軟な勤務形態となる仕組みとされた。また、平成三十一年一月には、育児や介護を行う職員の状況に類する状況にある職員として、障害者である職員についても、障害者の希望や障害特性に応じた働き方を推進するため、より柔軟な勤務形態のフレックスタイム制が適用される仕組みとされた。さらに、令和五年四月の一般の職員を含むフレックスタイム制の柔軟化により、コアタイムや一日の最短勤務時間数の短縮、フレキシブルタイムの拡大などの措置が講じられた。

育児・介護を行う職員及び障害者である職員のフレックスタイム制の具体的な内容としては、人事院規則において定めている単位期間やコアタイムといった勤務時間の割振りの基準が一般の職員よりも柔軟になっているのみならず、法律においても、週休日を日曜日及び土曜日に加えて設けることができる（規則において一週間につき一日までと規定）とされている点が大きな違いとなっている。すなわち、一般の職員のフレックスタイム制は月曜日から金曜日までの勤務時間の割振りを規定する勤務時間法第六条第二項の特例であるが、育児・介護を行う職員及び障害者である職員を対象とする勤務時間法第六条第四項は、職員の週休日を定めた勤務時間法第六条第一項の特例ともなっているものである。

その週休日の設定及び勤務時間の割振りの基準等については、次のとおりである。

(1)　対象職員

育児・介護を行う職員及び障害者である職員の範囲については、勤務時間法及び規則一五―一四において定められており、次のとおりとなっている。

①　子の養育を行う職員

勤務時間法上は子の養育を行う職員で人事院規則で定めるものとされており、養育する子の範囲については、人事院規則において、小学生以下の子とされている。なお、ここでいう「子」は、従前は法律上の子（実子及び養子）のみを指すものであったが、平成二十九年一月一日からは、民間労働法制における育児休業等の取扱いに則してその範囲が拡大されており、職員が養子縁組を結ぶ準備段階にあり、子に準ずるといえるような関係にある者（職員が民法の規定による特別養子縁組の成立に係る監護を現に行う者、児童福祉法の規定により養子縁組里親である職員に委託されている児童及びこれらに準ずる者（実親等の同意が得られないため、養子縁組里親ではなく養育里親である職員に委託されている児童））についても「子」の範囲に含むこととされている。なお、このような「子」の範囲の拡大については、同日から、他の育児に関する制度にも統一的に適用されている（第三章第十節等参照）。

②　配偶者等の介護を行う職員

勤務時間法上は配偶者等の介護を行う職員で人事院規則で定めるものとされており、人事院規則等において「配偶者等」の範囲や「介護」の内容が規定されている。具体的には、配偶者（届出をしないが事実上婚姻関係と同様の事情にある者を含む。）、父母、子、配偶者の父母、祖父母、孫若しくは兄弟姉妹又は同居している父母の配偶者、配偶者の父母の配偶者、子の配偶者又は配偶者の子であって、負傷、疾病又は老齢により二週間以上の期間にわたり日常生活を営むのに支障があるものの介護をする職員が対象とされている。これは、介護休暇を始めとする公務における介護のための両立支援制度の対象と同様としたものであり、詳細は第四部第六節及び第四部第七節を参照されたい。

③　障害者である職員

勤務時間法第六条第四項第二号では、①及び②の職員の状況に類する状況にある職員として人事院規則で定めるものを対象にできることとされており、同号に基づき、規則一五―一四第四条の五の二において、障害者の雇用の促進等に関する法律に規定する障害者である職員のうち、同法に規定する対象障害者である職員及び当該職員以外の職員であって勤務時間の割振りについて配慮を必要とする者として健康管理医が認める職員が定められている。

○勤務時間法

（週休日及び勤務時間の割振り）

第六条

4　各省各庁の長は、次に掲げる職員について、週休日並びに始業及び終業の時刻について、職員の申告を考慮して、第一項の規定による週休日に加えて当該職員の週休日を設け、及び当該職員の勤務時間を割り振ることが公務の運営に支障がないと認める場合には、同項及び第二項の規定にかかわらず、人事院規則で定めるところにより、職員の申告を経て、単位期間ごとの期間につき第一項の規定による週休日に加えて当該職員の週休日を設け、及び当該期間につき前条に規定する勤務時間となるように当該職員の勤務時間を割り振ることができる。

一　子（民法（明治二十九年法律第八十九号）第八百十七条の二第一項の規定により職員が当該職員との間における同項に規定する特別養子縁組の成立について家庭裁判所に請求した者（当該請求に係る家事審判事件が裁判所に係属している場合に限る。）であって、当該職員が現に監護するもの、児童福祉法（昭和二十二年法律第百六十四号）第二十七条第一項第三号の規定により同法第六条の四第二号に規定する養子縁組里親である職員に委託されている児童その他これらに準ずる者として人事院規則で定める者を含む。）の養育又は配偶者等（配偶者（届出をしないが事実上婚姻関係と同様の事情にある者を含む。以下この号において同じ。）、父母、子、配偶者の父母その他人事院規則で定める者をいう。第二十条第一項において同じ。）の介護をする職員であって、人事院規則で定めるもの

二　前号に掲げる職員の状況に類する状況にある職員として人事院規則で定めるもの

○規則一五―一四

（勤務時間法第六条第四項の適用職員）

第四条の五　勤務時間法第六条第四項第一号のその他これらに準ずる者として人事院規則で定める者は、児童福祉法（昭

和二十二年法律第百六十四号）第六条の四第一号に規定する養育里親（以下「養育里親」という。）である職員（児童の親その他の同法第二十七条第四項に規定する者の意に反するため、同項の規定により、同法第六条の四第二号に規定する養子縁組里親（以下「養子縁組里親」という。）として当該児童を委託することができない職員に限る。）に同法第二十七条第一項第三号の規定により委託されている当該児童とする。

2　勤務時間法第六条第四項第一号のその他人事院規則で定める者は、次に掲げる者（第二号に掲げる者にあっては、職員と同居しているものに限る。）とする。

一　祖父母、孫及び兄弟姉妹

二　職員又は配偶者（届出をしないが事実上婚姻関係と同様の事情にある者を含む。別表第二において同じ。）との間において事実上父母と同様の関係にあると認められる者及び職員との間において事実上子と同様の関係にあると認められる者で人事院が定めるもの

3　勤務時間法第六条第四項第一号の人事院規則で定める職員は、次に掲げる職員とする。

一　小学校就学の始期に達するまでの子（勤務時間法第六条第四項第一号において子に含まれるものとされる者を含む。以下同じ。）又は小学校、義務教育学校の前期課程若しくは特別支援学校の小学部に就学している子を養育する職員

二　勤務時間法第六条第四項第一号に規定する配偶者等であって、負傷、疾病又は老齢により二週間以上の期間にわたり日常生活を営むのに支障があるものを介護する職員

第四条の五の二　勤務時間法第六条第四項第二号の人事院規則で定める職員は、障害者の雇用の促進等に関する法律（昭和三十五年法律第百二十三号）第二条第一号に規定する障害者である職員のうち、同法第三十七条第二項に規定する対象障害者である職員及び当該職員以外の職員であって勤務時間の割振りについて配慮を必要とする者として規則一〇―四（職員の保健及び安全保持）第九条第一項に規定する健康管理医が認めるものとする。

○規則一五―一四運用通知

第三　勤務時間法第六条第三項の規定に基づく勤務時間の割振り並びに同条第四項の規定に基づく週休日及び勤務時間の割振り関係

22　規則第四条の五第二項の「同居」には、職員が要介護者の居住している住宅に泊まり込む場合等を含む。

23　規則第四条の五第二項第二号の「人事院が定めるもの」は、次に掲げる者とする。
(1)　父母の配偶者
(2)　配偶者の父母の配偶者
(3)　子の配偶者
(4)　配偶者の子

24　規則第四条の五の二の「勤務時間の割振りについて配慮を必要とする者」であることについては、職員の申出により、健康管理医が、当該職員を診断した医師の意見書その他の必要な情報に基づき判断するものとする。

(2)　週休日の設定及び勤務時間の割振りの基準等

ア　単位期間

育児・介護を行う職員及び障害者である職員の単位期間は、一週間、二週間、三週間又は四週間のうちから職員が選択できるとされている。これは、育児・介護を行う職員及び障害者である職員については、四週間先までの予定をたてることが困難な場合も想定されるため、そのような場合にも職員がフレックスタイム制を活用できるよう措置されているものである。一方で、短い単位期間を選択する場合、勤務時間の配分という点では弾力性を欠くことになるため、これらのメリット・デメリットを勘案した上で単位期間を選択し、申告を行うこととなる。

イ　週休日

育児・介護を行う職員及び障害者である職員が日曜日及び土曜日に加えて週休日を設けようとする場合には、区分期間（単位期間をその初日から一週間ごとに区分した各期間（単位期間が一週間である場合にあっては、単位期間））ごとにつき一日を限度とすることとされている。例えば、単位期間が水曜日から開始するような場合には、「水曜日から翌火曜日までの間に一日、翌水曜日から翌々火曜日までの間に一日」設けることができるものであり、単位期間の開始日により始点が変わるため、必ずしも月曜日から金曜日までの間に一日設けることができるわけではない点に注意を要する。また、区分期間ごとに週休日を設けたり、設けなかったりすることや、区分期間ごとに週休日とする日の曜日を変えることも可能である（特例対象日との関係についてオ参照。）。

なお、フレックスタイム制は勤務時間の総量を変更するものではないため、勤務時間法第六条第四項の規定に基づき週休日を設けた場合には、結果として他の勤務日に長い勤務時間を割り振ることとなる。

ウ　コアタイム

月曜日から金曜日までの午前九時から午後四時までの時間帯において、標準休憩時間を除き、一日につき二時間以上四時間以下の範囲内で各省各庁の長が部局又は機関ごとにあらかじめ定める連続する時間は、当該部局又は機関に勤務するイからカまでの基準により勤務時間を割り振る職員に共通する勤務時間とすることとされている。ただし、後述オの特例対象日を指定した職員の当該特例対象日については、この限りでないとされている。

なお、疲労蓄積防止、在宅勤務の適切な実施の確保、障害者である職員への合理的配慮のための特例は一般の職員と同様に適用される。

エ　フレキシブルタイム

一般の職員と同様である。

オ　一日の最短勤務時間数

一日につき二時間以上四時間以下の範囲内で各省各庁の長があらかじめ定める時間以上の勤務時間を割り振ることとされている。ただし、前述イの追加して設ける週休日を含まない区分期間においては、当該区分期間ごとにつき一日を限度として職員があらかじめ指定する日（特例対象日）（休日等を除く。）については、当該時間未満の勤務時間を割り振ることができることとされている。すなわち、区分期間ごとにつき一日を限度として、当該日の勤務時間を当該時間未満とすることができ、そのうち勤務時間を割り振る日が特例対象日となり、勤務時間を割り振らない日が日曜日及び土曜日に加えて設ける週休日となる。

カ　休日等の特定日における勤務時間

一般の職員と同様である。

キ　ウからオの基準よりも更に柔軟化する場合

一般の職員と同様である。

○規則一五―一四

（単位期間）

第四条の二　勤務時間法第六条第三項の人事院規則で定める期間は、同項の規定に基づく勤務時間の割振りについては四週間（四週間では適正に勤務時間の割振りを行うことができない場合として人事院の定める場合にあっては、人事院の定めるところにより、一週間、二週間又は三週間）とし、同条第四項の規定に基づく週休日及び勤務時間の割振りについては一週間、二週間、三週間又は四週間のうち職員が選択する期間とする。

（勤務時間法第六条第四項の規定に基づく週休日及び勤務時間の割振りの基準）

第四条の三　勤務時間法第六条第四項の規定に基づく週休日及び勤務時間の割振りは、次に掲げる基準に適合するものでなければならない。

一　勤務時間法第六条第一項の規定による週休日に加えて設ける週休日は、区分期間ごとにつき一日を限度とすること。

二　勤務時間は、次に定めるとおりとすること。

イ　一日につき二時間以上四時間以下の範囲内で各省各庁の長があらかじめ定める時間以上とすること。ただし、休日等については、七時間四十五分とすること。

ロ　区分期間（前号の規定による週休日を含む区分期間を除く。）ごとにつき一日を限度として職員があらかじめ指定する日（次号において「特例対象日」という。）（休日等を除く。）については、イに定めるあらかじめ定める時間未満とすることができること。

三　月曜日から金曜日までの午前九時から午後四時までの時間帯において、標準休憩時間を除き、一日につき二時間以上四時間以下の範囲内で各省各庁の長が部局又は機関ごとにあらかじめ定める連続する時間は、当該部局又は機関に勤務するこの項の基準により勤務時間を割り振る職員に共通する勤務時間とすること。ただし、特例対象日を指定した職員の当該特例対象日については、この限りでないこと。

四　始業の時刻は午前五時以後に、終業の時刻は午後十時以前に設定すること。

2　第三条第三項から第五項までの規定は、前項の規定に基づく週休日及び勤務時間の割振りについて準用する。この場合において、同条第三項中「第六条第三項」とあるのは「第六条第四項」と、「第一項第一号及び第二号又は前号各号（いずれも休日等に割り振る勤務時間に係る部分を除く。）」とあるのは「第四条の三第一項第二号（休日等に割り振る勤務時間に係る部分を除く。）及び第三号」と、同条第四項中「第六条第三項」とあるのは「第六条第四項」と、「第一項第二号又は第二項第一号ロ若しくは第二号ロ」とあるのは「第四条の三第一項第三号」と、同条第五項中「第一項又は第二項（いずれも」とあるのは「第四条の三第一項第二号から第四号まで（」と読み替えるものとする。

(3)　申告

申告は、(2)の基準に適合するように行わなければならない。また、育児・介護を行う職員又は障害者である職員として申告を行う場合には、育児・介護の事情や障害者である職員の状況を証明するための状況届を提出することとされている。

○規則一五―一四

（勤務時間法第六条第四項の規定に基づく週休日及び勤務時間の割振りの手続）

第四条の四　勤務時間法第六条第四項の職員の申告は、前条に定める基準に適合するものでなければならない。

2　各省各庁の長は、前項の規定による申告（第四項第二号を除き、以下この条において単に「申告」という。）について、その事由を確認する必要があると認めるときは、当該申告をした職員に対して、証明書類の提出を求めることができる。

○規則一五―一四運用通知

第三　勤務時間法第六条第三項の規定に基づく勤務時間の割振り並びに同条第四項の規定に基づく週休日及び勤務時間の割振り関係

19　職員は、規則第四条の四第一項の規定による申告に当たっては、次に定めるところにより、状況届を提出するものとする。

(1)　状況届は、各省各庁の長が作成し、次に掲げる記載事項の欄を設けるものとする。

ア　職員の所属及び氏名

イ　当該申告に係る子（勤務時間法第六条第四項第一号において子に含まれるものとされる者を含む。第二十三項(3)及び(4)を除き、以下同じ。）の氏名、職員との同居又は別居の別、職員との続柄等（当該子が勤務時間法第六条第四項第一号において子に含まれるものとされる者である場合にあっては、その事実）、生年月日及び養子縁組の効力が生じた日

ウ　当該申告に係る要介護者（規則第四条の五第三項第二号に規定する日常生活を営むのに支障がある者をいう。第二十二項、別紙第一及び別紙第一の二において同じ。）の氏名、職員との同居又は別居の別及び職員との続柄並びに当該要介護者の状態及び具体的な介護の内容

エ　規則第四条の五の二に規定する職員の状況

(2)　状況届を作成する際の参考例を示せば、別紙第一のとおりである。

別紙第１

状況届

（　　　年　　月　　日提出）

所　属
氏　名

次のとおり勤務時間法第６条第４項の規定に基づく週休日及び勤務時間の割振りに係る
□子の養育の状況
□要介護者の介護の状況　を申し出ます。
□職員の状況

１　申出に係る子の養育の状況
⑴　氏名＿＿＿＿＿＿＿＿＿＿
（職員との同居又は別居の別　　□　同居　□　別居）
（続柄等：　　　　　　　　　　　　　　）

⑵　子の生年月日　　　年　　月　　日生（□出産予定日）

⑶　養子縁組の効力が生じた日　　　年　　月　　日

２　申出に係る要介護者の介護の状況
⑴　氏名＿＿＿＿＿＿＿＿＿＿
（職員との同居又は別居の別　　□　同居　□　別居）
（続柄等：　　　　　　　　　　　　　　）

⑵　要介護者の状態及び具体的な介護の内容

３　職員の状況
□　身体障害者手帳、療育手帳又は精神障害者保健福祉手帳の交付を受けている者等（障害者の雇用の促進等に関する法律（昭和35年法律第123号）第37条第２項に規定する対象障害者）
□　勤務時間の割振りについて配慮を必要とする者として規則１０－４（職員の保健及び安全保持）第９条第１項に規定する健康管理医が認めるもの

注１　子を養育するために申し出る場合、申出に係る子の氏名、申出者との続柄等（申出に係る子が勤務時間法第６条第４項第１号において子に含まれるものとされる者である場合にあっては、その事実）及び生年月日を証明する書類（医師又は助産師が発行する出生（産）証明書、母子健康手帳の出生届出済証明書、官公署が発行する出生届受理証明書又は養子縁組届受理証明書、事件が係属している家庭裁判所等が発行する事件係属証明書、児童相談所長が発行する委託措置決定通知書又は証明書等）を添付する（写しでも可）。なお、申出に係る子が申出の際に出生していない場合には、「１⑵　子の生年月日」に出産予定日を記入し、「出産予定日」の□にレ印を記入する。
２　「２⑵　要介護者の状態及び具体的な介護の内容」は、要介護者の介護の状況について申し出る場合に、職員が要介護者の介護をしなければならなくなった状況及び介護の内容が明らかになるように、具体的に記入する。
３　「３　職員の状況」は、規則第４条の５の２に規定する職員が状況を申し出る場合に、該当する□にレ印を記入する。

(4)　週休日の設定及び勤務時間の割振りの方法

育児・介護を行う職員及び障害者である職員の週休日の設定及び勤務時間の割振りの方法は、一般の職員と基本的に同様（3(3)参照）であるが、人事院規則において「できる限り、当該週休日及び勤務時間の割振りが申告どおりとなるように努める」ものとされている。このため、同時期に一般の職員と育児・介護を行う職員や障害者である職員のフレックスタイム制による勤務時間の割振りを行う場合で、割振りの調整を行う必要が生じるような場合には、まずは育児・介護を行う職員や障害者である職員の申告ができる限り実現するよう努める必要がある。

加えて、育児・介護を行う職員及び障害者である職員については、一般の職員とは異なり、週休日を設けることができることとの関係上、職員が申告において週休日とすることを希望した日に勤務時間を割り振らなければならない場合が生じ得るが、このような場合には、当該日に割り振ることができる勤務時間は通常の勤務時間である七時間四十五分を上限としている。また、この場合、当該日に割り振った分の勤務時間は単位期間内で調整する必要があるが、その調整の方法については、単位期間中の他の勤務日を週休日にすることも、週休日は設けずに他の勤務日の勤務時間数を減らすことも可能とされている。ただし、新たに週休日を設けることとする場合のその日の選択は、できる限り職員の希望を考慮するものとされている。週休日を設けるか否かの判断及びその日の選択については、職員が必要としない週休日を設けることは、単位期間中の他の勤務日の勤務時間数を無用に長時間とし、職員の負担増に繋がりかねないため、各省各庁の長がよく職員の希望を聴取した上で対応する必要があるのは当然であろう。

○規則一五―一四

（勤務時間法第六条第四項の規定に基づく週休日及び勤務時間の割振りの手続）

第四条の四

３　各省各庁の長は、申告を考慮して前条第一項第一号の基準による週休日を設け、及び勤務時間を割り振るものとする。この場合において、各省各庁の長は、できる限り、当該週休日及び勤務時間の割振りが申告どおりとなるように努めるものとし、当該申告どおりに週休日を設け、及び勤務時間を割り振ると公務の運営に支障が生ずると認める場合には、別に人事院の定めるところにより週休日を設け、及び勤務時間を割り振ることができるものとする。

○規則一五―一四運用通知

第三　勤務時間法第六条第三項の規定に基づく勤務時間の割振り並びに同条第四項の規定に基づく週休日及び勤務時間の割振り関係

20　規則第四条の四第三項後段に規定する公務の運営に支障が生ずると認める場合における週休日の設定及び勤務時間の割振りは、次に定める基準に適合するように行うものとする。この場合において、申告どおりに週休日を設け、又は勤務時間を割り振ると公務の運営に支障が生ずる日について、それぞれ当該週休日を勤務日とするとき又は勤務時間数を変更して勤務時間を割り振るときは、必要な限度において、当該支障が生ずる日以外の日について週休日とし、又は勤務時間数を変更して勤務時間を割り振るものとし、その週休日とする日の選択に当たっては、できる限り、職員の希望を考慮するものとする。

(1)　その勤務日とする日又は申告された勤務時間を延長して勤務時間を割り振る日については、当該勤務日とする日に割り振る勤務時間又は延長後の勤務時間が七時間四十五分を超えないようにし、申告された勤務時間を短縮して勤務時間を割り振る日については、短縮後の勤務時間が七時間四十五分を下回らないようにすること。

(2)　始業の時刻は、申告された始業の時刻、標準勤務時間の始まる時刻又は官庁執務時間の始まる時刻のうち最も早い時刻以後に設定し、かつ、終業の時刻は、申告された終業の時刻、標準勤務時間の終わる時刻又は官庁執務時間の終わる時刻のうち最も遅い時刻以前に設定すること。

(5)　週休日及び勤務時間の設定・割振り後の変更

ア　職員から週休日及び勤務時間の始業時刻又は終業時刻について変更の申告があった場合の変更

一般の職員と同様である。なお、週休日を勤務日とし、勤務日を週休日とし、又は週休日を変更する申告を行うことも可能である。

イ　職員から休憩時間の始まる時刻及び終わる時刻について申告があった場合の変更

一般の職員と同様である。

ウ　職員の申告によらない変更

職員の申告によらない変更の基準についても、一般の職員と基本的に同様であるが、⑷と同様、週休日の特例が存在することに伴う差異は存在する。具体的には、①公務の運営に著しい支障が生ずると認める場合に、週休日とされていた日を勤務日とし、それに伴って他の勤務日を週休日とし、又は他の勤務日の割振りを変更することが可能とされていること及び、②申告によらない変更に伴って勤務時間を変更する他の勤務日の選択やその変更内容のみならず、週休日とする日の選択についても、できる限り職員の希望を考慮するものとされている点が一般の職員と異なっている。

○規則一五―一四

（勤務時間法第六条第四項の規定に基づく週休日及び勤務時間の割振りの手続）

第四条の四

４　各省各庁の長は、次の各号のいずれかに該当する場合には、前項の規定による週休日及び勤務時間の割振り又はこの項の規定により変更された後の週休日及び勤務時間の割振りを変更することができる。

一　職員からあらかじめ前項の規定により設けられた週休日及び割り振られた勤務時間の始業若しくは終業の時刻又はこの項の規定により変更された後の週休日及び勤務時間の始業若しくは終業の時刻について変更の申告があった場合において、当該申告どおりに変更するとき。

二　職員から第七条第四項の規定により休憩時間の始まる時刻及び終わる時刻についての申告があった場合において、同項の規定により休憩時間を置くために週休日及び勤務時間の割振りを変更するとき。

三　前項の規定により週休日を設け、及び勤務時間の割振りを行い、又はこの項の規定により週休日及び勤務時間の割振りの変更を行った後に生じた事由により、前項の規定による週休日及び勤務時間の割振り又はこの項の規定による変更の後の週休日及び勤務時間の割振りによると公務の運営に支障が生ずると認める場合において、別に人事院の定めるところにより変更するとき。

○規則一五―一四運用通知

第三　勤務時間法第六条第三項の規定に基づく勤務時間の割振り並びに同条第四項の規定に基づく週休日及び勤務時間の割振り関係

21　規則第四条の四第四項第三号の場合における週休日及び勤務時間の割振りの変更は、各省各庁の長が当該週休日又は当該勤務時間を変更しなければ公務の運営に著しい支障が生ずると認める場合に限るものとし、かつ、前項(1)及び(2)に定める基準に適合するように行うものとする。この場合において、当該週休日を勤務日とするときは、必要な限度において、その勤務日とする日以外の日を週休日とし、又は当該勤務日とする日以外の日について既に割り振られている勤務時間数を変更することができ、変更日について既に割り振られている勤務時間数を変更して勤務時間を割り振るときは、必要な限度において、当該変更日以外の日について既に割り振られている勤務時間数を変更して勤務時間を割り振ることができるものとし、その週休日とする日又は既に割り振られている勤務時間数を変更する日の選択及び勤務時間の割振りの変更に当たっては、できる限り、職員の希望を考慮するものとする。

(6)　単位期間中の育児・介護の事情や障害者である職員の状況の変動

育児・介護を行う職員又は障害者である職員としてフレックスタイム制の申告を行う場合に、「状況届」を提出しなければならないのは(3)で述べたとおりであるが、単位期間中に育児・介護の事情や障害者である職員の状況に変動があった場合についても、職員は「状況変更届」を提出しなければならないこととされている。

ところで、単位期間の途中で育児・介護を行う職員又は障害者である職員に該当しなくなった場合には、当該職員は勤務時間法第六条第四項の対象ではなくなるが、同項は週休日の設定及び勤務時間の割振りを行う場合の基準であること、実質的にも特例対象日等の特例も多く途中から一般の職員の基準に適合させることは困難な場合もあると考えられることから、当該単位期間中については、既に設定された週休日及び割り振られた勤務時間により勤務することが可能とされている。ただし、あらかじめ将来の単位期間について勤務時間法第六条第四項の規定により週休日の設定及び勤務時間の割振りを行っていた場合であっても、単位期間の開始時点で要件を満たさないようなものについて引き続き有効と取り扱うことはできない。職員が、育児・介護を行う職員又は障害者である職員に該当しなくなった日の属する単位期間が終了した後も引き続きフレックスタイム制を活用しようとする場合は、新たに勤務時間法第六条第三項の規定に基づく申告を行う必要がある。

○規則一五―一四

（勤務時間法第六条第四項の適用職員に該当しないこととなった場合の届出）

第四条の六　第四条の四第三項の規定により週休日を設け、及び勤務時間を割り振られた職員は、第四条の五第三項各号に掲げる職員又は前条に規定する職員に該当しないこととなった場合には、遅滞なく、その旨を各省各庁の長に届け出なければならない。

２　前項の届出は、状況変更届により行うものとし、状況変更届に関し必要な事項は、事務総長が定める。

３　第四条の四第二項の規定は、第一項の届出について準用する。

（勤務時間法第六条第四項の適用職員に該当しないこととなった場合の週休日及び勤務時間）

第四条の七　第四条の四第三項の規定により週休日を設け、及び勤務時間を割り振られた職員が、単位期間の中途において第四条の五第三項各号に掲げる職員又は第四条の五の二に規定する職員に該当しないこととなった場合における当該単位期間の末日までの間の週休日及び勤務時間の割振りについては、引き続き、その該当しないこととなった直前に当該単位期間について設けられた週休日及び割り振られた勤務時間によることができるものとする。

○規則一五―一四運用通知

第三　勤務時間法第六条第三項の規定に基づく勤務時間の割振り並びに同条第四項の規定に基づく週休日及び勤務時間の割振り関係

25　規則第四条の六第二項の状況変更届については、次に定めるところによる。

(1)　状況変更届は、各省各庁の長が作成し、次に掲げる記載事項の欄を設けるものとする。

ア　職員の所属及び氏名

イ　規則第四条の五第三項各号に掲げる職員又は規則第四条の五の二に規定する職員に該当しないこととなった事由及びその発生日

(2)　状況変更届を作成する際の参考例を示せば、別紙第一の二のとおりである。

別紙第１の２

状況変更届

（　　　年　　　月　　　日提出）

所　属
氏　名

次のとおり勤務時間法第６条第４項の規定に基づく週休日及び勤務時間の割振りに係る
（□子の養育の状況
□要介護者の介護の状況
□職員の状況）について変更が生じたので届け出ます。

１　届出の事由

２　届出の事実が発生した日

年　　月　　日

注　「１　届出の事由」には、勤務時間法第６条第４項の規定に基づく週休日及び勤務時間の割振りに係る状況の変更についてその内容が明らかになるように、具体的に記入する。

以上がフレックスタイム制の概要であり、職種等ごとの勤務時間の割振り等の基準等を整理すれば次頁の表のとおりである。また、その他の手続的な事項を説明すれば次のとおりである。

６　その他

(1)　申告簿及び割振り簿

新たな単位期間について勤務時間を割り振るに当たっての職員による申告及び各省各庁の長による割振り並びに既に行われた勤務時間の割振りについての職員による変更の申告及び各省各庁の長による割振りの変更は、いずれも各省各庁の長が作成する申告簿及び割振り簿により行うこととされている。

運用通知においては最低限必要な記載事項を定めるにとどまり、具体的な形式については各省各庁の長がそれぞれの必要性等に基づいて作成できることとされている。すなわち、申告・割振りについては、職員ごと単位期間ごとにきめ細かく行うだけではなく、事務簡素化の観点から、複数の単位期間の一括申告・割振り等を行うことも可能となっている。

また、規則一五―一四運用通知に掲げられている記載事項がすべて含まれている様式である場合には当該様式で処理することも可能である。

なお、この申告簿及び割振り簿は人事院規則一―三四（人事管理文書の保存期間）の規定により、原則として、作成・取得の日の属する年度の翌年度の四月一日から起算して三年保存するものとされている。

○規則一五―一四

（勤務時間法第六条第三項の規定に基づく勤務時間の割振りの手続）

第四条

フレックスタイム制の概要

職員の類型 ＼ 基準等	一般の職員	特定研究職員 任期付研究員 研究支援職員	特定専門スタッフ職員：公務能率向上に特に資すると認める場合	特定専門スタッフ職員：左記以外の場合	矯正医官	育児・介護を行う職員 障害者である職員
1日の最短勤務時間数	2～4時間で各省各庁の長が定める時間（※1）	2時間（※1）		2～4時間で各省各庁の長が定める時間（※1）	2時間（※1）	2～4時間で各省各庁の長が定める時間（※2）
コアタイム	毎日（※1☆の日を除く）	1日以上（※1☆の日を除く）		毎日（※1☆の日を除く）		毎日（※2＃の日を除く）
	2～4時間で各省各庁の長が定める時間				2時間	2～4時間で各省各庁の長が定める時間
	午前9時～午後4時の間に設定					
フレキシブルタイム	午前5時～午後10時					
週休日	土日					土日＋週1日も可
単位期間	原則4週間					1～4週間

※1　休日等の勤務時間は1日7時間45分。各省各庁の長が週1日を限度として定める日（☆）は、休日等を除き、この時間数を下回ることが可能

※2　休日等の勤務時間は1日7時間45分。職員が週1日を限度として指定する日（＃）は、休日等を除き、この時間数を下回ることが可能

4　申告並びに第二項の規定による勤務時間の割振り及び前項の規定による勤務時間の割振りの変更は、それぞれ申告簿及び割振り簿により行うものとし、申告簿及び割振り簿に関し必要な事項は、事務総長が定める。

（勤務時間法第六条第四項の規定に基づく週休日及び勤務時間の割振りの手続）

第四条の四

5　第四条第四項の規定は、第一項、第三項及び前項の規定を適用する場合について準用する。この場合において、同条第四項中「申告並びに第二項」とあるのは「第四条の四第二項に規定する申告並びに同条第三項」と、「勤務時間の割振り及び前項」とあるのは「週休日の設定及び勤務時間の割振り並びに同条第四項」と、「勤務時間の割振りの」とあるのは「週休日及び勤務時間の割振りの」と読み替えるものとする。

○規則一五—一四運用通知

第三　勤務時間法第六条第三項の規定に基づく勤務時間の割振り並びに同条第四項の規定に基づく週休日及び勤務時間の割振り関係

17　規則第四条第四項（規則第四条の四第五項において準用する場合を含む。）の申告簿及び割振り簿については、次に定めるところによる。

(1)　申告簿は、各省各庁の長が作成し、次に掲げる記載事項の欄を設けるものとする。

ア　職員の氏名

イ　申告の対象とする期間

ウ　始業及び終業の時刻又はこれに代わる勤務時間の形態（規則第四条の四第五項において準用する場合にあっては、当該時刻及び勤務時間法第六条第四項の規定に基づく週休日とする日又はこれらに代わる勤務時間の形態。(2)ウにおいて同じ。）

エ　割振り後の勤務時間の変更

オ　本人の確認

カ　申告年月日

(2)　割振り簿は、各省各庁の長が作成し、次に掲げる記載事項の欄を設けるものとする。

ア　職員の氏名
イ　割振りの対象とする期間
ウ　始業及び終業の時刻又はこれに代わる勤務時間の形態
エ　割振り後の勤務時間の変更
オ　各省各庁の長の確認
カ　割振り年月日

(2)　職員への周知及び通知

フレックスタイム制の適用を希望する職員が申告を行うためには、当該職員が所属する部局又は機関におけるフレックスタイム制の実施に係る基準等、すなわち、一日の最短勤務時間数、コアタイム・フレキシブルタイムの時間帯、標準勤務時間の時間帯、標準休憩時間等をあらかじめ了知しておかなければならない。このため、規則一五―一四運用通知において、各省各庁の長がこれらの事項を職員にあらかじめ周知しなければならない旨定めている。

なお、この場合における各省各庁の長の周知方法としては、各府省の勤務時間に関する訓令、又は各部局若しくは機関の勤務時間に関する規程等において定め、イントラネットの掲示板に掲載することなどにより行うことが適当であろう。

また、各省各庁の長が職員の勤務時間を割り振った場合に、その内容を速やかに職員に通知（又は明示・周知）すべきことは、勤務時間法制の当然の要請であるが、日々異なる勤務時間の設定が許容されているフレックスタイム制においては、その必要性はなおさらである。このため、規則一五―一四第九条第二項は、各省各庁の長がフレックスタイム制により職員の勤務時間を割り振り、又は割振りを変更した場合には、職員に対して速やかにその内容を通知するものとしているのである。

なお、この通知は文書により行うこととされているが、電子媒体や勤務時間管理システムによることも可能である。通知しなければならない事項のうち、前述の各府省の勤務時間に関する訓令や各部局又は機関の勤務時間に関する規程で定めるなどの方法により、あらかじめ職員に周知している事項については、改めて通知することを要しないこととしている。

○規則一五—一四

（週休日及び勤務時間の割振り等の明示）

第九条

2　各省各庁の長は、勤務時間法第六条第三項の規定により勤務時間を割り振り、若しくは同条第四項の規定により週休日を設け、及び勤務時間を割り振り、又は週休日の振替等を行った場合には、人事院の定めるところにより、職員に対して速やかにその内容を通知するものとする。

○規則一五—一四運用通知

第三　勤務時間法第六条第三項の規定に基づく勤務時間の割振り並びに同条第四項の規定に基づく週休日及び勤務時間の割振り関係

26　各省各庁の長は、勤務時間法第六条第三項の規定により勤務時間を割り振り、又は同条第四項の規定により週休日を設け、及び勤務時間を割り振ることとした場合には、あらかじめ次の事項について職員に周知するものとする。周知した事項を変更する場合においても、同様とする。

(1)　規則第三条第一項第一号イ又は第四条の三第一項第二号イの規定により各省各庁の長があらかじめ定める時間

(2)　規則第三条第一項第一号ロ又は第二項第一号イ(2)若しくは第二号イ(2)の規定により各省各庁の長があらかじめ定める日

(3)　コアタイム等

(4)　始業及び終業の時刻を設定することができる時間帯

(5)　標準勤務時間の始まる時刻及び終わる時刻
(6)　標準休憩時間
(7)　その他必要な事項

27　勤務時間法第六条第三項の規定により勤務時間を割り振った場合又は同条第四項の規定により週休日を設け、及び勤務時間を割り振った場合における規則第九条第二項の職員への通知は、次の事項を記載した文書により行うものとする。ただし、前項の規定によりあらかじめ職員に周知している事項については、その記載を省略することができる。
(1)　規則第四条第二項の規定により勤務時間を割り振った場合には、各勤務日の正規の勤務時間及び休憩時間
(2)　規則第四条第三項の規定により勤務時間の割振りを変更した場合には、変更された勤務日の正規の勤務時間及び休憩時間
(3)　規則第四条の四第三項の規定により週休日を設け、及び勤務時間を割り振った場合には、当該週休日並びに各勤務日の正規の勤務時間及び休憩時間
(4)　規則第四条の四第四項の規定により週休日及び勤務時間の割振りを変更した場合には、変更により週休日となった日並びに変更された勤務日の正規の勤務時間及び休憩時間

(3)　人事院への報告事項

庁舎の管理などのため一定の時刻より前あるいは後には勤務時間が割り振れないやむを得ない事情がある場合には、内規等においてフレキシブルタイムを人事院の定める基準より短くすることが致し方ない場合もあると考えられる。しかしながら、フレキシブルタイムは、フレックスタイム制による勤務時間の割振りをどこまで柔軟に認めるかの重要な要素であるため、その基準に一定以上の運用上の制限を設けるような場合には、割振りの基準を設定する人事院においてその内容及び理由を確認する仕組みを設けている。これは、フレックスタイム制の趣旨を損なうものでないかのチェックを行うことにより、各省各庁の長において正当な理由なくフレックスタイム制の活用を阻害するこ

とを防ぐ趣旨である。具体的には、規則一五―一四運用通知において、フレキシブルタイムの開始を午前八時より後に、終了を午後八時より前に設定する場合には、その時間帯と当該時間帯とする理由を人事院に報告するものとしている。

また、フレックスタイム制の基準については人事院規則やその委任を受けた運用通知で枠組みが規定されており、各省各庁の長はその範囲内でしか定めることはできないが、フレックスタイム制は公務の運営に支障のない範囲内で運用される制度であるため、仮に申告があったとしても公務の運営上の支障により応じられない事項がある場合には、各省各庁の長が、内規等において、その内容をあらかじめ示すことは考えられる。このような方法は、職員に認められない内容の申告をさせない点で効率的ではあるが、フレックスタイム制による勤務時間の割振りの柔軟性が損なわれかねない面があり、際限なくこのような措置を許すと、実質、明確な法的根拠なく柔軟な割振りを制限する運用が生じかねない。フレックスタイム制は原則として全ての職員を対象とするものである以上、各省各庁の長は、事前に内規等で申告の内容を制限するのではなく、職員から個別の申告があった場合にその申告の内容について公務運営上の支障の有無を判断するという対応が基本となる。

○規則一五―一四運用通知

第三　勤務時間法第六条第三項の規定に基づく勤務時間の割振り並びに同条第四項の規定に基づく週休日及び勤務時間の割振り関係

28　各省各庁の長は、第二十六項(4)の時間帯の開始を午前八時より後に設定し、又は当該時間帯の終了を午後八時より前に設定する場合には、当該時間帯及び当該開始の時刻又は当該終了の時刻とする理由について人事院に報告するものとする。当該時間帯によらないこととした場合においても、同様とする。

第六節　交替制等勤務職員の週休日及び勤務時間の割振り

一　特別の形態によって勤務する必要のある職員の週休日及び勤務時間の割振りの基準

特別の形態によって勤務する必要のある職員、すなわち交替制等勤務職員についての週休日の設定及び勤務時間の割振りは、勤務時間法第七条により各省各庁の長（内閣総理大臣、各省大臣、会計検査院長及び人事院総裁並びに宮内庁長官及び各外局の長）が行うこととされており、この割振り権はそれぞれ内部規程により部内の職員に委任されているが、これらの職員の割振り等の基準については、同条第二項及び規則一五―一四第五条に規定する基準に従って、業務の内容、職務の困難性の度合、職場環境、勤務要員数等の諸条件を勘案してそれぞれの割振り権者が定めることとなる。

○勤務時間法

第七条　各省各庁の長は、公務の運営上の事情により特別の形態によって勤務する必要のある職員については、前条第一項及び第二項の規定にかかわらず、週休日及び勤務時間の割振りを別に定めることができる。

２　各省各庁の長は、前項の規定により週休日及び勤務時間の割振りを定める場合には、人事院規則で定めるところにより、四週間ごとの期間につき八日（定年前再任用短時間勤務職員にあっては、八日以上）の週休日を設け、及び当該期間につき第五条に規定する勤務時間となるように勤務時間を割り振らなければならない。ただし、職務の特殊性又は当該官庁の特殊の必要により、四週間ごとの期間につき八日（定年前再任用短時間勤務職員にあっては、八日以上）の週休日を設け、又は当該期間につき同条に規定する勤務時間となるように勤務時間を割り振ることが困難である職員について、人事院と協議して、人事院規則で定めるところにより、五十二週間を超えない期間につき一週間当たり一日以上の割合で週休日を設け、及び当該期間につき同条に規定する勤務時間となるように勤務時間を割り振る場合には、この限りでない。

○規則一五―一四

（特別の形態によって勤務する必要のある職員の週休日及び勤務時間の割振りの基準等）

第五条　各省各庁の長は、勤務時間法第七条第二項本文の定めるところに従い週休日及び勤務時間の割振りを定める場合には、勤務日（勤務時間法第八条に規定する勤務日をいう。以下同じ。）が引き続き十二日を超えないようにし、かつ、一回の勤務に割り振られる勤務時間が十六時間を超えないようにしなければならない。

2　各省各庁の長は、勤務時間法第七条第二項ただし書の定めるところに従い週休日及び勤務時間の割振りを定める場合には、次に掲げる基準に適合するように行わなければならない。

一　週休日が毎四週間につき四日以上となるようにし、かつ、当該期間につき一週間当たりの勤務時間が四十二時間を超えないこと。

二　勤務日が引き続き十二日を超えないこと。

三　一回の勤務に割り振られる勤務時間が十六時間を超えないこと。

3　各省各庁の長は、勤務時間法第七条第二項ただし書の定めるところに従い週休日及び勤務時間の割振りを定める場合において、前項各号の基準に適合し、かつ、週休日を当該期間につき一週間当たり二日の割合で設けるときは、同条第二項ただし書の規定による人事院との協議を要しないものとする。

1　特別の形態によって勤務する必要のある職員

勤務時間法第七条、規則一五―一四第五条は、特別の形態によって勤務する必要のある職員の週休日及び勤務時間の割振りの基準等を定めたものである。

ここで、同法第七条第一項にいう「特別の形態」とは、一般の職員が同法第六条第一項の規定により日曜日及び土曜日を週休日とすることが原則とされているのに対して、刑務所の看守、守衛のように、二十四時間体制の業務運営が必要なため複数の職員の交替によらなければならない職員、又は税関、航空管制官等土曜日や日曜日も出勤する職員のように日曜日及び土曜日を週休日とすることができないような勤務形態を意味する。これらいわゆる交替制等勤務職員について、旧給与法第十四条第三項ただし書は「特別の勤務に従事する職員」と規定していたが、勤務時間法第七条第一項の「公務の運営上の事情により特別の形態によって勤務する必要のある職員」との表現は、この意味内容をより明確化するために用いたものである。

2　原則的な週休日及び勤務時間の割振り

勤務時間法第七条第二項本文は、特別の形態によって勤務する必要のある職員の週休日及び勤務時間の割振りの原則について、四週間ごとの期間につき八日の週休日を設けること、及び当該期間につき一週間当たりの勤務時間を三十八時間四十五分とすることとし、いわゆる四週八休制の原則を明示している。この四週八休制の適用職員のさらに具体的な割振り等の基準については、規則一五―一四第五条第一項の規定において、正規の勤務時間を割り振られる日（勤務日）が引き続き十二日を超えないようにすること（連続勤務日の基準）、一回の勤務に割り振られる勤務時間が十六時間を超えないようにすること（一回の勤務の勤務時間の基準）とされている（なお、一回の勤務に割り振られた勤務時間が二暦日にまたがる場合は、両日とも勤務日となることは言うまでもない。）。したがって、これらの基準を満たしている限り、各省各庁の長は、その裁量により週休日及び勤務時間の割振りを定めることができる。

この定めの内容は、四週間ごとの期間で割振りを完結させることになるので、その期間内に週休日が八日設けられていることに加えて、勤務時間は週平均三十八時間四十五分（四週間で百五十五時間）とならなければならないことは当然である。しかし、このことは、それぞれの四週間の中での勤務ローテーション等（日勤、夜勤の回数等）の割振りの内容が全く同じになっていなければならないということではない。次に、連続勤務日十二日の制限は、四週間ごとの期間を問わず、いかなる場合にも勤務日がこの制限を超えて連続してはならないという趣旨である。また、連続勤務日の基準については、従来二十四日であったが、勤務時間法の施行に伴い、交替制等勤務職員の勤務条件を改善する趣旨から十二日に短縮したものであり、一回の勤務の勤務時間の基準については、同様の趣旨から、勤務時間法施行に伴い新設されたものである。なお、この一回の勤務の勤務時間の基準については、平成二十一年四月の勤務時間の短縮以降も変更されていない。これは、勤務時間の短縮に当たっては、これまでの行政サービスを維持し、かつ、行政コストの増加を招かないことが基本であり、公務の運営上の事情も考慮する必要があることから、従来どおりとされたものである。

3　例外的な週休日及び勤務時間の割振り

勤務時間法第七条第二項ただし書は、特別の形態によって勤務する必要のある職員のうち、同項本文の基準により週休日及び勤務時間の割振りの定めができない場合の割振り等の基準について定めている。同項本文によれない場合とは、「職務の特殊性又は当該官庁の特殊の必要」により、①四週間の期間では割振り等が完結しないため、さらに長い期間（又は四週間未満の期間）をとって割振り等を行う必要がある場合、②四週八休の割合で週休日を設けることができない場合、③前記①及び②の両方に該当する場合である。①のような割振り等が必要になる理由としては、業務に季節的な繁閑がある場合や教育訓練機関等で休業期間中に休みをまとめる必要がある場合等が典型的であるが、交替制の組み方等技術的な事情によるもの（例えば、三組で交替制勤務を行う場合、三の倍数でなければローテーションが完結しないので、四週八休の割合で週休日を設けようとすれば、六週十二休とか十二週二十四休とせざるを得ない。）もある。②は、交替制、少人数職種等で一定の勤務職員数を確保する必要がある場合で、職員数等の関係から、一度に多数の職員を休ませることができない場合等である。③には、①と②の事情が複合する場合のほか、例えば、四週間で割振り等を行おうとすれば四週七休にしかできないが、八週間で行えば八週十五休とできるので、より休日数の多い形を選ぶような場合もある。

このような割振り等は、職員にとって他の職員との均衡上不利な勤務条件となるおそれがあるため、これを定めるには人事院と協議することが必要であるとされている。協議の要件として、まず法令上は、割振り単位期間は五十二週間を超えることができず、当該期間につき一週間当たり一日以上の週休日を設け、一週間当たりの勤務時間を三十八時間四十五分とすることが求められている。さらに、割振り単位期間が長くなることにより勤務時間が大幅に弾力化されることを避ける観点から、四週間を超える割振り単位期間による割振りについては、規則一五—一四第五条第二項の規定により、週休日が毎四週間につき四日以上となるようにし、かつ、毎四週間について一週間平均の勤務時間が四十二時間（四週間で百六十八時間）を超えないようにし、前述の四週八休制の原則が適用される職員と同様に連続勤務日（十二日）の基準及び一回の勤務の勤務時間（十六時間）の基準を満たさなければならない。

「四週間ごとの期間につき八日の週休日を設けることが困難である」場合には、四週八休に満たないものだけではなく、四週八休の割合を超えるものも含まれ、このような定めをするためにも人事院との協議が必要である。四週八休の割合を超える場合については、週休日の日数のみをみれば一般の職員より多くなっているのであるから、それ自体は有利な勤務条件であるということができる。しかし、勤務時間の総量は一般の職員と同じであることから、週休日の日数が多くなるためにはどこかでまとまった長時間の勤務が行われていることが必要となり、この面からみれば、職員の勤務条件としては必ずしも適当でない場合があり得るので、長時間勤務の部分も合わせてその割振り等の適否を判断する必要がある。このような理由から、四週八休に満たない場合のみならず、これを超える場合も人事院との協議が要件として課されているのである。

なお、平成十四年四月一日からは、規則一五—一四第五条第三項の規定により、人事院との協議の際に満たさなければならない基準に適合するもののうち、週休日を割振り単位期間につき一週間当たり二日の割合で設けるときは、人事院との協議を要しないものとされた。これは、協議の際に満たさなければならない基準が設定されている中で、過去の協議において当該期間につき一週間当たり二日の割合で週休日が設けられているものについては、四週八休制の原則による特別の形態によって勤務する職員と比較しても著しく均衡を失するような事例はなかったため、週休日及び勤務時間の割振りに関する各省各庁の長の主体性尊重と事務の簡素化の観点から、人事院との協議を要しないものとする改正が行われたものである。

また、規則一五―一四第五条第二項の各号の基準をも満たさない場合には、人事院との協議に加えて、規則一五―一四第三十二条の規定により人事院の承認が必要となる。現在の主な承認例は、長期航海を行う船舶に乗り組む職員、海上保安官などである。

〇規則一五―一四

（第二章から第四章までの規定についての別段の定め）

第三十二条　各省各庁の長は、業務若しくは勤務条件の特殊性又は地域的若しくは季節的事情により、第三条第一項から第四項まで、第四条の三、第五条、第六条、第七条第一項及び第二項、第八条第一項、第十四条第二項、第十六条の三第一項及び第三項並びに第十七条第一項の規定によると、能率を甚だしく阻害し、又は職員の健康若しくは安全に有害な影響を及ぼす場合には、人事院の承認を得て、週休日、勤務時間の割振り、週休日の振替等、休憩時間、休息時間、宿日直勤務、超勤代休時間の指定又は代休日の指定について別段の定めをすることができる。

〇規則一五―一四運用通知

第四　特別の形態によって勤務する必要のある職員の週休日及び勤務時間の割振りの基準等関係

２　勤務時間法第七条第二項ただし書の規定による人事院との協議は、次の事項を記載した文書により、事前に相当の期間をおいて行うものとする。

(1)　協議の対象となる職員の範囲
(2)　勤務時間法第七条第二項本文の定めるところに従うことが困難である理由
(3)　週休日及び勤務時間の割振りの基準の内容

3　各省各庁の長は、勤務時間法第七条第二項ただし書の規定により人事院と協議した週休日及び勤務時間の割振りについての定めを変更する場合には、変更の内容及び理由を記載した文書により、人事院と協議するものとする。

4　各省各庁の長は、規則第五条第三項の規定により人事院との協議を行うことなく、勤務時間法第七条第二項ただし書の定めるところに従い週休日及び勤務時間の割振りを定めた場合には、速やかに第二項(1)から(3)までに掲げる事項を人事院に報告するものとする。

5　各省各庁の長は、勤務時間法第七条第二項ただし書の定めるところに従い定めた週休日及び勤務時間の割振りによる必要がなくなった場合には、速やかにその旨を人事院に報告するものとする。

第十九　勤務時間等についての別段の定め関係

1　規則第三十二条の規定による人事院への承認の申請は、別段の定めの内容、別段の定めを必要とする理由等を記載した文書により行うものとする。人事院の承認を得ている別段の定めを変更する場合においても、同様とする。

2　各省各庁の長は、前項の人事院の承認を得た別段の定めによる必要がなくなった場合には、速やかにその旨を人事院に報告するものとする。

4　週休日の設定及び勤務時間の割振りの時期等

勤務時間法第七条の規定に基づく週休日の設定及び勤務時間の割振りは、休日の利用計画等職員の生活に大きな影響を与えるものであることから、できる限り早い時期にこれを行うことが望ましく、同様の観点から、なるべく多くの割振り単位期間について一度に行うことも求められよう。また、このような割振り等を行った場合には、職員に対して速やかにこれを示すことが必要である。

○規則一五―一四運用通知

第四　特別の形態によって勤務する必要のある職員の週休日及び勤務時間の割振りの基準等関係

１　各省各庁の長は、勤務時間法第七条第一項の規定による週休日及び勤務時間の割振りを定める場合には、割振り単位期間（同条第二項本文に規定する四週間ごとの期間又は同項ただし書の規定により人事院と協議して各省各庁の長が定めた五十二週間を超えない期間をいう。）ができる限り多く連続するように一括して行うものとする。

○規則一五―一四

（週休日及び勤務時間の割振り等の明示）

第九条　各省各庁の長は、勤務時間法第六条第一項ただし書の規定により週休日を設け、同条第二項の規定により勤務時間を割り振り、勤務時間法第七条の規定により週休日及び勤務時間の割振りを定め、勤務時間法第九条の規定により休憩時間を置き、又は前条の休息時間を置いた場合には、適当な方法により速やかにその内容を明示するものとする。

５　毎四週間

特別の形態によって勤務する必要のある職員の週休日及び勤務時間の割振り、また、第三章第一節で述べる週休日の振替等の要件の内容として、「毎四週間」（又は「四週間ごとの期間」）という単位が多く用いられている。これは、ある初日を決めて四週間の期間を設定し、その四週間とそれに引き続く四週間ごとの期間を「毎四週間」とするのであり、どこの四週間をとっても、ある要件を満たさなければならないということではない。特別の形態によって勤務する必要のある職員の毎四週間は、交替制勤務職員の場合には同一官署で同一の勤務に従事する職員であっても職員ごとにその初日を異ならせる必要があることさえあり、いつが毎四週間の初日であり、どの四週間が割振り等の基準となっているのか不明確になるおそれがある。しかしながら、現在の勤務時間制度はこの毎四週間を基礎として、職員の重要な勤務条件を保障することとなっており、職員にとって極めて重要なことであるので、各割振り権者は、職員ごとにこの期間がいつを初日とする期間であるかを明確にし、週休日の設定及び勤務時間の割振り、週休日

交替の型の定義及び職種例

交替制の型	時間の例（8.30　17.30　0　8.30）	摘要
2交替	A勤　B勤	夜勤は主に日勤の勤務時間以外の時間を1回の勤務とされているもの
	A勤　B勤	日勤と夜勤がほぼ同じ拘束時間とされているもの
3交替	A勤　B勤　C勤	夜勤も1勤務7時間45分とされ，1日に交替引継ぎが3回行われるもの
4交替	A勤　B勤　C勤　D勤	1日に交替引継ぎが4回行われるもの
変則2交替	A勤　B勤	夜勤は1回の勤務が拘束24時間でこの1勤務に2日分の実働時間が配置され，日勤と併せて行うこととされているもの
変則3交替	A勤　B勤　C勤	原則として4時間勤務，8時間休みをくりかえすこととされているもの
1昼夜交替		1回の勤務が拘束24時間で，この1勤務に2日分の実働時間が配置されているもの
その他		上記以外の交替制勤務

の振替等を行う場合には、これに従うことが必要であるとともに、職員にもこの期間を周知しておくことが必要であり、各府省の訓令等で規定しておくことが適当である。

6　交替制勤務職員の勤務時間の割振りについての留意点

特別の形態によって勤務する必要のある職員のうち、交替制勤務職員の勤務時間の割振りには、特に注意をすることが必要である。ここで、交替制勤務とは、時系列により区分された仕事に二人又は二組以上の職員が交替で勤務する方式のことをいう。交替制勤務、特に夜間勤務は、心身の機能の低下した状態、つまりある程度生理的に無理な状況のもとで行われるものといえようし、睡眠不足、食事時間の不規則性をもたらす等労働衛生的な問題や社会一般と生活の時間帯を異にすることから生ずる不都合等、職員の健康と福祉に影響を及ぼす要因を多くかかえている。規則上は交替制勤務職員の一日の勤務時間に関し特別な規制は設けられていないが、割振りに当たっては次の点を十分に吟味し、職員の保護に一段と意を用いなければならないところであろう。

① 拘束時間の長い勤務を含んでいないか。
② 夜勤明けの後、次の勤務につくまでの間隔（勤務間インターバル）は十分か。
③ 休憩時間の置き方はどうか。特に仮眠時間は適切か、また、食事は規則正しくゆっくりとれるように配慮されているか。
④ 週休日は片寄らないように置かれているか。
⑤ 疲労の大きい勤務（直）を続けないような仕組みになっているか。
⑥ 日勤から夜勤、夜勤から日勤への切替えは適切か。

官庁における交替制勤務の特色としては、

① 一勤務（直）に従事する職員数が少数であること。
② 時間帯により勤務密度に差があること。
③ 一斉の休憩等によって業務を中断することができず、業務の量とは別に、常に職員を配置しておかなければならないものが多いこと。

等があげられる。中には、一定の時間は同一人が引き続いて業務に当たることが要請されるものもあり、これら業務の性質と定員の問題がからまって、官庁における交替制勤務は、製造工場において、多数の従業員が一斉に作業につき、一斉に交替するというような規則だった形を取り得ない場合が多く、直の設定が困難になっている。交替の型も一昼夜勤務を組み入れたものが多く、長時間の勤務が随所にみられるが、拘束時間についてはそれが不必要に長くなることのないように注意する必要があり、それが例えば職員にかかる負担の比較的軽い勤務のような場合でも最長二十四時間が限度であろうと考えられる。

二　週休日等の特例

業務又は勤務条件の特殊性等により、週休日及び勤務時間の割振りについて規則一五―一四第五条の基準によると業務能率、職員の健康・安全に悪影響を及ぼす場合には、規則一五―一四第三十二条において、各省各庁の長が人事院の承認を得て別段の定めができることとされている。これは、具体的には、①四週間を超える割振り単位期間で毎四週間につき四日以上の週休日を設けることができない場合、又は毎四週間について一週間当たり四十二時間を超えない割振りとすることができない場合、②連続勤務日が十二日を超える場合である。なお、規則一五―一四第三十二条の条文上は、一回の勤務に割り振られる勤務時間が十六時間を超える場合も承認対象に含まれるが、この基準は職員の勤務条件の最低基準としての意味をもつものであり、日々の生活における生理的サイクルを考慮すれば、業務上の多少の必要性があったとしても人事院の承認を得ることはほとんど不可能であろうと思われる。

三　異動者等の週休日及び勤務時間の割振り

割振り等の基準を異にして異動した職員、新規採用者、定年退職者等についての割振り等はいかに行うべきかという問題があるが、これが実際に問題になる場合としては、まず、一般の勤務と交替制等勤務との間の異動の場合、交替制等勤務職員への採用又は交替制等勤務職員の定年退職等の場合がある。具体的には、例えば、一般の勤務を行っていた職員が異動後の交替制等勤務における割振り単位期間の中途で交替制等勤務の部署へ異動した場合に異動後の当該期間内の勤務時間は何時間とすべきなのか、また、割振り単位期間の中途で交替制等勤務の職員に採用された場合にはどうなのかというような問題である。

このような場合の取扱いについては、制度としての特別の基準は設けられていない。これは、交替制等勤務の場合は一般の勤務職員の場合と異なり、一週間単位で勤務時間の割振りが行えず、一日、一週の勤務時間が平均していないことが多く、ローテーションを組んで勤務することも多いので、一部しか勤務しないその割振り単位期間における在職日数に応じた割合で勤務時間数なり週休日の日数なりを按分して定めることが困難であり、また、班を組んで勤務していることもあるため、異動等の日をその職員だけの割振り単位期間の初日とすることも現実的ではなく、かつ、それができたとしても、異動前後で割振り単位期間が異なっていては意味がなく、さらには、交替制等勤務から一般の勤務への異動の場合には、異動後の週休日及び勤務時間の割振りの基準が一律に定められているため異動後の時間数調整等は不可能といわざるを得ない等の理由から、制度としては一律の基準が設けられていないということである。このような期間においては全く無原則に割振り等が行えるのかといえばそうではなく、各割振り権者においては、可能な限り、週休日の設け方、一週間の勤務時間の定めの趣旨の実現に努めることが必要であり、また、他の職員とのバランスを図ることも必要である（異動者の場合には、できる限り異動前の勤務時間等の状況をも考慮する必要がある。）。異動職員等の週休日の設定及び勤務時間の割振りについては、このような観点から十分配慮することが求められているというのが制度の趣旨であると解すべきである。

第七節　裁量勤務制

一　導入の経緯

科学技術の振興は、我が国の最重要課題の一つであり、当時の科学技術基本法（現在は科学技術・イノベーション基本法）に基づき研究開発推進の総合政策を定めた平成八年当時の「科学技術基本計画」（平八・七・二　閣議決定）においても、重点施策の一つとして、柔軟で競争的な研究開発環境の実現を目指し、研究者の流動性を高め、研究活動の活性化を図るために、研究者の任期制の導入などの整備を図ることとされた。

人事院は、この「科学技術基本計画」を踏まえつつ、そのような環境整備の具体化について検討を行った結果、

① その研究分野において研究業績等により特に優れた研究者と認められている者を招へいして、高度の専門的知識、技術等を必要とする研究業務に従事させる場合

② 独立して研究する能力があり、研究者として高い資質を有すると認められる者を、将来において先導的役割を担う有為な研究者となるために必要な能力のかん養に資する研究業務に従事させる場合

の二つの場合に、研究者を任期を定めて採用することができる制度について、給与及び勤務時間の特例を含めて整備することが適当であると判断して、平成九年三月六日に国会及び内閣に対して意見の申出を行い、この意見の申出に基づき、平成九年六月四日に任期付研究員法が公布、施行された。

同法により、前記①の招へい型任期付研究員については、勤務時間の特例として裁量勤務制が導入されることとなった。これは、任期を定めて採用される研究職員のうち招へい型任期付研究員が、その研究分野において研究業績等により特に優れた研究者として認められている者として招へいされる者であり、これらの者の中には、職務遂行の方法及び時間配分の決定等を大幅に当該職員の裁量に委ねることが当該職員に係る研究業務の能率的な遂行のため必要である場合があることから、魅力ある研究環境を提供するという点も考慮し、研究者がこれまでの経験から自らの研究業務遂行に最もふさわしいと考える勤務形態を選択できるような勤務時間制度としておく必要があり、そのための選択肢の一つとして、裁量勤務制を用意しておくことが必要であるとの判断に基づき導入することとしたものである。なお、制度導入後の国立の研究機関や大学の法人化等により、国家公務員の研究職員が大幅に減少しており、令

和五年四月一日時点では、裁量勤務制を利用している職員はいない。

二　裁量勤務制の概要

１　招へい型任期付研究員

裁量勤務制は、各省各庁の長が、いわゆる招へい型任期付研究員の職務の能率的な遂行のため裁量勤務制によることが必要であると認める場合について適用することができるものであるが、「招へい型任期付研究員」については任期付研究員法第三条第一項第一号に次のように定義されている。

○任期付研究員法

（任期を定めた採用）

第三条　任命権者（国家公務員法第五十五条第一項に規定する任命権者及び法律で別に定められた任命権者並びにその委任を受けた者をいう。以下同じ。）は、次に掲げる場合には、選考により、任期を定めて職員を採用することができる。

一　研究業績等により当該研究分野において特に優れた研究者と認められている者を招へいして、当該研究分野に係る高度の専門的な知識経験を必要とする研究業務に従事させる場合

２　裁量勤務制の位置付け

任期付研究員の勤務時間は、原則的には他の一般職の職員と同様に勤務時間法の規定によることとなるが、招へい型任期付研究員については、その職務の性質上時間配分の決定その他の職務遂行の方法を大幅に職員の裁量にゆだねることが研究業務の能率的な遂行のため必要であると各省各庁の長が認める場合には、勤務時間の特例として、任期付研究員法第八条の規定により、勤務時間の割振りを行わないで、その職務に従事させることができるものとされて

いる。これにより裁量勤務制が適用される職員は、自らの裁量により勤務時間、勤務場所等の決定を行うことができることとなるとともに、実際に勤務する時間の長短について問われないこととなる。

なお、任期付研究員法第八条第一項の規定は、勤務時間法第六条第二項の勤務時間の割振りに関する特例であって、勤務時間法第五条（一週間の勤務時間に関する規定）、第六条第一項（週休日に関する規定）及び第十六条から第二十一条まで（休暇に関する規定）の規定などについては、裁量勤務職員も適用を受けることとされている（適用を除外される規定については5(3)（一四〇頁）を参照）。

○任期付研究員法

（職員の裁量による勤務）

第八条　各省各庁の長（一般職の職員の勤務時間、休暇等に関する法律（平成六年法律第三十三号。以下「勤務時間法」という。）第三条に規定する各省各庁の長及びその委任を受けた者をいう。以下同じ。）は、第一号任期付研究員の職務につき、その職務の性質上時間配分の決定その他の職務遂行の方法を大幅に当該第一号任期付研究員の裁量にゆだねることが当該第一号任期付研究員に係る研究業務の能率的な遂行のため必要であると認める場合には、当該第一号任期付研究員を、人事院規則の定めるところにより、勤務時間法の規定による勤務時間の割振りを行わないで、その職務に従事させることができる。この場合において、当該第一号任期付研究員は、人事院規則の定めるところにより、その勤務の状況について各省各庁の長に報告しなければならない。

3　裁量勤務制適用の要件

裁量勤務制を適用するための要件として、任期付研究員法第八条第一項では「第一号任期付研究員の職務につき、その職務の性質上時間配分の決定その他の職務遂行の方法を大幅に当該第一号任期付研究員の裁量にゆだねることが当該第一号任期付研究員に係る研究業務の能率的な遂行のため必要であると認める場合」と規定している。規則二〇

一〇では、この任期付研究員法の規定を受けて、裁量勤務制適用の要件として

① 裁量勤務に従事させることができるのは、休職者及び停職者を除く招へい型任期付研究員のうち、その職務遂行の方法を大幅に当該研究員の裁量にゆだねた場合に、自己の判断により研究業務を能率的に遂行することができると認められる者に限ること

② あらかじめ裁量勤務に従事させようとする職員の同意を得ること

を規定している。

また、次の要件に該当する場合には、各省各庁の長は、速やかに裁量勤務に従事させることをやめなければならない旨規定している。

① 裁量勤務に従事している職員が裁量勤務を継続しないことを希望する旨申し出た場合

② 裁量勤務に従事している職員に係る研究業務の能率的な遂行のため当該職員を裁量勤務に従事させることが必要であると認められなくなった場合

〇規則二〇—〇

（裁量勤務の手続等）

第九条　任期付研究員法第八条第一項の規定による職員の裁量による勤務（以下「裁量勤務」という。）に従事させることができる第一号任期付研究員は、休職者及び停職者を除く第一号任期付研究員のうち、その職務遂行の方法を大幅に当該第一号任期付研究員の裁量にゆだねた場合に、自己の判断により研究業務を能率的に遂行することができると認められる者に限るものとする。

2　各省各庁の長（任期付研究員法第八条第一項に規定する各省各庁の長をいう。以下同じ。）は、第一号任期付研究員を裁量勤務に従事させる場合には、あらかじめ当該第一号任期付研究員の同意を得なければならない。

３　各省各庁の長は、裁量勤務に従事している第一号任期付研究員（以下「裁量勤務研究員」という。）が裁量勤務を継続しないことを希望する旨申し出た場合又は裁量勤務研究員を裁量勤務に従事させることが当該裁量勤務研究員に係る研究業務の能率的な遂行のため必要であると認められなくなった場合には、速やかに裁量勤務に従事させることをやめなければならない。

４　裁量勤務の内容

(1)　職員の裁量にゆだねられる事項

裁量勤務職員は勤務時間の割振りが行われないで職務に従事することとされている。これは、勤務時間をどのように設定しどのように用いるかは裁量勤務職員の裁量にゆだねられていること、すなわち、時間配分の決定その他の職務遂行の方法が裁量勤務職員の裁量にゆだねられていることを表している。

裁量勤務職員の裁量にゆだねられる「職務遂行の方法」は、その職務内容等により異なるが、想定されるものを例示すれば次のようなものが挙げられる。

〈参考例〉

・研究業務の進め方（与えられた最終目標に達するまでの短・中期的な目標の設定、スケジュールの策定等）
・時間配分の決定
・業務を行う場所の選定（勤務官署、自宅、勤務場所以外の研究施設）
・各研究員・支援職員への仕事の割振り
・実験装置・器具の選定

(2)　勤務場所

裁量勤務職員は(1)で述べたように勤務場所の選択についてもその裁量にゆだねられている。したがって、裁量勤務職員がその勤務官署以外の場所において勤務（所外勤務）する場合に逐一申し出るような仕組みとすることは適当ではないが、一方で、所属する研究機関の職員が裁量勤務職員と全く連絡がとれないような状態が引き続くことは、研究業務の遂行に支障を生じさせることもあり得ることから、各省各庁の長が必要と認める場合（例えばあらかじめ登録された勤務場所以外の場所で一日の勤務のすべてを行うような場合）には、その場所や勤務内容等、各省各庁の長が必要と認める事項についてあらかじめ申し出なければならないこととされている。

〇規則二〇—〇

（勤務場所等）

第十条　裁量勤務研究員は、その勤務官署以外の場所においてその日の勤務のすべてを行う場合で各省各庁の長が必要であると認めるときには、その場所及び勤務内容等各省各庁の長が必要と認める事項についてあらかじめ各省各庁の長に申し出なければならない。

(3)　特定の方法による職務遂行を命じる場合

裁量勤務職員は、時間配分の決定その他の職務遂行の方法を自らの裁量にゆだねられているが、定例会議への出席、定期的な業務の打ち合わせ等、定期的に裁量勤務職員の出勤を命じる必要が生じる場合も考えられる。また、民間の裁量労働制においても、コミュニケーションアワーといった名称の一定の勤務時間が設けられている例がみられる。規則二〇—〇第十条第二項の規定は、このような場合に一定の勤務時間を必要に応じて設定することをはじめとして、裁量勤務職員の裁量にゆだねられている職務遂行の方法について各省各庁の長が特定の方法をとるよう命じることができる旨定めたものである。なお、この規定による命令が過度にわたると裁量勤務制の趣旨を没却しかねないことから、その場合の留意事項が規則二〇—〇運用通知において定められている。

○規則二〇—〇

（勤務場所等）

第十条

２　各省各庁の長は、裁量勤務研究員に、特定の時間帯にその勤務官署において勤務することその他の特定の方法による職務遂行を命ずる場合には、当該裁量勤務研究員にあらかじめその内容を通知しなければならない。

○規則二〇—〇運用通知

規則第十条関係

各省各庁の長は、この条の第二項の規定により特定の方法による職務遂行を命ずる場合には、裁量勤務の趣旨を踏まえ、その命令が必要最小限のものとなるよう留意しなければならない。

⑷　勤務の状況の報告

「勤務の状況」に関する報告は、各省各庁の長が研究業務の能率的な遂行のため引き続き裁量勤務制により勤務させることが適当であるか否かの判断を行うこと、及び管理者として職員管理上把握しておくべき事項の把握を行うことを目的として義務づけられているものであり、報告事項、報告単位期間については各省各庁の長が定めるものとされている。

○任期付研究員法

（職員の裁量による勤務）

第八条　〔前略〕この場合において、当該第一号任期付研究員は、人事院規則の定めるところにより、その勤務の状況について各省各庁の長に報告しなければならない。

○規則二〇―〇

（勤務の状況についての報告）

第十一条　裁量勤務研究員は、研究業務の遂行状況その他の勤務の状況について、各省各庁の長が定める期間ごとに報告しなければならない。

○規則二〇―〇運用通知

規則第十一条関係

各省各庁の長は、この条に規定する報告に関し、必要と認める報告事項を定めることができる。

(5)　裁量勤務職員への通知

裁量勤務制は、職員の重要な勤務条件を定める勤務時間法制における大きな例外を認めるものであることから、職員を裁量勤務に従事させる場合及び裁量勤務に従事させることをやめる場合には、職員に対し速やかに通知することとされており（規則二〇―〇第九条第四項）、通知事項については規則二〇―〇運用通知で定められている。

○規則二〇―〇

（裁量勤務の手続等）

第九条

４　各省各庁の長は、第一号任期付研究員を裁量勤務に従事させ、又は従事させることをやめる場合には、人事院の定めるところにより、当該第一号任期付研究員に対し速やかに通知するものとする。

○規則二〇―〇運用通知

規則第九条関係

1　この条の第四項の通知は、第一号任期付研究員を裁量勤務に従事させる場合には裁量勤務に従事させる旨及び次の各号に掲げる事項を、裁量勤務に従事させることをやめる場合には裁量勤務に従事させることをやめる旨及びその年月日を記載した文書により行うものとする。

一　裁量勤務に従事させることを開始する年月日

二　裁量勤務に従事させることを予定する期間を定める場合は、その期間

三　規則第十一条の規定により各省各庁の長が定める期間

四　その他必要な事項

2　各省各庁の長は、第一号任期付研究員を裁量勤務に従事させた場合には、前項に規定する文書の写しを添付して、遅滞なく、その旨を人事院事務総長に報告するものとする。

5　勤務時間法・給与法との調整等

(1)　勤務時間の割振りのみなし

裁量勤務制を定めている任期付研究員法第八条第一項の規定は、勤務時間法第六条第二項の勤務時間の割振りに関する特例であり、裁量勤務職員であっても、勤務時間法第五条（一週間の勤務時間）、第六条第一項（週休日）の規定や勤務時間法第十六条から第二十一条までの休暇に関する規定など、任期付研究員法第八条第三項の規定により適用が除外される規定以外の規定は適用される。しかしながら、勤務時間法上の規定は、例えば、休暇の規定を適用する場合にはその休暇を請求・承認する基礎となる勤務時間を特定する必要がある、正規の勤務時間以外の勤務である宿日直勤務を命ずる場合には正規の勤務時間を特定する必要がある、など勤務時間の割振りがなされることを前提として規定されていることから、これらを裁量勤務職員に適用するためには所要の調整が必要となる。そのために裁量勤務職員については、勤務時間を割り振ったものとみなすことにより、勤務時間法の規定の適用に際しては、勤務時

間の割振りが行われる場合と同様に取り扱うことができるようにしたものである。

○任期付研究員法

（職員の裁量による勤務）

第八条

２　前項の場合における第一号任期付研究員については、月曜日から金曜日までの五日間において、人事院規則で定める時間帯について勤務時間法第六条第二項の規定により一日につき七時間四十五分の勤務時間を割り振られたものとみなし、国民の祝日に関する法律（昭和二十三年法律第百七十八号）に規定する休日その他の人事院規則で定める日を除き、当該勤務時間を勤務したものとみなす。

○規則二〇―〇

（勤務時間を割り振られたものとみなす時間帯等）

第十二条　任期付研究員法第八条第二項の人事院規則で定める時間帯は、午前八時三十分から午後五時十五分まで（午後零時から午後一時までを除く。）の時間帯とする。

(2)　勤務みなし

裁量勤務職員は、勤務時間の割振りが行われず、時間配分の決定等をその裁量にゆだねられていることから、実際の勤務実績を問われることはないが、他方、裁量勤務職員に適用される規定の中には、例えば給与法第十五条において、職員が勤務時間を実際に勤務しないときには給与を減額して支給することとされているなど、割り振られた勤務時間を勤務することを前提としているものが存しており、これとの調整が必要となる。そのために裁量勤務職員については、実際に勤務した時間にかかわらず、割り振られたものとみなされる勤務時間を勤務したものとみなすこととしており、これにより、給与法第十五条等の規定の適用に当たっては、実際に勤務した時間の長短にかかわらず、割り振られたものとみなされる勤務時間について勤務したものとして取り扱われることとなるよう措置したものである。

なお、全日にわたり休暇が承認された日及び祝日法による休日等規則二〇―〇第十三条各号に掲げる日については、法令により職務専念義務を免除された日であり、勤務したものとみなす必要が生じないことから、勤務したものとみなさないこととしている。

○任期付研究員法

（職員の裁量による勤務）

第八条

2　前項の場合における第一号任期付研究員については、月曜日から金曜日までの五日間において、人事院規則で定める時間帯について勤務時間法第六条第二項の規定により一日につき七時間四十五分の勤務時間を割り振られたものとみなし、国民の祝日に関する法律（昭和二十三年法律第百七十八号）に規定する休日その他の人事院規則で定める日を除き、当該勤務時間を勤務したものとみなす。

○規則二〇―〇

第十三条　任期付研究員法第八条第二項の人事院規則で定める日は、次に掲げる日とする。

一　国民の祝日に関する法律（昭和二十三年法律第百七十八号）に規定する休日

二　勤務時間法第十四条に規定する年末年始の休日

三　全日にわたり勤務時間法第十六条に定める休暇が承認された日

四　前三号に掲げるもののほか、全日にわたり勤務しないことにつき特に承認があった日

(3)　勤務時間法の一部適用除外

勤務時間法上の勤務時間の割振りに関係する規定、超勤代休時間の規定及び休日の代休日の規定等については、勤務時間の割振りを行わず、時間配分の決定等を職員の裁量にゆだねることとした裁量勤務制の趣旨に鑑み、適用を除外されている。

○任期付研究員法

（職員の裁量による勤務）

第八条

3　勤務時間法第六条第二項から第四項まで、第七条から第十二条まで、第十三条の二及び第十五条の規定は、前項の第一号任期付研究員には、適用しない。

6　裁量勤務職員の休暇

裁量勤務職員は、休暇によらなくとも、自らの裁量により勤務しない日を設定することも可能であるが、休暇は職員の重要な勤務条件の一つであり裁量勤務職員についても保障することが適当と考えられること、休暇がなく週休日等を除き常に勤務したものとみなされることは精神的なプレッシャーともなりかねず、職員が精神的に安んじて休める日を確保することが健康・福祉の観点からも必要であると考えられることから、裁量勤務職員についても休暇を適用することとしている。

ただし、休暇の単位は一日単位のみとされている。これは一日の一部の時間帯について勤務に就くことのできない事由が生じた場合については、裁量勤務職員の裁量によって、当該日の勤務時間を当該事由の生じていない時間帯に設定することが可能であることから、時間単位の休暇は措置しないこととしたものである。

なお、一日の休暇が取得できるのは、任期付研究員法第八条第二項の規定により勤務時間が割り振られたものとみなされる時間帯（午前八時三十分から午後五時十五分まで（午後零時から午後一時までを除く。））の全てについて休暇の事由が存する場合（年次休暇の場合は無因の休暇であることから職員が年次休暇を使用しようという意思が存する場合ということになる。）と解されている。

○規則二〇―〇運用通知
規則第十三条関係
この条の第三号及び第四号に規定する日は、規則第十二条に規定する時間帯について、休暇が承認された日又は勤務しないことにつき特に承認があった日をいう。

第三章　勤務時間諸制度

第一節　週休日の振替等

一　民間制度における振替制度の意義

民間制度上、「休日の振替」と「代償休暇」といわれるものの両者を含めて代休制度と呼ぶことがある。休日の振替とは、あらかじめ定められた休日に労働させる必要がある場合に、その日を労働日に変更し、その替わりに他の労働日を休日とすることである。これに対して、代償休暇は、休日労働や一定の時間外労働・深夜労働を行わせた場合に、これらの労働自体については、休日労働等として評価し（したがって、これらの労働を命ずるには三六協定の締結等が前提として必要である。労働させた場合には割増賃金が支払われることとなる。）、その代償として、その後の労働日の労働義務を免除するものである。休日の振替と対比して、この代償休暇のことのみを代休（狭義の代休）という場合もあり、また、通常の振替を「事前の振替」といい、休日労働に対する代償休暇を「事後の振替」という場合もある。なお、民間制度における「代替休暇」については、第八節（二八五頁）参照。

労基法では、休日の振替は、同法第三十五条の一週一日又は四週四日の休日の原則の範囲内で、就業規則に振替が行える旨等が定められている場合には、これを行うことができるものとされている。

代償休暇については、その対象となる休日労働、時間外労働は、三六協定の締結を前提としているものであるから、労基法第三十五条の休日の原則に関する規定との関係での問題はない。

○労基法

（休日）

第三十五条　使用者は、労働者に対して、毎週少くとも一回の休日を与えなければならない。

２　前項の規定は、四週間を通じ四日以上の休日を与える使用者については適用しない。

【労基法解釈例規】

（問）　就業規則に、休日の振替を必要とする場合には休日を振り替えることができる旨の規定を設け、これによつて所定の休日と所定の労働日とを振り替えることができるか。

（答）一　就業規則において休日を特定したとしても、別に休日の振替を必要とする場合休日を振り替えることができる旨の規定を設け、これによつて休日を振り替える前にあらかじめ振り替えるべき日を特定して振り替えた場合は、当該休日は労働日となり、休日に労働させることにならない。

二　前記一によることなく休日に労働を行つた後にその代償としてその後の特定の労働日の労働義務を免除するいわゆる代休の場合はこれに当たらないこと。

〔昭二三・四・一九　基収一三九七、昭六三・三・一四　基発一五〇〕

二　週休日の振替等の公務への導入に至る経緯

公務においては、昭和六十四年一月一日に施行された改正給与法において規定が設けられるまでは、週休日の振替は認められておらず、週休日に勤務させる必要がある場合には、超過勤務を命ずるしか方法がなかった。ただし、交替制等勤務職員については、その勤務の特殊性から、ある日（時間）に、一定の勤務人員を確保していなければならない場合が多く、職員が年休等で欠けるようなときに、しばしば他の職員の勤務時間の割振りを変更してそこに勤務させるという「勤務時間の割振り変更」が行われてきている。このような運用は、制度として特に規定が設けられているわけではないが、割振り権者の割振り権限としてこれを行えるものと解されているものである。このように、交替制等勤務職員については、実質的には、振替が行われてきていたということもできないではないが、少なくとも一般の職員については、実質的にも全く振替は認められていなかった。その理由としては、当時、週一回の週休日を一定の間隔で設けることは、職員の健康・福祉の観点から極めて重要な勤務条件であり、さらに、それを日曜日に特定することは、職員の家庭生活、社会生活における便宜等の面から重視されるべきことであり、これらの観点を考慮して制度として定められた週休日を、職員が計画的かつ積極的に利用できるよう、確定的・安定的なものとすべきであるとの考え方があったものと考えられる。

このような考え方の背景には、当時の週休制が週休一日制（土曜が半ドンであるところから週休一日半制ということもある。）であったことがあるものと考えられるが、この点については、週休二日制の進展に伴って、状況は変化してきていたといえる。例えば、当初の週休二日制（「勤務を要しない時間」の指定による四週五休制及び四週六休制）においては、一旦行った勤務を要しない時間の指定を他に変更する指定変更の制度が設けられ、週休二日制によって増加した週休日（いわゆる指定日）に関しては、実質的には振替と同様のことが行えることとされていたのである。

行政機関の土曜閉庁の実施に合わせて、昭和六十四年一月に施行された改正給与法では、四週六休制は、従来の勤務を要しない時間の指定による制度から、第二・第四土曜日等の四週間につき二の土曜日（特別の勤務に従事する職員については相当日）も当初から日曜日と同様の週休日とする制度に改めて実施されることとなった。これにより、週休二日制は、勤務時間の割振り自体の制度となり、暫定的な制度として勤務を要しない時間という特別な概念を設け、それを前提として行われていた指定変更という方法は、当然とれなくなることとなった。しかしながら、週休二日制を実施する上で、指定変更制度はすでに定着したものとなっており、また、適切かつ有効に利用されていること が認められていたため、この指定変更に代わる制度を設ける必要が生じた。それに加えて、週休日の増加による勤務時間短縮の実効性の確保及び超過勤務縮減の観点から、さらには、完全週休二日制へ向けて週休二日制の推進を円滑に行っていくためにも、週休日に勤務を命ずる必要が生じた場合の振替制度を導入する必要があると考えられ、週休二日制が週休日の増加という形で実施されることとなったのを機に、公務においても振替制度が導入されたのである。

なお、勤務時間法の制定以前においては、日曜日及び土曜日が「勤務を要しない日」と称されていたことから、振替制度は「勤務を要しない日の振替」と呼ばれていた。勤務時間法における振替制度は内容的にはこの従前の制度をそのまま引き継いだものである。

三　週休日の振替

１　週休日の振替の意義

週休日の振替とは、勤務時間法第八条に規定するように、週休日に特に勤務することを命ずる必要がある場合に、他の勤務日を週休日に変更し、その日に割り振られた勤務時間を勤務することを命ずる必要がある週休日に割り振ることである。このように条文上はやや表現は回りくどいが、これは、法技術的な問題からこのような表現になっているのであって、実務上は、簡単に、週休日に勤務することを命ずる必要があるときに、その週休日と他の勤務日とを取り替えることであると理解して差し支えない。したがって、当該勤務することを命ずる必要がある週休日に割り振られることとなる勤務時間は、その取り替えて持ってくる勤務日の勤務時間と同じ勤務時間ということになる。これを逆にいえば、週休日に勤務することを命ずる必要がある場合には、その命ずる必要がある勤務時間と同じ勤務時間が割り振られている勤務日と振替を行う必要があるということになる。

○勤務時間法

（週休日の振替等）

第八条　各省各庁の長は、職員に第六条第一項若しくは第四項又は前条の規定により週休日とされた日において特に勤務することを命ずる必要がある場合には、人事院規則の定めるところにより、第六条第二項から第四項まで又は前条の規定により勤務時間が割り振られた日（以下この条において「勤務日」という。）のうち人事院規則で定める期間内にある勤務日を週休日に変更して当該勤務日に割り振られた勤務時間を当該勤務することを命ずる必要がある日に割り振り、又は当該期間内にある勤務日の勤務時間のうち四時間を当該勤務日に割り振ることをやめて当該四時間の勤務時間を当該勤務することを命ずる必要がある日に割り振ることができる。

2　振替ができる場合

(1)　特に勤務することを命ずる必要がある場合

勤務時間法第八条の規定によれば、「週休日とされた日において特に勤務することを命ずる必要がある場合」に週休日の振替を行うことができるものとされている。この要件は、本来は振替の事由を個別具体的に定めることが望ましいところ、公務には多種多様な職種や業務があり、振替の事由をすべて列挙して定めることは不可能であるため、本来の個別的事由を包括的に定めたものと解される。これに関連して、労基法の解釈例規があるが、そこでも具体的事由については「できる限り」定めることが望ましいとのみしており、これも、公務における場合と同様の事情の存在を予定してのものと思われる。したがって、勤務時間法の規定も、各省各庁の長が、それぞれの事情を考慮して、振替により勤務させることとなる業務の種類等について定めることができるのであれば、これを妨げるという趣旨ではない。

なお、「特に勤務することを命ずる」のは、公務運営上の必要から命ずるのであるから、職員の個人的事情による振替を行うことができないことはいうまでもない。

【労基法解釈例規】

業務等の都合によりあらかじめ休日と定められた日を労働日とし、その代わりに他の労働日を休日とするいわゆる休日の振替を行う場合には、就業規則等においてできる限り、休日振替の具体的事由と振り替えるべき日を規定することが望ましいこと。

なお、振り替えるべき日については、振り替えられた日以降できる限り近接している日が望ましいこと。

〔昭二三・七・五　基発九六八、昭六三・三・一四　基発一五〇〕

(2)　出張中・赴任期間中の振替

出張又は赴任期間を「特に勤務することを命ずる必要がある場合」の該当理由として振替ができるかという点がしばしば問題にされるが、出張等の期間中であっても、週休日に実際に特に勤務することを命ずる必要があるのであれば、振替を行うことができることは当然である。なお、給与制度上は、これらの期間中の正規の勤務時間が割り振られた日については正規の勤務時間を勤務したものとみなすこととされているが、週休日については、勤務すべきことをあらかじめ命じられて現に勤務し、かつその勤務時間につき明確に証明できる場合について超過勤務手当が支給されるとされている（一般職の職員の給与に関する法律の運用方針（給実甲第二八号）第十六条関係第三項）。

また、週休日における出張の移動時間について振替ができるかという点もよく問題にされる。例えば、月曜日の午前中に遠方で会議がある場合に、当日に移動するのでは間に合わないので週休日である前日の日曜日に移動させることがある。この場合、職員にとってみれば実質的に日曜日の自由が制限されることになるが、物品の監視等何らかの業務を命じられている場合を除く単なる移動は、その時間に勤務をしているわけではないことから、勤務時間として取り扱われず振替の対象とはならない。この点は、民間においても同様の取扱いとなっている。

○一般職の職員の給与に関する法律の運用方針（給実甲第二八号）

第十六条関係

3　公務により旅行（出張及び赴任期間を含む。以下同じ。）中の職員は、その旅行期間中正規の勤務時間を勤務したものとみなす。但し、旅行目的地において正規の勤務時間をこえて勤務すべきことを職員の所轄庁の長があらかじめ指示して命じた場合において現に勤務し、且つその勤務時間につき明確に証明できるものについては超過勤務手当を支給する。

【事例】

（質問）　一般官公署以外において日曜日の出張は、休日労働に該当するか。

（回答）　出張中の休日はその日に旅行する等の場合であつても、旅行中における物品の監視等別段の指示がある場合の外は休日労働として取扱わなくても差支えない。

（昭二三・三・一七　基発四六一　昭三三・二・一三　基発九〇）

(3)　振替によって週休日とされた日の振替

勤務時間法第八条が「第六条第一項若しくは第四項又は前条の規定により週休日とされた日」としているのは、振替によって勤務することを命ずることができるのは、これらの規定によって定められた週休日、すなわち、当初の設定による週休日（一般の職員の場合は日曜日及び土曜日）に限るという趣旨である。したがって、振替によって新たに週休日とされた日についてまでは、特に勤務することを命ずる必要が生じたからといって振替を行うことは認められない。これは、通常の振替であっても、一旦週休日とされた日が他の日に変更されるという職員にとっては重大な勤務条件の変更なのであるから、いわゆる再振替を認めないことによって個別には不都合が生じる場合があることも考えられないではないが、勤務条件の安定性の確保の観点から、法律上このような規定としたものである。

3　振替の対象となる日

規則一五―一四第六条第一項において、週休日に勤務を命ずる場合の振替の対象となる勤務日の範囲が定められており、当該勤務日の範囲は、勤務することを命ずる必要がある週休日を起算日とする前四週間・後八週間以内の日とされている。

昭和六十四年の制度導入当初は、一定期間内で安定的に休日数を確保するという観点を考慮しつつ、勤務時間制度全体を通じて四週間という期間が割振り等の基本的な期間となっていること、従前の四週六休制における勤務を要しない時間の指定変更が、引き続く二基本期間（八週間）内に行うことができていたこと等も考慮して、勤務することを命ずる必要がある週休日を起算日とする前後四週間以内が振替対象期間とされていた。しかし、この期間が短いと、振替の対象となる日が少なくなるので、振替ができず超過勤務を命ぜざるを得なくなるという実態が認められたため、総実勤務時間の短縮等の観点から総合的に勘案し、平成四年五月の完全週休二日制を基本とした週四十時間勤務制への移行に対応した給与法の改正の際に、振替の対象期間を延長したものである。なお、この前四週間・後八週間について、これを合計した十二週間の期間に振替ができるととらえることは、制度の趣旨の正しい理解とはいえず、勤務を命ずる週休日からみれば、その日から必ず前四週間・後八週間以内の日と振替が行われなければならない。

労基法による休日の振替と勤務時間法の週休日の振替とを比較すると、労基法の場合は、四週間の変形休日制の範囲内でのみ振替が認められているのに対して、勤務時間法の場合は、四週間の変形的な週休日の設定及び勤務時間の割振りの基準とは直接には無関係に、前四週間・後八週間まで振替が可能な制度となっている。振替制度が当該基準の範囲を超えることも可能な制度として設けられたのは、毎四週間の範囲内の週休日と勤務日の間のみの振替に限ったのでは、例えば、毎四週間の終わりにある週休日に勤務することを命ずることが直前になって必要となったような場合には、事実上振替ができないこととなる等の問題があり、どの週休日に勤務することを命ずる場合にも同じ一定の範囲で振替ができるようにするためである。この点に関して、労基法の基準との関係については、４で後述するように、振替を行う場合の要件として、振替を行った後において毎四週間につき四日以上の週休日があることが求められており、労基法に定める休日の基準は必ず下回らないよう措置されている。

○規則一五―一四

（週休日の振替等）

第六条　勤務時間法第八条の人事院規則で定める期間は、同条の勤務することを命ずる必要がある日を起算日とする四週間前の日から当該勤務することを命ずる必要がある日を起算日とする八週間後の日までの期間とする。

４　振替後の週休日の日数等の要件

振替を行う場合の振替後の週休日の日数等に関する基準としては、規則一五―一四第六条第二項において、①週休日が毎四週間につき四日以上になること及び②連続勤務日が二十四日を超えないことが定められている。②の基準は、規則一五―一四第五条第一項に規定する連続勤務日の上限（十二日）より緩やかな基準となっているが（第二章第六節一２参照）、これは、振替の場合にも連続勤務日が十二日を超えないことを求めると、事実上振替ができない場合が少なくないと考えられるため、従前どおり二十四日を連続勤務日の上限としたものである。また、この「毎四週間」及び「連続勤務日」の意味については、同規則第五条の場合と同様に理解すべきである（第二章第六節一２・

５参照）。これは、この要件の趣旨が、職員の勤務条件として、いかなる場合にも毎四週間につき四日以上の週休日を確保することにあることから考えても、当初の割振りの場合の毎四週間とこの振替の要件としての毎四週間は一致していなければならないことは、制度の当然の要請といえよう。したがって、日曜日及び土曜日を週休日とされている一般の職員については、ある四週間の期間内の週休日をその期間の外の勤務日と振り替えて勤務日とする場合には四日が限度ということになり、四週七休の変形勤務の職員については、同じく毎四週間について三日が限度となる。なお、ある振替を行う必要がある場合に、この毎四週間四日以上の週休日又は連続勤務日二十四日以下の要件を満たすようにするだけのために、その他の振替を行って週休日を新たに設けるということは、「特に勤務することを命ずる必要がある場合」という振替の要件に該当しないので、このような振替を行うことは許されない。

○規則一五―一四

（週休日の振替等）

第六条

２　各省各庁の長は、週休日の振替（勤務時間法第八条の規定に基づき勤務日を週休日に変更して当該勤務日に割り振られた勤務時間を同条の勤務することを命ずる必要がある日に割り振ることをいう。以下この項において同じ。）又は四時間の勤務時間の割振り変更（同条の規定に基づき勤務日（四時間の勤務時間のみが割り振られている日を除く。以下この条において同じ。）のうち四時間の勤務時間を当該勤務日に割り振ることをやめて当該四時間の勤務時間を勤務時間法第八条の勤務することを命ずる必要がある日に割り振ることをいう。以下この条において同じ。）を行う場合には、週休日の振替又は四時間の勤務時間の割振り変更（以下「週休日の振替等」という。）を行った後において、週休日が毎四週間につき四日以上となるようにし、かつ、勤務日等（勤務時間法第十条に規定する勤務日等をいう。以下同じ。）が引き続き二十四日を超えないようにしなければならない。

振替後の週休日については以上のような要件が定められているが、振替を行う場合の振替後の一週間又は毎四週間の勤務時間数についての要件は、法令上特に定められていない。

一般の職員については、一日の勤務時間は七時間四十五分であるから、振替後の毎四週間四日以上の週休日の要件により、振替後における毎四週間についての最大勤務時間数は、百五十五時間＋三十一時間＝百八十六時間となり、一週平均では四十六時間三十分となっており、振替制度の実効を上げる観点からは、振替を行った場合にはこの程度の毎四週間の勤務時間のプラス・マイナスが生じることは容認するというのが制度の趣旨である。

これに対して、交替制等勤務職員については、四週間を超える割振り単位期間が認められている場合があること、一日に割り振られる勤務時間が長時間である場合があること等から、振替の行い方によっては、一般の職員の場合と比較して、ある四週間の勤務時間がかなり長くなるおそれもある。しかしながら、実際上は、これらの職員についても、当初の週休日の設定及び振替の要件として毎四週間につき四日以上の週休日の制限があること（規則一五―一四第五条第二項第一号、第六条第二項）、四週八休以外の週休日の設定の協議（勤務時間法第七条第二項ただし書）に際しては、四週間を超える割振り単位期間を認める場合であっても、毎四週間の勤務時間は最大百六十八時間（週平均四十二時間）が限度とされていること（同号）、さらに、通常は七時間四十五分勤務日を振替の対象とすることが予想されること等から、振替を行った場合にも、毎四週間の勤務時間の大きなプラス・マイナスは生じないと考えられる。ただし、このような事情があり不適当な運用は行われないとは考えられるものの、交替制等勤務職員についても、職員の健康・福祉の観点から、また、その勤務形態の特殊性にも配慮して、少なくとも一般の職員の場合の上限を目安にすることが適当であると考えられる。

5　振替により勤務することを命ずる日の勤務時間帯

振替により勤務を命ずる日の勤務時間帯は、ある勤務日に割り振られた正規の勤務時間を週休日に割り振るという制度の趣旨から、また、職員の通常の勤務形態、生活パターン等を考慮すれば、通常は、当該週休日に変更される勤務日と同じ勤務時間帯とすべきであろう。しかしながら、日曜日に特別な行事が行われる場合で、それが行われる時間が通常の勤務日の勤務時間帯と異なっている等勤務することを命ずる必要がある時間帯が通常の勤務日のものと異なることが明らかな場合には、振替の活用の観点からは別の時間帯への割振りを認めることも必要であり、このような取扱いも制度からは排除されていない。通常の勤務日の勤務時間帯とどの程度異なる時間帯に割振りが行えるか基準が必要ではないかという問題があるが、別の時間帯に割振りを行うことを認める趣旨、理由から考えれば、業務の内容によって事情が異なるであろうことから、一律の基準を定めることは適当ではないと考えられる。したがって、特殊な事情がある場合には、日中に割り振られている勤務時間を振替によって週休日の深夜に割り振ることも可能であるといえよう（ただし、週休日の原則からすれば、日をまたがる割振りは行えないこととなる。）。

○規則一五―一四運用通知

第五　週休日の振替等関係

２　週休日の振替を行う場合において、勤務することを命ずる必要がある日に割り振る勤務時間は、週休日に変更される勤務日の始業の時刻から終業の時刻までの時間帯に割り振るものとする。ただし、これと異なる時間帯に割り振ることが業務上特に必要であると認められる場合には、この限りでない。

６　振替により勤務することを命ずる日の休憩時間

振替によって勤務することとなる日は、通常の勤務日と同じく正規の勤務時間が割り振られた日となるのであるから、第二節で述べる基準に従って休憩時間を置く必要があることはいうまでもない。すなわち、振替によって勤務することとなる日は、勤務時間法第八条に基づき勤務時間が割り振られることとなるため、規則一五―一四第七条第一項第一号及び第二号の規定に基づき、おおむね毎四時間の連続する正規の勤務時間の後に、三十分以上の休憩時間を置くこととなり、同条第二項に定められた特例的な休憩時間の置き方に係る規定の適用はないことに留意が必要である（第二節二１(2)ア・２参照）。

７　振替の通知等

振替により、週休日に勤務することを命ずること、どの日を替わりに週休日とするかについては事前に決定しなければならないことは、振替の趣旨からいって当然であり、「異動日を挟んだ週休日の振替等の取扱いについて」（平二五・二・一　職職―二五）でも明記されている。

○異動日を挟んだ週休日の振替等の取扱いについて（通知）（平二五・二・一　職職―二五）

Ⅰ　異動前の週休日とされた日に勤務する必要がある場合

１　事前振替の原則

週休日の振替等は、職員の適正な勤務条件の確保の観点から当然に事前（異動前の週休日とされた日に勤務するまで）に行わなければならないものとされている。

なお、緊急の業務等によって事前に週休日の振替等を行うことができなかった場合における当該日の勤務については、全て超過勤務となる。

各省各庁の長は、週休日の振替を行ったときは、速やかにその内容を文書によって職員に通知するものとされている。通知の内容には、勤務することを命ずることとなった日、替わりに週休日とした日及び命ずる勤務の内容に加えて、勤務することを命ずることとなった日の勤務時間帯、休憩時間に関する事項も含まれていることが必要である（休息時間が設けられている交替制等勤務職員にあっては、当該休息時間も含む。）。しかしながら、常にそのすべて

○振替簿等の例

〔A省〕　　　　　　　　　　**振　替　等　通　知　簿**

年				所属	官職	氏名	
月・日	勤務管理者の確認	勤務時間管理員の確認	監督者の確認	新たに勤務を命ずる日並びにその日の勤務時間，休憩時間及び休息時間	勤務を命ずる日の勤務の内容	週休日に変更した日（4時間の勤務時間の割振りをやめた日並びに割振りをやめた後の勤務時間及び休息時間）	振替通知確認

（注）1．〔　〕は4時間の勤務時間の割振り変更を行う場合の記載事項である。
2．週休日の振替の場合，新たに勤務を命ずる日の勤務時間が当該職員の通常の勤務日の始業時刻から勤務を命ずるときは通常の勤務日の休憩時間，休息時間の例によるものとし，休憩時間，休息時間の記載を省略して差し支えない。ただし，週休日の振替等の場合，おおむね毎4時間の連続する正規の勤務時間の後に，30分以上の休憩時間を置く必要がある。
3．「振替通知確認」欄は，当該職員が振替通知を確認するためのものとする。

を通知しなければならないこととすると事務が煩雑になるので、振替のパターン（例えば、「特に通知しない限り、勤務を命ずる日の勤務時間及び休憩時間は、当該振替により週休日に変更される勤務日のものと同様とする。」等）を訓令等で定めて職員に周知している場合には、定められている事項については通知を省略できることとされている。

ここで、文書により通知することが求められているのは、勤務日の変更という重要な勤務条件の変更に際して職員に確実にその内容を伝えることが必要である点を考慮しているものであるから、その趣旨に合致するものであれば、文書は、必ずしも公文書の体裁を整えてその都度作成するものであることは要しない。したがって、休暇簿のごとく何回分かをまとめて使える「振替簿」等を作成して使用することも差し支えないが、振替は、休暇の場合等とは異なり、頻繁に行われるべきものではないとの観点から、振替簿等の様式は特に定められていない。

通知は、「速やかに」行うものと定められているが、いつまでに通知を行うべきかという点についての定めはない。いつが休みとなるかが前もって早い時点で分かっているという

〔Ｂ省〕

週休日の振替等命令簿（　　年）

所属部局	
氏　　名	

勤務を命ずる日及び当該日の勤務時間		業務の内容	振替又は変更により週休日等とする日及び変更により４時間の勤務時間を割り振ることをやめた後の勤務時間等		命令月日	所属長の確認	本人の確認	勤務時間管理員の確認	備　考
（勤務を命ずる日） 月　　日 （　曜日）	（勤務時間） 時　分～　時　分 （休憩時間） 時　分～　時　分 （休息時間） 時　分～　時　分 時　分～　時　分		振替　　変更 月　　日 （　曜日）	（勤務時間） 時　分～　時　分 （休息時間） 時　分～　時　分	月　日				
（勤務を命ずる日） 月　　日 （　曜日）	（勤務時間） 時　分～　時　分 （休憩時間） 時　分～　時　分 （休息時間） 時　分～　時　分 時　分～　時　分		振替　　変更 月　　日 （　曜日）	（勤務時間） 時　分～　時　分 （休息時間） 時　分～　時　分	月　日				
（勤務を命ずる日） 月　　日 （　曜日）	（勤務時間） 時　分～　時　分 （休憩時間） 時　分～　時　分 （休息時間） 時　分～　時　分 時　分～　時　分		振替　　変更 月　　日 （　曜日）	（勤務時間） 時　分～　時　分 （休息時間） 時　分～　時　分	月　日				
（勤務を命ずる日） 月　　日 （　曜日）	（勤務時間） 時　分～　時　分 （休憩時間） 時　分～　時　分 （休息時間） 時　分～　時　分 時　分～　時　分		振替　　変更 月　　日 （　曜日）	（勤務時間） 時　分～　時　分 （休息時間） 時　分～　時　分	月　日				

（注）１．週休日の振替等を命ずる場合は，あらかじめ本人に確認させたうえで行うものとする。

２．週休日の振替により新たに勤務を命ずることとなる日の勤務時間を当該職員の通常の勤務日の始業時刻からとする場合の休憩時間，休息時間の設け方については，原則として当該職員の通常の勤務日の例によるものとし，この取扱いによる場合は休憩時間，休息時間の記入は要しない。ただし，週休日の振替等の場合，おおむね毎四時間の連続する正規の勤務時間の後に，30分以上の休憩時間を置く必要がある。

３．「振替又は変更により週休日等とする日及び変更により４時間の勤務時間を割り振ることをやめた後の勤務時間等」の欄は，週休日の振替を行う場合は「振替」，４時間の勤務時間の割振り変更を行う場合は「変更」に○印を付して整理するとともに，変更の場合は，４時間の勤務時間を割り振ることをやめた後の勤務時間等について必要事項を記入するものとし，振替の場合は，記入を要しない。

ことは、職員にとっては重要な勤務条件であるから、週休日の振替は、できる限り早く行い、直ちに職員に通知されることが望ましいことはいうまでもない。しかしながら、週休日の振替が必要になるのは、試験業務や行事のようにかなり以前からその予定が決まっている場合ばかりとは限らず、場合によっては、業務の内容如何により、前日になって振替を行う必要が生じることも想定されるが、そのような場合には超過勤務しか命じ得ず、振替を行うことはできないとすることは必ずしも適当ではないと考えられる。勤務時間短縮の観点からは、振替によることが望ましいと考えられるからである。したがって、振替をいつまでに行い、いつまでに通知しなければならないかについては、法令上一律の定めをすることは困難であるが、職員の健康・福祉の観点を十分考慮して、直前になって週休日に勤務を命ずる必要が生じること自体をできる限りなくしていくことが必要であろう。

○規則一五—一四

（週休日及び勤務時間の割振り等の明示）

第九条

２　各省各庁の長は、勤務時間法第六条第三項の規定により勤務時間を割り振り、若しくは同条第四項の規定により週休日を設け、及び勤務時間を割り振り、又は週休日の振替等を行った場合には、人事院の定めるところにより、職員に対して速やかにその内容を通知するものとする。

○規則一五—一四運用通知

第五　週休日の振替等関係

７　週休日の振替又は四時間の勤務時間の割振り変更を行った場合における規則第九条第二項の職員への通知は、次の事項を記載した文書により行うものとする。ただし、週休日の振替又は四時間の勤務時間の割振り変更により勤務することを命ずる日の勤務時間帯等の基準をあらかじめ定め、職員に周知している場合には、当該事項について記載を省略することができる。

(1)　週休日の振替を行った場合
ア　新たに勤務することを命ずることとなった日並びにその日の正規の勤務時間、休憩時間及び休息時間
イ　新たに勤務することを命ずることとなった日の勤務の内容
ウ　週休日に変更した日
(2)　四時間の勤務時間の割振り変更を行った場合
ア　新たに勤務することを命ずることとなった日並びにその日の正規の勤務時間、休憩時間及び休息時間
イ　新たに勤務することを命ずることとなった日の勤務の内容
ウ　勤務時間を割り振ることをやめることとなった日並びにその日の勤務時間を割り振ることをやめた後の正規の勤務時間及び休息時間

四　四時間の勤務時間の割振り変更

1　四時間の勤務時間の割振り変更の意義及び必要性

四時間の勤務時間の割振り変更は、週休日に特に四時間の勤務を命ずる必要がある場合の振替の変形であるとみることもできるが、制度上は、かなり異なった性格のものである。

四時間の勤務時間の割振り変更とは、週休日に四時間の勤務時間の勤務を命ずる必要がある場合に、四時間の勤務時間のみが割り振られている勤務日以外の勤務日の勤務時間のうちの四時間だけを当該勤務日に割り振ることをやめ、特に勤務することを命ずる必要がある日に割り振ることである。これも簡単にいえば、勤務日の勤務時間のうちの四時間だけを週休日に持ってきて勤務させるということである。「振替」という場合には、週休日と勤務日をそっくり取り替えることをいっているので、この場合には振替という用語は用いられず、「割振り変更」といっている。

この制度は、閉庁方式による四週六休制の導入に対応した給与法の改正に際して、振替制度とともに導入されたも

のであるが、その背景としては、閉庁土曜日においても、閉庁を実施していない地方自治体や民間企業と関係する業務を行う必要があるときには、午前中四時間のみといった勤務が必要となることが多いと考えられ、また、一般に、日曜日も含めて、勤務を命ずる場合には、一日という単位とともに四時間はひとつのまとまった勤務時間の単位であろうと考えられるが、このような四時間の勤務の必要性に対して、週休日の振替により対応しようとするときには、振替の対象となる勤務日は四時間の勤務時間が割り振られた勤務日（開庁土曜日）のみであり、その数は極めて少ないという事情があった。完全週休二日制の実施後についても、週休日に四時間の勤務を命ずる場合が引き続きかなりあると見込まれることや、週休日の増加に伴う超過勤務の増加を防止し、総実勤務時間の短縮を図るとの観点等を考慮し、四時間の勤務時間の割振り変更の制度は存続させることとされた。

なお、平成二十一年四月の勤務時間の短縮までは、四時間という単位は形式的には一日の勤務時間（八時間）の二分の一となっていたことから、規則一五―一四において半日勤務時間の割振り変更とされていたが、勤務時間法においては従来から一つのまとまった勤務時間の単位として四時間の勤務時間について割振りを変更することとされていたところであり、勤務時間の短縮に際しても四時間という単位は変更されていない。勤務時間の短縮に伴い、一日の勤務時間である七時間四十五分を機械的に二分の一とすると秒単位の端数が生じることとなるが、秒単位の時間管理を行うことは現実的でないと考えられ、実務的にも七時間四十五分の二分の一とすることは困難であろう。

四時間の勤務時間の割振り変更を行えば、週休日の日数が減少することとなることから、これを行う場合には、振替の場合に増して、職員の勤務条件を損なうことがないよう十分に注意することが必要であり、週休日の振替及び四時間の勤務時間の割振り変更の双方を行うことができる場合には、できる限り、週休日の振替によるべきである。

○規則一五―一四運用通知
第五　週休日の振替等関係
1　一の週休日について、規則第六条第二項に規定する週休日の振替及び四時間の勤務時間の割振り変更の双方を行うことができる場合には、できる限り、週休日の振替を行うものとする。

2　四時間の勤務時間

特に勤務することを命ずる必要がある週休日に割り振るための四時間の勤務時間は、割振り変更する勤務日の始業時から連続する四時間又は終業時まで連続する四時間でなければならない。これは、勤務日の勤務時間帯の真ん中から四時間の勤務時間を抜いたり、始業時からの二時間と終業時までの二時間を抜いたりすることはできないということであり、勤務日ではなくならないが、午前中休んで午後から出勤すればよいこととするか、午前中勤務して午後には帰れるようにするかでなければならないという趣旨である。なお、「連続する」には、休憩時間をはさんで引き続く場合も含まれ、例えば、八時三十分から十二時までが勤務時間で、十二時から十三時までが休憩時間とされている職員についてのここでいう勤務時間の始まる時刻から連続する四時間は、八時三十分から十三時三十分までとなる。

○規則一五―一四
（週休日の振替等）
第六条
3　各省各庁の長は、四時間の勤務時間の割振り変更を行う場合には、第一項に規定する期間内にある勤務日の始業の時刻から連続し、又は終業の時刻まで連続する勤務時間について割り振ることをやめて行わなければならない。
○規則一五―一四運用通知
第五　週休日の振替等関係

6　規則第六条第三項の「連続する勤務時間」には、休憩時間をはさんで引き続く勤務時間が含まれる。

3　四時間の勤務時間の割振り変更の要件

四時間の勤務時間の割振り変更の要件については、「週休日とされた日において特に勤務することを命ずる必要がある場合」に限り行えること、割振り変更の対象日が当該週休日を起算日とする前四週間・後八週間以内の日とされていること、四時間の勤務時間の割振り変更を行った後における毎四週間についても週休日は四日以上となっていなければならないこと、連続勤務日は二十四日を超えることができないこと、四時間の勤務時間の割振り変更を行った場合にはこれを職員に速やかに通知しなければならないことなど、振替の場合と同様である。

また、四時間の勤務時間の割振り変更を二回行う必要がある場合（四時間の勤務を命ずる必要がある週休日が二回ある場合）に四時間の勤務時間を割り振ることをやめる勤務日については、それぞれ別の日である必要はなく、例えば、交替制等勤務職員で一日に八時間の勤務時間を割り振られている場合には、それぞれ同じ勤務日の午前の四時間と午後の四時間の勤務時間を割り振ることをやめ、別々の週休日に割り振ることにより、結果的にその勤務日が週休日となるようにすることも可能である。この二回の四時間の勤務時間の割振り変更は、時期的には、同じ時に一括ないしは別個の発令により行われようと、別々の時期にその必要性が生じてこれが行われようと差し支えないが、同じ時に別個の発令により行う場合や別々の時期に行う場合の二回目の割振り変更は、その時間数は四時間であるものの、その効果としては「勤務日を週休日に変更して当該勤務日に割り振られた勤務時間を当該勤務することを命ずる必要がある日に割り振」るものであるため、四時間の勤務時間の割振り変更ではなく週休日の振替である。

一方、逆に一の週休日に二の勤務日のそれぞれ四時間の勤務時間を割り振って八時間の勤務を命ずることは許されない。週休日の日数の確保の観点から、このような場合には、四時間の勤務時間の割振り変更ではなく週休日の振替で対応すべきである。なお、この場合において二回の四時間の勤務時間の割振り変更は同時に行われるということはなく、最初の四時間の勤務時間の割振り変更が行われた時点で、勤務することを命ずる必要があった当初の週休日はすでに勤務時間が割り振られた日となっており、文理上も、その日については「週休日とされた日において特に……」という振替等の要件を欠くこととなる。

4　四時間の勤務時間の割振り変更により勤務することを命ずる日の勤務時間帯

週休日の振替の場合の勤務を命ずる日の勤務時間帯は振り替えられる勤務日の勤務時間帯と同じにするのが原則であるが、四時間の勤務時間の割振り変更の場合は、勤務日に割り振ることをやめて週休日にもってくる四時間の勤務時間が割り振られていた勤務時間帯と同一の時間帯とすることは求められていない。勤務日に割り振ることをやめる四時間の勤務時間は、割り振ることをやめた時点で単なる四時間の勤務時間となっていると考えて差し支えない。制度の趣旨からしても、週休日に特に勤務することを命ずる必要があるのは午前の四時間であるが、当該職員が勤務しなくても支障がないのはいずれの日においても午後の勤務時間だけであるというような場合にも四時間の勤務時間の割振り変更が利用できることとする必要があろう。さらに、実態面からも、例えば、連続する四時間には休憩時間をはさんで継続するものも含まれるため、当初の勤務時間の割振りが午前中三時間三十分、休憩時間を六十分はさんで午後四時間十五分である職員について、始業時からの四時間を週休日に割り振る場合に、当初の勤務時間帯と同じ時間帯に割り振らなければならないとすれば、午後の勤務時間は三十分だけが割り振られることとなり不都合が考えられる（勿論、業務上の必要があれば、そのような割振りも可能であるが、そのような必要性が生じることは少ないであろう。）。

しかしながら、四時間の勤務時間の割振りが当初割り振られていた時間帯と異なる時間帯に割り振ることが原則的に可能であるとしても、職員の通常の勤務日の勤務時間帯と全く無関係に割り振ることができるかといえば、週休日の振替の場合の勤務することを命ずる勤務時間帯の考え方等を考慮すれば、四時間の勤務時間の新たな割振りは、通常の勤務日の勤務時間帯の範囲内で行われることを原則とすべきである（業務上特に必要がある場合にはこれと異なる時間帯に割り振ることも可能である点については、週休日の振替の場合と同様である。）。

○規則一五―一四運用通知

第五　週休日の振替等関係

3　四時間の勤務時間の割振り変更を行う場合において、勤務することを命ずる必要がある日に割り振る勤務時間は、当該四時間の勤務時間の割振り変更が行われる職員の通常の始業の時刻から終業の時刻までの時間帯の範囲内に割り振るものとする。ただし、これと異なる時間帯に割り振ることが業務上特に必要であると認められる場合には、この限りでない。

5　四時間の勤務時間の割振り変更後の勤務日の休憩時間等

四時間の勤務時間を割り振ることをやめた勤務日及びその四時間の勤務時間を割り振ることとなった日の休憩時間についての考え方は、次のとおりである。

まず、四時間の勤務時間を割り振ることをやめた勤務日にはその余の勤務時間（通常の勤務日であれば三時間四十五分）が残るが、他の四時間の勤務時間を割り振ることをやめただけなのであるから、残った勤務時間中に当初から休憩時間が置かれていれば、それはそのまま残っていることになる（例えば始業時刻が九時、終業時刻が十七時四十五分、休憩時間が十二時から十三時の時差通勤勤務職員で、終業の時刻まで連続する勤務時間について四時間の勤務時間の割振り変更を行った場合、九時から十三時四十五分までの勤務となり、もともとの休憩時間は残ることとなる）。

これに対して、特に勤務することを命ずる必要がある週休日に割り振ることとなる四時間の勤務時間については、当初の割振りにおいてその四時間の中に休憩時間が置かれていたか否かにかかわらず、当初の割振りをやめた時点で単なる四時間の勤務時間になっているものと理解され、週休日に割り振る際にはその日における職員の勤務条件及び業務上の必要に応じて、休憩時間を置くことの要否、置く必要があるとすればどこに置くことが適当であるかを決めることとなる。

休憩時間は、週休日の振替を行った場合と同様に、規則一五—一四第七条第一項第一号及び第二号の規定に基づき、おおむね毎四時間の連続する正規の勤務時間の後に、三十分以上置くことになるが、業務の必要性に応じて休憩時間を置くとしても、業務上の都合により、週休日に二時間の勤務を二回相当時間の間隔をおいて命ずる必要がある場合（例えば、朝二時間、夕方に二時間、調査、交渉等の業務があるような場合）に、その間の時間を休憩時間として四時間の勤務時間を割り振るということは、基本的には許されないと解すべきである。これは、週休日の振替の場合にも起こりうる問題であるが、振替等の趣旨からは、通常の勤務日の全日又は四時間の勤務時間を一つの勤務として週休日に割り振ることが必要であると解され、休憩時間について昼夜勤務等の場合の仮眠時間のような考え方をとることはできず、しかも職員にとって不当に拘束時間が長くなるような割振りを振替等によって行うべきではない。したがって、例にあげたような勤務が必要な場合には、二時間の超過勤務を二回命じざるを得ないといえよう。

なお、一つの勤務とみなすことができる勤務間隔（休憩時間）は、通常の勤務日の昼休みに相当する一時間程度が目安になると考えられるが、それを多少超える場合でも、業務の内容や超過勤務の縮減の必要性を勘案して、一つの勤務とみなすことも可能であろう。

また、休息時間を設けられている交替制等勤務職員にあっては、休息時間についても置く必要がある。休息時間については、勤務時間の割振りそのものではないので、四時間の勤務時間を割り振ることをやめた勤務日及びその四時間の勤務時間を割り振ることとなった日のいずれについても、実際に割り振られている勤務時間を前提として休息時間に関する基準に従うことになるので、四時間の勤務については十五分置くこととなる場合がある。

○規則一五―一四運用通知

第七　休息時間関係

３　四時間の勤務時間の割振り変更を行った場合において、勤務時間を割り振ることをやめることとなった日及び新たに勤務することを命ずることとなった日については、当該四時間の勤務時間の割振り変更後におけるそれぞれの日の勤務時間の割振りに応じた休息時間を置くものとする。

五　振替制度全般に関するその他の問題

１　休日と振替等の関係

勤務時間法第十四条に規定する休日は、勤務時間が割り振られた日であるが、特に勤務することを命ぜられる者を除き、勤務することを要しないこととされている。

特に勤務することを命ぜられる者とは、通常は、交替制等勤務職員で休日にも必要な業務に従事している者である。通常は休日には勤務することを要しないこととされている職員について、休日が勤務時間が割り振られている日であるからといって、週休日と休日を振り替えて休日を週休日に変更し、又は休日に割り振られている勤務時間のうちの四時間を割り振ることをやめ、これを週休日に割り振るということは、実質的な休日数を減少させることとなり適当ではなく、このような振替等は、できる限り行うべきではないこととされている。「できる限り」というのは、制度上どうしても行い得ないということではないためこのような表現になっているのであるが、現実問題としては、このような振替等を行い得る余地はないものと考えられる。

〇規則一五―一四運用通知
第五　週休日の振替等関係
４　勤務時間法第六条第一項又は第七条の規定に基づき毎日曜日を週休日と定められている職員にあっては、勤務時間法第十四条に規定する祝日法による休日及び年末年始の休日に割り振られている勤務時間については、できる限り、週休日の振替及び四時間の勤務時間の割振り変更は行わないものとする。

休日と振替等の関係の問題としては、週休日が休日に当たる場合に、この日と他の勤務日を振り替え、又はこの日に他の勤務日の四時間の勤務時間を割り振ることができるかということが、休日給又は休日代休との関係で議論されることがある。すなわち、特に振替の場合は、当該週休日と他の勤務日を振り替えれば、当該週休日には正規の勤務時間が割り振られ、勤務すれば休日給が支給され、あるいは休日の代休日が付与される一方、他の勤務日が週休日に変更されるので、当初の週休日数は確保されていることになり、休日給又は休日の代休日の分だけ振替を行われない職員と比べて得をすることになってしまうのではないかという議論である。しかしながら、週休日が休日に当たる場合、その日は勤務時間を割り振らない日であることから週休日であり、振替等の趣旨からは、週休日において特に勤務することを命ずる必要があれば、このような日についても振替等が行えることは当然である。結果的に他の職員には支給されない休日給が支給され、あるいは休日の代休日が付与されることとなるが、休日は、国民がこぞって祝うこととされている日、あるいは、社会慣行上多くの人が休んでいる日であり、そのような日においても勤務しなければならないこととなった点に着目して休日給又は休日代休が与えられているものと解すべきであろう。勿論、休日給又は休日の代休日を与えることを目的として振替を行うようなことは、制度の趣旨を著しく逸脱した運用であり、許されないことはいうまでもない。

なお、日曜日が祝日法による休日に当たる場合は、「国民の祝日に関する法律」により翌日が振替休日となるので、日曜日が週休日の場合でも前述のような問題は生じない（第三部第一節（三八七頁～）参照）。

2 「割振り変更」と振替等の関係

交替制等勤務職員について行われている、いわゆる「割振り変更」と振替等との関係、すなわち、振替等の制度が整備された上で、従来の「割振り変更」の運用を認め得るかという問題がある。この関係については、まず、振替等でカバーできる部分は、要件が明確に定められ、制度として確立している振替等により行うべきであろうと考えられる。一方、夜勤と日勤の変更など振替等の制度では同様のことを行うことができない部分については、依然「割振り変更」によって行わざるを得ないこととなろう。しかしながら、「割振り変更」が割振り権者の権限内での運用であるとしても、一旦行った割振りのやり直しを行うということは、職員にとっては予定外のことであることが多く、勤務時間の割振りの安定性を損なうことになりかねないので、職員と話し合って決める等相当の配慮がなされているようではあるが、その運用には十分な注意が必要であろう。

3 超過勤務と振替等の関係

週休日に勤務することを命ずる必要がある場合に、超過勤務を命ずるのか振替制度によるのか、どちらを優先させるのか、勤務の性質等による要件に差があるのか等の問題がある。

法令上の規定からは、超過勤務は、「公務のため臨時又は緊急の必要がある場合」に命ずることができ（勤務時間法第十三条第二項）、振替等は、「週休日とされた日において特に勤務することを命ずる必要がある場合」に行うことができる（勤務時間法第八条）こととされている。このように、超過勤務の要件と振替等の要件について法文上の表現は異なっているが、実際に週休日に勤務することを命ずるべきか否かの判断に当たっては、そもそも職員の健康・福祉の上で極めて重要な日である週休日においてまでも命じなければならない勤務であるのかどうかをまず判断すべきであって、超過勤務を命ずるのか振替等によるのかによって勤務を命ずることができるか否かが異なってくるものではない。

このような判断を行った上で、どうしても週休日に勤務することを命ずることが必要である場合には、週休制の趣旨、職員の健康・福祉の観点から、まず、振替等によることとすべきであり、こう考えることがそもそもの振替制度導入の趣旨に合致するものである。このように週休日に勤務を命ずる場合には振替制度によることを原則としても、なお超過勤務を命じざるを得ない場合もあると考えられる。そのような場合の例としては、

① 勤務することを命ずる日の前四週間・後八週間以内に振替等を行える日がない場合

② 勤務することを命ずる必要がある時間が短時間であり、勤務日の勤務時間又は四時間の勤務時間に満たない場合

③ 振替等を行うと毎四週間につき四日以上の週休日を設けるとの要件又は連続勤務日二十四日以内との要件を満たすことができなくなる場合

④ 緊急の業務等で、事前に振替等の手続ができない場合

等が考えられる。

なお、超過勤務及び振替等による勤務は、ともに公務運営上の必要により、命令権者が命ずるものであるから、職員がそのどちらによるか選択できるものではない。

超過勤務と振替等との関係としては、振替等により勤務を命じた日について、さらに超過勤務を命じ得るか、また、振替等を行うと同時に超過勤務も命ずることができるかという問題がある。すなわち、具体的には、週休日に四時間の勤務時間の割振り変更により勤務時間を割り振っておいたところ、業務を終えられない場合にさらに二時間の超過勤務を命じて計六時間勤務させるとか、週休日に十二時間の勤務を命ずる必要がある場合に、あらかじめ七時間四十五分の勤務時間が割り振られた勤務日と振り替えると同時に四時間十五分の超過勤務を命じておくということが

できるのかということである。

この点に関しては、振替等により週休日に勤務時間を割り振るということは、その当初の週休日は通常の勤務日となるわけであるから、通常の勤務日と同様に超過勤務命令についての「臨時又は緊急の必要」の要件に該当すれば、これを命ずることができるのは当然である。振替等を行うと同時に超過勤務を命ずることも、通常の勤務日の場合でもその必要性が前もって分かっていれば、かなり前であっても超過勤務命令を発することができるのと同様に考えられよう。したがって、週休日に七時間四十五分の勤務を命ずる必要がある場合であっても、必ずしも絶対に七時間四十五分の勤務時間が割り振られた勤務日と振り替えなければならないということではなく、業務の都合等により七時間四十五分の勤務時間が割り振られた勤務日との振替ができない場合には、四時間の勤務時間の割振り変更と超過勤務という形で命ずることも可能である。

４　異動者の振替等

振替等により勤務を命じられた日とその替わりに週休日とされた日又は四時間の勤務時間の割振りがなくなった日との間に異動があった場合（異動前に週休日を勤務日とされ勤務していた場合とその逆に異動後の週休日を勤務日とするため異動前にもともとの勤務日を先に休んでいた場合）に、異動後その振替等の効果はどうなるのかという問題がある。この点については、振替等及び異動のいずれも各省各庁の長の都合で実施されるものであるにもかかわらず、従来、このような振替等が行われた職員にあっては異動日を挟んだ振替等が認められていなかったことから、異動日を挟んだ振替等も可能としてほしいとの要望が各府省及び職員からも寄せられていたことなどを踏まえ、職員の適正な勤務条件の確保を図るとともに、各府省統一の運用ルールを策定する観点から、平成二十五年二月一日以降、各省各庁の長が同一である、原則同一省庁内の異動について異動日を挟んだ振替等が可能とされた。なお、ここで各省各庁の長を同じくする振替等に限定されているのは、振替による勤務を命ずる者と振替による週休日を指定する者が異なる各省各庁の長となることなどが法解釈上整合性を欠くことなどが考慮されたものである。勤務時間の割振りに関する権限を部内のどの職員に委任するかについては各省各庁の長の裁量に委ねられており、委任された勤務時間の割振り権者が同一の場合の異動に限って振替等を認める取扱いとすることは適当ではないことから、同一の各省各庁の長の下で勤務時間の割振り権者が異なる官職へ異動する場合についても、振替等が可能であるとされている。

○異動日を挟んだ週休日の振替等の取扱いについて（通知）（平二五・二・一　職職―二五）

Ⅰ　異動前の週休日とされた日に勤務する必要がある場合

２　具体的な取扱い

(1)　異動前の週休日とされた日における勤務を命ずる時点で異動することが明らかでない場合

ア　異動前の週休日とされた日に勤務した後に異動することが明らかとなった場合

週休日の振替等により異動前の週休日とされた日に勤務を命ずる時点では異動することが明らかでなく、当該日に勤務した後に異動することが明らかとなった場合であって、振替による週休日（人事院規則一五―一四（職員の勤務時間、休日及び休暇）第六条第二項に規定する四時間の勤務時間の割振り変更を行う場合にあっては、四時間の勤務時間の割振りをやめる日。以下同じ。）が異動日以後に設定されていたときには、公務の円滑な運営、職員の健康及び福祉、職員の適正な勤務条件の確保等の観点を踏まえ、次のとおり取り扱うこととする。

①　各省各庁の長を同じくする他の官職に異動する場合

職員が現に任命されている官職と各省各庁の長（勤務時間法第三条に規定する各省各庁の長をいう。なお、勤務時間の割振りに関する権限が委任されている場合も、委任元の当該各省各庁の長をいう。以下同じ。）を同じくする他の官職に異動する場合には、異動日以後に既に設定されていた振替による週休日を有効なものとして取り扱うとともに、当該職員の異動後の勤務時間の割振り権者（各省各庁の長及び勤務時間の割振りに関する権限の委任を受けた者をいう。以下同じ。）は、当該職員の異動後の業務の状況等を踏まえ、必要に応じて、既に設定されていた振替による週休日を振替可能期間（勤務時間法第八条に規定する人事院規則で定める期間をいう。以下同じ。）内にある別の日に変更することができることとする。

この場合において、当該職員の異動前の勤務時間の割振り権者は、当該職員に対し、異動日以後に既に設定されていた振替による週休日は有効なものとして取り扱われること及び振替による週休日は異動後の業務の状況等によって別の日に変更される可能性があることを速やかに口頭等で通知するとともに、当該職員の異動後の勤務時間の割振り権者に対し、週休日の振替等に係る資料の写しを速やかに送付するものとする。

なお、異動日以後の振替による週休日に勤務させる必要がある場合における当該日の勤務については、全て超過勤務となる。

②　各省各庁の長を異にする他の官職に異動する場合

職員が現に任命されている官職と各省各庁の長を異にする他の官職に異動する場合には、当該職員の異動前の各省各庁の長とは異なる異動後の各省各庁の長が当該職員に新たに勤務時間を割り振ることから、結果的に異動日以後の振替による週休日はなくなることとなる。

職員の適正な勤務条件の確保等の観点から、このような事態が生じることを可能な限り避けることが適当であり、各省各庁の長は、職員の異動の可能性等を踏まえ、このような週休日の振替等を可能な限り行わないように留意する必要がある。

イ　異動前の週休日とされた日に勤務するまでに異動することが明らかとなった場合

週休日の振替等により異動前の週休日とされた日に勤務を命ずる時点では異動することが明らかでなかったが、当該日に勤務するまでに異動することが明らかとなった場合であって、振替による週休日が異動日以後に設定されていたときには、公務の円滑な運営、職員の健康及び福祉、職員の適正な勤務条件の確保等の観点を踏まえ、次のとおり取り扱うこととする。

①　振替可能期間内で、かつ、異動日の前日までに振替による週休日を設けることができる場合には、既に設定されていた振替による週休日を変更することとする。

②　①のとおり振替による週休日を変更することができない場合であって、職員が現に任命されている官職と各省各庁の長を同じくする他の官職に異動するときには、次のいずれかの方法によることとし、職員が現に任命

されている官職と各省各庁の長を異にする他の官職に異動するときには、ⅰの方法によることとする。

ⅰ　週休日の振替等を取り消す。なお、異動前の週休日とされた日における勤務は超過勤務となる。

ⅱ　当該職員の異動前の勤務時間の割振り権者は、当該職員の異動後の勤務時間の割振り権者に対し、当該職員が異動日以後の振替可能期間にある日に勤務しないことが業務の円滑な運営に支障をきたすおそれがないかを確認し、当該職員の異動後の勤務時間の割振り権者がそのおそれがないと判断した場合には、当該日を振替による週休日とする週休日の振替等を行うことができることとする。この場合における当該職員の異動後の勤務時間の割振り権者への関係資料の送付や異動日以後の振替による週休日に勤務させる必要がある場合の当該週休日における勤務の取扱いについては、⑴ア①によることとする。

ただし、当該職員の異動後の勤務時間の割振り権者が、当該日に当該職員が勤務しないことが業務の円滑な運営に支障をきたすおそれがあると判断した場合には、当該職員の異動前の勤務時間の割振り権者は週休日の振替等を取り消す。なお、異動前の週休日とされた日における勤務は超過勤務となる。

⑵　異動前の週休日とされた日における勤務を命ずる時点で異動することが明らかである場合

週休日の振替等により異動前の週休日とされた日に勤務を命ずる時点で異動することが明らかである場合には、⑴イに準じて取り扱うものとする。

Ⅱ　異動前の勤務日を週休日に変更していた場合

1　振替による週休日を週休日として休んだ後に異動する場合

振替による異動前の週休日を週休日として休んだ後、振替による勤務日（四時間の勤務時間の割振り変更を行う場合にあっては、四時間の勤務時間を割り振る日。以下同じ。）とされた日が到来するまでの間に異動があると、当該職員の異動前の勤務時間の割振り権者は、当該日に週休日の振替等によって命じようとしていた勤務に当該職員を従事させることができなくなることから、週休日の振替等を行うに当たっては、このようなことが生じないよう十分に留意する必要がある。

2　振替による週休日とされた日が到来するまでに異動することが明らかとなった場合

振替による週休日とされた日が到来するまでに異動することが明らかとなった場合は、週休日の振替等を取り消すこととする。

5　振替等の特例

規則一五―一四第三十二条においては、週休日や休憩時間などのほか、週休日の振替及び四時間の勤務時間の割振り変更についても、業務又は勤務条件の特殊性等により、同規則第六条の規定による原則に従うと能率、職員の健康等に悪影響を与える場合には、各省各庁の長が人事院の承認を得て別段の定めをすることができる旨規定されている。

この規定により人事院の承認が必要になる場合としては、前四週間・後八週間の期間を超えて振替等を行う必要がある場合、振替等の後の毎四週間につき四日以上の週休日を設けられないこととなる場合、連続勤務日が二十四日を超えることとなるような振替等を行う必要がある場合が考えられるが、特例承認を得てまでこのような振替等を行う必要があるのは非常に特殊な場合に限られる。

現在の主な承認例としては、海上保安官がある。

6　振替等の具体例

以上述べてきた、週休日の振替及び四時間の勤務時間の割振り変更、また、それらと超過勤務等との関係を図示すれば次のようになる。

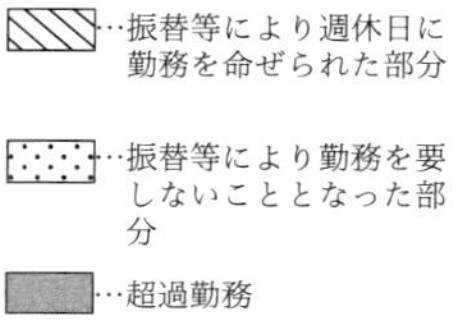

⑴　週休日に１日（７時間45分）勤務を命ずる場合

勤務日（火曜日）を週休日に変更する　⇨　週休日（日曜日）に７時間45分の勤務時間を割り振る

⑵　週休日に４時間勤務を命ずる場合

平日（月曜日）に４時間の勤務時間を割り振ることをやめる　⇨　週休日（日曜日）に４時間の勤務時間を割り振る

⑶　週休日に６時間勤務を命ずる場合

平日（水曜日）に４時間の勤務時間を割り振ることをやめる　⇨　週休日（土曜日）に４時間の勤務時間を割り振る＋２時間の超過勤務を命ずる

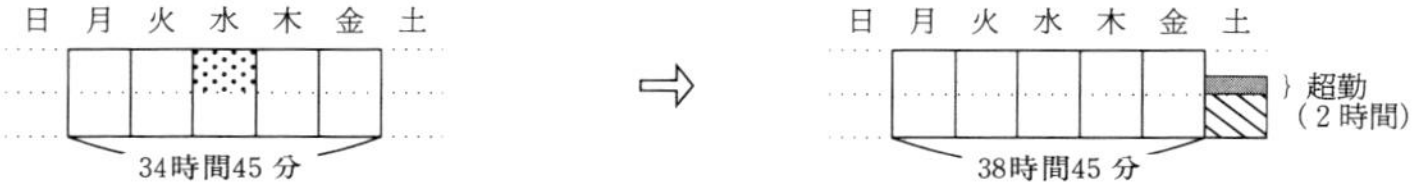

⑷　週休日に３時間勤務を命ずる場合

振替等の単位（１日又は４時間）に満たないので，振替等はできない　⇨　週休日（土曜日）に３時間の超過勤務を命ずる

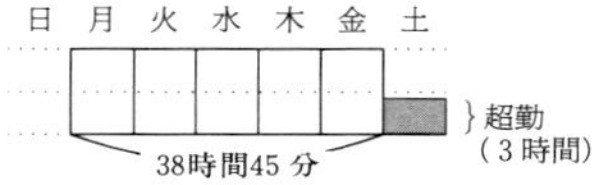

第二節　休憩時間

一　休憩時間の意義

人間の一日の勤務能力には波がある。仕事のかかり始めよりは、ある程度時間が経過して仕事に対する慣れがでてくるにつれて能率は高まるが、更に時間がたつと勤務の結果としての疲労が生じ、能率は低下してくる。それらは勤務の種類によって異なるとともに、個人によっても、また日によっても相違するが、一定の基準のもとに、一日の勤務時間の中途に勤務から離れ得る時間を設け、勤務が引き続き長時間に及ぶのを避けることは、無用の疲労を排除して勤務能率を維持するためにも、きわめて有効であり、かつ、必要なことである。また、食事のための時間が確保されなければならないことはいうまでもない。

このように休憩時間は、勤務時間の中途に、勤務時間以外の自由時間として置かれる時間であって、職員は、その間職務専念義務を持たないし、給与の支給も受けない。

規則一五―一四に規定する休憩時間は、正規の勤務時間についての規制であって、それ以外の時間における勤務については、休憩時間を置かなければならないとする規定はないが、長時間の超過勤務が行われる場合についても、実情に適合した措置を行うべきであろう。

二　休憩時間の置き方

勤務時間と休憩時間との関係がどのようにあるべきかは、個々の条件によって異なる。規則一五―一四第七条第一項は、この意味において、一般的な基準を示したものであって、これにより難い場合には、規則一五―一四第七条第二項から第四項までの規定による特例が認められ、さらには規則一五―一四第三十二条の規定による人事院の承認を得て別段の定めをすることができることとされている。

休憩時間に関する規制は、大別して、連続労働時間による方式（何時間の連続労働の後に何分の休憩を置くべきかを定める。）と労働時間の総計による方式（一勤務の労働時間の総計により何分の休憩を置くべきかを定める。）の二通りがあり、連続労働時間による方が、休憩時間の長さばかりでなくその置き場所をも定めることとなり、規制が厳しいが、作業の内容や勤務態様が多様にわたる場合の弾力性にやや欠ける面はある。公務においては前者を、労基法は後者の方式を採っている。

なお、労基法には、休憩時間は原則として一斉に与えなければならない、とする規定があるが、これは共に食事し、談笑し、あるいはスポーツ等を行えるよう労働者に実のある休憩を取らしめようとするものである（一斉付与の原則）。勤務時間法及び規則にはこのような規定はないが、できるだけ一斉に休憩を与えるよう配慮すべきことは当然である。

一方で、窓口業務等においては、行政サービス向上の観点から、昼休みであっても一斉に休憩を与えずに交替で休憩させることが求められることもあり得るところである。また、フレックスタイム制が適用される職員については、テレワーク等の柔軟な働き方が広がり、休憩時間の一斉付与の必要性が低下するとともに、職員が休憩時間を置くことを希望する時間帯が区々となっている中で、職員が個々のライフスタイルや業務の状況などに合わせて希望する時間帯に休憩時間を置くことができるよう、後述４のとおり、職員の申告があった場合には、当該申告を考慮して休憩時間を置くものとされている。

○勤務時間法

（休憩時間）

第九条　各省各庁の長は、第六条第二項から第四項まで、第七条又は前条の規定により勤務時間を割り振る場合には、人事院規則の定めるところにより、休憩時間を置かなければならない。

○規則一五—一四

（休憩時間）

第七条　各省各庁の長は、次に掲げる基準に適合するように休憩時間を置かなければならない。

一　おおむね毎四時間の連続する正規の勤務時間（勤務時間法第十三条第一項に規定する正規の勤務時間をいう。以下同じ。）の後に置くこと。

二　勤務時間法第六条第二項の規定により一日につき七時間四十五分の勤務時間を割り振る場合にあっては六十分（各省各庁の長が、業務の運営並びに職員の健康及び福祉を考慮して必要があると認める場合は、四十五分）、それ以外の場合にあっては三十分以上とすること。

三　勤務時間法第七条第一項に規定する公務の運営上の事情により特別の形態によって勤務する必要のある職員について、まず前二号の休憩時間（以下この号及び次条第一項において「基本休憩時間」という。）（当該基本休憩時間の始まる時刻まで連続する正規の勤務時間がおおむね四時間であるものに限る。）を置き、次いで当該基本休憩時間の前に十五分の休憩時間を置くこと及びまず基本休憩時間（当該基本休憩時間の終わる時刻から終業の時刻まで連続する正規の勤務時間がおおむね四時間であるものに限る。）を置き、次いで当該基本休憩時間の後に十五分の休憩時間を置くこと。ただし、次条の休息時間を置く場合は、この限りでない。

○労基法

（休憩）

第三十四条　使用者は、労働時間が六時間を超える場合においては少くとも四十五分、八時間を超える場合においては少くとも一時間の休憩時間を労働時間の途中に与えなければならない。

２　前項の休憩時間は、一斉に与えなければならない。ただし、当該事業場に、労働者の過半数で組織する労働組合がある場合においてはその労働組合、労働者の過半数で組織する労働組合がない場合においては労働者の過半数を代表する者との書面による協定があるときは、この限りでない。

１　休憩時間の基準

(1)　連続勤務時間

仕事による疲労は、勤務の連続時間がある限度を超えると、回復のためには著しく不利となり、長い休憩を必要とすることが各種の調査で明らかにされているところであって、連続勤務による疲労を回復するのに要する休憩時間の長さは、その原因となった連続勤務の時間の長さの増え方以上に増加するといわれている。このことは、疲労した後に長い休憩を取るよりも、長時間に及ぶ勤務を避けて、休憩を何回かに分けて取ることの方が効果的であることを示している。規則の「おおむね毎四時間の連続する正規の勤務時間の後に置く」という基準のうち「毎四時間」という時間は、このような見地からの判断と、平成二十一年四月一日前は一日の勤務時間が八時間であったことから午前午後各四時間の間に昼食時間が置かれる勤務時間の割振りを考慮して定められたものと思われる。

「おおむね」とあるのは、公務においても、いろいろの勤務形態が必要とされるところから、休憩時間の趣旨を損なわない限りにおいて、勤務時間の割振りが円滑に行われるよう配慮されたものである。この場合、四時間を超える連続勤務時間の限度は、規則一五—一四運用通知によって最大限四時間三十分と定められているので、規則一五—一四第七条第二項から第四項まで、又は第三十二条の特例を除き、四時間三十分を超える連続勤務は行わせ得ないこととなる。

一方、四時間未満の勤務の途中において休憩時間を置くことについては、規則上特別の定めはなく、各省各庁の長（割振り権者）の判断に任せられているが、頻繁に休憩時間を置くことは、かえって仕事が非効率になるとともに、結果として出勤から退庁までの拘束時間を長くし、職員に不利となる側面もあるので、労働医学的にみて必要な場合や勤務時間の割振り上やむを得ない事情があって職員の納得も得られるような場合等、特別な場合に限られるべきであろう。

四時間未満の勤務の途中に休憩時間が置かれた場合には、規則の休憩時間の基準に何ら影響を与えるものではないのは当然であり、特例の場合を除き、当該休憩時間終了時から起算しておおむね毎四時間の正規の勤務時間の後には、必ず休憩時間を置かなければならない。

○規則一五—一四運用通知

第六　休憩時間関係

1　規則第七条第一項第一号の「おおむね毎四時間の連続する正規の勤務時間」は、最大限四時間三十分の勤務時間とする。

(2)　休憩時間の長さ

ア　勤務時間法第六条第二項の規定により一日につき七時間四十五分の勤務時間を割り振る場合

勤務時間法第六条第二項の規定により一日につき七時間四十五分の勤務時間が割り振られる一般の職員については、六十分の休憩時間を、各省各庁の長が業務の運営並びに職員の健康及び福祉を考慮して必要があると認める場合には四十五分の休憩時間を、置かなければならない。この休憩時間を六十分とするか四十五分とするかの判断は、各職場における業務の実態、職員の昼休み時間を短縮することの影響等を総合的に勘案して行うものとされている。

また、労基法とは異なり、規則一五―一四第七条第三項又は第四項の特例や、第三十二条の規定により人事院の承認を得た場合を除き、これを分割して置くことはできない。

なお、一般の職員について六十分又は四十五分の休憩時間を置くのは、勤務時間法第六条第二項の規定により一日につき七時間四十五分の勤務時間を割り振る場合のみであるから、勤務時間法第八条の規定による週休日の振替等によって勤務時間を割り振る日については、規則一五―一四第七条第一項第二号の規定により「三十分以上」の休憩時間を置くということになる。しかし、ある勤務日に割り振られた正規の勤務時間を週休日に割り振るという週休日の振替等の趣旨から、また、職員の通常の勤務形態、生活パターン等を考慮すれば、週休日の振替等による場合であっても「六十分又は四十五分」の休憩時間を置くべきであろう。

○休憩時間の運用について（通知）（平三〇・一二・七　職職―二四六）

1　各省各庁の長が規則第七条第一項第二号の規定により休憩時間を四十五分とするか否かの判断は、各職場における業務の実態、職員の昼休み時間を短縮することの影響等を総合的に勘案して行うものとすること。

イ　ア以外の場合

フレックスタイム制が適用される職員、交替制等勤務職員、一日の勤務時間が七時間四十五分より短い定年前再任用短時間勤務職員については、三十分以上の休憩時間を置かなければならない。これらの職員については、一日に二回以上の休憩時間を置く必要がある、二十四時間体制で勤務しなければならないため仮眠時間としての長い休憩時間を置く必要がある、一日の勤務時間が短いため長い休憩時間は必要ないなど、それぞれの事情に応じた適切な勤務時間の割振りができるよう、一回の休憩時間の最短時間のみを定めている。

このうち、交替制等勤務職員については、まず規則一五―一四第七条第一項第一号及び第二号の規定に基づき、おおむね毎四時間の連続する正規の勤務時間の後に三十分以上の休憩時間（基本休憩時間）を置き、始業の時刻から基本休憩時間の始まる時刻まで、基本休憩時間の終わる時刻から次の基本休憩時間の始まる時刻まで又は基本休憩時間の終わる時刻から終業の時刻まで連続する正規の勤務時間が、おおむね四時間である場合には、その基本休憩時間の前後に、休息時間を置く場合を除いて十五分の休憩時間を置くこととされている（休息時間については次節参照。）。これは、平成二十一年四月の勤務時間の短縮に当たって、これまでの行政サービスを維持し、かつ、行政コストの増加を招かないよう、おおむね四時間の連続する正規の勤務時間に置かれることとされていた休息時間二回のうち一回分（十五分）を休憩時間に置き換えたものである。したがって、休憩時間に置き換える前の休息時間の置き方の基準と同様になるように、十五分の休憩時間を置く場合の「おおむね四時間」は規則一五―一四運用通知において三時間十五分から四時間十五分までの間の時間とされている。これを要すれば、交替制等勤務職員についておおむね毎四時間（最大限四時間三十分）の勤務時間を割り振る場合には、まず三十分以上の基本休憩時間を置き、これによって区切られた正規の勤務時間がおおむね四時間である場合には、さらに十五分の休憩時間又は休息時間を設けることとなる。

特に、既述のように交替制等勤務職員について仮眠のための時間を休憩時間として置く場合には、相当程度の連続した時間とする必要があろう。仮眠をとる時刻とその長さは、業務の態様によって制約を受けるだろうが、それ自体反自然反生理的である深夜勤務に従事する職員に対しては、その施設を整備した上で一定時間仮眠することを推奨することが保健上は勿論、能率上も極めて必要であることにかんがみ、勤務時間の割振りに当たっては、できるだけ長時間の仮眠時間を設けるよう努力すべきである。ただ、その一方で、仮眠時間としての休憩時間終了後の勤務時間が極めて短いような勤務時間の割振りは、当該職員を不要に官署に長時間拘束する結果ともなるので、他の職員で対応できないかも含めて検討すべきである。

また、交替制等勤務職員のうち、一般の職員と同様の時間帯に一日につき七時間四十五分の勤務時間が割り振られる職員については、一般の職員との均衡から、昼休み時間としての休憩時間は六十分又は四十五分とすることが適当であろう。

これらの職員の休憩時間の上限については、規則上特に定めはないが、一般の職員が六十分又は四十五分とされていること、休憩時間の置かれる趣旨等に鑑みれば、おのずと限界が定まろう。

なお、勤務時間法第六条第二項の規定により勤務時間が割り振られる定年前再任用短時間勤務職員についても、七時間四十五分の勤務時間が割り振られている日については、六十分又は四十五分の休憩時間を置かなくてはならない。

○規則一五―一四運用通知

第六　休憩時間関係

２　規則第七条第一項第三号の「おおむね四時間」は、三時間十五分から四時間十五分までの間の時間とする。

○休憩時間の運用について（通知）（平三〇・一二・七　職職―二四六）

２　規則第七条第一項第三号及び運用通知第六の第二項の規定は、同号の十五分の休憩時間（以下「十五分の休憩時間」という。）を置く場合においては、当該十五分の休憩時間とその前後の連続する正規の勤務時間とを合計した時間が三時間三十分から四時間三十分までの間の時間となるようにするものとする趣旨であること。

2　連続勤務時間の特例

前述のように、休憩時間は、疲労を排除して勤務能率を維持する観点から、おおむね毎四時間の連続する正規の勤務時間の後に置くことを原則としている。しかしながら、例えば、昼休み後の連続勤務時間が四時間三十分を超える場合であっても、終業時刻に近接して再度の休憩時間を置かなければならないとすると、かえって勤務能率の低下や、拘束時間が長くなることによる疲労蓄積を招くおそれがある場合があるため、これを防止する観点から、いわゆる官執勤務職員及びフレックスタイム制が適用される職員については、従前から、四時間三十分を超えて勤務時間を連続させることができる特例が設けられていた。この特例は、昼食時や夕食時に一斉に休憩を与えることを念頭に、これらの時間帯に休憩時間を置くことを要件としており、最長で六時間三十分までの連続勤務時間を認めている例もあった。

近年、テレワーク等による柔軟な働き方が広がる中で、同一の部署の職員に休憩時間を一斉に付与する必要性が低下している場合があり、特に在宅勤務の場合、職員のライフスタイルによって休憩時間を置くことを希望する時間帯が区々であるなど、昼食の時間帯等に休憩時間を置くことを要件としている特例措置は、弾力性に欠ける面があった。

このため、令和五年四月、フレックスタイム制の柔軟化（第二章第五節二7参照）にあわせ、おおむね毎四時間の連続する正規の勤務時間の後に休憩時間を置かなければならないとの原則は存置した上で、特例措置として、休憩時間を置く時間帯にかかわらず、最長で六時間三十分まで勤務時間を連続させることができることとされた。ただし、この特例措置は、勤務能率の低下や疲労蓄積を防止するためのものであることを踏まえ、各省各庁の長が、公務の運営並びに職員の健康及び福祉を考慮して支障がないと認める場合に限られるものとされた。

なお、この措置は「勤務時間法第六条第二項から第四項までの規定により勤務時間を割り振る場合」（規則一五—

一四第七条第二項）における特例であり、交替制等勤務職員や週休日の振替等の場合については適用されない。

○規則一五―一四

（休憩時間）

第七条

２　各省各庁の長は、勤務時間法第六条第二項から第四項までの規定により勤務時間を割り振る場合において、公務の運営並びに職員の健康及び福祉を考慮して支障がないと認めるときは、前項第一号の規定にかかわらず、連続する正規の勤務時間が六時間三十分を超えることとなる前に休憩時間を置くことができる。

３　休憩時間の分割・延長・短縮・追加の特例

休憩時間について、規則一五―一四第七条第一項の規定によると、職員の健康及び福祉に重大な影響を及ぼし、又は能率を甚だ阻害する場合、また、同条第一項又は第二項の規定によると、能率を甚だ阻害する場合に、各省各庁の長は、休憩時間の基準について別段の定めができることとされている。

○規則一五―一四

（休憩時間）

第七条

３　各省各庁の長は、第一項の規定によると職員の健康及び福祉に重大な影響を及ぼし、又は前二項の規定によると能率を甚だしく阻害する場合には、人事院の定めるところにより、休憩時間の基準について別段の定めをすることができる。

(1)　休憩時間の分割の特例

公務においては、窓口業務など一般的に昼食時の休憩時間とされている時間にも職員を配置することが求められるところもある。また、民間企業などへの対応が必要な職場においては、民間企業の休憩時間が四十五分とされている場合に六十分の休憩時間を置くと、その差の十五分間において必要十分な行政サービスを提供できないことも考えられる（例（一八七頁）参照）。

このように、正午から午後一時までの時間帯に六十分又は四十五分の休憩時間を置くことにより、当該時間帯における業務を処理するために必要な要員の確保ができない場合には、規則一五―一四運用通知第六の第三項において定められている表のように休憩時間を分割することができることとしている。

また、障害者である職員から、正午から午後一時までの時間帯以外の時間帯にも休憩時間を置くことについて申出があり、かつ、公務の運営に支障がないと認められる場合にも、同様に休憩時間を分割することができることとしている。

なお、休憩時間を分割する場合には、連続する正規の勤務時間が四時間三十分を超えないように休憩時間を置かなければならない。

○規則一五―一四運用通知

第六　休憩時間関係

３　各省各庁の長は、規則第七条第三項の規定に基づき、同条第一項若しくは第二項の規定により休憩時間を正午から午後一時までの時間帯に置くことにより当該時間帯における業務を処理するために必要な要員の確保ができない場合又は規則第四条の五の二に規定する職員から、当該時間帯以外の正規の勤務時間の始業の時刻から終業の時刻までの時間帯にも休憩時間を置くことについて申出があり、かつ、公務の運営に支障がないと認められる場合には、規則第七条第一項又は第二項の規定による休憩時間を分割し、次の表の上〔右〕欄に掲げるこれらの規定による休憩時間の区分に応じて、正午から午後一時までの時間帯に同表の中欄に掲げる休憩時間を置き、かつ、当該時間帯以外の正規の勤務時間の始業の時刻から終業の時刻までの時間帯に同表の下〔左〕欄に掲げる休憩時間を置くことができる。この場合において、当該時間帯に、連続する正規の勤務時間が四時間三十分を超えないようにしなければならない。

規則第七条第一項又は第二項による休憩時間	六〇分		四五分
正午から午後一時までの時間帯に置く休憩時間	四五分	三〇分	三〇分
上〔右〕記以外の時間帯に置く休憩時間	一五分	三〇分	一五分

(2)　休憩時間の延長の特例

勤務時間法第六条第二項により割り振られた勤務時間が七時間四十五分である、いわゆる官執勤務職員の休憩時間は、前述のとおり六十分又は四十五分とされている。これは、休息及び食事に必要な時間の確保と、職員の職場での拘束時間をいたずらに長くしない（休憩時間を長く設定することは通常、その分だけ始業から終業までの拘束時間を長くし、職員に不利となる）という二つの要素が調和する長さとして設定されているものである。この趣旨から、休憩時間は長すぎることも適当ではなく、必要十分な長さに設定されるべきである。他方、官民問わず柔軟で多様な働き方の実現と勤務環境の整備が重視される中、平成二十七年一月に各府省情報化統括責任者（ＣＩＯ）連絡会議において「国家公務員テレワーク・ロードマップ」が決定されるなど、公務においてもテレワークの導入が進められる中で、職員が一日の勤務の一部を在宅勤務により行う場合について、自宅と職場との間の移動に必要な時間の休憩時間を設けられるよう勤務時間制度上の措置を講ずることへの要望が各府省から寄せられた。これを踏まえ、平成二十七年四月以降、移動に必要な範囲で休憩時間を延長して六十分又は四十五分を超える休憩時間を置くことができることとされた。また、平成二十八年四月以降、在宅勤務に引き続いて育児又は介護を行うために必要な時間の確保ができ

例１　窓口業務がある官署

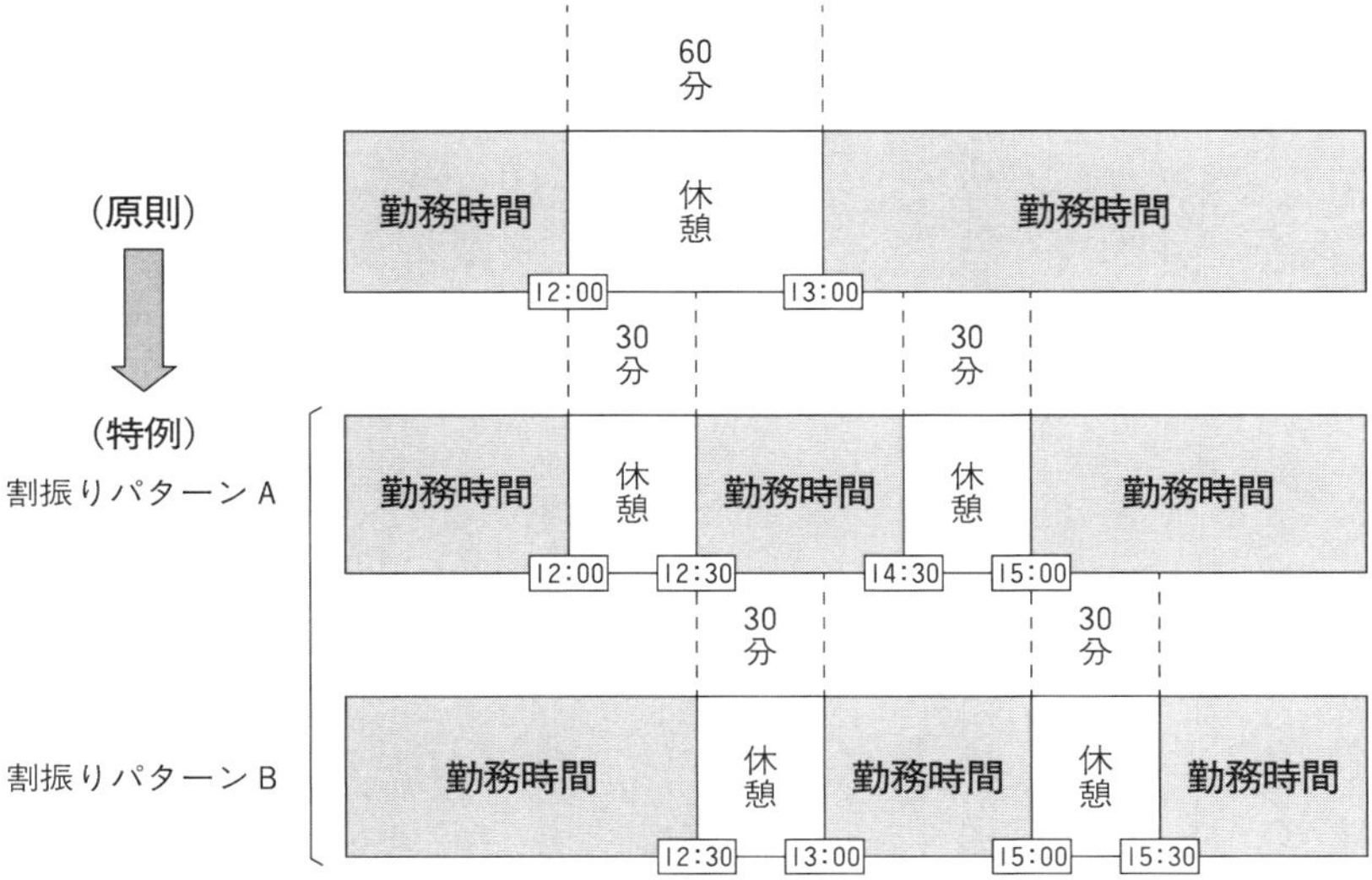

※　「原則」の場合は、12:00から13:00までの時間帯に全員の休憩時間が置かれているため、その時間帯の窓口業務に対応できない。「特例」においては休憩時間が分割して置かれ、12:00から13:00の時間帯はいずれかの職員の勤務時間に当たるため、対応が可能。

例２　民間企業等への対応の必要がある官署

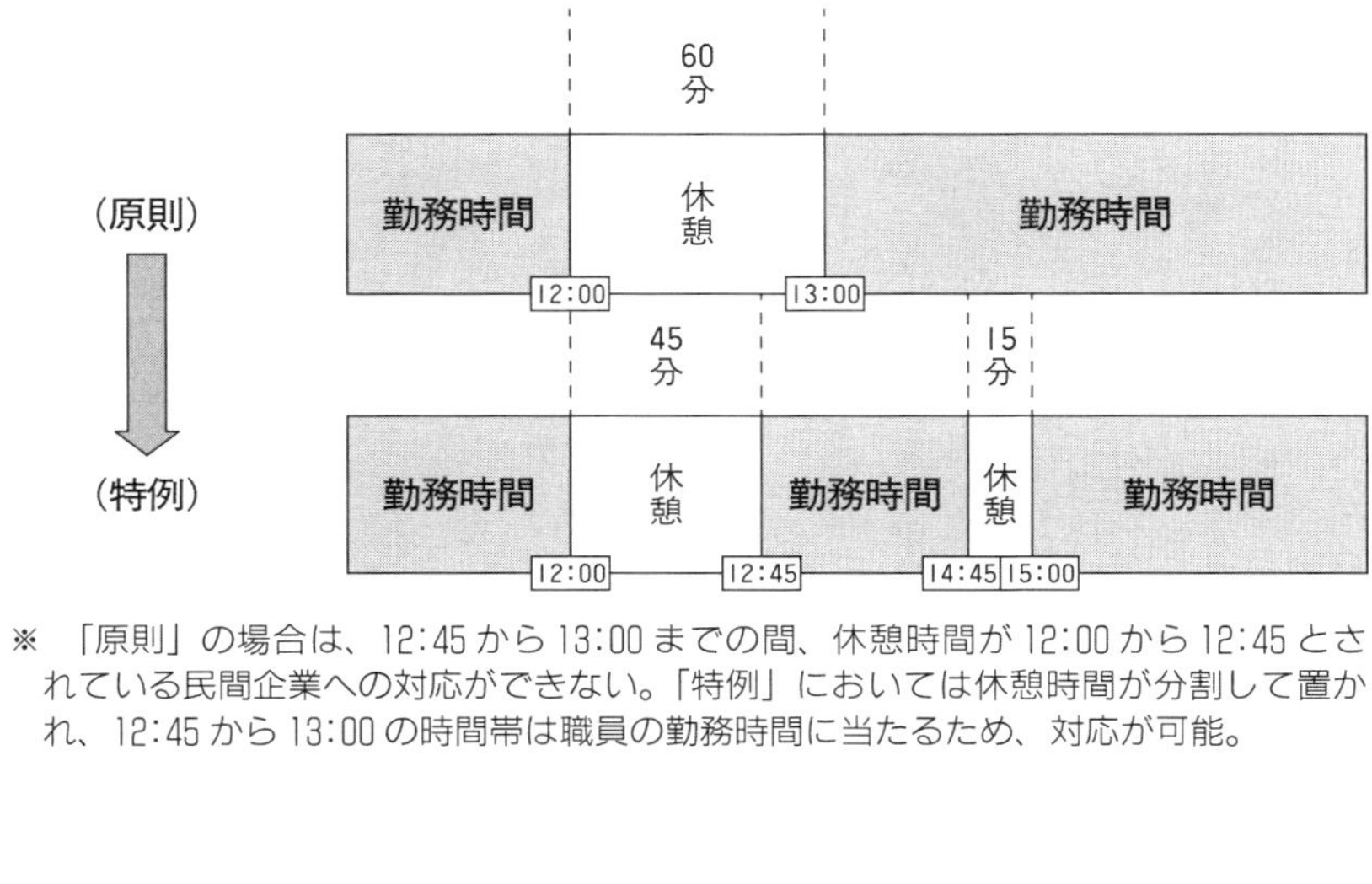

※　「原則」の場合は、12:45から13:00までの間、休憩時間が12:00から12:45とされている民間企業への対応ができない。「特例」においては休憩時間が分割して置かれ、12:45から13:00の時間帯は職員の勤務時間に当たるため、対応が可能。

ない場合に、さらに、平成三十一年一月以降、障害者である職員の休憩に必要と認められる時間を確保できない場合についても、それぞれ一定の要件のもと休憩時間を延長して置くことができることとされた。

なお、休憩時間を延長することにより、始業時刻や終業時刻が、職員の健康及び福祉の確保の観点からは適切でない時間帯に設定されることを防止するための基準として、休憩時間の延長後の正規の勤務時間は午前五時から午後十時までの間に収まるものとしなければならないこととされている。

ア　勤務時間の一部の時間帯における在宅勤務の適切な実施を確保できない場合

正規の勤務時間の一部において在宅勤務を行う場合には、通常の勤務場所と職員の住居の間を移動する時間が発生することとなる。この移動の性質については、職場から他の会議場所への移動と同様、正規の勤務時間内に行われるものと整理することも考え得るが、他の職員と時間帯の違いこそあるが一種の通勤時間でもあることから、当該移動を正規の勤務時間内に含めて給与支給の対象とすることには理解が得られにくいものと考えられる。一方、「在宅勤務」という勤務のための移動である以上、職員が年次休暇を使用せざるを得ない仕組みとすることは適当ではないことから、休憩時間として整理することとされた。これを踏まえ、平成二十七年四月以降、正規の勤務時間の一部において在宅勤務を行うために必要な移動を行う場合に、規則一五―一四第七条第一項第二号の規定により定められている六十分又は四十五分の休憩時間だけでは移動や休憩に必要な時間が確保できないときは、当該移動に要する時間を超えない範囲内で、休憩時間を延長することができることとされた。

なお、休憩時間の回数自体に制限は設けられていないため、正規の勤務時間の一部において在宅勤務を行う際に移動を行うことができるのは昼休みとしての休憩時間だけに限られない。いわゆる官執勤務職員については二度目以降の休憩時間も六十分又は四十五分置くこととなるが、当該休憩時間について、移動に必要な時間を超えない範囲内で延長することも可能である。ただし、休憩時間を頻繁に置くことは拘束時間を長くし、また勤務時間を細分することにもなるため、その必要性については考慮が必要であろう。

イ　在宅勤務に引き続いて育児又は介護を行うために必要な時間の確保ができない場合

正規の勤務時間の一部において在宅勤務を行うことが推進される中で、子の養育を行うために育児時間の取得等により実勤務時間を短縮せざるを得ない職員について、子の養育を休憩時間の中で行い、養育後に再び正規の勤務時間として在宅勤務できる仕組みを設けてほしいとの要望が寄せられていた。こうした要望や、同時期に一般の職員への拡充が検討されていたフレックスタイム制により勤務する職員は、規則一五―一四第七条第一項第二号により休憩時間は三十分以上とされ、必要な長さの休憩時間を置くことが可能となることとの均衡も考慮し、平成二十八年四月以降、在宅勤務に引き続いて小学生以下の子の養育又は勤務時間法第二十条第一項に規定する要介護者の介護を行うために必要な時間を確保できない場合に、当該養育又は当該介護に必要な時間を超えない範囲で休憩時間を延長することができることとされた。正規の勤務時間の一部において在宅勤務を行う場合、この措置における育児又は介護に必要な時間には、本来的な育児又は介護の時間に加えて、通常の勤務場所と自宅との間の通勤時間も含まれる。

なお、勤務時間の割振りを行う権限は各省各庁の長にあるが、育児又は介護を行うための時間を各省各庁の長が一方的に定めることは適当ではないことから、この措置による休憩時間の延長には、職員からの申出があることを必要としている。また、休憩時間の延長を行うかどうかの要件は育児又は介護に限定されているが、後述の三のとおり、職員は休憩時間を自由に利用できることが原則とされていることから、実際の休憩時間の過ごし方についての制限は行わないこととしており、育児や介護以外の活動を行うことも制限せず、通常の休憩時間や勤務時間外にかかるのと同じ服務上の規制等がかかるのみとなっている。ただし、休憩時間の後の勤務に支障が生じないこと等、服務上許される範囲内の自由であることは当然であろう。

ウ　障害者である職員の休憩に必要と認められる時間を確保できない場合

障害者である職員が、自らの希望や障害の特性等に応じて、無理なく、かつ、安定的に働くことができるよう、平成三十一年一月以降、障害者である職員が休憩に必要と認められる時間を確保できない場合、休憩に必要と認められる時間を超えない範囲内で休憩時間を延長することができることとされた。なお、勤務時間の割振りを行う権限は各省各庁の長にあるが、障害者である職員の休憩に必要と認められる時間を各省各庁の長が一方的に定めることは適当ではないことから、この措置による休憩時間の延長は、職員からの申出があることを必要としている。

○規則一五―一四運用通知

第六　休憩時間関係

4　各省各庁の長は、規則第七条第三項の規定に基づき、勤務時間法第六条第二項の規定により割り振られた勤務時間が七時間四十五分である場合において、規則第七条第一項第二号の休憩時間を置くだけでは次に掲げる場合に該当することとなるときは、それぞれ次に定める範囲内において、当該休憩時間を延長することができる。この場合においては、始業の時刻は午前五時以後に、終業の時刻は午後十時以前に設定するものとする。

(1)　当該勤務時間の一部の時間帯における在宅勤務（当該在宅勤務を行う時間帯の直前又は直後に置かれた当該休憩時間に職員の住居と通常の勤務場所との間の移動が必要となるものに限る。）の適切な実施を確保できない場合　当該移動に要する時間を超えない範囲内

(2)　小学校就学の始期に達するまでの子若しくは小学校、義務教育学校の前期課程若しくは特別支援学校の小学部に就学している子を養育する職員又は勤務時間法第二十条第一項に規定する要介護者（別紙第一及び別紙第一の二を除き、以下「要介護者」という。）を介護する職員について、当該養育又は当該介護を行うために必要な時間を確保できない場合（当該休憩時間の延長について当該職員から申出があり、かつ、公務の運営に支障がないと認められる場合であって、当該休憩時間の直前又は直後に在宅勤務を行うときに限る。）　当該養育又は当該介護に要する時間を超えない範

囲内
(3)　規則第四条の五の二に規定する職員の休憩に必要と認められる時間を確保できない場合（当該休憩時間の延長について当該職員から申出があり、かつ、公務の運営に支障がないと認められる場合に限る。）　休憩に必要と認められる時間を超えない範囲内

○休憩時間の運用について（通知）（平三〇・一二・七　職職―二四六）

5　運用通知第六の第四項(1)の「適切な実施を確保できない場合」とは、職員の住居と通常の勤務場所との間の移動並びに当該職員の食事及び疲労の回復のために必要な時間を確保することができない場合をいうこと。

(3)　休憩時間の短縮の特例

休憩時間は勤務能率を維持するために大変重要であるが、職員の職業生活と家庭生活の両立支援の観点から、最低限の休憩時間は確保しつつも拘束時間を短くするほうが、職員の健康及び福祉に資する場合も考えられるところである。そこで、次のアからカに掲げる場合に該当する職員から申出があった場合で、公務の運営に支障がないと認められるときは、休憩時間が六十分とされている場合にあっては四十五分又は三十分に、四十五分とされている場合にあっては三十分に短縮することができることとしている。

ただし、職員の健康及び福祉を考慮すれば休憩時間の短縮はあくまで例外的手段であり、早出遅出勤務（始業時間及び終業時間を繰り上げ又は繰り下げること）やフレックスタイム制などの他の措置で対応することができる場合には、可能な限り当該措置によるべきであろう。

この特例措置は、平成十八年七月に施行された人事院規則一五―一四―一五（人事院規則一五―一四（職員の勤務時間、休日及び休暇）の一部を改正する人事院規則）によって、勤務時間法第六条第二項により勤務時間が割り振られる一般の職員の休憩時間が改正前の三十分以上から六十分又は四十五分とされ、一日の拘束時間が長くなったこと

を踏まえ、小学校就学の始期に達するまでの子を養育する等の特定の事由がある職員については、改正後においても可能な限り、始業又は終業の時刻に影響が生じないようにする趣旨から設けられたものである（当該改正の経緯については第三節（二〇六頁〜）参照）。なお、平成二十一年四月に勤務時間の短縮を行った際に、この休憩時間を三十分に短縮する特例措置を廃止することも考えられたが、休憩時間を短縮することにより拘束時間を短くすることはワークライフバランスに資するものであるから、各府省等からこの短縮措置を維持すべきとの意見があったことも踏まえ、引き続き存置することとされた。また、障害者の働きやすい環境を確保するため、平成三十一年一月以降、障害者である職員が始業の時刻から終業の時刻までの時間の短縮を必要とする場合についても、この特例措置が適用されることとされた。

なお、休憩時間の短縮の特例は、休憩時間を六十分又は四十五分とされているフレックスタイム制が適用されている職員や交替制等勤務職員にも適用される。

ア　小学校就学の始期に達するまでの子のある職員が当該子を養育する場合

少子高齢化対策の一環として、国家公務員についても職業生活と家庭生活の両立支援を推進しているところ、本措置もこれに資するものとして、小学校就学の始期に達するまでの子を養育する職員の休憩時間の短縮を認めることとされたものである。この特例措置は勤務能率を維持するための休憩時間を特別に短縮するものであり、従前は、夫婦が同時に子を養育することまでを認めるものではないとして、職員の配偶者で当該子の親であるものが、①就業していない場合（就業日数が一月について三日以下の場合を含む。）、②負傷、疾病又は身体上若しくは精神上の障害により当該子を養育することが困難な状態にない場合、③六週間（多胎妊娠の場合にあっては、十四週間）以内に出産する予定がなく、又は産後八週間を経過している場合のいずれにも該当している場合は対象外とされていたが、平成二十二年六月三十日施行の育児休業法の改正により育児休業についていわゆる配偶者要件が外されたことにかんがみ、職員の配偶者に係る要件は廃止された（イにおいても同様）。

イ　小学校等に就学している子のある職員が当該子を送迎するため、その住居以外の場所に赴く場合

アと同様、職業生活と家庭生活の両立支援策として、また、児童に係る凶悪事件が多発していたこと等の社会的事情も考慮して、小学校に就学している子を送迎することができるよう措置されたものである。小学校に就学している子と同様に、義務教育学校の前期課程又は特別支援学校の小学部に就学している子を養育する職員も対象とされている。なお、規則一〇―一一に基づく育児のための早出遅出勤務においては、小学生についてはいわゆる放課後児童クラブへの出迎え等に限定しているが（第十節一（三一八頁〜）参照）、本措置は前述の人事院規則一五―一四―一五による改正前の休憩時間（拘束時間）の下で対応可能であった事由のうち特定のものについて改正後も可能な限り対応に支障がないようにするという趣旨であることから、送迎に赴く場所については限定していない。

ウ　要介護者を介護する職員が要介護者を介護する場合

介護を行う職員の早出遅出勤務（第十節一（三一八頁）参照）と同様、勤務時間法第二十条第一項に規定する要介護者を介護する職員を対象として、休憩時間を短縮できることとされたものである。

エ　交通機関を利用して通勤する職員の始業時刻を遅らせ、又は終業時刻を早めることにより一日の通勤時間の合計が三十分以上短縮されると認められる場合（例（一九七〜一九九頁）参照）

本措置は、前述の人事院規則一五―一四―一五による改正で休憩時間が六十分又は四十五分とされて拘束時間が延びたことによって、交通機関の接続が悪くなり、自宅を出る時間が相当早くなり、又は帰宅時間が相当遅くなった職員の負担を軽減するために設けられたものである。

具体的には、出勤について職員の住居を出発した時刻から始業の時刻までの時間と退勤について終業の時刻から職員の住居に到着するまでの時間を合計した時間が、休憩時間を短縮することで始業時刻又は終業時刻を変更すること

により三十分以上短縮されると認められるときに、休憩時間を短縮することが認められる（ただし、休憩時間を短縮せずとも、始業及び終業の時刻を変更することにより合計した時間を三十分以上短縮できる場合を除く。）。それぞれの時間は交通機関を利用する時間で計算され、交通機関の乗車時間の他、交通機関を利用するための待ち時間及び乗り継ぎのための待ち時間が含まれる。一方、自動車等の渋滞による通勤時間の増加分は含まないため、仮に、休憩時間を短縮することで始業時刻又は終業時刻を変更することにより渋滞している時間を避けられ、通勤時間が三十分以上短縮されるとしても、本措置の適用は認められない。

また、交通機関を利用して通勤している職員の中には、通勤手当としては特急料金を支給されないが、自費で特急を利用して通勤している職員がいる。これについて、通勤行為としては認められているが、休憩時間の短縮に関しては、実際に自費で特急を利用するかを確認することができず、また、育児や介護などの他に影響のある事由とは性質が異なり、全く同じ経路であっても人によって休憩時間が短縮されたり、されなかったりすることは適当ではないことから認められておらず、通勤時間が三十分以上短縮されるかどうかを比較する経路及び方法については、通勤手当が支給される経路及び方法によって判断するものとされている。

オ　妊娠中の女子職員が通勤に利用する交通機関の混雑の程度が当該女子職員の母体又は胎児の健康保持に影響があると認められる場合

規則一〇―七第七条の規定により、各省各庁の長は、妊娠中の女子職員が請求した場合に、交通機関の混雑の程度が母体又は胎児の健康保持に影響があると認めるときは、正規の勤務時間の始め又は終わりにつき一日一時間まで勤務しないことを承認しなければならないとされている。このような妊娠中の女子職員について、前述の人事院規則一五―一四―一五による休憩時間の改正に伴って始業時刻が早くなる、又は終業時刻が遅くなる場合に交通機関の混雑の程度が母体又は胎児の健康保持に影響を生ずることが考えられることから、措置されたものである。

本措置については規則一〇―七第七条の妊娠中の女子職員の通勤緩和と同様、妊婦である女子職員が運転する自動車の道路における混雑も含まれる。また、母体又は胎児の健康保持への影響については、母子保健法に規定する保健指導又は健康診査に基づく指導事項により判断するものとされている。

カ　始業時刻から終業の時刻までの時間の短縮が障害者である職員に必要と認められる場合

障害者である職員が、自らの希望や障害の特性等に応じて、無理なく、かつ、安定的に働くことができるよう、障害者である職員に必要と認められる場合は休憩時間を短縮できるものとされている。

○規則一五―一四運用通知

第六　休憩時間関係

5　各省各庁の長は、規則第七条第三項の規定に基づき、次に掲げる場合に該当する職員から申出があり、かつ、公務の運営に支障がないと認められるときは、同条第一項第二号の休憩時間を、当該休憩時間が六十分とされている場合にあっては四十五分又は三十分、四十五分とされている場合にあっては三十分に短縮することができる。

⑴　小学校就学の始期に達するまでの子のある職員が当該子を養育する場合

⑵　小学校、義務教育学校の前期課程又は特別支援学校の小学部に就学している子のある職員が当該子を送迎するため、その住居以外の場所に赴く場合

⑶　要介護者を介護する職員が要介護者を介護する場合

⑷　交通機関を利用して通勤した場合に、出勤について職員の住居を出発した時刻から始業の時刻までの時間と退勤について終業の時刻から職員の住居に到着するまでの時間を合計した時間（交通機関を利用する時間に限る。）が、始業の時刻を遅らせ、又は終業の時刻を早めることにより三十分以上短縮されると認められるとき（始業及び終業の時刻を変更することにより、当該合計した時間を三十分以上短縮できる場合を除く。）。

⑸　妊娠中の女子職員が通勤に利用する交通機関の混雑の程度が当該女子職員の母体又は胎児の健康保持に影響がある

と認められる場合

(6)　始業の時刻から終業の時刻までの時間の短縮が規則第四条の五の二に規定する職員に必要と認められる場合

○休憩時間の運用について（通知）（平成三〇・一二・七　職職―二四六）

6　運用通知第六の第五項(4)の「交通機関を利用する時間」は、交通機関を利用するために待つ時間及び乗り継ぎのために待つ時間を含むものであること。

7　運用通知第六の第五項(5)の「交通機関の混雑の程度」とは、職員が通常の勤務における登庁又は退庁の時間帯に常例として利用する交通機関の混雑の程度をいうこと。

また、母体又は胎児の健康保持への影響については、母子保健法（昭和四十年法律第百四十一号）に規定する保健指導又は健康診査に基づく指導事項により判断するものとすること。

例1　交通機関を利用する時間に30分以上の短縮が見込める場合(a)

退勤時における勤務時間を早める前（終業時刻変更前）の交通機関を利用する時間は2時間15分で，終業時刻を早めた後（終業時刻変更後）では1時間20分であるため，30分以上の短縮が認められる。

（終業時刻変更前）

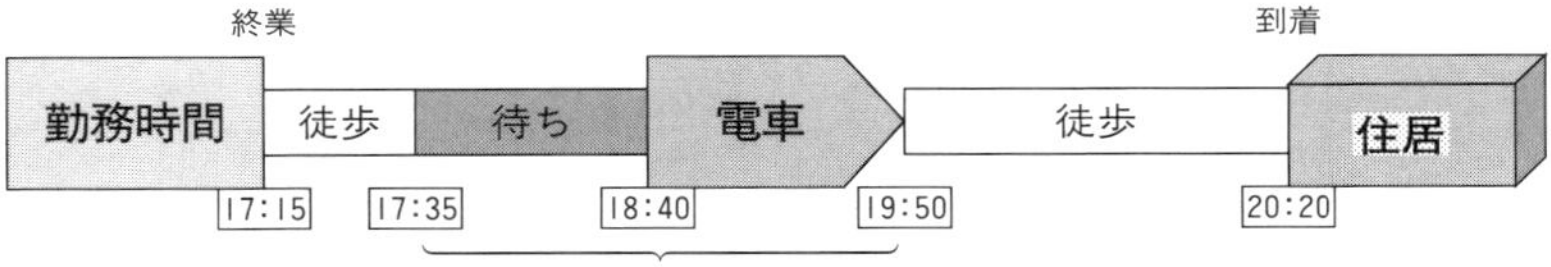

交通機関を利用する時間：2時間15分

（終業時刻変更後）

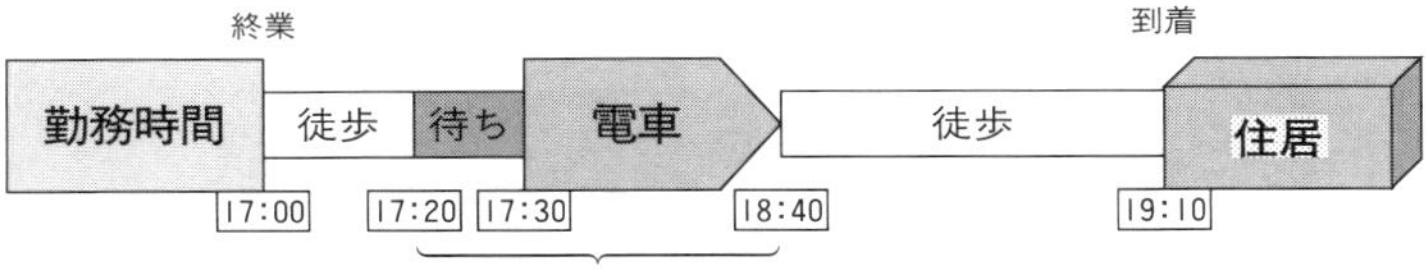

交通機関を利用する時間：1時間20分

例2　交通機関を利用する時間に30分以上の短縮が見込める場合(b)

2つ以上の交通機関を乗り継ぐ場合には，乗り継ぎによる待ち時間も含める。退勤時における勤務時間を早める前（終業時刻変更前）の交通機関を利用する時間は2時間45分で，終業時刻を早めた後（終業時刻変更後）では2時間であるため，30分以上の短縮が認められる。

（終業時刻変更前）

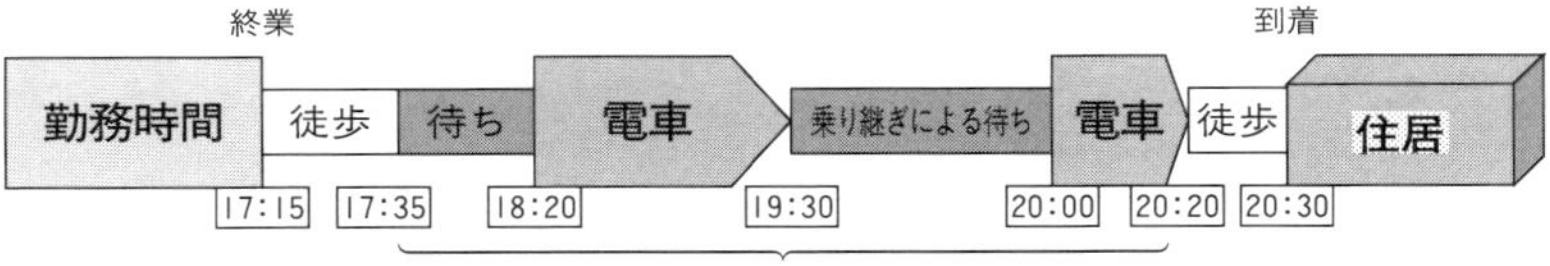

交通機関を利用する時間：2時間45分

（終業時刻変更後）

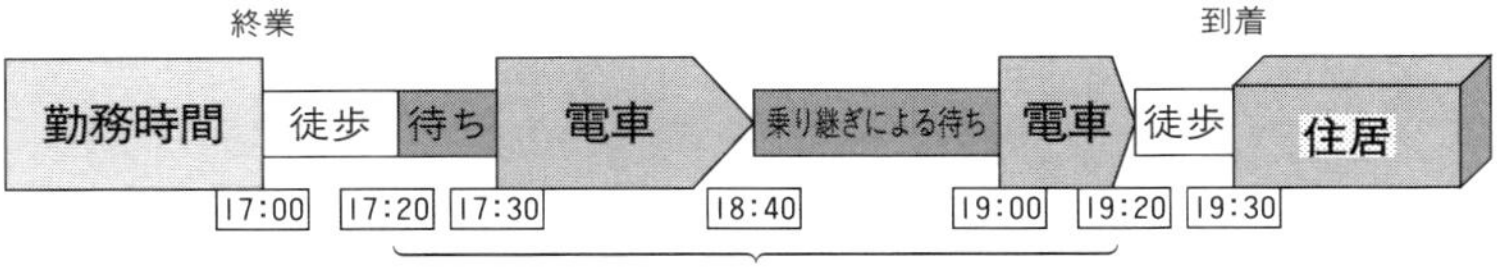

交通機関を利用する時間：2時間

例 3　交通機関と交通の用具を併用している場合

自動車等の渋滞緩和による通勤時間の減少分（30 分（1 時間―30 分））は含めない。退勤時における勤務時間を早める前（終業時刻変更前）の交通機関を利用する時間は 1 時間 40 分で，終業時刻を早めた後（終業時刻変更後）では 1 時間 20 分であるため，30 分以上の短縮は認められない。

（終業時刻変更前）

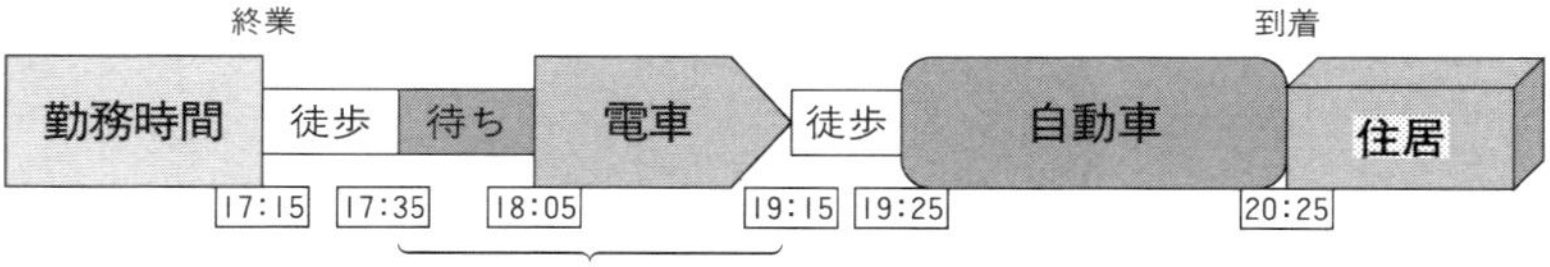

交通機関を利用する時間：1 時間 40 分

（終業時刻変更後）

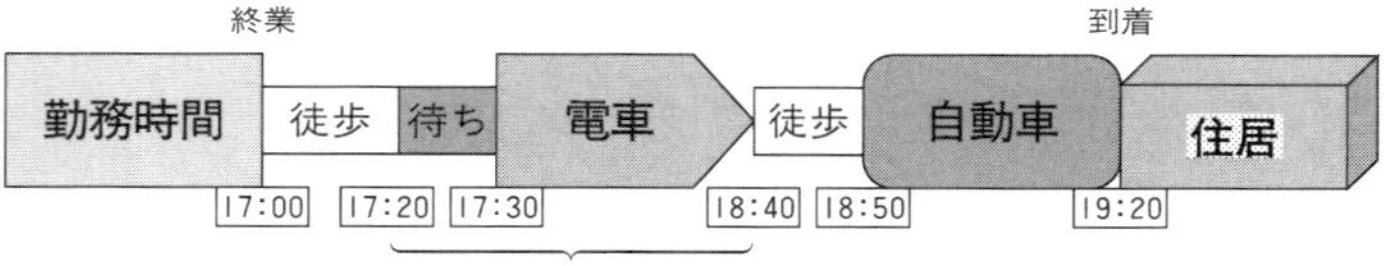

交通機関を利用する時間：1 時間 20 分

例4　始業及び終業の時刻を変更することにより，通勤時間を30分以上短縮できる場合

「終業時刻変更前」と「終業時刻変更後」では55分短縮されているが，仮に始業及び終業の時刻を変更した場合には，「終業時刻変更前」と「始業及び終業時刻の変更」で45分の短縮が見込まれるため，休憩時間の短縮は認められない。

(終業時刻変更前)

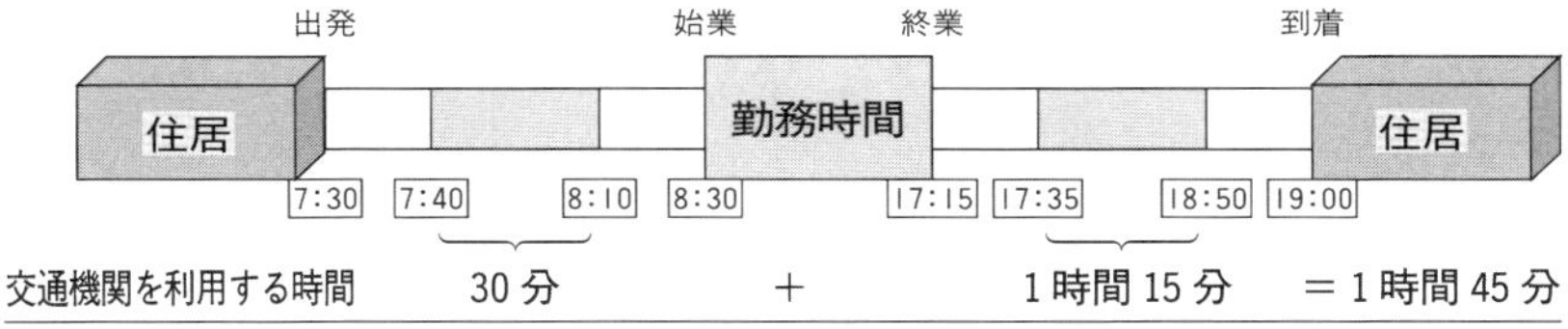

(終業時刻変更後)

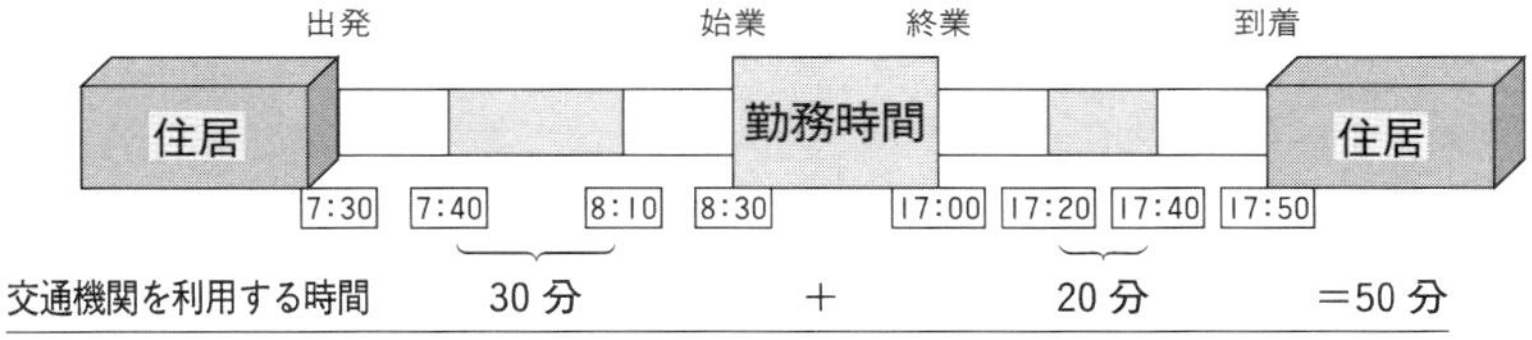

(始業及び終業時刻の変更)

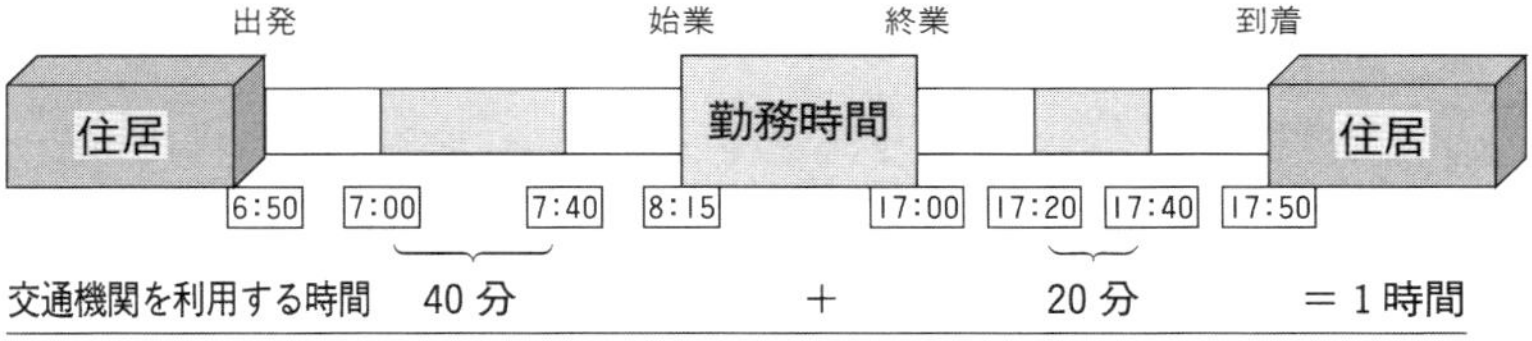

(4)　休憩時間の追加の特例

障害者である職員については、自らの希望や障害の特性等に応じて、無理なく、かつ、安定的に働くことができるよう、平成三十一年一月以降、当該職員からの申出があり、かつ、公務の運営に支障がないと認められる場合には、正午から午後一時までの時間帯に置く休憩時間に加え、他の時間帯に三十分又は十五分の休憩時間を追加で置くことができるよう措置された。

○規則一五―一四運用通知

第六　休憩時間関係

6　各省各庁の長は、規則第七条第三項の規定に基づき、規則第四条の五の二に規定する職員から申出があり、かつ、公務の運営に支障がないと認められる場合には、第三項又は規則第七条第一項若しくは第二項の規定により正午から午後一時までの時間帯に置く休憩時間に加え、当該時間帯以外の正規の勤務時間の始業の時刻から終業の時刻までの時間帯に三十分又は十五分の休憩時間を置くことができる。この場合において、勤務時間法第六条第二項の規定により勤務時間を割り振られた職員の始業の時刻は午前五時以後に、終業の時刻は午後十時以前に設定するものとする。

4　フレックスタイム制の適用を受ける職員の申告を考慮した休憩時間の設定の特例

２で述べたとおり、近年、テレワーク等による柔軟な働き方が広がり、休憩時間の一斉付与の必要性が低下するとともに、職員が休憩時間を置くことを希望する時間帯が区々となっている中で、フレックスタイム制の場合の休憩時間について、職員が個々のライフスタイルや業務の状況などに合わせて希望する任意の時間帯に置くことができるようにすることが適当であるとの考えから、令和五年四月からのフレックスタイム制の柔軟化（第二章第五節二7（五七頁）参照）に併せて、職員の申告を考慮した休憩時間の設定の特例が設けられた。具体的には、フレックスタイム制により勤務時間を割り振る場合において、職員から休憩時間の申告があった場合には、当該申告を考慮して休憩時間を置くものとされた。この場合において、当該申告どおりに休憩時間を置くと公務の運営に支障が生ずると認める場合には、当該申告を行った職員の業務内容、勤務する部局又は機関の他の職員の勤務時間帯、標準休憩時間等を考慮して公務の運営に必要と認められる範囲内で、できる限り職員の希望を考慮しつつ、当該申告と異なる時間帯の休憩時間を置くものとされた。

○規則一五―一四

（休憩時間）

第七条

4　各省各庁の長は、勤務時間法第六条第三項又は第四項の規定により勤務時間を割り振る場合において、第四条第一項又は第四条の四第一項の規定による申告をした職員から休憩時間の始まる時刻及び終わる時刻について前三項に定める基準に適合する申告があったときには、当該申告を考慮して休憩時間を置くものとする。この場合において、当該申告が第一項又は前項に定める基準に適合するものであって、当該申告どおりに休憩時間を置くと公務の運営に支障が生ずると認める場合には、別に人事院の定めるところにより休憩時間を置くことができるものとする。

5　前項の規定による休憩時間の申告は、休憩時間申告簿により行うものとし、休憩時間申告簿に関し必要な事項は、事務総長が定める。

○規則一五―一四運用通知

第六　休憩時間関係

8　規則第七条第四項後段の規定による休憩時間は、申告をした職員の業務内容、勤務する部局又は機関の他の職員の勤務時間帯、標準休憩時間等を考慮して公務の運営に必要と認められる範囲内で、申告とは異なった始まる時刻又は終わる時刻を設定することにより置くものとし、当該始まる時刻又は終わる時刻の設定に当たっては、できる限り、職員の希望を考慮するものとする。

9　休憩時間申告簿は、各省各庁の長が作成し、次に掲げる記載事項の欄を設けるものとする。
(1)　職員の氏名
(2)　申告の対象とする期間
(3)　休憩時間の始まる時刻及び終わる時刻又はこれに代わる休憩時間の形態
(4)　本人の確認
(5)　申告年月日

5　人事院の承認を得た場合の特例

業務若しくは勤務条件の特殊性又は地域的若しくは季節的事情により、規則一五―一四第七条第一項及び第二項の規定によると、能率を甚だしく阻害し、又は職員の健康若しくは安全に有害な影響を及ぼす場合には、同規則第三十二条の規定により、人事院の承認を得て、休憩時間について別段の定めをすることができる。

交替制等勤務職員については、前述のとおり（1⑵イ（一八〇頁）参照）、平成二十一年四月の勤務時間の短縮に当たって、おおむね四時間の連続する正規の勤務時間に置かれる二回の休息時間のうち一回分を休憩時間に置き換えたところであるが、職員の拘束時間を可能な範囲で短縮するため、終業の時刻の直前の基本休憩時間の終わる時刻（基本休憩時間を置かない場合にあっては、始業時刻）から終業の時刻までの連続する正規の勤務時間が三時間十五分から四時間十五分までの間の時間である場合において、各省各庁の長が業務の運営並びに職員の健康及び福祉を考慮して必要がないと認めるときに、当該終業の時刻の前に十五分の休憩時間を置かなくてよいこととしている。

また、交替制等勤務職員が、通常の勤務時間の割振りにより勤務するいわゆる官執勤務職員と同様の勤務時間帯に勤務する場合には、通常の勤務時間の割振りにより勤務する職員との均衡等を考慮して、①昼休み時間としての基本休憩時間を六十分又は四十五分とし、かつ、十五分の休憩時間及び休息時間を置かないこと、②昼休み時間としての基本休憩時間を四十五分又は三十分とし、かつ、当該基本休憩時間の前後の正規の勤務時間に十五分の休憩時間又は休息時間を置くことが認められている。さらに、当該場合に、公務の運営並びに職員の健康及び福祉を考慮して支障がないと認めるときは、連続する正規の勤務時間が六時間三十分を超えることとなる前に基本休憩時間を置くことも認められている。勤務時間法第七条第一項に規定する公務の運営上の事情により特別の形態によって勤務する必要のある職員の中には、例えば隔週で週六日勤務及び週四日勤務を繰り返す変則日勤の職員もおり、これらの職員については実態上通常の勤務時間の割振りにより勤務する職員と大きな違いはないことから、このような特例を設けたものである。

これらの特例は、規則一五―一四第三十二条に基づく別段の定めの包括承認として「特別の形態によって勤務する必要のある職員の休憩時間及び休息時間の特例について」（平三〇・一二・一三　職職―二六〇）により認められている。

このほか、規則一五―一四第三十二条の規定により承認を得ているものとしては、刑務官や在外公館の職員等勤務の特殊性等に基づいて個別に特例を承認している例がある。

○特別の形態によって勤務する必要のある職員の休憩時間及び休息時間の特例について（通知）（平三〇・一二・一三　職職―二六〇）

一般職の職員の勤務時間、休暇等に関する法律（平成六年法律第三十三号。以下「勤務時間法」という。）第七条第一項に規定する公務の運営上の事情により特別の形態によって勤務する必要のある職員（以下「特別の形態によって勤務する必要のある職員」という。）の休憩時間及び休息時間の置き方に関し、下記のとおりとすることについては、平成三十一年一月一日以降、人事院規則一五―一四（職員の勤務時間、休日及び休暇）（以下「規則」という。）第三十二条による人事院の承認があったものとして取り扱って差し支えありません。

なお、これに伴い、平成二十一年二月二十七日付け職職―六五は廃止します。

1　終業の時刻の直前の規則第七条第一項第一号及び第二号の休憩時間（以下「基本休憩時間」という。）の終わる時刻（基本休憩時間を置かない場合にあっては、始業の時刻）から終業の時刻までの間における正規の勤務時間が三時間十五分から四時間十五分までの間の時間である場合において、各省各庁の長が業務の運営並びに職員の健康及び福祉を考慮して必要がないと認めるときに、当該終業の時刻の前に同項第三号の十五分の休憩時間（以下「十五分の休憩時間」という。）を置かないこと。

4　特別の形態によって勤務する必要のある職員が勤務時間法第六条第一項及び同条第二項の規定に基づく通常の勤務時間の割振りにより勤務する職員（時差通勤職員を含む。以下同じ。）と同様の勤務時間帯に勤務する場合に、通常の勤務時間の割振りにより勤務する職員との均衡等を考慮して、次の(1)又は(2)のとおりとすること。

(1)　昼休み時間としての基本休憩時間を六十分又は四十五分とし、かつ、十五分の休憩時間及び休息時間を置かないこと。

(2)　昼休み時間としての基本休憩時間を四十五分又は三十分とし、かつ、当該基本休憩時間の前後の正規の勤務時間に十五分の休憩時間又は休息時間を置くこと。

5　第四項の規定の適用を受ける職員について、公務の運営並びに職員の健康及び福祉を考慮して支障がないと認める場合において、連続する正規の勤務時間が六時間三十分を超えることとなる前に基本休憩時間を置くこと。

三　自由利用の原則

休憩時間は、職員が自由に利用することができるのを原則とするが、週休日と異なり、始業から終業までの時間の途中に置かれるために、その利用に事実上の拘束を受けることがあるのはやむを得ないところである。この意味では、休憩時間の自由利用は、文字どおり無制限絶対のものではなく、勤務に就かないことの自由の保障を最低限度とする相対的なものであって、職場規律保持上の必要がある場合には、休憩の目的を損なわない限り、必要な制限を加えることは、差し支えないものとされている。

具体的にいかなる制限を課し得るかは、かなり難しい問題であるが、勤務の性質上休憩時間といえども一定の場所にいなければならないため、休憩時間は与えるが、これに場所的な制限を加える等の措置を行うことがやむを得ない場合もあって、労基法においてもその自由利用の原則を適用しない特例（同法施行規則第三十三条）を設けており、結局は個々の事例について検討されることとなろう。

なお、休憩時間であっても、公務のため臨時又は緊急の必要がある場合には、超過勤務を命ずることができる。

○規則一五―一四

（休憩時間）

第七条

6　職員は、休憩時間を自由に利用することができる。

○労基法

（休憩）

第三十四条

③　使用者は、第一項の休憩時間を自由に使用しなければならない。

○労基法施行規則

第三十三条　法第三十四条第三項の規定は、左の各号の一に該当する労働者については適用しない。

一　警察官、消防吏員、常勤の消防団員、准救急隊員及び児童自立支援施設に勤務する職員で児童と起居をともにする者

二　乳児院、児童養護施設及び障害児入所施設に勤務する職員で児童と起居をともにする者

三　児童福祉法（昭和二十二年法律第百六十四号）第六条の三第十一項に規定する居宅訪問型保育事業に使用される労

働者のうち、家庭的保育者（同条第九項第一号に規定する家庭的保育者をいう。以下この号において同じ。）として保育を行う者（同一の居宅において、一の児童に対して複数の家庭的保育者が同時に保育を行う場合を除く。）

第三節　休息時間

一　休息時間の改正の経緯

休息時間とは、職員に対して与えられる短時間の勤務休止時間であり、一時はそれによる時間の損失、能率の低下があっても、仕事から生ずる心理的飽和の状態から職員を解放し、生理的にも身体の諸機能を再び仕事を続けるに適した状態に回復させ、一日平均して高い能率をあげ得る効果を狙ったものである。勤務からの解放という点については、休息時間は休憩時間と同様であるが、後者が職員の健康と福祉の確保を目的とする職員保護の立場からの勤務条件制度であるのに対し、前者は公務能率の増進を図ることを主たる目的としており、職員のいわゆる「権利」ではなく、勤務時間及び給与上の取扱いについては、両者は全く相違し、休憩時間は勤務時間が割り振られていない時間であって給与が支給されないのに対し、休息時間は勤務時間に含まれ、当該時間については給与が支給されることとなっている。

休息時間は本来右記のような目的を持ち、休憩時間とは別に置かれていたが、休憩時間と休息時間を連続して置き、あわせて昼休みとして利用することが一般的な運用となっていた。このため、有給である休息時間が休憩時間と同様に利用され、一日の勤務時間が実質的には短くなっているのではないかという批判が生じてきた。

さらに人事院が平成十六年に民間事業所の実態を調査したところ、事務・管理部門において国の休息時間に相当する時間を設けている企業は少なく、昼休みは六十分としている企業が多いことが判明した。

そこで、平成十八年三月三日、一般の職員について休息時間が廃止されるとともに、従来全職員について三十分以上とされていた休憩時間を、勤務時間法第六条第二項により一日につき八時間（平成二十一年四月以降は七時間四十五分）の勤務時間が割り振られる一般の職員については六十分又は四十五分の休憩時間を置くよう規則一五―一四が改正された（同年七月一日施行）。

一方、交替制等勤務職員については民間事業所における休憩時間等の状況が把握されていないため、まずは民間事業所の動向を把握して対応を検討する必要があることから、休息時間については当分の間、なお従前の例によることとされた。また、特定時差通勤職員（一般の職員について休息時間が廃止される前において、規則一五―一四第三十二条の規定による包括承認に基づいて休憩時間を十五分とされていた時差通勤職員）のうち小学校就学の始期に達するまでの子を養育する職員等の人事院規則で定めるものについては、規則一五―一四第七条第四項（令和五年四月以降は第三項）に基づく休憩時間の短縮の特例（第二節二３(3)（一九一頁～）参照）によってもなお拘束時間が延びることがあるため、職員側に延長保育等の準備期間が必要となる点を考慮して、休息時間について平成十八年九月三十日までの間、なお従前の例によるとされた。

その後、平成二十一年四月の勤務時間の短縮に伴い、交替制等勤務職員についての休息時間の必要性について再度検討したところ、交替制等勤務職員については、勤務形態が通常の職員と比べて不規則であり、日常生活や生理機能への影響等が生じやすいという事情を十分に考慮する必要があり、このため、交替制の勤務については、勤務能率の維持、労働安全、健康保持等の観点から、引き続き、勤務時間中に短時間の勤務休止時間を確保して疲労回復を図る必要性は高いものと考えられたところである。また、人事院が民間企業の交替制勤務におけるいわゆる「手待時間」

の状況等について、交替制勤務を有する民間企業・団体に聞き取り調査を行った結果、手待時間が制度上又は運用上存在する企業がみられたところであり、また、調査を行った民間企業では、交替制勤務における平均所定労働時間が短く設定されている例が多かったところである。さらに、厚生労働省中央労働委員会事務局の調査によると、民間企業における一日当たりの平均所定労働時間は三交替制の勤務の方が交替のない勤務より二十分程度短いという結果になっていたところである。

このように、民間企業における交替制勤務においては、手待時間を制度上又は運用上設ける、交替制の従業員の労働時間を一般の従業員より短く設定するといったことにより、従業員の負担の軽減を図っているものと考えられる。こうした考え方に立って、交替制等勤務職員について、一般の職員と共通の勤務時間を定めた上で、勤務時間中に休息時間を設けることによって、負担の軽減を図ることとしたところである。

この際、勤務時間の短縮に当たって、これまでの行政サービスを維持し、かつ、行政コストの増加を招かないよう、従来、おおむね四時間の連続する正規の勤務時間に置かれることとされていた休息時間二回のうち一回分（十五分）を休憩時間に置き換えることとされた。

二　休息時間の置き方

１　休息時間の基準

(1)　連続勤務時間・回数

休息時間は、連続する正規の勤務時間がおおむね四時間である場合に十五分置かなければならないと定められている。おおむね四時間である場合に十五分とは、四時間の勤務時間が引き続いていることを要件としているとともに、連続四時間の勤務時間があれば、その間に十五分の休息時間を置かなければならないとするものである。休息時間は、正規の勤務時間に含まれ、その時間についても給与が支払われているものであって、休憩時間とは異なり、連続勤務時間がおおむね四時間に満たない場合は、これを置くことができない点に注意が必要である。

「おおむね四時間」の範囲は、三時間三十分から四時間三十分までの間の時間とされている。

また、一回の勤務における休息時間の回数は、当該勤務に割り振られた勤務時間を考慮して二回以内において人事院が定める回数とされており、具体的には規則一五―一四運用通知において、一回の勤務に割り振られた勤務時間が十時間十五分未満である場合にあっては一回、当該勤務時間が十時間十五分以上十六時間以下である場合にあっては二回とされている。これは、平成二十一年四月の勤務時間の短縮に当たって、これまでの行政サービスを維持し、かつ、行政コストの増加を招かないよう、おおむね四時間の連続する正規の勤務時間に置かれる休息時間二回のうち一回分を休憩時間に置き換えることにより、従来の勤務線表をできる限り大きく変えることなく勤務時間の短縮を行えるよう考慮されたものである。休息時間の回数が制限されることによって、おおむね四時間（三時間三十分から四時間三十分）の正規の勤務時間について休息時間を置くことができないものが生じることから、この場合に前述の十五分の休憩時間を置くことによって、全体として十五分の休憩時間と休息時間との回数のバランスが取られている。

なお、十五分の休憩時間及び休息時間の置き方については「特別の形態によって勤務する必要のある職員の休憩時間及び休息時間の特例について」（平二〇・一二・一三　職職―二六〇）において様々な場合を想定した特例が設けられている。この通知では、交替制等勤務職員が通常の勤務時間の割振りにより勤務する職員と同様の勤務時間帯に勤務する場合には、通常の勤務時間の割振りにおける休憩時間の置き方を前提とした休息時間の置き方をすることができる特例も定められている。

○国公法

（勤務条件）

第百六条　職員の勤務条件その他職員の服務に関し必要な事項は、人事院規則でこれを定めることができる。

②　前項の人事院規則は、この法律の規定の趣旨に沿うものでなければならない。

○規則一五―一四

（休息時間）

第八条　各省各庁の長は、前条第一項第三号に規定する職員について、できる限り、始業の時刻からその直後の基本休憩時間の始まる時刻まで、基本休憩時間の終わる時刻からその直後の基本休憩時間の始まる時刻まで若しくは終業の時刻の直前の基本休憩時間の終わる時刻から終業の時刻までの間における正規の勤務時間がそれぞれおおむね四時間である場合又は始業の時刻から終業の時刻まで連続する正規の勤務時間がおおむね四時間である場合には、これらの正規の勤務時間に十五分の休息時間を置かなければならない。ただし、一回の勤務における休息時間は、当該勤務に割り振られた勤務時間を考慮して二回以内において人事院が定める回数とする。

2　休息時間は、始業の時刻から連続し、又は終業の時刻まで連続して置いてはならない。

3　休息時間は、正規の勤務時間に含まれるものとし、これを与えられなかった場合においても、繰り越されることはない。

○規則一五―一四運用通知

第七　休息時間関係

1　規則第八条第一項の「おおむね四時間」は、三時間三十分から四時間三十分までの間の時間とする。

2　規則第八条第一項の「人事院が定める回数」は、一回の勤務に割り振られた勤務時間が十時間十五分未満である場合にあっては一回、当該勤務時間が十時間十五分以上十六時間以下である場合にあっては二回とする。

3　四時間の勤務時間の割振り変更を行った場合において、勤務時間を割り振ることをやめることとなった日及び新たに勤務することを命ずることとなった日については、当該四時間の勤務時間の割振り変更後におけるそれぞれの日の勤務時間の割振りに応じた休息時間を置くものとする。

○特別の形態によって勤務する必要のある職員の休憩時間及び休息時間の特例について（通知）（平三〇・一二・一三　職職

―二六〇）

一般職の職員の勤務時間、休暇等に関する法律（平成六年法律第三十三号。以下「勤務時間法」という。）第七条第一項に規定する公務の運営上の事情により特別の形態によって勤務する必要のある職員（以下「特別の形態によって勤務する必要のある職員」という。）の休憩時間及び休息時間の置き方に関し、下記のとおりとすることについては、平成三十一年一月一日以降、人事院規則一五―一四（職員の勤務時間、休日及び休暇）（以下「規則」という。）第三十二条による人事院の承認があったものとして取り扱って差し支えありません。

なお、これに伴い、平成二十一年二月二十七日付け職職―六五は廃止します。

2　一回の勤務又は勤務時間法第七条第二項本文に規定する四週間ごとの期間若しくは同項ただし書の規定により人事院と協議して各省各庁の長が定めた五十二週間を超えない期間に置く十五分の休憩時間及び休息時間の回数の均衡を考慮して、次のとおりとすること。

⑴　三時間三十分から四時間三十分までの間の時間の連続する正規の勤務時間（十五分の休憩時間を置く場合にあっては、当該十五分の休憩時間とその前後の連続する正規の勤務時間とを合計した時間。⑵及び⑶において同じ。）を合計した時間が三時間三十分から四時間三十分までの間の時間である場合において、十五分の休憩時間を置くこととするときに、休息時間を置かないこと。

⑵　一回の勤務に割り振られた勤務時間が十時間十五分以上十二時間十五分以下である場合であって、三時間三十分から四時間三十分までの間の時間の連続する正規の勤務時間を合計した時間が七時間から九時間までの間の時間である場合において、十五分の休憩時間を一回置くこととするときに、二回の休息時間のうち一回を置かないこと。

⑶　三時間三十分から四時間三十分までの間の時間の連続する正規の勤務時間を合計した時間が十時間三十分から十三時間三十分までの間の時間である場合において、十五分の休憩時間を二回置くこととするときに、二回の休息時間のうち一回を置かないこと。

3　規則第六条第二項に規定する四時間の勤務時間の割振り変更を行う場合において、勤務時間を割り振ることをやめることとなった日及び新たに勤務することを命ずることとなった日の休息時間の回数と、四時間の勤務時間の割振り変更を行う前の一回の勤務における休息時間の回数との均衡を考慮して、新たに勤務することを命ずることとなった日に十五分の休憩時間を置くこととするときに、休息時間を置かないこと。

4　特別の形態によって勤務する必要のある職員が勤務時間法第六条第一項及び同条第二項の規定に基づく通常の勤務時間の割振りにより勤務する職員（時差通勤職員を含む。以下同じ。）と同様の勤務時間帯に勤務する場合に、通常の勤務時間の割振りにより勤務する職員との均衡等を考慮して、次の(1)又は(2)のとおりとすること。

(1)　昼休み時間としての基本休憩時間を六十分又は四十五分とし、かつ、十五分の休憩時間及び休息時間を置かないこと。

(2)　昼休み時間としての基本休憩時間を四十五分又は三十分とし、かつ、当該基本休憩時間の前後の正規の勤務時間に十五分の休憩時間又は休息時間を置くこと。

5　第四項の規定の適用を受ける職員について、公務の運営並びに職員の健康及び福祉を考慮して支障がないと認める場合において、連続する正規の勤務時間が六時間三十分を超えることとなる前に基本休憩時間を置くこと。

休息時間はできる限り置かなければならないとされているが、「できる限り」という意味は、業務上支障のない限りは置かなければならないということであり、また、特定の日において業務繁忙のために与えることができないような場合には与えないでもよいという趣旨である。したがって、業務の性質上はじめから当該業務に従事している職員に対して休息時間を置かないこととする場合には、規則一五—一四第三十二条による人事院の承認が必要である。なお、休息時間は、正規の勤務時間の中に置かれるものであって、超過勤務等正規の勤務時間以外の勤務時間については置くことができない。

(2)　休息時間の繰越し不可

休息時間は、その制度の趣旨からしても、たまたま事務繁忙その他の理由によって与えられなかった場合においても、後刻に繰り越してその分を特別に与えるということはできない。また、休息時間中に勤務したことについても特別の給与は支給されない。

(3)　休息時間を置く時間帯

休息時間は、その趣旨からすれば、おおむね四時間の連続する正規の勤務時間のまん中に置くのが最も望ましく、少なくとも始業時刻又は終業時刻に連続して置くことはできない。例えば、午前八時三十分から午後五時十五分まで勤務時間が割り振られている職員については、登庁時（午前八時三十分）直後と退庁時（午後五時十五分）直前に置いてはならないが、休憩時間の直前直後に休息時間を置くことは差し支えない。

2　休息時間の特例

規則一五—一四第八条の基準により休息時間を置くことが業務上支障を来す場合には、同規則第三十二条の規定により、人事院の承認を得て別段の定めをすることができることとされている。現在、勤務の特殊性によりおおむね四時間の連続する正規の勤務時間について休息時間を置かないことにつき、人事院の承認を得ているものがある。

第四節　通常の勤務場所を離れて勤務する職員の勤務時間

一　勤務時間のみなし制度の意義

職員が通常の勤務場所を離れて勤務することを命ぜられた場合においては、その勤務形態の実態から、正規の勤務時間による勤務を求めることが必ずしも合理的でないと認められる場合がある。例えば、研修の課業時間と割り振られた勤務時間には、時間帯及び時間量の双方についてズレが生ずることがあり、こうしたズレを調整するためには、その場合の勤務時間に関する取扱いを定める必要がある。このような趣旨で、勤務時間法第十条においては、一定の勤務を命ぜられた時間については、当該命ぜられた時間を割り振られた勤務時間とみなすものとされている。

○勤務時間法

（通常の勤務場所を離れて勤務する職員の勤務時間）

第十条　第六条第二項から第四項まで、第七条又は第八条の規定により勤務時間が割り振られた日（以下「勤務日等」という。）に通常の勤務場所を離れる勤務のうち研修その他の勤務する時間帯が定められる勤務で人事院規則で定めるものを命ぜられた職員については、当該勤務を命ぜられた時間をこれらの規定により割り振られた勤務時間とみなす。

二　みなし制度の対象となる勤務

勤務時間法第十条の適用対象となる「通常の勤務場所を離れる勤務のうち研修その他の勤務する時間帯が定められる勤務」とは、現在、規則一五―一四第十条の規定により、職員が一日の執務の全部を離れて受ける研修又は矯正医官が行う施設外勤務であって、人事院が定める基準を満たすものとされている。その基準については、規則一五―一四運用通知第八に規定されており、対象となる勤務の態様を定めるのみならず、その勤務を命ぜられた時間が職員の所定の勤務時間数を超えないよう、一定の基準を設定し、そうした基準を満たした勤務に限って、みなしの対象とすることにより、みなしが職員にとって不利益に働くことがないこととしているものである。

(1)　一日の執務の全部を離れて受ける研修

研修については、前述のとおり、課業時間と割り振られた勤務時間の時間帯及び時間量の双方についてズレが生ずることがあり得るため、みなし制度の対象とされている。ただし、研修であれば全て対象とされているわけではなく、一日の執務の全部を離れて受ける研修はみなし制度の対象とされているが、一日の執務の一部を離れて受ける研修についてはは対象とされていない。また、一日の執務の全部を離れて受ける研修の中でも、課業時間が、①官庁執務時間に準拠した時間内に置かれ、かつ、一日につき七時間四十五分以内であること、②一週間につき、当該研修を受ける職員の一週間の勤務時間を超えず、かつ、その四分の三を下らないこと（これにより難い場合は、研修の期間を超えない一定の期間について、一週間当たりの平均課業時間で判断することも可）といった基準を満たすものが対象とされている。

ところで、勤務時間のみなし制度は、勤務時間法制定以前は、旧人事院規則一〇―三（職員の研修）第七条にその根拠が規定され、対象となる研修は同規則第六条及び同規則運用通知第六条関係において規定されていた。また、その後の勤務時間法制定に伴い、その法律上の根拠（勤務時間法第十条）が勤務時間制度において整備された後においても、対象とする研修は、人事院規則一五―一四第十条において、旧人事院規則一〇―三第六条の規定による日常の執務を離れての研修のうち、職員が一日の執務の全部を離れて受ける研修と規定されたため、その具体的な基準は研修制度において規定されていた。しかし、平成二十六年の国家公務員法改正により、内閣総理大臣及び関係庁の長が行う研修についての計画の樹立及び実施に関し内閣総理大臣が総合的企画等を担うとされたことに伴い、同規則及び運用通知が廃止され、その基準が人事院規則一五―一四運用通知において規定されることとなった。この結果、対象となる研修の基準が勤務時間制度において直接規定されることとなったが、実質的な内容は、廃止前の旧人事院規則一〇―三の運用通知において規定されていたものと同様となっている。

〇規則一五―一四
（通常の勤務場所を離れて勤務する職員の勤務時間）
第十条　勤務時間法第十条の人事院規則で定める勤務は、次に掲げる勤務（人事院が定める基準に適合するものに限る。）

とする。

一　職員が一日の執務の全部を離れて受ける研修

○規則一五—一四運用通知

第八　通常の勤務場所を離れて勤務する職員の勤務時間関係

規則第十条の「人事院が定める基準」は、次に掲げる勤務の区分に応じ、次に掲げる基準とする。

(1)　規則第十条第一号に掲げる研修　次に掲げる研修の区分に応じ、次に掲げる基準

ア　自ら実施する研修　その課業時間（講義、演習、実習等の課業のための時間をいう。以下同じ。）が次に掲げるとおりであること。

(ア)　研修の効果的実施のため特に必要があると認められる場合、講師又は施設の確保のためやむを得ないと認められる場合等を除き、課業時間は、官庁執務時間に準拠した時間内に置かれ、かつ、一日につき七時間四十五分以内であること。

(イ)　研修の課業時間は、一週間につき、当該研修を受ける職員の一週間の勤務時間を超えず、かつ、その四分の三を下らないものであること。ただし、研修の目的、内容等に照らしてこの基準により難い場合は、当該研修の期間を超えない一定の期間について、その期間内における一週間当たりの平均課業時間が当該研修を受ける職員の当該期間内における一週間当たりの勤務時間を超えず、かつ、その四分の三を下らないものとすることができる。

イ　学校その他の外部の機関に委託して実施する研修　アの基準に準じたものであること。

○旧規則一五—一四第十条

（通常の勤務場所を離れて勤務する職員の勤務時間）

第十条　勤務時間法第十条の人事院規則で定める勤務は、規則一〇—三（職員の研修）第六条の規定による日常の執務を離れての研修のうち、職員が一日の執務の全部を離れて受ける研修とする。

○旧規則一〇—三（職員の研修）〔平成二十八年五月三十日廃止。第七条は平成六年九月一日に削除。〕

（執務を離れての研修）

第六条　各省各庁の長は、必要と認めるときは、職員に日常の執務を離れて専ら研修を受けることを命ずることができる。

２　前項に規定する執務を離れての研修の実施に関し必要な基準は、人事院が定める。

（執務を離れての研修を受ける職員の勤務の取扱い等）

第七条　職員が一日の執務の全部を離れて前条の研修を受ける場合は、当該職員は、当該研修の期間中、正規の勤務時間を勤務したものとみなす。ただし、休暇等により課業を受けることを欠いた時間については、この限りでない。

○旧規則一〇―三運用通知〔平成二十八年五月三十日廃止〕

第六条関係

この条の第二項の執務を離れての研修の実施に関する基準は、別に定めるもののほか、次のとおりとする。

一　自ら実施する研修については、その課業時間（講義、演習、実習等の課業のための時間をいう。以下同じ。）を次に掲げるところに従い定めること。

イ　研修の効果的実施のため特に必要があると認められる場合、講師又は施設の確保のためやむを得ないと認められる場合等を除き、課業時間は、官庁執務時間並びに休暇に関する件（大正十一年閣令第六号）第一項に定める官庁執務時間に準拠した時間内に置くものとし、かつ、一日につき七時間四十五分以内とすること。

ロ　職員が一日の執務の全部を離れて研修を受ける場合における当研修の課業時間は、一週間につき、当該研修を受ける職員の一週間の勤務時間を超えず、かつ、その四分の三を下らないものとすること。ただし、研修の目的、内容等に照らしてこの基準により難い場合は、当該研修の期間を超えない一定の期間について、その期間内における一週間当たりの平均課業時間が当該研修を受ける職員の当該期間内における一週間当たりの勤務時間を超えず、かつ、その四分の三を下らないものとすることができる。

二　学校その他の外部の機関に委託して実施する研修については、前号の基準に準じたものであること。

(2)　矯正医官が行う施設外勤務

矯正医官が行う施設外勤務とは、矯正医官が矯正施設の外の医療機関、大学その他の場所において医療に関する調査研究又は情報の収集若しくは交換を行う勤務のことであり、具体的には外部医療機関において臨床医療の立会い等を行うことなどを指す。このような勤務は、矯正医官の能力の維持向上のために命ぜられるものであり、その具体的な勤務の時間は外部医療機関等との取決めによりあらかじめ定まるものであるが、受入先の外部医療機関の予定変更等により、実際に施設外勤務を命ずる時間がその者のあらかじめ割り振られていた勤務時間とずれることもあり得る。このような場合に、その都度超過勤務等により対応することは合理性を欠く面もあることから、前述の研修と同様に、施設外勤務も勤務時間法第十条の対象とされている。ただし、対象となるのは、①矯正施設の長と施設外勤務を受け入れる外部医療機関等との間であらかじめ取り決めた予定時間（施設外勤務予定時間）があり、その時間から別の時間に変更して命ぜられた場合であって、②実際に施設外勤務を命ぜられた時間数が施設外勤務予定時間に係る時間数を超えず、かつ、その四分の三を下らない場合である。また、施設外勤務の場合は研修と異なり、一日の勤務時間の一部について命ぜられた場合も対象となるものであるが、実際に施設外勤務を命ぜられた時間が施設外勤務予定時間以外の正規の勤務時間に係るような場合には、結果として「正規の勤務時間」と「正規の勤務時間とみなされる時間」に重複が生じることとなるため、このような場合は対象にしていない。

○規則一五―一四

（通常の勤務場所を離れて勤務する職員の勤務時間）

第十条　勤務時間法第十条の人事院規則で定める勤務は、次に掲げる勤務（人事院が定める基準に適合するものに限る。）とする。

二　矯正医官が行う施設外勤務（矯正施設の外の医療機関、大学その他の場所において医療に関する調査研究又は情報の収集若しくは交換を行う勤務をいう。）

○規則一五―一四運用通知

第八　通常の勤務場所を離れて勤務する職員の勤務時間関係

規則第十条の「人事院が定める基準」は、次に掲げる勤務の区分に応じ、次に掲げる基準とする。

(2)　規則第十条第二号に掲げる施設外勤務　当該施設外勤務が次に掲げるとおりであること。

ア　勤務時間の割振り後に、矯正施設の長と施設外勤務を受け入れる医療機関、大学その他の機関との間であらかじめ取り決められていた施設外勤務を行う時間（休憩時間を除き連続し、かつ、その全部が当該職員の正規の勤務時間内に含まれるものに限る。以下「施設外勤務予定時間」という。）からその日における別の時間に変更されて命ぜられたものであること。

イ　施設外勤務予定時間に係る時間数を超えず、かつ、その四分の三を下らないものとして命ぜられたものであること。

ウ　当該職員の正規の勤務時間内における施設外勤務予定時間以外の時間と重複しないものとして命ぜられたものであること。

これらの基準により、例えば、課業終了後に通常の業務に就くことが求められている研修や、研修期間を通じて課業時間が週平均三十八時間四十五分を超えるような研修、施設外勤務予定時間を超え正規の勤務時間と重複して命ぜられた施設外勤務については、本条のみなし制度の適用はない。このため、通常どおり、正規の勤務時間を超える時間については超過勤務として勤務することとなる（なお、課業時間を週平均三十八時間四十五分を超えて設定するような研修は、その研修効果の面からも勤務時間制度の面からも望ましいものとはいえないであろう。）。現行制度上、「通常の勤務場所を離れる勤務のうち勤務する時間帯が定められる勤務」は規則等によりこれらに限定されているが、様々な形態のテレワークが広がりを見せている中で、このような勤務は他にもありうると考えられるところであり、その対象の拡大については、今後の検討課題といえよう。

三　みなし制度の効果

「当該勤務を命ぜられた時間」（研修の課業時間や施設外勤務の時間）が割り振られた勤務時間とみなされる結果、職員は課業時間等に従って勤務に従事すればよいこととなる。言い換えれば、課業時間等についてのみ国公法第百一条の職務専念義務を負い、課業時間等以外の本来の正規の勤務時間については職務専念義務を負わないこととなるが、一方で、割り振られた勤務時間以外の課業時間等については、職務専念義務があることとなる。すなわち、割り振られた勤務時間の内外にかかわらず、課業時間等に従って職務に専念する義務を負う結果、例えば休暇等についても課業時間等に従って処理されることとなる。

また、給与の取扱いをみると、課業時間以外の正規の勤務時間（施設外勤務の場合は、施設外勤務予定時間とされていた時間）について勤務がなくても給与が減額されないのは当然であるほか、正規の勤務時間以外の課業時間等に勤務を行っても超過勤務手当は支給されない。

なお、課業時間を超えて研修が行われた場合、事前に分かっていれば研修計画の変更で対応すべき問題であろうが、急遽行われた場合等については、超過勤務になりうるものである。また、職員が一日の執務の一部を離れて受ける研修については、前述のとおり、勤務時間法第十条の規定は適用されない。したがって、課業時間以外の時間については通常の勤務を予定するものであるほか、割り振られた勤務時間以外の課業時間については、超過勤務として取り扱うこととなる。

第五節　船員の勤務時間の特例

一　勤務時間の延長特例

船舶に乗り組む職員の勤務時間については、勤務時間法制定以前に一週間当たりの勤務時間を人事院の承認を経て、四十時間から四十八時間の範囲内において、変更又は延長できるとされていたところ、平成六年の勤務時間法制定時に、運用の実態を踏まえ一週間当たり二時間を超えない範囲内において延長することができるとされたものである（すなわち最大で週四十二時間）。これは、船舶に乗り組む職員については、船舶の航行中は毎日連続して勤務せざるを得ないという海上勤務の特殊性にかんがみて設けられていたものである。その後、民間部門における船員の週労働時間については「船員法」（昭和二十二年法律第百号）等により平成七年以降（ただし、沿海区域又は平水区域を航行区域とする総トン数七百トン未満の船舶で国内各港間のみを航海するものに乗り組む海員については平成十年以降）、基準労働期間（航行中の期間と下船中の期間を合わせた一定の期間）について平均で週四十時間となり、また、公務においても平成十年以降この特例により四十時間を超えて勤務時間を延長している例はなくなっていた。

しかし、平成二十一年四月に勤務時間を短縮するに当たって、仮に勤務時間延長の特例を廃止する場合には、海上勤務の特殊性により、交替要員がいなければ一日単位での勤務時間の短縮は不可能となり、短縮分見合いの週休日を設けることでしか対応できないこととなるが、この場合、一部の府省においては、職員の出動や待機の日数の削減により艦船の迅速な出動に影響が生じることから、引き続き一週間当たりの勤務時間を四十時間とする必要があった。

このため、従来どおり一週間当たりの勤務時間を四十時間とすることができるよう、引き続き特例が設けられたところである。

すなわち、各省各庁の長は、船舶に乗り組む職員について、人事院と協議して、一週間当たり三十八時間四十五分の勤務時間を一時間十五分を超えない範囲内で延長（一週間当たり最大四十時間）することができることとされ、また、勤務時間が延長された船員の一日の勤務時間は七時間四十五分に一週間当たりの勤務時間を延長した時間の五分の一の範囲内（一週間当たりで最大一時間十五分×五分の一＝一日当たり最大十五分）で各省各庁の長が定める時間を加えた時間とされているところである。なお、従来は四週八休以外の勤務形態である交替制等勤務職員の毎四週間における一週間当たりの勤務時間の上限及び四時間の勤務時間の割振り変更をすることができる時間数についての特例も設けられていたが、勤務時間の短縮に伴い、船員の一週間当たりの勤務時間の上限が四十時間となったため、勤務時間が延長された船員にあっても、一日の勤務時間は最大で八時間までとなり、一般の職員と同様に四時間の勤務時間の割振り変更で対応可能となったことから、これらの特例は廃止された。

○勤務時間法

（船員の勤務時間の特例）

第十一条　各省各庁の長は、船舶に乗り組む職員（定年前再任用短時間勤務職員を除く。）について、人事院と協議して、第五条第一項に規定する勤務時間を一週間当たり一時間十五分を超えない範囲内において延長することができる。この場合における第六条第二項本文、第三項及び第四項並びに第七条第二項の規定の適用については、第六条第二項本文中「七時間四十五分」とあるのは「七時間四十五分に第十一条の規定により延長した時間の五分の一を超えない範囲内において各省各庁の長が定める時間を加えた時間」と、同条第三項及び第四項中「前条に規定する勤務時間」とあり、並びに第七条第二項中「第五条に規定する勤務時間」とあるのは「第十一条の規定により延長された後の勤務時間」と、同項ただし書中「同条に規定する勤務時間」とあるのは「同条の規定により延長された後の勤務時間」とする。

なお、船員法の解釈において、船舶に「乗り組む」とは、船舶共同体の一員として船内航行組織（船内作業組織）に継続的に加入することであって、生活の本拠が船舶内にあること（船内に常住すること）を必須の要件とするものではなく、また、物理的に乗船していても、「乗り組む」に該当しない者は、船員法の船員ではないとされている（昭三八・六・一　員基第九五号）。勤務時間法における船舶に「乗り組む」職員についてもこれと別意に解する必要はないであろう。

現在、この規定に基づき、海上保安庁の船員が勤務時間を週四十時間に延長されているところである。

○船員法

（労働時間）

第六十条　船員の一日当たりの労働時間は、八時間以内とする。

２　船員の一週間当たりの労働時間は、基準労働期間について平均四十時間以内とする。

３　前項の基準労働期間とは、船舶の航行区域、航路その他の航海の期間及び態様に係る事項を勘案して国土交通省令で定める船舶の区分に応じて一年以下の範囲内において国土交通省令で定める期間（船舶所有者が就業規則その他これに準ずるものにより当該期間の範囲内においてこれと異なる期間を定めた場合又は労働協約により一年以下の範囲内においてこれらと異なる期間が定められた場合には、それぞれその定められた期間）をいう。

二　人命救助等の勤務時間の特例

船舶に乗り組む職員については、勤務時間法第十二条に定めるところにより、勤務時間が割り振られた時間以外の時間に一定の作業に従事する場合には、一において述べた同法第五条及び第十一条に規定する一週間の勤務時間のほか、その従事する時間も正規の勤務時間となることとされている（したがって、超過勤務にはならない。）。この作業は、規則一五―一四第十二条において従前は、人命救助等のため緊急を要する作業、防火操練等の作業、航海当直の通常の交代に必要な作業とされていたが、船員の労働条件の改善を目的とした船員法の改正に伴い、令和五年四月一日以降は、防火操練等の作業及び航海当直の通常の交代に必要な作業が対象外とされ、これらの作業に従事する時間については、勤務時間を割り振るか超過勤務を命ずることとされた。現在は、人命救助等のため緊急を要する作業のみが対象とされている。

この規定は旧給与法第十四条第五項及び規則一五―一第十二条に対応する規定である。それ以前は、法律・規則にはこれらの作業に従事する時間についての規定がなく、昭和六十四年改正前の給与法第十四条第二項及び第三項に基づく長時間勤務の承認の内容に含まれ、船員たる職員の一週間の勤務時間に加えられる時間とされていた。この場合、当時の船員の一週間の勤務時間は四十八時間であったので、この作業時間は四十八時間を超える勤務時間として第三項の承認による勤務時間と位置づけられていた。

そもそも船員にこのような作業を行う義務が課されているのは、船員法の規定に基づくものである。国公法第一次改正法(昭和二十三年法律第二百二十二号)附則第三条において、国家公務員についても船員法の一部が準用されているが、船長の命令により人命救助等を行う義務の規定はこの準用される部分に含まれており、船員法に規定する船員に該当する職員には、船員法に基づき当該作業を行うことが船員としての義務として課されていると理解されている。

所定の労働時間外にこれらの作業に従事する場合の当該作業時間の評価について、船員法の取扱いは、これらの作業が使用者（船舶所有者）との労働契約の内容として行うという性格のものではなく、船舶共同体の特殊性に基づく船員としての当然の義務として行うものであるとの考え方から、船員の労働時間に関する規定（使用者に対する規制）の適用除外として、一日及び一週間の労働時間の制限、時間外労働に対する割増賃金の支払い等の規定の適用が除外されることとされている。

船員法が準用される船員たる職員の当該作業従事時間の場合についても、当該作業を行うことは職員の本来の業務そのものではなく、船員としての義務として行うものであることに違いはないものと理解される。しかしながら、公務の場合、勤務時間ではないと位置づけて給与を支払わなくてもよいとする考え方はとられておらず、したがって、給与法においては、船員法とは異なり、当該作業従事時間を勤務時間法第五条及び第十一条に規定する一週間に割り振られる正規の勤務時間とは別の正規の勤務時間として位置づけ、俸給の基礎となる勤務時間（給与法第五条参照）としている。すなわち、これは、当該作業は船員法の規定に基づき船員の義務として行うものであり、かつ、職員の本来業務そのものとして行うものではないが、船員たる職員の業務に付随する業務であるとして当該作業従事時間を正規の勤務時間と位置づけ、当該作業を所定の勤務時間外に行う場合にもその勤務は超過勤務とはならないものの、これを職員の適用俸給表自体で評価していると考えているものである。この趣旨から、船員の勤務時間の特例が適用されているのは、適用俸給表においてこのような作業従事時間があり得ることが評価されている職員に限られており、また、人命救助等を本来の業務として行う職員の当該作業についても適用が除外されている。

○勤務時間法

第十二条　船舶に乗り組む職員で人事院規則で定めるものの勤務時間については、当該職員が第六条第二項から第四項まで、第七条又は第八条の規定により勤務時間が割り振られた時間以外の時間に人命を救助するため緊急を要する作業その他の人事院規則で定める作業に従事する場合には、第五条又は前条の規定による勤務時間のほか、当該作業に従事する時間は、当該職員の勤務時間とする。

○規則一五—一四

（船員の勤務時間の特例）

第十二条　勤務時間法第十二条の人事院規則で定める職員は、給与法別表第四ロ公安職俸給表(二)、給与法別表第五海事職俸給表又は給与法別表第八イ医療職俸給表(一)の適用を受ける職員とする。

２　勤務時間法第十二条の人事院規則で定める作業は、人命、船舶若しくは積荷の安全を図るため又は人命若しくは他の船舶を救助するため緊急を要する作業（職員が本来の業務として行う作業で人事院が定めるものを除く。）とする。

○規則一五—一四運用通知

第九　船員の勤務時間の特例関係

２　規則第十二条第二項の「人事院が定めるもの」は、公安職俸給表(二)の職員が行う人命又は他の船舶を救助するための作業とする。

○船員法

（例外規定）

第六十八条　第六十条から前条までの規定及び第七十二条の国土交通省令の規定は、船員が人命、船舶若しくは積荷の安全を図るため又は人命若しくは他の船舶を救助するため緊急を要する作業に従事する場合（海員にあつては、船長の命令により当該作業に従事する場合に限る。）には、これを適用しない。

第六節　宿日直勤務

一　宿日直勤務の沿革

宿日直勤務がいつから行われるようになったかについては、明らかではないが、明治二十四年の勅令に「宿直又は徹夜勤務食料」に関する規定があることからも、勤務としては明治初期の官吏制度時代には既に行われていたものと思われる。しかし、当時は現在とは異なり当該勤務に対して手当は支給されていなかった。これは、戦前の俸給制度が忠実無定量の概念を背景に、執務時間を計測して給与の額を定めるという考え方がなかったことが反映されたものであり、同様に超過勤務手当の概念もなかった。

この考え方は、俸給は勤務に対するものであってあらかじめ定まっている週休日には俸給支給の基礎を欠くという考え方に基づく労基法の施行により、根本的な変革を余儀なくされることとなった。

宿日直勤務は、その後、手当制度の規定として各種法令に定められることとなるが、勤務制度自体の定めとしては、昭和三十九年の規則一五―九の制定を待たなければならない。

昭和二十二年十二月に公布された「労働基準法等の施行に伴う政府職員に係る給与の応急措置に関する法律」（昭和二十二年法律第百六十七号。以下「応急措置法」という。）により、政府職員の労働条件のうち労基法の基準に達しないものは、当該基準に達するよう措置することとなり、その支給準則により、宿日直勤務は超過勤務の一形態として規定されることとなった（超過勤務手当は時間外手当、深夜手当、日直手当、宿直手当の四種類と定められた。）。なお、労基法の超過勤務手当に関する条項が施行されたのは昭和二十二年九月一日であったが、応急措置法の超過勤務手当に係る条項は同年七月一日にさかのぼって施行された。

その後、昭和二十三年五月三十一日に「政府職員の新給与実施に関する法律」（昭和二十三年法律第四十六号。以下「新給与実施法」という。）が施行されたが、宿日直勤務に関する規定は置かれなかったため、なお従前の取扱いによっていた。

昭和二十三年十二月の国公法の第一次改正により労基法の適用を除外するに当たって、同時に新給与実施法を改正し、超過勤務手当に関する条項を新たに設けることとなったが、宿日直勤務に関してはここで大きな変革があった。この改正により、宿日直勤務は超過勤務の概念に包含されることとなり、退庁時刻から登庁時刻までのうち休憩時間及び睡眠時間を除いた全ての時間を超過勤務として取り扱う（したがって勤務一時間当たりの給与額の百分の百二十五が超過勤務手当として支給された。）こととされ、従来の宿日直制度は廃止されることとなった。

しかし、この取扱いも四年あまりで改められ、昭和二十七年十二月の給与法改正により宿日直手当の規定が設けられたことによって、公務に再び宿日直制度が導入された。

宿日直を勤務制度の面から規定したのは、前述のとおり昭和三十九年十二月であるが、その経緯は次のとおりである。

当時、庁舎に付属する居住室において私生活を営みつつ行っていた宿日直勤務については、給与上、通常の宿日直と同様の取扱いがなされていたが、このような宿日直については勤務に見合った合理的な給与上の措置が必要であるとの行政措置要求の判定が出されたこともあり、昭和三十九年十二月十三日、規則一五—九を制定し、当該勤務を常直勤務として別個に位置づけるとともに、通常の宿日直勤務についても勤務制度の面からその根拠を整備した。規則制定当初の宿日直勤務は、庁舎管理等を目的とした普通宿日直のみであり、いわゆる特別宿日直の制度は設けられていなかったが、昭和四十三年、矯正施設において監督当直を命ずることができるよう措置して以来、昭和五十七年の大改正を経て、現在、特別宿日直は多岐にわたるものとなっている。

また、勤務時間法においては、超過勤務と同様に、週所定勤務時間制の例外であり、勤務条件の基本に係るものとして、法律上の制度とし、要件等を規定した。

二　宿日直勤務の性格

通常、宿日直勤務といった場合は、大体次のような性格として認識されている。

①　夜間又は日曜日等、その官署の管理機能が停止している時間をカバーするため、行われる勤務であること。

② 正規の勤務時間を勤務した職員が、その本来の勤務を終わった後に行う勤務であること。
③ 通常その官署の職員が交替で行っている勤務で、その職務内容は誰が行っても一定であること。
④ 命じられた勤務時間の長さに比較して、勤務の密度は極めて薄く、いわゆる断続的勤務であり、深夜は仮眠することができる勤務であること。

このような性格の勤務がなぜ必要であるかについては、勤務命令の性格等に関連して、以下において触れることとなるが、一口にいって、官署にとっては、その官庁執務時間以外の時間であっても、庁舎の保全、文書の受付等の必要性から、全く無人としておくことはできないものと考えられているためといえよう。しかし、宿日直勤務は、正規の勤務時間以外の付加勤務であり、その運用はできるだけ制限して行われることが望ましく、特に庁舎管理等を目的とする普通宿日直勤務は、できるだけ廃止することが望ましいものと思われる。事実、庁舎の構造等の変化により、また外部への警備委託等の措置を講ずることによって相当数廃止されてきているのが実情である。

○勤務時間法

（正規の勤務時間以外の時間における勤務）

第十三条　各省各庁の長は、第五条から第八条まで、第十一条及び前条の規定による勤務時間（以下「正規の勤務時間」という。）以外の時間において職員に設備等の保全、外部との連絡及び文書の収受を目的とする勤務その他の人事院規則で定める断続的な勤務をすることを命ずることができる。

1　宿日直勤務命令の法的根拠

宿日直勤務については、勤務時間法第十三条第一項において「断続的な勤務」という表現で宿日直勤務の命令根拠を規定している。この「断続的な勤務」という表現については、勤務態様の面から、拘束時間に比し勤務の密度が極めて薄い、いわゆる断続勤務であることを宿日直勤務として定義したものである。参考として労基法によれば第四十一条第三号で「断続的労働」、同法施行規則第二十三条で「宿直又は日直の勤務で断続的な業務」という表現で規定されている。

また、具体的な勤務の内容が規則一五―一四第十三条第一項に定められており、各省各庁の長は、その責任遂行のため必要がある場合には、宿日直勤務に関する訓令、通達等を定めて、職務命令として宿日直勤務を命ずることとなる。

なお、従前は、旧規則一五―九第三条及び第四条に規定されていた宿日直勤務の勤務内容は国の機関に属する事務であるので、各庁の長は、その責任遂行のため必要がある場合には、それを本来の職務としない一般の職員に対しても、当該勤務を分担させることができるとされ、各庁の長が宿日直勤務に関する訓令、通達等を定めて、これを根拠として権限ある者が命ずる宿日直勤務命令は、国公法第九十八条第一項の職務命令であると位置づけられていた。勤務時間法は、このような宿日直勤務命令について職員の勤務時間の視点からも確認する趣旨で、その法的根拠を整理したものである。

２　命令の対象となる職員の範囲

普通宿日直勤務の命令の対象となる職員については、特に限定されておらず、各省各庁の長の裁量に委ねられている。したがって、部内規程等により特定の官職にある職員について、宿日直勤務を行う範囲から除くことも差し支えないこととなる。また、宿日直勤務に非常勤職員を従事させることもできる。

３　超過勤務との関係

職員の正規の勤務時間以外の時間における勤務は、勤務時間法第十三条第一項に規定する宿日直勤務と同条第二項に規定する超過勤務に区別される。その区別の基準は、その時間外の勤務が、断続的な勤務であるかどうか、臨時又は緊急の業務であるかどうかによるが、断続的な勤務は規則一五—一四第十三条第一項各号に掲げられている。いずれの場合でも職員にとって、大きな負担となるものであるので、実際上の取扱い（勤務命令）に当たっては、特に慎重を要する。また、宿日直勤務中の職員に対して超過勤務を命ずること及びその取扱いが問題となることがあるが、この場合の取扱いについては、次の事例がある。

【事例】

（質問）　宿日直勤務を命ぜられたものに対し、その宿日直勤務中に本務の遂行に関し超過勤務を命ずることについては、左記のとおり解して差し支えないか至急御回示願いたい。

記

一　新たに命じようとする超過勤務時間と宿日直勤務時間が重複しないよう、すでに命じた宿日直勤務命令を変更した場合には、超過勤務を命じて差し支えない。

二　この場合において、宿日直手当と超過勤務手当の双方を支給する。

（昭二八・四・八、〇七—二一七　高松地方事務所長）

（回答）　標記のことについては、貴見のとおりと解する。

（昭二八・五・一四、三四—七〇　給与局長）

三　宿日直勤務の行われる日及び時間

宿日直勤務の対象となる時間は、勤務時間法第十三条第一項及び規則一五—一四第十三条第二項により、次のアからウまでに掲げる時間及び日とされている。

〇勤務時間法

（正規の勤務時間以外の時間における勤務）

第十三条　各省各庁の長は、第五条から第八条まで、第十一条及び前条の規定による勤務時間（以下「正規の勤務時間」という。）以外の時間において職員に設備等の保全、外部との連絡及び文書の収受を目的とする勤務その他の人事院規則で定める断続的な勤務をすることを命ずることができる。

○規則一五―一四

（宿日直勤務）

第十三条

２　各省各庁の長は、休日又は国の行事の行われる日で人事院が指定する日の正規の勤務時間において職員に前項各号に掲げる勤務と同様の勤務を命ずることができる。

ア　正規の勤務時間以外の時間

勤務時間法第十三条第一項により職員に宿日直勤務を命じ得る時間は、正規の勤務時間以外の時間である。これは、宿日直勤務を行う職員にとって、正規の勤務時間以外の時間のことであるのは当然のことであり、したがって、同じ時間に正規の勤務時間として勤務を行う交替制等勤務職員が存していてもよいことにはなるが、その場合には、宿日直勤務の必要性を再検討する余地があろう。

また、正規の勤務時間以外の時間の一部についてのみ勤務する場合及びこの時間を何回かに分けてそれぞれ勤務を命ずることも可能であるが、その場合、職員に対する負担等を考慮して各官署において適切な規程を定めて行う必要がある。例えば、宿直と日直とを一回の宿日直として行わせることは、結果として、三十時間以上、拘束することになり得るので適切な対処が求められよう。

イ　休日

祝日法による休日（国民の祝日に関する法律に規定する休日）及び年末年始の休日（十二月二十九日から翌年の一

月三日までの日（祝日法による休日を除く。））については、正規の勤務時間が割り振られているが、規則一五―一四第十三条第二項の規定により、その割り振られている正規の勤務時間においても、「正規の勤務時間以外の時間における宿日直勤務」と同様の勤務を命じることができる。なお、法律的位置付けを参考までに説明すると、休日の正規の勤務時間は、「特に勤務することを命ぜられる者」が勤務しなければならないのは当然であり（勤務時間法第十四条）、休日における宿日直勤務（日直）も、その一形態であり、法律上の規定は設ける必要はなかった。しかしながら、念のため、確認規定ないしは勤務時間法第十四条の実施命令として、規則一五―一四第十三条第二項は設けられたものである。

ウ　国の行事の行われる日で人事院が指定する日

これは、国の行事が行われる日に勤務がすべて免除されるような日を想定したものであるが、近年このような日はすべて特別立法により「休日」になっているところであり、現在まで指定を受けた日は存しない。

四　宿日直勤務の種類

○規則一五―一四
（宿日直勤務）
第十三条　勤務時間法第十三条第一項の人事院規則で定める断続的な勤務は、次に掲げる勤務とする。
一　本来の勤務に従事しないで行う庁舎、設備、備品、書類等の保全、外部との連絡、文書の収受及び庁内の監視を目的とする勤務（次号に掲げる勤務を除く。）
二　前号に規定する業務を目的とする勤務のうち、庁舎に附属する居住室において私生活を営みつつ常時行う勤務
三　次に掲げる当直勤務

イ　警察庁本庁における被疑者等の身元、犯罪経歴等の照会の処理のための当直勤務
ロ　皇宮警察本部又は宮内庁の本庁若しくは御料牧場の動物の飼育、植物の栽培等を行う施設における動物又は植物の管理等のための当直勤務
ハ　皇宮警察本部、地方検察庁又は公安調査庁における警備又は事件の捜査、調査、処理等のための当直勤務
ニ　刑務所等の矯正施設における次に掲げる当直勤務
(1)　業務の管理若しくは監督又はこれらの補佐のための当直勤務
(2)　入所、釈放又は面会に関する事務処理、警備等のための当直勤務
ホ　保護観察所における次に掲げる当直勤務
(1)　保護観察に付され保護観察所に居住している者に対する指導監督及び補導援護のための当直勤務
(2)　(1)に規定する者に対する保護観察のための調査における関係人に対する質問等のための当直勤務（(1)に掲げる勤務を除く。）
ヘ　東京保護観察所における保護観察に付され所在不明となっている者に関する身元の照会の処理等のための当直勤務
ト　病院又は診療所である医療施設における次に掲げる当直勤務
(1)　入院患者の病状の急変等に対処するための医師又は歯科医師の当直勤務
(2)　看護業務の管理又は監督のための看護師長等の当直勤務
(3)　救急の外来患者及び入院患者に関する緊急の医療技術業務の処理等のための薬剤師、診療放射線技師（診療エックス線技師を含む。）又は臨床検査技師（衛生検査技師を含む。）の当直勤務
(4)　救急の外来患者及び入院患者に関する緊急の事務処理等のための当直勤務
チ　障害者支援施設又は国立児童自立支援施設における入所者の生活介助等のための当直勤務
リ　地方農政局、地方整備局又は北海道開発局のダム等の管理施設における機器等の監視、管理等のための当直勤務
ヌ　海上保安大学校その他の教育又は研修の機関における学生等の生活指導等のための当直勤務
ル　次に掲げる業務に関する情報連絡等のための当直勤務

(1)　内閣官房における緊急業務
(2)　内閣府本府、金融庁、消防庁本庁、経済産業省本省、首都圏臨海防災センター、近畿圏臨海防災センター又は地方気象台における災害発生に係る緊急業務
(3)　警察庁の本庁又は地方機関における事件処理業務
(4)　外務省本省における対外関係に係る緊急業務
(5)　海上保安部の分室又は海上保安署における警備救難業務
(6)　原子力規制庁における原子力施設の事故発生に係る緊急業務

宿日直勤務は、その勤務内容及び勤務形態により次の三種類に分けられる。

ア　普通宿日直勤務

規則一五—一四第十三条第一項第一号により、その勤務内容は、「本来の勤務に従事しないで行う庁舎、設備、備品、書類等の保全、外部との連絡、文書の収受及び庁内の監視を目的とする勤務」である。

イ　常直勤務

この勤務は、普通宿日直勤務を庁舎に附属する居住室において私生活を営みつつ常時行うものである。なお、この勤務は、具体的にはこども家庭庁の国立児童自立支援施設において行われているものである。

ウ　特別宿日直勤務

勤務内容は、本来の勤務と同様であるが、待機を中心とした勤務密度が極めて薄い断続的勤務をいい、現在、次に掲げる十六種類の当直勤務が行われている。

(ア)　鑑識当直

昭和四十九年一月一日以降行われることになった勤務で、その勤務内容は、警察庁本庁において、各都道府県警察

本部からの被疑者等の身元、指紋、犯罪経歴等の照会の処理等を主として行う勤務である。

(イ)　動植物管理当直

昭和五十七年一月一日以降認められることとなった勤務で、その内容は、皇宮警察本部、宮内庁（本庁及び御料牧場）の動物の飼育、植物の栽培等を行う施設において、給飼、清掃、投薬、データ記帳、温室管理等を主として行う勤務である。

(ウ)　事件当直

昭和四十六年一月一日以降認められることとなった勤務で、その内容は、皇宮警察本部、地方検察庁及び公安調査庁において、緊急事案発生時の初動指揮、捜査、情報の収集等を主として行う勤務である。

(エ)　監督当直

昭和四十四年一月一日以降認められることとなった勤務で、その内容は、刑務所等の矯正施設において、交替制により勤務する刑務官が行う業務の管理若しくは監督又はその補佐の業務を主として行う勤務である。

(オ)　保安事務当直

昭和五十七年一月一日以降認められることとなった勤務で、その内容は、刑務所等の矯正施設において、入所、釈放、面会又は差入れに関する事務処理、警備等を主として行う勤務である。

(カ)　指導監督当直

平成十九年十月一日以降認められることとなった勤務で、その内容は、保護観察所において、少年院又は少年刑務所からの仮釈放者等に対し、その再犯・再非行防止、生活指導の観点から、夜間においても指導監督等を主として行う勤務である。

(キ)　調査当直

平成二十年八月二十日以降認められることとなった勤務で、その内容は、保護観察所において、刑務所からの仮釈放者等に対し、その再犯・再非行防止、生活指導の観点から行われる保護観察のための調査において、夜間においても関係人に対する質問等を主として行う勤務である。

(ク)　保護観察当直

平成十八年四月一日以降認められることとなった勤務で、その内容は、東京保護観察所において、保護観察に付されている所在不明者に関する警察からの身元の照会への対応、所在不明者が保護観察対象者と確認された場合の事件係属庁に対する現場急行要請及び発見地が事件係属庁の管轄区域外である場合の事件係属庁と発見地観察庁間との連絡調整、さらに、必要な場合の警察への協力要請等を主として行う勤務である。

(ケ)　医師当直

昭和五十二年十二月二十一日以降認められることとなった勤務で、その内容は、病院又は診療所である医療施設において、医師又は歯科医師が行う入院患者の病状の急変及び救急の外来患者に対処するための診療等の勤務である。

(コ)　看護師長当直

昭和五十七年一月一日以降認められることとなった勤務で、その内容は、病院又は診療所である医療施設において、看護業務の管理又は監督及び病棟巡視等のための看護師長等の勤務である。

(サ)　医療技術当直

昭和五十七年一月一日以降認められることとなった勤務で、その内容は、病院又は診療所である医療施設において、救急の外来患者及び入院患者に関する緊急のX線撮影検査、臨床検査、調剤等を主として行う勤務である。

(シ)　医療事務当直

昭和五十年一月一日以降認められることとなった勤務で、その内容は、病院又は診療所である医療施設において、救急の外来患者の受付、入退院患者の手続、当直医師との連絡、料金の計算等を主として行う勤務である。

(ス)　生活指導当直

昭和四十九年一月一日以降認められることとなった勤務で、その内容は、障害者支援施設又は国立児童自立支援施設において、入所者の介助、生活指導等を主として行う勤務である。

(セ)　監視管理当直

昭和五十七年一月一日以降認められることとなった勤務で、その内容は、地方農政局、地方整備局又は北海道開発局のダム等の管理施設において、機器等の監視、管理等を主として行う勤務である。

(ソ)　学寮当直

昭和四十六年一月一日以降認められることとなった勤務で、その内容は、海上保安大学校等の教育、研修機関において、学生等の生活指導、学習指導、カウンセリング等を主として行う勤務である。

(タ)　情報連絡当直

昭和四十九年一月一日以降連絡業務の必要性から警察庁（本庁及び管区警察局）、海上保安庁に認められることとなった勤務で、その後、昭和五十七年一月一日に外務省本省、消防庁本庁、昭和六十二年五月二十一日に内閣官房、平成七年三月二十七日に国土庁本庁、平成十年一月十六日に科学技術庁本庁、平成二十年四月一日に首都圏臨海防災センター、平成二十四年四月一日に近畿圏臨海防災センター、平成二十四年七月一日に経済産業省本省、平成二十九年七月七日に金融庁、平成三十一年四月一日に地方気象台にそれぞれ範囲が拡大されたものであり、事件、事故、対外関係又は災害等に関する情報の収集、連絡等を主として行う勤務である。

なお、実施府省の名称については、平成十三年一月の省庁再編以降、現在の規則のとおりとなっている。

五　宿日直勤務を命ずる際の注意

勤務時間法は第四条第一項において、「職員の健康及び福祉を考慮することにより、職員の適正な勤務条件の確保に努めなければならない。」とし、各省各庁の長の責務を規定しているが、宿日直勤務については、更に規則一五—一四第十五条において、「当該勤務が過度にならないように留意しなければならない。」と規定しているところである。

○勤務時間法

（各省各庁の長の責務等）

第四条　各省各庁の長は、勤務時間、休日及び休暇に関する事務の実施に当たっては、公務の円滑な運営に配慮するとともに、職員の健康及び福祉を考慮することにより、職員の適正な勤務条件の確保に努めなければならない。

○規則一五—一四

第十五条　各省各庁の長は、職員に第十三条に規定する勤務を命ずる場合には、当該勤務が過度にならないように留意しなければならない。

この規定の趣旨は、宿日直勤務が、週所定勤務時間を超えて本来の勤務ではない勤務に従事させるという特殊性を有し、週休二日制の趣旨ないしは週三十八時間四十五分制の趣旨を減殺するものであり、職員の日常生活に大変な影響を与えるものであるため、各省各庁の長に対し、特にその勤務条件の向上に努めるべきことを定めたものである。したがって、宿日直勤務を命ずるに当たっては、勤務日数をできるだけ少なくするような努力が必要であるほか、次の諸点に特に留意する必要がある。

ア　適正な勤務人員の確保

国の機関は、その所管事務の必要から、数多い地方支分部局を全国的に配置していることが多いため、各官署の規模が小さく、宿日直勤務に従事する職員数が限られてくることも避けられないが、労基法第四十一条に基づく宿日直勤務許可基準が「宿直」については週一回以下、「日直」については月一回以下となっていることにかんがみ、少なくとも同一人が月五回以上の宿日直勤務に従事しないですむよう、勤務人員を確保することが望ましい。

イ　一回当たりの勤務時間の適正化

宿日直勤務の一回当たりの勤務時間の長さは、その勤務が断続的勤務であり、夜間に仮眠も可能であるが、勤務時間法第九条の休憩時間のない拘束勤務であること、一般に単独の勤務であること等から、当然適正に定められなければならない。通常、宿直はその日の終業時から翌日の始業時までを一回の勤務とし、また、日直は平日の開庁時間と同じ時間帯となっている。

ウ　仮眠時間の確保

宿日直勤務は、その命令された全時間について庁舎、備品等の保全、管理等の義務が存することとなるが、宿直の場合には、職員の健康及び福祉の観点から相当程度の睡眠時間を確保することが必要であり、少なくとも六時間は確保することが望ましい。そして、これを担保する意味で宿日直規程等の内部規程にその時間帯を明記することが好ましいこととなる。もちろん定められた睡眠時間中といえども庁舎、備品等の保全、管理等の措置を行う必要が生じたときにはこれを遂行しなければならない。

エ　勤務環境の整備

宿日直勤務の性質から、勤務場所や施設等の整備は特に留意される必要がある。特に暖房設備、テレビ・ラジオ、簡単な炊事器具等の設置が求められるが、その他、火災、ガス中毒等の発生防止措置も講ぜられなければならない。

また、仮眠場所の整備については、規則一〇―四第十五条及びその運用通知に基づき、労働安全衛生規則第三編第三章から第九章まで及び事務所衛生基準規則等の規定の例による措置を講ずべきこととされていることに注意を要する。

六　常直勤務を命ずる際の留意事項

規則一五―一四第十三条第一項第二号に掲げる常直勤務は、庁舎に附属する居住室において常時行う勤務であり、庁舎、備品等の保全、管理等の義務が常時課せられている状態となるため、「五　宿日直勤務を命ずる際の注意」（二三九頁）の内容以上に職員の心身にかかる負担の程度が軽易であるような配慮が求められる。

常直勤務を命ずる場合には、従来は、当該勤務が必要やむを得ないものであり、かつ、職員の心身にかかる負担が軽易であることについて人事院の承認を得ることとしていたが、平成十四年四月一日以降人事院の承認を廃止し、これらの点について、各省各庁の長が留意しなければならない義務として規定された。具体的には、「五　宿日直勤務を命ずる際の注意」の内容に加え、各省各庁の長は次のような事項について留意する必要がある。

① 宿日直勤務を命じなければならない必要性が認められること。
② 他の代替的勤務でカバーすることができないこと。
③ 命ずる業務の内容が規則第十三条第一項第一号に規定する範囲内のものであること。
④ 庁舎に附属する居住室を含めた勤務場所の環境が整備されていること。
⑤ 勤務内容、精神的負担の軽減が図られていること。
⑥ 命令等の手続が適正に行われるようになっていること（部内規程の整備等）。

これらの基準は、常直勤務を命ずる際に特に留意する必要があるものであるが、普通宿日直勤務を命ずる場合あるいは普通宿日直勤務の見直しを図る際においても、その適否の判断の視点となるものであると考えられる。

○規則一五―一四

第十四条　各省各庁の長は、前条第一項第二号に掲げる勤務を命ずる場合には、当該勤務が必要やむを得ないものであり、かつ、職員の心身にかかる負担の程度が軽易であるようにしなければならない。

○規則一五―一四運用通知

第十　宿日直勤務及び超過勤務並びに超勤代休時間の指定関係

1　規則第十四条第一項の「必要やむを得ないものであり、かつ、職員の心身にかかる負担の程度が軽易」であるためには、当該勤務を命ずる必要性があること、交替制勤務により対応することが困難であること、勤務場所（庁舎に附属する居住室を含む。）の環境が整備されていること、仮眠の時間が確保されていること等が必要である。

七　特別宿日直勤務の基準

規則一五―一四第十三条第一項第三号に掲げる特別宿日直勤務の勤務内容は、当該勤務が断続的に行われる勤務密度の薄い業務であるが、本来業務に近いものであり、勤務要員となる職員の範囲がある程度限られることから、職員に過度の負担がかかることのないよう配慮する必要がある。そのため、これらの勤務を命ずる場合、従来、業務の必要性、当該勤務に従事する職員の範囲、職員ごとの一月当たりの勤務回数、仮眠施設の状況等について、人事院の承認を得ることとされていた。平成十四年四月一日以降は、各省各庁の長の主体性の尊重、事務簡素化等の観点から、これまでの承認基準を規則上に明示し、職員に過度の負担がかかることのないような基準を定めた上で、実際の運用を各省各庁の長に委ねることとした。

規則一五―一四第十四条第二項に掲げる特別宿日直勤務を命ずる場合の基準は、次のとおりである。

①　当該勤務が、宿直（午後五時から翌日の午前九時三十分までの時間帯において行う勤務）又は日直（行政機関の休日の午前八時三十分から午後六時十五分までの時間帯において行う勤務）に該当する勤務であること。

②　当該勤務に従事する職員が、当該職務の遂行に必要な知識又は技能を有する者であること。
③　職員ごとの当該勤務に従事する回数が、一月当たり五回を超えないこと。
④　宿直勤務にあっては、当該勤務中に少なくとも六時間の仮眠時間が確保され、当該仮眠のための施設が整備されていること。
実際の運用に当たっては、各省各庁の長は、業務の必要性、交替制等他の代替的勤務との関係を検討の上、これらの基準を満たす必要がある。

○規則一五―一四

第十四条

2　各省各庁の長は、前条第一項第三号に掲げる勤務を命ずる場合には、次に掲げる基準に適合するようにしなければならない。
一　当該勤務が、次のいずれかに該当するものであること。
イ　午後五時から翌日の午前九時三十分までの時間帯において行う勤務
ロ　行政機関の休日（行政機関の休日に関する法律（昭和六十三年法律第九十一号）第一条第一項各号に掲げる日をいう。）の午前八時三十分から午後六時十五分までの時間帯において行う勤務
二　当該勤務に従事する職員（以下この項において単に「職員」という。）が、当該職務の遂行に必要な知識又は技能を有する者であること。
三　職員ごとの当該勤務に従事する回数が、一月当たり五回を超えないこと。
四　当該勤務が第一号イに掲げる勤務である場合にあっては、職員について当該勤務時間中に少なくとも六時間の仮眠のための時間が確保され、かつ、当該仮眠のための施設が当該勤務が行われる官署内に整備されていること。

規則一五—一四第十四条第三項には、「当該勤務に従事する職員の数を必要最小限のものとしなければならない。」と規定している。これは、具体的な基準というよりも、一回の勤務に従事する職員の数を精査し、職員ごとの当該勤務に従事する回数をできるだけ少なくして、職員の負担を軽くすることを各省各庁の長に求めている規定である。

その他、規則一五—一四第十四条第四項においては、特別宿日直勤務を行う各職場において命令等の手続きが適正に行われるよう、部内規程の整備を義務づけている。

部内規程には、次の内容を規定する必要がある。

① 当直勤務の内容
② 当直勤務の時間及び仮眠の時間
③ 当直勤務に従事する職員の範囲
④ 一回当たりの勤務人数
⑤ 一月当たりの勤務回数
⑥ 職員への周知方法
⑦ 当直勤務者の休憩・仮眠施設

〇規則一五—一四

第十四条

３　各省各庁の長は、前条第一項第三号に掲げる勤務を命ずる場合には、当該勤務に従事する職員の数を必要最小限のものとしなければならない。

４　各省各庁の長は、前条第一項第三号に掲げる勤務を命ずる場合には、当該勤務に関する規程において、人事院の定める事項を定めなければならない。

○規則一五―一四運用通知
第十　宿日直勤務及び超過勤務並びに超勤代休時間の指定関係
2　規則第十四条第四項の「人事院の定める事項」は次のとおりとする。
(1)　当直勤務の内容
(2)　当直勤務の時間及び仮眠の時間
(3)　当直勤務に従事する職員の範囲
(4)　一回当たりの勤務人数
(5)　一月当たりの勤務回数
(6)　職員への周知方法
(7)　当直勤務者の休憩・仮眠施設

第七節　超過勤務

一　超過勤務の意義

超過勤務とは、正規の勤務時間（勤務時間法第五条から第八条まで、第十一条及び第十二条の規定による勤務時間）以外の時間における勤務、すなわち、一日の所定勤務時間を超える勤務及び週休日における勤務であって、勤務時間法第十二条の船員の作業従事時間及び同法第十三条第一項の宿日直勤務以外のものをいう。民間で時間外労働、残業、休日出勤などと呼ばれているのがこれに相当しよう。

一日若しくは一週間の勤務時間又は週休日の置き方が、職員の保護のために、法令によって定められていることは既に述べたところであるが、超過勤務は、実質的には勤務時間の延長であり、職員にとっては、疲労の回復と健康の増進、個人の能力の伸張、家庭生活・地域生活等に費やす時間の減少を意味する。また、勤務能率の上からみても、仕事に就く時間の長さが必ずしも成果の増大を意味するものではないといえる。特に、恒常的な長時間に及ぶ超過勤務は、職員の活力を低下させ、政策立案や業務遂行などに支障を来すとともに、職員の心身の健康や生活にも深刻な影響を及ぼすものである。

業務が、通常の場合、正規の勤務時間で処理し終わるようにその配分と定員管理が行われるものとされているのはこのためであって、一日の仕事は正規の勤務時間で処理しなければならないのが大原則である。しかし、業務には時として予測できない臨時的な仕事や緊急を要する仕事が発生することも避けられないところであって、これらの業務の処理のために、一日の正規の勤務時間以外の時間に、あるいは週休日に、職員を業務に従事させざるを得ない場合が生じるのもやむを得ないことであり、国際労働条約においても、各国の労働立法においても、労働時間、休日等の原則に対する例外措置を認めている。

この例外措置の定め方は、

① 災害等による、避けることができない業務の必要その他、法律の定める特別の事由が存する場合のみ、時間外労働を認めるもの

② 割増賃金の支給のみを条件として、時間外労働を認めるもの

の二つの類型に分けられ、前者は硬式労働時間制、後者は軟式労働時間制と呼ばれている。硬式労働時間制は、労働者の健康と福祉を考慮して定めた一日の労働時間や週休制が崩される危険を防ぐ壁を厚くしたものであって、超過勤務を認める事由に関する規制の他、超過勤務時間に関しても制限を加え、また割増賃金の支給をも条件としているの

が通常である。軟式労働時間制は、採算性の面から、時間外労働や休日労働についての使用者の任意的判断を牽制するものであって、割増賃金の率が高いほどその効果が著しい。賃金割増率は、国により、また産業によって異なるが、一般に正規の賃金率に対する百分率で示され、通例二十五％ないし五十％となっており、超過勤務時間数に対応する累進的割増率を採用している国もある。

労基法においては、災害その他避けることのできない事由によって臨時の必要がある場合、又は公務のために臨時の必要がある場合を除き、時間外あるいは休日に労働させるためには、いわゆる三六協定の締結、届出と二十五％以上（休日については三十五％以上）等の割増賃金の支払を条件としている。これは、時間外労働、休日労働を行わせ得る事由に関する規制はなく、また、従前は、有害業務等の場合を除いて、時間外労働等の限度の定めもなく、軟式労働時間制に近いが、協定に労働者の意思が反映されること及び協定において時間外労働の限度を定めるに当たっての基準が告示で示されていることに特色があった。その後、長時間労働の是正などを目的とする「働き方改革を推進するための関係法律の整備に関する法律」（平成三十年法律第七一号）により、労基法が改正され三六協定で定める時間外労働の上限等が罰則付きで設けられるとともに、「労働基準法第三十六条第一項の協定で定める労働時間の延長及び休日の労働について留意すべき事項等に関する指針」が示されている（平成三十一年四月一日施行）。

○労基法

（災害等による臨時の必要がある場合の時間外労働等）

第三十三条　災害その他避けることのできない事由によつて、臨時の必要がある場合においては、使用者は、行政官庁の許可を受けて、その必要の限度において第三十二条から前条まで若しくは第四十条の労働時間を延長し、又は第三十五条の休日に労働させることができる。ただし、事態急迫のために行政官庁の許可を受ける暇がない場合においては、事後に遅滞なく届け出なければならない。

③　公務のために臨時の必要がある場合においては、第一項の規定にかかわらず、官公署の事業（別表第一に掲げる事業を除く。）に従事する国家公務員及び地方公務員については、第三十二条から前条まで若しくは第四十条の労働時間を延長し、又は第三十五条の休日に労働させることができる。

（時間外及び休日の労働）

第三十六条　使用者は、当該事業場に、労働者の過半数で組織する労働組合がある場合においてはその労働組合、労働者の過半数で組織する労働組合がない場合においては労働者の過半数を代表する者との書面による協定をし、厚生労働省令で定めるところによりこれを行政官庁に届け出た場合においては、第三十二条から第三十二条の五まで若しくは第四十条の労働時間（以下この条において「労働時間」という。）又は前条の休日（以下この条において「休日」という。）に関する規定にかかわらず、その協定で定めるところによつて労働時間を延長し、又は休日に労働させることができる。

②　前項の協定においては、次に掲げる事項を定めるものとする。

一　この条の規定により労働時間を延長し、又は休日に労働させることができることとされる労働者の範囲

二　対象期間（この条の規定により労働時間を延長し、又は休日に労働させることができる期間をいい、一年間に限るものとする。第四号及び第六項第三号において同じ。）

三　労働時間を延長し、又は休日に労働させることができる場合

四　対象期間における一日、一箇月及び一年のそれぞれの期間について労働時間を延長して労働させることができる時間又は労働させることができる休日の日数

五　労働時間の延長及び休日の労働を適正なものとするために必要な事項として厚生労働省令で定める事項

③　前項第四号の労働時間を延長して労働させることができる時間は、当該事業場の業務量、時間外労働の動向その他の事情を考慮して通常予見される時間外労働の範囲内において、限度時間を超えない時間に限る。

④　前項の限度時間は、一箇月について四十五時間及び一年について三百六十時間（第三十二条の四第一項第二号の対象期間として三箇月を超える期間を定めて同条の規定により労働させる場合にあつては、一箇月について四十二時間及び一年について三百二十時間）とする。

⑤　第一項の協定においては、第二項各号に掲げるもののほか、当該事業場における通常予見することのできない業務

量の大幅な増加等に伴い臨時的に第三項の限度時間を超えて労働させる必要がある場合において、一箇月について労働時間を延長して労働させ、及び休日において労働させることができる時間（第二項第四号に関して協定した時間を含め百時間未満の範囲内に限る。）並びに一年について労働時間を延長して労働させることができる時間（同号に関して協定した時間を含め七百二十時間を超えない範囲内に限る。）を定めることができる。この場合において、第一項の協定に、併せて第二項第二号の対象期間において労働時間を延長して労働させる時間が一箇月について四十五時間（第三十二条の四第一項第二号の対象期間として三箇月を超える期間を定めて同条の規定により労働させる場合にあつては、一箇月について四十二時間）を超えることができる月数（一年について六箇月以内に限る。）を定めなければならない。

⑥　使用者は、第一項の協定で定めるところによつて労働時間を延長して労働させ、又は休日において労働させる場合であつても、次の各号に掲げる時間について、当該各号に定める要件を満たすものとしなければならない。

一　坑内労働その他厚生労働省令で定める健康上特に有害な業務について、一日について労働時間を延長して労働させた時間　二時間を超えないこと。

二　一箇月について労働時間を延長して労働させ、及び休日において労働させた時間　百時間未満であること。

三　対象期間の初日から一箇月ごとに区分した各期間に当該各期間の直前の一箇月、二箇月、三箇月、四箇月及び五箇月の期間を加えたそれぞれの期間における労働時間を延長して労働させ、及び休日において労働させた時間の一箇月当たりの平均時間　八十時間を超えないこと。

⑦　厚生労働大臣は、労働時間の延長及び休日の労働を適正なものとするため、第一項の協定で定める労働時間の延長及び休日の労働について留意すべき事項、当該労働時間の延長に係る割増賃金の率その他の必要な事項について、労働者の健康、福祉、時間外労働の動向その他の事情を考慮して指針を定めることができる。

⑧　第一項の協定をする使用者及び労働組合又は労働者の過半数を代表する者は、当該協定で労働時間の延長及び休日の労働を定めるに当たり、当該協定の内容が前項の指針に適合したものとなるようにしなければならない。

（時間外、休日及び深夜の割増賃金）

第三十七条　使用者が、第三十三条又は前条第一項の規定により労働時間を延長し、又は休日に労働させた場合においてはは、その時間又はその日の労働については、通常の労働時間又は労働日の賃金の計算額の二割五分以上五割以下の範囲内でそれぞれ政令で定める率以上の率で計算した割増賃金を支払わなければならない。ただし、当該延長して労働させた時間が一箇月について六十時間を超えた場合においては、その超えた時間の労働については、通常の労働時間の賃金の計算額の五割以上の率で計算した割増賃金を支払わなければならない。

② 前項の政令は、労働者の福祉、時間外又は休日の労働の動向その他の事情を考慮して定めるものとする。

③ 使用者が、当該事業場に、労働者の過半数で組織する労働組合があるときはその労働組合、労働者の過半数で組織する労働組合がないときは労働者の過半数を代表する者との書面による協定により、第一項ただし書の規定により割増賃金を支払うべき労働者に対して、当該割増賃金の支払に代えて、通常の労働時間の賃金が支払われる休暇（第三十九条の規定による有給休暇を除く。）を厚生労働省令で定めるところにより与えることを定めた場合において、当該労働者が当該休暇を取得したときは、当該労働者の同項ただし書に規定する時間を超えた時間の労働のうち当該取得した休暇に対応するものとして厚生労働省令で定める時間の労働については、同項ただし書の規定による割増賃金を支払うことを要しない。

④ 使用者が、午後十時から午前五時まで（厚生労働大臣が必要であると認める場合においては、その定める地域又は期間については午後十一時から午前六時まで）の間において労働させた場合においては、その時間の労働については、通常の労働時間の賃金の計算額の二割五分以上の率で計算した割増賃金を支払わなければならない。

○労働基準法第三十七条第一項の時間外及び休日の割増賃金に係る率の最低限度を定める政令（平六・一・四　政令第五号）

労働基準法第三十七条第一項の政令で定める率は、同法第三十三条又は第三十六条第一項の規定により延長した労働時間の労働については二割五分とし、これらの規定により労働させた休日の労働については三割五分とする。

○労働基準法第三十六条第一項の協定で定める労働時間の延長及び休日の労働について留意すべき事項等に関する指針（平三〇・九・七　厚生労働省告示第三二三号）

（労使当事者の責務）

第二条　法第三十六条第一項の規定により、使用者は、時間外・休日労働協定をし、これを行政官庁に届け出ることを要件として、労働時間を延長し、又は休日に労働させることができることとされているが、労働時間の延長及び休日の労働は必要最小限にとどめられるべきであり、また、労働時間の延長は原則として同条第三項の限度時間（第五条、第八条及び第九条において「限度時間」という。）を超えないものとされていることから、時間外・休日労働協定をする使用者及び当該事業場の労働者の過半数で組織する労働組合がある場合においてはその労働組合、労働者の過半数で組織する労働組合がない場合においては労働者の過半数を代表する者（以下「労使当事者」という。）は、これらに十分留意した上で時間外・休日労働協定をするように努めなければならない。

（使用者の責務）

第三条　使用者は、時間外・休日労働協定において定めた労働時間を延長して労働させ、及び休日において労働させることができる時間の範囲内で労働させた場合であっても、労働契約法（平成十九年法律第百二十八号）第五条の規定に基づく安全配慮義務を負うことに留意しなければならない。

2　使用者は、「血管病変等を著しく増悪させる業務による脳血管疾患及び虚血性心疾患等の認定基準について」（令和三年九月十四日付け基発〇九一四第一号厚生労働省労働基準局長通達）において、一週間当たり四十時間を超えて労働した時間が一箇月においておおむね四十五時間を超えて長くなるほど、業務と脳血管疾患及び虚血性心疾患（負傷に起因するものを除く。以下この項において「脳・心臓疾患」という。）の発症との関連性が徐々に強まると評価できるとされていること並びに発症前一箇月間におおむね百時間又は発症前二箇月間から六箇月間までにおいて一箇月当たりおおむね八十時間を超える場合には業務と脳・心臓疾患の発症との関連性が強いと評価できるとされていることに留意しなければならない。

（令三厚生労働省告示三三五・一部改正）

（業務区分の細分化）

第四条　労使当事者は、時間外・休日労働協定において労働時間を延長し、又は休日に労働させることができる業務の種類について定めるに当たっては、業務の区分を細分化することにより当該業務の範囲を明確にしなければならない。

（限度時間を超えて延長時間を定めるに当たっての留意事項）

第五条　労使当事者は、時間外・休日労働協定において限度時間を超えて労働させることができる場合を定めるに当たっては、当該事業場における通常予見することのできない業務量の大幅な増加等に伴い臨時的に限度時間を超えて労働させる必要がある場合をできる限り具体的に定めなければならず、「業務の都合上必要な場合」、「業務上やむを得ない場合」など恒常的な長時間労働を招くおそれがあるものを定めることは認められないことに留意しなければならない。

2　労使当事者は、時間外・休日労働協定において次に掲げる時間を定めるに当たっては、労働時間の延長は原則として限度時間を超えないものとされていることに十分留意し、当該時間を限度時間にできる限り近づけるように努めなければならない。

一　法第三十六条第五項に規定する一箇月について労働時間を延長して労働させ、及び休日において労働させることができる時間

二　法第三十六条第五項に規定する一年について労働時間を延長して労働させることができる時間

3　労使当事者は、時間外・休日労働協定において限度時間を超えて労働時間を延長して労働させることができる時間に係る割増賃金の率を定めるに当たっては、当該割増賃金の率を、法第三十六条第一項の規定により延長した労働時間の労働について法第三十七条第一項の政令で定める率を超える率とするように努めなければならない。

（休日の労働を定めるに当たっての留意事項）

第七条　労使当事者は、時間外・休日労働協定において休日の労働を定めるに当たっては労働させることができる休日の日数をできる限り少なくし、及び休日に労働させる時間をできる限り短くするように努めなければならない。

（健康福祉確保措置）

第八条　労使当事者は、限度時間を超えて労働させる労働者に対する健康及び福祉を確保するための措置について、次に掲げるもののうちから協定することが望ましいことに留意しなければならない。

一　労働時間が一定時間を超えた労働者に医師による面接指導を実施すること。

二　法第三十七条第四項に規定する時刻の間において労働させる回数を一箇月について一定回数以内とすること。

三　終業から始業までに一定時間以上の継続した休息時間を確保すること。

四　労働者の勤務状況及びその健康状態に応じて、代償休日又は特別な休暇を付与すること。

五　労働者の勤務状況及びその健康状態に応じて、健康診断を実施すること。

六　年次有給休暇についてまとまった日数連続して取得することを含めてその取得を促進すること。

七　心とからだの健康問題についての相談窓口を設置すること。

八　労働者の勤務状況及びその健康状態に配慮し、必要な場合には適切な部署に配置転換をすること。
九　必要に応じて、産業医等による助言・指導を受け、又は労働者に産業医等による保健指導を受けさせること。

勤務時間法適用者については、超過勤務命令は公務のための臨時又は緊急の必要が存することを条件としており、この限りにおいては、従前から硬式労働時間制を指向していたともいえるが、公務においても、前述の労基法改正を踏まえ、規則上、超過勤務を命ずる時間及び月数の上限が設定された（平成三十一年四月一日施行）。

なお、この改正前においても、月六十時間を超える法定時間外労働に対して五十％以上の率で計算した割増賃金を支払うこと及びこの割増賃金の支払いの代わりに有給の休暇を付与する制度（代替休暇）を設けることができることとする労基法の改正（平成二十年法律第八十九号）を踏まえ、公務においても、特に長い超過勤務を強力に抑制し、また、こうした超過勤務を命ぜられた職員に休息の機会を与えるため、月六十時間を超える超過勤務に係る超過勤務手当の支給割合が引き上げられるとともに、この支給割合の引上げ分の支給に代えて正規の勤務時間においても勤務することを要しない時間を指定することができる制度（超勤代休時間（第八節参照））が導入されている（平成二十二年四月一日施行）。

二　超過勤務命令の条件

勤務時間法第十三条の規定は、正規の勤務時間以外の時間においても、職務上の命令を発し得ることを勤務時間制度の面から明らかにするとともに、これを命ずる場合に必要とされる条件を規定したものであり、超過勤務については同条第二項の規定において、単に仕事があれば命じ得るものではなく、公務のための臨時又は緊急の必要が存する場合にのみ命ずることができると規定されている。

○勤務時間法
（正規の勤務時間以外の時間における勤務）
第十三条
２　各省各庁の長は、公務のため臨時又は緊急の必要がある場合には、正規の勤務時間以外の時間において職員に前項に掲げる勤務以外の勤務をすることを命ずることができる。

臨時の必要とは、文字どおり正規の勤務時間を超えて処理しなければならない一時的な業務が発生した場合をいう。例えば、会計検査その他の検査、監査等が行われることとなった場合のその準備のための業務のように、一時的に業務が繁忙となる場合がこれに当たる。これらは、そのために恒常的に職員を配置することは無駄を生じるので、臨時的に職員を増員する他、超過勤務によって業務を処理することが妥当な方法として是認されよう。しかし、本来は定員でカバーすべきところを職員の不足から常時業務が繁忙になっているような場合――現象的には常態的超過勤務となってあらわれる――は、臨時の必要の範囲を超えるものであって、超過勤務を命じ得る事由に該当しないものと解すべきである。業務の量に応ずる定員が確保されていない場合に、それを理由に業務を停止することは、公務においては許されないところであるので、常態的に超過勤務を命じて対処している例が少なくないが、定員増の他、業務の処理方法や勤務時間の割振り等の改善によって、速やかに是正する必要があろう。

緊急の必要とは、業務の処理に時間的急迫が存する場合である。例えば、台風により河川の堤防が決壊したために応急対策を講じるような場合であって、臨時的業務の性格を併せ持つことが多いが、通常の業務であっても、その処理期限が急に繰り上がったような場合も含まれる。

三　超過勤務を命ずる際の考慮

規則一五―一四第十六条は、超過勤務命令を発する場合の考慮について定めている。これは、超過勤務の職員の健康及び福祉に与える影響に鑑みて、勤務時間法第四条第一項に規定する各省各庁の長の責務を個別具体的に明らかにしたものである。

○規則一五―一四

（超過勤務を命ずる際の考慮）

第十六条　各省各庁の長は、職員に超過勤務（勤務時間法第十三条第二項の規定に基づき命ぜられて行う勤務をいう。以下同じ。）を命ずる場合には、職員の健康及び福祉を害しないように考慮しなければならない。

超過勤務は、職員の私生活の時間のうち、まず趣味、娯楽、交際の時間を蚕食し、それが長くなれば家事、読書、勉強の時間を崩し、更に長時間となれば食事、睡眠等生理的再生産に必要な時間にまで影響を及ぼす。例えば、次頁上記の表は、睡眠を第一度生理的再生産時間とし、食事、身仕度、医療等を第二度生理的再生産時間としたとき、これが脅かされる残業時間の限界を示したものである。これによれば、所定労働時間が八時間、通勤所要時間が一・五時間の場合は、超過勤務が三時間を超えると、労働力の生理的な再生産が時間の上から脅かされるということである。これは、超過勤務の許容最大限を示すものであり、買物、子供の相手等の家事や教養、娯楽、交際等の社会的文化的生活に必要な時間を十分確保するためには、超過勤務時間はこれを相当下回ったものでなければならないことになる。

また、近年、「過労死」が大きな社会的問題となっているところであるが、「過労死」の労災認定は、厚生労働省が医学等の専門家の検討結果を踏まえて作成する「血管病変等を著しく増悪させる業務による脳血管疾患及び虚血性心疾患等の認定基準」（令三・九・一四　基発〇九一四第一号）に基づいて行われている。この基準では、認定要件の一つとして、発症前の長期間にわたって著しい疲労の蓄積をもたらす特に過重な業務に就労したことが掲げられており、長期間にわたる業務の過重性を評価するに当たって、労働時間の評価の目安が示されている。その目安として、「発症前一か月間におおむね百時間又は発症前二か月間ないし六か月間にわたって、一か月当たりおおむね八十時間を超える時間外労働が認められる場合は、業務と発症との関連性が強いと評価できること」を踏まえて判断すること等とされていることから、「一か月百時間」等の残業時間が過労死基準として広く世間に知られるようになっている。公務においても、業務の過重性の判断に当たっての超過勤務時間数について同様の認定基準が示されており（「心・血管疾患及び脳血管疾患の公務上災害の認定について」（令三・九・一五　職補―二六六））、職員の健康保持の観点から、こうした長時間にわたる超過勤務は極力避ける必要があるといえよう。

残業時間の二限界

拘束労働時間 h	通勤(往復)時間平均 h	残業時間の限界	
		第二度生理的再生産時間が脅かされる(適正もしくは標準限界)	第一度生理的再生産時間が脅かされる(生理的限界)
8	0.5	2.0	4.0
	1.0	1.5	3.5
	1.5	1.0	3.0
	2.0	0.5	2.5
9	0.5	1.0	3.0
	1.0	0.5	2.5
	1.5	0	2.0
	2.0	0	1.5

＊斎藤一著『労働時間・休憩・交替制』より

超過勤務は、命令権者が、業務上必要とされる事由、職員の健康と福祉等を勘案して、これを行わせるかどうかを判断し、命ずべきものである。実際には、命令権者が必ずしも業務の状況を細部にわたって把握しているものとは限らず、その実質的判断を下部の監督者に委ねている場合が多い。このような中で、公務の臨時又は緊急の必要性が少ないにもかかわらず、定時退庁がなされず、正規の勤務時間内で処理し得る業務が超過勤務に持ち込まれている例も依然として存する。超過勤務は一定の事由のもとに行われる例外的な勤務であることに立ち返って、命令権者は、以前にも増して、事務の簡素化・合理化を進めつつ、その管理により多くの意を用いる必要のあるところであろう。

四　超過勤務命令の上限

1　上限の内容

公務においては、従来、「超過勤務の縮減に関する指針について」（平二一・二・二七　職職―七三）で年間の超過勤務の上限目安時間数を示してきたが、一で述べた労基法の改正（平成三〇年法律第八十九号）を踏まえ、超過勤務命令を行うことができる上限を人事院規則で定めることとし、原則、一箇月において四十五時間以下かつ一年において三百六十時間以下、また、他律的業務の比重が高い部署に勤務する職員に対しては一箇月において百時間未満かつ一年において七百二十時間以下等に設定された（平成三十一年四月一日施行）。

原則	他律的業務の比重が高い部署に勤務する職員
月四十五時間以下	月百時間未満
年三百六十時間以下	年七百二十時間以下
	二～六箇月平均で八十時間以下
	月四十五時間超は年六箇月以内

「他律的業務」とは、業務量、業務の実施時期その他の業務の遂行に関する事項を自ら決定することが困難な業務をいい、「他律的業務の比重が高い部署」の範囲については「超過勤務を命ずるに当たっての留意点について」（平三一・二・一職職―二二）に該当し得る例が示されている。各省各庁の長はその範囲は必要最小限度のものとし、範囲を定めた場合や変更した場合には、職員に速やかに周知しなければならないとされている。また、「部署」の単位

は、原則として課若しくは室又はこれに相当するものとするが、この単位については、必要に応じて係単位や官職単位に細分化しても差し支えないとされている。

「一箇月から六箇月までの平均で八十時間以下」とは、二箇月、三箇月、四箇月、五箇月及び六箇月のいずれの期間においても、一箇月当たりの平均が八十時間以下であることを意味し、この上限は「年」の単位期間をまたがって適用されることとなる。

「月」は、月の初日から末日までの期間を、また、「年」は四月一日から翌年三月三十一日までの期間をいうが、各省各庁の長は、人事異動の時期等を考慮して円滑に超過勤務に係る事務処理を行うために必要がある場合には、四月以外の月の初日から起算して一年を経過するまでの期間とすることも可能である（人事院への事前報告が必要）。なお、一箇月単位及び二箇月から六箇月までの単位の上限に係る異動前後の超過勤務の時間は、職員が府省等を異にする異動をした場合においても通算して算定することとなるので、この点特に留意する必要がある。

○規則一五―一四

（超過勤務を命ずる時間及び月数の上限）

第十六条の二の二　各省各庁の長は、職員に超過勤務を命ずる場合には、次の各号に掲げる職員の区分に応じ、それぞれ当該各号に定める時間及び月数の範囲内で必要最小限の超過勤務を命ずるものとする。

一　次号に規定する部署以外の部署に勤務する職員　次に掲げる職員の区分に応じ、それぞれ次に定める時間及び月数（イにあっては、時間）

イ　ロに掲げる職員以外の職員　次の⑴及び⑵に定める時間

⑴　一箇月において超過勤務を命ずる時間について四十五時間

⑵　一年において超過勤務を命ずる時間について三百六十時間

二　他律的業務（業務量、業務の実施時期その他の業務の遂行に関する事項を自ら決定することが困難な業務をいう。）の比重が高い部署として各省各庁の長が指定するものに勤務する職員　次のイから二までに定める時間及び月数
イ　一箇月において超過勤務を命ずる時間について百時間未満
ロ　一年において超過勤務を命ずる時間について七百二十時間
ハ　一箇月ごとに区分した各期間に当該各期間の直前の一箇月、二箇月、三箇月、四箇月及び五箇月の期間を加えたそれぞれの期間において超過勤務を命ずる時間の一箇月当たりの平均時間について八十時間
ニ　一年のうち一箇月において四十五時間を超えて超過勤務を命ずる月数について六箇月

○規則一五―一四運用通知

第十　宿日直勤務及び超過勤務並びに超勤代休時間の指定関係

4　規則第十六条の二の二第一項各号の「部署」の単位は、原則として課若しくは室又はこれらに相当するものとする。
5　規則第十六条の二の二第一項第一号イ⑴並びに第二号イ、ハ及びニ並びにこの通知の第十の第十項⑴アからウまで及び⑵アの「一箇月」とは、月の初日から末日までの期間をいう。
6　規則第十六条の二の二第一項第一号イ⑵及びロ⑴並びに第二号ロ及びニ並びにこの通知の第十の第十項⑴ウの「一年」とは、四月一日から翌年三月三十一日までの期間（人事異動の時期等を考慮して円滑に超過勤務に係る事務処理を行うため必要がある場合には、各省各庁の長が定める四月以外の月の初日から起算して一年を経過するまでの期間）をいう。
7　各省各庁の長は、前項に規定する一年を四月以外の月の初日から起算して一年を経過するまでの期間とする場合には、あらかじめ、その起算する日を人事院に報告するものとする。
8　職員が府省等（会計検査院、人事院、内閣官房、内閣法制局、各府省、デジタル庁及び復興庁、宮内庁並びに内閣府設置法（平成十一年法律第八十九号）第四十九条第一項及び第二項に規定する各機関並びに各外局（同条第一項に規定する機関を除く。）をいう。第十項⑵イにおいて同じ。）を異にする異動をした場合においては、規則第十六条の二の二第一項第一号イ⑴並びに第二号イ及びハ並びにこの通知の第十の第十項⑴ア及びイ並びに⑵アの規定の適用に係る当該異動の前後の超過勤務の時間を通算して算定するものとする。
11　各省各庁の長は、他律的部署の範囲を必要最小限のものとし、当該範囲を定めた場合には、速やかに職員に周知しな

ければならない。当該範囲を変更するときも同様とする。

○超過勤務を命ずるに当たっての留意点について（平三一・二・一　職職―二二）

長時間労働の是正は、職員の健康保持や人材確保の観点等から重要な課題であり、超過勤務（人事院規則一五―一四（職員の勤務時間、休日及び休暇）（以下「規則一五―一四」という。）第十六条に規定する超過勤務をいう。以下同じ。）の一層の縮減に取り組んでいく必要があります。

職員の超過勤務については、これまで、「超過勤務の縮減に関する指針について（平成二十一年二月二十七日職職―七三）」（以下「平成二十一年指針」という。）において、年間の上限目安時間を示してきたところですが、今般、超過勤務命令を行うことができる上限を、一般職の職員の勤務時間、休暇等に関する法律（平成六年法律第三三号。以下「勤務時間法」という。）に基づいて、原則一箇月について四十五時間かつ一年について三百六十時間等と規則一五―一四で定めるとともに、職員の健康確保措置についても、人事院規則一〇―四（職員の保健及び安全保持）において、一箇月について百時間以上の超過勤務を行った職員等に対しては、職員からの申出がなくとも医師による面接指導を行うこととする等の措置を講じることとしたところです。

各府省におかれては、平成三十一年四月一日以降、職員に超過勤務を命ずるに当たっては、勤務時間法、規則一五―一四及び「職員の勤務時間、休日及び休暇の運用について（平成六年七月二十七日職職―三二八）」（以下「運用通知」という。）並びに人事院規則一〇―四、「人事院規則一〇―四（職員の保健及び安全保持）の運用について（昭和六十二年十二月二十五日職福―六九一）」及び「面接指導等の実施について（平成一八年三月三一日職職―九六）」とともに、下記の事項に留意し、適切に対応してください。

なお、これに伴い、平成二十一年指針は廃止します。

1　他律的業務の比重が高い部署関係

規則一五―一四第十六条の二の二第一項第二号に規定する他律的業務の比重が高い部署（以下「他律的部署」という。）には、国会関係、国際関係、法令協議、予算折衝等に従事するなど、業務の量や時期が各府省の枠を超えて他律的に決まる比重が高い部署が該当し得るが、ある部署が他律的部署に該当するか否かについては、当該部署の業務の状況を考慮して適切に判断する必要があること。

3　職員の異動等関係

(1)　異なる部署から異動してきた職員に超過勤務を命ずる場合は、異動前の部署における超過勤務の状況も考慮する必要があること。

(2)　異なる府省等（運用通知第十の第八項に規定する府省等をいう。以下同じ。）から異動してきた職員に超過勤務を命ずる時間についても、できる限り、異動前の府省等における超過勤務の時間も含め、規則一五―一四第十六条の二の二第一項に規定する職員の区分に応じ、同項第一号イ(2)、同号ロ(1)又は同項第二号ロに定める時間の範囲内に収まるように配慮するよう努めること。

2　勤務する部署が「他律的業務の比重が高い部署」からそれ以外の部署となった職員の上限

「年」の間において勤務する部署が「他律的業務の比重が高い部署」から「他律的業務の比重が高い部署」以外の部署となった職員に対しては、年七百二十時間以下かつ次の期間の区分に応じ、それぞれ次の範囲内で必要最小限の超過勤務を命ずるものとされている。

(1)　部署の異動が生じた日から当該日が属する月の末日までの期間（特定期間）

①　月百時間未満

②　二箇月から六箇月までの平均で八十時間以下

③　月四十五時間超は年六箇月以内

(2)　特定期間の末日の翌日から「年」の末日までの期間

〈府省等を同じくして異動した場合〉

①　月四十五時間以下

②　特定期間の末日の翌日から「年」の末日までの期間において、三十時間×（当該機関の月数）以下

〈府省等を異にして異動した場合〉

① 月四十五時間以下

② 特定期間の末日の翌日から「年」の末日までの期間において、三百六十時間から特定期間に当該職員に命じた超過勤務の時間を減じて得た時間以下

○規則一五―一四

（超過勤務を命ずる時間及び月数の上限）

第十六条の二の二 各省各庁の長は、職員に超過勤務を命ずる場合には、次の各号に掲げる職員の区分に応じ、それぞれ当該各号に定める時間及び月数の範囲内で必要最小限の超過勤務を命ずるものとする。

一 次号に規定する部署以外の部署に勤務する職員 次に掲げる職員の区分に応じ、それぞれ次に定める時間及び月数（イにあっては、時間）

ロ 一年において勤務する部署が次号に規定する部署からこの号に規定する部署となった職員 次の⑴及び⑵に定める時間及び月数

⑴ 一年において超過勤務を命ずる時間について七百二十時間

⑵ イ及び次号（ロを除く。）に規定する時間及び月数並びに職員の健康及び福祉を考慮して、人事院が定める期間において人事院が定める時間及び月数

○規則一五―一四運用通知

第十 宿日直勤務及び超過勤務並びに超勤代休時間の指定関係

10 規則第十六条の二の二第一項第一号ロ⑵の「人事院が定める期間」及び「人事院が定める時間及び月数」は、次に掲げる期間の区分に応じ、それぞれ次に定める期間並びに時間及び月数（⑵にあっては、期間及び時間）とする。

⑴ 規則第十六条の二の二第一項第二号に規定する部署（以下この項及び次項において「他律的部署」という。）から同条第一項第一号に規定する部署への異動、次項後段の他律的部署の範囲の変更その他の事由により職員が勤務する部

署が同号に規定する部署となった日から当該日が属する月の末日までの期間（(2)において「特定期間」という。）次のアからウまでに定める時間及び月数
ア　一箇月において超過勤務を命ずる時間について百時間未満
イ　一箇月ごとに区分した各期間に当該各期間の直前の一箇月、二箇月、三箇月、四箇月及び五箇月の期間を加えたそれぞれの期間において超過勤務を命ずる時間の一箇月当たりの平均時間について八十時間
ウ　一年のうち一箇月において四十五時間を超えて超過勤務を命ずる月数について六箇月
(2)　特定期間の末日の翌日から第六項に規定する一年の末日までの期間　次のア及びイに定める時間
ア　一箇月において超過勤務を命ずる時間について四十五時間
イ　当該期間において超過勤務を命ずる時間について三十時間に当該期間の月数を乗じて得た時間（府省等を異にする異動をしたことにより規則第十六条の二の二第一項第一号ロに掲げる職員に該当することとなった者に超過勤務を命ずる場合にあっては、三百六十時間から特定期間において当該職員に命じた超過勤務の時間を減じて得た時間）

3　併任された職員の上限

職員が併任されている場合、本務官職に係る各省各庁の長及び併任官職に係る各省各庁の長が命ずる超過勤務の時間（職員が府省等を異にして併任されている場合は、一箇月単位及び二箇月から六箇月までの単位の上限に係る超過勤務の時間）を合算した時間は、次に掲げる職員の区分に応じ、それぞれ次の範囲内とする必要がある。
(1)　本務官職又は併任官職のいずれかにおいて、「他律的業務の比重が高い部署」に勤務する職員
①　月百時間未満
②　年七百二十時間以下
③　二箇月から六箇月までの平均で八十時間以下
④　月四十五時間超は年六箇月以内

(2)　本務官職又は併任官職のいずれにおいても、「他律的業務の比重が高い部署」以外の部署に勤務する職員

〈左記以外の職員〉

②　①　月四十五時間以下

年三百六十時間以下

〈勤務する部署が「他律的業務の比重が高い部署」から「他律的業務の比重が高い部署」以外の部署となった職員〉

前記２(1)・(2)に掲げる時間又は月数の範囲内

○超過勤務を命ずるに当たっての留意点について（平三一・二・一　職職―二二）

３　職員の異動等関係

(3)　職員が併任されている場合、本務官職に係る各省各庁の長及び併任官職に係る各省各庁の長が命ずる超過勤務の時間（職員が府省等を異にして併任されている場合は、運用通知第十の第八項に掲げる規定の適用に係る超過勤務の時間。(5)において同じ。）を合算した時間は、次に掲げる職員の区分に応じ、それぞれ次に定める時間及び月数の範囲内とする必要があること。

ア　本務官職又は併任官職のいずれかにおいて、他律的部署に勤務する職員　規則一五―一四第十六条の二の二第一項第二号イから二までに定める時間及び月数

イ　本務官職又は併任官職のいずれにおいても、他律的部署以外の部署に勤務する職員　同項第一号イ(1)及び(2)に定める時間（同号ロに該当する職員にあっては、同号ロに定める時間及び月数）

五　上限の特例

１　対象となる職員及び特例業務の範囲

公務においては必要な行政サービスの提供を中止することができないことから、特例業務（大規模災害への対処、

重要な政策に関する法律の立案、他国又は国際機関との重要な交渉その他の重要な業務であって特に緊急に処理することを要するものと各省各庁の長が認める業務）に従事する職員又は従事した職員に対しては、上限時間等を超えて超過勤務を命ずることができることとされている。ただし、特例により上限時間等を超えて職員に超過勤務を命じる場合には、超えた部分の超過勤務を必要最小限のものとし、かつ、職員の健康の確保に最大限の配慮をしなければならないとされている。

○規則一五—一四

（超過勤務を命ずる時間及び月数の上限）

第十六条の二の二

２　各省各庁の長が、特例業務（大規模災害への対処、重要な政策に関する法律の立案、他国又は国際機関との重要な交渉その他の重要な業務であって特に緊急に処理することを要するものと各省各庁の長が認めるものをいう。以下この項において同じ。）に従事する職員に対し、前項各号に規定する時間又は月数を超えて超過勤務を命ずる必要がある場合については、同項（当該超えることとなる時間又は月数に係る部分に限る。）の規定は、適用しない。人事院が定める期間において特例業務に従事していた職員に対し、同項各号に規定する時間又は月数を超えて超過勤務を命ずる必要がある場合として人事院が定める場合も、同様とする。

３　各省各庁の長は、前項の規定により、第一項各号に規定する時間又は月数を超えて職員に超過勤務を命ずる場合には、当該超えた部分の超過勤務を必要最小限のものとし、かつ、当該職員の健康の確保に最大限の配慮をするとともに、当該超過勤務を命じた日が属する当該時間又は月数の算定に係る一年の末日の翌日から起算して六箇月以内に、当該超過勤務に係る要因の整理、分析及び検証を行わなければならない。

○規則一五—一四運用通知

第十　宿日直勤務及び超過勤務並びに超勤代休時間の指定関係

12　各省各庁の長は、特例業務（規則第十六条の二の二第二項に規定する特例業務をいう。以下同じ。）の範囲を、職員が従事する業務の状況を考慮して必要最小限のものとしなければならない。

13　規則第十六条の二の二第二項の「人事院が定める期間」は、次に掲げる期間とし、同項の「人事院が定める場合」は、当該期間の区分に応じ、それぞれ次に定める場合とする。

(1)　規則第十六条の二の二第一項第一号イ(1)及び第二号イ並びにこの通知の第十の第十項(1)ア及び(2)アに規定する一箇月　当該期間において、職員が特例業務に従事していたことがある場合であって、これらの規定に規定する時間を超えて超過勤務を命ずる必要があるとき。

(2)　規則第十六条の二の二第一項第二号ハ及びこの通知の第十の第十項(1)イに規定する一箇月ごとに区分した各期間に当該各期間の直前の一箇月、二箇月、三箇月、四箇月及び五箇月の期間を加えたそれぞれの期間　当該期間のいずれかにおいて、職員が特例業務に従事していたことがある場合であって、当該従事していたことがある期間についてこれらの規定に規定する時間を超えて超過勤務を命ずる必要があるとき。

(3)　規則第十六条の二の二第一項第一号イ(2)及びロ(1)並びに第二号ロ及びニ並びにこの通知の第十の第十項(1)ウに規定する一年　当該期間において、職員が特例業務に従事していたことがある場合であって、これらの規定に規定する時間又は月数を超えて超過勤務を命ずる必要があるとき。

(4)　第十項(2)に規定する期間　当該期間において、職員が特例業務に従事していたことがある場合であって、同項(2)イに規定する時間を超えて超過勤務を命ずる必要があるとき。

2　特例適用の判断

上限時間等を超えて職員に超過勤務を命ずることができるか否かについては、職員が従事し、又は従事していた特例業務の状況、特例業務の規模及び発生時期並びに特例業務に職員が従事した期間を考慮して、上限時間等に係る期間ごとにそれぞれ判断する必要がある。

もとより、特例業務に従事し、又は従事していた職員に対しても、できる限り上限時間等の範囲内で超過勤務を命ずる必要があることは当然であり、特例により上限時間等を超えて職員に超過勤務を命ずることができる場合とは、特例業務が発生した時期や状況によるが、職員が従事し、又は従事していた業務の一部に特例業務が含まれていることでは足りず、あくまでも特例業務の処理が原因となって職員に上限時間等を超えて超過勤務を命じざるを得ないときである。

したがって、例えば、「年」の末月の最後の一週間に特例業務が発生し、その処理のために年単位の上限を超えて超過勤務を命じざるを得なくなった場合には、「特例業務に従事する職員」として特例を適用することもできるが、「年」の初月の最初の一週間において特例業務に従事したことを理由として、「特例業務に従事していた職員」として特例を適用し、年単位の上限を超えて超過勤務を命ずることは不適当であると考えられる。また、例えば、十月の下旬において一箇月単位の上限を超えて職員に超過勤務を命ずる必要が生じた場合、当該時点において職員が特例業務に従事していないときであっても、十月中に特例業務に従事していたことがあり、当該特例業務の処理が原因となって一箇月単位の上限を超える超過勤務を命じざるを得ないときには、「特例業務に従事していた職員」として特例を適用することもできるが、十月に特例業務に従事していたことを理由として、他の月に一箇月単位の上限を超えて超過勤務を命ずることはできないと考えられる。

○超過勤務を命ずるに当たっての留意点について（平三一・二・一　職職―二一）

2　上限時間の特例関係

(1)　職員に規則十五―十四第十六条の二の二第二項の規定により、同条第一項各号に規定する時間又は月数（以下「上限時間等」という。）を超えて超過勤務を命ずることができるか否かについては、当該職員が従事し、又は従事していた特例業務（同条第二項に規定する特例業務をいう。以下同じ。）の状況、当該特例業務の規模及び発生時期並びに当該特例業務に当該職員が従事した期間を考慮して、上限時間等に係る期間ごとにそれぞれ判断する必要があること。

(2)　特例業務に従事し、又は従事していた職員に対しても、できる限り上限時間等の範囲内で超過勤務を命ずる必要があることは当然であり、規則十五―十四第十六条の二の二第二項の規定により、上限時間等を超えて職員に超過勤務を命ずることができる場合とは、特例業務が発生した時期や状況によるが、当該職員が従事し、又は従事していた業務の一部に特例業務が含まれていることでは足りず、あくまでも特例業務の処理が原因となって当該職員に上限時間等を超えて超過勤務を命じざるを得ないときであること。

3　職員への通知

特例により上限時間等を超えて職員に超過勤務を命じる場合には、原則として、あらかじめ超過勤務が特例によるもの（特例超過勤務）であることを職員に通知する必要があるが、特例業務の処理に要する時間を見込み難いため上限時間等を超えて超過勤務を命ずる必要があるかどうかを判断することが困難であることなどの事由により職員にあらかじめ通知することが困難である場合には、事後速やかに職員に対して通知するものとされている。

○規則一五―一四運用通知

第十　宿日直勤務及び超過勤務並びに超勤代休時間の指定関係

14　各省各庁の長は、規則第十六条の二の二第二項の規定により、上限時間等を超えて職員に超過勤務を命ずる場合には、あらかじめ、当該命ぜられた超過勤務は同項の規定により同条第一項の規定の適用を受けないもの（次項及び第十六項において「特例超過勤務」という。）であることを職員に通知するものとする。ただし、特例業務の処理に要する時間をあらかじめ見込み難いため上限時間等を超えて超過勤務を命ずる必要があるかどうかを判断することが困難であることその他の事由により職員にあらかじめ通知することが困難である場合は、この限りでない。

15　前項ただし書の場合においては、各省各庁の長は、事後において速やかに特例超過勤務であることを職員に通知するものとする。

4　併任された職員の取扱い

職員が併任されている場合において、本務官職に係る各省各庁の長及び併任官職に係る各省各庁の長が命ずる超過勤務の時間を合算した時間が、前述四３の上限時間を超えることができるのは、特例により上限時間等を超えて超過勤務を命ずるときとされている。

○超過勤務を命ずるに当たっての留意点について（平三一・二・一　職職―二二）

３　職員の異動等関係

(5)　職員が併任されている場合において、本務官職に係る各省各庁の長及び併任官職に係る各省各庁の長が命ずる超過勤務の時間を合算した時間が、(3)ア及びイに定める時間及び月数の範囲を超えることができるのは、規則一五―一四第十六条の二の二第二項の規定により、上限時間等を超えて当該職員に超過勤務を命ずるときであること。

六　特例を適用した場合に行う整理分析等

1　要因の整理、分析及び検証の内容

各省各庁の長は、特例により上限時間等を超えて職員に超過勤務を命じた場合には、超過勤務を命じた日が属する「年」の末日から起算して六箇月以内に、超過勤務に係る要因の整理、分析及び検証を行わなければならないとされている。整理分析等を行うに当たっては、上限時間等を超えて超過勤務を命ぜられた職員について、少なくとも次の事項を記録しなければならず、適切に情報を収集した上で整理分析等を行うものとされている。

①　所属部署
②　氏名
③　上限時間等を超えた超過勤務を命じた月又は年における超過勤務の時間又は月数

④　上限時間等を超えた超過勤務を命じた月又は年に係る上限時間等（月四十五時間、年三百六十時間等）
⑤　当該職員が従事した特例業務の概要
⑥　人員配置又は業務分担の見直し等によっても特例の適用を回避できなかった理由

○規則一五―一四

（超過勤務を命ずる時間及び月数の上限）

第十六条の二の二

3　各省各庁の長は、前項の規定により、第一項各号に規定する時間又は月数を超えて職員に超過勤務を命ずる場合には、当該超えた部分の超過勤務を必要最小限のものとし、かつ、当該職員の健康の確保に最大限の配慮をするとともに、当該超過勤務を命じた日が属する当該時間又は月数の算定に係る一年の末日の翌日から起算して六箇月以内に、当該超過勤務に係る要因の整理、分析及び検証を行わなければならない。

○規則一五―一四運用通知

第十　宿日直勤務及び超過勤務並びに超勤代休時間の指定関係

16　規則第十六条の二の二第三項に規定する超過勤務に係る要因の整理、分析及び検証（次項において「整理分析等」という。）を行うに当たっては、上限時間等を超えて超過勤務を命ぜられた職員について、少なくとも、所属部署、氏名、特例超過勤務を命じた月又は年における超過勤務の時間又は月数及び当該月又は年に係る上限時間等、当該職員が従事した特例業務の概要並びに人員配置又は業務分担の見直し等によっても同条第二項の規定の適用を回避することができなかった理由を記録しなければならない。

17　各省各庁の長は、適切に情報を収集した上で、整理分析等を行うものとする。

2　併任された職員に係る整理分析等

併任された職員についての上限時間等を超えた超過勤務に係る整理分析等は、本務官職に係る各省各庁の長が、併任官職に係る各省各庁の長から必要な情報の提供を受けて行う必要があるが、併任官職に係る各省各庁の長において整理分析等を行うことが適当と認められる場合は、併任官職に係る各省各庁の長が、他の各省各庁の長から必要な情報の提供を受けて行う必要がある。

○超過勤務を命ずるに当たっての留意点について（平三一・二・一　職職―二二）

3　職員の異動等関係

(6)　(5)の上限時間等を超えた超過勤務に係る整理分析等は、本務官職に係る各省各庁の長が、併任官職に係る各省各庁の長から必要な情報の提供を受けて行う必要があること。ただし、併任されている官職の業務に当該職員が専ら従事していた場合その他の併任官職に係る各省各庁の長において整理分析等を行うことが適当と認められる場合は、当該併任官職に係る各省各庁の長が、他の各省各庁の長から必要な情報の提供を受けて整理分析等を行う必要があること。

七　職員が異動した場合の取扱い

職員が異動した場合、異動前の勤務時間管理員は異動後の勤務時間管理員に対し、上限時間等の算定に必要な事項を通知するものとされている。この「上限時間等の算定に必要な事項」には、次の事項が含まれるものとされている。

①　職員に適用される上限の別（「年」の間において勤務する部署が「他律的業務の比重が高い部署」から「他律的業務の比重が高い部署」以外の部署となった職員にあっては、当該異動が生じた日を含む。）
②　異動日が属する月における異動までの超過勤務の時間数
③　異動が属する月の直前十一箇月における超過勤務の時間数
④　異動日が属する月及び当該月の直前十一箇月において、上限時間等を超えて超過勤務を命じたことの有無

○規則一五―一四運用通知

第十　宿日直勤務及び超過勤務並びに超勤代休時間の指定関係

９　職員が異動した場合には、当該職員に係る異動前の勤務時間管理員（人事院規則九―五（給与簿）第三条に規定する勤務時間管理員をいう。以下同じ。）は、当該職員に係る異動後の勤務時間管理員に規則第十六条の二の二第一項各号に規定する時間又は月数（第十四項及び第十六項において「上限時間等」という。）の算定に必要な事項を通知するものとする。

○超過勤務を命ずるに当たっての留意点について（平三一・二・一　職職―二二）

３　職員の異動等関係

(7)　運用通知第十の第九項の通知に係る「必要な事項」には、次のアからエまでに定める事項が含まれること。

ア　規則十五―十四第十六条の二の二第一項に規定する職員の区分の別（同項第一号ロに規定する職員にあっては、勤務する部署が他律的部署から他律的部署以外の部署となった日を含む。）

イ　異動日が属する月における異動までの超過勤務の時間数

ウ　異動日が属する月の直前十一箇月における超過勤務の時間数

エ　異動日が属する月及び当該月の直前十一箇月において、特例超過勤務（運用通知第十の第十四項に規定する特例超過勤務をいう。）を命じたことの有無

超過勤務命令の上限

➢　超過勤務命令を行うことができる上限を規則１５－１４で設定。上限の範囲内で必要最小限の超過勤務を命ずるものとする
➢　大規模災害への対処等の重要な業務であって特に緊急に処理することを要する業務に従事する場合には、上限の時間を超えることができるが、その場合には、上限を超えた超過勤務に係る要因の整理、分析及び検証を行う必要
※　超過勤務手当が支給されない管理職員も含め、勤務時間法が適用される職員全てが対象

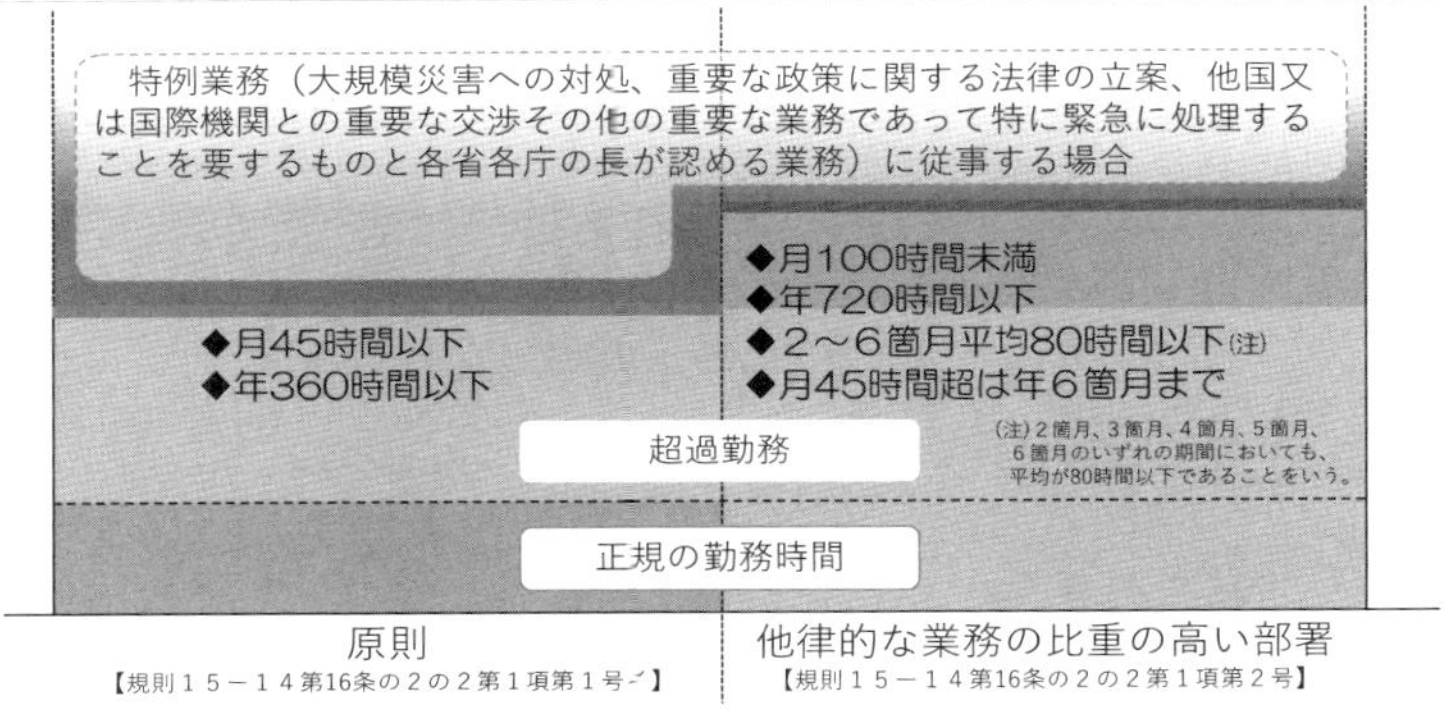

〈勤務する部署が他律的な業務の比重の高い部署から原則の部署となった職員の上限〉
【規則１５－１４第16条の２の２第１項第１号ロ】

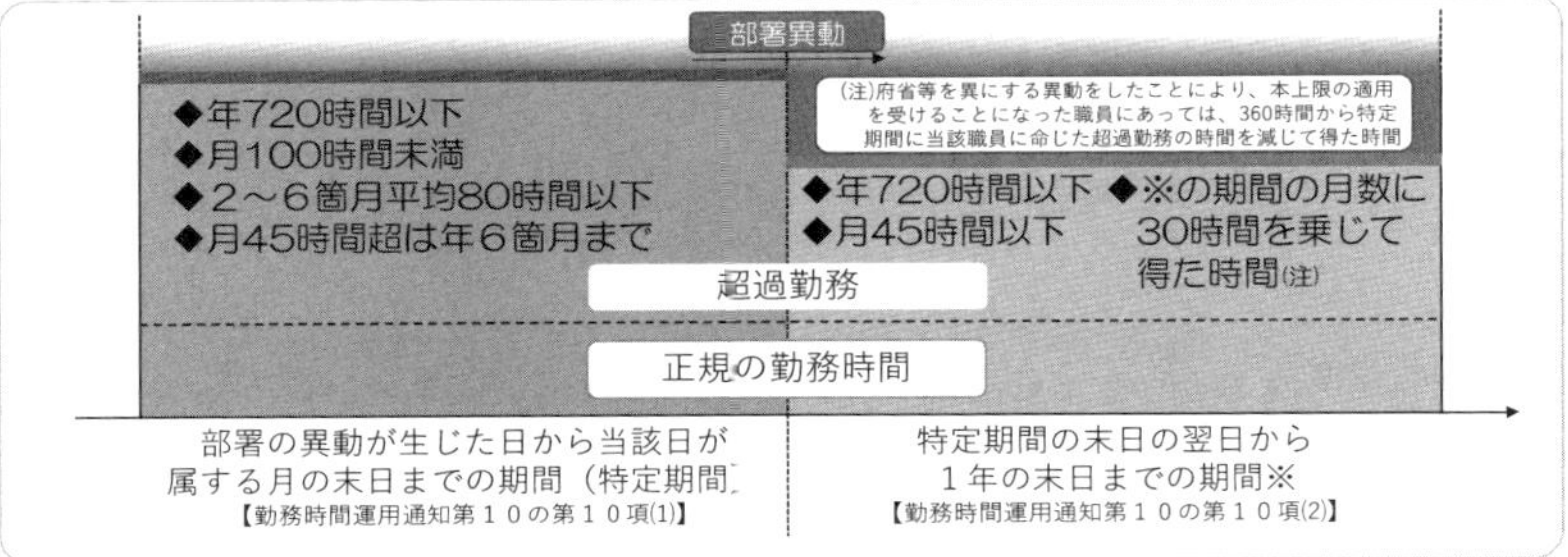

- ◻ 部署の単位は原則として課室又はこれらに相当するもの【勤務時間運用通知第１０の第４項】
- ◻ 「月」は月の初日から末日までの期間【勤務時間運用通知第１０の第５項】
- ◻ 「年」は原則として4/1～翌年3/31の期間【勤務時間運用通知第１０の第６項・第７項】
（必要に応じ、４月以外の月を起算点とすることも可（人事院への報告が必要））
- ◻ 月単位・２～６箇月単位の超過勤務の上限は、府省等を異にする異動の場合も通算【勤務時間運用通知第１０の第８項】
- ◻ 他律的業務の比重が高い部署の範囲は業務の状況を考慮して必要最小限とし、部署を定めた場合又は変更した場合は職員に周知する必要【勤務時間運用通知第１０の第１１項、超過勤務留意点通知１】

（参考）上限の適用イメージ

①他律的部署以外の部署に勤務する職員

【上限】
月45時間、年360時間

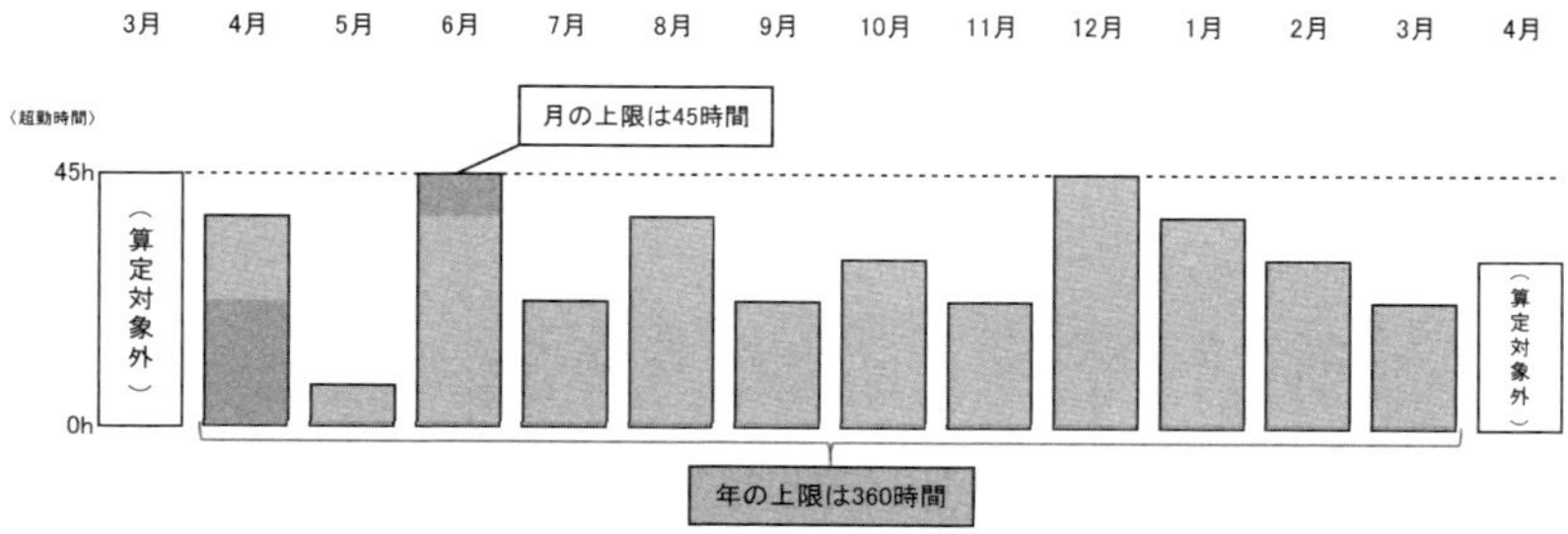

②他律的部署に勤務する職員

【上限】
月100時間未満、2～6箇月平均80時間、年720時間、月45時間超は年6箇月

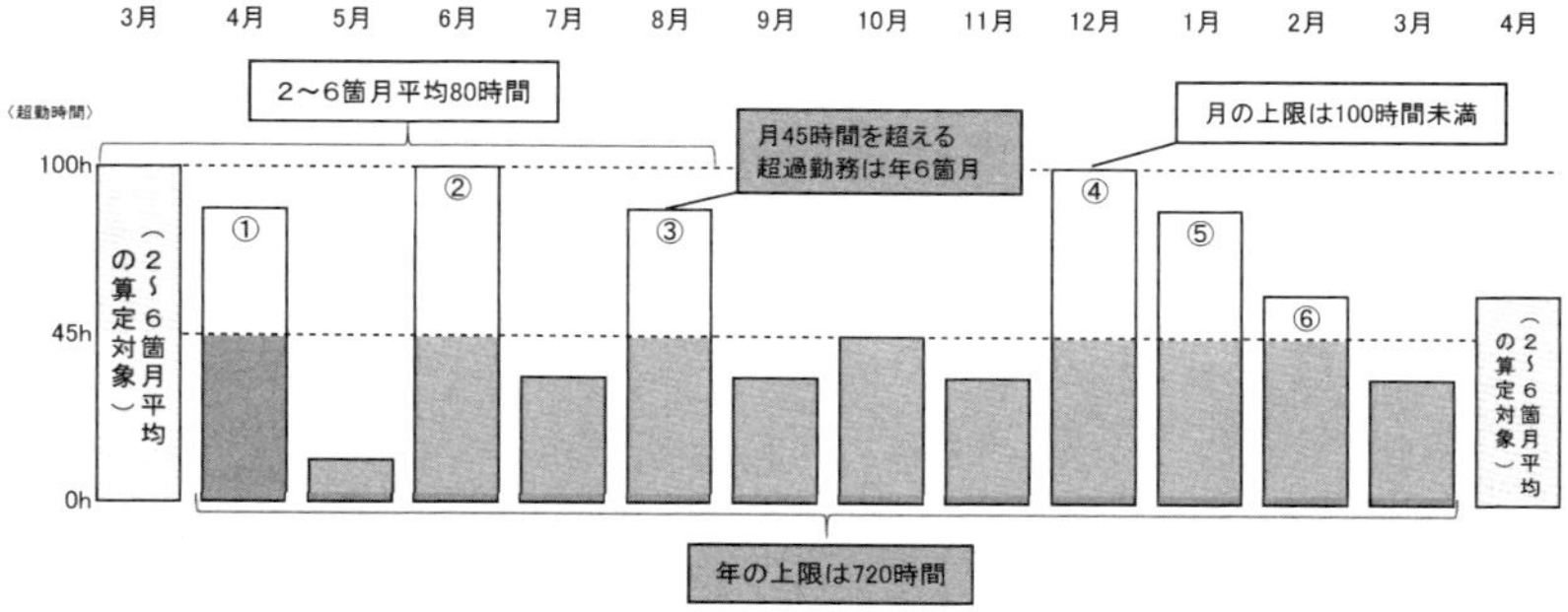

③他律的部署から他の部署に異動した職員

【上限】
〈異動日が属する月〉月100時間未満、2～6箇月平均80時間、年720時間、月45時間超は年6箇月
〈異動日が属する月の翌月以降〉月45時間、年720時間、30時間*残り月数（注）

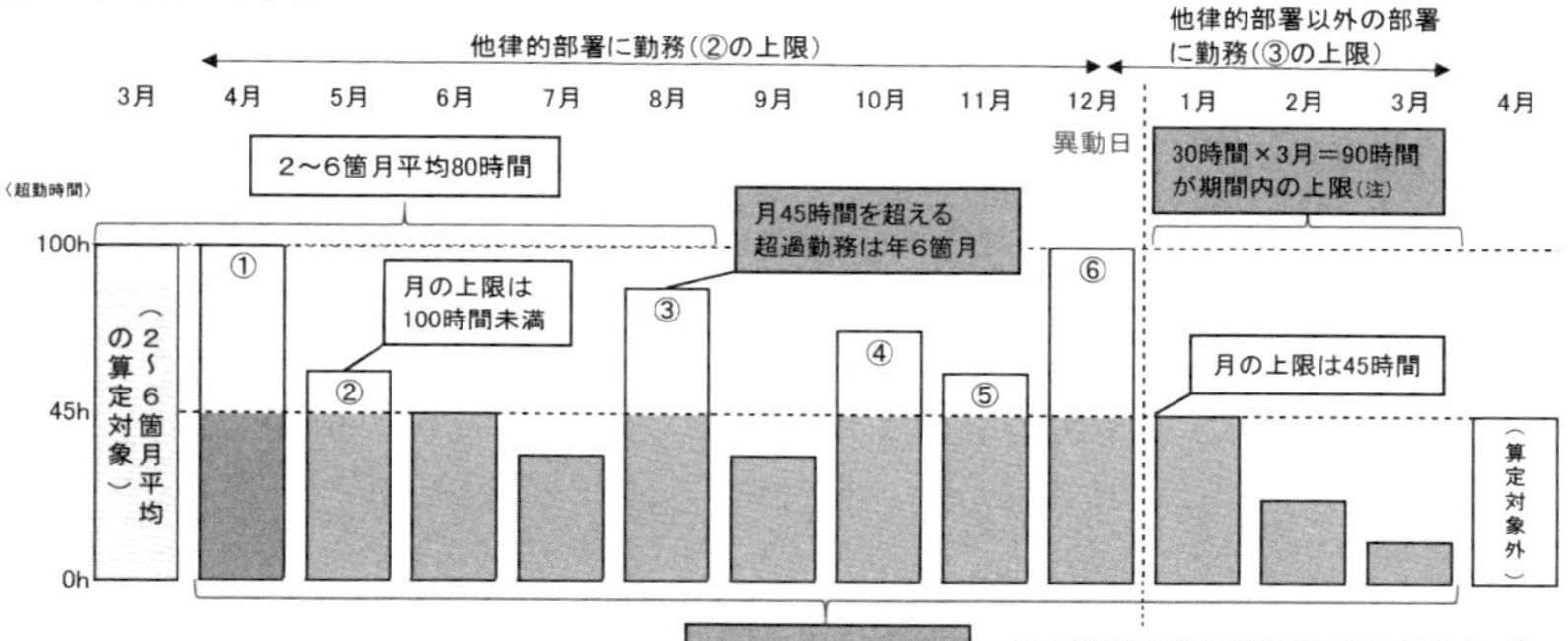

（注）府省等を異にする異動により③に該当した職員にあっては、
「360時間−異動日が属する月（12月）に異動先で命じた超勤時間」

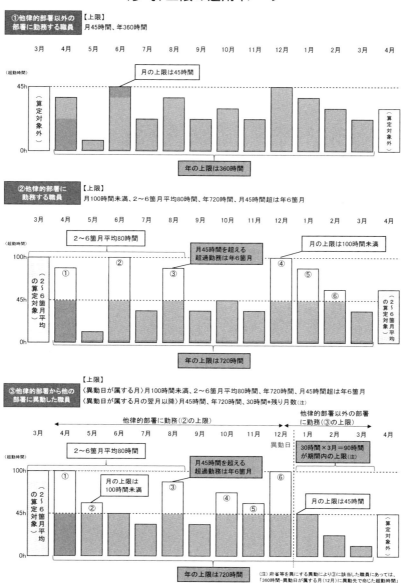

八　超過勤務時間の適切な管理

管理者は、超過勤務の運用の適正を図るため、職員の在庁状況の把握及び超過勤務時間の管理並びに健康状態の把握を行うこととされており、特に次に掲げる事項に留意するものとされている。超過勤務時間の管理は、客観的な記録を基礎として把握した在庁状況に基づいて行うことを原則としており、事後報告や課室長等による現認等は客観的な記録を基礎とした在庁状況の把握を開始するまでの間における方法と位置づけられている。

① 客観的な記録を基礎として在庁状況を把握している部局においては、これに基づいて適正に超過勤務時間を管理すること。

② ①の超過勤務時間の管理を適正に実施するとともに超過勤務を縮減する観点から、課室長等による超過勤務予定の事前確認や、所要見込み時間と異なる場合の課室長等への事後報告については、引き続き適切に行うこと。客観的な記録を基礎とした在庁状況の把握を開始するまでの間は、当該事後報告及び課室長等や周囲の職員による現認等を通じた超過勤務時間の管理を徹底すること。

なお、職員が併任されている場合においては、本務官職に係る各省各庁の長及び併任官職に係る各省各庁の長の両者において超過勤務時間の把握を適切に行い、把握した時間の情報を共有する必要がある。

また、超過勤務時間については、規則一〇―四第二十二条の二第一項の規定による面接指導を実施するため、同条第二項において職員の勤務時間の状況に関する人事院の定める事項を記録しなければならないとされており、具体的には超過勤務を命じられた職員の氏名並びに超過勤務を命じた年月日及び時間数を記録する必要がある。なお、職員の勤務時間の状況に関する事項を超過勤務命令簿（「人事院規則九―七（俸給等の支給）の運用について」（給実甲第六五号）第十三条関係第一号）に記録している場合においては、当該超過勤務命令簿によることができることとされている（規則一〇―四運用通知第二十二条の二関係第十項及び第十一項）。

○超過勤務を命ずるに当たっての留意点について（平三一・二・一　職職―二二）

3　職員の異動等関係

(4)　職員が併任されている場合、本務官職に係る各省各庁の長及び併任官職に係る各省各庁の長の両者において超過勤務時間の把握を適切に行い、把握した時間の情報を共有する必要があること。

5　超過勤務時間の適切な管理

管理者は、超過勤務の運用の適正を図るため、職員の在庁の状況の把握及び超過勤務時間の管理並びに健康状態の把握を行うこととし、特に次に掲げる事項に留意すること。

(1)　客観的な記録を基礎として在庁の状況を把握している部局においては、これに基づいて適正に超過勤務時間を管理すること。

(2)　(1)の超過勤務時間の管理を適正に実施するとともに超過勤務を縮減する観点から、課室長等による超過勤務予定の事前確認や、所要見込み時間と異なる場合の課室長等への事後報告については、引き続き適切に行うこと。客観的な記録を基礎とした在庁の状況の把握を開始するまでの間は、当該事後報告及び課室長等や周囲の職員による現認等を通じた超過勤務時間の管理を徹底すること。

○規則一〇―四

（勤務時間の状況等に応じて行う面接指導等）

第二十二条の二　各省各庁の長は、次に掲げる職員に対し、人事院の定めるところにより、面接指導を行わなければならない。

一　勤務時間の状況が職員の健康の保持を考慮して人事院の定める要件に該当する職員

二　勤務時間の状況その他の事項が職員の健康の保持を考慮して人事院の定める要件に該当し、かつ、面接指導を受けることを希望する旨の申出をした職員（前号に掲げる職員を除く。）

２　各省各庁の長は、前項の規定による面接指導を実施するため、職員の勤務時間の状況に関する人事院の定める事項を記録しなければならない。

〇規則一〇―四運用通知

第二十二条の二関係

10　この条の第二項の「人事院の定める事項」は、職員に超過勤務を命じた場合の当該職員の氏名並びに当該超過勤務を命じた年月日及び時間数とする。

11　この条の第二項の記録は、給実甲第六十五号（人事院規則九―七（俸給等の支給）の運用について）第十三条関係第一号に規定する超過勤務等命令簿によって前項に定める事項を記録している場合においては、当該超過勤務等命令簿によることができる。

九　長時間の超過勤務を命ぜざるを得ない場合の職員の健康への配慮

長時間の超過勤務が継続することは、職員の心身の健康及び福祉に害を及ぼすおそれがあることから、極力これを避けるよう努めることとされている。また、公務の運営の必要上、職員に長時間の超過勤務を一定期間命ぜざるを得ない場合については、人事担当部局等に事前又は直後に報告し超過勤務命令の状況のチェックを受ける方策などにより、必要最小限にとどめるよう努めることとされている。とりわけ週休日において勤務を命ずる場合には、職員の健康及び福祉に与える影響の大きさに鑑み、特に厳重に出勤の必要性のチェックを行うものとされている。

やむを得ず職員に継続して長時間の超過勤務をさせた場合には、管理者は、当該職員につき定期的な健康診断を受けさせることを徹底するとともに、必要に応じて健康管理医と相談の上臨時の健康診断を実施し、その健康状態の十分な把握に努め、健康診断等の結果、異常がみられる場合には、業務分担の見直しや応援体制の強化等を行うことにより、健康を回復させるよう努めることとされている。また、長時間の超過勤務を行った職員に対して医師による面接指導を実施する際には、脳・心臓疾患の発症の予防のほか、うつ病等のストレスが関係する精神疾患等の発症を予防するために心の健康面にも配慮し、さらに、面接指導の結果に基づき、当該職員の健康の保持のために必要な措置を講じることとされている。

○超過勤務を命ずるに当たっての留意点について（平三一・二・一　職職―二二）

6　長時間の超過勤務を命ぜざるを得ない場合の職員の健康への配慮

(1)　長時間の超過勤務が継続することは、職員の心身の健康及び福祉に害を及ぼすおそれがあることから、極力これを避けるよう努めること。また、公務の運営の必要上、職員に長時間の超過勤務を一定期間命ぜざるを得ない場合については、人事担当部局等に事前又は直後に報告し超過勤務命令の状況のチェックを受ける方策などにより、必要最小限にとどめるよう努めること。

とりわけ週休日において勤務を命ずる場合には、職員の健康及び福祉に与える影響の大きさに鑑み、特に厳重に出勤の必要性のチェックを行うこと。

(2)　やむを得ず職員に継続して長時間の超過勤務をさせた場合には、管理者は、当該職員につき定期的な健康診断を受けさせることを徹底するとともに、必要に応じて健康管理医と相談の上臨時の健康診断を実施し、その健康状態の十分な把握に努めること。健康診断等の結果、異常がみられる場合には、業務分担の見直しや応援体制の強化等を行うことにより、健康を回復させるよう努めること。

また、長時間の超過勤務を行った職員に対して医師による面接指導を実施する際には、脳・心臓疾患の発症の予防のほか、うつ病等のストレスが関係する精神疾患等の発症を予防するために心の健康面にも配慮するようにすること。さらに、面接指導の結果に基づき、当該職員の健康の保持のために必要な措置を講じること。

十　早出遅出勤務の活用

各省各庁の長は、超過勤務による職員の疲労の蓄積を防ぐため、公務の運営に支障を来さない範囲内で、業務の繁閑に応じて勤務時間の始業時刻を日ごとに弾力的に設定する早出・遅出（第二章第四節三2（三四頁）参照）など、弾力的な勤務時間の割振りを必要に応じて実施することとされている。

○超過勤務を命ずるに当たっての留意点について（平三一・二・一　職職―二二）

7　早出・遅出勤務の活用

各省各庁の長が勤務時間の割振りを行うに当たっては、超過勤務による職員の疲労の蓄積を防ぐため、公務の運営に支障を来さない範囲内で、業務の繁閑に応じて勤務時間の始業時刻を日ごとに弾力的に設定するいわゆる早出・遅出など、弾力的な勤務時間の割振りを必要に応じ実施すること。

十一　出張中の超過勤務の特例

出張中の超過勤務は通常の場合は存しないと考えられるが、仮に、正規の勤務時間を超えて勤務をすることが予め明らかになっているような場合には、命ずることも不可能ではない。このようなことから、給与法上における取扱いにおいても、一般職の職員の給与に関する法律の運用方針（昭二六・一・一一給実甲第二八号）に定める次の要件を満たした場合には、超過勤務として手当が支給されることとなっている。

○一般職の職員の給与に関する法律の運用方針（昭二六・一・一一　給実甲第二八号）

第十六条関係

3　公務により旅行（出張及び赴任を含む。以下同じ。）中の職員は、その旅行期間中正規の勤務時間を勤務したものとみなす。但し、旅行目的地において正規の勤務時間をこえて勤務すべきことを職員の所轄庁の長があらかじめ指示して命じた場合において現に勤務し、且つその勤務時間につき明確に証明できるものについては超過勤務手当を支給する。

なお、労基法においても次の解釈例がみられる。

【事例】

（質問）一般官公署以外において日曜日の出張は、休日労働に該当するか。

（回答）出張中の休日はその日に旅行する等の場合であっても、旅行中における物品の監視等別段の指示がある場合の外は休日労働として取り扱わなくても差し支えない。

（昭二三・三・一七　基発四六一　昭三三・二・一三　基発九〇）

十二　超過勤務縮減への取組み

超過勤務の縮減について、人事院は昭和六十二年以降人事院勧告の際の報告において、特に過重な長時間の超過勤務の縮減について言及するとともに、平成三年三月に「超過勤務の縮減に関する指針」を定め、長時間の超過勤務が職員の健康及び福祉に与える影響を考慮し、運用に当たって留意すべき事項等を示し、超過勤務の適正な運用及びその縮減を図り、併せて職員の心身の健康の維持を図るよう求めた。

政府においては、人事院の報告を受け、昭和六十二年十月に超過勤務の縮減について閣議決定を行い、また、各省庁の実務者レベルによる超過勤務適正化研究会（平成元年九月〜二年四月）を開催し、超過勤務の縮減に向けた検討が行われた。平成四年十二月には、各省庁の官房長等を構成員とする人事管理運営協議会において「国家公務員の労働時間短縮対策について」が決定され、各省庁において、事務の簡素化・効率化を推進するとともに、政府全体として、超過勤務の縮減及び年次休暇の計画的使用の促進のために、幹部職員を始めとする職員全体の労働時間短縮に対する意識の向上を図る等の職場環境を整備することとされ、特に本省庁等特定部局における超過勤務状況の改善のために法令等府省間協議業務、国会関係業務及び予算等関係業務の改善に取り組むこととされた。

その後、民間労働者について、いわゆる三六協定で時間外労働の限度を定めるに当たっての基準が設けられたことなどを受け、人事院では、平成十一年一月に、職員に対し、①一年につき三百六十時間を目安としてこれを超える超過勤務をさせないよう努めること（目安時間の設定）、②国会関係業務等他律的な業務の比重が高く、三百六十時間の目安時間によることが困難である特段の事情のある部署においては自助努力による超過勤務の縮減に最大限努め、超過勤務の原因となっている業務の合理化に向けて関係省庁との協力体制の推進等に努めること、③長時間の超過勤務を一定期間命ぜざるを得ない場合は、人事担当部局等に報告し、超過勤務命令の状況のチェックを受けるなどの方策により、必要最小限にとどめるよう努めるとともに、健康診断を徹底すること、④超過勤務による職員の疲労の蓄積を防ぐため、公務の運営に支障をきたさない範囲内で、早出・遅出などの活用に努めることなどを内容とする「超過勤務の縮減に関する指針」の改訂を行い、各省庁への一層の取組みを求めた。

しかし、その後も引き続き長時間の超過勤務が行われている実態があることから、平成二十一年二月に「超過勤務の縮減に関する指針」を再び改訂し、これまで目安時間を適用しなくてもよいこととされていた他律的な業務の比重の高い部署についても、新たに一年につき七百二十時間の目安時間を設定し、関係府省との調整についてのルールの徹底、部内での処理体制の整備の推進、業務の繁閑に応じた早出・遅出勤務等弾力的な勤務時間の割振りの一層の活用等を通じ、超過勤務の縮減に最大限努めることとされた。

政府においては、平成十一年の人事院の指針を踏まえ、平成十二年五月に「国家公務員の労働時間短縮対策について」の改正が行われ、超過勤務の縮減、年次休暇の計画的使用の促進及び超過勤務縮減のための業務改善の一層の強化が打ち出された。さらに、平成十三年十二月に閣議決定された公務員制度改革大綱の中では「恒常的な長時間に及ぶ超過勤務により、職員の活力が低下し、政策立案や業務執行などに支障を来すとともに、職員の心身の健康や生活にも深刻な影響を及ぼす状況があるとの認識に立ち、超過勤務の縮減を今回の改革における最重要課題の一つとして位置付け、政府を挙げてこの問題に積極的かつ継続的に取り組むこととする」ことが盛り込まれ、具体的な措置として「政府部内における恒常的な取組体制を整備する」として、平成十四年三月に各府省における超過勤務縮減対策の担当官（課長補佐級）による「超過勤務縮減対策連絡会議」が人事管理運営協議会幹事会の下に設置された。また、第八節で述べる超勤代休時間の新設の際に、「一般職給与法及び勤務時間法の一部改正に伴う超過勤務縮減対策の一層の推進について」（平二一・一二・二一　総人恩総一三三七）が発出された。平成二十八年九月には、男女ともに育児・介護等により時間制約のある職員の増加が見込まれる中、優秀な人材の確保、継続的勤務の促進、公務の能率的な運営の観点はもとより、公務の持続可能性の向上や女性の活躍促進という観点からも、男女全ての職員の「働き方改革」に政府一丸となって取り組むことで、労働時間の短縮を一層推進し、国家公務員の仕事と家庭の調和（ワークライフバランス）を実現する必要があるとして、「国家公務員の労働時間短縮対策について」の改正が行われている。

その後、民間労働法制において、法定労働時間（週四十時間）を超える時間外勤務についての上限が設けられたことなどを受け、人事院は、平成三十一年二月に、①超過勤務命令の上限を原則月四十五時間・年三百六十時間（他律的な業務の比重が高い部署においては月百時間未満かつ年七百二十時間等）と設定すること、②大規模災害への対処等特に緊急に処理することを要する業務に従事する場合には上限を超えることができることとし、事後の整理分析等を義務付けること、③月百時間以上の超過勤務を行った職員等に対する医師による面接指導の実施等職員の健康確保措置を強化することなどを内容とする規則一五―一四及び運用通知並びに規則一〇―四及び運用通知の改正（平三一・四・一施行）を行うとともに、改正内容を踏まえ超過勤務を命ずるに当たって留意すべき事項について定めた通知「超過勤務を命ずるに当たっての留意点について」（平三一・二・一　職職―二二）を新たに発出した。各省各庁の長は、業務量の削減又は業務の効率化に取り組むなど、超過勤務の縮減に向けた適切な対策を講ずるものとされており、同通知において、適切な対策の例が示されている。

○規則一五―一四運用通知

第十　宿日直勤務及び超過勤務並びに超勤代休時間の指定関係

18　各省各庁の長は、業務量の削減又は業務の効率化に取り組むなど、超過勤務の縮減に向けた適切な対策を講ずるものとする。

○超過勤務を命ずるに当たっての留意点について（平三一・二・一　職職―二二）

4　超過勤務縮減に向けた対策

運用通知第十の第十八項の「適切な対策」の例としては、業務の在り方や処理方法の見直し、計画的な業務遂行、管理者が超過勤務縮減に積極的に取り組み、率先して退庁するなどの職場環境の整備や、人員配置の見直し等が考えられること。

現在、各府省においては、これら法令や通知のほか、「国家公務員の労働時間短縮対策について」（平二八・九・一四　人事管理運営協議会改正）や人事管理運営方針（内閣総理大臣決定）等に従い、超過勤務時間の適切な管理や超過勤務の縮減等に取り組むとともに、各部局において真に必要な超過勤務手当の額及び人員を把握し、それに沿った府省等内における超過勤務手当予算の配分や柔軟な人員配置等を図った上でも、なお超過勤務手当予算や定員が不足する場合には、必要な予算・定員要求を行うこととされている。

また、人事院は、各府省に対する超過勤務の縮減に向けた指導を徹底するため、令和四年四月に勤務時間調査・指導室を新設し、勤務時間の管理等に関する調査を実施している。同調査においては、前述の通知「超過勤務を命ずるに当たっての留意点について」を受けて、対象となる職員ごとに客観的な記録（在庁時間）と超過勤務を突合し、大きなかい離があればその理由を確認するなどして、客観的な記録を基礎とした超過勤務時間の適正な管理について指導を行っている。

〇国家公務員の労働時間短縮対策について（平二八・九・一四　人事管理運営協議会改正）の概要

Ⅰ　基本的な考え方

男女全ての職員の「働き方改革」に政府一丸となって取り組み、国家公務員のワークライフバランスを実現。関係機関と協力しつつ、政府全体を通じて、本対策に沿った超過勤務縮減及び年次休暇の計画的使用を推進。

Ⅱ　超過勤務縮減、年次休暇の計画的使用の促進のための環境整備

(1)　超過勤務縮減のための環境整備

〇　大臣や事務次官、官房長等から超過勤務縮減等に向けたメッセージを発信。

〇　人事担当課は、定例の幹部会議において各部局、各課室ごとの超過勤務の状況、超過勤務縮減への取組状況についての定期的な報告を行うこと等により、幹部職員・管理職員（幹部職員等）の認識の徹底を図る。

〇　人事担当課等は、職員の勤務状況の的確な把握、実情に応じた縮減目標の設定など、勤務時間管理の徹底を図る。

〇　超過勤務手当については、各府省内での配分の在り方も含め、必要に応じて予算の検討。

〇　全府省一斉定時退庁日（毎週水曜日）及び各府省の定時退庁日には、次の措置等を講じる。

・　人事担当部局は、定時退庁日である旨を放送等により周知・徹底。

・　全府省一斉定時退庁日には、本府省等において遅くとも二十時までの庁舎の消灯を励行。

・　管理職員は、率先して定時退庁し、巡回指導等により積極的に定時退庁を指導。

・　管理職員は、超過勤務の必要性を十分に点検し、止むを得ない場合を除き命じない。

・　人事担当課は、巡回指導等により積極的に定時退庁の指導を行う。

(2)　年次休暇の計画的使用の促進のための環境整備

〇　夏季・年末年始の一週間以上の連続休暇等について、取得指導や応援体制整備等に努める。

〇　年次休暇等の使用計画表の作成、活用等を行う。

(3)　ワークライフバランス推進強化月間の実施

○　働き方改革を具体化し、超過勤務縮減や休暇の取得促進などを集中的に行う期間として、全府省を通じたワークライフバランス推進強化月間（七・八月）を実施する。

Ⅲ　超過勤務縮減のための業務改善

(1)　全般的な業務改善

○　職員のワークスタイルについて、情報のデジタル化の推進と生産性向上を図る。

○　日頃から事務の簡素化に向けた見直しを進め、新たな事務・事業を実施しようとするときは、過去から整理されずに引き続いて行われているような事務・事業等について徹底的に見直す。

○　幹部職員等の人事評価については、時代に即した合理的かつ効率的な行政の実現に留意した目標を設定し、それに向けられた行動等を評価する。

(2)　個別的業務改善

○　国会関係業務について、質問通告が出た後の政府内における作業（待機、問起こし、割振り、作成・提出）の一層の合理化を図るとともに、国会質問の事前通告の取扱い等について、国会の理解と協力が得られるよう引き続き努力する。

第八節　超勤代休時間

一　超勤代休時間の意義

平成二十二年四月、民間において、長時間労働を抑制し、労働者の健康を確保するとともに仕事と生活の調和が取れた社会を実現する観点から、労基法が改正され、月六十時間を超える時間外労働の割増賃金率が五割以上に引き上げられるとともに、労使協定により、この引上げ分の割増賃金の支払に代えて有給の休暇（代替休暇）を与えることができることとされた。これを踏まえ、公務において、特に長い超過勤務を強力に抑制し、また、こうした超過勤務を命ぜられた職員に休息の機会を与えるため、月六十時間を超える超過勤務に係る超過勤務手当の支給割合を百分の百五十に引き上げるとともに、当該支給割合の引上げ分の支給に代えて超勤代休時間を指定することができることとされた。

この超過勤務手当の支給割合の引上げにより、各府省が超過勤務手当予算を考慮し、コスト意識を持って超過勤務を命ずるよう努力することが期待されるとともに、当該支給割合の引上げ分の支給に代えて超勤代休時間を指定できることとすることにより、実勤務時間の縮減に資することが期待できるものである。

労基法における代替休暇制度は、労使協定を締結した場合に導入できることとされているが、①公務の場合、超過勤務は業務の必要に応じ不可避的に行わざるを得ない面があるものの、超過勤務手当の支給割合の引上げと超勤代休時間を一体として導入することで実勤務時間の縮減に資することとなり、実質的に職員の休める時間の確保が期待できると考えられること、②長時間の超過勤務は健康問題を生じさせるおそれが強いこと、また、長時間勤務の抑制は仕事と生活の調和を図るために必要とされているものであることから、長時間の超過勤務をした者が、超過勤務手当ではなく休みを選択できる仕組みを設けることは有意義であると考えられること、③予算編成業務等、業務に季節的繁閑がある職場においては、実効のある施策であると考えられることから、公務においても超勤代休時間制度を設けることとされたところである。

なお、民間法制において「代替休暇」とされているのに対して、公務において「超勤代休時間」という名称を用いているのは、この仕組みが、各省各庁の長が正規の勤務時間においても勤務することを要しない時間を指定することにより、職員が休むことができるとするものであって、職員の請求に基づき承認行為を要する年次休暇等とでは、その性質を異にするものであることから、休暇の一類型としてではなく、超過勤務手当の支給の代わりに休むことができる時間という内容を適切に表すものとして「超勤代休時間」という名称とされたものである。

二　超勤代休時間の指定

１　超勤代休時間を指定する際の要件

勤務時間法第十三条の二第一項及び規則一五―一四第十六条の三は、各省各庁の長が、超勤代休時間を指定する際の要件として、

① 超勤代休時間の対象となる職員
② 超勤代休時間の指定範囲
③ 超勤代休時間として指定する時間数の算定
④ 超勤代休時間の指定の単位
⑤ 超勤代休時間を指定する時間帯
⑥ 職員の意向の尊重
⑦ 各省各庁の長の努力義務

について定めている。以下、各要件の具体的内容について説明する。

(1) 超勤代休時間の対象となる職員

超勤代休時間の対象となる職員については、勤務時間法第十三条の二第一項において「一般職の職員の給与に関する法律（昭和二十五年法律第九十五号）第十六条第三項の規定により超過勤務手当を支給すべき職員」とされてお

り、具体的には給与法第十六条第三項における「正規の勤務時間を超えて勤務することを命ぜられ、正規の勤務時間を超えてした勤務（勤務時間法第六条第一項及び第四項、第七条並びに第八条の規定に基づく週休日における勤務のうち人事院規則で定めるものを除く。）の時間が一箇月について六十時間を超えた職員」である。労基法改正により時間外労働の割増賃金率が引き上げられたことを踏まえ、公務においても給与法が改正され、月六十時間を超える超過勤務に係る超過勤務手当の支給割合が引き上げられたところであるが、超勤代休時間は当該超過勤務手当の支給割合の引上げ分に代えて指定するものであることから、その対象となる職員として給与法が引用されている。

ここで、週休日における勤務のうち人事院規則で定めるものを除くこととされていることに留意する必要がある。労基法においては、従来「労働時間を延長し、又は休日に労働させた場合においては、その時間又はその日の労働については、通常の労働時間又は労働日の賃金の計算額の二割五分以上五割以下の範囲内でそれぞれ政令で定める率［編注：延長した労働時間の労働＝二割五分、休日の労働＝三割五分］以上の率で計算した割増賃金を支払わなければならない」（第三十七条第一項）とのみ規定されていたところ、これが改正され、「当該延長して労働させた時間が一箇月について六十時間を超えた場合においては、その超えた時間の労働については、通常の労働時間の賃金の計算額の五割以上の率で計算した割増賃金を支払わなければならない」（第三十七条第一項ただし書）とのただし書が追加され、「休日に労働させた場合」については割増賃金率の引上げの対象とはされなかったところである（ここで「休日」とは、労基法第三十五条に規定する休日をいい、「労働基準法の一部を改正する法律の施行について」（平二一・五・二九　基発第〇五二九〇〇一号）において、「週一回又は四週間四日の休日（以下「法定休日」という。）」とされている。）。このように、労基法は「労働時間を延長した時間外の労働」と「休日の労働」とを区別しているが、給与法においてはこのような区別はなく、労基法の休日に相当する日の勤務は勤務時間が割り振られていない「週休日」の勤務とされ、週休日以外の日の正規の勤務時間外における勤務と同様の超過勤務とされているところである。国家公務員の勤務条件については民間準拠を基本としており、この改正も民間企業における休日の労働の割増賃金率の取扱いを踏まえて決定すべきものであるが、制度導入時点では、民間企業における取扱いの動向が不明であったことから、労基法における取扱いを踏まえ、労基法における「休日」に相当する日における勤務として、週休日における勤務のうち人事院規則で定めるもの（日曜日又はこれに相当する日の勤務）を月六十時間を超える超過勤務に係る超過勤務手当の支給割合の引上げを行わない勤務とし、これらの勤務の取扱いについては、民間企業の実態を踏まえて必要な見直しを行うこととした。

これを受けて、平成二十二年四月に施行された人事院規則九―九七（超過勤務手当）では、「月六十時間の超過勤務の算定」及び「月六十時間を超える超過勤務手当の支給割合の引上げ」の対象としない勤務について、①官執勤務職員にあっては「日曜日における勤務」とすること、②交替制等勤務職員にあっては月の最初の週休日からその月における日曜日の日数分の週休日までの週休日における勤務とすること、③これらの週休日について週休日の振替を行った場合は、振り替えられた週休日の勤務を対象としない勤務とすること、④月の途中で勤務の形態に変更があった職員などにあっては①及び②の取扱いとの権衡を考慮して人事院が定めること等が規定された。なお、この週休日の取扱いの区別はあくまで給与制度上の問題であり、勤務時間法制における週休日の性質に影響を及ぼすものではない。

平成二十二年度民間企業給与実態調査によれば、法定休日の労働時間を月六十時間の積算の基礎に含めるとしている事業所の従業員の割合は、六十・一％となっていたため、このような民間の実態を踏まえ、公務においても、月六十時間の超過勤務時間の積算の基礎に日曜日又はこれに相当する日の勤務の時間を含めることとし、平成二十三年度から実施することとなった。

○勤務時間法

（超勤代休時間）

第十三条の二　各省各庁の長は、一般職の職員の給与に関する法律（昭和二十五年法律第九十五号）第十六条第三項の規定により超過勤務手当を支給すべき職員に対して、人事院規則の定めるところにより、当該超過勤務手当の一部の支給に代わる措置の対象となるべき時間（以下「超勤代休時間」という。）として、人事院規則で定める期間内にある勤務日等（第十五条第一項に規定する休日及び代休日を除く。）に割り振られた勤務時間の全部又は一部を指定することができる。

○給与法

（超過勤務手当）

第十六条

3　正規の勤務時間を超えて勤務することを命ぜられ、正規の勤務時間を超えてした勤務（勤務時間法第六条第一項及び第四項、第七条並びに第八条の規定に基づく週休日における勤務のうち人事院規則で定めるものを除く。）の時間が一箇月について六十時間を超えた職員には、その六十時間を超えて勤務した全時間に対して、第一項の規定にかかわらず、勤務一時間につき、第十九条に規定する勤務一時間当たりの給与額に百分の百五十（その勤務が午後十時から翌日の午前五時までの間である場合には、百分の百七十五）を乗じて得た額を超過勤務手当として支給する。

(2)　超勤代休時間の指定範囲

超勤代休時間を指定できる期間については、規則一五―一四第十六条の三第一項において「六十時間を超えて勤務した全時間に係る月〔中略〕の末日の翌日から同日を起算日とする二月後の日までの期間」と規定されている。超勤代休時間は職員に休息の機会を与えるために指定するものであるので、長時間の超過勤務をした月に近接した時期に指定することが適当であるが、他方で、翌月のみとした場合、業務が繁忙な状態が継続していて超勤代休時間を指定できないことも考えられることから、超勤代休時間を指定できる期間は翌月・翌々月とされたところである。なお、労基法施行規則においても、同様の理由から、代替休暇を与えることができる期間は「延長して労働させた時間が一箇月について六十時間を超えた当該一箇月の末日の翌日から二箇月以内」とされている。また、休日の代休日の指定については、勤務を命じた日から八週間以内とされているのに対して、超勤代休時間を指定できる期間が月単位となっているのは、超勤代休時間は、超過勤務手当の支給割合の引上げ分の支給に代えて指定し、職員が当該超勤代休時間に勤務しなかったことにより、給与法第三条に基づく各庁の長の給与の支給義務が免除されるものであることから、給与計算の期間との整合性を考慮したものである。

超勤代休時間を指定できる日について、正規の勤務時間が割り振られていない週休日が含まれないことは当然であるが、勤務時間法第十三条の二第一項においては「休日及び代休日を除く」こととされている。蓋し超勤代休時間が指定された時間については正規の勤務時間においても職務専念義務が免除されるところ、休日及び代休日に職員を休ませることができるということであれば、超勤代休時間制度によらず、当然、休日及び代休日として休ませるべきだからである。

○規則一五―一四

（超勤代休時間の指定）

第十六条の三　勤務時間法第十三条の二第一項の人事院規則で定める期間は、給与法第十六条第三項に規定する六十時間を超えて勤務した全時間に係る月（次項において「六十時間超過月」という。）の末日の翌日から同日を起算日とする二月後の日までの期間とする。

(3)　超勤代休時間として指定する時間数の算定

規則一五―一四第十六条の三第二項は、超勤代休時間を指定する場合、月六十時間を超える超過勤務時間を超過勤務手当引上げ前の支給割合ごとに区分し、その時間数にそれぞれ百分の二十五又は百分の十五を乗じて得た時間数を各省各庁の長が指定するものとすることを規定している。具体的には、①正規の勤務時間が割り振られた日（正規の勤務時間中に勤務した職員に休日給が支給されることとなる日を除く。）における超過勤務については、その超過勤務時間数に百分の二十五を乗じた時間数（規則一五―一四第十六条の三第二項第一号）、②①以外の日における超過勤務については、その超過勤務時間数に百分の十五を乗じた時間数（規則一五―一四第十六条の三第二項第二号）を、それぞれ指定することとなる。すなわち、一か月について六十時間を超えて超過勤務をさせた時間数に、引き上げられた超過勤務手当の支給割合（百分の百五十又は百分の百七十五）と支給割合が引き上げられる前の（超勤代休時間が指定された場合の）支給割合（百分の百二十五、百分の百三十五、百分の百五十又は百分の百六十）との差に相当する率を乗じて得た時間数を指定することとなる。例えば、超過勤務（超過勤務手当の支給割合が百分の百二十五から百分の百五十に引き上げられる勤務の場合）を一か月に七十六時間行った場合、六十時間を超える十六時間分の超過勤務手当の支給割合の引上げ分である百分の二十五（百分の百五十―百分の百二十五）の支給に代えて、超勤代休時間を指定することが可能であり、十六時間×百分の二十五＝四時間分の超勤代休時間を指定することが可能となる（二九六頁参照）。

なお、超勤代休時間として換算できない場合（超勤代休時間を指定しない場合）には、当然、超過勤務手当の支給割合の引上げ分を支給することとなる。

○規則一五―一四

（超勤代休時間の指定）

第十六条の三

２　各省各庁の長は、勤務時間法第十三条の二第一項の規定に基づき超勤代休時間（同項に規定する超勤代休時間をいう。以下同じ。）を指定する場合には、前項に規定する期間内にある勤務日等（休日及び代休日（勤務時間法第十五条第一項に規定する代休日をいう。以下同じ。）を除く。第四項において同じ。）に割り振られた勤務時間のうち、超勤代休時間の指定に代えようとする超過勤務手当の支給に係る六十時間超過月における給与法第十六条第三項の規定の適用を受ける時間（以下この項及び第六項において「六十時間超過時間」という。）の次の各号に掲げる区分に応じ、当該各号に定める時間数の時間を指定するものとする。

一　給与法第十六条第一項第一号に掲げる勤務に係る時間（次号に掲げる時間を除く。）　当該時間に該当する六十時間超過時間の時間数に百分の二十五を乗じて得た時間数

三　給与法第十六条第一項第二号に掲げる勤務に係る時間　当該時間に該当する六十時間超過時間の時間数に百分の十五を乗じて得た時間数

○給与法

（超過勤務手当）

第十六条　正規の勤務時間を超えて勤務することを命ぜられた職員には、正規の勤務時間を超えて勤務した全時間に対して、勤務一時間につき、第十九条に規定する勤務一時間当たりの給与額に正規の勤務時間を超えてした次に掲げる勤務の区分に応じてそれぞれ百分の百二十五から百分の百五十までの範囲内で人事院規則で定める割合（その勤務が午後十時から翌日の午前五時までの間である場合には、その割合に百分の二十五を加算した割合）を乗じて得た額を超過勤務手当として支給する。

一　正規の勤務時間が割り振られた日（次条の規定により正規の勤務時間中に勤務した職員に休日給が支給されることとなる日を除く。次項において同じ。）における勤務

二　前号に掲げる勤務以外の勤務

○規則九―九七（超過勤務手当）

（超過勤務手当の支給割合）

第二条　給与法第十六条第一項の人事院規則で定める割合は、次の各号に掲げる勤務の区分に応じ、当該各号に定める割合とする。

一　給与法第十六条第一項第一号に掲げる勤務　百分の百二十五

二　給与法第十六条第一項第二号に掲げる勤務　百分の百三十五

超過勤務手当の支給割合の引上げ及び超勤代休時間について

超過勤務手当の支給割合の引上げ

○ １か月60時間を超える超過勤務について、超過勤務手当の支給割合を125／100又は135／100から150／100に引き上げ。（深夜勤務の支給割合の加算（＋25%）は、変更なし。）

超過勤務手当の支給割合の引上げ分の支給に代えて超勤代休時間を指定する仕組みを導入

○ １か月に60時間を超える超過勤務を行った職員に対して、超過勤務手当の支給割合の引上げ分の支給に代えて、超勤代休時間を指定できることとする。

○ 超勤代休時間を指定した場合でも、現行の超過勤務手当の支給割合による支給は必要。

【図】超過勤務手当の支給割合の引上げ分の支給に代えて超勤代休時間を指定する仕組み

超過勤務手当の支給割合の引上げ分の支給に代えて、超勤代休時間の指定が可能

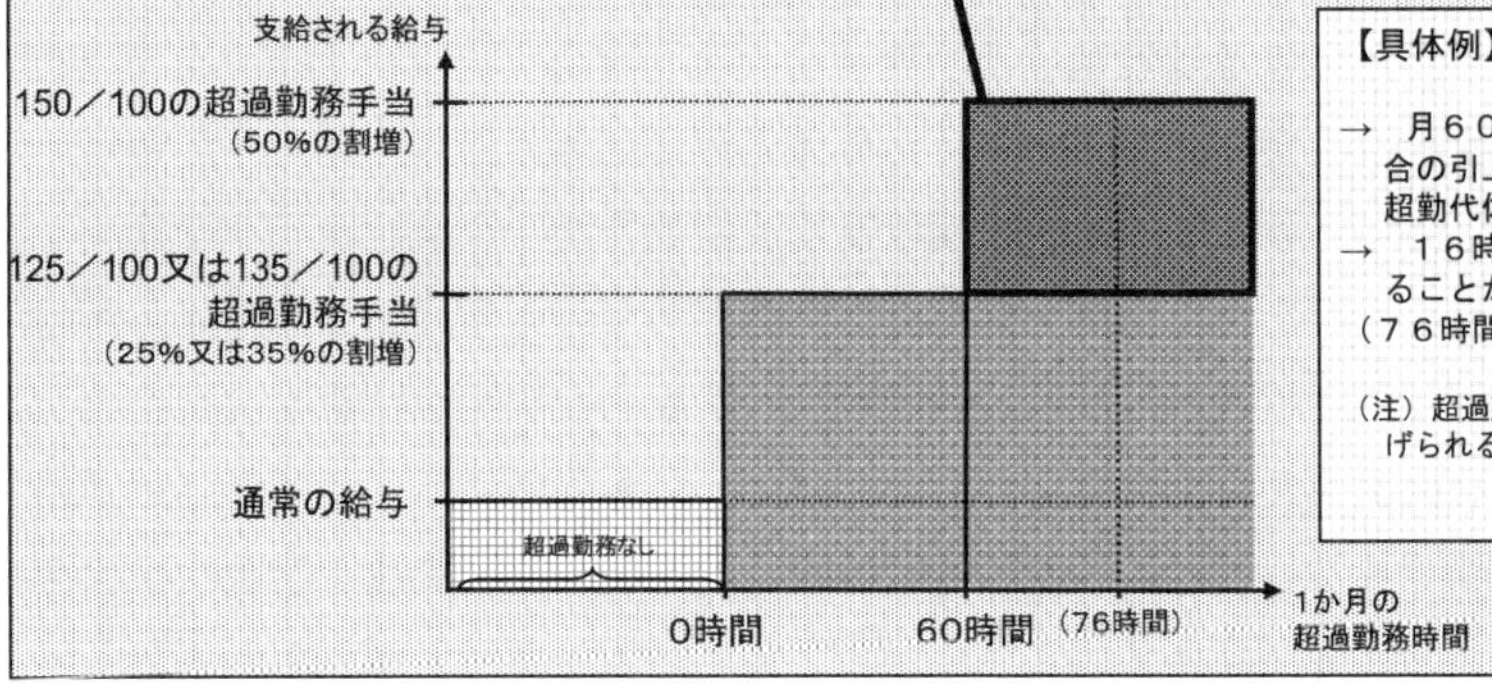

【具体例】超過勤務を月７６時間行った場合（注）

→ 月６０時間を超える１６時間分の超過勤務手当の支給割合の引上げ分２５％（５０％－２５％）の支給に代えて、超勤代休時間を指定することも可能

→ １６時間×０．２５＝４時間分の超勤代休時間を指定することが可能

（７６時間×１．２５の超過勤務手当の支給は必要）

（注）超過勤務手当の支給割合が125／100から150／100に引き上げられる勤務の場合の例。

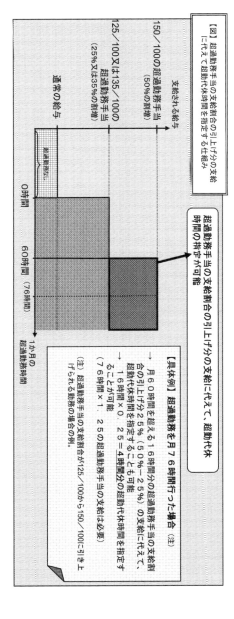

(4)　超勤代休時間の指定の単位

超勤代休時間の指定は、規則一五―一四第十六条の三第三項により「四時間又は七時間四十五分（年次休暇の時間に連続して超勤代休時間を指定する場合にあっては、当該年次休暇の時間の時間数と当該超勤代休時間の時間数を合計した時間数が四時間又は七時間四十五分となる時間）を単位として行うものとする」とされている。

労基法施行規則においては、代替休暇の単位は一日又は半日とされているが、公務においては、七時間四十五分又は四時間が単位とされた。七時間四十五分が単位とされたのは、公務においては交替制等勤務職員など、多種多様な勤務形態が存在しており、様々な勤務時間を一日単位として超勤代休時間を指定できることとした場合、超過勤務手当の支給割合の引上げ分を超勤代休時間に換算する事務等が複雑になり、実務上も困難であること、また、超勤代休時間は職員に休息の機会を与えるために指定するものであることから、官執勤務職員にとっての一日の勤務時間である七時間四十五分を単位とすることが基本であると考えられたためである。また、四時間を単位としたのは、単位を七時間四十五分に限定すると、かなり長時間の超過勤務を行った者でなければ超勤代休時間の指定の対象とならないこと、休息の効果を持たせるためにはある程度まとまった時間を単位とすることが適当であること等を考慮したものと考えられる。なお、国家公務員については平成二十一年四月から一日の勤務時間が七時間四十五分とされたため、形式的に半日とした場合は秒単位の端数が生じるところであり、秒単位の時間管理を行うことは現実的ではないこと、半日単位の年次休暇を廃止したこと、現行の週休日の振替等においても一日又は四時間の勤務時間を割振り変更できることとされていることとの整合性からも、労基法施行規則における半日ではなく四時間が最小単位とされたところである。

なお、超勤代休時間の指定の単位が四時間又は七時間四十五分とされていることから、例えば交替制等勤務職員について、日をまたいで勤務時間が割り振られている場合についても、暦日にまたがった勤務時間について超勤代休時間を指定することができる。また、一日に八時間以上の勤務時間が割り振られていれば、四時間単位の超勤代休時間を同一の勤務日等に二回以上指定することも可能である。

超勤代休時間の単位として、年次休暇と合わせた七時間四十五分又は四時間を含むこととした趣旨は、これによって職員の選択の幅が広がることにより、超勤代休時間の指定の促進が期待でき、ひいては、職員に休息の機会を与えるという目的に資するものと考えられるからである。この点、労基法施行規則においては代替休暇の単位として「代替休暇以外の通常の労働時間の賃金が支払われる休暇と合わせて与えることができる旨を定めた場合においては、当該休暇と合わせた一日又は半日を含む」とされており、代替休暇と合わせる休暇は年次有給休暇に限定されていないところであるが、公務における他の休暇、すなわち病気休暇、特別休暇、介護休暇及び介護時間については、それぞれの休暇の目的と一致しないこと、超勤代休時間と組み合わせられるほど事前に使用日時が確定するものではないと考えられることなどから、超勤代休時間と組み合わせることができる休暇は、年次休暇のみとされている。なお、超勤代休時間は有給の休みを指定するものであり、無給となる介護休暇及び介護時間と組み合わせることは、この点からも適当ではなかろう（民間労働法制においても、代替休暇と組み合わせることができるのは有給の休暇のみとされている。）。

超勤代休時間と年次休暇を合わせて四時間又は七時間四十五分を休む場合、年次休暇の最小単位は一時間であることから、超勤代休時間の単位として四十五分、一時間、一時間四十五分…六時間四十五分を指定することとなる。超勤代休時間と組み合わせる場合であっても、請求に基づく承認という年次休暇の枠組みを変更するものではないことから、職員による年次休暇の請求及び当局側の承認が必要である。したがって、年次休暇の請求・承認手続については、超勤代休時間指定簿の作成とは別に、休暇簿の記入・提出などの通常の手続が必要となる。なお、年次休暇について、超勤代休時間と組み合わせるからといって当局側が職員に年次休暇の請求を強制することは当然に認められない。

規則一五―一四第十六条の三第三項において、「年次休暇の時間に連続して超勤代休時間を指定する場合にあっては、当該年次休暇の時間の時間数と当該超勤代休時間の時間数を合計した時間数が四時間又は七時間四十五分となる時間」を単位として行うものとしており、仮に年次休暇の請求がなされない場合又は承認をしない場合は、超勤代休時間を年次休暇と組み合わせて指定できないこととなる。このため、超勤代休時間と組み合わせる場合の年次休暇の請求・承認は遅くとも超勤代休時間の指定行為と同時に行う必要があるものと考えられる。また、超勤代休時間を年次休暇と組み合わせて指定した後に、①年次休暇の請求が撤回される場合、②年次休暇の承認が取り消される場合及び③承認された年次休暇が特別休暇等に振り替えられる場合が想定される。これらの場合については、いずれも年次休暇の時間の時間数と超勤代休時間の時間数を合計した時間数が四時間又は七時間四十五分ではなくなることから、超勤代休時間の指定は無効となり、当該超勤代休時間に代えられた超過勤務手当の支給割合の引上げ分を支給することとなる。

○規則一五―一四

（超勤代休時間の指定）

第十六条の三

3　前項の場合において、その指定は、四時間又は七時間四十五分（年次休暇の時間に連続して超勤代休時間を指定する場合にあっては、当該年次休暇の時間の時間数と当該超勤代休時間の時間数を合計した時間数が四時間又は七時間四十五分となる時間）を単位として行うものとする。

(5)　超勤代休時間を指定する時間帯

超勤代休時間を指定する時間帯について、規則一五—一四第十六条の三第四項において、一回の勤務に割り振られた勤務時間の一部について超勤代休時間を指定する場合には、原則として始業の時刻から又は終業の時刻まで連続する勤務時間について行わなければならないこととされているが、同項ただし書において、各省各庁の長が、業務の運営並びに職員の健康及び福祉を考慮して必要があると認める場合は、この限りでないこととされている。このただし書の適用がある場合としては、例えば、職員が既に始業又は終業の時刻に連続して休暇を承認されている場合や交替制等勤務職員で仮眠時間に連続して休みたいなど特に勤務時間の途中に休むことを希望している場合等が考えられる。なお、当然ではあるが始業の時刻から又は終業の時刻まで「連続する勤務時間」については、休憩時間をはさんで引き続く場合が含まれ、この旨規則一五—一四運用通知第十の第十九項において確認的に規定されている（この取扱いは四時間の勤務時間の割振り変更の場合と同様である。）。

○規則一五—一四

（超勤代休時間の指定）

第十六条の三

４　各省各庁の長は、勤務時間法第十三条の二第一項の規定に基づき一回の勤務に割り振られた勤務時間の一部について超勤代休時間を指定する場合には、第一項に規定する期間内にある勤務日等の始業の時刻から連続し、又は終業の時刻まで連続する勤務時間について行わなければならない。ただし、各省各庁の長が、業務の運営並びに職員の健康及び福祉を考慮して必要があると認める場合は、この限りでない。

○規則一五—一四運用通知

第十　宿日直勤務及び超過勤務並びに超勤代休時間の指定関係

19　規則第十六条の三第四項の「連続する勤務時間」には、休憩時間をはさんで引き続く勤務時間が含まれる。

⑹　職員の意向の尊重

規則一五―一四第十六条の三第五項は、「職員があらかじめ超勤代休時間の指定を希望しない旨申し出た場合には、超勤代休時間を指定しないものとする。」と規定し、後に述べる休日の代休日の指定と同様に、超勤代休時間の指定に際しての職員の意向の尊重を明らかにしている。したがって、超勤代休時間を指定する際には、「職員が超勤代休時間の指定を希望しない旨の申出を行わなかったこと」を確認することが求められる。

職員が超勤代休時間の指定を希望せず、超勤代休時間が指定されなかった場合には、給与法第十六条第三項の規定に基づき、超過勤務手当の支給割合の引上げ分を支給することとなる。つまり、この規定は、職員に対して超勤代休時間の指定と超過勤務手当の支給割合の引上げ分の支給との実質的な選択制を認めたもの、ということができる。ただし、勤務時間法上は、超勤代休時間については、各省各庁の長が業務の事情その他諸般の事情を勘案して指定するものであり、この規定をもって、職員に超勤代休時間の請求権を付与したものではない。

職員の意向の尊重を認めた理由としては、そもそも労働の対価は賃金により支払うことが原則であり、使用者側が一方的に労働の対価を賃金で支払うことなく休みを与える制度とすることは適当ではないと考えられることによる（民間法制においても、同様の理由から、代替休暇を取得するかどうかは労働者の判断によることとされている。）。

なお、職員の意向の申出は、規則一五―一四運用通知第十「宿日直勤務及び超過勤務並びに超勤代休時間の指定関係」第二十項により、超勤代休時間の指定前に行うものとされている。法文上、各省各庁の長が職員の意向を尊重する義務を負うのは、超勤代休時間の指定の有無までであり、具体的な日時までではないが、後述する指定手続の過程において具体的な日時についての職員の意向も尊重されるよう工夫されており、実務においては指定とともに指定を受ける日時についての意向も確認することが適切であろう。

○規則一五―一四

（超勤代休時間の指定）

第十六条の三

5　各省各庁の長は、職員があらかじめ超勤代休時間の指定を希望しない旨申し出た場合には、超勤代休時間を指定しないものとする。

○規則一五―一四運用通知

第十　宿日直勤務及び超過勤務並びに超勤代休時間の指定関係

20　規則第十六条の三第五項に規定する超勤代休時間の指定を希望しない旨の申出は、超勤代休時間の指定前に行うものとする。

(7)　各省各庁の長の努力義務

前述のように、超勤代休時間の指定に当たっては職員の意向が尊重される必要があるが、他方で、職員の健康の確保の観点からは超勤代休時間の指定の促進も肝要であり、例えば、各省各庁の長が、やむを得ず月六十時間を超える超過勤務を行わせた職員には超勤代休時間の対象となる旨を伝えるなどその指定を促進することが考えられるところである。規則一五―一四第十六条の三第六項において、各省各庁の長は、超勤代休時間制度が長時間の超過勤務をした「職員の健康及び福祉の確保に特に配慮したものであることにかんがみ」、職員が超勤代休時間の指定を希望しない場合を除き、「当該職員に対して超勤代休時間を指定するよう努めるものとする」こととされている。

○規則一五―一四

（超勤代休時間の指定）

第十六条の三

６　各省各庁の長は、勤務時間法第十三条の二第一項に規定する措置が六十時間超過時間の勤務をした職員の健康及び福祉の確保に特に配慮したものであることにかんがみ、前項に規定する場合を除き、当該職員に対して超勤代休時間を指定するよう努めるものとする。

２　超勤代休時間の指定手続

以上述べてきた超勤代休時間の指定要件を満たす場合の、具体的な指定手続については、規則一五—一四第十六条の三第七項の委任に基づき、規則一五—一四運用通知第十「宿日直勤務及び超過勤務並びに超勤代休時間の指定関係」で次のように定められている。

①　職員は超勤代休時間の指定を希望しないときは、超勤代休時間の指定前に申し出ること（第二十項）

②　超勤代休時間の指定は、超勤代休時間指定簿により行うこと（第二十一項前段）

③　超勤代休時間の指定は、その指定に代えようとする超過勤務手当の支給に係る超過勤務が六十時間を超えた月の末日の直後の俸給の支給定日までに行うこと（第二十一項後段）

④　超勤代休時間指定簿の様式（第二十二項）

まず、①の職員の超勤代休時間の指定を希望しない旨の申出について、超勤代休時間指定前に行うことについては、規則一五—一四第十六条の三第五項に「職員があらかじめ超勤代休時間の指定を希望しない旨申し出た場合には」と規定していることの趣旨を確認的に定めたものである。

②の超勤代休時間指定簿の使用の義務付けは、超勤代休時間の指定についても、その他の勤務条件と同様に、職員に明確に通知されなければならないものであること、申出が口頭でも可能であることから一定の様式に基づいて確認する必要があること等を考慮してのものである。

③は超勤代休時間の指定期日の期限を示したものである。超勤代休時間は、給与法に基づく超過勤務手当の支給割合の引上げ分の支給に代えて指定し、職員が当該時間に勤務しなかったことにより、給与法第三条に基づく各庁の長の給与の支給義務が免除されるものであることから、具体的な給与支給額を早期に確定させるため、その指定に代えようとする超過勤務手当の支給に係る超過勤務が六十時間を超えた月の末日の直後の俸給の支給定日までに行うこととされている。また、これにより、二か月分の超過勤務手当の支給割合の引上げ分を合算して超勤代休時間を指定することは認められない。

④の超勤代休時間指定簿の様式の記載事項は、職員の所属・氏名の他、超勤代休時間を指定する日、当該超勤代休時間を指定する日の正規の勤務時間、当該超勤代休時間を指定する時間等、職員の意向の確認であるが、これらの事項を含んでいれば、各省各庁の長が任意に定められることとされており、超勤代休時間の指定についても、必要に応じて複数の超勤代休時間の指定を同一の超勤代休時間指定簿で行うことができるとされている。さらに、複数の職員について、まとめて様式を定めても差し支えない。

○規則一五―一四

（超勤代休時間の指定）

第十六条の三

７　超勤代休時間の指定の手続に関し必要な事項は、人事院が定める。

○規則一五―一四運用通知

第十　宿日直勤務及び超過勤務並びに超勤代休時間の指定関係

20　規則第十六条の三第五項に規定する超勤代休時間の指定を希望しない旨の申出は、超勤代休時間の指定前に行うものとする。

21　勤務時間法第十三条の二第一項の規定に基づく超勤代休時間の指定は、超勤代休時間指定簿により、その指定に代えようとする超過勤務手当の支給に係る六十時間超過月の末日の直後の俸給の支給定日までに行うものとする。

22　超勤代休時間指定簿の様式は別紙第一の三のとおりとする。ただし、別紙第一の三の様式に記載することとされている事項が全て含まれている場合には、各省各庁の長は、別に様式を定めることができる。

23　超勤代休時間指定簿は、一の超勤代休時間ごとに一部作成するものとする。ただし、必要に応じて、複数の超勤代休時間について同一の超勤代休時間指定簿によることができる。

別紙第１の３

超勤代休時間指定簿

所　　属

氏　　名

１．超勤代休時間を指定する日、当該超勤代休時間を指定する日の正規の勤務時間、当該超勤代休時間を指定する時間等

・　超勤代休時間を指定する日
　　　　年　　月　　日

・　当該超勤代休時間を指定する日の正規の勤務時間
　　：　～　：　　　　：　～　：

・　当該超勤代休時間を指定する時間
　　：　～　：　　　　：　～　：

□　４時間
□　７時間４５分
□　　時間　　分
（年次休暇※に連続して指定する場合）

（　　月分）

指定に代えようとする超過勤務の時間数	規則第16条の３第２項		
	第１号	第２号	第３号
	時間	時間	時間
換算率	×25/100	×50/100	×15/100

※　年次休暇の時間
　　：　～　：　（　　時間）

２．職員の意向「超勤代休時間の指定を希望しない旨を申し出ないこと」

本人の確認

三　超勤代休時間の効果

1　具体的職務専念義務免除の効果

勤務時間法第十三条の二第一項の規定は、超勤代休時間の指定の要件を定めたものであり、同条第二項の規定は超勤代休時間の職務専念義務の免除の効果等を定めている。具体的には、超勤代休時間に特に勤務を命ぜられていないことが条件として定められている。

○勤務時間法

（超勤代休時間）

第十三条の二

２　前項の規定により超勤代休時間を指定された職員は、当該超勤代休時間には、特に勤務することを命ぜられる場合を除き、正規の勤務時間においても勤務することを要しない。

超勤代休時間に特に勤務することを命ぜられていないことが条件とされているのは、超勤代休時間が指定された時間も本来は正規の勤務時間であり、業務の都合によっては、休日及び代休日と同様に特に勤務を命ずる必要が生じ得ることから規定されているものである。ただし、この条件は、超勤代休時間指定後の事情の変更を認めたものであり、超勤代休時間を指定する際に、超勤代休時間として指定された時間に勤務命令を発することを前提としてもよいという意味ではない。

なお、超勤代休時間の勤務命令については、超過勤務命令や休日の勤務命令と同様に最小限度にとどめるべきものであり、この場合、超勤代休時間の一部について勤務を命じ、残りを職務専念義務免除として取り扱うことも、休日及び代休日の勤務命令と同様、可能である。

2　超勤代休時間が指定された場合の給与の取扱い

超勤代休時間が指定された場合において、当該超勤代休時間に職員が勤務しなかったときは、一か月に六十時間を超えて勤務した全時間のうち当該超勤代休時間の指定に代えられた超過勤務手当の支給に係る時間に対しては、これに対応する超過勤務手当の支給割合の引上げ分の支給を要しないこととなる。

また、超勤代休時間を指定したにもかかわらず、当該超勤代休時間に勤務をさせた場合には、当該超勤代休時間に代えられた超過勤務手当の支給割合の引上げ分を当該超勤代休時間の勤務の翌月の俸給の支給定日に支給することとなる。

○給与法

（給与の減額）

第十五条　職員が勤務しないときは、勤務時間法第十三条の二第一項に規定する超勤代休時間、勤務時間法第十四条に規定する祝日法による休日（勤務時間法第十五条第一項の規定により代休日を指定されて、当該休日に割り振られた勤務時間の全部を勤務した職員にあつては、当該休日に代わる代休日。以下「祝日法による休日等」という。）又は勤務時間法第十四条に規定する年末年始の休日（勤務時間法第十五条第一項の規定により代休日を指定されて、当該休日に割り振られた勤務時間の全部を勤務した職員にあつては、当該休日に代わる代休日。以下「年末年始の休日等」という。）である場合、休暇による場合その他その勤務しないことにつき特に承認のあつた場合を除き、その勤務しない一時間につき、第十九条に規定する勤務一時間当たりの給与額を減額して給与を支給する。

（超過勤務手当）

第十六条

4　勤務時間法第十三条の二第一項に規定する超勤代休時間を指定された場合において、当該超勤代休時間に職員が勤務しなかったときは、前項に規定する六十時間を超えて勤務した全時間のうち当該超勤代休時間の指定に代えられた超過勤務手当の支給に係る時間に対しては、当該時間一時間につき、第十九条に規定する勤務一時間当たりの給与額に百分の百五十（その時間が午後十時から翌日の午前五時までの間である場合は、百分の百七十五）から第一項に規定する人事院規則で定める割合（その時間が午後十時から翌日の午前五時までの間である場合には、その割合に百分の二十五を加算した割合）を減じた割合を乗じて得た額の超過勤務手当を支給することを要しない。

3　超勤代休時間指定後の事情の変更

(1)　超勤代休時間指定後に当該超勤代休時間に勤務を命ずる必要が生じた場合

超勤代休時間を指定する際には当該超勤代休時間には休める予定であったが、その後の事情の変更により勤務を命ずる必要が生じた場合には、超勤代休時間の指定自体は有効であり、勤務時間法第十三条の二第二項の規定にもあるとおり、勤務を命ずることができる（この場合の勤務は、正規の勤務時間において超勤代休時間を指定していながら特に勤務することを命じたものであって、超過勤務ではない。）。

なお、超勤代休時間を指定した後に、当該超勤代休時間が指定された日又は時間を変更することができるかという点については、法制上超勤代休時間の変更の仕組みを設けていない以上、既に指定した超勤代休時間を取り消して異なる日又は時間に新たな超勤代休時間を再度指定することとなる。超勤代休時間の安易な再指定を認めることは職員にとって休める日又は時間が確定しないというデメリットはあるものの、特に長時間にわたる超過勤務を行った職員に休息の機会を与えるという超勤代休時間制度の趣旨にかんがみ、当初指定した超勤代休時間と同じ時間数の超勤代休時間を職員の意向を確認した上で新たに指定をし直すことは差し支えないものと考えられる（この場合、再度の超勤代休時間の指定であることから、新たに超勤代休時間指定簿を作成し、職員の意向を確認した上で指定を行うこととなる。仮に、職員が再度の超勤代休時間の指定に同意しない場合は、当初の超勤代休時間の指定は有効なままであり、特に勤務することを命ぜられた場合は、当然に超過勤務手当の支給割合の引上げ分が次の俸給の支給定日に支給されることとなる。）。ただし、既に指定した超勤代休時間と異なる時間数の超勤代休時間をさらに指定することは、既に俸給の支給定日において支給された超過勤務手当の額に変動を生ずることとなるため不可能である。再度の指定を行うに当たっては、実務上誤りを招きやすいと考えられることからも、職員の不利益とならないよう十分留意する必要があろう。

(2)　超勤代休時間の指定後に職員の異動が明らかとなった場合

超勤代休時間を指定された職員が当該超勤代休時間が指定された日の前に他の官職に異動した場合には、異動前の週休日とされた日に勤務する必要がある場合の異動日を挟んだ週休日の振替等の取扱い（第一節五４参照）の趣旨を踏まえて適切に対応することとされている。

○異動日を挟んだ週休日の振替等の取扱いについて（通知）（平二五・二・一　職職二五）

Ⅲ　代休日及び超勤代休時間の取扱い

２　超勤代休時間の取扱い

勤務時間法第十三条の二第一項に規定する超勤代休時間については、Ⅰの２の趣旨を踏まえ、適切に対応するものとする。

この場合、当初指定した超勤代休時間を改めて別の日に指定するときには、当該超勤代休時間と同じ時間数の超勤代休時間を職員の意向を確認した上で指定するなど職員にとって不利益な取扱いとならないように留意する必要がある。

第九節　女子職員及び年少職員の特例

女子については男子とは異なった肉体的諸条件を有しており、また、年少者についても成年男子に比較して精神的、肉体的に未成熟な状態にあること等から、成年男子とまったく同じ条件で勤務させることには問題がある。現在、ＩＬＯが採択している条約や勧告の種類をみると、女子・年少者の保護に関するものが相当多数にのぼっており、国内法である労基法、船員法においても、特に年少者・女子に関する章が設けられ、これらの者の特別措置が定められている。

国家公務員の場合も、このような観点から、国公法第七十一条に基づき規則一〇―七において制限を定めており、各省各庁の長に対する就業制限的措置として、妊産婦である女子職員（妊娠中の女子職員及び産後一年を経過しない女子職員をいう。）及び十八歳未満の年少職員について深夜勤務、時間外勤務を制限する特例、母子保健法に規定する保健指導又は健康診査を受けるための職務専念義務の免除の特例などが設けられている。

従来、いわゆる女子保護規定は、年少者と同様に「弱者」である女性を保護するとともに、女性がもつ「母性」を保護するというものであった。その後、社会経済の状況や社会意識の変化と相まって、女性の職場進出が進み、女性の職業能力や職業意識が向上してくると、これらの規定のもっていた意義も変化してきた。昭和五十年の国際婦人年を契機として、あらゆる分野において男女平等を推進する機運が内外において高まり、昭和六十年六月わが国においても女子差別撤廃条約（女子に対するあらゆる形態の差別の撤廃に関する条約）を批准した。この条約は、妊娠、出産、保育を除き、基本的には男女間に異なる取扱いをする程の差はないとの考えに立ち、母性保護以外の女子に対する保護措置は女子の権利を阻害する等の影響を与えるものとして、究極的には男女の異なる取扱いの撤廃を求めている。

このため、女子差別撤廃条約の批准に伴う国内法整備の一環として、規則一〇—七に規定する女子職員の特別措置を見直し、母性保護以外の措置については、究極的に男女同一の制度とする方針のもとに、昭和六十一年三月時点で可能な限りの改正を行い、基本的には、同条約の趣旨を踏まえ、女子職員に対する特別措置のうち妊娠又は産後一定期間にある女子について母体等を保護するための母性保護の措置についてはさらに充実し、それ以外のものについては撤廃を図った。

民間では、平成九年六月に「雇用の分野における男女の均等な機会及び待遇の確保等のための労働省関係法律の整備に関する法律」が制定され、男女雇用機会均等法が大幅に強化されるとともに、労基法の女性に対する時間外・休日労働、深夜業の規制は解消された。

このような情勢に鑑み、公務においても女子であることのみをもって一律に深夜勤務を禁止したり、男子より厳しい超過勤務の制限を課す女子保護規定については、雇用の分野における男女の機会均等を図るため撤廃すべきとの考え方に立ち勤務条件の官民均衡を図るため、一般職非現業国家公務員についても女子職員の深夜勤務の制限及び女子職員の時間外勤務の制限を平成十一年四月一日以降撤廃する規則改正を平成十年二月十三日に行った。

なお、これを受けて、従来女子職員が受けていた深夜勤務及び超過勤務の制限については、男女共同参画社会の実現に向けた措置として、男女を問わず育児又は介護を行う職員が請求した場合に認められるものとして切り口を変えて導入された（第三章第十節（三一八頁～）参照）。

○規則一〇―七（女子職員及び年少職員の健康、安全及び福祉）

（趣旨）

第一条　十八歳以上の女子職員及び十八歳未満の職員（以下「年少職員」という。）の健康、安全及び福祉については、別に定めるもののほか、この規則の定めるところによる。

（妊産婦である女子職員の深夜勤務及び時間外勤務の制限）

第四条　各省各庁の長は、妊産婦である女子職員が請求した場合には、午後十時から翌日の午前五時までの間における勤務（以下「深夜勤務」という。）又は勤務時間法第十三条第一項に規定する正規の勤務時間若しくは非常勤職員について定められた勤務時間（以下「正規の勤務時間等」という。）以外の時間における勤務をさせてはならない。

（年少職員の深夜勤務の制限）

第十二条　各省各庁の長は、年少職員（交替制により勤務する十六歳以上の男子職員を除く。）に深夜勤務をさせてはならない。ただし、次に掲げる勤務については、この限りでない。

一　正規の勤務時間等における次に掲げる業務に係る勤務

イ　動物の飼育、植物の栽培及び採取等の業務

ロ　治療、看護等の業務

ハ　電話交換の業務

二　災害その他避けることのできない事由に基づく臨時の勤務

（年少職員の時間外勤務の制限）

第十三条　各省各庁の長は、年少職員に正規の勤務時間等以外の時間における勤務（規則一五―一四（職員の勤務時間、休日及び休暇）第十三条第一項第一号又は第三号に掲げる勤務を除く。）をさせてはならない。ただし、前条第二号に掲げる勤務については、この限りでない。

（船員の特例）

第十四条

4　女子船員に関する第四条の規定の適用については、同条中「午後十時」とあるのは「午後八時」とする。

第十五条

2　船員である年少職員に関する第十二条の規定の適用については、同条中「年少職員（交替制により勤務する十六歳以上の男子職員を除く。）に深夜勤務」とあるのは、「年少職員に午後八時から翌日の午前五時までの間における勤務」とする。

3　第十一条及び第十三条の規定は、船員である年少職員には適用しない。

一　深夜勤務の制限

1　制限の内容

深夜勤務は、通常、人が睡眠をとる時間帯において勤務するものであり、精神的・肉体的に悪影響を与えるため、その勤務が正規の勤務時間として行われるものであるか、正規の勤務時間以外の時間に超過勤務として行われるものであるかを問わず、妊産婦である女子職員及び年少職員に対して制限をしている。このような制限は、妊産婦である女子職員に対しては母性保護の観点から、また、心身の成長期にある年少職員に対しては使用者側の配慮すべき点として重要である。そこで、妊産婦である女子職員が請求した場合には、深夜勤務をさせてはならないこととし（規則一〇―七第四条）、年少職員については、その勤務の性質上深夜にわたることが避けがたい業務に係る勤務として、正規の勤務時間における電話交換の業務など三種類の勤務と災害その他避けることのできない事由に基づく臨時の勤務を除き、深夜勤務をさせてはならないこととしている（規則一〇―七第十二条）。

2　制限される時間帯

制限される時間帯は、原則として午後十時から翌日の午前五時までの時間帯である（規則一〇―七第四条及び第十二条）。

この時間帯の例外として、船員である職員については、その始まりが午後八時までひろがることになる（規則一〇―七第十四条第四項、第十五条第二項）。

二　時間外勤務の制限

正規の勤務時間等（勤務時間法第十三条第一項に規定する正規の勤務時間若しくは非常勤職員について定められた勤務時間）以外の時間における勤務については、妊産婦である女子職員が請求した場合には、宿日直勤務、超過勤務を問わず勤務させてはならないこととされ（規則一〇―七第四条）、年少職員については、普通宿日直勤務及び特別宿日直勤務並びに災害その他避けることのできない事由に基づく臨時の勤務を除き、勤務させてはならないこととされている（規則一〇―七第十三条）。

三　その他の措置

規則一〇―七においては、女子職員及び十八歳未満の年少職員について勤務時間関係の措置以外の措置も規定されている。

1　生理日の就業が著しく困難な女子職員に対する措置

母性保護の観点から、女子に特有な生理時における身体的な苦痛により、就業することが著しく困難な女子職員について、その女子職員から請求があった場合には、その者を生理日に勤務させてはならないとしている（規則一〇―七第二条）。

その請求については、病気休暇として取扱うものとされているが、これは、生理日における下腹痛、腰痛、頭痛等の強度の苦痛により、就業が困難な場合は医学的にも月経困難症の範ちゅうに属し、疾患の一つと考えられるところから、病気休暇の要件に該当するものであるためである（五九五頁〜）。

2　危険有害業務の就業制限

妊娠又は出産に係る機能に害を及ぼすおそれがある危険有害業務に女子職員を従事させないことは使用者側の配慮すべき点として重要である。そのため、妊娠中の女子職員の場合にあっては、一定の重量以上のものや危険な機械を取り扱う業務、身体に悪影響を及ぼすおそれのある環境下での業務など規則一〇—七別表第一第一号に規定する危険有害業務に従事させることを禁じ、産後一年を経過しない女子職員の場合にあっては、同号の一部の危険有害業務に従事させることを禁じ、それ以外の危険有害業務の多くについても職員から申し出たときには従事させてはならないとしている（規則一〇—七第三条第一項）。妊産婦以外の女子職員の場合にあっては、同号に規定する危険有害業務のうち、一定の重量以上の重量のものを取り扱う業務、有害物のガス等を発散する場所における業務に従事させることを禁じている（規則一〇—七第三条第二項）。

また、成年男子に比較して精神的、肉体的に未成熟な状態にある年少職員についても危険有害業務に従事させないことは使用者側の配慮すべき点として重要であることから、一定の重量以上の重量のものや危険な機械を取り扱う業務、身体に悪影響を及ぼすおそれのある環境下での業務など規則一〇—七別表第二に規定する危険有害業務に従事させることを禁じている（規則一〇—七第十一条）。

3　妊産婦である女子職員の健康診査及び保健指導

職員の勤務時間は、病院等の診療時間と一致している場合が多いことから、女子職員の妊娠中や産後の定期受診が困難となり、疾病の早期発見、早期治療が阻害されるということがないよう、妊産婦の女子職員が、母子保健法（昭和四十年法律第百四十一号）第十条に規定する保健指導又は同法第十三条に規定する健康診査を受けるため勤務しないことを請求した場合には、承認しなければならないとしている（規則一〇—七第五条）。

健康診査及び保健指導のため勤務しないことを承認しなければならない時間は、妊娠の時期等に応じて定められた回数（妊娠満二十三週までは四週間に一回等）について、それぞれ一日の正規の勤務時間等の範囲内で必要と認められる時間とし、「一回」とは、健康診査とその結果に基づく保健指導をあわせたものをいい、健康診査に基づく保健指導が別の日に実施される場合にあっては、それぞれ必要な時間が認められる。また、母親学級について、母親となる女性を集めて、集団的に妊娠、出産等について一般的知識の普及を図る講習会である場合には、母子保健法第九条による知識の普及の仕方の一例であることから対象とはならない。

４　妊産婦である女子職員の業務軽減

妊産婦である女子職員が請求した場合には、その者の業務を軽減し、又は他の軽易な業務に就かせなければならないとされている（規則一〇—七第六条第一項）。

「業務を軽減」する措置には、勤務時間の割振り変更、出張制限等が該当し、勤務時間の短縮は含まれない。「軽易な業務」に就かせる措置とは、相当の筋肉労働、悪臭が著しい環境下の業務等に就いている者を他の業務に従事させることなどをいう。これらの措置は、母子保健法に規定する健康診査又は保健指導に基づく指導事項により判断するものとされている。

５　妊娠中の女子職員の休息又は補食

妊娠中は、一般的に、妊娠していない場合に比べ疲れやすいこと、また、つわり期における食事は食べたい時に食べることが健康保持上適当であること等が指摘されており、妊娠中の女子職員については、休憩時間のみではこれらの事情に対処できない場合があることから、妊娠中の女子職員が請求した場合には、その者の業務が母体又は胎児の健康保持に影響があると認めるときは、適宜休息し、又は補食するため必要な時間勤務しないことを承認することができるとされている（規則一〇—七第六条第二項）。

「必要な時間」は、継続勤務の疲れを癒す時間や簡単な食事をとる程度の時間を想定しており、当該時間の後に職務に復帰することが前提となるため、正規の勤務時間等の始め又は終わりの時間に連続する時間や、他の規定により勤務しないことを承認している時間に連続する時間には原則として認められない。措置の判断は、業務軽減の措置と同様に、母子保健法に規定する健康診査又は保健指導に基づく指導事項によるものとされている。

6　妊娠中の女子職員の通勤緩和

交通機関の混雑が母体や胎児へ悪影響を与えることを防止するため、妊娠中の女子職員が請求した場合には、その者が通勤に利用する交通機関の混雑の程度が母体又は胎児の健康保持に影響があると認められるときは、必要とされる時間勤務しないことを承認しなければならないとされている（規則一〇―七第七条）。

通勤緩和が認められる時間は、正規の勤務時間等の始め又は終わりにつき一日を通じて一時間を超えない範囲内で、それぞれ必要とされる時間とされている。あくまでも勤務のための登庁又は退庁を前提としていることから、例えば、登庁の場合、通勤緩和が認められた時間に連続して年次休暇を使用することなどは原則として認められない。

7　産前・産後の就業制限及び保育時間

母性保護の見地から、産前については六週間（多胎妊娠の場合十四週間）以内に出産予定であり、産後については八週間を経過しない女子職員を勤務させてはならないとしている（規則一〇―七第八条及び第九条）。ただし、産後六週間を経過した女子職員が請求した場合において、医師が支障がないと認めた業務に就かせることは差し支えない。また、生後一年に満たない子を育てる女子職員が請求した場合には、保育時間中は勤務させてはならないとしている（規則一〇―七第十条）。保育時間は、生後一年に達しない子を育てる女子職員が、正規の勤務時間等においてその子の保育のために必要な授乳等を行う時間をいい、その時間は一日二回それぞれ三十分以内である。

産前・産後の就業制限及び保育時間の措置は、母性保護の観点から使用者たる各省各庁の長に就業制限等を課し、その保護を図ると同時に、職員の権利としてもふさわしい性格のものとして認識することが適当であることから、職員の勤務条件の側面から、特別休暇としても措置されている。

第十節　育児又は介護を行う職員の早出遅出勤務並びに深夜勤務及び超過勤務の制限

職業生活と家庭生活を両立していく上で、長時間の勤務や深夜の時間帯における勤務は大きな負担であり、こうした勤務を命じるには慎重を期さなければならないが、とりわけ育児や介護を行う職員については特段の配慮が必要である。

このような認識の下、公務においても、労基法による女子保護規定の撤廃、「育児休業、介護休業等育児又は家族介護を行う労働者の福祉に関する法律」（平成三年法律第七十六号。以下「育児・介護休業法」という。）の改正といった民間の動向等を踏まえ、育児又は介護を行う職員の福祉のための施策を講じ、必要に応じてその見直しを行ってきたところである。現在では、育児休業、育児短時間勤務、育児時間、介護休暇、介護時間、保育時間、配偶者出産休暇、男性職員の育児参加休暇、子の看護休暇、短期介護休暇、育児又は介護を行う職員のフレックスタイム制、休憩時間の延長・短縮のほか、規則一〇―一一による育児又は介護を行う職員に対する早出遅出勤務並びに深夜勤務及び超過勤務についての制限がある。

一　早出遅出勤務

1　早出遅出勤務の内容

規則一〇—一一に規定する早出遅出勤務とは、始業及び終業の時刻を、職員が育児又は介護を行うためのものとしてあらかじめ定められた特定の時刻とする勤務時間の割振りによる勤務をいい、一日の勤務の長さを変えることなく、フルタイム勤務を継続しながら家庭責任を果たすことができるようにするものである。

各省各庁の長は、①小学校就学の始期に達するまでの子のある職員が当該子を養育するため、②小学校に就学している子のある職員がいわゆる放課後児童クラブ等に当該子の送迎に行くため、③要介護者のある職員が当該要介護者を介護するために請求した場合には、公務の運営に支障がある場合を除き、早出遅出勤務をさせるものとされている（規則一〇—一一第三条、第十三条）。この場合に、各省各庁の長は、あらかじめ早出遅出勤務のための始業及び終業の時刻、休憩時間等をあらかじめ定め、職員に周知しておかなくてはならず、始業の時刻は午前五時以降に、終業の時刻は午後十時以前に設定することとされている。

ここでいう「小学校就学の始期に達するまで」とは、満六歳に達する日以後の最初の三月三十一日までをいい、ここでいう「子」とは、勤務時間法第六条第四項第一号において子に含まれるものとされる者（以下「特別養子縁組の成立前の監護対象者等」という。）を含む。

また、介護の対象となる要介護者とは、勤務時間法第二十条第一項に規定する要介護者をいう。

なお、規則一〇—一一に定める早出遅出勤務はフレックスタイム制によっても実現できることから、フレックスタイム制（勤務時間法第六条第三項又は第四項の規定）により勤務時間を割り振られた職員は対象外とされている。

○規則一〇—一一

（定義）

第二条　この規則において、次の各号に掲げる用語の意義は、当該各号に定めるところによる。

一　早出遅出勤務　始業及び終業の時刻を、職員が育児又は介護を行うためのものとしてあらかじめ定められた特定の時刻とする勤務時間の割振りによる勤務をいう。

（育児を行う職員の早出遅出勤務）

第三条　各省各庁の長（勤務時間法第三条に規定する各省各庁の長をいう。以下同じ。）は、次に掲げる職員（勤務時間法第六条第三項又は第四項の規定により勤務時間を割り振られた職員を除く。）がその子（同項第一号において子に含まれるものとされる者（以下「特別養子縁組の成立前の監護対象者等」という。）を含む。以下同じ。）を養育するために請求した場合には、公務の運営に支障がある場合を除き、人事院の定めるところにより、当該職員に当該請求に係る早出遅出勤務をさせるものとする。

一　小学校就学の始期に達するまでの子のある職員

二　小学校、義務教育学校の前期課程又は特別支援学校の小学部に就学している子のある職員であって、人事院の定めるもの

（介護を行う職員の早出遅出勤務並びに深夜勤務及び超過勤務の制限）

第十三条　第三条から前条まで（第五条第一項第三号から第五号まで、第八条第一項第三号から第五号まで及び前条第一項第三号から第五号までを除く。）の規定は、勤務時間法第二十条第一項に規定する要介護者を介護する職員について準用する。〔後略〕

2　請求をすることができる職員の範囲

育児又は介護を行うための早出遅出勤務は、職員が、職業生活と家庭生活を両立させつつ働けるようにするためのものであり、管理職員、一般職員の区別や常勤職員、非常勤職員の区別にかかわらず、請求することが可能である。

従来、育児を行う場合については、職員の配偶者で当該子の親である者が次のいずれにも該当する場合には、当該配偶者が常態として子を養育することができることとして、職員は早出遅出勤務を請求することができないこととさ

れていた。

①　就業していない者（就業日数が一月について三日以下の者を含む。）であること。

②　負傷、疾病、身体上・精神上の障害により、子を養育することが困難な状態にある者でないこと。

③　六週間（多胎妊娠の場合十四週間）以内に出産する予定の者又は産後八週間を経過しない者でないこと。

しかしながら、育児・介護休業法が改正され、平成二十二年六月三十日以降は、いわゆる配偶者要件が廃止されたこととあわせて、配偶者の状況に関わりなく早出遅出勤務の請求をすることが可能となった。

なお、介護を行う職員については、育児の場合のような制限は従来からなく、他に要介護者を介護することができる者がいたとしても、早出遅出勤務の請求をすることができる。

3　請求手続

職員は、早出遅出勤務請求書により、早出遅出勤務期間について、その初日及び末日を明らかにして、あらかじめ請求を行うものとされている。

早出遅出勤務の請求があった場合、各省各庁の長は、公務の運営の支障の有無について、速やかに当該請求をした職員に対し通知しなければならない。ここでいう「公務の運営」の支障の有無の判断に当たっては、請求に係る時期における職員の業務の内容、業務量、代替者の配置の難易等を総合して行うものとされている。

請求の時期については、事前ということを除けば特に限定しておらず、各府省において対応できる範囲で、できるだけ柔軟に対応することが可能となるよう、画一的な請求期限は定められていない。もっとも、請求日と開始日とが接近している場合には、当該職員の業務を処理するための措置が間に合わず、公務の運営に支障があるとして、早出遅出勤務が認められないことも想定されることから、職員としても、できる限り早めに、かつ、必要な期間を一括して請求することが望ましく、子が生まれる前であっても請求できることとされている。

また、各省各庁の長は、文書により通知を行うこととされており、文書には、公務の運営に支障がない場合にはその旨を、公務の運営に支障がある場合には支障がある日及び時間帯を記載することとされている。また、文書による通知後、公務の運営に支障が生じる日があることが明らかとなった場合には、当該日の前日までに、各省各庁の長は、職員にその旨を通知しなければならないこととされている。これは、災害の発生等、当初は予測し得なかった事情の変化により公務の運営に支障が生じることとなった場合を想定したものであり、実際の運用に当たっては、いったん請求が認められたことに対する職員の期待を考慮して慎重な対応が求められる。

なお、各省各庁の長は、請求に係る事由について確認する必要があると認めるときは、職員に対して、証明書類の提出を求めることができることとされている。

○規則一〇―一一

（育児を行う職員の早出遅出勤務の請求手続等）

第四条　職員は、早出遅出勤務請求書により、早出遅出勤務を請求する一の期間（以下「早出遅出勤務期間」という。）について、その初日（以下「早出遅出勤務開始日」という。）及び末日（以下「早出遅出勤務終了日」という。）とする日を明らかにして、あらかじめ前条の規定による請求を行うものとする。

２　前条の規定による請求があった場合においては、各省各庁の長は、公務の運営の支障の有無について、速やかに当該請求をした職員に対し通知しなければならない。当該通知後において、公務の運営に支障が生じる日があることが明らかとなった場合にあっては、各省各庁の長は、当該日の前日までに、当該請求をした職員に対しその旨を通知しなければならない。

３　各省各庁の長は、前条の請求に係る事由について確認する必要があると認めるときは、当該請求をした職員に対して証明書類の提出を求めることができる。

○規則一〇―一一運用通知

第三条関係

1　各省各庁の長は、「公務の運営」の支障の有無の判断に当たっては、請求に係る時期における職員の業務の内容、業務量、代替者の配置の難易等を総合して行うものとする。

5　この条の規定による請求は、子が出生する前においてもすることができるものとする。

第四条関係

1　この条の第二項の通知は、文書により行うものとし、公務の運営に支障がある場合にあっては、当該支障のある日及び時間帯等を記載して通知するものとする。

2　子が出生する前に請求をした職員は、子が出生した後、速やかに、当該子の氏名及び生年月日を各省各庁の長に届け出なければならない。この場合において、人事院規則一五―一四（職員の勤務時間、休日及び休暇）第二十七条第三項の規定による届出又は人事院規則一五―一五（非常勤職員の勤務時間及び休暇）第四条第一項第十一号に掲げる場合に該当することとなった旨の届出を行った女子職員にあっては、これらの届出をもってこの届出に代えることができるものとする。

4　早出遅出勤務の終了等

職員が請求を行った後、早出遅出勤務開始日の前日までに次のいずれかの事由が生じた場合には、当該請求はされなかったものとみなされる（規則一〇―一一第五条第一項）。なお、④は、平成二十九年一月一日以降の子の範囲の特別養子縁組の成立前の監護対象者等への拡大に伴い、当該者ではなくなった場合を規定したものである。

①　当該請求に係る子が死亡した場合

②　当該請求に係る子が離縁又は養子縁組の取消しにより当該請求をした職員の子でなくなった場合

③　当該請求をした職員が当該請求に係る子と同居しないこととなった場合

④　当該請求に係る特別養子縁組の成立前の監護対象者等との特別養子縁組が成立しなかった場合

⑤　①、②又は④に掲げる場合のほか、当該請求をした職員が早出遅出勤務の対象となる職員でなくなった場合

また、介護を行う職員からの請求についても、早出遅出勤務開始日の前日までに次のいずれかの事由が生じた場合には同様に、当該請求はされなかったものとみなされる（規則一〇―一一第十三条）。

①　当該請求に係る要介護者が死亡した場合

②　当該請求に係る要介護者と当該請求をした職員との親族関係が消滅した場合

なお、早出遅出勤務が開始された後に、同様の事由が生じた場合には、早出遅出勤務は終了する。このような早出遅出勤務の終了事由が生じた場合には、職員はその旨を遅滞なく各省各庁の長に届け出なければならず、各省各庁の長は、当該事由に関する事項について確認する必要がある場合には、請求した職員に対して証明書類の提出を求めることができる（規則一〇―一一第五条第三項及び第四項）。

○規則一〇―一一

第五条　第三条の規定による請求がされた後早出遅出勤務開始日とされた日の前日までに、次の各号に掲げるいずれかの事由が生じた場合には、当該請求はされなかったものとみなす。

一　当該請求に係る子が死亡した場合

二　当該請求に係る子が離縁又は養子縁組の取消しにより当該請求をした職員の子でなくなった場合

三　当該請求をした職員が当該請求に係る子と同居しないこととなった場合

四　当該請求に係る特別養子縁組の成立前の監護対象者等が民法（明治二十九年法律第八十九号）第八百十七条の二第一項の規定による請求に係る家事審判事件が終了したこと（特別養子縁組の成立の審判が確定した場合を除く。）又は養子縁組が成立しないまま児童福祉法（昭和二十二年法律第百六十四号）第二十七条第一項第三号の規定による措置が解除されたことにより当該特別養子縁組の成立前の監護対象者等でなくなった場合

五　第一号、第二号又は前号に掲げる場合のほか、当該請求をした職員が第三条に規定する職員に該当しなくなった場

合

2　早出遅出勤務開始日以後早出遅出勤務終了日とされた日の前日までに、前項各号に掲げるいずれかの事由が生じた場合には、第三条の規定による請求は、当該事由が生じた日を早出遅出勤務期間の末日とする請求であったものとみなす。

3　前二項の場合において、職員は遅滞なく、第一項各号に掲げる事由が生じた旨を各省各庁の長に届け出なければならない。

4　前条第三項の規定は、前項の届出について準用する。

二　深夜勤務の制限

1　制限の内容

各省各庁の長は、小学校就学の始期に達するまでの子のある職員が当該子を養育するため、又は要介護者のある職員が当該要介護者を介護するために請求した場合には、公務の運営に支障がある場合を除き、深夜勤務（午後十時から翌日の午前五時までの間における勤務）をさせてはならない（規則一〇―一一第六条、第十三条）。

ここでいう「小学校就学の始期に達するまで」とは、満六歳に達する日以後の最初の三月三十一日までをいい、「深夜勤務」には、深夜に割り振られた正規の勤務時間に対する勤務のみならず、宿直勤務や超過勤務も含まれる。育児を行う場合の「子」とは、特別養子縁組の成立前の監護対象者等を含む。また、「要介護者」とは、勤務時間法第二十条第一項に規定する要介護者をいう。

なお、公務の運営に支障があるかどうかの判断は、請求に係る時期における請求をした職員の業務内容、業務量のほか、代替者の配置の難易等を総合して行うものとされている。

○規則一〇—一一

（定義）

第二条　この規則において、次の各号に掲げる用語の意義は、当該各号に定めるところによる。

二　深夜勤務　深夜（午後十時から翌日の午前五時までの間をいう。以下同じ。）における勤務をいう。

（育児を行う職員の深夜勤務の制限）

第六条　各省各庁の長は、小学校就学の始期に達するまでの子のある職員（職員の配偶者で当該子の親であるものが、深夜において常態として当該子を養育することができるものとして人事院の定める者に該当する場合における当該職員を除く。）が当該子を養育するために請求した場合には、公務の運営に支障がある場合を除き、深夜勤務をさせてはならない。

（介護を行う職員の早出遅出勤務並びに深夜勤務及び超過勤務の制限）

第十三条　第三条から前条まで（第五条第一項第三号から第五号まで、第八条第一項第三号から第五号まで及び前条第一項第三号から第五号までを除く。）の規定は、勤務時間法第二十条第一項に規定する要介護者を介護する職員について準用する。〔後略〕

2　請求をすることができる職員の範囲

深夜勤務の制限は、育児又は介護を行う職員の職業生活と家庭生活の二重の負担が特に大きいことに着目し、その負担を軽減するための措置である。この負担の軽減の必要性は、管理職員や非常勤職員についても同じである。このため、深夜勤務の制限は、管理職員、一般職員の区別や常勤職員、非常勤職員の区別なく請求をすることができる。ただし、育児を行う場合については、職員の配偶者が深夜において常態として子を養育することができる場合には深夜勤務の制限の請求をすることができないこととされている。具体的には、職員の配偶者で当該子の親であるものが、次のいずれにも該当する者は深夜勤務の制限の請求をすることができない。

① 深夜において就業していない者（深夜における就業日数が一月につき三日以下の場合を含む。）であること。
② 負傷、疾病又は身体上若しくは精神上の障害により請求に係る子を養育することが困難な状態にある者でないこと。
③ 六週間（多胎妊娠の場合にあっては十四週間）以内に出産する予定である者又は産後八週間を経過しない者でないこと。

深夜における就業には、公務における正規の勤務時間に相当する時間に勤務する場合だけでなく、宿直勤務や超過勤務に相当する勤務も含まれる。

従来は、配偶者だけでなく、十六歳以上の同居の親族が当該子を深夜において常態として養育することができるときは、深夜勤務の制限の請求をすることができないこととされていた。しかしながら、子を養育する義務は第一に両親にあること、本制度が職業生活と家庭生活の両立を図り得るような環境整備の一環として深夜に職員が親として子の世話を行うための時間を確保することを目的とするものであることから、平成十四年一月一日以降、深夜勤務の制限の請求をすることができないのは、職員の配偶者で当該子の親であるものが当該子を深夜において常態として養育できるときに限定された。なお、この規定における「親」の範囲については、子の範囲の特別養子縁組の成立前の監護対象者等への拡大に対応する拡大は行っていないが、これは民間法制における取扱いを踏まえたものである。

他方、介護を行う場合については、介護を行う義務を有する者を限定することが困難なことなどを考慮し、平成十四年一月一日以降、他に要介護者を介護することができる者がいたとしても深夜勤務の制限の請求をすることができるように措置された。

○規則一〇—一一運用通知

第六条関係

1　「人事院の定める者」は、次のいずれにも該当する者とする。

一　深夜において就業していない者（深夜における就業日数が一月について三日以下の者を含む。）であること。

二　負傷、疾病又は身体上若しくは精神上の障害により請求に係る子を養育することが困難な状態にある者でないこと。

三　六週間（多胎妊娠の場合にあっては、十四週間）以内に出産する予定である者又は産後八週間を経過しない者でないこと。

3　請求手続

職員は、深夜勤務制限請求書により、制限開始日の一月前までに、深夜勤務の制限を請求する期間（六月以内の期間に限る。）の初日及び末日を明らかにして請求を行うものとされている（規則一〇—一一第七条第一項）。また、請求に当たっては、できる限り長い期間について一括して行う必要がある。

深夜勤務制限開始日の一月前までに請求を行うものとする旨規定しているのは、深夜勤務には交替制勤務や宿日直勤務といった複数の職員による輪番制で行われているものがあり、このような勤務について請求した職員の深夜勤務を外す勤務時間の割振り等を行う必要があることから、最低一月前までには深夜勤務の制限の請求をしないとその月の勤務時間の割振り等に支障を来すおそれがあるためである。このような趣旨であるため、深夜勤務制限開始日までの期間が一月を切るような請求は一切認められないというものではなく、一月を切るような請求がなされた場合であっても、勤務時間の割振り等の変更が可能なような場合には、各省各庁の長が当該請求を認めることは可能である。

職員からの請求があった場合、各省各庁の長は、公務の運営に支障がない場合にはその旨を、公務の運営に支障がある場合には支障のある日及び時間帯等を文書により通知しなければならない。また、公務の運営の支障の有無の通知後、公務の運営に支障が生じる日があることが明らかとなった場合には、当該日の前日までにその旨を職員に通知することとされているのは早出遅出勤務と同じである。

なお、各省各庁の長は、請求に関する事項について確認する必要がある場合には、請求をした職員に対して証明書類の提出を求めることができる。

○規則一〇―一一

（育児を行う職員の深夜勤務の制限の請求手続等）

第七条　職員は、深夜勤務制限請求書により、深夜勤務の制限を請求する一の期間（六月以内の期間に限る。以下「深夜勤務制限期間」という。）について、その初日（以下「深夜勤務制限開始日」という。）及び末日（以下「深夜勤務制限終了日」という。）とする日を明らかにして、深夜勤務制限開始日の一月前までに前条の規定による請求を行うものとする。

2　前条の規定による請求があった場合においては、各省各庁の長は、公務の運営の支障の有無について、速やかに当該請求をした職員に対し通知しなければならない。当該通知後において、公務の運営に支障が生じる日があることが明らかとなった場合にあっては、各省各庁の長は、当該日の前日までに、当該請求をした職員に対しその旨を通知しなければならない。

3　第四条第三項の規定は、前条の規定による請求について準用する。

4　制限の終了

育児を行う職員から請求がされた後、深夜勤務制限開始日とされた日の前日までに、次のいずれかの事由が生じた場合には、当該請求はされなかったものとみなされる（規則一〇―一一第八条第一項）。

①　当該請求に係る子が死亡した場合

②　当該請求に係る子が離縁又は養子縁組の取消しにより当該請求をした職員の子でなくなった場合
③　当該請求をした職員が当該請求に係る子と同居しないこととなった場合
④　当該請求に係る特別養子縁組の成立前の監護対象者等との特別養子縁組が成立しなかった場合
⑤　①、②又は④に掲げる場合のほか、当該請求をした職員が深夜勤務制限の対象となる職員でなくなった場合

他方、介護を行う職員からの請求についても、深夜勤務制限開始日とされた日の前日までに次のいずれかの事由が生じた場合には同様に、当該請求はされなかったものとみなされる（規則一〇─一一第十三条）。

①　当該請求に係る要介護者が死亡した場合
②　当該請求に係る要介護者と当該請求をした職員との親族関係が消滅した場合

また、育児、介護のいずれの場合にも、制限開始日以後、深夜勤務制限終了日とされた日の前日までに、先に掲げる事由のいずれかの事由が生じた場合には、当該事由が生じた日までの期間についての請求であったものとみなされる（規則一〇─一一第八条第二項、第十三条）。

これらの制限の終了事由が発生した場合は、職員は遅滞なくその旨を各省各庁の長に届け出なければならず、各省各庁の長は、当該事由に関する事項について確認する必要がある場合には、請求した職員に対して証明書類の提出を求めることができる（規則一〇─一一第八条第三項及び第四項、第十三条）。

○規則一〇─一一

第八条　第六条の規定による請求がされた後深夜勤務制限開始日とされた日の前日までに、次の各号に掲げるいずれかの事由が生じた場合には、当該請求はされなかったものとみなす。
一　当該請求に係る子が死亡した場合

二　当該請求に係る子が離縁又は養子縁組の取消しにより当該請求をした職員の子でなくなった場合
三　当該請求をした職員が当該請求に係る子と同居しないこととなった場合
四　当該請求に係る特別養子縁組の成立前の監護対象者等が民法第八百十七条の二第一項の規定による請求に係る家事審判事件が終了したこと（特別養子縁組の成立の審判が確定した場合を除く。）又は養子縁組が成立しないまま児童福祉法第二十七条第一項第三号の規定による措置が解除されたことにより当該特別養子縁組の成立前の監護対象者等でなくなった場合
五　第一号、第二号又は前号に掲げる場合のほか、当該請求をした職員が第六条に規定する職員に該当しなくなった場合

2　深夜勤務制限開始日以後深夜勤務制限終了日とされた日の前日までに、前項各号に掲げるいずれかの事由が生じた場合には、第六条の規定による請求は、当該事由が生じた日を深夜勤務制限期間の末日とする請求であったものとみなす。
3　前二項の場合において、職員は遅滞なく、第一項各号に掲げる事由が生じた旨を各省各庁の長に届け出なければならない。
4　第四条第三項の規定は、前項の届出について準用する。

三　超過勤務の制限

1　制限の内容

育児又は介護を行う職員の超過勤務の制限については、超過勤務そのものを免除する枠組み（規則一〇―一一第九条、第十三条）と超過勤務の時間数に上限を設ける枠組み（規則一〇―一一第十条、第十三条）が設けられている。具体的には次のとおりとなっている。

各省各庁の長は、三歳未満の子を養育する職員がその子を養育するために請求した場合には、当該職員の業務を処

理するための措置を講ずることが著しく困難である場合を除き、超過勤務をさせてはならない（規則一〇―一一第九条）。これは、育児・介護休業法の改正において、三歳未満の子を養育する労働者について所定外労働の制限が新設されたことを踏まえ、公務においても同様の措置を講ずるため、平成二十二年六月三十日から新設されたものである。また、平成二十九年一月一日からは、要介護者を介護するために請求した場合についても、超過勤務をさせてはならないこととされた（規則一〇―一一第十三条）。これは、育児・介護休業法の改正において、要介護者を介護する労働者についても所定外労働の制限が措置されたことを踏まえ、公務においても同様の措置を講ずることとしたものである。なお、介護のための超過勤務の免除については、介護は相当期間長期にわたり得ること、介護者が相当数（要介護者の配偶者・兄弟姉妹等）存在し得ること等を考慮し、深夜勤務の制限と同様に公務の運営に支障がある場合を除き、超過勤務をさせてはならないとされている。

また、職員が小学校就学の始期に達するまでの子を養育するため、又は、要介護者を介護するために請求した場合には、当該職員の業務を処理するための措置を講ずることが著しく困難である場合を除き、一月について二十四時間、一年について百五十時間を超えて超過勤務をさせてはならない（規則一〇―一一第十条、第十三条）。請求期間が一年に満たない月単位の請求の場合には、月二十四時間、かつ、請求期間について百五十時間を超えて超過勤務をさせてはならない。例えば、八月間の請求をした場合には、月二十四時間、かつ、八月間で百五十時間を超えてはならないこととなる。

ここでいう超過勤務の制限からは、災害その他避けることのできない事由に基づく臨時の勤務は除かれ、これらに基づく超過勤務を行ったとしても、その時間は超過勤務の制限の対象となる時間数から除かれる。災害その他避けることのできない事由とは、地震等の天災地変その他これに準ずるもの等、通常予見し得ず、客観的に見て避けられないことが明らかなものをいい、通常それぞれの部署で予想され得るような業務繁忙等に対応するための超過勤務は含まれない。

「当該請求をした職員の業務を処理するための措置を講ずることが著しく困難である場合」とは、各省各庁の長が、業務の処理方法、業務分担又は人員配置の変更、応援態勢の整備等の代替措置を講ずる最大限の努力を行った上で、なお制限を認めることが著しく困難な場合を指し、例えば、重大な法案の責任者である管理職や特別の専門知識を有する職員など、他の職員で代替することが困難なことが明らかな場合などがこれに当たる。

なお、「子」や「要介護者」の要件は、深夜勤務制限の要件と同様である。

○規則一〇—一一

（育児を行う職員の超過勤務の制限）

第九条　各省各庁の長は、三歳に満たない子のある職員が当該子を養育するために請求した場合には、当該請求をした職員の業務を処理するための措置を講ずることが著しく困難である場合を除き、超過勤務（災害その他避けることのできない事由に基づく臨時の勤務を除く。以下同じ。）をさせてはならない。

第十条　各省各庁の長は、小学校就学の始期に達するまでの子のある職員が当該子を養育するために請求した場合には、当該請求をした職員の業務を処理するための措置を講ずることが著しく困難である場合を除き、一月について二十四時間、一年について百五十時間を超えて、超過勤務をさせてはならない。

（介護を行う職員の早出遅出勤務並びに深夜勤務及び超過勤務の制限）

第十三条　第三条から前条まで（第五条第一項第三号から第五号まで、第八条第一項第三号から第五号まで及び前条第一項第三号から第五号までを除く。）の規定は、勤務時間法第二十条第一項に規定する要介護者を介護する職員について準用する。〔後略〕

２　請求をすることができる職員の範囲

超過勤務の制限の趣旨は、育児又は介護を行う職員の職業生活と家庭生活の両立支援である。すなわち、育児又は介護を行う職員は、管理職員、一般職員の区別や常勤職員、非常勤職員の区別なく請求をすることができる。

規則一〇｜一一第九条の規定に基づく超過勤務の制限については、前述のとおり三歳未満の子を養育する職員が対象である。

規則一〇―一一第十条の超過勤務の制限については、前述のとおり小学校就学の始期に達するまでの子を養育する職員が対象であるが、従来、育児を行う職員のうち職員の配偶者で当該子の親であるものが常態として子を養育することができる場合、具体的には、当該配偶者が、次のいずれにも該当する場合には請求をすることができないこととされていた。

① 就業していない者（就業日数が一月につき三日以下の場合を含む。）であること。

② 負傷、疾病又は身体上若しくは精神上の障害により請求に係る子を養育することが困難な状態にある者でないこと。

③ 六週間（多胎妊娠の場合にあっては十四週間）以内に出産する予定である者又は産後八週間を経過しない者でないこと。

しかしながら、平成二十二年六月三十日以降は、育児・介護休業法の改正と合わせて、配偶者の状況と関わりなく超過勤務の制限を請求できることとされている。

規則一〇―一一第九条及び第十条は、規則一〇―一一第十三条で介護を行う職員に準用されている。

３　請求手続

職員は、超過勤務制限請求書により、制限開始日の前日までに、一年又は一年に満たない月を単位とし、初日及び

限が必要な期間について一括して行う必要がある。この場合において、規則一〇―一一第九条の規定による請求に係る期間と規則一〇―一一第十条の規定による請求に係る期間とが重複しないようにしなければならないこととされている。

職員からの請求があった場合、各省各庁の長は、請求をした職員の業務を処理するための措置を講ずることが著しく困難であるかどうか（要介護者を介護するために規則一〇―一一第九条の規定による請求をした場合にあっては、公務の運営に支障があるかどうか）について、速やかに当該職員に通知しなければならない（規則一〇―一一第十一条第二項）。

深夜勤務の制限と異なり、超過勤務の制限の場合には、制限開始日の前日までに請求することとしている。これは、正規の勤務時間を勤務させた上で超過勤務に対する制限を行うものであることから、前日までに請求すれば足りることとしている。ただし、請求を認めるか否かの検討をする時間が必要な場合も想定されることから、職員から請求があった日の翌日から起算して一週間を経過する日（一週間経過日）前の日を制限開始日として請求した場合において、規則一〇―一一第九条又は第十条に規定する「当該請求をした職員の業務を処理するための措置」を講ずるために必要があると認められるときは、制限開始日から一週間経過日までの間のいずれかの日に制限開始日を変更することができることとしている（規則一〇―一一第十一条第三項）。この場合、各省各庁の長は変更後の制限開始日を、変更前の制限開始日の前日までに文書で請求した職員に通知しなければならない（規則一〇―一一第十一条第四項）。

請求に当たっては、一年又は一年に満たない月を単位とした期間によることとしているのは、国家公務員の超過勤務手当を計算する場合の管理が月を単位として行われていることを考慮したものであるが、この場合、制限開始日を月の初日に合わせる必要はなく、請求した制限開始日からの一年又は月が単位期間となる。

○規則一〇―一一

（育児を行う職員の超過勤務の制限の請求手続等）

第十一条　職員は、超過勤務の制限を請求する一の期間について、その初日（以下「超過勤務制限開始日」という。）及び期間（一年又は一年に満たない月を単位とする期間に限る。）を明らかにして、超過勤務制限開始日の前日までに第九条又は前条の規定による請求を行わなければならない。この場合において、第九条の規定による請求に係る期間と前条の規定による請求に係る期間とが重複しないようにしなければならない。

2　第九条又は前条の規定による請求があった場合においては、各省各庁の長は、第九条又は前条に規定する措置を講ずることが著しく困難であるかどうかについて、速やかに当該請求をした職員に対し通知しなければならない。

3　各省各庁の長は、第九条又は前条の規定による請求が、当該請求があった日の翌日から起算して一週間を経過する日（以下「一週間経過日」という。）前の日を超過勤務制限開始日とする請求であった場合で、第九条又は前条に規定する措置を講ずるために必要があると認めるときは、当該超過勤務制限開始日から一週間経過日までの間のいずれかの日に超過勤務制限開始日を変更することができる。

4　各省各庁の長は、前項の規定により超過勤務制限開始日を変更した場合においては、当該超過勤務制限開始日を当該変更前の超過勤務制限開始日の前日までに当該請求をした職員に対し通知しなければならない。

5　第四条第三項の規定は、第九条又は前条の規定による請求について準用する。

4　制限の終了

育児を行う職員から請求がされた後、超過勤務制限開始日の前日までに、次のいずれかの事由が生じた場合には、当該請求はされなかったものとみなされる（規則一〇―一一第十二条第一項）。

①　当該請求に係る子が死亡した場合

② 当該請求に係る子が離縁又は養子縁組の取消しにより当該請求をした職員の子でなくなった場合
③ 当該請求をした職員が当該請求に係る子と同居しないこととなった場合
④ 当該請求に係る特別養子縁組の成立前の監護対象者等との特別養子縁組が成立しなかった場合
⑤ ①、②又は④に掲げる場合のほか、当該請求をした職員が超過勤務の制限の対象となる職員でなくなった場合

他方、介護を行う職員からの請求についても、次のいずれかの事由が生じた場合には同様に、当該請求はされなかったものとみなされる（規則一〇―一一第十三条）。

① 当該請求に係る要介護者が死亡した場合
② 当該請求に係る要介護者と当該請求をした職員との親族関係が消滅した場合

また、育児、介護のいずれの場合にも、制限開始日以後、超過勤務制限終了日とされた日の前日までに、先に掲げる事由のいずれかの事由が生じた場合には、当該事由が生じた日までの期間についての請求であったものとみなされる（規則一〇―一一第十二条第二項第一号、第十三条）。

その他、育児を行う職員からの請求のうち、規則一〇―一一第九条の規定に基づく超過勤務の制限については、当該請求に係る子が三歳に達した場合、また、規則一〇―一一第十条の規定に基づく超過勤務の制限については、当該請求に係る子が小学校就学の始期に達した場合にも、当該事由が生じた日までの請求であったものとみなされる（規則一〇―一一第十二条第二項第二号）。これは、超過勤務の制限が年又は月を単位としてなされるため、請求の仕方によっては三歳に達する日や小学校就学の始期に達する日を超えて超過勤務制限終了日が設定されている場合がある。そのため、三歳に達した場合や小学校就学の始期に達した場合にはその日までの請求であったものとみなし、制限を自動的に終了させることとしている。

これらの制限の終了事由が発生した場合（子が三歳に達した場合及び小学校就学の始期に達した場合を除く。）に

は、職員は遅滞なくその旨を各省各庁の長に届け出なければならず、各省各庁の長は、当該事由に関する事項について確認する必要がある場合には、請求した職員に対して証明書類の提出を求めることができる（規則一〇―一一第十二条第三項及び第四項、第十三条）。

○規則一〇―一一

第十二条　第九条又は第十条の規定による請求がされた後超過勤務制限開始日の前日までに、次の各号に掲げるいずれかの事由が生じた場合には、当該請求はされなかったものとみなす。

一　当該請求に係る子が死亡した場合

二　当該請求に係る子が離縁又は養子縁組の取消しにより当該請求をした職員の子でなくなった場合

三　当該請求をした職員が当該請求に係る子と同居しないこととなった場合

四　当該請求に係る特別養子縁組の成立前の監護対象者等が民法第八百十七条の二第一項の規定による請求に係る家事審判事件が終了したこと（特別養子縁組の成立の審判が確定した場合を除く。）又は養子縁組が成立しないまま児童福祉法第二十七条第一項第三号の規定による措置が解除されたことにより当該特別養子縁組の成立前の監護対象者等でなくなった場合

五　第一号、第二号又は前号に掲げる場合のほか、当該請求をした職員がそれぞれ第九条又は第十条に規定する職員に該当しなくなった場合

2　超過勤務制限開始日から起算して第九条又は第十条の規定による請求に係る期間を経過する日の前日までの間に、次の各号に掲げるいずれかの事由が生じた場合には、これらの規定による請求は、超過勤務制限開始日から当該事由が生じた日までの期間についての請求であったものとみなす。

一　前項各号に掲げるいずれかの事由が生じた場合

二　当該請求に係る子が、第九条の規定による請求にあっては三歳に、第十条の規定による請求にあっては小学校就学の始期に達した場合

3　前二項の場合において、職員は遅滞なく、第一項各号に掲げる事由が生じた旨を各省各庁の長に届け出なければならない。
4　第四条第三項の規定は、前項の届出について準用する。

四　夫婦ともに職員である場合の制限について

夫婦ともに職員である場合、平成十四年から深夜勤務及び超過勤務の制限の請求をすることができる職員の範囲が緩和されたため、介護を行う場合については、当該要介護者の介護を夫婦で行う場合には同時期に制限を受けることが可能となった。平成十七年から措置された早出遅出勤務についても、同様に、当該要介護者の介護を夫婦で行う場合には同時期にそれぞれ早出遅出勤務をすることができることとされた。

また、育児を行う場合については、平成十四年以降においても、職員の配偶者で当該子の親であるものが常態として当該子を養育することができる場合には請求することができないこととされていたが、平成二十二年六月三十日以降、早出遅出勤務及び超過勤務の制限について職員の配偶者に係る要件は廃止された。

ただし、深夜勤務の制限については職員の配偶者に係る要件が存置されており、配偶者のうち一方が請求し、その請求が認められた場合には、一方が深夜において就業しないことになり、その時点で他方については請求要件を満たさないこととなるため、双方同時期に制限を受けることはできない。

第四章　週休二日制及び一週間・一日当たりの勤務時間の短縮の経緯

第二章で述べたように、平成四年五月一日、完全週休二日制（週四十時間制）が実現されたことにより、長年にわたる所定内勤務時間の短縮に、一応の区切りがついたところである。さらに、その後の民間における所定労働時間短縮の状況を踏まえ、平成二十一年四月には、一週間・一日当たりの勤務時間の短縮が実施された。本章では、完全週休二日制実現に至るまでの公務における週休二日制の経緯及び一週間・一日当たりの勤務時間短縮の経緯について述べることとする。

第一節　週休二日制の意義

一　週休二日制の必要性

昭和四十年代以降、我が国の経済の発展に伴い、雇用機会が大幅に増加し、賃金水準も諸国間でみてもトップクラスになっていたが、労働時間については、なお欧米諸国との間に差がみられ、単に賃金の上昇のみならず労働時間の短縮の方にも目を向けることによって、労働者の福祉の向上を図らなければならなくなった。この欧米諸国との労働時間の差は、種々の貿易摩擦等を契機として、国際公正競争の見地からの諸外国の批判を惹起せしめることとなり、国際社会との調和の上からも、労働条件全般を国際レベルとすることが必要であるとされ、官民通じた政府全体の課題となっていた。

さらに、①技術革新の進展により、精神的疲労を増大させる労働が増えたこと、②都市では通勤事情が悪化し、疲労が蓄積すること、また一日の労働時間の減少では、実質的な自由時間の増加には必ずしも結びつかないこと、③雇用機会が増大し、所得水準が上昇したこととあいまって労働に対する価値観に変化がおこり、余暇や自由時間に対する欲求が増大してきたこと、④休日の増加がむしろ生産性の向上につながるなど好ましい効果をもつことがわかってきたこと等の労働の観点からの推進も加わり、昭和四十年代後半から民間において週休二日制は急速に普及し始めた。

二　民間における週休二日制の推移

人事院が、毎年、企業規模百人以上で、かつ、事業所規模五十人以上の全国の民間事業所を対象に行っていた実態調査による週休二日制の普及率の推移をみてみると、民間における週休二日制は、昭和四十七年以降、途中昭和四十八年秋のいわゆるオイルショックによる社会経済情勢の変化があったにもかかわらず急速に普及しており、昭和四十七年四月において一七・〇％であったその普及率は、二年後の四十九年四月には、五八・八％と過半数に達し、翌五十年四月には、六七・四％と七割に近づき、昭和五十五年四月においては、七〇・一％と七割を超え、昭和六十年四月には七五・五％、昭和六十三年四月には七九・九％に達した。

またこの間、その態様においても、月一回の週休二日制から隔週又は月二回へ、あるいは隔週又は月二回による週

【資料】　**週休２日制の態様別事業所の割合**

時期＼態様	計	月１回	隔週又は月２回	月３回	完　全	その他
昭47年４月	17.0％	7.2％	6.9％	0.3％	1.1％	1.5％
48年４月	37.6	16.4	15.1	1.0	1.9	3.2
49年４月	58.8	20.4	27.8	1.3	4.2	5.1
50年４月	67.4	15.4	33.9	3.4	8.9	5.8
55年４月	70.1	16.0	33.0	4.6	11.0	5.5
60年４月	75.5	16.1	33.4	5.6	13.5	6.9
63年４月	79.9	14.3	34.0	6.3	18.7	6.6
平３年４月	90.9	8.9	33.6	12.4	26.0	10.0

（人事院　職種別民間給与実態調査）

（注）　１．調査の対象は，企業規模100人以上で，かつ，事業所規模50人以上の事業所の管理部門である。

２．計及び態様別事業所の割合は，全事業所を100としたときのものである。

休二日制から月三回あるいは完全週休二日制へと順次内容の濃いものへと移行していることがうかがえた。

平成三年四月時点の民間における週休二日制の普及率は九〇・九％と九割を超え、その実施態様は、隔週又は月二回が三三・六％と最も多く、完全及びその他のうち年間休日数からみて完全に相当するものを含めれば、四〇・一％の事業所が完全週休二日制相当の週休制を実施していた（上記資料参照）。

第二節　四週五休制

一　四週五休制の試行

人事院が公務への週休二日制の導入問題を取り上げたのは、昭和四十八年八月の一般職の職員の給与に関する報告においてであり、その中で「職員の週休二日制についても採用を考えるべき段階に達したものと認められる。本院としては、行政サービスの維持その他諸般の事情に留意し、当面昭和五十年実施を目処としてその具体化についての検討を進めることとしたい」と述べ、公務の週休二日制実施の目途を昭和五十年に置くことを示唆したが、その背景となったのは、民間における週休二日制の普及が顕著であり、昭和五十年にはおおむね半数の事業所において週休二日制を採用することが調査の結果明らかとなったからである。加えて、当時の週休二日制をめぐる内外の諸情勢が、国内的には、昭和四十八年二月に閣議決定をみた経済社会基本計画において、「民間部門における週休二日制の普及状況を考慮しつつ、二、三年内には官公庁についても週休二日制の導入に努める」とされ、既に政府がその前年の九月に公務部門を含めた我が国の週休二日制推進のため、「週休二日制・定年制延長問題関係閣僚懇談会」を設置し、関係省庁の事務連絡会議を通じて具体的な検討に着手しているという官民一体となった週休二日制推進の動きがあり、国際的にも、主要諸外国の公務員のほとんどについて週休二日制が実施されており、週休二日制が世界の大勢となっていることが大きく影響していた。

翌四十九年七月の同報告においては、将来の週休二日制の態様を、当面時間短縮を伴う隔週又は月二回を基準とすることを示唆する一方、実施に先立っての試行の必要性を指摘し、更には、昭和五十年八月の同報告において、試行の実施時期を昭和五十一年初期とすることを表明した。

これは、将来週休二日制を実施した場合における問題点の把握及び必要な対策をあらかじめ十分検討しておき、全体として定員、予算の増加を招かず、かつ、行政サービスに支障を来すことのないよう周到な配慮をしておくため、試行を行うことの必要性を指摘したものであり、昭和五十一年一月、政府に対しいわゆる四週五休方式による試行の実施を要請し、同年十月から一年間にわたり、試行が実施されたものである。

そこで示された試行の基準は、現行の定員、予算の範囲内において、期間を一年とし、原則として行政サービスに関係の深い窓口部門及び交替制部門を中心に、いずれの時期においても職員数の十分の三以内の者が参加することとなるよう各省庁において、試行官署又は試行職種を選定し、土曜日ごとに選定された官署又は職種の職員の四分の一の者について、その勤務を免除（交替制部門に勤務する職員については、四週間につき四時間の勤務を免除）するというものである。

また、試行による職務専念義務の免除については、「人事院規則一四―一二（職員の職務に専念する義務の免除）」を根拠とし、「人事院規則一四―一二（職員の職務に専念する義務の免除）第二条の規定中人事院の定めるべき基準について」（人事院事務総長通知）において措置された。

二　四週五休制の再試行

１　再試行の理由

昭和五十一年十月から一年間にわたり行われた第一回目の試行は、実行率も九五・四％と高く、また、その内容においても、試行の実施のために各省庁において事務処理方法の改善、人員配置の変更、交替制勤務職員等の勤務時間の割振り変更等業務の合理化についての工夫、改善が行われるなどかなりの成果がみられた。しかしながら、この試行においては、①個々の官署等の試行期間が三か月程度と短く、長期間にわたる場合の問題点の把握が必ずしも十分なものとはいえないこと、②法務省、公安調査庁及び防衛施設庁（労務部）並びに海上保安庁の警備救難部門は実施を見送っており、厚生省の病院及び療養所、運輸省の航空管制部門等においては一部の官署のみが実施しているにとどまっていること、③業務処理上の対応策が、個々の官署の試行期間が短いこともあって最善のものであったかどうか十分に把握できなかったこと、④種々問題が発生し試行に支障があったとされた部門があり、その内容の精査と対応策の検討が必要であること、⑤問題が発生したため当初の計画どおり実施できなかった部門があること等なお究明すべき問題点のあることが認められた。

このため、人事院としては、各省庁において現行の予算・定員の範囲内で更に問題点を把握し、業務の合理化、事務の簡素化などの基本的対策のほか、特殊な部門にあっては、業務の実情に応じ試行の日を土曜日以外の日にする等の方法の検討を進めるため、再度の試行が必要であると判断し、昭和五十二年一月政府に対してその実施を要請した。これに基づき、同年四月から一年間にわたって再試行が実施されることとなったものである。

２　再試行基準等

人事院は、第一回の試行結果を踏まえ、なお究明すべき問題点があることから、再度の試行を実施することが必要であると判断し、昭和五十三年一月二十日内閣官房長官宛に人事院総裁書簡を発して、政府に対し、再試行の実施を要請した。

そこで示された再試行の基準は、一年の試行の期間を通じていずれの時期においても試行参加職員数が各省庁の職員数の十分の五の範囲内で少なくとも第一回の試行の実施規模を下回ることのないよう試行官署又は試行職種を選定し、土曜日ごとに、選定された官署又は職種の職員の四分の一の者についてその勤務（交替制勤務職員については、四週間につき四時間の勤務）を免除しようとするものであり、第一回の試行と同様、いわゆる四週五休方式で、試行参加職員数の上限を第一回の試行の基準の十分の三から、十分の五に引きあげたものであった。この基準により、全職員を対象とする方法で再試行を実施すれば、職員は一年を通じ六土曜日（交替制勤務職員は、二十四時間）の勤務を免除されることとなるものであった。

なお、再試行による職務専念義務の免除については、第一回の試行と同様、「人事院規則一四―一二（職員の職務に専念する義務の免除）」を根拠とし、「人事院規則一四―一二（職員の職務に専念する義務の免除）第二条の規定中人事院の定めるべき基準について」（人事院事務総長通知）により措置された。

３　再試行結果

人事院は、再試行結果について各省庁から報告を求め、これを取りまとめたうえ次のような人事院の所見を付して政府に送付した。

①　試行を実施するに際しては、多くの省庁が、第一回の試行結果を踏まえて、あらかじめ職員相互の協力体制及び応援体制の確立、業務の計画的処理、緊急事態に備えての連絡体制の整備等事務処理方法などについて工夫、改善を図っており、支障の回避に努めていることが認められる。

②　試行期間中に生じた問題点については、多くの省庁においては業務の合理化等の工夫、努力が払われているが、これらについては、少人数官署・職種の職員等のように代替に支障があるものであれば、今回法務局の小規模出張所等で採られた土曜日以外の日にまとめて実施するなどの方法、緊急業務発生時の場合や、国会又は予算関係業務のように年間を通してのものでなく時季的なものであれば、これを避けて実施する方法を採るなどすれば、問題点の解決に更に効果があるものと考えられる。

③　試行を実施しなかった部門又は特に実行率が低かった部門については、早急に事務処理体制全般についての検討が望まれるとともに、今後の方策においてもこれに応じた弾力的な取扱いを考慮する必要があるものと考えられる。

更に加えて週休二日制の再度の試行は、いわゆる四週五休方式で行われ各官署の試行期間は四か月程度であったが、第一回の試行に参加しなかった法務省、公安調査庁等も新たに参加し、試行も再度ということもあって、その内容においても種々工夫、努力が行われており、一部問題点は存するものの、全体としてはおおむね順調に終了したものと考えられると再試行結果を総合評価した。

三　四週五休制の本格実施

１　実施に至るまでの経緯

人事院は、昭和五十四年八月十日、公務への週休二日制の導入を勧告したのであるが、これは、民間企業における週休二日制の普及状況、過去二回にわたり行われた試行結果その他週休二日制をめぐる内外の諸情勢を考慮し、週休二日制は職員の勤務条件であるとの見地から、これを社会一般の情勢に適応させるべく行ったものであり、企業規模百人以上の民間事業所の普及率が七割に達し、民間における勤務条件として定着しつつある中、職員の勤務条件を民間より長く劣位に置くことは、公務への人材誘致、職員の志気の高揚からいっても好ましくないと判断してのことであった。

勧告においては、公務に導入する週休二日制の態様を、各省庁の試行の経緯に照らし、当分の間、職員ごとに四週間につき一の土曜日を日曜日に加えて休みとする職員の交替によるいわゆる四週五休方式を基本とし、更に円滑な実施を支えるため、必要に応じ、年間を通じて試行において一部の省庁で採られたような弾力的な運用ができるものとした。

また、このような弾力的な運用を取り入れる週休二日制は、暫定的なものというべきであって、当時の給与法第十四条に規定する勤務時間制度の基本に改変を加えるものではないので、勤務一時間当たりの給与額の算出には影響させないよう措置することとした。

なお、この勧告においては、実施時期については明言していないが、これは導入に当たり各省庁における事務処理体制の検討を含む諸般の準備を整える必要があると判断されたからであり、準備を整え速やかに実施されたいとするものであった。

また、人事院は、その報告において、「民間企業における週休二日制の動向は、漸次休日数の多い態様へ移行し、かつ、閉店方式の採用が増加するものと思料されるので、今後、公務においてもこれらの点について、諸般の情勢に留意しつつ検討する必要があるものと考える」と今後の取扱いについても触れ、閉庁方式の検討についても示唆していた。

この勧告の取扱いは、昭和五十五年三月二十六日の第四回週休二日制関係閣僚懇談会で、「公務の運営に当たっては、厳正な服務規律の確保及び公務能率の一層の向上に努める」、「行政サービスの急激な変化を来たさないよう、事務処理方法の改善、人員配置の見直し等事務処理体制の整備に努める」、「各省庁において実施のための定員・予算の増は行わない」ことを前提として、人事院勧告どおり、四週間につき、職員が交替で一回の土曜日（半日）を新たに休む「四週一回・交替半休制」として実施を図ることが決定された。その後、国会運営をめぐる種々の動きから、直ちには法案提出には至らなかったが、昭和五十五年十一月四日、週休二日制に関する措置を含む「一般職の職員の給与に関する法律の一部を改正する法律案」が国会に提出され、同月二十八日可決、成立した（昭和五十六年三月二十九日施行）。

公務員の週休二日制は、昭和五十四年八月に人事院勧告が行われてから実に六回目の第九十三臨時国会のしかも延長後の会期末直前に成立するという大難産であったが、ともかくここに明治九年太政官達により定められた「来ル四月ヨリ日曜日ヲ以テ休暇ト定ム」にはじまる週休一日制を大きく変える画期的な制度が誕生することとなった。

2　四週五休制の内容

（注）本項において引用する給与法の条項は昭和五十五年改正時のものである。

●給与法附則

12　当分の間、第十四条の規定により勤務時間が定められている職員で次の各号に掲げるものについては、当該各号に定める勤務時間は、勤務を要しない時間とする。

一　第十四条第一項の規定により一週間の勤務時間が定められ、かつ、いずれの土曜日においても四時間の勤務時間が割り振られている職員　毎四週間につき、各庁の長が職員ごとに指定する一の土曜日の勤務時間

二　前号に掲げる職員以外の職員　毎四週間につき、人事院規則の定めるところにより、各庁の長が職員ごとに指定する一の勤務日における当該各庁の長が指定する四時間（第十四条第二項又は第三項の規定により一週間の勤務時間が定められている職員にあつては、当該勤務時間に応じて人事院規則で定めるこれに相当する時間）の勤務時間

13　各庁の長は、職員の職務の特殊性又はその官庁の特殊の必要により、前項の規定により難いと認められる職員については、同項の規定にかかわらず、五十二週間を超えない範囲内で定める期間ごとに、勤務を要しない時間として、別に指定する一以上の勤務日における勤務時間を指定することができる。この場合における指定は、同項の規定による勤務を要しない時間との権衡を考慮して、人事院の承認を得て各庁の長が定めた基準に従つて行わなければならない。

14　各庁の長は、前二項の規定による指定を行つた場合において公務の運営上特に必要があると認めるときは、人事院の承認を得て、附則第十二項に規定する期間又は前項の規定により定めた期間を超えて当該指定を変更することができる。

15　前三項の規定による指定が行われる間、第五条第一項中「第十四条に規定する勤務時間」とあるのは「第十四条に規定する勤務時間のうち附則第十二項から第十四項までの規定による勤務を要しない時間を除いた時間」と、第十九条中「一週間の勤務時間」とあるのは「附則第十二項から第十四項までの規定の適用がないものとした場合における一週間の勤務時間」とする。

(1)　附則第十二項

本項は、公務に導入された週休二日制の基本を規定しており、「毎四週間につき、各庁の長が職員ごとに指定する

一の土曜日の勤務時間は、勤務を要しない時間とする」といういわゆる四週五休方式による週休二日制を定めたものであった。

これは、昭和五十四年八月の人事院の週休二日制に関する勧告の一で述べた「職員は、四週間につき各庁の長が職員ごとに指定する一の土曜日には勤務を要しないこととする」ことを具体化したもので、各省庁における試行の経緯に照らし、当分の間、職員ごとに四週間につき一の土曜日を日曜日に加えて休みとする四週五休方式を基本とすることを受けて措置されたものであった。

したがって、当時の給与法第十四条第四項の規定により勤務時間が割り振られない日すなわち勤務を要しない日とされている「日曜日」のほかに四週間に一回の土曜日が休みとなり、当該職員にとってその週は週休二日となる。このように、公務に導入された週休二日制は職員ごとに交替で行われるもので、その基本は四週に一回の土曜日を日曜日に加えて休みとする「四週五休制」であり極く初歩的な週休二日制であった。とはいえ、これは、日曜休み、土曜半どん制というこれまで定着してきた公務員の勤務時間制度の歴史に大きな変革をもたらすものであり、この第一歩は非常に重大な意義をもつものだったといえよう。

また、この制度が「当分の間」とされているのは、本制度がいわば暫定的なものとして、給与法第十四条に規定する勤務時間、週休制度の基本に改変を加えることなく、また、その態様も四週五休方式という極く薄い形であり、かつ、大幅な変形を取り得る制度となっているところから、附則において、取り敢えず措置するとする趣旨であり、この「当分の間」がいつまでの間となるかについては、この制度が公務に定着し、変形などその弾力的な運用が極めて制限された範囲に止まり、大方の職員が画一的に週休二日制による休みが与えられるような状態になるまでの間と考えられていた。

「勤務を要しない時間」とは、勤務時間が割り振られていない時間であり、当然に勤務する必要のない時間である。

ものである。

「勤務を要しない日」という形にはこだわらないで、新たに「勤務を要しない時間」という制度を設けることによって、週休二日制を日でとらえるよりも時間でとらえることにより、幅広く変形を取り入れることができるものとした

(2)　附則第十三項

人事院は、昭和五十四年七月に政府に送付した「週休二日制の再試行結果」において、各省庁における試行の経緯に照らし、週休二日制の制度化に当たっては、大幅に弾力的な運用を取り入れることが必要であることを示唆した。具体的には、当分の間、職員ごとに四週間につき一の土曜日を日曜日に加えて休みとする四週五休方式（交替制勤務等特別な勤務に従事する職員については、これに準じた取扱い）を基本とし、必要に応じ、年間を通じて弾力的な運用ができるものとされており、その方法として「職員の週休二日制に関する勧告の説明」において、

①　土曜日に替えて比較的休み易い日時に休む方法

②　業務繁忙を来す特定時期を避け、四週間のわくを超えて他の時期に休む方法

③　少人数官署においては、一定の時期にまとめて休む方法

④　長期航海を要する船舶においては、停泊中にまとめて休む方法

⑤　研修教育部門においては、夏冬等の時季又はその他の比較的休み易い日時に休む方法

を挙げ、この制度の円滑な実施を図るためには、各省庁において、業務の実情に応じこれらの諸方法等について考慮する必要があることを明らかにしている。

本項の規定は、このような職員の職務の特殊性又はその官庁の特殊の必要により、前項の規定により難いと認められる職員について適用される。

「職員の職務の特殊性」とは、船舶の運行との関係で航行中は勤務を要しない時間の指定を行うことが困難であり

（航行中は勤務を要しない日も置かないこととされている。）、これを停泊中にまとめざるを得ないような長期航海を要する船舶に乗り組む船員のように、職員の職務そのものの性質からして基本形による四週間に一回の指定が困難である職員等であり、船員のほか、交替制等により勤務する職員のうちでも職務の性質そのものが極めて特殊である職員とか、高度の専門的知識を必要とする業務に従事している職員がこれに該当する。

また、「その官庁の特殊の必要」とは、基本形による四週間に一回の指定は形式的にはできるが、土曜日に事務が幅輳する窓口業務を担当する職員、他官署からの代替者の派遣を必要とする少人数官署に勤務する職員等のように、その官庁のいわば業務の実情からして、基本形による指定を行うことに支障がある職員等であり、例えば、病院の外来診療関係業務を担当する職員、代理登記官の派遣を必要とする法務局の一人制の出張所の職員がこれに該当する。

⑶　附則第十四項

週休二日制とは、文字どおり週に二日の休日を置く制度であり、公務に導入された制度も、職員の交替による四週五休方式という薄い態様ではあるが、職員に新たに一定の休みを設けるためのものである。したがって、その休みを確保するためには、指定された時間に業務の都合から勤務させる必要が生じたときは、一旦行った指定を他の勤務日の勤務時間に変更することが必要となる。

この場合、給与法附則第十二項に規定する期間又は同附則第十三項の規定により定めた期間内における変更は、もともとこれらの期間内において誰をいつ指定するかは各庁の長の裁量に委ねられていることから、各庁の長がそれぞれの基準に従って新たに指定しなおせばそれで足りるわけであるが、指定の変更をそれぞれ当該期間内に限るとした場合においては、是が非でも休みを確保しようとして、業務の遂行に支障を生じさせるというおそれもある。このような事態を回避し、制度の安定した運用を図るためには、一旦行った指定をそれぞれ当該期間を超えて変更する途も開いておくことが必要であり、公務の運営上特に必要があると認めるときは、各庁の長は、人事院の承認を得て、それぞれ当該期間を超えて指定を変更することができることとされたものである。

(4)　附則第十五項

本項は、「勤務を要しない時間」という制度が設けられたことに伴う関連条文の規定の整理を行うとともに、本制度が勤務一時間当たりの給与額に影響を与えないよう措置するため、給与法第十九条の読替えを行ったものである。

週休二日制の実施態様は四週五休方式を基本としながらも、その円滑な実施を図るため大幅な変形を取り得ることとされており、一般に職員が日曜日と同様に画一的に土曜日も休むといった週休二日制の望ましい在り方からすれば、あくまでも暫定的な措置であって、その制度化も将来の望ましい制度への一過程として、給与法本則の勤務時間制度の基本に改変を加えることなく同法の附則において、特例として「当分の間」の形で措置されたところから、同法第十九条の「一週間の勤務時間」とあるのを「附則第十二項から第十四項までの規定の適用がないものとした場合における一週間の勤務時間」と読み替え、勤務一時間当たりの給与額は据え置くこととされたものである。

なお、給与法第五条第一項においては、「第十四条に規定する勤務時間」を「正規の勤務時間」と読み替え、これを超過勤務手当（同法第十六条）、休日給（同法第十七条）、夜勤手当（同法第十八条）の関連条文において引用しているが、「勤務を要しない時間」という制度が設けられたことに伴い、結果として同法第十四条に規定する勤務時間が、「勤務を要しない時間」とされた時間分短縮されることとなるところから、同法第五条第一項の「第十四条に規定する勤務時間」とあるのを「第十四条に規定する勤務時間のうち附則第十二項から第十四項までの規定による勤務を要しない時間を除いた時間」と読み替えて、「勤務を要しない時間」が「正規の勤務時間」ではなくなることを明らかにしたものであり、このことにより、本制度が勤務時間の短縮を伴うものであることがより鮮明とされている。

第三節　四週六休制

一　四週六休制導入の検討

１　四分の二指定方式の導入

昭和五十六年三月、公務に週休二日制が導入されて以来、銀行等金融機関については昭和五十八年八月から月の第二土曜日の閉店が開始され、また、民間における週休二日制の普及状況は、昭和六十年四月には七五・五％となり、隔週又は月二回以上の態様のものは実に五八・五％に達した。

労働省は、同年六月には我が国の労働時間の実態を先進国としてふさわしいものとするための対策等を示した「労働時間短縮の展望と指針」を策定し、週休二日制の普及等による休日の増加を基本として、年次有給休暇の消化促進、連続休暇の定着、所定外労働時間の短縮を図ることにより、昭和六十五年までに年間休日の十日程度の増加、年間労働時間二〇〇〇時間への短縮を目指した対策を推進することとした。

これらの情勢等を考慮し、人事院は、昭和六十年の給与勧告の際に、公務における週休二日制についても、近い将来において四週六休制に移行させる必要が生ずるものと認めるとの認識を示し、当面の措置として「四分の二指定方式」の実施の必要性について言及した。

この「四分の二指定方式」は、仮に四週六休制を開庁のままで実施するとすれば、原則として、毎土曜日は、平日の半分の職員で業務を執行することになること等を考慮して、四週六休制へ移行する場合の具体的問題点等を検証する趣旨で、四週五休制の枠内において、現行の四分の一ずつの職員が交替で休むこととしている運用を弾力化し、四週間の中の二回の土曜日について、四分の二ずつの職員が休むこととする方式である（従って、他の二回の土曜日は全員出勤日となる。）。

昭和六十年十月、人事院は、総務庁（総務事務次官）に対し、人事院事務総長書簡を発出して、国家公務員の週休二日制の指定方式の改定について政府としての対処方針の決定を依頼し、同年十一月、総務庁は、全省庁をメンバーとする週休二日制連絡会議を開催し、同会議において、四分の二指定方式を書簡どおり実施することが申し合わされた。

これをまって、人事院は、四分の二指定方式の実施に関する通達（職職―七八一）を発出し、この方式は昭和六十年十二月から各省庁において逐次実施に移され、昭和六十一年一月からは全省庁において実施された。

なお、土曜日が指定日とされる官執勤務職員以外の交替制勤務に従事する職員、窓口勤務職員等土曜日の指定が困難な職員等については、別途関係省庁による研究会を設けて検討することとされた。

また、地方公共団体に対しては、自治省から国家公務員の週休二日制の指定の新方式について通知された。

２　四週六休制の試行

昭和六十一年四月時点における民間における週休二日制の普及状況をみると、何らかの形で週休二日制を実施している事業所の割合は七六・〇％（前年七五・五％）、隔週又は月二回以上の態様で実施している事業所の割合は五九・一％（前年五八・五％）となっており、いずれも引き続き増加傾向を示すとともに、年間休日数の顕著な増加、週所定勤務時間の減少がみられた。

また、昭和六十一年八月からは銀行等金融機関が土曜休業日を月二回に拡大したことを考慮すると、この普及率は今後更に伸びることが予測され、更には、対外経済問題を背景に、経済審議会、国際協調のための経済構造調整研究会をはじめ各種の審議会等の報告において、労働時間短縮・週休二日制推進の必要性についての提言がなされており、政府においても、昭和六十年十月「内需拡大に関する対策」、昭和六十一年五月「経済構造調整推進要綱」の中で労働時間短縮、週休二日制推進を決定していることから、これらの動向もまた民間の週休二日制の普及・拡大に少なからず影響を及ぼすと考えられた。このような諸般の状況をみると、早晩、公務においても四週六休制へ移行してもよい時期に至るものと認められた。

一方、公務の週休二日制の実施状況をみると、四分の二指定方式が実施に移されて約六月を経過した昭和六十一年五月現在、全職員の約七六％に当たる約三十八万六千人が四分の二指定方式により実施されており、公務運営、国民生活への影響等の面からみても特段の問題もなくおおむね順調に実施されていると認められ、これらの職員については、四週六休制へ移行できる基盤が整いつつあると評価できる状況にあると認められた。しかしながら、勤務の特殊性等から四分の二指定方式の実施がなじまない交替制勤務職員をはじめ全職員の約二四％に当たる約十二万一千人の職員については四分の二指定方式が実施されておらず、これらの職員について四週六休制を実現するためには、各省庁の各機関ごとに、勤務体制、勤務時間の割振りを見直し、他の部門から応援体制を組む等の措置を検討する必要があると認められた。

人事院は、このような状況を総合的に判断すると、公務全体としては、直ちに四週六休制へ移行できる環境には至っていないと認め、四週六休制へ移行するためには、なお各省庁各職場ごとに実地に即して実施形態等を検討する必要があるとの認識に立って、昭和六十一年八月十二日、国会及び内閣に対し、「公務能率の向上、国民生活への影響等に留意しつつ、実地に即した問題点の検証及び対応策の検討を行うことを目的とし、昭和六十二年内における四週六休制への円滑な移行を目標に、昭和六十一年末から、四週六休制の試行を実施する必要があるものと認められる。」と報告した。

試行を実施するに当たっては、職員の勤務体制の見直しをはじめ業務執行の方法を一部改変する必要があることが予想されるため、人事院では関係各省庁のヒアリング等を通じて検討を重ね、その結果に基づいて試行の基準をとりまとめ、昭和六十一年十月一日、総務事務次官に対し事務総長書簡の形で、四週六休制の試行の実施を要請した。政府は、これを受け直ちにその翌日開催された人事管理運営協議会でとりあげ、次のことを条件に同年十一月三十日から試行を開始することとされた。

(ア)　試行は、現行の予算、定員の範囲内で実施する。

(イ)　全員が当初から参加する。(四週五休制の場合の昭和五十一年十月からの第一回の試行は十分の二・五の職員、昭和五十三年四月からの第二回の試行は十分の三・三の職員が参加するものであった。)

(ウ)　基本形によることが困難な職員については、弾力的な運用により対処する。

(エ)　試行期間中において、公務の運営に支障を来すおそれを生じた場合は、当該部門・職種の試行を中断し又は打ち切ることもやむを得ないものとする。

(オ)　試行の決定は、閣議了解による。

政府は、昭和六十一年十月十六日の次官会議において、先の人事管理運営協議会了解案の線で合意し、その翌日の閣議において同案は閣議了解された。

人事院は、これを待って試行のための人事院規則一四―一三（四週六休制の試行のための職員の職務に専念する義務の免除）及びその運用通知（昭和六十一年十月二十一日　職職―六二〇　事務総長）を発出し、各省庁の具体的実施計画についての協議に応ずることとなり、全省庁の参加の下に昭和六十一年十一月三十日から四週六休制の試行が行われることとなった。

この四週六休制の試行は、具体的には、四週五休制による勤務を要しない時間の指定に加えて、他に四週間に一の土曜日の勤務時間又はこれに相当する時間数の勤務時間について国公法第百一条に規定する職員の職務に専念する義務を免除し、職員を休ませることによって、四週六休制を試験的に実施するものであった。

各省庁から提出された試行計画によると文部省、厚生省等の一部の職員を除き約四十五万一千人（全体の八七・四％）の職員が昭和六十一年十一月三十日から試行に入り、その後、社会保険庁の職員等が逐次試行に加わり、翌年四月には文部省の小・中・高校、養護学校の教員が試行に参加した。

また、試行参加が遅れていた国立病院・療養所職員等、約五万三千人についても、昭和六十二年十月からは試行が実施されることとなった。

なお、この四週六休制の試行についても、四週五休制の指定と同じ理由から弾力的運用が認められていたが、変形による場合の主な形態は、次のようなものであった。

(ア)　四週間につき、平日の四時間
(イ)　八週間につき、八時間勤務日一日
(ウ)　五十二週間につき、五十二時間

二　四週六休制の本格実施

1　実施に至るまでの経緯

人事院は、一で述べた民間における週休二日制、労働時間の現状、四週六休制の試行状況その他諸情勢を考慮し、職員の週休二日制を四週五休制から四週六休制へ移行させることが適当であると認め、昭和六十二年八月六日、必要な措置について勧告を行った。

この勧告による四週六休制も当時行われていた四週五休制と同様に、「当分の間」の暫定的な制度として、「勤務を要しない時間」の指定により実施することとされた。四週五休制で採られていた解釈と同じく、この四週六休制の制度設計に当たって、当時政府において検討されていた土曜閉庁にも対応し得る制度とする必要があり、また、弾力的運用にも無理なく対応できる制度とする必要があること等を考慮して、いずれ勤務時間制度の再設計を行うまでの当分の間、これらのいずれにも対応できる「勤務を要しない時間」の指定方式によって実施することが適当であると判断されたものである。

また、勤務時間の短縮に伴う給与単価の取扱いについては、四週五休制では勤務時間の措置を給与単価に影響させないこととしていた取扱いを本来の姿に戻し、四週六休制実施による短縮後の勤務時間に基づいて算出するものとするよう勧告された。

実施時期については速やかに実施すべき旨を述べるにとどまり、具体的に明示しなかったが、前年の週休二日制に関する報告の中で、昭和六十二年内における円滑な移行という目標が表明されており、また、各省庁における試行状況等を考慮すると、おおむね一年間の試行実施に引き続く形での速やかな四週六休制の本格実施が望まれていた。

政府は、同年十月二十三日の第二回週休二日制・閉庁問題関係閣僚会議において、人事院勧告どおり四週六休制を昭和六十三年四月を目途に実施すること、閉庁方式については昭和六十三年度中に導入することを目途に準備を進める旨の方針が確認され、引き続き行われた閣議において最終決定された。

給与法の改正案は、昭和六十二年十二月一日の閣議において決定された後、国会に提出され、同年十二月十日の衆議院本会議、同年十二月十一日、参議院本会議で可決成立し、同月十五日公布された（昭和六十三年四月十七日施行）。

２　四週六休制の内容

昭和六十三年四月十七日から実施された四週六休制は、従来の四週五休制と同様に週休二日制としては暫定的な制度として位置付けられ、原則として毎四週間につき二の土曜日の勤務時間を勤務を要しない時間として指定することとされた。

したがって、法制度的には、四週五休制と同様の構成が採られていることから、詳細な説明は省略するが、次のような点に特徴があるといえる。

なお、本項において引用する給与法の条項は、昭和六十三年改正前のものである。

●給与法附則

11　当分の間、第十四条の規定により勤務時間が定められている職員で次の各号に掲げるものについては、当該各号に定める勤務時間は、勤務を要しない時間とする。

一　第十四条第一項の規定により一週間の勤務時間が定められ、かつ、いずれの土曜日においても四時間の勤務時間が割り振られている職員　一の基本期間（人事院規則で定める毎四週間をいう。以下この項、次項及び附則第十四項において同じ。）につき、各庁の長が職員ごとに指定する二の土曜日の勤務時間

二　前号に掲げる職員以外の職員であつて、いずれの基本期間においても半日勤務日（割り振られている勤務時間が四時間（第十四条第二項又は第三項の規定により一週間の勤務時間が定められている職員にあつては、当該勤務時間に応じて人事院規則で定めるこれに相当する時間）である日をいう。以下この号において同じ。）が二以上あるもの　一の基本期間につき、各庁の長が職員ごとに指定する二の半日勤務日の勤務時間

三　前二号に掲げる職員以外の職員　一の基本期間につき、人事院規則の定めるところにより、各庁の長が職員ごとに指定する一又は二の勤務日における当該各庁の長が指定する八時間（第十四条第二項又は第三項の規定により一週間の勤務時間が定められている職員にあつては、当該勤務時間に応じて人事院規則で定めるこれに

相当する時間）の勤務時間

12　基本期間の中途において新たに職員となつた者又は定年に達することにより、国家公務員法第八十一条の三（国家公務員法の一部を改正する法律（昭和五十六年法律第七十七号）附則第四条において準用する場合を含む。）の規定に基づき定められた期限が到来することにより、若しくは任期が満了することにより基本期間の中途において退職することとなる職員で基本期間内の新たに職員となつた日以後又は退職することとなる日以前の在職期間が人事院規則で定める期間以上であるものについては、当該基本期間内は、人事院規則で定めるところにより、各庁の長が指定する勤務日における当該各庁の長が指定する勤務時間は、勤務を要しない時間とする。

13　各庁の長は、職員の職務の特殊性又はその官庁の特殊の必要により、前二項の規定により難いと認められる職員については、これらの規定にかかわらず、五十二週間を超えない範囲内で定める期間ごとに、勤務を要しない時間として、別に指定する一以上の勤務日における勤務時間を指定することができる。この場合における指定は、これらの規定による勤務を要しない時間との権衡を考慮して、人事院の承認を得て各庁の長が定めた基準に従つて行わなければならない。

14　各庁の長は、前三項の規定による指定を行つた場合において公務の運営上特に必要があると認めるときは、人事院の承認を得て、基本期間又は前項の規定により定めた期間を超えて当該指定を変更することができる。

15　附則第十一項から前項までの規定による指定が行われる間、第五条第一項中「第十四条に規定する勤務時間」とあるのは「第十四条に規定する勤務時間のうち附則第十一項から第十四項までの規定による勤務を要しない時間を除いた時間」と、第十九条中「一週間の勤務時間」とあるのは「第十四条の規定による一週間の勤務時間から二時間を減じた時間」とする。

(1)　当分の間の措置

附則第十一項は、改正された措置の基本を定めたもので、人事院の勧告どおり、開庁方式によるいわゆる四週六休制を定めたものであり、給与法附則における規定により「当分の間」の措置として勤務を要しない時間の指定による方法をとること等四週五休制の際の構造をそのまま引き継いでいる。

四週五休制の場合と比較したときに、この「当分の間」の意味について、四週五休制においては、「当分の間」とした理由として、暫定的な制度であることのほか、四週五休を基本としながらも特例を認めるものであること、当時すでに民間企業の大半が隔週又は月二回としているのに、公務においては諸般の事情から四週五休制という薄い形態からスタートしたことが挙げられていたが、四週六休制は民間企業の代表的形態（昭和六十二年人事院調査で完全週休二日制実施事業所は一七・六％、月三回六・七％、隔週又は月二回三四・〇％、月一回一三・一％）に追いついているということがいえることから、この意味での暫定性は解消していたといえよう。さらに、この四週六休制の実施当時には、政府において官庁の土曜閉庁方式の導入が検討されており、これが実施されることになれば、弾力的形態で四週六休制を実施している職員の多くが基本形で実施できることとなることが予想され、さらに、法律において土曜閉庁が規定されることとなれば、週の勤務時間を定めている給与法第十四条自体を改正し、何らかの形で、四週間に六日の勤務を要しない日を基本とすることを設けることを規定する必要が生ずるものと考えられていたため、「当分の間」とは、官庁の土曜閉庁が実施されるまでの間といってもよい状況であった。

いわゆる官執勤務職員に関する規定で、指定する土曜日が一から二とされたほかは四週五休制の場合と同様の構造となっている。

(2)　給与単価の取扱い

附則第十五項は、「勤務を要しない時間」という制度が設けられたことに伴う関連条文の規定の整理を行うとともに、勤務一時間当たりの給与単価の計算に当たっては、今回の措置により短縮された後の勤務時間を基礎とするよう給与法第十九条の読替えを行ったものである。

給与単価の取扱いについて、四週五休制実施の際は据え置かれたが、四週六休制の実施に際しては、諸般の情勢の変化も見られる一方、週休二日制の水準としても四週六休制は民間の平均的な週休二日制の水準に到達するものとなったこと、また、弾力的運用についても、特定の職種等については変則的と考えるべきものでなく、勤務時間制度の多様な運用形態の一方法と考えられるに至っていること、加えて、今回本来の形に戻さないとすれば、本来の単価との乖離幅が四・八％（四週五休制では二・三％）に拡大することにもなるなど、前回の措置をとるに至った背景事情が異なってきており、変則的な単価算出方法をとる理由も失われてきていると考えられたため、給与単価計算上の勤務時間も実際の勤務時間と合わせることとしたものである。

第四節　行政機関の土曜閉庁の実施

一　閉庁方式導入の必要性

すでに述べてきたように、昭和六十一年十一月から四週六休制の試行が実施され、同六十三年四月十七日から四週六休制は本格実施されたが、これらはともにすべての土曜日の開庁を前提として、ほぼ半数ずつの職員が出勤して業務を行い、半数ずつの職員が交替で休むという形で実施されていたものである。

しかしながら、将来における完全週休二日制の実現を考える場合には、このいわゆる開庁方式では実際上実現が不可能であり土曜閉庁方式が望ましいものであるとともに、当面の四週六休制の実施においても、少人数官署では、土曜日に交替で休むという形では基本的な形で休むことができず、同様に土曜日にも業務を行っているために一定の勤務人員を確保しなければならず四週六休に満たないような変形実施をしている電話交換手、守衛等についても基本的な方式で休めるようにするためには、土曜閉庁方式が望まれるところであった。

これら職員の勤務条件面からの必要性のほか、政府においても、土曜半数出勤では組織で業務を遂行することが多い公務の場合かえって能率が上がらず、また、省エネルギーも含めた予算・定員の活用の観点からも、むしろ一定の土曜日は全員が出勤して通常どおりに業務を行い、他の土曜日は全員休むこととする方が望ましいとしていた。

二　行政機関の土曜閉庁実施に至る経緯

１　政府における検討

政府における土曜閉庁方式の具体的な検討は、四週六休制の試行が実施されていた昭和六十二年三月の人事管理官会議で、総務庁長官が、「四週六休制の試行の円滑な実施に努めるとともに金融機関の月二回土曜閉店の実施等を参考にしながら、具体化方策を検討する。」と説示したところにはじまる。また、同年四月二十三日に出された経済審議会経済構造調整特別部会報告（新前川リポート）においては、「公務員の週休二日制の推進については、国民のコンセンサスの形成が重要であることは言うまでもないが、可能な部門では閉庁して、定員増等を伴わないかたちで週休二日制を積極的に推進することが、各分野における週休二日制の普及促進に寄与する観点から重要である。」と述べられた。これを受けて、同年五月二十二日経済対策閣僚会議は、「緊急経済対策」を決定し、その中で公務員の週休二日制については、「公務員の週休二日制については、当面、四週六休制への円滑な移行に努めるとともに、閉庁方式の導入を検討するなど、引き続き積極的に推進する。」とされ、ここに、政府において土曜閉庁の導入の検討が決定された。しかしながら、行政サービスの観点等検討すべき問題も多く、翌月、人事管理運営協議会幹事会で閉庁問題専門部会の設置が決定され、各省庁の業務の状況、行政サービスへの影響等が検討されることとなった。

その後、後述するように、同年八月、人事院が四週六休制実施に関する勧告とともに国会及び内閣に提出した報告の中でも閉庁問題について触れたが、さらに、行政機関の土曜閉庁の国民生活への影響の大きさをも考慮して、政府全体としてこの問題の検討を行う必要性から、翌月、週休二日制・閉庁問題関係閣僚会議の開催が決定された。そして、同年十月二十三日、二回の同閣僚会議の開催の後、八月の人事院勧告の取扱いに関する閣議決定がなされ、その中で、閉庁問題については、「閉庁方式については、国民の理解を得ながら進めることを基本とし、週休二日制・閉庁問題関係閣僚会議における協議・調整を踏まえつつ、昭和六十三年度中に導入することを目途に、諸般の準備を進める。」とされた。

2　人事院の見解

先にも述べたとおり、人事院としては、将来の完全週休二日制の実現を念頭においたとき、土曜閉庁は不可欠であると考えてきていたところであるが、このような政府における土曜閉庁方式の検討状況をも踏まえ、昭和六十二年八月六日の四週六休制本格実施を求める勧告とともに国会及び内閣に提出した報告の中で、政府における土曜閉庁方式の早急な検討を求めた。

3　閉庁法の成立及びその内容

昭和六十三年五月二十七日に経済審議会は、政府への答申として、「世界とともに生きる日本（経済運営五カ年計画）」を提出したが、この中でも、行政機関の土曜閉庁等についても、「特に、公務員については、完全週休二日制への社会的気運を高めることに資するものでもあり、昭和六十三年度中に土曜閉庁方式を国の行政機関に導入し、できる限り均衡をとりつつ地方公共団体にも導入できるようにするとともに、業務の一層の効率化等を図りつつ、国民の合意を形成し、完全週休二日制を実現するように努める。」とされた。これらを受けて、同年五月三十一日、第四回の週休二日制・閉庁問題関係閣僚会議が開催され、同日、行政機関における土曜閉庁の導入及びその具体的方策が閣議決定された。

その後、同年八月四日、人事院は、この閣議決定を踏まえて、月二回の土曜閉庁実施に対応した四週六休制を行うための職員の勤務時間制度の実施（四週六休制の実施方法の改定等）に関する勧告を行った（次節参照）。この翌日、給与、週休二日制・閉庁関係閣僚会議合同会議が開かれ、その後、土曜閉庁法案（行政機関の休日に関する法律案）、人事院勧告のうち勤務時間制度関連部分に関する給与法一部改正法案、さらには裁判所及び地方自治体での土曜閉庁に関する法案（それぞれ、裁判所の休日に関する法律案、地方自治法の一部を改正する法律案）の四法案は、閉庁関連法案として並行して検討されるところとなった。これら閉庁関連法案は、政府部内での調整、協議の後、同年九月二十二日、国会への提出が閣議決定され、同日国会へ提出された。

閉庁関連四法案は、それぞれ各関係委員会での審議の後、同年十一月十八日衆議院本会議、十二月九日参議院本会議で、それぞれ全会一致で可決され、十二月十三日公布された。

以下、行政機関の休日に関する法律について、若干の説明を加えるが、ここでは職員の勤務条件に関連する事項の説明にとどめ、同法の内容自体の詳細については触れないこととしたい。

同法第一条第一項は、行政機関が原則として執務を行わない日（行政機関の休日）について定め、第一号では日曜日並びに毎月の第二土曜日及び第四土曜日（いわゆる「週休日」）を、第二号では祝日法による休日を、第三号では年末年始の休日を定めている。このうち実質的に新たに「行政機関の休日」とされることとなったのは毎月の第二土曜日及び第四土曜日の部分のみであるが、その他の休日についても定めたのは、以前は、行政機関の休日については法律による明確な定めがなく、官庁の執務時間等について定める「官庁執務時間並休暇ニ関スル件（大一一・七・四閣令六号）」等によっていたものを、この土曜閉庁の実施に際して、その他の休日についても法律上の根拠を明確にしたものである。

これらの行政機関の休日の法定と職員の勤務条件に関する制度との関係については、毎月の第二土曜日及び第四土曜日の部分を除くほか、職員の「休日」については給与法に規定が設けられていたので、この行政機関の休日に関する法律に対応した職員の勤務条件面からの措置としては、それまでの四週六休制を第二・第四土曜日の閉庁に合わせた形で実施するものとすることが必要になったわけである（次節参照）。

行政機関の休日に関する法律第一条第二項は、同法が適用される「行政機関」の範囲について定めている。この範囲は、行政機関の休日を定めるという趣旨から、対国民の関係、「行政機関」相互の関係にかんがみ、国家行政組織法に定める行政機関より広く、国公法に基づき内閣の所轄の下に置かれている人事院及び憲法に基づいて設けられている会計検査院も含まれている点に特色があるといえよう。

第三項は、第一項で定めた行政機関の休日の原則にかかわらず、各行政機関は、その所掌事務の内容により必要がある場合には、行政機関の休日にその事務を行うことができるとしている。これは、国の行政機関の業務は多岐にわたっており、先の資料にも示したように、二十四時間業務を行うことが必要な交替制勤務の官署、週末に特に利用者が多い官署等においては、それぞれの行政機関の判断によって、原則によらないことができることを明らかにしたものである。そして、職員の勤務条件面からは、これらの官署に勤務する職員の週休日等の定め方については、第二章第六節で述べた「特別の形態によって勤務する必要のある職員の割振り」によるところとなるのである。

第二条（期限の特例）は、本書で言及する必要のないところであるので、説明は省略する。

附則第一条は、施行日について定めているが、この規定に基づき、昭和六十三年十二月十五日、「行政機関の休日に関する法律の施行期日を定める政令（政令第三百三十八号）」が公布され、同法の施行日は、昭和六十四年一月一日とされた。

第五節　土曜閉庁方式による週休二日制

一　四週六休制の実施方法の改定等に関する勧告

人事院は、先に示した「行政機関における土曜閉庁方式の導入について」の閣議決定を踏まえて、既に実施されていた四週六休制をこの閣議決定によって示された月二回（第二・第四土曜日）の土曜閉庁方式に合わせた形で実施するための制度の策定を中心とした給与法の改正についての検討を進め、昭和六十三年八月四日、国会及び内閣に対して、週休二日制及び勤務時間制度について報告し、週休二日制等の実施方法の改定について勧告した。

同報告では、行政機関における土曜閉庁方式の導入を前提として、従来の「勤務を要しない時間」の指定によって行っていた四週六休制を改め、四週六休制により休みとなる土曜日も日曜日と同様の勤務を要しない日とすること及び閉庁方式になじまない交替制勤務等の部門の職員については従来と同様に四週六休制の弾力的な運用ができるようにすることについて述べ、これに関連して、勤務を要しない日の増加に伴い、法令上も「一週間の勤務時間」の短縮を行う必要があることを述べている。また、これに続けて、閉庁方式の円滑な実施を図る観点等から、勤務を要しない日に職員に勤務させる場合の勤務を要しない日の振替制度の導入の必要性について触れた。そして、制度の改定に関する事項としては最後に、従来の勤務を要しない時間の指定による週休二日制の廃止及び勤務時間に関するその他の規定の整備が必要である旨を述べている。

さらに、同報告は、週休二日制の将来展望から、閉庁方式の導入を完全週休二日制へ向けての大きな前進であるととらえ、完全週休二日制の実現のためには、この土曜閉庁方式が社会に定着すること、閉庁になじまない部門については他の職員との均衡にも考慮しつつ業務体制の見直し等を行っていく必要があるとした上で、民間における労働時間短縮の動き、土曜閉庁の定着状況を見極めつつ、職員の完全週休二日制について、「国全体の労働時間短縮の計画期間内における速やかな実現」を目標とするとした。ここで、「国全体の労働時間短縮の計画期間」とは、経済審議会の「経済運営五カ年計画」等が週四十時間労働制及び年間実労働時間千八百時間を実現目標に掲げて労働時間の短縮を図ることとしている計画期間（昭和六十三年度～平成四年度）を指しているものであり、その期間内における「速やかな実現」が目標にされたのは、労働基準法の週四十時間労働制の規定との関係や「経済運営五カ年計画」における公務員の完全週休二日制の位置付け等を考慮し、公務部門では当該計画期間内のより早い時期を目標に設定することが望ましいと考えられていることによるものである。

同報告は、最後に、総実勤務時間の短縮の観点及び職員の健康・福祉の観点から超過勤務の縮減の必要について述べ、各職場の管理者や個々の職員の超過勤務縮減に対する意思と意欲を強く求めている。

以上のような報告とともに給与法の改正についての勧告が行われたが、その内容の概略は、①日曜日及び四週につき二の土曜日を勤務を要しない日とすること、②週休制の原則によれない職員については、一週間につき一日以上の割合で勤務を要しない日を設けることを条件として、原則と異なる定めができるものとすること、③勤務を要しない日の振替制度を設けること及び振替が困難な場合に勤務日の勤務時間の一部を勤務を要しない日に割り振ることができるものとすること、④勤務を要しない時間の指定による四週六休制を廃止すること及びその他の規定について所要の整備を行うことである。

二　勧告の取扱いの経緯

昭和六十三年八月四日、このような内容の勧告が行われたが、翌五日、週休二日制・閉庁問題関係閣僚会議が開催されたことは、すでに述べたところである。同会議では、勧告の趣旨を尊重しつつ法案の作成を進めることとし、同日閣議にその旨報告された。勤務時間制度の改定に関する給与法一部改正法案のその後の取扱いについては、土曜閉庁法案の取扱いに関する説明の部分で述べたとおりであるが、九月二十二日に国会に提出されて、審議の後、十一月十八日衆議院、十二月九日参議院でそれぞれ全会一致で可決され、他の閉庁関連法とともに十二月十三日公布された。

なお、衆・参両議院の内閣委員会においては、給与法一部改正法案について、病院、学校等においても土曜閉庁方式による四週六休制の早期実現に努めること、土曜閉庁方式による完全週休二日制を早期に実施できるよう計画的な条件整備に努めること等の附帯決議がなされている。

同改正法附則第一項において、同法の施行日は、「公布の日から起算して六月を超えない範囲内において政令で定める日」とされたが、十二月十五日、「一般職の職員の給与等に関する法律の一部を改正する法律の施行期日を定める政令（政令第三百三十九号）」が公布され、閉庁法と同じく、昭和六十四年一月一日に施行とされることとなった。

三　土曜閉庁方式導入に対応しての改正

給与法の改正のうち、土曜閉庁方式の導入に対応しての制度改正は、大きくは、①勤務を要しない日による四週六休制の実施及び勤務を要しない時間の指定による四週六休制の廃止、②勤務を要しない日の振替制度の導入の二点であるが、制度改正に至る経緯等について若干触れておくこととする。

(1)　勤務を要しない日による週休二日制

月二回の土曜閉庁に対応した四週六休制を考えるとき、従来からの勤務を要しない時間の指定による方式によることも制度的には可能であるところではあった。

しかしながら、従来の四週六休制は、大幅な弾力的運用を認める必要があるという点から「勤務を要しない時間」という暫定的な制度で実施されてきていたものであり、閣議決定等で考え方が示されたように、大部分の官署で閉庁が実施されることになれば、いわゆる官執勤務職員であっても土曜日にも一定の人員を確保する必要があること等の理由から変則的な形態で四週六休制を実施しているもの（少人数官署、窓口部門等職員）の多くが、四週間につき二の土曜日を休む基本形で実施できることとなることが予想され、大幅な弾力的運用を認める必要があるという点から暫定的な制度であるとしていた理由が乏しくなることとなった。また、法律上閉庁土曜日が日曜日と同様に行政機関の休日として規定されたときには、閉庁となる土曜日について「勤務を要しない日」として休むという構成をとることが自然であり、閉庁方式の導入に合わせて、四週六休制により休みとなる土曜日を本来的な週休制の形である「勤務を要しない日」として措置するとともに、一週間の勤務時間を勤務を要しない時間の指定により短縮されている時間数だけ短縮することが適当であるものと考えられ、これらに関する所要の措置がとられることとなったものである。

この措置に伴って、従来の「勤務を要しない時間」の指定による暫定的な制度を存置する必要はなくなり、旧法附則第十一項から第十五項までの規定は廃止された。

(2)　勤務を要しない日の振替制度の導入

週休日の日数の確保及び総実勤務時間の短縮の観点から、かねてより職員及び各省庁からは勤務を要しない日の振替制度の導入が求められていたところであり、この制度の導入自体は、必ずしも閉庁方式の導入に直接に対応するものではない。ただ、閉庁実施に対応して四週六休制を「勤務を要しない日」として措置する場合には、週休日となる土曜日については、従来は勤務を要しない時間の「指定変更」制度があり、実質的には振替が行われていたため、制度が改正されてもこれに代わるものが必要とされたという点で、閉庁に対応した制度改正との関連があるということができよう。これに加えて、勤務を要しない日の増加に伴う超過勤務の増加を防止し、休日数を確保する観点からも、勤務を要しない日の振替制度を導入することが適当であると考えられ、閉庁方式による四週六休制の実施に合わせて導入されたものである。

第六節　完全週休二日制

一　週四十時間勤務制の試行

昭和六十四年一月一日から、土曜閉庁方式による四週六休制が実施されるに至ったが、労基法における週四十時間制の明記、経済運営五カ年計画における計画期間内（昭和六十三年度〜平成四年度）の年間総労働時間一八〇〇時間程度達成という目標の設定などから、労働時間の短縮が重要な政策的課題の一つとされ、そのためには、完全週休二日制を基本とする週四十時間勤務制の実施が必要であることから、平成元年八月四日、人事院は、国会及び内閣に対し、職員の週休二日制及び勤務時間制度等に関する報告を行い、その中で、民間における週休二日制の普及状況、土曜閉庁方式の実施状況等のほか、業務執行体制の検討等の完全週休二日制への条件整備の必要性、特に週四十時間勤務制への移行に当たって、勤務体制等の大幅な見直しが必要と認められる交替制等勤務職員の週四十時間勤務制の試行が必要である旨を述べた。

交替制等勤務職員の週四十時間勤務制の試行については、この報告を受け、人事院ほか関係機関においても検討が進められ、平成二年三月八日、人事院は、総務事務次官に宛てて、週四十時間勤務制の試行基準に関する事務総長書簡を発出し、同年三月十六日には、国家公務員の交替制等職員の週四十時間勤務制の試行の実施が閣議において了承された。そして、翌十七日、人事院規則一四—一四（週四十時間勤務制の試行のための職務に専念する義務の免除）が公布、施行され、交替制等勤務職員の週四十時間勤務制の試行が実施されることとなった。

この試行は、交替制等勤務職員の勤務時間が週四十時間勤務制となるように、一週間当たり二時間の割合で職員の職務専念義務を免除するという形で実施された。

規則一四—一四に基づき、試行は、平成二年四月から逐次実施されたが、試行実施の遅れている部門が、若干あったため、人事院は、平成二年八月七日の週休二日制・休暇等に関する報告において、試行未実施部門における早期の試行実施の必要性について言及した。

二　完全週休二日制の実施に関する報告及び勧告

平成三年八月七日、人事院は、国全体の労働時間短縮の推進の必要性、民間事業所における週休二日制の普及状況、土曜閉庁の定着状況、交替制等勤務職員の週四十時間勤務制の試行の実施状況、各界の意見及び学校週五日制の検討状況等完全週休二日制をめぐる諸情勢から、平成四年度のできるだけ早い時期に完全週休二日制を基本とする週四十時間勤務制を実施すべきであると判断し、国会及び内閣に対して、完全週休二日制の実施等について報告及び勧告を行った。

三　勧告後の取扱い

政府は、勧告の取扱いについて協議するため、平成三年八月七日、給与関係、週休二日制・閉庁問題関係閣僚会議合同会議を開催したが、当該時点においては週四十時間勤務制の試行を実施中又は実施計画中（国立病院・療養所等）の部門があるなど、未だ完全週休二日制（週四十時間勤務制）に移行するための条件整備が完全に整ったとはいえない状況にあったこと等から、完全週休二日制に関しては、諸般の事情を踏まえて更に検討する必要があるとされ、結論を得るには至らなかった。

しかし、その後、国立病院・療養所等の職員の試行も全施設を代表する二十五施設について平成三年九月二十九日から実施され、おおむね順調に推移し、完全週休二日制実施のための条件整備が鋭意進められたことなどにより、同年十二月十七日に開催された週休二日制・閉庁問題関係閣僚会議において、平成四年度のできるだけ早い時期に完全週休二日制を実施すること、関係法案を第百二十三回通常国会に提出することを目途とすること等が了承され、同日の閣議において決定された。その後、人事院勧告を実施するため、給与法及び行政機関の休日に関する法律の改正を内容とした「一般職の職員の給与等に関する法律及び行政機関の休日に関する法律の一部を改正する法律案」が同年三月十三日、閣議決定され、同月十八日に国会に提出された。同法律案は、同月二十六日に衆議院内閣委員会及び同本会議で可決、同月二十七日に参議院内閣委員会及び同本会議で可決され、成立した。同法は、平成四年四月二日に平成四年法律第二十八号として公布され、同年五月一日に施行された。

第七節　一週間・一日当たりの勤務時間の短縮

一　経緯

国家公務員の勤務時間は、前節までで述べたとおり、平成四年の完全週休二日制の導入以降、一日当たり八時間、一週間当たり四十時間となった。公務において週休二日制の導入の取組が行われている間、民間労働法制においては、昭和六十二年の労基法改正により、昭和六十三年四月一日から一週間の法定労働時間について四十時間とすることが原則とされ、猶予期間を経て、平成九年四月一日から、一部の事業場を除き、週四十時間労働が適用されることとなった。法定労働時間の短縮に伴い、各企業の実際の労働時間である所定労働時間の短縮も漸次進み、民間企業の平均所定労働時間が公務の勤務時間を下回るようになっていった。

ところで、第二部第三章第三節で述べたとおり、有給の休息時間が設けられていることへの批判、民間事業所においては休息時間に相当する時間を設けている企業は少ないという調査結果から、平成十八年七月に休息時間が原則として廃止されることとなった。この検討の際、公務の勤務時間と民間の所定労働時間との不均衡の是正を図っていくべきではないかとの議論が生じてきた。

このような状況を踏まえ、人事院は、平成十八年の勧告時報告において、「職員の週所定勤務時間については、引き続き民間の動向把握を行うとともに、勤務時間の短縮が各府省の行政サービスに与える影響等についても調査を行うなど必要な検討を進める」と表明するに至った。その後、必要な調査、検討を引き続き行い、平成十九年の勧告時

民間企業の所定労働時間の推移

	１日当たりの所定労働時間	１週間当たりの所定労働時間
平成 16 年	7：44　時間：分	38：45　時間：分
平成 17 年	7：43	38：43
平成 18 年	7：45	38：53
平成 19 年	7：44	38：51
平成 20 年	7：45	38：49
５年平均	7：44	38：48

（注）平成16年，18年〜20年は「職種別民間給与実態調査」結果，平成17年は「民間企業の勤務条件制度等調査」結果

報告では、行政サービスに支障を生じることがないよう適切な勤務体制等を整えるなど所要の準備を行った上で、民間準拠を基本として、平成二十年を目途に勤務時間の見直しに関する勧告を行うこととしたい旨言及した。

二　民間企業の所定労働時間の状況

〈所定労働時間の調査〉

国家公務員の勤務時間は、給与と同様に基本的な勤務条件であり、国公法に定める情勢適応の原則に基づき、民間と均衡させることを基本として定めるべきものである。国家公務員も勤労者であり、職員の勤務能率の維持、健康保持及び社会生活に要する時間の確保等が必要とされる中で、その勤務時間は、労使交渉等によって決定される民間の労働時間に準拠することを基本として定めることが合理的であり、職員の理解と納得とともに広く国民の理解を得られる方法であると考えられるところである。その際、勤務時間が業務運営の基礎であることを考えると、これを頻繁に改定することは適当ではなく、民間企業の所定労働時間を一定期間にわたって調査し、そのすう勢を見極めることが必要である。

人事院では、平成十六年から民間企業の所定労働時間の状況を把握してきたところ、平成二十年においても、企業規模五十人以上、かつ、事業所規模五十人以上の全国の民間事業所のうちから、層化無作為抽出法によって抽出した事業所を対象として、「平成二十年職種別民間給与実態調査」を実施し、公務における代

表的な執務形態と同様の執務形態である民間企業の事務・管理部門について、一日及び一週間当たりの所定労働時間の調査を行った。その調査結果によれば、民間企業の所定労働時間は、一日当たり七時間四十五分、一週間当たり三十八時間四十九分となっており、また、平成十六年から平成二十年までの調査結果は安定的に推移してきており、その平均値を算出すると、一日当たり七時間四十四分、一週間当たり三十八時間四十八分となっていたところである。

この調査結果から、民間企業における所定労働時間は、国家公務員の勤務時間と比較して一日当たり十五分程度、一週間当たり一時間十五分程度短くなっており、その水準で定着していると考えられたところである。なお、民間企業における所定労働時間の設定状況を見ると、十五分刻みの時間で設定しているところが多く、これは労働時間を管理する観点から、ある程度区切りの良い時間を単位として労働時間を設定しているものと考えられた。

三　勤務時間を短縮した場合の影響

民間企業の所定労働時間の状況を踏まえ、国家公務員の勤務時間の短縮を行うこととする場合には、窓口業務や交替制等勤務などの執行業務をはじめとして、企画立案業務も含めた行政サービスに与える影響を考慮する必要がある。

(1)　行政サービスの維持

勤務時間の短縮に当たっては、これまでの行政サービスを維持し、かつ、行政コストの増加を招かないことを基本とすべきである。民間企業においても、所定労働時間を短縮する場合には、従来の業務処理量を維持しつつ所定外労働時間や休日出勤が増加しないよう、生産性を向上させることが一般的とされており、公務においても、同様の考え方に立って、勤務時間を短縮した場合には、公務能率の一層の向上に努め、行政サービスを維持するとともに行政コストの増加を招かないことが重要である。

勤務時間の短縮が行政サービスに与える影響等について人事院が聴取したところ、各府省は、業務の合理化・効率化や勤務体制の見直し等の所要の準備を行うことにより、現在の予算や定員の範囲内で、業務遂行に影響を与えることなく対応が可能であるとしていた。国民に直接行政サービスを提供する窓口業務については、これまでも各府省において、窓口の受付終了時刻の繰下げや昼休みの窓口対応の拡充に努めてきたところであり、職員の勤務時間を一日当たり十五分短縮することとした場合、昼の休憩時間を十五分延長するのか、終業時刻を十五分繰り上げるのか等については、各府省において業務の運営等を考慮して決めることとなるが（勤務時間の短縮以前において、昼の休憩時間は、原則六十分とされていたが、特例として設定できる四十五分となっている官署が全体の五分の四を占めていた。）、昼の休憩時間を十五分延長しても来庁者等には交替で対応を行うことなどにより、また、終業時刻を十五分繰り上げても窓口の受付終了時刻は従来どおりとすることなどにより、これまでと同様の対応が可能であるとしていた。

二十四時間体制など複数の職員が交替して勤務する職場においても、休憩時間・休息時間の置き方など勤務体制の見直しを行うことにより、業務運営に支障を来すことなく勤務時間の短縮を行うことが可能であるとしていた。

また、勤務時間の短縮に当たっては、前述のとおり公務能率の一層の向上に努める必要がある。そのため、職員一人一人が仕事の進め方や働き方を点検し、最大限の能率を発揮するよう努めるとともに、特に組織全体を管理・監督する立場にある幹部職員は、業務運営の在り方を見直すなど、公務の能率的な運営を確保するよう努めるべきであると考えられた。

なお、勤務時間を短縮する場合に、直ちにこれと比例的に給与を引き下げるとの考えは適当ではない。国家公務員の給与については、従来から精確な官民比較を行った上で給与水準を決定してきており、給与と勤務時間のそれぞれで官民均衡を図るべきものである。

（２）　国家公務員の仕事と生活の調和

近年、仕事と生活の調和（ワーク・ライフ・バランス）の重要性が指摘されている。平成十九年十二月には「仕事と生活の調和（ワーク・ライフ・バランス）憲章」等が政府において決定されており、その実現に向けた取組を官民が一体となって効果的に展開することが求められていることから、国家公務員の勤務時間についても、仕事と生活の調和という観点からその在り方について考えることが重要である。

勤務時間を民間企業の所定労働時間に準拠して短縮することは、家庭生活や地域活動の充実など、広く仕事と生活の調和に寄与すると考えられる。

なお、仕事と生活の調和を推進するためには、超過勤務の縮減も重要な課題であり、これについては、第三章第七節で述べたとおり、様々な取組を行っている。

四　勤務時間の改定

二で述べたように、民間企業の所定労働時間は、職員の勤務時間と比較して一日当たり十五分程度、一週間当たり一時間十五分程度短くなっており、その水準で定着していたこと、これとの均衡を図ることとした場合、公務能率の一層の向上に努めることにより、行政サービスや行政コストに影響を与えることなく、勤務時間の短縮を行うことが可能であると考えられたこと、また、勤務時間の短縮は、仕事と生活の調和にも寄与するものであることを考慮し、人事院は、職員の勤務時間を一日当たり七時間四十五分、一週間当たり三十八時間四十五分に改定することが適当であると判断し、平成二十年八月十一日にその旨の勧告を行った。

この勧告に基づき、勤務時間法等の改正を含む「一般職の職員の給与に関する法律等の一部を改正する法律案」が国会に提出され、衆・参両院において可決されて成立し、平成二十年十二月二十六日に公布され、平成二十一年四月一日から実施された。

なお、衆議院の総務委員会においては、「勤務時間の短縮に当たっては、これまでの行政サービス水準を維持し、かつ、行政コストの増加を招くことのないよう、公務能率の一層の向上に努めること」との附帯決議がなされた。

五　改正の概要

個々の制度の詳細についてはそれぞれが説明されている部分に譲るが、勤務時間の短縮に伴う改正の概要を整理すれば次のとおりである。

(1)　勤務時間

ア　勤務時間の長さ

職員の勤務時間は、休憩時間を除き、一週間当たり三十八時間四十五分とし、再任用短時間勤務職員の勤務時間は、これとの均衡を図るため、休憩時間を除き、一週間当たり十五時間三十分から三十一時間までの範囲内で、各省各庁の長が定めることとする（勤務時間法第五条第一項、第二項の改正）。

イ　勤務時間の割振り

原則として日曜日及び土曜日を週休日として勤務時間を割り振らない日とし、各省各庁の長が月曜日から金曜日までの五日間において一日につき七時間四十五分を割り振るものとする。ただし、再任用短時間勤務職員については、一週間ごとの期間について、一日につき七時間四十五分を超えない範囲内で勤務時間を割り振るものとする（勤務時間法第六条第二項の改正）。

ウ　交替制等勤務

公務の運営上の事情により特別な形態によって勤務する必要のある職員について、原則四週間につき八日の週休日を置き、かつ、当該期間につき四週間ごとの期間について一週間の平均が三十八時間四十五分となるように勤務時間を割り振ることとする。

エ　休憩時間・休息時間

勤務時間法第六条第二項の規定により、一日につき七時間四十五分の勤務時間を割り振る場合にあっては、おおむね毎四時間の連続する正規の勤務時間の後に、六十分（各省各庁の長が、業務の運営並びに職員の健康及び福祉を考慮して必要があると認める場合は、四十五分）、それ以外の場合にあっては三十分以上の休憩時間を置かなければならないこととする。

交替制等勤務職員については、おおむね毎四時間の連続する正規の勤務時間の後に、まず三十分以上の休憩時間（基本休憩時間）を置き、次いで十五分の休憩時間を置かなければならないこととするが、休息時間を置く場合はこの限りでないこととする。

連続する正規の勤務時間がおおむね四時間であるときは、人事院が定める回数の休息時間（十五分）を置かなければならないこととする（規則一五—一四第七条及び第八条の改正）。

オ　船員の勤務時間の特例

各省各庁の長は、船舶に乗り組む職員（再任用短時間勤務職員を除く。）について、人事院と協議して、三十八時間四十五分を一週間当たり一時間十五分を超えない範囲内において延長することができることとする。この場合において、各省各庁の長は、公務の運営上の事情により特別の形態によって勤務する必要のあるときを除き、一日につき七時間四十五分にその延長した時間の五分の一を超えない範囲内において各省各庁の長が定める時間を加えた時間を割り振るものとする（勤務時間法第十一条の改正）。

(2)　休暇

ア　年次休暇

年次休暇の使用単位は、一日とする。ただし、特に必要があると認められるときは、一時間を単位とすることができることとする（半日の使用単位を廃止）。一時間を単位として使用した年次休暇を日に換算する場合の時間数は、職員の区分に応じて改正後の時間数とする（規則一五―一四第二十条の改正）。

イ　特別休暇

特別休暇のうち特定休暇（配偶者出産休暇、育児参加休暇、子の看護休暇及び短期介護休暇）の使用単位は、一日又は一時間とする。ただし、特定休暇の残日数のすべてを使用する場合には、一時間未満の端数も含めて使用することができることとする（規則一五―一四第二十二条の改正）。

(3)　育児短時間勤務

ア　育児短時間勤務の形態

育児短時間勤務における一日の勤務時間は、フルタイム勤務職員の一日の勤務時間を基準として設定されていることから、その勤務時間が短縮される比率に従って短縮するという考え方に立ちつつ、短縮に当たって勤務時間管理を煩雑にすることがないように、五分単位とすることとし、五分未満の端数がある場合には、これを切り上げる。具体的には、育児短時間勤務の形態は次のとおりとする（育児休業法第十二条第一項の改正）。

①　日曜日及び土曜日を週休日とし、週休日以外の日において一日につき三時間五十五分勤務すること。

②　日曜日及び土曜日を週休日とし、週休日以外の日において一日につき四時間五十五分勤務すること。

③　日曜日及び土曜日並びに月曜日から金曜日までの五日間のうちの二日を週休日とし、週休日以外の日において一日につき七時間四十五分勤務すること。

④　日曜日及び土曜日並びに月曜日から金曜日までの五日間のうちの二日を週休日とし、週休日以外の日のうち、二日については一日につき七時間四十五分、一日については一日につき三時間五十五分勤務すること。

⑤　①から④に掲げるもののほか、一週間当たりの勤務時間が十九時間二十五分から二十四時間三十五分までの範囲内の時間となるように人事院規則で定める勤務の形態（規則一九―〇第十九条において、フレックスタイム制が適用される職員の場合及び交替制等勤務職員の場合の勤務形態が規定されている。）

イ　育児短時間勤務職員の並立任用

育児短時間勤務職員の並立任用は、育児短時間勤務職員の一週間当たりの勤務時間が十九時間二十五分から十九時間三十五分までの範囲内の時間である場合に行うことができる（育児休業法第十五条の改正）。

ウ　その他

給与法の適用の特例として、育児短時間勤務職員又は任期付短時間勤務職員が、正規の勤務時間が割り振られた日のうち休日給が支給されることとなる日以外の日において、正規の勤務時間を超えてした勤務のうち、超過勤務手当の支給割合を百分の百とする勤務は、正規の勤務時間との合計が八時間に達するまでの間の勤務とされていたが、正規の勤務時間の短縮に併せて、改正後は七時間四十五分に達するまでの間の勤務とする（育児休業法第十六条及び第二十四条の改正）。また、再任用短時間勤務職員についても同様の取扱いとする（給与法第十六条第二項の改正）。

また、勤務時間法の適用の特例として、任期付短時間勤務職員の勤務時間は、一週間当たり十時間から二十時間までの範囲内で人事院規則の定めるところにより、各省各庁の長が定めることとしていたが、今回の勤務時間の短縮によってフルタイム勤務職員及び育児短時間勤務職員の勤務時間が短縮されることに伴い、一週間当たり十時間から十九時間二十五分までの範囲内とする（育児休業法第二十五条の改正）。

(4)　非常勤職員の勤務時間等

日々雇い入れられる非常勤職員の勤務時間は、一日につき七時間四十五分を超えない範囲内とする（規則一五―一五第二条の改正）。

非常勤職員が子の看護休暇の残日数のすべてを使用する場合には、一時間未満の端数も含めて使用することができることとする（規則一五―一五運用通知第四条関係の改正）。

(5)　職員の裁量による勤務

第一号任期付研究員が裁量による勤務をする場合には、一日につき七時間四十五分の勤務時間を割り振られたものとみなす（任期付研究員法第八条第二項の改正）。

なお、育児短時間勤務の承認の請求は、育児休業法第十二条第一号各号に掲げるいずれかの勤務の形態を選択して行うこととされているが、この勤務時間の短縮に伴い、同項各号に掲げる勤務の形態が改正前と改正後で異なることとなる。このため、(3)アに掲げた改正後の規定に基づく育児短時間勤務をするため、改正後の育児休業法による承認を受けようとする職員は、施行日前においても承認を請求することができることとされた。また、施行日前の育児短時間勤務の承認は、施行日の前日を限り、その効力を失い、施行日において人事院規則で定める内容の育児短時間勤務をすることの承認があったものとみなすこととする経過措置が改正法の附則に設けられた。

第三部　休日

第一節　休日

一　休日の意義

一般に休日という言葉は、いろいろな意味に使われている。一つの用い方は、週休日と同意義に用いるものであって、労基法第三十五条にいう休日がこれに当たり、いま一つの用い方は、「国民の祝日に関する法律」（以下「祝日法」という。）に規定する休日を指し、勤務時間法上休日というときは、これに年末年始の休日を加えたものを指している。勤務時間法では、週休日は正規の勤務時間が割り振られない日であり、職員の健康と福祉を図るために、制度上その置き方が規制されている。一方、休日は、当然に休みとなる日ではなく、週休日と重なる場合を除いては、正規の勤務時間が割り振られている勤務日であるが、より良き社会、より豊かな生活を築き上げるために、祝い、感謝し、記念する日として、あるいは、社会の慣行に合わせて、特に勤務することを命ぜられた職員以外の者には、正規の勤務時間における勤務が免除される日とされている。従前は、職員について一般に休日という場合は祝日法による休日のことであり、しかも、旧給与法上明確な位置づけが行われていなかったが、昭和六十年の休暇制度の改訂の際、従来年末年始の特別休暇とされていたものも含めて、旧給与法における休日の規定が整備された。勤務時間法は、その規定を引き継いだものである。

二　休日の効果

休日においては、特に勤務が命ぜられない限り、勤務を要しない。要すれば、勤務命令を解除条件とした職務専念義務の免除である。

休日に特に命ぜられて勤務に就いたときには、百分の百三十五の休日給が支給されることになっている。なお、特に命ぜられた休日勤務を欠勤した場合には、給与は減額されないが、服務上の問題は生じるところである。

また、休日に勤務をさせることを予定していた職員から休みたい旨申し出があった場合においてそれを認めるときは、各省各庁の長は、年次休暇等を承認するのではなく、休日として休ませるように対処するのが適当である。

○勤務時間法

（休日）

第十四条　職員は、国民の祝日に関する法律（昭和二十三年法律第百七十八号）に規定する休日（以下「祝日法による休日」という。）には、特に勤務することを命ぜられる者を除き、正規の勤務時間においても勤務することを要しない。十二月二十九日から翌年の一月三日までの日（祝日法による休日を除く。以下「年末年始の休日」という。）についても、同様とする。

ところで、祝日法においては、国民の祝日が日曜日と重なるとき、昭和四十八年四月以降はその翌日を、平成十九年一月以降はその日後においてその日にもっとも近い「国民の祝日」でない日を休日とすることとされているが、ここで注意を要することは、これは、国民の祝日が日曜日に当たった場合の措置であって、週休日に当たった場合すべてに適用されるものではないことである。したがって、国民の祝日が土曜日に当たった場合には、その日は祝日ではあるが、一般の職員については勤務時間法上の性格は単なる週休日であり、他の日が代わりに休日とされることはない。同様に、例えば、木曜日が週休日となっている交替制等勤務職員について、その日が祝日法の休日に当たった場合もその日は、週休日であり、日曜日の場合と異なり、翌日は「祝日ではないが休日である」とはならず、通常の勤務を要する日であるに過ぎない。しかしながら、このことは、一般の職員について、祝日法の規定により、国民の祝日と日曜日（週休日）とが重なった場合には、原則として、日曜日及び月曜日の二日間連続して休めることとなっていることとの均衡上問題なしとしない。そこで、交替制等勤務職員については、祝日法の休日と週休日が重なった日の直後の勤務日に勤務をした場合には、その日の勤務について休日給を支給することとされている（ただし、一般の職員については土曜日代休制がないことと比較すれば、完全週休二日制の現在、交替制等勤務職員についてこのような取扱いを維持しなければならないか、検討の余地はあろう。）。

また、先の例の場合の木曜日の翌日の金曜日については、勤務した場合には休日給が支給されるという日にすぎず、勤務を要する日が休日に変更されるものではないので、休暇等により合法的に勤務を欠く場合のほか、勤務を欠けば、欠勤となり、給与が減額されるとともに、服務上の問責の対象となり得ることは当然である。

○国民の祝日に関する法律（昭和二十三年法律第百七十八号）

（この法律の趣旨）

第一条　自由と平和を求めてやまない日本国民は、美しい風習を育てつつ、よりよき社会、より豊かな生活を築きあげるために、ここに国民こぞつて祝い、感謝し、又は記念する日を定め、これを「国民の祝日」と名づける。

（国民の祝日）

第二条　「国民の祝日」を次のように定める。

元　日　一月一日　年のはじめを祝う。

成人の日　一月の第二月曜日　おとなになつたことを自覚し、みずから生き抜こうとする青年を祝いはげます。
建国記念の日　政令で定める日　建国をしのび、国を愛する心を養う。
天皇誕生日　二月二十三日　天皇の誕生日を祝う。
春分の日　春分日　自然をたたえ、生物をいつくしむ。
昭和の日　四月二十九日　激動の日々を経て、復興を遂げた昭和の時代を顧み、国の将来に思いをいたす。
憲法記念日　五月三日　日本国憲法の施行を記念し、国の成長を期する。
みどりの日　五月四日　自然に親しむとともにその恩恵に感謝し、豊かな心をはぐくむ。
こどもの日　五月五日　こどもの人格を重んじ、こどもの幸福をはかるとともに、母に感謝する。
海の日　七月の第三月曜日　海の恩恵に感謝するとともに、海洋国日本の繁栄を願う。
山の日　八月十一日　山に親しむ機会を得て、山の恩恵に感謝する。
敬老の日　九月の第三月曜日　多年にわたり社会につくしてきた老人を敬愛し、長寿を祝う。
秋分の日　秋分日　祖先をうやまい、なくなつた人々をしのぶ。
スポーツの日　十月の第二月曜日　スポーツを楽しみ、他者を尊重する精神を培うとともに、健康で活力ある社会の実現を願う。
文化の日　十一月三日　自由と平和を愛し、文化をすすめる。
勤労感謝の日　十一月二十三日　勤労をたつとび、生産を祝い、国民たがいに感謝しあう。

（休日）

第三条　「国民の祝日」は、休日とする。

2　「国民の祝日」が日曜日に当たるときは、その日後においてその日に最も近い「国民の祝日」でない日を休日とする。

3　その前日及び翌日が「国民の祝日」である日（「国民の祝日」でない日に限る。）は、休日とする。

○建国記念の日となる日を定める政令（昭和四十一年政令第三百七十六号）

国民の祝日に関する法律第二条に規定する建国記念の日は、二月十一日とする。

○給与法

（給与の減額）

第十五条　職員が勤務しないときは、勤務時間法第十三条の二第一項に規定する超勤代休時間、勤務時間法第十四条に規定する祝日法による休日（勤務時間法第十五条第一項の規定により代休日を指定されて、当該休日に割り振られた勤務時間の全部を勤務した職員にあつては、当該休日に代わる代休日。以下「祝日法による休日等」という。）又は勤務時間法第十四条に規定する年末年始の休日（勤務時間法第十五条第一項の規定により代休日を指定されて、当該休日に割り振られた勤務時間の全部を勤務した職員にあつては、当該休日に代わる代休日。以下「年末年始の休日等」という。）である場合、休暇による場合その他その勤務しないことにつき特に承認のあつた場合を除き、その勤務しない一時間につき、第十九条に規定する勤務一時間当たりの給与額を減額して給与を支給する。

（休日給）

第十七条　祝日法による休日等（勤務時間法第六条第一項又は第七条の規定に基づき毎日曜日を週休日と定められている職員以外の職員にあつては、勤務時間法第十四条に規定する祝日法による休日が勤務時間法第七条及び第八条の規定に基づく週休日に当たるときは、人事院規則で定める日）及び年末年始の休日等において、正規の勤務時間中に勤務することを命ぜられた職員には、正規の勤務時間中に勤務した全時間に対して、勤務一時間につき、第十九条に規定する勤務一時間当たりの給与額に百分の百二十五から百分の百五十までの範囲内で人事院規則で定める割合を乗じて得た額を休日給として支給する。これらの日に準ずるものとして人事院規則で定める日において勤務した職員についても、同様とする。

○一般職の職員の給与に関する法律の運用方針（昭二六・一・一一　給実第甲二八号）

第十七条関係

1　休日給は、第十五条に規定する祝日法による休日等及び年末年始の休日等（以下「休日等」と総称する。）に特に勤務を命ぜられた職員のみでなく、休日に当然勤務することになっている交替制勤務、現場勤務等の職員についても支給する。

2　休日給は、休日等における正規の勤務時間中における実働時間に対して支給される。休日等において正規の勤務時間を超えて勤務した部分については、超過勤務手当が支給される。

3　休日と週休日とが重なった日の勤務に対しては、休日給を支給せず、超過勤務手当を支給する。

4　公務により旅行中の職員に対しては、旅行目的地において休日等の正規の勤務時間中勤務すべきことを職員の所轄庁の長があらかじめ指示して命じた場合において現に勤務したときに、その勤務時間につき明確に証明できるものについて休日給を支給する。

5　一勤務が二日にまたがる勤務でその一日が休日等に当たるときの休日給は、休日等に当たる日の勤務に対してのみ支給する。

6　人事院規則九―四三（休日給）（以下「規則九―四三」という。）第一条又は第二条に定める日における勤務をした職員に支給される休日給の取扱いについても、前各項と同様とする。

7　休日給の支給割合については、規則九―四三の定めるところによる。

○規則九―四三（**休日給**）

（休日給の支給される日）

第一条　給与法第十七条前段（育児休業法第十六条（育児休業法第二十二条において準用する場合を含む。）又は第二十四条の規定により読み替えて適用する場合を含む。）の人事院規則で定める日は、勤務時間法第六条第一項に規定する週休日に当たる勤務時間法第十四条に規定する祝日法による休日の直後の勤務日等（勤務時間法第十条に規定する勤務日等をいう。以下この条において同じ。）（当該勤務日等が給与法第十五条に規定する祝日法による休日等若しくは年末年始の休日等、勤務時間法第十三条の二第一項の規定により割り振られた勤務時間の全部について同項に規定する超勤代休時間を指定された日又は次条の人事院が指定する日（以下この条において「休日等」という。）に当たるときは、当該休日等の直後の勤務日等）とする。ただし、職員の勤務時間の割振りの事情により、各庁の長が他の日とすることについて人事院の承認を得たときは、その日とする。

第二条　給与法第十七条後段の人事院規則で定める日は、国の行事の行われる日で人事院が指定する日とする。

（休日給の支給割合）

第三条　給与法第十七条の人事院規則で定める割合は、百分の百三十五とする。

第二節　休日の代休日

一　休日代休の意義

民間において通常、代休制度というときには、あらかじめ定められた休日に労働させる必要がある場合に、その日を労働日に変更し、その替わりに他の労働日を休日とする「休日の振替（事前の振替）」と、休日労働や一定の時間外労働・深夜労働を行わせた場合に、これらの労働自体については休日労働と評価して割増賃金を支払うとともに、その代償として、別途その後の労働日の労働義務を免除する「代償休暇（事後の振替）」の両者を含めて呼ぶことがある。

公務においては、正規の勤務時間が割り振られていない週休日については、昭和六十三年、労基法上の「事前の振替」に当たる制度として週休日の振替制度が導入された（昭和六十四年一月一日施行）。しかし、祝日法の休日及び年末年始の休日については、前節で述べたとおり、それぞれの祝日を祝い、感謝し、記念し、あるいは社会慣習に合わせて必要な諸事を行うという休日の趣旨に鑑みて、特に勤務することを命ぜられた職員を除いては、その休日の正規の勤務時間においても職務専念義務が免除されることとされていた（旧給与法第十四条の二、勤務時間法第十四条）ものの、休日に特に勤務を命ぜられた者に対しては休日給を支払う（旧給与法第十七条）という給与上の措置を講じるにとどめられていた。

なお、「休日」という場合、労基法上は労働日以外の日すべてを意味するが、公務においては、祝日法による休日及び年末年始の休日に限られる点に、注意する必要がある。

第二部第四章で述べたとおり、国の大きな政策課題として総実勤務時間の短縮が掲げられる中で、公務においては、完全週休二日制を基本とした週四十時間勤務制の導入により、所定勤務時間の短縮については一つの区切りがついたが、今後、更に総実勤務時間の短縮に取り組む必要があるとされていた。このような状況下において、休日に特に勤務を命ぜられた場合においては、休日給の支給という給与面での措置だけではなく、実質的な休日数の確保、職員の健康・福祉の増進等、総実勤務時間の短縮の推進及び給与以外の勤務条件の改善に資するとの観点から、休日勤務を命ずる代わりに代休日を付与するという、いわゆる「休日代休制度」の創設が広く関係各方面から求められていたところであり、平成六年の勤務時間法制定に際して「休日の代休日」が新規に設けられ、休日勤務に対して、休日給は支給しないが、代休を付与するという措置が認められることとなったものである。

この制度の趣旨は、もともと、特に勤務を命ぜられなければ、正規の勤務時間における職務専念義務が免除される休日に、特に勤務を命ぜられた場合に、その休日勤務に代わるものとして、職員に対してまる一日（暦日）の休みを代休として与えることによって、職員の実質的な休日数を確保し、総実勤務時間の短縮を促進することにある。いいかえれば、休日代休制度は、週三十八時間四十五分の勤務時間そのものを割り込ませて、総実勤務時間を縮減しようとするものであるといえる（この点、週休日に勤務の必要がある場合に、超過勤務によらず正規の勤務時間として勤務させることにより週三十八時間四十五分を達成しようとする週休日の振替制度とは本質的に異なるものといえる。）。そして、このような休日代休制度の趣旨に鑑みれば、休日に勤務を命じた場合には、極力、職員に対して、代休を与えることが望ましい（結果として、代休を付与することとなるか休日給を支給することとなるかは別問題。この点に関しては、「二の1の(5)　職員の意向の尊重」参照）といえよう。

しかし、例えば、休日に全職員を動員しなければならないような特別な行事があった場合に、職員全員の代休日を同じ勤務日にすることは、行政機関の休日に関する法律（昭和六十三年法律第九十一号）の観点から考えても、実際の一般国民への行政サービスの提供の観点から考えても不可能であろう。また、一日二十四時間、一年三百六十五日をとおして、必要な人数の職員が職務に従事していることが要求される、いわゆる交替制勤務を行っている職場において、ある職員に代休を与えるということは、端的にいえば、その職員が仕事をする予定であった部分に穴があくということを意味するものであり、他の職員による代休を付与された職員の仕事のカバー、代替え要員の確保等の検討を行わずに代休を付与することも、行政サービスの質の維持という観点から疑問があるところである。

このように、休日代休制度は職員の勤務条件として重要な制度の一つであるが、他方、業務運営上の問題点を解決した上で、適切に運用されるべき制度であるともいえる。このような観点から、勤務時間法においては、「各省各庁の長は……当該休日に代わる日……として、……勤務日等……を指定することができる。」（同法第十五条第一項）と規定しており、休日代休制度の基本は、まず、各省各庁の長が、一定の要件を満たす場合に、公務運営上の事情その他、諸般の事情を考慮して職員の代休日を指定することができるものであるということを明確にしている。しかしながら、各省各庁の長は、休日代休制度の趣旨に照らして、職員に対して代休日を付与するよう努力するのが適当であることはいうまでもない。

二　代休日の指定

１　代休日を指定する際の要件

勤務時間法第十五条第一項及び規則一五―一四第十七条は、各省各庁の長が、代休日を指定する際の要件として、

①　代休の対象となる休日

②　代休日を指定する際の休日の勤務命令

③　代休日の指定時期
④　代休日の指定範囲
⑤　職員の意向の尊重
について定めている。以下、各要件の具体的内容について説明する。

○勤務時間法

（休日の代休日）

第十五条　各省各庁の長は、職員に祝日法による休日又は年末年始の休日（以下この項において「休日」と総称する。）である勤務日等に割り振られた勤務時間の全部（次項において「休日の全勤務時間」という。）について特に勤務することを命じた場合には、人事院規則の定めるところにより、当該休日前に、当該休日に代わる日（次項において「代休日」という。）として、当該休日後の勤務日等（第十三条の二第一項の規定により超勤代休時間が指定された勤務日等及び休日を除く。）を指定することができる。

○規則一五—一四

（代休日の指定）

第十七条　勤務時間法第十五条第一項の規定に基づく代休日の指定は、勤務することを命じた休日を起算日とする八週間後の日までの期間内にあり、かつ、当該休日に割り振られた勤務時間と同一の時間数の勤務時間が割り振られた勤務日等（勤務時間法第十三条の二第一項の規定により超勤代休時間が指定された勤務日等及び休日を除く。）について行わなければならない。

２　各省各庁の長は、職員があらかじめ代休日の指定を希望しない旨申し出た場合には、代休日を指定しないものとする。

３　代休日の指定の手続に関し必要な事項は、人事院が定める。

(1)　代休の対象となる休日

まず、代休の対象となる休日については、勤務時間法第十五条第一項において「祝日法による休日又は年末年始の休日」に限定されており、同項自体によって指定された代休日は含まれていない。すなわち、一度指定した代休日に、その後の事情の変更によって特に勤務を命じた場合であっても、いわゆる再代休は認められておらず、この場合は、代休日の勤務に対して休日給を支給することとなる。これは、代休日をさらに代休指定の対象として再代休を認めると、いつまでも職員が休める日が確定せず、勤務条件が不安定になるので、それを避けるためである。

次に、ここでいう休日が暦日であることはいうまでもない。したがって、交替制等勤務職員の中には、一回の勤務が二暦日にまたがって行われる（夜勤）こともあるが、このような場合であっても、一回の勤務時間全体の勤務を代休の対象とすることはできず、暦日たる休日に割り振られた勤務時間の勤務のみが代休の対象となる。すなわち、休日代休制度は、一暦日たる休日勤務の代償として一暦日の休みを確保しようとする制度であり、二暦日にまたがった二つの勤務を足して代休の指定対象となる休日勤務とみなすことは、認められていないのである。

また、休日である「勤務日等」とは、勤務時間法第十条に定義されているとおり、同法「第六条第二項から第四項まで、第七条又は第八条の規定により勤務時間が割り振られた日」のことをいう。すなわち、もともと勤務時間が割り振られている日以外でも、勤務時間法第八条の週休日の振替等が行われた場合には、週休日の振替等が行われた後の新たに勤務時間が割り振られた日（振替前の週休日）が含まれ、振替後の新たな週休日は除かれることとなるのは、いうまでもない。

なお、週休日の振替等に関する特殊な例として、週休日と休日が重なった場合の取り扱いがある。週休日と休日が重なった場合には、週休日であるので、その時点では勤務時間が割り振られていないため、休日代休の指定対象となる休日には該当しないが、週休日を振り替えて別な勤務日を週休日とし、当該休日を勤務日等とした場合には、勤務時間が割り振られたため、代休の指定対象となることとなる。

(2)　代休日を指定する際の休日の勤務命令

勤務時間法第十五条第一項は、代休の対象となる休日の勤務命令について、「休日……である勤務日等に割り振られた勤務時間の全部……について特に勤務することを命じた場合」と規定しており、代休指定に際しては、正規の勤務時間全部についての勤務命令があることを条件としている。したがって、例えば、四時間の勤務命令等、休日の勤務時間の一部についてのみ特に勤務を命じた場合は代休を指定することはできない。これは、時間単位の代休では、休日数の確保につながらないからである。また、休日のもともとの勤務時間が午前八時三十分から午後五時十五分まで休憩時間を除いて七時間四十五分割り振られている職員に、夕方から夜にかけて七時間四十五分の勤務を命じたというように、超勤を含めた勤務時間数が同じであっても、正規の勤務時間の全部を勤務しない場合には、代休を指定することはできない。

なお、特別な形態のものとして、出張期間中や赴任期間中の休日の取り扱いがある。休日代休制度は、いわば休日給を支給する代わりに、代休を付与しようとするものであり、出張期間中や赴任期間中の休日であっても、全勤務時間について特に勤務を命じた場合には、代休の指定対象となるものである。

○一般職の職員の給与に関する法律の運用方針（昭二六・一・一一　給実甲第二八号）

第十七条関係

4　公務により旅行中の職員に対しては、旅行目的地において休日等の正規の勤務時間中勤務すべきことを職員の所轄庁の長があらかじめ指示して命じた場合において現に勤務したときに、その勤務時間につき明確に証明できるものについて休日給を支給する。

(3)　代休日の指定時期

代休の指定時期について、勤務時間法第十五条第一項は「当該休日前に……指定することができる。」と規定し、休日代休の事前指定（当該休日前の指定）を明記しており、事後指定は認めていない。これは、休日勤務後の時点で、休日給の支給か代休の付与か未確定の状況を生ぜしめるのを避けるためである。

(4)　代休日の指定範囲

休日の代休日として指定できる日について、勤務時間法第十五条第一項は「人事院規則の定めるところにより、……当該休日に代わる日……として、当該休日後の勤務日等（第十三条の二第一項の規定により超勤代休時間が指定された勤務日等及び休日を除く。）を指定することができる。」と規定しており、規則一五―一四第十七条第一項は、この規定を受けて代休日の条件として「勤務することを命じた休日を起算日とする八週間後の日までの期間内にあり、かつ、当該休日に割り振られた勤務時間と同一の時間数の勤務時間が割り振られた勤務日等（勤務時間法第十三条の二第一項の規定により超勤代休時間が指定された勤務日等及び休日を除く。）」と規定している。これは、代休日として指定できる日が、①超勤代休時間が指定された日及び休日以外の勤務日等であること、②その勤務日等が当該休日後八週間以内にあること、③その勤務日等に当該休日と同じ時間数の勤務時間が割り振られていること、の三つの条件を満たす日でなければならないということである。

職員には、各々、その正規の勤務時間において職務に専念する義務があり、それを免除するためには法律又は命令の定めが必要とされている（国公法第百一条第一項）ところである。本条の休日の代休日における職務専念義務免除の規定は、この「法律又は命令の定め」に該当するものである。

なお、法律に明記されているが、超勤代休時間が指定された日及び休日を代休日とできないのはいうまでもないことである。これらの日を代休日とできる、すなわち、代休日としようとする日に当該職員を休ませることができるということであれば、それは、休日代休制度によらず、当然、勤務時間法第十三条の二の規定により指定した超勤代休時間の効果として、又は勤務時間法第十四条の休日の職務専念義務を免除することによって休ませるべきものだからである。

次に、代休日は勤務することを命じた休日後八週間以内の日でなければならないとし、代休日を休日後に限定し、休日前の代休を認めないとされているが、これは、代休指定後の事情の変更によって、職員の勤務条件が不安定となるのを避けるためのものである。例えば、休日に特に勤務を命じ、代休日を指定したが、その後の事情の変更によって休日勤務の必要がなくなった場合や、気象条件等により休日の業務が不可能ないしは不要となった場合に、休日前に職員に代休を与え、その日の職務専念義務を免除してしまうと、既に休んでしまった代休日の職務専念義務の取扱いについての問題ないしは、休日に業務がないのに出勤しなければならないという問題が生じることとなる。そこで、職員の勤務条件を安定させるために、制度的に休日前の日を代休日として指定することを禁止しているものである。なお、八週間という期間は、弾力的運用の幅を確保しつつ、休日の代休日を当該休日にできるだけ近い日に置き、職員の勤務条件の安定性を確保するために設定されたものであり、週休日の振替制度に合わせたものとなっている。

また、勤務時間数が同一でなければならないという条件は、その職員が代休日として指定された暦日の全部を休むことができるように設けられたものである。すなわち、同じ時間数の勤務時間が割り振られている日であれば、代休として指定した結果、当該代休日の正規の勤務時間全部について職務専念義務が免除され、暦日まる一日休むことができるわけである。この場合、代休日として指定する勤務日に割り振られている勤務時間の時間帯については特に限定されておらず、代休日とできる日の選択の範囲を広げている。

○国公法

（職務に専念する義務）
第百一条　職員は、法律又は命令の定める場合を除いては、その勤務時間及び職務上の注意力のすべてをその職責遂行のために用い、政府がなすべき責を有する職務にのみ従事しなければならない。〔後略〕

(5)　職員の意向の尊重

規則一五—一四第十七条第二項は、「職員があらかじめ代休日の指定を希望しない旨申し出た場合には、代休日を指定しないものとする。」と規定し、代休日の指定に際しての職員の意向の尊重を明らかにしている。これは、職員が代休を希望せず、休日代休が指定されなかった場合には、特に勤務することを命じた休日の勤務に対しては、休日給を支給することとなるということである。したがって、代休日を指定する際には、「職員が代休日の指定を希望しない旨の申出を行わなかったこと」も各省各庁の長の裁量の中における手続的要件の一つである。

結果として、この規定は、職員に対して代休の指定と休日給の支給との実質的な選択制を認めたもの、ということができる。ただし、勤務時間法上は、休日の代休日については、各省各庁の長が業務の事情その他諸般の事情を勘案して指定するものであることは、前述したとおりであり、この規定をもって、職員に休日の代休日の請求権までも付与したものではない。

職員の意向の尊重を認めた理由としては、まず、近年、職員の個人生活における価値観が多様化し、勤務時間・休暇等の勤務条件が給与と並んで職員の重要な勤務条件の一つとして位置づけられてきていることが挙げられる。すなわち、給与上の措置か代休日の付与かについて、個々の職員の価値観に基づいて選択させることは、今後の勤務条件の在り方の一つとしての職員の価値観の多様化への対応を考慮すれば、合理的な方法であるといえよう。また、週休日の振替制度が週三十八時間四十五分の勤務時間を確保する制度であるのに対して、休日の代休制度がいわば週三十八時間四十五分の勤務時間を割り込ませる制度であり、任意の措置としても、差し支えないといえよう。

なお、職員の意向は、規則一五—一四運用通知第十一「休日の代休日の指定関係」第一項により、代休日の指定前に申し出ることとなっている（2　代休日の指定手続参照）。

2　代休日の指定手続

以上述べてきた代休日の指定要件を満たす場合の、具体的な指定手続きについては、規則一五—一四第十七条第三項の委任に基づき、規則一五—一四運用通知第十一「休日の代休日の指定関係」で次のように定められている。

① 職員は代休日の指定を希望しないときは、代休日の指定前に申し出ること（第一項）
② 代休日の指定は代休日指定簿で行うこと（第二項前段）
③ 代休日の指定は、できる限り休日の勤務命令と同時に行うこと（第二項後段）
④ 代休日指定簿の様式及び作成方法（第三項及び第四項）

まず、①の職員の代休日の指定を希望しない旨の申出について、代休日指定前に行うことについては、規則一五—一四第十七条第二項に「職員があらかじめ代休日の指定を希望しない旨申し出た場合には」と規定していることの趣旨を確認的に定めたものである。
②の代休日指定簿の使用の義務づけは、代休日の指定についても、その他の勤務条件と同様に、職員に明確に通知されなければならないものであること、申出が口頭でも可能であることから一定の様式に基づいて確認する必要があること等を考慮してのものである。
③は代休日の指定期日の目安を示したものである。すなわち、勤務時間法第十五条第一項においては、代休日の指定は単に勤務を命ずる休日前に行うものとされているが、その具体的な目安として、各省各庁の長は、休日にその職員に勤務を命じなければならないこととなった時には、代休日の付与についても検討し、できる限り、休日の勤務命

令と同時に指定することが望ましいという趣旨である。

ここで気になるのは、休日の勤務命令と同時に代休日が指定される場合、職員が代休日を指定することを希望しない旨の申出をするタイミングである。この点に関しては、④の代休日指定簿において、職員の意向について、職員が代休日の指定を希望しない旨申し出ない場合は本人がそれを確認することとされており、手続上、職員の意向が尊重されるよう担保されている。
④の代休日指定簿の様式の記載事項は、職員の氏名・所属の他、勤務を命じた休日及び当該休日の全勤務時間、職員の意向の確認、代休日及び当該代休日の正規の勤務時間であるが、これらの事項を含んでいれば、形式自体については、各省各庁の長が任意に定められることとされており、代休日の指定についても、必要に応じて複数の代休日の指定を同一の代休日指定簿で行うことができるとされている。さらに、複数の職員について、まとめて様式を定めても差し支えない。

○規則一五—一四運用通知
第十一　休日の代休日の指定関係
1　規則第十七条第二項に規定する代休日の指定を希望しない旨の申出は、代休日の指定前に行うものとする。
2　勤務時間法第十五条第一項の規定に基づく代休日の指定は、代休日指定簿により行うものとし、できる限り、休日に勤務することを命ずると同時に行うものとする。
3　代休日指定簿の様式は別紙第二のとおりとする。ただし、別紙第二の様式に記載することとされている事項がすべて含まれている場合には、各省各庁の長は、別に様式を定めることができる。
4　代休日指定簿は、一の代休日ごとに一部作成するものとする。ただし、必要に応じて、複数の代休日について同一の代休日指定簿によることができる。

別紙第２

人事院様式第509号

代休日指定簿

所　属

氏　名

１．勤務を命じた休日及び当該休日の全勤務時間

・令和　　年　　月　　日

：　～　：　　　：　～　：

・勤務時間数　　時間　　分

２．職員の意向「代休日の指定を希望しない旨を申し出ないこと」

本人の確認

３．代休日及び当該代休日の正規の勤務時間

・令和　　年　　月　　日

：　～　：　　　：　～　：

・勤務時間数　　時間　　分

三　休日代休の効果

1　具体的職務専念義務免除の効果

勤務時間法第十五条第一項の規定は代休指定の要件を定めたものであり、同条第二項の規定は代休日の職務専念義務の免除の効果等を定めている。具体的には、勤務時間法第十五条第二項において、代休日の職務専念義務免除という効果を生じさせるための条件として、勤務を命ぜられた休日の全勤務時間を勤務したこと、及び、代休日に特に勤務を命ぜられていないこと、の二つの条件が定められている。

○勤務時間法

（休日の代休日）

第十五条

２　前項の規定により代休日を指定された職員は、勤務を命ぜられた休日の全勤務時間を勤務した場合において、当該代休日には、特に勤務することを命ぜられるときを除き、正規の勤務時間においても勤務することを要しない。

まず、休日の全勤務時間を勤務したことが条件の一つとされているのは、時間数が同一である代休日の全勤務時間の職務専念義務を免除して一暦日の代休を確保しようとする、休日代休制度の趣旨の裏返しである。すなわち、職員が欠勤したため、結果的に休日の全勤務時間を勤務しなかった場合には、代休日の全勤務時間について職務専念義務免除の効果は生じないこととなる。休日代休制度は暦日一日を単位とした制度であり、この場合、勤務した時間数についてのみ職務専念義務が免除されるということはない。なお、業務の必要性が一部時間について不要となった場合には、勤務命令が一部撤回されており、そもそも勤務時間法第十五条第一項の休日の全勤務時間について特に勤務することを命じた場合には該当しないこととなる。

次に、代休日に特に勤務を命ぜられていないことが条件の一つとされているのは、代休日も本来は勤務日であり、業務の都合によっては、休日と同様に特に勤務を命ずる必要が生じ得ることから規定されているものである。ただし、この条件は、代休日指定後の事情の変更を認めたものであり、代休日を指定する際に、代休日の勤務命令を前提としてもよいという意味ではない。

なお、代休日の勤務命令については、一般の超過勤務命令や休日の勤務命令と同様に最小限度にとどめるべきものであり、この場合、正規の勤務時間の一部について勤務を命じ、残りを職務専念義務免除として取り扱うことも、休日の勤務命令と同様、可能である。

2　代休が付与された場合の給与の取扱い

代休が付与された場合の給与の取扱いは、簡単にいうと、休日と代休日の取扱いが入れ替わることとなる（休日を勤務日として取り扱い、代休日を休日として取り扱うこととなる。）ものである。

具体的には、勤務を命ぜられた休日の正規の勤務時間の勤務に対しては特段の手当は支給されず、代休日がその職員にとって休日給が支給される日となり（給与法第十七条）、超過勤務手当についても、勤務を命ぜられた休日の正規の勤務時間を超える超過勤務手当は正規の勤務時間が割り振られた日の超過勤務手当（給与法第十六条第一項第一号、支給割合は百分の百二十五又は百分の百五十（深夜の場合はそれぞれ百分の二十五を加算した割合））が支給され、代休日の正規の勤務時間以外の勤務に対しては休日の超過勤務手当（給与法第十六条第一項第二号、支給割合は百分の百三十五又は百分の百五十（深夜の場合はそれぞれ百分の二十五を加算した割合））が支給されることとなる。管理職員特別勤務手当の取扱いも同様に入れ替わることとなる。

なお、職員が従事した勤務そのものの特殊性に基づいて支給される特殊勤務手当等については、代休日の指定の影響を受けないことはいうまでもない。

〇給与法

（超過勤務手当）

第十六条　正規の勤務時間を超えて勤務することを命ぜられた職員には、正規の勤務時間を超えて勤務した全時間に対して、勤務一時間につき、第十九条に規定する勤務一時間当たりの給与額に正規の勤務時間を超えてした次に掲げる勤務の区分に応じてそれぞれ百分の百二十五から百分の百五十までの範囲内で人事院規則で定める割合（その勤務が午後十時から翌日の午前五時までの間である場合には、その割合に百分の二十五を加算した割合）を乗じて得た額を超過勤務手当として支給する。

一　正規の勤務時間が割り振られた日（次条の規定により正規の勤務時間中に勤務した職員に休日給が支給されることとなる日を除く。次項において同じ。）における勤務

二　前号に掲げる勤務以外の勤務

（休日給）

第十七条　祝日法による休日等（勤務時間法第六条第一項又は第七条の規定に基づき毎日曜日を週休日と定められている職員以外の職員にあつては、勤務時間法第十四条に規定する祝日法による休日が勤務時間法第七条及び第八条の規定に基づく週休日に当たるときは、人事院規則で定める日）及び年末年始の休日等において、正規の勤務時間中に勤務することを命ぜられた職員には、正規の勤務時間中に勤務した全時間に対して、勤務一時間につき、第十九条に規定する勤務一時間当たりの給与額に百分の百二十五から百分の百五十までの範囲内で人事院規則で定める割合を乗じて得た額を休日給として支給する。〔後略〕

（管理職員特別勤務手当）

第十九条の三　管理監督職員若しくは専門スタッフ職俸給表の適用を受ける職員でその職務の級が二級以上であるもの（以下「管理監督職員等」という。）又は指定職俸給表の適用を受ける職員が臨時又は緊急の必要その他の公務の運営の

必要により勤務時間法第六条第一項及び第四項、第七条並びに第八条の規定に基づく週休日又は祝日法による休日等若しくは年末年始の休日等（次項において「週休日等」という。）に勤務した場合は、当該職員には、管理職員特別勤務手当を支給する。

○規則九―九七（超過勤務手当）

（超過勤務手当の支給割合）

第二条　給与法第十六条第一項の人事院規則で定める割合は、次の各号に掲げる勤務の区分に応じ、当該各号に定める割合とする。

一　給与法第十六条第一項第一号に掲げる勤務　百分の百二十五

二　給与法第十六条第一項第二号に掲げる勤務　百分の百三十五

○規則九―四三（休日給）

（休日給の支給割合）

第三条　給与法第十七条の人事院規則で定める割合は、百分の百三十五とする。

3　代休日指定後の事情の変更

代休日を指定する際にその要件を満たしていない場合に、代休の指定自体が無効であることはいうまでもないが、代休指定の要件をすべて満たし、指定手続に則って代休指定が行われた後の事情の変更について、本項でまとめて説明する。

⑴　休日の勤務命令の一部又は全部が撤回された場合

代休を指定した後に、休日に業務する必要がなくなったり、天候等の理由により休日の業務が途中で続行不可能となった場合には、休日の勤務命令の全部又は一部が撤回されることとなる。休日勤務命令の全部又は一部の撤回は、休日がもともと職務専念義務が免除される日であることから、撤回しても勤務条件上、職員に著しく不利となるものではなく、特に問題はないと思われる。休日の勤務命令の全部又は一部が撤回された場合には、代休指定の要件を満たさないこととなるため、休日代休の指定は無効となり、職員は勤務時間法第十四条に基づき職務専念義務が免除されることとなる。したがって、休日の勤務命令の一部が撤回された場合には、勤務した時間に対して休日給が支給されることとなる。

(2)　代休指定後に代休日に勤務を命ずる必要が生じた場合

代休を指定する際には、当該代休日は休める予定であったが、その後の事情の変更により勤務を命ずる必要が生じた場合には、代休の指定自体は有効であり、勤務時間法第十五条第二項の規定にもあるとおり、通常の休日と同様に勤務を命ずることができる。ただし、事情の変更が勤務を命じた休日以前に判明した場合にあっては、代休の指定を取り消し、新たな勤務日等を代休として指定することはできる。なぜなら、官側からの一方的な取消しは、職員の勤務条件の安定上、望ましいことではないが、新たな代休日を職員に提示することによって、職員にとって不利となるものではないからである。

なお、休日勤務後の変更ができないことについては、前述のとおりである。

(3)　代休の指定後に職員の異動が明らかとなった場合

代休の指定後休日勤務の前に職員が異動となった場合は、休日勤務命令そのものが撤回され、代休の指定が無効となることについて、問題はない。

ここで問題となるのは、休日勤務後、代休日前に異動となる場合である。このような職員の異動があった場合には、異動前の週休日とされた日に勤務する必要がある場合の異動日を挟んだ週休日の振替等の取扱い（第二部第三章第一節五４参照）に準ずることとなる。

なお、このような事情が休日勤務前に判明した場合には、代休の指定を撤回することは可能であろう。

○異動日を挟んだ週休日の振替等の取扱いについて（通知）（平二五・一二・一　職職—一二五）

Ⅲ　代休日及び超勤代休時間の取扱い

1　代休日の取扱い

Ⅰは、勤務時間法第十五条第一項に規定する代休日の取扱いに関して準用するものとする。

第四部　休暇

　一般職国家公務員の休暇については、「国家公務員法の規定が適用せられるまでの官吏その他政府職員の任免等に関する法律」（昭和二十二年法律第百二十一号）によって「従前の例」によることとされ、そのまま推移していたところ、昭和六十年の人事行政全般にわたる諸制度の整備の一環として見直されることとなり、取り敢えずは「一般職の職員の給与等に関する法律」の中で整理され、昭和六十一年一月に施行された。しかしながら、休暇が職員の職務専念義務の免除という制度であることからすれば、職員の給与に関する事項を定める給与法中に規定されているということは、他法令に間借りしているともいえる状態となっていた。

　その後、完全週休二日制が達成されたこと等を契機に、勤務時間、休暇等に関する事項を給与法から分離して新たに法律を制定する必要があるとの判断の下に、平成五年十二月十七日の人事院の意見の申出を経て、平成六年六月十五日に「一般職の職員の勤務時間、休暇等に関する法律」（勤務時間法）が公布され、同年九月一日から新たな法律に基づく休暇制度として実施されることとなった。

第一節　休暇の意義

一　休暇の概念

休暇が勤務時間とともに重要な勤務条件の一つであることは、本書第一部総説の冒頭で述べたとおりである。

職員も社会の一員として、公民権を行使するなど社会的生活を営んでおり、また、一個の人間である以上、常に健康であるとは限らず、ときには病気となる可能性をもつ存在である。

職員は、勤務時間中、職務に専念する義務を負うのであるが、一定の事由によっては、必要な時間、その義務を免除し勤務から解放することが必要となる。一方、国公法は、公務の能率的運営を国民に対し保障するという目的を掲げており、勤務からの解放とこの目的との調和を図る必要があり、休暇制度は、この趣旨のもとに定められている。「休暇」について法律上特に定義づけはなされていないが、「休暇」とは、職員が、割り振られた正規の勤務時間を正当に勤務しないことが認められている状態のうち、その勤務しない事由が、

①　雇用関係の中で、被傭者の休息、娯楽、能力啓発等のため付与される民間における年次有給休暇（労基法第三十九条）に相当するものとして公務員にも保障すべきもの（年次休暇）

②　専ら職員側の私生活上ないし社会生活上の事由によって勤務義務を履行し難い状態に置かれた場合のうち、その勤務しないことが人倫上、社会慣習上ないしは物理上真にやむを得ないものと認められ、かつ、職員の勤務条件として法律又は人事院規則をもって保障するにふさわしいものとして認識することが相当であると認められる場合のもの（病気休暇、特別休暇、介護休暇及び介護時間）

として概念構成される。

なお、休暇に近い概念に「休日」があるが、休日と休暇は全く別個のものである。すなわち、「休日」とは、文字どおり業務を休む日のことであるが、労基法第三十五条が「使用者は、労働者に対して、毎週少くとも一回の休日を与えなければならない。」という場合の「休日」は、公務員の場合は、「週休日」のことである。第二部の勤務時間のところで述べたとおり、原則として、職員の一週間の勤務時間は月曜日から金曜日に割り振られ、「週休日」は日曜日及び土曜日とされている。この日は、もともと勤務時間が割り振られていないのであるから、勤務時間中に勤務から職員を解放する休暇とは明らかに異なる。

また、交替制等勤務職員が、第一日の午前八時半から、翌日の午前八時半まで、休憩時間を除き十五時間三十分の

勤務に従事する場合、第二日目の午前八時半に勤務から解放される。この第二日目は、俗に「非番」あるいは「直明け」と呼ばれているが、この職員にとっては、この日は、「週休日」ではない。第三日目の朝まで勤務から解放されている態様からみると、一見、「週休日」のように思われるが、その日（第二日目）に勤務時間が割り振られているので「週休日」とはならない（詳細は第二部第二章第二節（二六頁～）参照）。

いずれにせよ、勤務時間が割り振られていない時間は、特に超過勤務を命ぜられない限り、職員の自由な時間であるから、休暇の概念の入りこむ余地のない時間である。それでは、超過勤務を命ぜられた場合は、職員にとって勤務を要する時間となるのであるから、このときに、所用のため勤務から解放されるために休暇をとることができるかというと、これは成り立たない。休暇は、いわゆる正規の勤務時間に対応する概念であるからである。

二　休日・休職等

勤務時間制度における「休日」は、昭和六十年の給与法の改正によって新たに創設され、昭和六十一年一月から施行されたものであり、「勤務時間法」においても同様の制度が設けられている。

昭和六十年以前は、「休日」とは、国民の祝日に関する法律（昭和二十三年法律第百七十八号。以下「祝日法」という。）に規定する休日を指すこととされていたが、この祝日法は国民一般に対し、こぞって祝い、感謝し又は記念する日を定め、これを「国民の祝日」としたものであり、これをもって国民の祝日にも勤務時間が割り振られている職員が休めるとするについては、若干疑問なしとしないところであって、休暇制度の法的整備に当たり、昭和六十一年一月から、公務員の勤務時間制度としてこの点の整備が図られた。また、年末年始についても、明治六年の太政官布告第二号を引き継いで特別休暇として休みとされてきたが、この日は一般に官庁は閉じており、職員は、個々に特別休暇の手続を経ることなく休むのが通例となっていたことから、年末年始については、社会通念上職員は休むのがむしろ当然であるとの考えにより、休日として取り扱うこととした。

○勤務時間法

（休日）

第十四条　職員は、国民の祝日に関する法律（昭和二十三年法律第百七十八号）に規定する休日（以下「祝日法による休日」という。）には、特に勤務することを命ぜられる者を除き、正規の勤務時間においても勤務することを要しない。十二月二十九日から翌年の一月三日までの日（祝日法による休日を除く。以下「年末年始の休日」という。）についても、同様とする。

したがって、公務員にとって、「休日」とは、祝日法による休日及び年末年始の休日のことであり、当該日は、正規の勤務時間が割り振られている日であるが、特に勤務を命ぜられない限り、勤務することを要しないとされる日であり、給与も支給されることとなっている。なお、休日に勤務を命ぜられた職員には、勤務しない職員との均衡上、休日給が支給される。このように「休日」は、勤務時間が割り振られている日であるが、この日は、文字通り業務を休む日（行政機関の休日に関する法律（昭和六十三年法律第九十一号）第一条）であり、特に勤務することを命ぜられない限り自動的に職員は休みとなり、職員の請求により承認される休暇とは異なる概念である。

次に休日の代休日であるが、これは勤務時間法の制定によって新たに創設された制度である。

昭和六十四年一月より、職員が週休日に勤務した場合の振替制度は設けられていたが、休日に勤務した場合の代休制度は設けられておらず、導入について強い要望があったことから、総実勤務時間の短縮、休日数の確保、職員の健康・福祉への配慮の観点から導入したものであり、職員が休日に勤務することを命ぜられ、現に勤務した場合には、当該休日後の勤務日の職務専念義務を免除可能とする制度である。

休日及び休日の代休日について、詳しくは本書「第三部　休日」を参照されたい。

○勤務時間法

（休日の代休日）

第十五条　各省各庁の長は、職員に祝日法による休日又は年末年始の休日（以下この項において「休日」と総称する。）である勤務日等に割り振られた勤務時間の全部（次項において「休日の全勤務時間」という。）について特に勤務することを命じた場合には、人事院規則の定めるところにより、当該休日前に、当該休日に代わる日（次項において「代休日」という。）として、当該休日後の勤務日等（第十三条の二第一項の規定により超勤代休時間が指定された勤務日等及び休日を除く。）を指定することができる。

２　前項の規定により代休日を指定された職員は、勤務を命ぜられた休日の全勤務時間を勤務した場合において、当該代休日には、特に勤務することを命ぜられるときを除き、正規の勤務時間においても勤務することを要しない。

次に職員が職務に専念する義務を免除される制度として「休職」がある。

「休職」とは、国公法第七十九条に基づいて、一定の事由に該当する場合に行われる分限上の処分であり、この処分が行われると、職員は、職員としての身分は保有するが、職務には従事しないこととされる。休職に付される場合の事由としては、国公法第七十九条に規定する「心身の故障のため、長期の休養を要する場合」、「刑事事件に関し起訴された場合」のほか、人事院規則一一―四（職員の身分保障）第三条第一項に「学校、研究所、病院その他人事院の指定する公共的施設において、その職員の職務に関連があると認められる学術に関する事項の調査、研究若しくは指導に従事し、又は人事院の定める国際事情の調査等の業務若しくは国際約束等に基づく国際的な貢献に資する業務に従事する場合」等具体的な定めがなされている。このように休職は、比較的長期にわたる一定の事由に該当する場合に、任命権者が一方的に行う処分である点において、職員の請求に基づいて承認される休暇とは異なるものである。また、休職の場合は、その職員は定員外とされ、いわゆる後補充を行うことができるが、休暇の場合には、定員外とされることはない点においても異なっている。

また、「休職」と同じような取扱いを受けるものに「専従許可」の制度がある。

「専従許可」とは、国公法第百八条の六の規定に基づくものである。すなわち、職員が、職員団体の業務に専ら従事することは原則として認められないが、登録された職員団体の役員として専ら従事する場合には、所轄庁の長の許可を受ければ、職員としての在職期間を通じて五年（国公法附則による特例で、現在は七年）に限り認められる。この許可を受けた職員は、その許可の有効期間中、休職者として取り扱われ、職員としての身分を保有するが、職務に従事せず、給与も支給されない。また、一般の休職の場合と同様に、定員外とされ、いわゆる後補充を行うことも可能とされるが、本人の申請を前提とする点において、一般の休職と異なり、在籍専従の禁止を解除する専従許可という行政行為であって、休職者の場合と同様の法的効果を与えていることなどの点において、休暇とも異なるものである。

職員団体の業務に専ら従事する場合は専従許可の制度によることができるが、このほか短期の職員団体の用務で勤務を離れる場合は、人事院規則一七―二（職員団体のための職員の行為）第六条の規定に基づき、所轄庁の長の許可を得て、正規の勤務時間中に当該団体の業務に従事することができる。この場合は、登録された職員団体の役員又は当該団体の議決機関、投票管理機関若しくは諮問機関の構成員としての業務に限られ、一日又は一時間を単位として与えられる。許可の有効期間は、当該職員について一年を通じて、三十日を超えてはならないとされている。職員が許可を受けて職務に従事しなかった期間は、給与が減額される。

さらに、「休職」と類似したものに、「派遣」、「育児休業」、「自己啓発等休業」、「配偶者同行休業」及び官民人事交流のための「交流派遣」などがある。

「派遣」には、国際機関等に派遣される一般職の国家公務員の処遇等に関する法律（昭和四十五年法律第百十七号）

第二条第一項、法科大学院への裁判官及び検察官その他の一般職の国家公務員の派遣に関する法律（平成十五年法律第四十号）第十一条第一項、福島復興再生特別措置法（平成二十四年法律第二十五号）第四十八条の三第一項、令和七年に開催される国際博覧会の準備及び運営のために必要な特別措置に関する法律（平成三十一年法律第十八号）第二十五条第一項又は令和九年に開催される国際園芸博覧会の準備及び運営のために必要な特別措置に関する法律（令和四年法律第十五号）第十五条第一項の規定により派遣される場合などがあり、派遣された職員は、その派遣の期間中、職員としての身分を保有するが、職務には従事しないこととされる。これは、派遣の目的が、条約その他の国際約束又は国際機関等の要請に基づいて、国際機関等の業務に従事させることにあるから、本来の職務に従事させないことは当然のことである。通常の場合、その派遣は長期にわたる場合が多く、その間、特定の給与を支給できる途を残し、災害補償、退職手当等の取扱いに特段の配慮を加えるとともに、定員外として後補充を行うことが可能とされる。いわば、国際協力、法曹の養成、復興促進、国際博覧会等の円滑な準備・運営という視点からの政策的な特別の措置であって、休職と類似しているが、職員の派遣に当たって、当該職員の同意を得なければならないとされている点で、一般の休職とは異なるものである。

「育児休業」は、国家公務員の育児休業等に関する法律（平成三年法律第百九号）に基づくものである。すなわち、その三歳に満たない子の養育のため、任命権者の承認を受ければ、育児休業に係る子が三歳に達する日までの期間を限度として、育児休業をすることができる。その期間中、職員としての身分は保有するが、職務には従事しないこととされる。育児休業の目的は、職員の継続的な勤務を促進し、その福祉を増進するとともに公務の円滑な運営に資することにある。育児休業は、その期間中、定員外として給与も支給されないこととされているが、本人の請求を前提とする点において休職とは異なる。

「自己啓発等休業」は、国家公務員の自己啓発等休業に関する法律（平成十九年法律第四十五号）に基づくものである。大学等における修学や国際貢献活動を希望する常勤の職員は、任命権者の承認を受ければ、大学等における修学のための休業にあっては二年（大学等における修学の成果をあげるために特に必要な場合として人事院規則で定める場合は、三年）、国際貢献活動のための休業にあっては三年を超えない範囲内の期間を限度として、自己啓発等休業をすることができる。その期間中、職員としての身分は保有するが、職務には従事しないこととされる。自己啓発等休業は、公務を取り巻く社会環境の変化に対応できるよう、職員に自発性や自主性をいかした幅広い能力開発や国際協力の機会を提供するための柔軟な仕組みとして設けられたものであり、育児休業と同様に、その期間中、定員外として給与も支給されないことや本人の請求を前提とする点において休職とは異なる。

「配偶者同行休業」は、国家公務員の配偶者同行休業に関する法律（平成二十五年法律第七十八号）に基づくものである。外国での勤務、事業経営、就業等の事由により外国に住所又は居所を定めて滞在する配偶者と生活を共にするため、任命権者の承認を受ければ、三年を超えない範囲内の期間を限度として、配偶者同行休業をすることができる。その期間中、職員としての身分は保有するが、職務には従事しないこととされる。配偶者同行休業は、職員が家庭責任を全うしながら、能力を最大限に発揮して勤務するためには、それぞれの事情やニーズに応じて継続的に勤務できるような選択肢を拡充していくことが重要との観点から、仕事と家庭生活の両立支援の一つの方策として設けられたものであり、育児休業と同様に、その期間中、定員外として給与も支給されないことや本人の請求を前提とする点において休職とは異なる。

官民人事交流のための「交流派遣」は、国と民間企業との間の人事交流に関する法律（平成十一年法律第二百二十四号）に基づくものであり、期間を定めて、職員を、国家公務員としての身分を保有させたまま、民間企業との間で締結した労働契約に基づき、民間企業の従業員として、その業務に従事させることをいう。交流派遣の目的は、行政運営において重要な役割を担うことが期待される職員を民間企業に派遣し、その企業の実務を経験させることにより、その職員に効率的かつ機動的な業務遂行の手法を体得させるとともに、民間企業の実情に関する理解を深めさせることにより、行政の課題に柔軟かつ的確に対応するために必要な知識・能力を有する人材の育成を図ることである。交流派遣の期間中は、国の職務に従事することができず、派遣先企業の業務のみに専念し、派遣先企業から賃金を支給される。職員の派遣に当たって、当該職員の同意を得なければならないとされている点で、一般の休職とは異なるものである。

現行の休暇制度の内容は後に述べるが、休暇以外にも職務専念義務の免除が行われる場合があることは注意を要する。国公法第百一条第一項は、「職員は、法律又は命令の定める場合を除いては、その勤務時間及び職務上の注意力のすべてをその職責遂行のために用い、政府がなすべき責を有する職務にのみ従事しなければならない」と規定し、職員に対し職務に専念する義務を課しているのであるが、この義務が免除される場合として、勤務時間法第十六条に定める休暇の場合のほか、次のような場合がある。

⑴　職員の健康保持増進のための総合的な健康診査　規則一〇―四第二十一条の二に規定されているもので、職員がいわゆる人間ドックを受けるために請求した場合には勤務しないことを承認できるとされ、平成八年四月一日から措置されたものである。

⑵　就業禁止期間　規則一〇―四第二十四条第二項に規定されているもので、伝染性疾患の患者又は伝染性疾患の病原体の保有者である職員のうち、他の職員に感染のおそれが高いと認められる者に対する事後措置として、やむを得ないと認められる場合には、業務に就くことを禁止することができるとされている。

⑶　特定保健指導　規則一〇―四第二十四条の三に規定されているもので、高齢者の医療の確保に関する法律（昭和五十七年法律第八十号）第十八条第一項の特定健康診査の結果により健康の保持に努める必要のある職員が請求した場合には、同法第二十四条の規定による特定保健指導を受けるため勤務しないことを承認することができると

され、令和二年四月一日から措置されたものである。

(4)　産前・産後の就業制限及び保育時間　産前及び産後の就業制限は、規則一〇—七第八条及び第九条に規定されているもので、母性保護の見地から、産前については六週間（多胎妊娠の場合は十四週間）以内に出産予定の女性職員が請求した場合に、産後については産後八週間を経過しない女性職員を、勤務させてはならないとされている。ただし、産後六週間を経過した女性職員が請求した場合において、医師が支障がないと認めた業務に就かせることは差し支えないとされている。

なお、「産前」は従来から特別休暇とされていたが、「産後」についても勤務条件として法律又は人事院規則をもって保障するにふさわしい性質を有しているところから、休暇制度の法的整備の一環として、昭和六十一年一月から特別休暇として措置された。

また、保育時間については、同規則第十条に規定されており、生後一年に達しない子を育てる女性職員が請求した場合には、その者を一日二回各三十分以内勤務させてはならないとされている。この保育時間は特別休暇としても規定されているが、特別休暇としての保育時間については、平成十年四月一日以降、男性職員も取得できることとされている。

(5)　妊娠中及び出産後の女性職員の健康診査及び保健指導　規則一〇—七第五条に規定されているもので、妊娠中又は出産後一年以内の女性職員が請求した場合には、母子保健法（昭和四十年法律第百四十一号）第十条の規定による保健指導及び同法第十三条の規定による健康診査を受けるため、妊娠の時期等に応じて定められた回数につき、必要と認められる時間、勤務しないことを承認しなければならないとされており、この承認された時間は、職務専念義務が免除される。

(6)　妊娠中の女性職員の休息、補食　規則一〇—七第六条第二項に規定されているもので、妊娠中の女性職員の業務が母体又は胎児の健康保持に影響があると認められ、当該職員が請求した場合には適宜休息し、又は補食するために必要な時間、勤務しないことを承認することができるとされており、この承認された時間は、職務専念義務が免除される。なお、この規定は平成十年四月一日から措置されたものである。

(7)　妊娠中の女性職員の通勤緩和　規則一〇―七第七条に規定されているもので、妊娠中の女性職員の健康を確保するため、妊娠中の女性職員が請求した場合において、その者が通勤に利用する交通機関の混雑の程度が、母体又は胎児の健康保持に影響があると認めるときは、正規の勤務時間等の始め又は終わりにおいて、一日を通じて一時間を超えない範囲内で必要とされる時間、勤務しないことを承認しなければならないとされており、この承認された時間は、健康診査の場合と同様、職務専念義務が免除される。

(8)　レクリエーション参加　規則一〇―六第五条に規定されているもので、勤務時間内におけるレクリエーション行事に参加する場合、必要な時間勤務しないことを承認することができるとされており、昭和六十年以前は特別休暇とされていたが、レクリエーション行事は、当局側が能率増進のため特に機会を設け職員の参加を求めるものであり、そのために職員の勤務義務を免除するものであるので、昭和六十一年一月の休暇制度の法的整備に当たり、特別休暇から削除された。

(9)　勤務条件に関する行政措置の要求又は不利益処分に対する審査請求のために申請者又は請求者として勤務時間を割く場合　国公法第八十六条の規定により、職員は、俸給、給料その他あらゆる勤務条件に関し、人事院に対して、人事院若しくは内閣総理大臣又はその職員の所轄庁の長により、適当な行政上の措置が行われることを要求することができることとされている。また、同法第九十条の規定により、降給、降任、休職、免職等の不利益処分又は懲戒処分を受けた職員は、人事院に対して審査請求をすることができるとされている。これらの場合には、それぞれ、人事院規則一三―二（勤務条件に関する行政措置の要求）、人事院規則一三―一（不利益処分についての審査請求）

に定める手続に従って審査が進められることとなるが、申請者又は請求者として、口頭審理に出頭する場合は、職務専念義務が免除される。

⑽　兼業の許可を受けて勤務時間を割く場合　職員は原則として兼業を禁止されているが、国公法第百三条及び第百四条の規定により、人事院の承認又は内閣総理大臣及び所轄庁の長の許可を得た場合には、兼業が認められる。この場合、勤務時間を割く必要がある場合には、その承認又は許可の範囲内において勤務義務が免除されるが、その時間については、給与が減額される（人事院規則一四―八（営利企業の役員等との兼業）第五項及び職員の兼業の許可に関する政令（昭和四十一年政令第十五号）第二条参照）。

⑾　交渉時間　国公法第百八条の五の規定に基づき、職員団体の代表者として、給与、勤務時間その他の勤務条件に関して、当局と交渉する場合は、同条第八項によって、勤務時間中においても行うことができるとされており、その時間は、職務専念義務が免除される。

以上のように職務専念義務が免除される場合には各種の態様のものが含まれるが、ある場合は職員の意思に関わりなく行われ、ある場合には、給与の減額が行われるなどの点において、休暇と区別して取り扱われているものである。これに対して、休暇は、正規の勤務時間中に一定の事由に該当する場合、職員の請求を承認することにより、職員を勤務から解放することを指す概念としてとらえられる。

なお、この中のいくつかの職務専念義務の免除が休暇とも位置付けられているのは、勤務条件としての権利を保障するにふさわしい性質も有しているものであるとの理由による。

三　休暇制度の沿革

休暇は、旧官吏制度のもとにおいては、いわゆる「賜暇」として文字通り官吏に暇を賜わる制度であった。

その主な歴史をたどれば、明治元年十二月の「本月二六日以後休暇及正月中休暇ヲ定ム」の命に始まり、明治四年五月太政官布告「病気引籠並帰省ノ者等官禄下付規則ヲ定ム」（現行病気休暇と病気休暇中の俸給半減制度の原形）、明治六年一月太政官布告「休暇日ヲ定ム」（現行年末年始休日の原形）、明治六年九月太政官達「官員父母ノ祭日ニ休暇ヲ賜フ」（現行父母の祭日の原形）、明治二十五年勅令第九十六号「高等官官等俸給令」（現行忌引休暇の原形）等休暇に関する命令がその都度必要に応じて勅令等の形で発せられた。その後、大正十一年になり、「官庁執務時間並休暇ニ関スル件（大正十一年閣令第六号）」が発せられ、第五項に「本属長官ハ所属職員ニ対シ事務ノ繁閑ヲ計リ一年ヲ通シテ二十日以内ノ休暇ヲ与フルコトヲ得」と規定され、ここにはじめて一年を通じて二十日間の休暇を職員に与える制度が確立された。

このような休暇制度は、後述する経過を経て、戦後も国公法の規定が適用されるまでは国家公務員についても労基法下に置かれているものではあったが、その取扱いについては「従前の例」として残ることとなった。

昭和二十三年七月一日に国公法が施行されたが、同法においても第百六条（勤務条件）の規定以外には、特段、休暇制度に関する基本的な事項が定められなかったため、休暇制度については、「国家公務員法の規定が適用せられるまでの官吏その他政府の任免等に関する法律（昭和二十二年法律第百二十一号）」に基づき「従前の例」として引き続き効力を有することになった。翌二十四年十二月十九日に規則一五―六が制定されるとともに、同日付で発せられた人事院規則九―五（給与簿）及び人事院細則第十四号（給与簿取扱細則）において、はじめて、休暇を年次休暇・特別休暇・病気休暇の三区分に整理して用いることになった。しかし、休暇の内容そのものは「従前の例」ということで引き継がれたのである。

その後、数次の変遷を経て、昭和四十三年十二月七日に専従休暇制度の廃止（専従許可制度への切替）、年次休暇の繰越し制度の創設等を主たる内容として、規則一五―六を改正し、昭和六十年十二月までこの規則一五―六と、同規則に基づき発出された「人事院規則一五―六（休暇）の運用について（昭和四十三年十二月七日　職職―一〇三六事務総長）」により、休暇制度の運用がなされていた。

一方、この間、昭和二十八年七月に休暇制度を含む「一般職の国家公務員の給与準則等を定める法律案」を国会及び内閣に提出したが、日の目を見るに至らなかった。

昭和六十年八月、人事院は、国会及び内閣に対して、一般職の職員の休暇に関する制度の改定について勧告を行った。この勧告を受けた政府は、勧告の実施を内容とする給与法の改正法案を同年十二月国会に提出した。この法律案は、同月国会で可決成立し、昭和六十年法律第九十七号として公布された。

平成五年十二月十七日、人事院は、国会及び内閣に対して、「一般職の職員の勤務時間、休暇等に関する法律」の制定についての意見の申出を行った。この意見の申出を受けた政府は、「一般職の職員の勤務時間、休暇等に関する法律」案を平成六年四月十九日閣議決定し、同日国会に提出した。この法律案は、同年六月三日衆議院本会議で可決、同月八日参議院本会議で可決成立し、同月十五日に平成六年法律第三十三号として公布された。

勤務時間法に関する意見の申出中の休暇部分の内容は、次のとおりである。

第五　休暇

一　休暇の種類

職員の休暇は、年次休暇、病気休暇、特別休暇及び介護休暇とすること。

二　年次休暇

1　年次休暇は、一の年ごとにおける休暇とし、その日数は、一の年において、次の（一）から（三）までの職員の区分に応じて、それぞれに掲げる日数とすること。

（一）一般の職員　二十日

（二）（三）に掲げる職員以外の職員であって、当該年の中途において新たに職員となり、又は任期が満了することにより退職することとなるもの　その年の在職期間等を考慮して人事院規則で定める日数
（三）給与特例法適用職員等からの交流職員等　給与特例法適用職員等としての在職期間及びその在職期間中における年次休暇に相当する休暇の残日数等を考慮して人事院規則で定める日数
2　年次休暇は、人事院規則で定める日数を限度として、当該年の翌年に繰り越すことができること。
3　年次休暇については、その時期につき、各省各庁の長の承認を受けなければならないこと。この場合において、各省各庁の長は、公務の運営に支障がある場合を除き、これを承認しなければならないこと。
三　病気休暇
病気休暇は、職員が負傷又は疾病のため療養する必要があり、その勤務しないことがやむを得ないと認められる場合における休暇とすること。
四　特別休暇
特別休暇は、選挙権の行使、結婚、出産、交通機関の事故その他の特別の事由により職員が勤務しないことが相当である場合として人事院規則で定める場合における休暇とすること。この場合において、人事院規則で定める特別休暇については、人事院規則でその期間を定めること。
五　介護休暇
1　介護休暇は、職員が配偶者、父母、子、配偶者の父母等で負傷、疾病又は老齢により人事院規則で定める期間にわたり日常生活を営むのに支障があるものの介護をするため、勤務しないことが相当であると認められる場合における休暇とすること。
2　介護休暇の期間は、配偶者、父母、子、配偶者の父母等の各々が介護を必要とする一の継続する状態ごとに、連続する三月の期間内において必要と認められる期間とすること。
3　介護休暇については、その期間の勤務しない一時間につき、勤務一時間当たりの給与額を減額すること。
六　病気休暇、特別休暇及び介護休暇の承認
病気休暇、特別休暇及び介護休暇については、各省各庁の長の承認を受けなければならないこと。

七　人事院規則への委任
休暇に関する手続その他の休暇に関し必要な事項は、人事院規則で定めること。

勤務時間法制定後、人事院規則において新たな特別休暇が認められることはあったものの、勤務時間法上の休暇の類型は長らく年次休暇、特別休暇、病気休暇及び介護休暇の四種類とされていたが、平成二十八年八月八日、人事院は、民間労働法制における介護のための所定労働時間の短縮措置に相当するものとして、介護休暇とは別に、介護のため連続する三年の期間、一日につき二時間の範囲内で勤務しないことを承認できる「介護時間」を措置するよう勤務時間法改正の勧告を行った。この勧告を受けた政府は、勤務時間法を改正して新たに「介護時間」を休暇の類型として追加する内容を含んだ「一般職の職員の給与に関する法律等の一部を改正する法律」案を同年十月十四日に閣議決定し、同日国会に提出した。同法律案が同年十一月十六日に成立し、同月二十四日に平成二十八年法律第八十号として公布された結果、介護時間が新たな休暇として措置された。

四　休暇の種類

職員の休暇は、五つの態様に大別される。その一は年次休暇、その二は病気休暇、その三は特別休暇、その四は介護休暇、その五は介護時間である。これらの休暇の詳細は、第二節以下において解説するが、その概要は次のとおりである。

(1)　年次休暇　　年次休暇は、法律上「一の年ごとにおける休暇」と定義されている（勤務時間法第十七条第一項）。これは、民間における年次有給休暇に相当するものとして、職員が希望する時期に、理由を問われることなく使用できる休暇であり、一般的には休息、娯楽その他自己啓発等のために使用されることとなっている。年次休暇の日数の原則は、一の年において二十日とされている（勤務時間法第十七条第一項第一号）。

(2)　病気休暇　病気休暇は、「職員が負傷又は疾病のため療養する必要があり、その勤務しないことがやむを得ないと認められる場合における休暇」である（勤務時間法第十八条）。

職員が負傷又は疾病により勤務できないときは、療養のため勤務しないことがやむを得ないと認められる必要最小限度の期間、各省各庁の長の承認を得て、病気休暇が認められることとされている。病気休暇の期間については、従来は「必要最小限度の期間」とのみ規定されてきたが、平成二十三年一月一日から、①生理日の就業が著しく困難である場合、②公務災害、通勤災害の場合、③規則一〇─四に基づく勤務の軽減措置を受けた場合を除き、「連続して九十日を超えることはできない」こととされ、また、連続する八日以上の期間の病気休暇を取得した後に職務に復帰し、実勤務日数が二十日に達する日までの間に再度病気休暇を取得する場合には、復帰前後の病気休暇の期間は連続しているものとみなされることとされた（規則一五─一四第二十一条第一項及び第二項）。

(3)　特別休暇　特別休暇は、「特別の事由により職員が勤務しないことが相当である場合として人事院規則で定める場合における休暇」であり（勤務時間法第十九条）、人事院規則では、次の十九種類の特別休暇が定められている（規則一五─一四第二十二条第一項）。（各末尾の括弧書きは、その期間である。）

①　職員が選挙権その他公民としての権利を行使する場合で、その勤務しないことがやむを得ないと認められるとき（必要と認められる期間）

②　職員が裁判員、証人、鑑定人、参考人等として国会、裁判所、地方公共団体の議会その他官公署へ出頭する場合で、その勤務しないことがやむを得ないと認められるとき（必要と認められる期間）

③　職員が骨髄移植のための骨髄若しくは末梢血幹細胞移植のための末梢血幹細胞の提供希望者としてその登録を実施する者に対して登録の申出を行い、又は配偶者、父母、子及び兄弟姉妹以外の者に、骨髄移植のため骨髄若しく

は末梢血幹細胞移植のため末梢血幹細胞を提供する場合で、当該申出又は提供に伴い必要な検査、入院等のため勤務しないことがやむを得ないと認められるとき（必要と認められる期間）

④ 職員が自発的に、かつ、報酬を得ないで次に掲げる社会に貢献する活動（専ら親族に対する支援となる活動を除く。）を行う場合で、その勤務しないことが相当であると認められるとき（一の年において五日の範囲内の期間）

イ　被災地等における被災者を支援する活動

ロ　障害者支援施設、特別養護老人ホーム等における活動

ハ　常態として日常生活を営むのに支障がある者の介護その他の日常生活を支援する活動

⑤ 職員が結婚する場合で、結婚式、旅行その他の結婚に伴い必要と認められる行事等のため勤務しないことが相当であると認められるとき（人事院が定める期間内における連続する五日の範囲内の期間）

⑥ 職員が不妊治療に係る通院等のため勤務しないことが相当であると認められる場合（一の年において五日（当該通院等が体外受精その他の人事院が定める不妊治療に係るものである場合にあっては、十日）の範囲内の期間）

⑦ 六週間（多胎妊娠の場合にあっては、十四週間）以内に出産する予定である女性職員が申し出た場合（出産の日までの申し出た期間）

⑧ 女性職員が出産した場合（出産の日の翌日から八週間を経過する日までの期間（産後六週間を経過した女性職員が就業を申し出た場合において医師が支障がないと認めた業務に就く期間を除く。））

⑨ 生後一年に達しない子を育てる職員が、その子の保育のために必要と認められる授乳等を行う場合（一日二回それぞれ三十分以内の期間（男性職員の場合は調整規定あり。））

⑩ 職員が妻（届出をしないが事実上婚姻関係と同様の事情にある者を含む。）の出産に伴い勤務しないことが相当であると認められる場合（人事院が定める期間内における二日の範囲内の期間）

⑪　職員の妻（届出をしないが事実上婚姻関係と同様の事情にある者を含む。）が出産する場合であってその出産予定日の六週間（多胎妊娠の場合にあっては、十四週間）前の日から当該出産の日以後一年を経過する日までの期間にある場合において、当該出産に係る子又は小学校就学の始期に達するまでの子（妻の子を含む。）を養育する職員が、これらの子の養育のため勤務しないことが相当であると認められるとき（当該期間内における五日の範囲内の期間）

⑫　小学校就学の始期に達するまでの子（配偶者の子を含む。）を養育する職員が、その子の看護（負傷し、若しくは疾病にかかったその子の世話又は疾病の予防を図るために必要なものとして人事院が定めるその子の世話を行うことをいう。）のため勤務しないことが相当であると認められる場合（一の年において五日（その養育する小学校就学の始期に達するまでの子が二人以上の場合にあっては、十日）の範囲内の期間）

⑬　勤務時間法第二十条第一項に規定する要介護者（以下「要介護者」という。）の介護その他の人事院が定める世話を行う職員が、当該世話を行うため勤務しないことが相当であると認められる場合（一の年において五日（要介護者が二人以上の場合にあっては、十日）の範囲内の期間）

⑭　職員の親族（規則一五―一四別表第二の親族欄に掲げる親族に限る。）が死亡した場合で、職員が葬儀、服喪その他の親族の死亡に伴い必要と認められる行事等のため勤務しないことが相当であると認められるとき（親族に応じ同表の日数欄に掲げる連続する日数（葬儀のため遠隔の地に赴く場合にあっては、往復に要する日数を加えた日数）の範囲内の期間）

⑮　職員が父母の追悼のための特別な行事（父母の死亡後人事院の定める年数内に行われるものに限る。）のため勤務しないことが相当であると認められる場合（一日の範囲内の期間）

⑯　職員が夏季における盆等の諸行事、心身の健康の維持及び増進又は家庭生活の充実のため勤務しないことが相当

であると認められる場合（一の年の七月から九月までの期間内における、週休日、勤務時間法第十三条の二第一項の規定により割り振られた勤務時間の全部について超勤代休時間が指定された勤務日等、休日及び代休日を除いて原則として連続する三日の範囲内の期間）

⑰　地震、水害、火災その他の災害により次のいずれかに該当する場合その他これらに準ずる場合で、職員が勤務しないことが相当であると認められるとき（七日の範囲内の期間）

イ　職員の現住居が滅失し、又は損壊した場合で、当該職員がその復旧作業等を行い、又は一時的に避難しているとき

ロ　職員及び当該職員と同一の世帯に属する者の生活に必要な水、食料等が著しく不足している場合で、当該職員以外にはそれらの確保を行うことができないとき

⑱　地震、水害、火災その他の災害又は交通機関の事故等により出勤することが著しく困難であると認められる場合（必要と認められる期間）

⑲　地震、水害、火災その他の災害又は交通機関の事故等に際して、職員が退勤途上における身体の危険を回避するため勤務しないことがやむを得ないと認められる場合（必要と認められる期間）

(4)　介護休暇　介護休暇は、「職員が要介護者（配偶者等で負傷、疾病又は老齢により人事院規則で定める期間にわたり日常生活を営むのに支障があるものをいう。以下同じ。）の介護をするため、各省各庁の長が、人事院規則の定めるところにより、職員の申出に基づき、要介護者の各々が当該介護を必要とする一の継続する状態ごとに、三回を超えず、かつ、通算して六月を超えない範囲内で指定する期間（以下「指定期間」という。）内において勤務しないことが相当であると認められる場合における休暇」であり（勤務時間法第二十条第一項）、介護休暇については、その期間の勤務しない一時間につき、給与法第十九条に規定する勤務一時間当たりの給与額が減額される（勤務

時間法第二十条第三項）こととされている。

(5)　介護時間　介護時間は、「職員が要介護者の介護をするため、要介護者の各々が当該介護を必要とする一の継続する状態ごとに、連続する三年の期間（当該要介護者に係る指定期間と重複する期間を除く。）内において一日の勤務時間の一部につき勤務しないことが相当であると認められる場合における休暇」であり（勤務時間法第二十条の二第一項）、その時間は「期間内において一日につき二時間を超えない範囲内で必要と認められる時間」と定められている（勤務時間法第二十条の二第二項）。

また、介護時間については、介護休暇と同様にその勤務しない一時間につき、給与法第十九条に規定する勤務一時間当たりの給与額が減額される（勤務時間法第二十条の二第三項）こととされている。

第二節　休暇の手続

昭和六十一年一月の休暇制度の法的整備に伴い、年次休暇、病気休暇及び特別休暇の手続についても抜本的な改正が行われ、また、平成六年九月の勤務時間・休暇制度の法的整備（勤務時間法の施行）に伴い、年次休暇、病気休暇及び特別休暇の手続に関する規定が規則一五―一四に移行されたことに加え、新しい休暇制度である介護休暇の手続に関する規定が設けられた。

○勤務時間法

（人事院規則への委任）

第二十二条　第十六条から前条までに規定するもののほか、休暇に関する手続その他の休暇に関し必要な事項は、人事院規則で定める。

○規則一五—一四

（年次休暇、病気休暇及び特別休暇の請求等）

第二十七条　年次休暇、病気休暇又は特別休暇の承認を受けようとする職員は、あらかじめ休暇簿に記入して各省各庁の長に請求しなければならない。ただし、病気、災害その他やむを得ない事由によりあらかじめ請求できなかった場合には、その事由を付して事後において承認を求めることができる。

2　第二十二条第一項第六号の申出は、あらかじめ休暇簿に記入して各省各庁の長に対し行わなければならない。

3　第二十二条第一項第七号に掲げる場合に該当することとなった女子職員は、その旨を速やかに各省各庁の長に届け出るものとする。

（介護休暇及び介護時間の請求）

第二十八条　介護休暇又は介護時間の承認を受けようとする職員は、あらかじめ休暇簿に記入して各省各庁の長に請求しなければならない。

2　前項の介護休暇の承認を受けようとする場合において、一回の指定期間について初めて介護休暇の承認を受けようとするときは、二週間以上の期間（当該指定期間が二週間未満である場合その他の人事院が定める場合には、人事院が定める期間）について一括して請求しなければならない。

一　休暇の承認権者

休暇の承認権は、第一義的には、各省各庁の長に帰属するが、各省各庁の長が、所属する全職員の業務を掌握し、休暇承認権を行使することは実際上困難であるところから、これを部内の職員に委任することができるものとされている。

この場合、部内のいずれの職員に権限を委任するかは、各省各庁ごとの事情によって一概には論ぜられないが、休暇が各省各庁の所掌する事務の現実の運営にたずさわる個々の職員の服務等に関わる問題であることからすれば、実際に、個々の職員の毎日の勤務を管理できる立場にある職員、かつ、特に年次休暇が公務の運営の支障の有無を承認の判断基準とするところから、ある程度組織的に業務を執行する立場にあり、業務の配分ができる者であることが望ましいのはいうまでもない。一般的には、休暇承認権の委任は課長までとするところが多いようである。

二　事前請求・事前承認の原則

業務の運営に支障を来さないようにするためには、職員がいつ休暇をとるかについて事前に掌握しておく必要があり、そのために、年次休暇、病気休暇及び特別休暇について、規則一五―一四第二十七条第一項では、「年次休暇、病気休暇又は特別休暇の承認を受けようとする職員は、あらかじめ休暇簿に記入して各省各庁の長に請求しなければならない。」と規定しており、いわゆる休暇の事前請求、事前承認制度の原則を示している。

したがって、年次休暇に限らず、病気休暇及び特別休暇（産前・産後の特別休暇を除く。）についても、職員は、原則として、事前にその承認を受けなければならないわけである。

三　事後請求・事後承認の特例

しかしながら、職員が休暇を必要とする場合は、必ずしも、事前にあらかじめ確定しているとは限らない。病気、災害その他の事情により、あらかじめ各省各庁の長の承認を受けないまま勤務しないこととならざるを得ない場合も時によっては生じることから、年次休暇、病気休暇及び特別休暇について、規則一五―一四第二十七条第一項ただし書では、「病気、災害その他やむを得ない事由によりあらかじめ請求できなかった場合には、その事由を付して事後において承認を求めることができる。」との規定を設けて、いわゆる休暇の事後請求・事後承認の途を制度上開いている（ただし、介護休暇及び介護時間については、事後請求は認められていない。）。

この規定は、要するに、事前承認を得ることが困難であったと認められる特別な事情がある場合には、事後承認を求めることができるとするものである。

(1)　この場合、「病気、災害その他やむを得ない事由」とは、病気、災害その他事前に休暇の承認を求めることができなかった特別な事情を意味し、例えば、不可抗力の事故の場合、朝の出勤間際に他の時期で対応することができない所用が生じた場合等も、「やむを得ない事由」に該当するといえる。

なお、昭和六十年以前は、「その勤務しなかつた日から勤務を要しない日及び指定週休日を除き遅くとも三日以内に」とされていたが、休暇制度の法的整備に伴う昭和六十一年の改正では、この「三日以内」の制限は特に明記されなかった。これは、もちろん無期限に事後承認が認められるという趣旨ではない。

(2)　ただし書の「やむを得ない事由」に該当するかどうかは、個々具体的な事情に即して、休暇承認権者が判断することとなるが、休暇の事後請求は、いわば、いったん「欠勤状態」、「職務専念義務違反状態」におかれたものを事後にこれを正当化しようとするためのものであり、その判断は、一般的には、かなり厳格なものとなろう。

【事例】休暇の事後承認手続について

(質問)　休暇の承認手続について、規則一五—一一第九条により、病気、災害等のため、事後に承認の請求をする際、その理由を付すこととなっているが、この場合、休暇簿等に筆記する必要があるかどうか。

(回答)　職員が、病気、災害その他やむを得ない事由によって、事前に休暇の承認を得られなかった場合には、規則一五—一一第九条第一項により、その事由を付して承認を求めることになっているが、同項の「その事由を付して」とは、とくに文書によることを要求している趣旨ではないので、口頭で理由を説明しても差し支えないと解する。

しかし、休暇承認手続に関する部内規程等において、文書によるものとしている場合、又は各庁の長が要求した場合等はこれに従うべきは当然である。

（注） 規則一五—一一第九条第一項は現行規則一五—一四第二十七条第一項。

(3) 請求の方法

休暇の事後請求を行う場合の請求の方法に関しては、規則上は、「事由を付して」とあり、特別の方法を示していないが、事前に請求できなかった事情を明らかにする必要がある。

なお、事前に休暇簿により請求を行うことができなかった場合で、勤務しないこととなった当日、電話やメール等であらかじめ連絡しておき、事後に休暇簿による請求をすること等は、事実上行われている方法かと思われるが、この場合の請求の日は、一般的には休暇簿が提出された日の日付ということになろう。

四 請求手続

休暇は事前請求を原則とし、例外的に事後請求の途が開かれていることは既に述べたとおりであるが、その他休暇の請求手続に関しては、次の点に留意する必要がある。

(1) 口頭による請求の当否

休暇の請求方法に関して、まず問題となるのは、休暇の請求は口頭による申請であっても認められるか、電話による請求はどうか、という問題である。

規則一五—一四第二十七条第一項及び第二十八条第一項では、休暇請求の方法に関し、「休暇簿に記入して」と規定されており、休暇簿に基づかない請求は認められていない。ただし、口頭による連絡は後刻休暇簿に記入して請求する旨の予告と考えてよく、業務の適正な運営を確保するためには有益なものと考えられるので、むしろ奨励されるべきものと考えられる。

【事例】

（質問）休暇の請求手続は電話又は口頭で行ってもよいか。この場合、承認の日付はどうなるか。

（回答）休暇の手続については、規則一五—一一第九条第一項の規定に基づきあらかじめ休暇簿に記入することにより請求しなければならないとされているので、電話又は口頭によることはできない。

なお、急病等で事前の請求ができなかった場合に、当日電話等であらかじめ休みたい旨の連絡をし、後日休暇の請求を行う場合であっても、休暇簿によることとなる。

（注）規則一五—一一第九条第一項は現行規則一五—一四第二十七条第一項。

(2)　本人請求の原則

休暇は、職員自身の職員としての権利義務に関する問題であるので、職員が重病の場合等で意思表示が困難な場合など、本人以外による請求に相当な理由があると認められる場合のほかは、その請求は、職員本人からなされることが必要である。

したがって、特に請求を「休暇簿に記入して」としているので、休暇簿に本人以外の者が事前の本人あるいは家族からの連絡の有無、内容、日時を記載することは別として、職員が記入又は確認するとされている事項について、上司、同僚職員、総務担当職員等が本人に代わり記入又は確認してこれを提出するというようなことは、認められないところである。

(3)　休暇の請求先

長期間にわたって、日常の執務を離れて研修を受ける職員が休暇の請求を行う場合、研修機関の長に対して、これを行えば足りるかどうかというような問題もあるが、休暇の請求は、あくまでも、その職員に係る休暇の承認権者に対して行うものであるので、その職員の休暇承認権が、その研修機関の長に委任されない限り、本来の休暇承認権者たる所属機関の長等に対して行う必要があるのは当然である。

なお、長期間にわたって休暇を承認されている職員が、人事配置上の必要から、休暇期間中に休暇承認権者を異にして異動したような場合には、その異動に係る日以降の休暇に関しては、異動前の休暇承認権者の承認は、無権限者の承認となってしまうので、改めて異動後の休暇承認権者に対して、その承認を求めることとなる。

(4)　休暇の請求事由の明記

休暇の承認を請求するに当たって、その理由を明らかにするべきかどうか、また、その理由を質すことができるかどうかについては、休暇の種類に応じて事情が異なってくる。

ア　年次休暇の場合

年次休暇は、いわば「無因休暇」としての性格を有し、その使用目的は、原則として問われないものであるので、職員は、年次休暇の請求に際しては、その使用目的を明らかにする必要はないものである。そのため、昭和六十一年一月の改正に伴って示された「休暇簿」（年次休暇用）（現在は参考例）には、「理由」欄が設けられていない。

しかしながら、一方において、年次休暇は、公務の繁閑に応じ、公務の運営に支障がない限りにおいて認められるものであり、公務運営に支障が生ずる可能性があるにもかかわらず特にその使用目的の重大性に照らしてこれを認めようとする場合には、休暇承認権者はその使用目的をたずねることができると考えられる。

労基法の年次有給休暇に関する判例でも、「年休を必要とする事由の緊急性、重大性の如何によっては時季変更権を行使せずにこれに対し半休を付与するのが相当である場合もありうるし、事業の正常な運営に多少の支障を生じてもなお所属長の権限により年休を付与しうる場合もありうるから、年休の事由を質したことはもっともである」とし、この判断は、最高裁においても支持されている（最高裁　昭五七・三・一八　第一小法廷判決）。

イ　病気休暇、特別休暇、介護休暇及び介護時間の場合

病気休暇、特別休暇、介護休暇及び介護時間については、年次休暇と異なり、休暇が認められるべき事由が法令上限定されているものであるので、職員は、これらの休暇の請求に当たっては、必ずその理由を明らかにする必要がある。

特に介護休暇及び介護時間の場合には、要介護者の各々が介護を必要とする一の継続する状態ごとに休暇が認められることから、職員と要介護者との続柄、要介護者の状態及び具体的介護の内容等について明確にする必要があり、これらの要件を記載する休暇簿の様式が規則一五―一四運用通知第十八の第二項(1)及び同第三項(1)に基づき、別紙第6及び別紙第7において定められている。

また、特別休暇のうちのいわゆるボランティア休暇については、活動場所、活動内容等活動計画を明らかにする書類を、いわゆる短期介護休暇については、要介護者の氏名、職員との続柄及び職員との同居又は別居の別その他の要介護者に関する事項並びに要介護者の状態を明らかにする書類を提出することとしている。

(5)　病気休暇等の場合の証明書

規則一五―一四第二十九条第二項によれば、「各省各庁の長は、病気休暇、特別休暇、介護休暇又は介護時間について、その事由を確認する必要があると認めるときは、証明書類の提出を求めることができる。」と規定されており、各省各庁の長がその事由を確認する必要があると認めるときはいつでも提出を求めることができる。これは、病気休暇、特別休暇、介護休暇又は介護時間が、それぞれ特定の事由の存するときに認められるものであるからである。

病気休暇については、①連続する八日以上の期間（当該期間における要勤務日数が三日以下である場合にあっては、要勤務日数が四日以上である期間）の病気休暇を承認する場合、②新たに病気休暇を請求した者がその病気休暇

の開始予定日前一月間に五日（要勤務日に限る。）以上の病気休暇を取得していた場合には、各省各庁の長は医師の証明書その他勤務しない事由を十分に明らかにする証明書類の提出を求めるものとされている。この「連続する八日」は、病休通算判定期間が発生する場合の期間である「連続する八日」の取扱いと同様、病気休暇と病気休暇の間にはさまれている週休日、休日、病気休暇以外の休暇等により勤務しない日（一日の勤務時間の一部を勤務しない日を含む。）を含むものとされているほか、「八日」や「五日」の日数計算においては、時間及び分単位で病気休暇を使用した日も、一日として取り扱うこととされている。また、この「証明書類」は、必ずしも「診断書」に限らず、当該休暇の事由を証明することができる「書類」であれば足りることとされており、具体的に証明書類として認められるものとしては、領収書、薬袋、家族等第三者の証言書がある。①や②の期間計算の対象となる病気休暇は、生理日の就業が著しく困難である場合、公務災害、通勤災害の場合又は規則一〇—四に基づく勤務の軽減措置を受けた場合以外の場合における病気休暇（特定病気休暇）であるとされている。

なお、あらかじめ承認された病気休暇の期間五日間を経過した後、なお勤務に服し得ないということで、引き続き病気休暇の承認を求めることとなった事例で、医師の診断書は病気休暇を承認された最初の日から起算して六日目の日付であったというような場合、当初の五日間の病気休暇については、医師の診断書はないことになるが、この間も病気であることが認められている限りにおいて、休暇を承認して差し支えないものと解されている。

○規則一五—一四

（休暇の承認の決定等）

第二十九条

２　各省各庁の長は、病気休暇、特別休暇、介護休暇又は介護時間について、その事由を確認する必要があると認めるときは、証明書類の提出を求めることができる。

○規則一五―一四運用通知

第十七　休暇の承認関係

３　各省各庁の長は、次に掲げる特定病気休暇を承認するに当たっては、医師の証明書その他勤務しない事由を十分に明らかにする証明書類の提出を求めるものとする。この場合において、証明書類が提出されないとき、提出された証明書類の内容によっては勤務しないことがやむを得ないと判断できないときその他特に必要があると認めるときは、健康管理医又は各省各庁の長が指定する医師の診断を求めるものとする。

(1)　連続する八日以上の期間（当該期間における要勤務日の日数が三日以下である場合にあっては、当該期間における要勤務日の日数が四日以上である期間）の特定病気休暇

(2)　請求に係る特定病気休暇の期間の初日前一月間における特定病気休暇を使用した日（要勤務日に特定病気休暇を使用した日に限る。）の日数が通算して五日以上である場合における当該請求に係る特定病気休暇

【事例】

（質問）　通院加療のため、十日間について毎日二時間ずつ病気休暇を請求する場合には、医師の証明書等を提出しなければならないか。

（回答）　規則一五―一四運用通知第十七の第三項の「連続する八日」の期間計算においては、時間及び分単位で病気休暇を使用した日も、一日として取り扱うこととされていることから、設問のように毎日一定時間について病気休暇を申請する場合についても、原則として医師の証明書等の提出を求めるものとなる。ただし、定期的に通院加療が必要と判断された場合について健康管理医が必要と認める場合については、例外的に、勤務の軽減措置（指導区分Ｂ）を講ずることも考えられるところであり、この場合には、同項に基づく医師の証明書等の提出が義務付けられるものとはならないこととなる。

（質問）　規則一五―一四運用通知第十七の第三項に、連続する八日以上の期間の病気休暇を承認するに当たっては、医師の証明書その他勤務しない事由を十分に明らかにする証明書類の提出を求める旨の定めがあるが、各庁の長が六日を超えない病気休暇を与えるに当たって医師の証明書等の提出を承認の不可欠の要件とすることは差し支えないか。

（回答）　当該規定は、六日を超えない病気休暇の承認を与えるに際して医師の証明書等を提出させることを禁止する趣旨

のものではなく、各庁の長が病気休暇の承認に当たりその事実を確認する必要があると認める場合には、医師の証明書等を提出させ、又は第三者の証言を得ることは差し支えないが、六日を超えない病気休暇の承認を与えるすべての場合について、あらかじめ医師の証明書等の提出をその承認の不可欠の要件としておくことは、規則一五—一四第二十九条第二項の規定の趣旨から適当でないものと解する。

(質問)　A医院で「一か月の入院静養を要す」と診断された職員が、その診断に納得できず、B医院で精密検査を受けるために一週間の病気休暇を願い出た場合、A医院の診断書を証明書として病気休暇を与えることができるか。

(回答)　設問の職員が現に心身の故障を訴え、そのためにB医院において精密検査を受けるというのであれば、A医院の診断書とは関係なく、その事実に基づいて、最小限度必要と認められる期間、機関の長は病気休暇を承認することができる。

なお、連続する八日以上の期間の病気休暇の承認を請求するに当たっては、医師の証明書その他勤務しない事由を十分に明らかにする証明書類の提出を求めるものとされているが、その書面は、必ずしも「診断書」による必要はなく、またA医院、B医院のいずれのものであっても差し支えないと解する。

五　申出・届出

特別休暇のうち、産前の休暇及び産後の休暇については、各省各庁の長の承認を要するまでもなく、その事由が発生すれば休暇の効果が生ずるものである。昭和六十年以前は、「産前」は特別休暇で各省各庁の長の事前承認が要件とされ、「産後」は就業禁止の措置とされ各省各庁の長に対する就業制限義務を課するものと理解されていたが、昭和六十一年一月以降の制度においては、これらはいずれも職員の権利として確立することが適当であると判断されたため、各省各庁の長の承認を要せず、事由の発生により休暇が成立するものとした。そのため、各省各庁の長が当該事由の発生を承知するための休暇の手続として、産前の場合は、「申出」を、産後については「届出」をすることで十分とされたものである。

産前の申出の場合は、規則一五—一四第二十七条第二項で「あらかじめ休暇簿に記入して」行わなければならないと定められている。

産後の「届出」の場合は、規則一五—一四第二十七条第三項で「その旨を速やかに各省各庁の長に届け出る」ものとされている。これは出産したことにより当然その事由が発生するのであるから事前の請求はなく、事後において届出がなされるわけであるが、届出の方法については、特に規定はなく、電話、文書等適当な方法で速やかに各省各庁の長に届け出ればよいとされている。なお、この届出がなされた場合の事務処理として、規則一五—一四運用通知第十八の第一項(3)で各省各庁の長が職員の届出に基づき休暇簿に必要事項を記入するように定められており、この場合の届出月日は、休暇簿の「請求（申出）月日」欄に記入するものとされている。

○規則一五—一四運用通知

第十八　休暇簿関係

1　(3)　(1)に定める記載事項のうち、ア(ア)の記載事項については勤務時間管理員が、イ(カ)の記載事項については職員の提出に基づき各省各庁の長が、規則第二十二条第一項第七号の休暇の記載事項については職員の届出に基づき各省各庁の長が、それ以外の記載事項については職員が、それぞれ記入し、又は確認する（確認欄に確認した旨を示すことをいう。以下同じ。）ものとする。

六　指定期間の申出・指定

介護休暇においては、その請求・承認に先立ち、介護休暇を請求することとなる指定期間について、職員が申出を行い、各省各庁の長から指定を受ける必要がある。このような指定期間の指定手続は、平成二十九年一月以降、民間労働法制の介護休業に係る措置を踏まえ、介護休暇について最大三回の期間に分割して異なる時期に取得できるよう措置したことに伴い必要となったものである。指定期間の指定は介護休暇の承認そのものではないため、各省各庁の長においては職員が申し出た期間を指定期間として指定することが基本となるが、公務の運営上の支障を判断した結果、請求されても承認できないことが明らかである期間については、職員の指定期間が浪費されることのないよう、当該期間を除いて指定するものとされている。この指定の基準の詳細は、七一九頁を参照されたい。

指定期間の申出は、規則一五—一四第二十三条第二項において、指定期間の指定を希望する期間の初日及び末日を休暇簿に記入して各省各庁の長に対し行うものとされている。

七　休暇の承認、不承認の判断

休暇承認権者は、その権限下にある職員から休暇承認の請求があった場合には、これについて、速やかに承認するか、不承認とするかについて決定し、職員にその旨を通知する必要がある。

休暇の請求を承認とするか不承認とするかの判断に際し、特に留意すべき点は、次の諸点である。

(1)　休暇の請求者について

休暇の請求者が本人以外の者である場合には、原則として承認できないものであるが、職員が重病の場合等で意思表示が困難な場合など、本人以外による請求について相当の理由があると認められる場合には、例外的にこれを承認することはありえる。

(2)　休暇の請求事由について

年次休暇については、一般的には、休暇の使用目的が明示されない場合にも、公務の運営に支障がない限りこれを承認することとなるが、休暇の使用目的の重大性に照らし公務の支障をおしても特に承認しようとする場合、あるいは休暇が争議行為等の違法行為に使用されるおそれがある場合には、その使用目的をただすこともありえる。病気休暇、特別休暇、介護休暇及び介護時間については、年次休暇の場合と異なり、休暇の請求事由が明確でない限り、承認すべきでない。

この場合、病気休暇については、特に詐病による脱法的休暇に注意する必要がある。証明書類の提出を求めるものとされている場合には、各省各庁の長が療養のため勤務しないことがやむを得ないか否かを速やかに判断できるようにするため、職員は速やかに証明書類を提出する必要がある。また、証明書類の提出を求めた場合において、証明書類が提出されないとき、提出された証明書類の内容によっては勤務しないことがやむを得ないと判断できないときその他特に必要があると認めるときは、健康管理医又は各省各庁の長が指定する医師の診断を求めるものとされており、これにより各省各庁の長は療養のため勤務しないことがやむを得ないか否かを判断する必要がある。なお、この「提出された証明書類の内容によっては勤務しないことがやむを得ないと判断できないとき」とは、職員の主治医による診断書の内容は、医学的に必要とされる療養期間が記載されていることが多いため、人事当局からみた職務遂行の可否の判断と必ずしも一致しない場合があること等を想定したものであると考えられる。他方、「その他特に必要があると認めるとき」とは、例えば、一年間において複数回、連続九十日間の病気休暇を取得する場合や九十日間病気休暇を取得した後、実勤務日数が二十日間に達する日までの間に明らかに異なる負傷又は疾病のため療養する必要がある場合で主治医の診断だけでは明らかに異なる負傷又は疾病かどうかの判断ができない場合などが考えられるが、限定的なものとなろう。

ところで、「医師の診断を求める」ことは、受診命令であり、国公法第九十八条第一項の職務命令として位置づけられるものであることから、仮に受診命令を拒否した場合には、服務義務違反となるものと考えられる。また、これに応じない場合や健康管理医等に診断を求めた結果、勤務しないことがやむを得ないと判断されなかった場合には、各省各庁の長は病気休暇を承認することができないこととなろう。

なお、生理日において就業が著しく困難な程度に至るものは医学的に月経困難症と位置づけられることから、病気休暇として取り扱うこととされているが、この事由を確認するに当たっては、この疾病の性質からみて、一般的には、医師の証明書等の厳格な証明によることなく、客観的に相当の疑いがある場合に限って同僚職員の証言等により必要な証拠を求めることが適当であろう。

(3)　公務運営の支障の有無

年次休暇の承認に当たっては、その請求された時期における公務の運営の支障の有無を判断することになる。病気休暇及び特別休暇（産前・産後の特別休暇を除く。）については、当該休暇の事由の有無により判断することになるが、当該請求の時期では公務の運営に支障があり、他の時期においても当該休暇の目的を達することができると認められる場合、例えば、午前中公民権行使の特別休暇の請求があったが、午前中に投票しなければならない特別の事情がなく、午前中に休暇を承認すると公務の運営に支障がある場合には、午前中の休暇を承認せず、午後に変更された休暇を承認すること等が可能である。介護休暇及び介護時間については、当該休暇の事由の有無により判断することになるが、公務の運営に支障がある日又は時間については、休暇を承認しないこともありえる。この場合の「公務の運営の支障」については、当該休暇の請求に係る時期における職員の業務内容、業務量、代替者の配置の難易等を総合して判断するものとされている。

○規則一五―一四

第二十五条　各省各庁の長は、病気休暇又は特別休暇（前条に規定するものを除く。第二十七条第一項において同じ。）の請求について、勤務時間法第十八条に定める場合又は第二十二条第一項各号に掲げる場合に該当すると認めるときは、これを承認しなければならない。ただし、公務の運営に支障があり、他の時期においても当該休暇の目的を達することができると認められる場合は、この限りでない。

（介護休暇及び介護時間の承認）

第二十六条　各省各庁の長は、介護休暇又は介護時間の請求について、勤務時間法第二十条第一項又は第二十条の二第一項に定める場合に該当すると認めるときは、これを承認しなければならない。ただし、当該請求に係る期間のうち公務の運営に支障がある日又は時間については、この限りでない。

（年次休暇、病気休暇及び特別休暇の請求等）

第二十七条　年次休暇、病気休暇又は特別休暇の承認を受けようとする職員は、あらかじめ休暇簿に記入して各省各庁の長に請求しなければならない。ただし、病気、災害その他やむを得ない事由によりあらかじめ請求できなかった場合には、その事由を付して事後において承認を求めることができる。

（介護休暇及び介護時間の請求）

第二十八条　介護休暇又は介護時間の承認を受けようとする職員は、あらかじめ休暇簿に記入して各省各庁の長に請求しなければならない。

（休暇の承認の決定等）

第二十九条　第二十七条第一項又は前条第一項の請求があった場合においては、各省各庁の長は速やかに承認するかどうかを決定し、当該請求を行った職員に対して当該決定を通知するものとする。ただし、同項の規定により介護休暇の請求があった場合において、当該請求に係る期間のうちに当該請求があった日から起算して一週間を経過する日（以下この項において「一週間経過日」という。）後の期間が含まれているときにおける当該期間については、一週間経過日までに承認するかどうかを決定することができる。

八　休暇の期間

休暇は、休暇の事由ごとにそれぞれ定められている期間の範囲内で職員が必要とする期間について請求することになる。すなわち、引き続き数日間、数週間にわたる休暇の承認を求めようとする場合、一日一日について休暇の承認を求めることもできるし、その数日間、数週間にわたって、まとめて一度に休暇の承認を求めることも可能である。また、数日間、数週間にわたって断続的に休暇の承認を求めようとする場合（隔日通院の病気休暇の場合等）にも、同様に解して差し支えない。

しかしながら、介護休暇については、休暇を計画的に使用してもらうために、各指定期間について初めて休暇の承認を受けようとするときは、二週間以上の期間についてまとめて請求しなければならないとされている。また、介護時間については、同休暇が民間労働法制における所定労働時間の短縮措置に相当するものであることに鑑み、同じ位置づけの制度である育児時間の取扱いを踏まえて、できるだけ多くの期間について一括して請求するものとされている。

ところで、休暇の承認期間に関しては、規則一〇—四の規定によるいわゆる事後措置により軽勤務中の職員が、一日のうち病気休暇を承認されていない他の時間について年次休暇を請求した場合の取扱い、勤務時間の始め、終わりに特別休暇として保育時間又は介護時間を包括的に承認されている職員が、その中間の全時間について年次休暇を請求してきた場合の取扱い、あるいは特に休日に勤務することを命じられた交替制等勤務職員が、休日に勤務しない場合の取扱いについて等が問題となる。

事後措置のための病気休暇が承認されている場合には、当該制度の趣旨に鑑み、その承認に係る事情が消滅していない限り、その休暇の承認は、依然として有効に存続するわけであって、職員は、その期間は正当に職務専念義務を免除されていることになり、このような場合には、その期間について、わざわざ重ねて、休暇の承認を求めなおす必要がないばかりか、仮にそのような請求がなされた場合にも、その請求を承認するについては、あらかじめ承認している期間を除いた期間に限って、これを承認することができると解されており、次のような事例がある。

【事例】

（質問）　相当長期にわたり軽勤務（四時間病休）を承認された者が、一日のうち承認以外の全時間について年次休暇の請求があった場合、どのように処理すればよいか。

（昭四二・一〇・三一　人中一―一〇四〇　人事院中部事務局長）

（回答）　御照会に係る軽勤務を承認された職員に年次休暇を与える場合には、当該承認された病気休暇以外の時間について年次休暇を承認することができます。

なお、当該病気休暇を承認した事情がその日について認められない場合には、当該病気休暇の承認を撤回することができるので、念のため申し添えます。

（昭四三・一〇・一二　職職―八八四　職員局職員課長）

保育時間又は介護時間の承認期間中の年次休暇の問題については、保育時間及び介護時間はその日に勤務することを前提として与えられるものであり、年次休暇によって、保育時間又は介護時間以外の勤務時間の全てを勤務しなくなることは、結果として、保育時間又は介護時間の承認の要件を欠くに至るものとなるため、そのような結果を招く休暇の請求がなされた場合には、原則として、あらかじめ承認した保育時間又は介護時間を取り消し、あらかじめ承認された保育時間又は介護時間の期間を含めて一日の年次休暇として請求すべきであると解されている。

なお、規則一〇―七第七条の妊娠中の女性職員の通勤緩和措置として、午前八時三十分から午前九時まで及び午後四時四十五分から午後五時十五分までについて職務専念義務を免除されている職員が、午前十時に出勤あるいは午後四時に退庁するために年次休暇の承認を求めてきた場合には、通勤緩和措置を認めた前提を欠くこととなるので、この場合の年次休暇は午前八時三十分から午前十時まで又は午後四時から午後五時十五分までを対象としたものとなることを注意する必要がある。

次に、交替制等勤務職員の休日（勤務時間法第十四条に規定する休日）の勤務義務の免除については、これは、本来、休暇の承認にはよらないものであることを承知しておく必要がある。

すなわち、交替制等勤務職員が休日に勤務することを要するのは、勤務命令によるためであるので、この日の勤務を免除するためには、この勤務命令を撤回する以外にないわけであって、これは、本質的に、休暇の承認とは異なるものである。休日に勤務すべきこととされていた職員が、勤務命令の撤回がないまま、勤務に従事しなかったときは、勤務義務違反の状態に陥るが、この場合、事後に「休暇の請求、承認」の手続をとってその違法状態を適正化しようとすることはできない。

したがって、休日の前日から休日にかけて夜間の勤務を命じられていた職員が、その勤務に従事できなくなったような場合、例えば十月十日が休日の場合、十月九日から十月十日にかけて十月九日中に六時間、十月十日中に五時間、合計十一時間の勤務時間を割り振られている職員から、全時間につき休みたい旨の申出があった場合において、これを認めるときは、十月十日の勤務時間五時間については、休暇によらず勤務命令の撤回によることとなり、十月九日の勤務時間に関してのみ、六時間の年次休暇を承認することになるわけである。

【事例】

（**質問**）平日から祭日にかけて次のように勤務時間を割り振られていた交替制勤務職員から、急用のため、この勤務を休まざるをえなくなったとして、十月九日の十六時から二十四時までの六時間について年次休暇の請求がなされた。

この職員が勤務しないことについては相当の理由があると認められるので、その請求を承認しようとする場合、年次休暇としての承認は、請求のとおり行えばよいか。

（大阪府　O生）

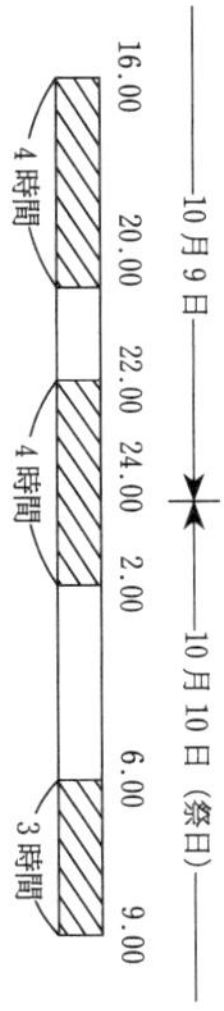

（回答）　おたずねのとおりです。

（昭四五・一　人事院月報相談室）

（注）　この質問の「祭日」は、旧体育の日（十月十日、国民の祝日）を指す。

九　休暇簿

昭和六十年以前は、休暇の請求方法については、規則、通達等で特段の定めはしておらず、各省庁の内部規程等にその取扱いを委ねていたが、休暇は基本的勤務条件であり、かつ、服務、給与の面への影響もあるところから、その請求方法を明確化し、各省庁ばらばらの取扱いを統一するため、休暇の請求は、「休暇簿」に記して行わなければならないものとされた。

〇勤務時間法

（人事院規則への委任）

第二十二条　第十六条から前条までに規定するもののほか、休暇に関する手続その他の休暇に関し必要な事項は、人事院規則で定める。

〇規則一五―一四

（年次休暇、病気休暇及び特別休暇の請求等）

第二十七条　年次休暇、病気休暇又は特別休暇の承認を受けようとする職員は、あらかじめ休暇簿に記入して各省各庁の長に請求しなければならない。ただし、病気、災害その他やむを得ない事由によりあらかじめ請求できなかった場合には、その事由を付して事後において承認を求めることができる。

２　第二十二条第一項第六号の申出は、あらかじめ休暇簿に記入して各省各庁の長に対し行わなければならない。

３　第二十二条第一項第七号に掲げる場合に該当することとなった女子職員は、その旨を速やかに各省各庁の長に届け出るものとする。

（介護休暇及び介護時間の請求）

第二十八条　介護休暇又は介護時間の承認を受けようとする職員は、あらかじめ休暇簿に記入して各省各庁の長に請求しなければならない。

（休暇簿）

第三十条　休暇簿に関し必要な事項は、事務総長が定める。

○規則一五―一四運用通知

第十八　休暇簿関係

1　年次休暇、病気休暇及び特別休暇の休暇簿については、次に定めるところによる。

(1)　休暇簿は、各省各庁の長が職員別に作成し、休暇の種類別に次に定める記載事項の欄を設けるものとする。

ア　年次休暇

(ア)　その年に使用することのできる年次休暇の日数（勤務時間法第十七条第一項による日数と同条第二項による日数を合計した日数）

(イ)　期間

(ウ)　残日数

(エ)　本人の確認

(オ)　請求月日

イ　病気休暇

(ア)　期間

(イ)　特定病気休暇の期間の連続性の有無（請求に係る特定病気休暇の期間と直前の特定病気休暇の期間が除外日を除いて連続する場合（請求に係る特定病気休暇を使用した場合に規則第二十一条第二項又は第五項の規定により連続することとなる場合を含む。）に該当するかどうかをいう。）及び当該請求に係る特定病気休暇の期間を含めた除外日を除いて連続する特定病気休暇の期間（請求に係る特定病気休暇を使用した場合に同条第二項又は第五項の規定により連続することとなる期間を含む。）の日数

(ウ)　理由
(エ)　本人の確認
(オ)　請求月日
(カ)　証明書類の有無
ウ　特別休暇
(ア)　期間
(イ)　特定休暇の残日数
(ウ)　理由
(エ)　本人の確認
(オ)　請求（申出）月日（規則第二十二条第一項第七号の休暇については、届出月日）

(2)　各省各庁の長は、年次休暇についての休暇の理由等休暇の趣旨に反する記載事項を定めてはならないものとする。

(3)　(1)に定める記載事項のうち、ア(ア)の記載事項については勤務時間管理員が、イ(カ)の記載事項については職員の提出に基づき各省各庁の長が、規則第二十二条第一項第七号の休暇の記載事項については職員の届出に基づき各省各庁の長が、それ以外の記載事項については職員が、それぞれ記入し、又は確認する（確認欄に確認した旨を示すことをいう。以下同じ。）ものとする。

(4)　各省各庁の長は、年次休暇、病気休暇及び特別休暇（規則第二十二条第一項第六号及び第七号の休暇を除く。）の承認の可否の決定について休暇簿に記入し、確認するものとする。

(5)　年次休暇、病気休暇及び特別休暇の休暇簿を作成する際の参考例を示せば、別紙第4から別紙第5の2までのとおりである。

2　介護休暇の休暇簿については、次に定めるところによる。

(1)　介護休暇の休暇簿は、各省各庁の長が作成し、その様式は別紙第6のとおりとする。ただし、別紙第6の様式に記載することとされている事項が全て含まれている場合には、各省各庁の長は、別に様式を定めることができる。

(2)　介護休暇の休暇簿の記入要領については、次のとおりとする。

ア「要介護者の状態及び具体的な介護の内容」欄には、職員が要介護者の介護をしなければならなくなった状況及びその内容が明らかになるように、具体的に記入する。

イ「介護が必要となった時期」欄への記入に当たっては、その時期が請求を行う時から相当以前であること等により特定できない場合には、日又は月の記載を省略することができる。

ウ「申出の期間」欄には、職員が指定期間の指定を希望する期間の初日及び末日を記入する。
エ　各省各庁の長は、指定期間を指定する場合（カの場合を除く。）は、当該指定期間の指定について確認するとともに、規則第二十三条第六項の規定により指定期間から除いた期間がある場合には、その旨及び当該指定期間から除いた期間を「備考」欄に記入し、「期間」欄に同条第七項の規定により通算した指定期間を記入するものとする。
オ「延長・短縮後の末日」欄には、職員が規則第二十三条第四項の規定により改めて指定期間として指定することを希望する期間の末日を記入する。
カ　各省各庁の長は、指定期間の延長又は短縮の指定をする場合は、当該指定期間の延長又は短縮の指定について確認するとともに、規則第二十三条第六項の規定により指定期間から除いた期間がある場合には、その旨及び当該指定期間から除いた期間を「備考」欄に記入し、「延長・短縮後の期間」欄に同条第七項の規定により通算した指定期間を記入するものとする。
キ　勤務時間管理員は、出勤簿に介護休暇である旨転記したことを確認するものとする。
ク　各省各庁の長は、介護休暇の承認の可否の決定について休暇簿に記入し、確認するものとする。
ケ　各省各庁の長は、請求された介護休暇の期間の一部について承認しなかった場合には、その旨を当該承認に係る「備考」欄に記入した上、当該承認しなかった日又は時間を記入する。
コ　各省各庁の長は、請求された介護休暇の期間に規則第二十九条第一項ただし書に規定する一週間経過日後の期間がある場合において、同項ただし書の規定に基づき、当該一週間経過日以前の期間のみに係る承認の可否を決定したときは、その旨を当該承認に係る「備考」欄に記入する。この場合においては、別途一週間経過日後の期間を「請求の期間」欄に記入し、当該期間に係る承認の可否の決定について記入し、確認するものとする。
サ　各省各庁の長は、職員からの申請に基づき介護休暇の承認を取り消した場合には、その旨を当該取消しに係る「備考」欄に記入する。

3　介護時間の休暇簿については、次に定めるところによる。

(1)　介護時間の休暇簿は、各省各庁の長が作成し、その様式は別紙第7のとおりとする。ただし、別紙第7の様式に記載することとされている事項が全て含まれている場合には、各省各庁の長は、別に様式を定めることができる。

(2)　介護時間の休暇簿の記入要領については、次のとおりとする。

ア　「要介護者の状態及び具体的な介護の内容」欄には、職員が要介護者の介護をしなければならなくなった状況及びその内容が明らかになるように、具体的に記入する。

イ　「介護が必要となった時期」欄への記入に当たっては、その時期が請求を行う時から相当以前であること等により特定できない場合には、日又は月の記載を省略することができる。

ウ　「連続する三年の期間」欄には、各省各庁の長が一の要介護状態について初めて介護時間により勤務しない時間がある日及び同日から起算して三年を経過する日を記入する。

エ　勤務時間管理員は、出勤簿に介護時間である旨転記したことを確認するものとする。

オ　各省各庁の長は、介護時間の承認の可否の決定について休暇簿に記入し、確認するものとする。

カ　各省各庁の長は、請求された介護時間の期間の一部について承認しなかった場合には、その旨を当該承認に係る「備考」欄に記入した上、当該承認しなかった日又は時間を記入する。

キ　各省各庁の長は、職員からの申請に基づき介護時間の承認を取り消した場合には、その旨を当該取消しに係る「備考」欄に記入する。

4　職員が各省各庁の長を異にして異動した場合は、異動前の各省各庁の長は、必要に応じ、当該職員の休暇簿又はその写しを異動後の各省各庁の長に送付するものとする。

1　年次休暇、病気休暇、特別休暇の休暇簿

年次休暇、病気休暇、特別休暇の休暇簿は、職員別に作成し、休暇の種類別（年次休暇、病気休暇及び特別休暇）

に次に掲げる記載事項を設けるものとされている。

(1)　年次休暇

(ア)　その年に使用することのできる年次休暇の日数（その前年からの繰越し日数と当年分の日数を合計した日数を勤務時間管理員が記入する。）

(イ)　期間（休むこととなる月日及び時刻を職員が記入する。）

(ウ)　残日数（年次休暇の日数（年の中途の場合は、当該時点における残日数）から使用する日数及び時間数を差し引いた日数及び時間数を職員が記入する。）

(エ)　本人の確認

(オ)　請求月日（実際に休暇簿に記入して休暇を請求する月日を職員が記入する。事後において請求するときはその事後請求をする月日を記入する。）

(2)　病気休暇

(ア)　期間（療養のため勤務しないことがやむを得ないと認められる必要最小限度の期間（①生理日の就業が著しく困難である場合、②公務災害、通勤災害の場合、③規則一〇—四に基づく勤務の軽減措置を受けた場合以外の場合における病気休暇（特定病気休暇）にあっては、連続して九十日を超えない期間）を職員が記入する。）

(イ)　特定病気休暇の期間の連続性の有無及び請求に係る特定病気休暇の期間を含めた連続する特定病気休暇の期間の日数（今回の請求に係る特定病気休暇の期間と前回までの特定病気休暇の期間が連続する場合（連続するものとされる場合を含む。）に該当するかについてその有無を職員が記入し、これらの場合に該当するときは、今回の請求に係る特定病気休暇の日数と前回までに使用した特定病気休暇の日数を合計した日数（当該療養期間中の週休日等の日数を含み、一日以外を単位とする特定病気休暇を請求する日又は使用した日については、これらの日を一日として算出した日数）を職員が記入する。）

(ウ)　理由（病気休暇の事由がよくわかるように病名や症状等を含めて具体的にその理由を職員が記入する。）

(エ)　本人の確認

(オ)　請求月日（実際に休暇簿に記入して休暇を請求する月日を職員が記入する。事後において請求するときはその事後請求をする月日を記入する。）

(カ)　証明書類の有無（職員の提出に基づき各省各庁の長が記入する。）

(3)　特別休暇

(ア)　期間（規則一五―一四第二十二条第一項で定める期間の範囲内で必要と認められる期間を職員が記入する。）

(イ)　特定休暇（規則一五―一四第二十二条第一項第五号の二及び第九号から第十二号までの休暇）の残日数

(ウ)　理由（当該休暇の事由がよくわかるように具体的にその理由を職員が記入する。）

(エ)　本人の確認

(オ)　請求（申出）月日（産後の特別休暇の場合は、職員の届出に基づき各省各庁の長がその届出月日を記入する。）

なお、各省各庁の長は、休暇の承認の可否の決定について休暇簿に記入し、確認するものとされている。この各省各庁の長の「確認」及び各休暇簿の職員本人の「確認」については、休暇関係の諸手続の真実性・真正性を担保するものとして、従前は休暇簿に印欄を設け、押印により行うものとされていたが、平成三十一年四月一日以降、押印によらない方法でもこれらの担保が可能となるよう、確認欄に確認した旨を示すことにより行うこととされている（介護休暇及び介護時間についても同様。）。

【年次休暇の休暇簿の参考例】

年　　　（表面）

所属	氏名

休　暇　簿
（年 次 休 暇 用）
年次休暇の日数　　日（前年からの繰越し日数　　日・本年分の日数　　日）

※期　　間		※残日数・時間	※本人の確認	※請求月日	承認の可否	決　裁 各省各庁の長の確認	決　裁	勤務時間管理員の確認	備　考
月　日　時　分から 月　日　時　分まで	日 時	日 時 分		月　日 ｜	□承認 □不承認				
月　日　時　分から 月　日　時　分まで	日 時	日 時 分		月　日 ｜	□承認 □不承認				
月　日　時　分から 月　日　時　分まで	日 時	日 時 分		月　日 ｜	□承認 □不承認				
月　日　時　分から 月　日　時　分まで	日 時	日 時 分		月　日 ｜	□承認 □不承認				
月　日　時　分から 月　日　時　分まで	日 時	日 時 分		月　日 ｜	□承認 □不承認				
月　日　時　分から 月　日　時　分まで	日 時	日 時 分		月　日 ｜	□承認 □不承認				
月　日　時　分から 月　日　時　分まで	日 時	日 時 分		月　日 ｜	□承認 □不承認				

（※印の欄は職員が記入又は確認する。「残日数・時間」欄には、７時間45分（斉一型短時間勤務職員の場合は勤務日ごとの勤務時間の時間数（１分未満の端数があるときは、これを切り捨てた時間））を１日として算出した残日数・時間数を記入する。）

〔裏面略〕

【病気休暇の休暇簿の参考例】

年　　　（表面）

所属	氏名

休　暇　簿
（病 気 休 暇 用）

※期　　間		※期間の連続性の有無等	※理　由	※本人の確認	※請求月日	証明書類の有無	承認の可否	決　裁 各省各庁の長の確認	決　裁	勤務時間管理員の確認	備　考
月　日　時　分から 月　日　時　分まで	日 時 分	□有 （合計　　日） □無			月　日 ｜	□有 □無	□承認 □不承認				
月　日　時　分から 月　日　時　分まで	日 時 分	□有 （合計　　日） □無			月　日 ｜	□有 □無	□承認 □不承認				
月　日　時　分から 月　日　時　分まで	日 時 分	□有 （合計　　日） □無			月　日 ｜	□有 □無	□承認 □不承認				
月　日　時　分から 月　日　時　分まで	日 時 分	□有 （合計　　日） □無			月　日 ｜	□有 □無	□承認 □不承認				
月　日　時　分から 月　日　時　分まで	日 時 分	□有 （合計　　日） □無			月　日 ｜	□有 □無	□承認 □不承認				
月　日　時　分から 月　日　時　分まで	日 時 分	□有 （合計　　日） □無			月　日 ｜	□有 □無	□承認 □不承認				

（※印の欄は職員が記入又は確認する。「期間の連続性の有無等」欄には、今回の請求に係る特定病気休暇の期間と前回までの特定病気休暇の期間が連続する場合（連続するものとされる場合を含む。）に該当するかについてその有無を記入し、これらの場合に該当するときには、今回の請求に係る特定病気休暇の日数と前回までに使用した特定病気休暇の日数を合計した日数（当該療養期間中の週休日等の日数を含み、１日以外を単位とする特定病気休暇を請求する日又は使用した日については、これらの日を１日として算出した日数）を記入する。）

〔裏面略〕

【特別休暇の休暇簿の参考例】

年

休　暇　簿
（特別休暇用）

所属	氏名

（表面）

※ 期　　間		※ 残日数 ・時間	※ 理　由	※ 本人の確認	※請求 （申出） 月日	承認の 可否	決　裁 各省各庁の長の確認		勤務時間管理員の確認	備　考
月　日　時　分から 月　日　時　分まで	日 時 分	日 時 分			月　日	□承認 □不承認				
月　日　時　分から 月　日　時　分まで	日 時 分	日 時 分			月　日	□承認 □不承認				
月　日　時　分から 月　日　時　分まで	日 時 分	日 時 分			月　日	□承認 □不承認				
月　日　時　分から 月　日　時　分まで	日 時 分	日 時 分			月　日	□承認 □不承認				
月　日　時　分から 月　日　時　分まで	日 時 分	日 時 分			月　日	□承認 □不承認				
月　日　時　分から 月　日　時　分まで	日 時 分	日 時 分			月　日	□承認 □不承認				
月　日　時　分から 月　日　時　分まで	日 時 分	日 時 分			月　日	□承認 □不承認				

（※印の欄は職員が記入又は確認する。「残日数・時間」欄には、特定休暇を使用する場合に限り、７時間45分（斉一型短時間勤務職員の場合は勤務日ごとの勤務時間の時間数（７時間45分を超える場合にあっては７時間45分とし、１分未満の端数があるときは、これを切り捨てた時間））を１日として算出した残日数・時間数を記入する。）

〔裏面略〕

２　介護休暇及び介護時間の休暇簿

介護休暇及び介護時間の休暇簿は、職員別に作成するものとされ、様式が定められている。ただし、定められた様式に記載することとされている事項が全て含まれている場合には、各省各庁の長は、別に様式を定めることができるものとされている。

また、記入要領は、次のとおりである。

(1)　介護休暇

(ア)　「要介護者の状態及び具体的な介護の内容」欄には、職員が要介護者の介護をしなければならなくなった状況及びその内容が明らかになるように、具体的に記入する。

(イ)　「要介護者に関する事項」欄には、職員が氏名、続柄、同・別居の別、介護が必要となった時期を記入する。なお、介護が必要となった時期が請求を行う時から相当以前であること等により特定できない場合には、日又は月の記載を省略することができる。

(ウ)　「申出の期間」欄には、職員が指定期間の指定を希望する期間の初日及び末日を記入する。

(エ)　各省各庁の長は、指定期間を指定する場合（(カ)の場合を除く。）は、当該指定期間の指定について確認するとともに、規則一五―一四第二十三条第六項の規定により指定期間から除いた期間がある場合には、その旨及び当該指定期間から除いた期間を「備考」欄に記入し、「期間」欄に同条第七項の規定により通算した指定期間を記入するものとする。

(オ)　「延長・短縮後の末日」欄には、職員が規則一五―一四第二十三条第四項の規定により改めて指定期間として指定することを希望する期間の末日を記入する。

(カ)　各省各庁の長は、指定期間の延長又は短縮の指定をする場合は、当該指定期間の延長又は短縮の指定について確認するとともに、規則一五―一四第二十三条第六項の規定により指定期間から除いた期間がある場合には、その旨及び当該指定期間から除いた期間を「備考」欄に記入し、「延長・短縮後の期間」欄に同条第七項の規定により通算した指定期間を記入するものとする。

(キ)　勤務時間管理員は、出勤簿に介護休暇である旨転記したことを確認する。

(ク)　各省各庁の長は、介護休暇の承認の可否の決定について休暇簿に記入し、確認するものとする。

(ケ)　各省各庁の長は、請求された介護休暇の期間の一部について承認しなかった場合には、その旨を当該承認に係る「備考」欄に記入した上、当該承認しなかった日又は時間を記入する。

(コ)　各省各庁の長は、請求された介護休暇の期間に規則一五―一四第二十九条第一項ただし書に規定する一週間経過日後の期間がある場合において、同項ただし書の規定に基づき、当該一週間経過日以前の期間のみに係る承認の可否を決定したときは、その旨を当該承認に係る「備考」欄に記入する。この場合においては、別途一週間経過日後の期間を「請求の期間」欄に記入し、当該期間に係る承認の可否の決定について記入し確認するものとする。

(サ)　各省各庁の長は、職員からの申請に基づき介護休暇の承認を取り消した場合には、その旨を当該取消しに係る「備考」欄に記入する。

(2)　介護時間

(ア)　「要介護者の状態及び具体的な介護の内容」欄には、職員が要介護者の介護をしなければならなくなった状況及びその内容が明らかになるように、具体的に記入する。

(イ)　「介護が必要となった時期」欄への記入に当たっては、その時期が請求を行う時から相当以前であること等により特定できない場合には、日又は月の記載を省略することができる。

(ウ)「連続する三年の期間」欄には、各省各庁の長が一の要介護状態について初めて介護時間により勤務しない時間がある日及び同日から起算して三年を経過する日を記入する。

(エ)勤務時間管理員は、出勤簿に介護時間である旨転記したことを確認する。

(オ)各省各庁の長は、介護時間の承認の可否の決定について休暇簿に記入し、確認するものとする。

(カ)各省各庁の長は、請求された介護時間の期間の一部について承認しなかった場合には、その旨を当該承認に係る「備考」欄に記入した上、当該承認しなかった日又は時間を記入する。

(キ)各省各庁の長は、職員からの申請に基づき介護時間の承認を取り消した場合には、その旨を当該取消しに係る「備考」欄に記入する。

3　休暇簿の保管等

休暇簿（介護休暇及び介護時間の休暇簿を除く。）は、作成の日から三年間保管するもの（規則一一―三四第三条及び別表（八　勤務時間、休日及び休暇））とされており、職員が各省各庁の長を異にして異動した場合には、異動前の各省各庁の長は、必要に応じ、休暇簿又はその写しを異動後の各省各庁の長に送付するものとされている。

なお、規則一〇―四による総合的な健康診査及び特定保健指導の場合、規則一〇―七による妊婦の休息、補食のための時間、通勤緩和、妊産婦の健康診査の場合にも、便宜的に特別休暇簿を使用しても差し支えない。

【介護休暇の休暇簿の様式】

休　暇　簿（介護休暇用）	所属	氏名

（第一面）

※ 要介護者に関する事項	氏　名		※要介護者の状態及び具体的な介護の内容
	続　柄		
	同・別居	□同居　□別居	
	介護が必要となった時期 年　月　日		

指定期間の申出・指定														
第1回					第2回					第3回				
※ 申出の期間	※ 申出日	※ 本人の確認	各省各庁の長の確認	期間	※ 申出の期間	※ 申出日	※ 本人の確認	各省各庁の長の確認	期間	※ 申出の期間	※ 申出日	※ 本人の確認	各省各庁の長の確認	期間
年　月　日から 年　月　日まで				月　日	年　月　日から 年　月　日まで				月　日	年　月　日から 年　月　日まで				月　日
備考					備考					備考				

指定期間の延長・短縮														
第1回					第2回					第3回				
※延長・短縮後の末日	※ 申出日	※ 本人の確認	各省各庁の長の確認	延長・短縮後の期間	※延長・短縮後の末日	※ 申出日	※ 本人の確認	各省各庁の長の確認	延長・短縮後の期間	※延長・短縮後の末日	※ 申出日	※ 本人の確認	各省各庁の長の確認	延長・短縮後の期間
（年　月　日から） 年　月　日まで				月　日	（年　月　日から） 年　月　日まで				月　日	（年　月　日から） 年　月　日まで				月　日
（年　月　日から） 年　月　日まで				月　日	（年　月　日から） 年　月　日まで				月　日	（年　月　日から） 年　月　日まで				月　日
備考					備考					備考				

（※印の欄は職員が記入又は確認する。）

（第二面）

介護休暇の請求・承認										
※ 請求の期間				※ 請求年月日	※ 本人の確認	承認の可否	決裁		勤務時間管理員の確認	備考
年月日		時間	日・時間数				各省各庁の長の確認			
年　月　日から 年　月　日まで	□毎日 □その他（　）	時　分～　時　分 時　分～　時　分	日 時	年　月　日		□承認 □不承認				
年　月　日から 年　月　日まで	□毎日 □その他（　）	時　分～　時　分 時　分～　時　分	日 時	年　月　日		□承認 □不承認				
年　月　日から 年　月　日まで	□毎日 □その他（　）	時　分～　時　分 時　分～　時　分	日 時	年　月　日		□承認 □不承認				
年　月　日から 年　月　日まで	□毎日 □その他（　）	時　分～　時　分 時　分～　時　分	日 時	年　月　日		□承認 □不承認				
年　月　日から 年　月　日まで	□毎日 □その他（　）	時　分～　時　分 時　分～　時　分	日 時	年　月　日		□承認 □不承認				
年　月　日から 年　月　日まで	□毎日 □その他（　）	時　分～　時　分 時　分～　時　分	日 時	年　月　日		□承認 □不承認				
年　月　日から 年　月　日まで	□毎日 □その他（　）	時　分～　時　分 時　分～　時　分	日 時	年　月　日		□承認 □不承認				
年　月　日から 年　月　日まで	□毎日 □その他（　）	時　分～　時　分 時　分～　時　分	日 時	年　月　日		□承認 □不承認				
年　月　日から 年　月　日まで	□毎日 □その他（　）	時　分～　時　分 時　分～　時　分	日 時	年　月　日		□承認 □不承認				
年　月　日から 年　月　日まで	□毎日 □その他（　）	時　分～　時　分 時　分～　時　分	日 時	年　月　日		□承認 □不承認				
年　月　日から 年　月　日まで	□毎日 □その他（　）	時　分～　時　分 時　分～　時　分	日 時	年　月　日		□承認 □不承認				
年　月　日から 年　月　日まで	□毎日 □その他（　）	時　分～　時　分 時　分～　時　分	日 時	年　月　日		□承認 □不承認				

（※印の欄は職員が記入又は確認する。）

〔第三面略〕

【介護時間の休暇簿の様式】

休　暇　簿
（介護時間用）

所属	氏名

（第一面）

※要介護者に関する事項	氏　名		※要介護者の状態及び具体的な介護の内容	
	続　柄			
	同・別居	□同居　□別居		
	介護が必要となった時期　年　月　日			
連続する３年の期間　年　月　日から　年　月　日まで				

※請求の期間 年月日	時間	※請求年月日	※本人の確認	承認の可否	決裁 各省各庁の長の確認		勤務時間管理員の確認	備考
年　月　日から□毎日 年　月　日まで□その他（　）	午前　時　分～　時　分 午後　時　分～　時　分	年　月　日		□承認 □不承認				
年　月　日から□毎日 年　月　日まで□その他（　）	午前　時　分～　時　分 午後　時　分～　時　分	年　月　日		□承認 □不承認				
年　月　日から□毎日 年　月　日まで□その他（　）	午前　時　分～　時　分 午後　時　分～　時　分	年　月　日		□承認 □不承認				
年　月　日から□毎日 年　月　日まで□その他（　）	午前　時　分～　時　分 午後　時　分～　時　分	年　月　日		□承認 □不承認				
年　月　日から□毎日 年　月　日まで□その他（　）	午前　時　分～　時　分 午後　時　分～　時　分	年　月　日		□承認 □不承認				
年　月　日から□毎日 年　月　日まで□その他（　）	午前　時　分～　時　分 午後　時　分～　時　分	年　月　日		□承認 □不承認				
年　月　日から□毎日 年　月　日まで□その他（　）	午前　時　分～　時　分 午後　時　分～　時　分	年　月　日		□承認 □不承認				

（※印の欄は職員が記入又は確認する。）

〔第二面、第三面略〕

十　休暇の単位

休暇の単位とは、休暇を請求、承認する場合における最短の期間をいい、年次休暇、病気休暇、特別休暇、介護休暇及び介護時間のそれぞれの種類ごとに、その休暇の趣旨に応じて、休暇の単位が定められている。

年次休暇については、原則として一日とされ、特に必要があると認められるときは、一時間を単位とすることができるとされている。

病気休暇及び特別休暇については、一日、一時間又は一分を単位として取り扱うものとされている。ただし、病気休暇の期間の計算については、一日以外（時間及び分）を単位とする病気休暇を使用した日は、一日を単位とする病気休暇を使用した日として取り扱うものとされている。

介護休暇については、一日又は一時間と定められ、一時間を単位とする介護休暇は、一日を通じ、始業の時刻から連続し、又は終業の時刻まで連続した四時間（当該介護休暇と要介護者を異にする介護時間の承認を受けて勤務しない時間がある日については、当該四時間から当該介護時間の承認を受けて勤務しない時間を減じた時間）を超えない範囲内とされている。

介護時間については、三十分と定められ、一日を通じ、始業の時刻から連続し、又は終業の時刻まで連続した二時間（育児休業法第二十六条第一項の規定による育児時間の承認を受けて勤務しない時間がある日については、当該二時間から当該育児時間の承認を受けて勤務しない時間を減じた時間）を超えない範囲内とされている。

○規則一五―一四

（年次休暇の単位）

第二十条　年次休暇の単位は、一日とする。ただし、特に必要があると認められるときは、一時間を単位とすることができる。

○規則一五—一四運用通知

第十三　病気休暇関係

８　病気休暇は、必要に応じて一日、一時間又は一分を単位として取り扱うものとする。ただし、特定病気休暇の期間の計算については、一日以外を単位とする特定病気休暇を使用した日は、一日を単位とする特定病気休暇を使用した日として取り扱うものとする。

第十四　特別休暇関係

２　特別休暇は、必要に応じて一日、一時間又は一分を単位として取り扱うものとする。

○規則一五—一四

第二十三条の二

介護休暇の単位は、一日又は一時間とする。

２　一時間を単位とする介護休暇は、一日を通じ、始業の時刻から連続し、又は終業の時刻まで連続した四時間（当該介護休暇と要介護者を異にする介護時間の承認を受けて勤務しない時間がある日については、当該四時間から当該介護時間の承認を受けて勤務しない時間を減じた時間）を超えない範囲内の時間とする。

（介護時間）

第二十三条の三　介護時間の単位は、三十分とする。

２　介護時間は、一日を通じ、始業の時刻から連続し、又は終業の時刻まで連続した二時間（育児休業法第二十六条第一項の規定による育児時間の承認を受けて勤務しない時間がある日については、当該二時間から当該育児時間の承認を受けて勤務しない時間を減じた時間）を超えない範囲内の時間とする。

ところで、年次休暇についていえば、一暦年に請求できる日数は、各職員ごとに特定されることから、仮に一時間を単位として承認されたような場合には、何時間をもって一日分とするかという問題がある。

本項においては、このような休暇の単位の実際の取扱いと、一時間を単位として承認された休暇の一日への換算について解説するが、ここで、休暇の単位あるいは休暇の具体的承認に当たって、特に注意しなければならない点についてまず触れておく。

それは、公務員の休暇が、「勤務からの解放」と同時に「職務に専念する義務の免除」という性格をもつため、常に、「何時から何時まで」という時間の明示が必要不可欠の要件となるということである。

このことは、いわゆる正規の勤務時間以外の時間については、一切休暇の対象とはならないことを意味し、また、後述するように、「一日の勤務からの解放」が、勤務時間の割振りの状況いかんによっては、「一日年休」では足りないという現象を生ぜしめているのである。

１　年次休暇の単位

職員は、一の年に、二十日の年次休暇（定年前再任用短時間勤務職員、育児短時間勤務職員、任期付短時間勤務職員等は、その者の勤務時間等を考慮し別途定める日数）を請求できるのであるが、この二十日の年次休暇を具体的にどのように消化するか、換言すれば、職員から年次休暇の請求がなされた場合、休暇承認権者は、これをどのように承認するかが問題となる。
規則一五―一四では、第二十条で年次休暇の単位について次のように規定している。

○規則一五―一四

（年次休暇の単位）

第二十条　年次休暇の単位は、一日とする。ただし、特に必要があると認められるときは、一時間を単位とすることができる。

この規定の趣旨は、休暇承認権者が年次休暇を承認する場合には、一日の年次休暇又は一時間の年次休暇のいずれかとして承認することができ、それ以外の単位すなわち一分を単位とするような年次休暇を承認することはできないということである。

年次休暇をどのような単位とするかは、年次休暇の趣旨とも関連して、極めて重大な問題である。

労基法第三十九条に規定される年次有給休暇については、その本来の趣旨に照らして、一日以上の単位で与えることを原則としており、労働者の希望によるものである限り半日単位の付与も差し支えない（昭和六十三年三月十四日付基発第百五十号）ものとされているが、時間単位の付与については、同法第三十九条第四項第二号において、時間を単位として与えることができる年次有給休暇の日数を五日以内とする制限的な取扱いがなされている。これに対し公務員の年次休暇については、特に必要があると認められるときは、すべての年次休暇について一時間の単位を認めているわけである。

既に述べたとおり、年次休暇はその本来の趣旨に沿って利用するとすれば、おそらくは、継続した数日間、勤労から離れて、十分な休養を図り疲労をいやすことが望ましいというべきであろうし、そのためには、年次休暇の単位も、少なくとも数日間の単位とすることが適当ではないかとの議論もあり得ようが、行政サービスの徹底と公務の能率的運営の維持を考えれば、公務に支障が生じない場合において、引き続く数日間に及んで年次休暇を使用できる途が確保されている限り、一日単位、一時間単位の休暇を認めているからといって、年次休暇本来の趣旨に合致しないものとは必ずしもいえないであろう。特に、総実勤務時間の短縮や社会生活全般を通じての多様化を考えれば、一時間単位の年次休暇にも意義があるものといえよう。

なお、平成二十一年三月三十一日以前は、年次休暇の単位に半日単位が定められていたが、職員に割り振られた勤務時間数や勤務の開始、終了の時刻及び休憩時間の置き方等で使用の可否が決まることから半日単位が認められる者と認められない者との間で不均衡が生じていたこと、平成二十一年四月一日から実施された勤務時間の短縮（職員の勤務時間を一日につき七時間四十五分、一週間当たり三十八時間四十五分へ改正等）により一日の半分である半日は秒単位の端数が生じる時間数となり、秒単位の時間管理を行うことは実務的にも困難であることから、半日単位は廃止された。

(1)　一日単位の年次休暇

一日単位の年次休暇の取扱い、すなわち、どのような勤務時間の割振りの場合に一日単位の年次休暇が認められるかについては、以下のとおりである。

ア　一般の職員の場合（定年前再任用短時間勤務職員、育児短時間勤務職員、任期付短時間勤務職員等を除く。）

一般の職員については、勤務時間法第六条第二項において、「各省各庁の長は、月曜日から金曜日までの五日間において、一日につき七時間四十五分の勤務時間を割り振る」ものとされており、その七時間四十五分の全部を勤務しないときには、一日の年次休暇として承認されることとなる。

なお、時差通勤が認められている職員やいわゆる早出・遅出勤務職員についても、月曜日から金曜日までの各日の勤務時間は、いずれも七時間四十五分とされていることから、月曜日から金曜日までの各日に年次休暇によって勤務しない場合は、一日の休暇を承認することとなる。

イ　フレックスタイム制（勤務時間法第六条第三項及び第四項）適用職員、交替制等勤務職員の場合

フレックスタイム制適用職員、交替制等勤務職員については、一般の職員のように各日の勤務時間が一律であるとは限らないため、何をもって一日単位の年次休暇とするかが問題となるが、一般の職員については一日につき七時間

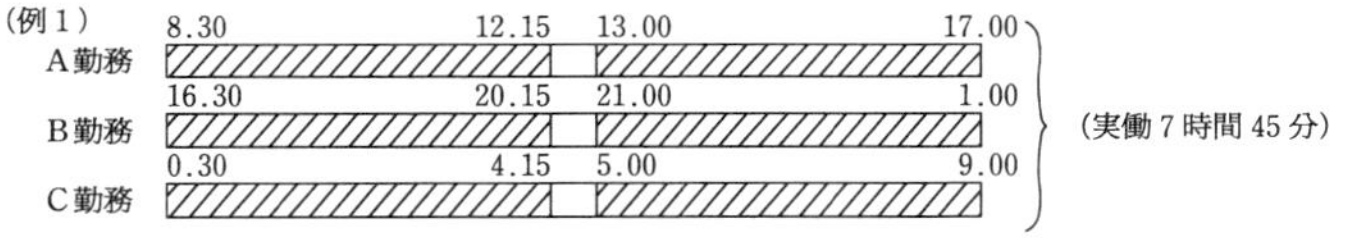

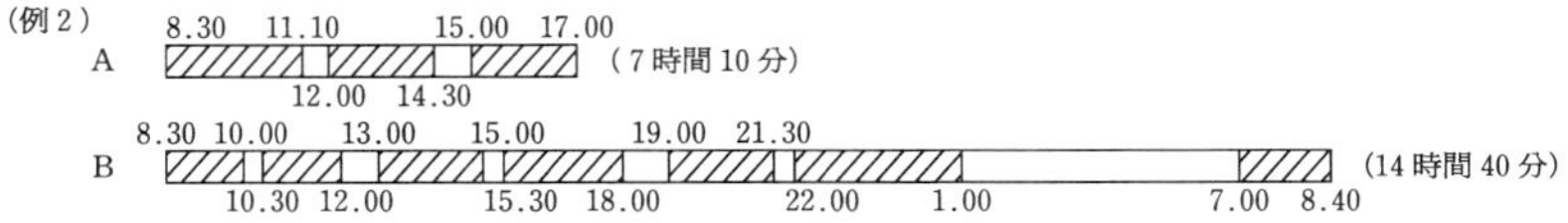

四十五分の勤務時間が割り振られており、その日の全勤務時間を勤務しない場合に一日の年次休暇が認められることとなっていることとの均衡上、一回の勤務に割り振られた勤務時間がこれに相当する時間（七時間を超え七時間四十五分を超えない時間）とされている場合において、その勤務時間のすべてを勤務しないときにこれを一日の年次休暇として取り扱うこととしている。

また、一回の勤務に割り振られた勤務時間が七時間四十五分を超える場合には、時間単位で処理することとしている。なお、交替制等勤務職員の一回の勤務に割り振られた勤務時間が十五時間を超え十五時間三十分を超えない時間とされている場合で、当該勤務時間のすべてを年次休暇により勤務しないときは、二日の年次休暇として取り扱って差し支えないものとしている。

上記の例１及び例２の図で説明すると、例１のA、B、Cの各勤務の全勤務時間を勤務しない場合、例２のA勤務の全勤務時間を勤務しない場合は、一日の年次休暇として、例２のB勤務の全勤務時間を勤務しない場合は、十五時間の年次休暇として承認することとなるわけである。

なお、フレックスタイム制適用職員の場合、休暇の計画表等により、一日の勤務時間のすべてを休暇により勤務しないことを予定しているときは、一日につき七時間四十五分（標準勤務時間）を割り振ることとされており、当該時間について一日の年次休暇を認めることとなる。

ウ　勤務時間法第十一条の規定により勤務時間が延長された職員（船員）の場合

一週間当たりの勤務時間が一時間十五分を超えない範囲内で延長された職員については、一回の勤務に割り振られた勤務時間が七時間を超え八時間を超えない時間とされている場合において、その勤務時間のすべてを勤務しないときにこれを一日の年次休暇として取り扱うこととしている。

○規則一五―一四運用通知

第十二　年次休暇関係

15　一日を単位とする年次休暇は、定年前再任用短時間勤務職員等及び育児短時間勤務職員等以外の職員並びに不斉一型短時間勤務職員にあっては一回の勤務に割り振られた勤務時間が七時間を超え七時間四十五分（勤務時間法第十一条の規定により勤務時間が延長された職員にあっては、八時間）を超えない時間とされている場合において当該勤務時間の全てを勤務しないときに、斉一型短時間勤務職員にあっては一日の勤務時間の全てを勤務しないときに使用できるものとする。

(2)　一時間単位の年次休暇

一時間を単位とする年次休暇は、文字どおり、一時間、二時間、三時間といった時間を限って勤務から解放されることをいう。

既に解説してきたように、年次休暇は、一日単位で利用されることが休暇本来の趣旨にかなっているといえるかもしれないが、現実には、他の時期では対応することができない所用等のために、一時間、二時間という時間に限って勤務を欠く必要が生ずる場合があり、また、一日に割り振られている勤務時間の全部を勤務しない場合においても、制度の運用上、一日単位の年次休暇として認められず、やむなく、一時間単位の年次休暇によって、一日の勤務からの解放を確保する必要が出てくる場合がある。

以下、二、三の例をあげて、一時間を単位とする年次休暇の取扱いの実際を解説する。

ア　一般的な場合

一時間を単位とする年次休暇の最も一般的な事例としては、一般の職員が、勤務開始時刻から一時間、二時間といった時間について勤務しない場合であろう。

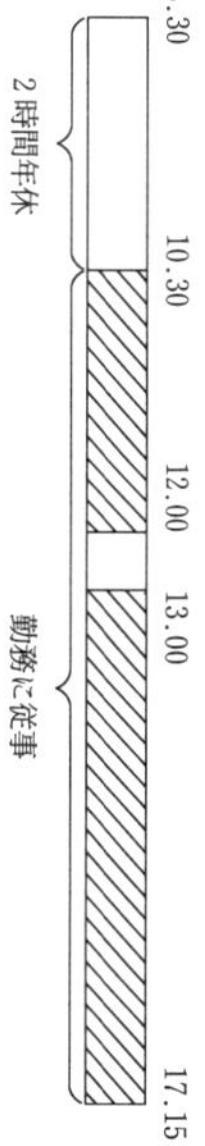

勤務開始時刻が午前八時三十分とされている職員が、他の時期では対応することができない所用等により午前十時三十分にならなければ出勤できないというような場合には、午前八時三十分から午前十時三十分までの二時間について年次休暇を請求することとなり、休暇承認権者は、公務の運営に支障がない限り、これを承認することになる。ところで、この職員が他の時期では対応することができない所用等で、出勤できる時間がどうしても午前十一時になってしまうというような場合には、若干の問題がある。この職員は、実際には二時間三十分について勤務を免除されれば十分なわけであるが、この間を年次休暇によって勤務しないとするならば、年次休暇が分単位を認めず「一時間を単位とする」ことにかんがみ、午前八時三十分から十一時までの二時間三十分について三時間の年次休暇として承認することとなる。

また、勤務時間が午前八時三十分から午後五時十五分までと定められている職員が、午後四時まで勤務した後、午後五時十五分までの一時間十五分について年次休暇を必要とする場合も生ずることがある。

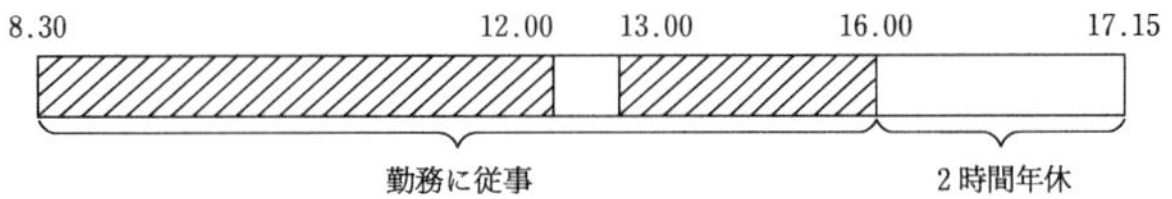

この場合においても、一時間未満の時間を単位として年次休暇を承認することはできないので、この職員は、午後四時から午後五時十五分までの一時間十五分について請求し、年次休暇を承認するときは、二時間の年次休暇を承認したこととされるのである。

なお、このことは、勤務時間の始め又は終わりに年次休暇を必要とする場合に限らず、勤務時間の途中において年次休暇を必要とする場合にも同様のことがいえる。

イ　交替制等勤務職員の場合

交替制等勤務職員は、勤務時間の割振りの関係があって、一般の職員の場合と異なり、一日の勤務時間の全部を勤務しない場合であっても、時間単位の年次休暇によらざるを得ない場合もある。次に示すような勤務態様で勤務する職員の場合を例にとってみよう。

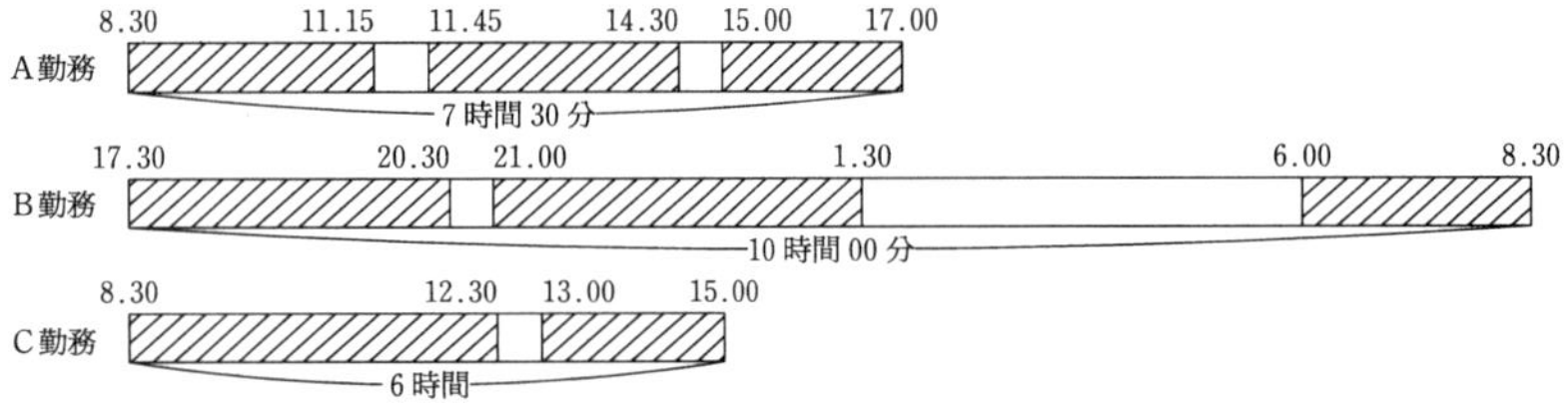

このような勤務態様の場合には、次のように取り扱うこととされている。

(ア)　A勤務の七時間三十分の全部を勤務しない場合には、一日の年次休暇が認められる。

(イ)　B勤務の十時間の全部を勤務しない場合には、十時間の年次休暇によることになり、仮に、B勤務の午前六時から午前八時三十分までの二時間三十分を勤務しない場合には、三時間の年次休暇によることになる。

(ウ)　C勤務の六時間の全部を勤務しない場合には、一日の年次休暇によることはできず、六時間の年次休暇によることになる。

ウ　休憩時間の前後に年次休暇を必要とする場合

私事の都合により、休憩時間六十分とその前後の勤務時間を休む必要がある場合もときに見受けられるが、このような場合に年次休暇を与えるときは、休憩時間の前後に割かれる勤務時間を合算して、時間単位の年次休暇として与えることができるとされている。

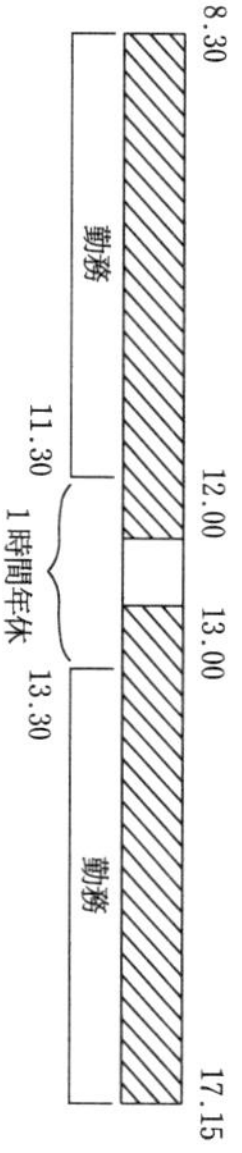

右図のような事例の場合、十一時三十分から十三時三十分までについては、休憩時間を除き、一時間の年次休暇として取り扱うことができるものであり、十一時三十分から十二時までの三十分について一時間の年次休暇、十三時から十三時三十分までの三十分について一時間の年次休暇、都合二時間の年次休暇とする必要がないことはもちろん、休憩時間を含めて十一時三十分から十三時三十分までの二時間について二時間の年次休暇とする必要もないのである。

なお、一般の職員で勤務時間が午前八時三十分から午後五時十五分までとされているものが、午後四時四十五分から午後五時十五分まで、及び翌日の午前八時三十分から午前九時までのそれぞれ三十分ずつを年次休暇で休む場合には、前記と同様に取り扱うことはできず、それぞれについて一時間、都合二時間の年次休暇によることになる。

2　病気休暇、特別休暇の単位

年次休暇が前述のとおり、原則として一日、必要があると認められる場合は一時間を単位として取り扱うこととされているのに対し、病気休暇及び特別休暇については、必要に応じて一日、一時間又は一分を単位として取り扱うものと定められている。

○規則一五―一四運用通知

第十三　病気休暇関係

8　病気休暇は、必要に応じて一日、一時間又は一分を単位として取り扱うものとする。ただし、特定病気休暇の期間の計算については、一日以外を単位とする特定病気休暇を使用した日は、一日を単位とする特定病気休暇を使用した日として取り扱うものとする。

第十四　特別休暇関係

2　特別休暇は、必要に応じて一日、一時間又は一分を単位として取り扱うものとする。

このように年次休暇には認められていない分単位の休暇が病気休暇及び特別休暇に認められているのは、無因休暇である年次休暇とは異なり、病気休暇及び特別休暇はそれぞれの事由が生じている限りにおいて取得可能であり、必ずしも一時間、二時間という区切りの良い時間で必要とされるとは限らないことによるものである。

ただし、規則一五―一四第二十二条第一項第五号の二、第九号、第十号、第十一号及び第十二号の五種類の特別休暇（特定休暇）については、その承認の単位を一日又は一時間とし、残日数のすべてを使用する場合には、一時間未満の端数も含めて使用することができることとしていることから、残日数をすべて使用しようとする場合を除いて、原則として、請求が分単位でなされた場合でも承認は時間単位で行われる。これは、職員の職業生活と家庭生活の両立支援策の一環として、一日の勤務時間の一部のみを休んだ場合でもその時間を通算することにより付与日数分の休暇を実質的に保障する趣旨で、平成十七年一月から時間単位での累積取得を可能としたことによる。

○規則一五―一四

（特別休暇）

第二十二条

１五の二　職員が不妊治療に係る通院等のため勤務しないことが相当であると認められる場合　一の年において五日（当該通院等が体外受精その他の人事院が定める不妊治療に係るものである場合にあっては、十日）の範囲内の期間

九　職員が妻（届出をしないが事実上婚姻関係と同様の事情にある者を含む。次号において同じ。）の出産に伴い勤務しないことが相当であると認められる場合　人事院が定める期間内における二日の範囲内の期間

十　職員の妻が出産する場合であってその出産予定日の六週間（多胎妊娠の場合にあっては、十四週間）前の日から当該出産の日以後一年を経過する日までの期間にある場合において、当該出産に係る子又は小学校就学の始期に達するまでの子（妻の子を含む。）を養育する職員が、これらの子の養育のため勤務しないことが相当であると認められるとき　当該期間内における五日の範囲内の期間

十一　小学校就学の始期に達するまでの子（配偶者の子を含む。以下この号において同じ。）を養育する職員が、その子の看護（負傷し、若しくは疾病にかかったその子の世話又は疾病の予防を図るために必要なものとして人事院が定めるその子の世話を行うことをいう。）のため勤務しないことが相当であると認められる場合　一の年において五日（その養育する小学校就学の始期に達するまでの子が二人以上の場合にあっては、十日）の範囲内の期間

十二　勤務時間法第二十条第一項に規定する要介護者（以下「要介護者」という。）の介護その他の人事院が定める世話を行う職員が、当該世話を行うため勤務しないことが相当であると認められる場合　一の年において五日（要介護者

が二人以上の場合にあっては、十日）の範囲内の期間

２　前項第五号の二及び第九号から第十二号までの休暇（以下この条において「特定休暇」という。）の単位は、一日又は一時間とする。ただし、特定休暇の残日数の全てを使用しようとする場合において、当該残日数に一時間未満の端数があるときは、当該残日数の全てを使用することができる。

(1)　一日単位の休暇として承認する場合

ア　特定休暇（規則一五―一四第二十二条第一項第五号の二、第九号、第十号、第十一号及び第十二号の特別休暇）

規則一五―一四第二十二条第一項第五号の二、第九号、第十号、第十一号及び第十二号の特別休暇（特定休暇）を一日単位で承認する場合における一日単位の取扱いは、一回の勤務に割り振られた勤務時間のすべてを勤務しないときとされている。したがって、一日に十時間の勤務時間が割り振られている交替制勤務職員が、その割り振られた勤務時間のすべてを休むのであれば、一日の休暇として承認することとなる。一回の勤務に割り振られた勤務時間が二日にまたがって割り振られている場合も同様である。これは、職員の職業生活と家庭生活の両立支援策の一環として、すべての勤務形態の職員が、付与された日数分を実質的に休むことができるようにすることを目的として措置しているものである。

なお、時間単位で取得した場合には、斉一型短時間勤務職員以外の職員にあっては、七時間四十五分をもって一日とすることとされている。

○規則一五―一四

（特別休暇）

第二十二条
３　一日を単位とする特定休暇は、一回の勤務に割り振られた勤務時間のすべてを勤務しないときに使用するものとする。
４　一時間を単位として使用した特定休暇を日に換算する場合には、次の各号に掲げる職員の区分に応じ、当該各号に定める時間数をもって一日とする。
一　次号及び第三号に掲げる職員以外の職員　七時間四十五分
二　斉一型短時間勤務職員　勤務日ごとの勤務時間の時間数（七時間四十五分を超える場合にあっては、七時間四十五分とし、一分未満の端数があるときは、これを切り捨てた時間）
三　不斉一型短時間勤務職員　七時間四十五分

イ　病気休暇及び特定休暇以外の特別休暇

これらの休暇を一日単位で承認する場合は、暦日により取り扱うものとされている。したがって、日をまたいで勤務時間が割り振られている場合で、その割り振られた勤務時間のすべてを一日を単位とする病気休暇又は特別休暇を使用して休む場合は、第一日目の勤務開始から二十四時までを一日とすることとなる。

【事例】

（質問）　左図のように勤務時間が割り振られている職員から、忌引特別休暇（一日）を第一日目にとりたいと請求があり、これを承認する場合、Ａにおいては第一日目の八時三十分から二十四時までを、Ｂにおいては第一日目の零時から六時三十分までと二十二時から二十四時までを特別休暇として取り扱って差し支えないか。

また、Ｂにおいて第一日目の六時三十分までの勤務を終了した後に、職員が一日の忌引特別休暇を請求してきた場合は、この日の二十二時から二十四時までを特別休暇として取り扱ってよいか。

（金沢市　Ｅ生）

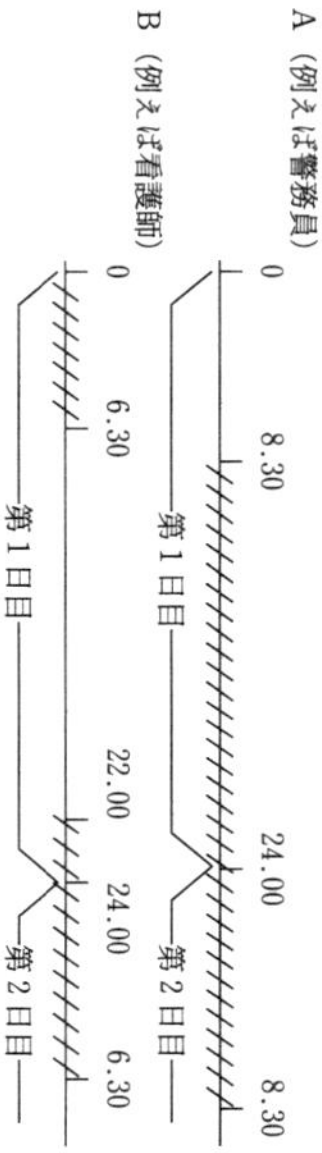

（注）斜線部分は勤務が割り振られている時間を示す。

（回答）貴見のとおり取り扱って差し支えありません。

（昭四三・四　人事院月報相談室）

（注）交替制等勤務職員が長期間にわたって病気休暇又は特別休暇により勤務に従事し得なくなった場合には、業務運営上の都合とも関係するが、一般的には、勤務時間の割振りを変更して、いわゆる日勤の勤務者とすることが合理的であると判断される場合が多いと認められる。

(2)　時間単位の休暇として承認する場合

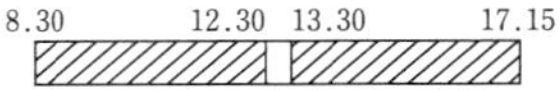

病気休暇、特別休暇について、例えば上に示した例の八時三十分から十二時三十分までの四時間の勤務時間を勤務しない場合、四時間の病気休暇、特別休暇によることになる。

また、病気休暇、特別休暇については、必要に応じて一分を単位としてこれを与えることができることから、上に示した例で午後四時三十分頃に至って、急に腹痛を訴え、勤務終了時刻の午後五時十五分までの四十五分間を病気休暇によって勤務しないこととなるような場合が生じたとすれば、この場合にも、一時間の病気休暇を与えるわけではなく、午後四時三十分から午後五時十五分までの四十五分間の病気休暇を与えることになるのである。

3　介護休暇の単位

介護休暇については、規則において一日又は一時間を単位とするものと定められている。これは、介護休暇が、病気休暇や特別休暇と同様に、その性質上、事由が発生すれば通算六か月の範囲内で「必要と認められる期間」与えられるものである反面、細切れで休むことにより公務の運営に影響を及ぼす恐れがあることを考慮して、最小単位を一時間としたことによるものである。

(1)　一日単位の休暇

介護休暇を承認する場合における一日単位の取扱いは、病気休暇を承認する場合と同様に、暦日により取り扱うものとされている。したがって、一日に十時間あるいは十二時間の勤務時間が割り振られている場合についても、二十四時までのその割り振られた勤務時間のすべてを休むのであれば、一日の介護休暇とすることができるものである。

(2)　時間単位の休暇

時間単位の介護休暇については、一日を通じ、始業の時刻から連続し、又は終業の時刻まで連続した四時間の範囲内とされている。したがって、一般の職員で勤務時間が午前八時三十分から午後五時十五分まで（休憩時間午後零時三十分から午後一時三十分まで）とされているものが、午前八時三十分から午後零時三十分まで介護休暇により休む場合は、四時間の介護休暇として取り扱い、午前八時三十分から午前九時三十分まで及び午後四時十五分から午後五時十五分まで介護休暇により休む場合は、二時間の介護休暇として取り扱うことになる。

ここで、時間数を一日を通じて四時間までとしているのは、一般の職員は一日七時間四十五分勤務であることから、公務能率を低下させないためには、少なくともその半分程度の時間について勤務することを想定した仕組みとする必要があるためである。また、時間帯についても、同様の観点から、勤務を中断させることは適当ではないため、「始業の時刻から連続し、又は終業の時刻まで連続した」場合に限定している。

４　介護時間の単位

介護時間については、規則において三十分を単位とするものと定められている。これは、介護時間と同様に民間労働法制の所定労働時間の短縮措置に相当する制度である育児時間の取扱いを踏まえたものであり、給与の減額が三十分未満は減額しないとしていることとも対応している。

なお、所定労働時間の短縮措置に相当する休暇であることから、介護休暇と同様、その取得できる時間帯は「始業の時刻から連続し、又は就業の時刻まで連続した」場合に限定されている。

５　時間単位の休暇の換算

前記１から４までで触れてきたように、年次休暇は、原則として一日、必要があると認められる場合は一時間を単位として認められるものとされ、病気休暇及び特別休暇については、一日、一時間又は一分を単位として認められるものとされ、介護休暇については、一日又は一時間を単位として認められるものとされ、介護時間については、三十分を単位として認められるものとされているが、特に年次休暇及び規則一五―一四第二十二条第一項第五号の二、第九号、第十号、第十一号及び第十二号の特別休暇（特定休暇）については、一時間を単位として認められた休暇が、所定の日数のうちの何日になるかが極めて重要な意味をもってくる。

そこで、一時間を単位として認められた休暇を日に換算する場合、どのような方法によるのかを明示する必要があるが、年次休暇については、規則一五―一四第二十条第二項で、一時間を単位として使用した年次休暇を日に換算する場合には、斉一型短時間勤務職員以外の職員にあっては、七時間四十五分とされている。この換算方法の基本的な考え方は、昭和五十七年一月一日からのものである。

○規則一五―一四

（年次休暇の単位）

第二十条
２　一時間を単位として使用した年次休暇を日に換算する場合には、次の各号に掲げる職員の区分に応じ、当該各号に定める時間数をもって一日とする。
一　次号から第四号までに掲げる職員以外の職員　七時間四十五分
二　育児休業法第十二条第一項第一号から第四号までに掲げる勤務の形態の育児短時間勤務職員等　次に掲げる規定に掲げる勤務の形態の区分に応じ、次に掲げる時間数
イ　育児休業法第十二条第一項第一号　三時間五十五分
ロ　育児休業法第十二条第一項第二号　四時間五十五分
ハ　育児休業法第十二条第一項第三号又は第四号　七時間四十五分
三　斉一型短時間勤務職員（前号に掲げる職員のうち、斉一型短時間勤務職員を除く。）　勤務日ごとの勤務時間の時間数（一分未満の端数があるときは、これを切り捨てた時間）
四　不斉一型短時間勤務職員（第二号に掲げる職員のうち、不斉一型短時間勤務職員を除く。）　七時間四十五分

また、特別休暇のうち、特定休暇については、斉一型短時間勤務職員以外の職員にあっては、七時間四十五分をもって一日とすることとされている。この換算方法は、平成十七年一月一日から改められた。

なお、病気休暇についても、勤務時間法制定前は、年次休暇の場合と同様に、一時間を単位として使用した休暇を日に換算する場合には、八時間をもって一日とするという規定が設けられていたが、この規定は給与制度上の要請に基づくものであることから、勤務時間法の制定時に勤務時間・休暇制度と給与制度との関係が整理されたことに鑑み、この規定を廃止し、個々の給与制度の規定の中に設けるよう改められた。また、病気休暇の見直しにより、平成二十三年一月に病気休暇の日数に上限（九十日）が設けられた際に、一時間又は一分を単位として使用した日についても、特定病気休暇の期間計算においては一日を単位として使用した日と取り扱うものとされた。

○規則九―八（初任給、昇格、昇給等の基準）の運用について（通知）（昭四四・五・一　給実甲三二六）

第三十七条関係

13　この条の第四項第一号の基準期間の六分の一に相当する期間の日数及び同項第二号の基準期間の二分の一に相当する期間の日数は、勤務時間法第六条第一項に規定する週休日並びに給与法第十五条に規定する祝日法による休日等及び年末年始の休日等を除いた現日数の六分の一又は二分の一の日数（その日数に一日未満の端数があるときは、これを一日に切り上げた日数）とする。また、職員の勤務しなかった時間のうち一時間を単位とする病気休暇等の時間を日に換算するときは、七時間四十五分をもって一日とし、換算の結果を合計した後に一日未満の端数を生じたときは、これを切り捨てる。

なお、勤務時間法第六条第二項の規定により勤務時間が一日につき七時間四十五分となるように割り振られた日又はこれに相当する日以外の同法第十条に規定する勤務日等については、日を単位とせず、時間を単位として取り扱い、それを日に換算するときは、七時間四十五分をもって一日とするものとする。

○期末手当及び勤勉手当の支給について（通知）（昭三八・一二・二〇　給実甲二二〇）

34　規則第五条、第六条、第十一条及び第十二条の期間の計算については、次に定めるところによる。

一　月により期間を計算する場合は、民法第百四十三条の例による。

二　一月に満たない期間が二以上ある場合は、これらの期間を合算するものとし、これらの期間の計算については、日を月に換算する場合は三十日をもって一月とし、時間を日に換算する場合は七時間四十五分（定年前再任用短時間勤務職員又は任期付短時間勤務職員であった期間にあっては、当該期間（当該期間において週その他の一定期間を周期として一定の勤務時間数が繰り返されていた場合にあっては、当該一定期間。以下この号において「算定期間」という。）における勤務時間数を算定期間における勤務時間法第六条第二項本文の規定の適用を受ける職員の勤務時間数で除して得た数に七・七五を乗じて得た時間）をもって一日とする。

三　前号の場合における負傷又は疾病により勤務しなかった期間（休職にされていた期間を除く。）及び介護休暇又は規則一五―一五（非常勤職員の勤務時間及び休暇）第四条第二項第四号の休暇の承認を受けて勤務しなかった期間並びに規則第十一条第二項第九号及び第十号に定める三十日を計算する場合は、次による。

(1)　勤務時間法第六条第一項に規定する週休日、勤務時間法第十三条の二第一項の規定により割り振られた勤務時間の全部について同項に規定する超勤代休時間を指定された日並びに給与法第十五条に規定する祝日法による休日等及び年末年始の休日等（第五号において「週休日等」という。）を除く。

(2)　勤務時間法第六条第二項の規定により勤務時間が一日につき七時間四十五分（定年前再任用短時間勤務職員又は任期付短時間勤務職員であった期間にあっては、前号括弧書の規定により求めた時間）となるように割り振られた日又はこれに相当する日以外の同法第十条に規定する勤務日等については、日を単位とせず、時間を単位として取り扱うものとする。

四　前三号の規定にかかわらず、育児短時間勤務職員等として在職した期間における規則第十一条第二項第七号及び第八号に規定する期間を計算する場合は、日又は月を単位とせず、時間を単位として計算するものとし、計算して得た時間については、時間を日に換算するときは七時間四十五分をもって一日とし、日を月に換算するときは三十日をもって一月とする。

五　前各号の規定にかかわらず、育児短時間勤務職員等として在職した期間における負傷又は疾病により勤務しなかった期間及び介護休暇の承認を受けて勤務しなかった期間並びに規則第十一条第二項第九号及び第十号に定める三十日を計算する場合は、次による。

(1)　週休日等を除く。

(2)　日又は月を単位とせず、時間を単位として計算するものとし、計算して得た時間については、時間を日に換算するときは七時間四十五分をもって一日とし、日を月に換算するときは三十日をもって一月とする。

六　定年前再任用短時間勤務職員、育児短時間勤務職員等又は任期付短時間勤務職員であった期間のうち、第二号から前号までの規定により難い期間の計算については、あらかじめ事務総長に協議するものとする。

○規則一五―一四運用通知

第十三　病気休暇関係

8　病気休暇は、必要に応じて一日、一時間又は一分を単位として取り扱うものとする。ただし、特定病気休暇の期間の計算については、一日以外を単位とする特定病気休暇を使用した日は、一日を単位とする特定病気休暇を使用した日として取り扱うものとする。

十一　休暇の処理

1　取消し、撤回、振替

休暇制度を運用するに際しては、いったん承認した休暇を既往に遡って取り消すこと（取消し）、いったん承認した休暇を将来に向かって取り消すこと（撤回）、いったん承認した休暇を別の種類の休暇として承認し直すこと（振替）が行われる。本項においては、これら休暇の取消し、撤回、振替の原理に触れながら、併せて、その手続面について解説する。

(1)　取消し

ア　取消しが認められる場合

後述するように、休暇の撤回、振替が、いずれも将来に向かっての勤務関係に影響を及ぼすものにすぎないものであるのに対し、休暇の取消しは、いったん正当に勤務義務を免除し、「勤務しない」ことに正当性を与えておきながら、後日これを打ち消して、「不当に勤務しなかった」状態に差し戻すものであり、その取扱いには、極めて慎重を期す必要がある。

そこで、いかなる場合に、休暇の取消しが可能かということになるが、例えば、特別休暇を承認される事由が存しないにもかかわらず、あたかも、その事由が存するかの如く請求して、これが承認されたことが事後に判明した場合、詐病によって病気休暇が承認されたことが事後に判明した場合等があげられる。これらの場合については、休暇は取り消され、欠勤として扱われることになる。

イ　取消しの手続

休暇の取消しは、その原因が発生し、又は確認され次第、速やかに行われることが望ましい。また、休暇の取消しを行うには、その理由を十分明記し、当該職員に周知徹底させるために、文書をもって行うことが必要となろう。

(2)　撤回

ア　撤回が認められる場合

後述する休暇の種類の振替が、どちらかといえば、職員の側に生じた特別の事情に照らして、むしろ、職員に有利な措置として認められるのに対し、休暇の撤回は、ほとんどの場合、休暇承認権者の一方的判断によってなされ、休暇の取消しと同様、職員に不利な結果を生ぜしめることとなる。

それだけに、休暇の撤回についても、一般の行政行為の撤回の場合と同様に、厳正な運用がなされる必要がある。

いかなる場合に休暇の撤回が認められ得るかについては、次の二つの場合が考えられよう。

その一は、年次休暇、介護休暇又は介護時間に関し、あらかじめ請求された時点では、特に公務に支障がないと認めてこれを承認したところ、公務の運営の都合で、その後、急にこれを認めることができなくなったような場合であり、その二は、いったん休暇を承認した後において、職員の側の予定の変更により休暇を使用する必要がなくなったような場合である。

この場合、第一のケースについては、承認後における当局側の事情の変化である点に照らして、その撤回は、特に厳正を要する。

なお、長期間にわたって病気休暇を承認されている職員が、病気が軽癒したとして、自発的に出勤する事例を見受けることがあるが、その出勤は、休暇承認権者が病気休暇の承認を撤回しない限り、あくまでも「出勤した事実がある」という意味しかもたず、正規の勤務とはみなし難いので、そのような職員が勤務に復帰しようとする場合には、それなりの証明を添えて、病気休暇の撤回を求めることになろう。

イ　撤回の手続

病気休暇期間中の職員が職務に復帰しようとする場合等、職員の側の事情による休暇の撤回については、後述する休暇の種類の振替の場合と同様、職員の側から、撤回についての申請を行い（この場合、文書によるものが望ましい。休暇簿により撤回の申請を行うことも可能である。）、これに基づいて、休暇承認権者が、撤回の意思表示をなすことが必要となる（これがなされないときは、あくまでも休暇が承認されている状態にあるので、事実上、勤務に服したとしても、勤務義務に基づく正当な勤務とはみなし難い。）。

これに対し、先に挙げた第一のケースについては、休暇承認権者の一方的な行為によるものであり、この場合の休暇の撤回は、先に述べた休暇の取消しの場合と同様に、いわば職員に不利な結果を招くものであるので、特にその理由を明確に示すとともに、休暇撤回の事実関係を明確にするために、文書によって通知することが望まれよう。

(3)　休暇の種類の振替

ア　休暇の種類の振替が認められる場合

休暇の承認行為は、いわば職務に専念する義務を適法に免除するという行為であるので、これがいったん承認された限りにおいては、原則として、これを他の種類の休暇に振り替えることは認められないと解されるところであるが、承認された休暇について、現にその休暇が未使用の状態にある場合（七月十日を年次休暇により勤務しないこととして承認された場合を例にとれば、七月九日以前の状態をいう。）で、かつ、その休暇を他の種類の休暇に振り替えることにつき相当の理由がある場合に限っては、職員の請求を待って、特例として、これを承認できると解されている。休暇の種類の振替のケースとしては、次のようなケースが考えられる。

①　年次休暇を使用して、一週間にわたって旅行しようとした場合に、その期間の直前、又は、その期間中に急に

病気にかかったような場合で、あらかじめ承認を得た一週間の全部又は一部について病気休暇扱いとするような場合（年次休暇→病気休暇）

②　①と同様の場合に、親族が死亡し、特別休暇によることとなるような場合（年次休暇→特別休暇）

③　①と同様の場合、あるいはあらかじめ帰省のために夏季休暇を承認されていた場合に、その休暇期間中に介護をしなければならないことがその休暇期間中に分かったような場合（年次休暇又は特別休暇→介護休暇又は介護時間）。なお、この場合で介護休暇に振り替える場合は、介護休暇の請求前に指定期間の指定手続を経る必要がある点に注意を要する。

④　あらかじめ帰省のために夏季休暇を承認されていた場合に、夏季休暇期間の直前に、親族の死亡により、忌引休暇を承認され得ることとなった場合（特別休暇→特別休暇）

⑤　特別休暇、介護休暇又は介護時間を承認された職員が、その間において、突発的事故により重体に陥り、実態としてこれらの休暇を承認すべき事由を欠くに至った場合（特別休暇、介護休暇又は介護時間→病気休暇）

⑥　数日間にわたる病気休暇承認期間中に、親族の死亡により、忌引休暇を承認され得ることとなった場合、病気休暇期間中の職員が産前六週間に至った場合（病気休暇→特別休暇）

この場合、産前、産後休暇の特殊性に鑑み、これを振り替えることは差し支えないと認められるが、長期病休者等で床に伏している状態の場合等、事実上、忌引休暇を承認するに足る事由を満たしていないと認められるときは、もちろん、休暇を振り替えることはできないというべきであろう。

⑦　一日の勤務時間の一部について時間単位の介護休暇又は介護時間を承認されていた日に一日休むこととなった場合（介護休暇又は介護時間→年次休暇）

この場合は、時間単位の介護休暇及び介護時間は勤務を前提としており、残りの勤務時間について年次休暇を請求することはできないことの帰結として、一日の年次休暇に振り替えることとなる。

⑧　介護休暇又は介護時間期間中に、親族の死亡により、忌引休暇を承認され得ることとなった場合（介護休暇又は介護時間→特別休暇）

ただし、このことのみによっては勤務時間法第二十条第二項の「指定期間」に変更は生じないことに注意する必要がある。

【事例】

（質問）

1　会葬場が遠隔地にあるため自宅にて故人の冥福を祈ることは特別休暇の事由にならないか。

2　機関の長の承認を得て年次休暇期間中に忌引特別休暇の事由が生じた場合の取扱いはどうなるか。

（昭四三・六・二五　山形市　S生）

（回答）

1　忌引のための特別休暇は、葬儀に列することを必ずしも許可要件としているものではありません。

2　年次休暇を承認された期間の途中で忌引の特別休暇事由が発生した場合には、年次休暇としてすでに忌引の目的以外に使用した部分を除き年次休暇の承認の取消しを願い出、あわせて忌引のため特別休暇の承認を求めることができます。この場合、機関の長は、適当と認める場合には、申出に係る年次休暇を取り消し、所定の特別休暇を承認することができるものと解します。

（昭四三・八・三〇　管法―九四二　管理局法制課長）

ところで、休暇の種類の振替が認められる場合としては、先に、「承認された休暇が未使用の状態にある場合」を一つの条件として挙げたが、これを更に具体的に年次休暇を例に説明すれば、いったん年次休暇として承認され、使用した後において、これを病気休暇、特別休暇、介護休暇、あるいは介護時間に振り替えることはできないということであって、休暇の種類の振替には、事後承認はあり得ないということである。

例えば、年の当初には、二十日を超す年次休暇の日数を有するとして、「病気」を理由に「年次休暇」によって勤務しなかった職員が、年末近くに至って、転居等で、急に勤務に就くことができない日が多くなり、このままでは「欠勤」せざるを得ず、給与が減額されるとして、慌てて「年の当初の『年次休暇』を『病気休暇』に振り替えてほしい。」と申し出るようなことは、認められない。

イ　休暇の種類の振替の手続

休暇の種類を振り替える行為は、いったん適法に承認されている休暇について、これが承認されていない状態にもどし、同時にあらためて別の種類の休暇を承認するものであるので、本来は、先行する休暇承認に関する請求の取消しの申出と新たに承認される休暇の請求という二段構えの手続と、これに対応する先行する休暇承認の撤回行為と新たに承認する休暇についての承認手続が必要となるものと解され、したがって、これだけの手続を踏むことが形式的には望ましいものと考えられる。実務上は、一般に、休暇の種類の振替は、職員にとって有利になることこそあれ、不利となることはほとんどあり得ないと認められるので、いったん休暇が承認されている期間と重なる期間につき、別の休暇の承認請求を行い、これを承認することにより、振替が成立したとして取り扱うことも、実務としては差し支えないものとも考えられるが、その場合にはその後の休暇の残日数の計算等に十分注意する必要がある。

なお、いわゆる休暇の事後承認は、いったん「欠勤」としたものを事後に休暇として取り扱うこととするものであるので、この休暇の種類の振替とは異なるものである。

2　休暇の日数の管理

(1)　必要性

休暇制度は、他の人事管理制度、とりわけ服務制度、給与制度とは特に密接な関連をもっている。

すなわち、年次休暇及び一部の特別休暇については、一暦年について一定日数を超えては与えられないことからすれば、職員が何日の休暇を使ったか、換言すれば、その年において、あと何日の休暇を使えるかを明確にしておくことは、直接、服務制度の厳正な運営、給与制度の円滑な運営に役立つものであり、また、病気休暇についても、平成二十三年一月から、病気休暇の期間に上限（九十日）が設けられたことを踏まえると、請求に係る病気休暇の期間を含めて使用した病気休暇の期間の日数（病気休暇と病気休暇の間に挟まれている週休日等を含む。）を一見して明らかな状態にしておき、九十日に達するまでの取得可能日数を把握しておくことは、職員の健康状況を踏まえた適切な人事管理を行うことにも資するものであると考えられるとともに、昇給の取扱いその他の給与制度の円滑な運用に関して意義のあるところである。

(2)　年次休暇の日数の管理方法

年次休暇の日数の管理では、まず、年の当初等における個々の職員についてのその年に与えられる年次休暇の日数が確定される必要がある。

この場合、前年からの繰越し日数が何日であるか、その年に任期満了によって当然退職する職員でないか等は、十分に確認される必要がある。また、年の中途に新たに勤務時間法適用職員となったような職員については、全くの新規採用職員であるか、行政執行法人職員等から計画的な人事交流によって異動してきた職員であるか等についても十分に留意される必要がある。このようにして、一暦年において与えられる年次休暇の日数が定まった職員について、具体的に年次休暇が承認された場合には、その都度、当人が休暇簿にいわゆる残日数を計算していくこととなるが、この計算が、本来の休暇の日数の管理であるといえる。休暇の日数の管理において、注意を要する点は次の二点である。

①　繰越し日数を有する職員については、まず、その日数から先に請求されたものとして取り扱うものであるこ

と。

○規則一五—一四運用通知

第十二　年次休暇関係

14　勤務時間法第十七条第二項の規定により繰り越された年次休暇がある職員から年次休暇の請求があった場合は、繰り越された年次休暇から先に請求されたものとして取り扱うものとする。

② 一時間を単位として休暇が承認された場合には、一日の残日数から差し引くことができるものであること。これを、一般の職員で勤務時間が午前八時三十分から午後五時十五分（休憩時間午後〇時～午後一時）までとされているものを例にとって、具体的に例示すると次のようになろう。

職員氏名	○○○○	前年からの繰越し日数	三
休暇付与月日	休暇期間	残日数	
一月　六日　午前八・三〇～一月一三日　午後〇・〇〇	四日　四時間	一八日　三時間四十五分	
三月一〇日　午後二・三〇～午後五・一五	三時間	一八日　四十五分	
五月　六日　午後一・〇〇～午後五・一五	五時間	一七日　三時間三十分	
七月二六日　午前八・三〇～七月三〇日　午後〇・〇〇	四日　四時間	一二日　七時間十五分	
一〇月　六日　午前八・三〇～午後三・一五	六時間	一二日　一時間十五分	
一二月一三日　午前八・三〇～午後一・三〇	四時間	一一日　五時間	

(3)　日数の管理の手段

休暇の日数の管理は、前述の休暇簿の所定欄に記録することによって行われるが、職員が自ら記録する場合に、誤りが生じかねないので、勤務時間管理員は、その処理に当たっては注意が必要である。

(4)　病気休暇の日数の管理方法

病気休暇の日数の管理については、平成二十三年一月から、病気休暇の期間に上限（九十日）が設けられたことにより、病気休暇の期間が連続している場合（連続しているものとされる場合を含む。）に該当するか否かについてその有無を、また、これらの場合に該当するときには、今回の請求に係る病気休暇の日数と前回までに使用した病気休暇の日数を合計した日数（病気休暇と病気休暇の間に挟まれている週休日等の日数を含み、一日以外を単位とする病気休暇を請求する日又は使用した日については、これらの日を一日として算出した日数）を休暇簿に記入することとなっている。

(5)　特別休暇の日数の管理方法

ア　特定休暇（規則一五―一四第二十二条第一項第五号の二、第九号、第十号、第十一号及び第十二号の特別休暇）

特定休暇の日数の管理については、時間単位の累積取得が可能であるため、その残日数（及び時間数）を休暇簿に記入することとなっている。

イ　特定休暇以外の特別休暇

これらの休暇の日数の管理は、単に休暇を承認した日数あるいは時間を加算して行うことになる。

3　出勤簿の表示

(1)　出勤簿の意義

現行制度上、「出勤簿」は、人事院規則九―五（給与簿）において、「各職員につきその勤務時間を管理するため作成する記録」として位置づけられ、この出勤簿には、給与簿等の取扱いについて（昭六〇・一二・二一　給実甲第五七六号）の定めるところにより、休暇の日数その他必要な事項をその都度記入すべきこととされており、職員が勤務しなかった場合におけるその事実等を明らかにする意味をもっている。

○規則九―五（給与簿）

第三条　勤務時間報告書には、課係等の長が指名した者（以下「勤務時間管理員」という。）が、各職員につきその勤務時間を管理するため作成する記録（以下「出勤簿」という。）及びその他事務総長が定める記録に基づいて次に掲げる事項を記入するものとする。

一　超過勤務、超勤代休時間、超勤代休時間にした勤務、休日給の支給される日の勤務及び夜間勤務の時間並びに宿日直勤務の支給額区分別の回数（規則九―一五（宿日直手当）第一条第三号に掲げる勤務及び同条第四号に掲げる勤務のうち同条第三号に掲げる勤務と同様の勤務については勤務日数）

二　管理職員特別勤務手当の計算上必要な事項

三　給与法第十五条の規定その他法令の規定により給与が減額される時間

四　特殊勤務手当の計算上必要な事項

五　国際平和協力手当の計算上必要な事項

第四条　勤務時間管理員は、各給与期間の終了後すみやかに前条に掲げる事項を勤務時間報告書に記入し、その課係等の長の証明を得て、各庁の長（給与法第七条に定める各庁の長をいう。以下同じ。）又はその委任を受けた者の指名する給与の事務を担当する者（以下「給与事務担当者」という。）にこれを送付しなければならない。

第十四条　規則九―七第四条に規定する請求があった場合の給与簿の記入方法その他給与簿、出勤簿及び給与支給明細書に関し必要な事項は、事務総長が定める。

○給与簿等の取扱いについて（昭六〇・一二・二一　給実甲五七六）

第一　用語の定義

この通達において、次の各号に掲げる用語の意義は、当該各号に定めるところによる。

一　超勤代休時間　一般職の職員の勤務時間、休暇等に関する法律（平成六年法律第三十三号。以下「勤務時間法」という。）第十三条の二第一項に規定する超勤代休時間をいう。

二　年次休暇、病気休暇、特別休暇、介護休暇及び介護時間　それぞれ勤務時間法第十六条に規定する休暇をいう。

三　就業禁止期間　人事院規則一〇—四（職員の保健及び安全保持）第二十四条第二項又は人事院規則一〇—八（船員である職員に係る保健及び安全保持の特例）第七条第一項の規定により業務に就くことを禁止された期間をいう。

四　短従許可期間　人事院規則一七—二（職員団体のための職員の行為）第六条第一項に規定する許可（第八号において「短従許可」という。）を受けて職員団体の業務に従事する期間をいう。

五　育児時間　国家公務員の育児休業等に関する法律（平成三年法律第百九号）第二十六条第一項に規定する育児時間をいう。

六　勤務時間を割く兼業　国家公務員法（昭和二十二年法律第百二十号）第百三条第二項の規定による承認、同法第百四条の規定による許可、ハンセン病問題の解決の促進に関する法律（平成二十年法律第八十二号）第十一条の二第一項の規定による承認又は矯正医官の兼業の特例等に関する法律（平成二十七年法律第六十二号）第四条第一項の規定による承認を得て勤務時間法第十三条第一項に規定する正規の勤務時間（以下「正規の勤務時間」という。）を割くことをいう。

七　勤務時間内法科大学院派遣法第四条派遣　正規の勤務時間において法科大学院への裁判官及び検察官その他の一般職の国家公務員の派遣に関する法律（平成十五年法律第四十号）第四条第三項の規定による派遣により勤務しないことをいう。

八　欠勤　正規の勤務時間中に勤務しないために給与を減額される場合（介護休暇、介護時間、短従許可、育児時間、勤務時間を割く兼業又は勤務時間内法科大学院派遣法第四条派遣の場合を除く。）をいう。

第二　出勤簿

1　出勤簿は、各職員ごとに作成し、勤務時間管理員がこれを管理するものとする。

2　出勤簿には、職員（一般職の任期付研究員の採用、給与及び勤務時間の特例に関する法律（平成九年法律第六十五号）第八条の規定の適用を受ける職員を除く。）が定時までに出勤したことを証するために必要な記録を適宜の方法で自ら行い、勤務時間管理員は各職員の年次休暇、病気休暇、特別休暇、介護休暇、介護時間、就業禁止期間、短従許可期間、育児時間、勤務時間を割く兼業、勤務時間内法科大学院派遣法第四条派遣及び欠勤の日数及び時間数並びにその他必要とする事項をその都度記入し、人事院規則一五―一四（職員の勤務時間、休日及び休暇）第六条第二項に規定する週休日の振替等、勤務時間法第十三条の二第一項の規定に基づく超勤代休時間の指定及び勤務時間法第十五条第一項の規定に基づく休日の代休日の指定については、その都度その旨を表示するものとする。

3　勤務時間管理員は、職員ごとにその年に使用することができる年次休暇の日数を、あらかじめ出勤簿に記入するものとする。

4　勤務時間管理員は、職員が転出した場合には、出勤簿に基づき、当該職員の当該給与期間における当該転出の日の前日までの勤務時間法第六条第一項に規定する週休日の日数、当該転出後の昇給又は勤勉手当の額の算定に際しその者の勤務成績を判定する対象となる期間中の病気休暇、介護休暇、介護時間、就業禁止期間、短従許可期間、育児時間、勤務時間を割く兼業及び欠勤の日数及び時間数、その年において使用した年次休暇の日数及び時間数並びにその他必要とする事項について、これを文書で給与事務担当者に報告するものとする。

第三　勤務時間報告書

1　勤務時間報告書には、その給与期間につき、次に掲げる事項をそれぞれ転記し又は記入する。

一　超過勤務等命令簿に記載されている超過勤務、休日給の支給される日の勤務及び夜間勤務については、それぞれの勤務に対する手当の支給割合別の合計時間数、宿日直勤務については、その支給額区分別の回数（人事院規則九―一五（宿日直手当）第一条第三号に掲げる勤務及び同条第四号に掲げる勤務のうち同条第三号に掲げる勤務と同様の勤務にあっては、勤務日数）、超勤代休時間にした勤務については、当該勤務の当該超勤代休時間の指定に代えられた超過勤務手当の支給に係る超過勤務の時間の属する年月別の合計時間数並びに一般職の職員の給与に関する法律（昭和二十五年法律第九十五号。以下「給与法」という。）第十六条第四項に規定する減じた割合及び当該年月別の合計時間数

二　管理職員特別勤務手当整理簿に記載されている管理職員特別勤務手当の支給に関し必要な事項
三　出勤簿に記載されている介護休暇、介護時間、短従許可期間、育児時間、勤務時間を割く兼業、勤務時間内法科大学院派遣法第四条派遣及び欠勤の時間数
四　特殊勤務手当整理簿に記載されている特殊勤務手当の支給に関し必要な事項
五　超勤代休時間の指定に関する記録に記載されている超勤代休時間の時間数及び給与法第十六条第四項に規定する減じた割合別の当該超勤代休時間の指定に代えられた超過勤務手当の支給に係る時間数の合計時間数
六　国際平和協力手当に関する記録に記載されている支給額別の日数
七　前各号に掲げるもののほか職員の給与計算に関し必要な事項

2　勤務時間報告書に記入する事項のない職員については、その記入を省略することができる。ただし、全職員について記入する事項がない場合には、その旨を記載する。

3　給与期間の中途において俸給の月額、これに対する地域手当、広域異動手当若しくは研究員調整手当の月額、管理職員特別勤務手当の額又は特殊勤務手当の額に異動を生じた場合には、勤務時間報告書に第一項第一号から第五号までに掲げる項目ごとの当該異動の前後別に時間等を区分して記入する。

4　超勤代休時間に勤務した場合においては当該超勤代休時間の指定に代えられた超過勤務手当の支給に係る超過勤務の時間の属する年月を、次に掲げる場合においてはその旨をそれぞれ勤務時間報告書に備考として記入する。
一　当該給与期間中の勤務を要する全時間が、介護休暇、短従許可期間、勤務時間を割く兼業又は欠勤であった場合
二　以前の給与期間に関する勤務時間報告書に欠勤として記載された時間につき、人事院規則一五—一四第二十七条第一項ただし書の規定により、後日休暇の承認を得た場合
三　前項に定める取扱いをした場合
四　給与法附則第六項の規定により俸給が半減されることとなった場合
五　人事院規則九—七（俸給等の支給）第七条の規定により俸給の特別調整額、本府省業務調整手当若しくは専門スタッフ職調整手当が支給されないこととなった場合又は人事院規則九—二四（通勤手当）第二十条の規定により通勤手当が支給されないこととなった場合

5　課係等の長が、規則第四条の証明を行うに当たっては、勤務時間報告書の正確かつ適法であることを確認し、当該勤務時間報告書にその旨を示すものとする。

(2)　出勤簿の様式

出勤簿の様式は、規則等によって特に定められているものはなく、各省各庁ごとに任意に定めることとされている。各省各庁で用いられている出勤簿の例としては次に掲げるようなものがある。

【出勤簿の例】

所属	局	課
	局	課

○○年上半期分　　**出　勤　簿**

日＼月	1月 職員の記録	1月 記入事項	2月 職員の記録	2月 記入事項	3月 職員の記録	3月 記入事項	4月 職員の記録	4月 記入事項	5月 職員の記録	5月 記入事項	6月 職員の記録	6月 記入事項
1	休　日						日　曜					
2	年　始										土　曜	
3	年　始		土　曜		土　曜				休　日		日　曜	
4			日　曜		日　曜				休　日			
5									土　曜（休日）			
6	土　曜								日　曜			
7	日　曜						土　曜					
8	休　日						日　曜					
9											土　曜	
10			土　曜		土　曜						日　曜	
11			日　曜		日　曜							
12			休　日						土　曜			
13	土　曜								日　曜			
14	日　曜						土　曜					
15							日　曜					
16											土　曜	
17			土　曜		土　曜						日　曜	
18			日　曜		日　曜							
19									土　曜			
20	土　曜								日　曜			
21	日　曜				休　日		土　曜					
22							日　曜					
23			休　日								土　曜	
24			土　曜		土　曜						日　曜	
25			日　曜		日　曜							
26									土　曜			
27	土　曜								日　曜			
28	日　曜						土　曜					
29							日　曜					
30							休　日				土　曜	
31					土　曜							
年次休暇 使用	日	時分	日	時分	日	時分	日	時分	日	時分	日	時分
年次休暇 残												
特別休暇												
病気休暇 使用												
病気休暇 累計												
介護休暇												
欠勤時間												
総合健診等												
その他												

氏　名
備　考
年次休暇繰越　日
上半年分 年次休暇
使用　日　時間
残　日　時　分
上半年分 病気休暇
使用　日　時　分

(3)　休暇の表示等

出勤簿には、職員が休暇を承認されて勤務しなかった場合には、その旨を表示することになるが、このほか、年の当初において、あらかじめ、職員ごとにその年に与えることができる年次休暇の日数を表示することとされている。また、レクリエーション行事に参加するためあるいは総合的な健康診査（人間ドック）や特定保健指導を受診するため勤務しないことを承認されて勤務しなかった場合にもその旨を表示すべきこととされている。

休暇の承認を得て勤務しなかった場合の出勤簿上の表示については、これも規則その他によって特に定められているわけではないので、各機関ごとに任意に表示することになるが、例えば次のような記号を用いることが考えられる。

一日単位の年次休暇の場合　(年)
時間単位の年次休暇の場合　(年—)
一日単位の特別休暇の場合　(特)
時間単位の特別休暇の場合　(特—)
一日単位の病気休暇の場合　(病)
時間単位の病気休暇の場合　(病—)
一日単位の介護休暇の場合　(介)
時間単位の介護休暇の場合　(介—)

生理のため就業が著しく困難な場合に承認された病気休暇のうち、給与上特別な措置の対象となる「二暦日」を表示する場合は、例えば、(生)のような表示が考えられる。この場合、(生)と表示するのは、あくまでも最初の連続する二暦日のみであり、生理痛のため就業が著しく困難ということで連続する三日の病気休暇が承認された場合は(生)の表示は最初の二日のみであり、残りの一日については(病)の表示をすることになる。

また、時間を単位とする休暇の場合には、〔年―〕、〔特―〕、〔病―〕、〔介―〕それぞれの下欄に当該時間を記入することが考えられよう。なお、先に触れたレクリエーション行事への参加については、〔レク―〕あるいは〔レク〕の記号を、総合的な健康診査（人間ドック）の受診については、〔ドック―〕あるいは〔ドック〕の記号を用いることもあり得よう。

○規則一〇―四の運用について（昭六二・一二・二五　職福―六九一）

第二十一条の二関係

2　この条に基づく勤務を要しないことの請求及び承認の手続については、休暇の例によるものとする。この場合において、出勤簿には、総合的な健康診査のため勤務しなかった旨を記入するものとする。

第二十四条の三関係

2　この条に基づく勤務を要しないことの請求及び承認の手続については、休暇の例によるものとする。この場合において、出勤簿には、特定保健指導のため勤務しなかった旨を記入するものとする。

○規則一〇―六の運用について（昭四一・二・一九　職能―一〇七）

3　第五条の規定により勤務しないことを承認することができる場合は、職員が昭和四十一年二月十九日総理府総務副長官依命通知総人局第九十三号第三項又は第四項の規定に基づいて勤務時間内に実施されるレクリエーション行事に参加する場合とし、レクリエーション行事に参加する職員一人に対して承認することができる時間数は、年度を通じて十六時間以内とする。同条の規定により勤務しないことを承認した場合には、その旨を当該職員に通知するとともに、出勤簿にレクリエーション行事に参加したために勤務しなかつた旨及びその時間数を記入するものとする。

○規則一〇―七の運用について（昭六一・三・一五　職福―一二一）

第二条関係

この条の請求は、一般職の職員の勤務時間、休暇等に関する法律（平成六年法律第三十三号。以下「勤務時間法」という。）第十八条に定める場合又は人事院規則一五―一五（非常勤職員の勤務時間及び休暇）第四条第二項第六号に定める場合に該当するときに生理日の就業が著しく困難である旨を休暇簿に明示して行うものとし、勤務時間法第三条に規定する各省各庁の長は、人事院規則一五―一四（職員の勤務時間、休日及び休暇）第二十五条（人事院規則一五―一五（非常勤職員の勤務時間及び休暇）の運用について（平成六年七月二十七日職職―三二九）第四条関係第四項の定めるところにより、その例による場合を含む。）に定めるところにより、当該休暇を承認しなければならない。この場合には、承認した当該病気休暇の期間のうちの連続する最初の二暦日に係る期間を出勤簿に記入するものとする。

第五条関係

2　この条に基づく勤務しないことの請求及び承認の手続きについては、休暇の例によるものとする。この場合において、出勤簿には、妊産婦の健康診査等のため勤務しなかった旨を記入するものとする。

第六条関係

5　この条の第二項に基づく勤務しないことの請求及び承認の手続き等については、妊産婦の健康診査等の場合と同様とする。

第七条関係

4　この条に基づく勤務しないことの請求及び承認の手続き等については、妊産婦の健康診査等の場合と同様とする。

ここで、出勤簿の表示に関し特に注意すべき点をあげれば、長期間にわたって病気休暇を承認された場合、週休日を挟んで忌引休暇等の特別休暇を与えた場合の取扱いである。

病気休暇の上限期間や俸給半減期間である九十日の期間計算に週休日等も算入されること、あるいは、忌引休暇等の日数の計算に当たって、週休日も一日として計算される場合があること等を理由に、このような場合に、その週休日についてまで、出勤簿上、「休暇」の表示をすることは、休暇が、あくまでも正規の勤務時間中に限って承認されるものであることに照らし、誤りというほかはないが、計算間違い等を避けるため便宜上このような表示を行うこともあろう。

(4)　交替制等勤務職員の出勤簿

交替制等勤務職員については、一般の職員とは異なり、必ずしも日曜日及び土曜日が週休日とされるわけではなく、また、休日（祝日法による休日及び年末年始の休日）にも、当然に勤務すべきこととされている場合が多いことから、これらの職員の出勤簿の取扱いには、本来、その勤務時間の割振りを考慮して、一般の職員のそれとは、別個になされる必要が生ずる。

交替制等勤務職員について、その勤務時間の割振りに応じて出勤簿を作成する場合、次に示す勤務時間の割振り例のＡ勤務のように、一回の勤務が二日間にわたるようなときには、一般的には、出勤したことを証するための職員の記録は、その勤務の初日に行われることになろうから、例えば、甲氏の令和Ｘ年十一月の出勤簿は、出勤簿の記入例等のａ（五〇六頁）のように作成されることになろう。

したがって、仮に甲氏が、令和Ｘ年十一月において正規の勤務時間のすべてを勤務したとすれば、公又は非の記号が記されている日以外の職員の記録欄には、すべて甲氏が出勤したことの記載がなされることになるが、たまたま甲氏が同月中に、休暇を承認されて勤務しなかった期間があったとすれば、その休暇の表示等は以下に説明するようになされることになろう。

この場合、休暇の承認は、いうまでもなく勤務時間との関係のもとに論じられるものであるので、ここで、甲氏の令和Ｘ年十一月中における各日の正規の勤務時間について確認しておけば、ｂのようになる。

甲氏が、いずれも、家事の都合を理由として

(i)　三日から四日へかけてのＡ勤務の十五時間三十分

(ii)　十九日から二十日へかけてのＡ勤務のうちの、二十日の午前七時から午前九時までの二時間

について、それぞれ勤務しないことを承認されたとすれば、その勤務しないことについての承認は、

勤務時間の割振り例

(ア)　１日の勤務時間

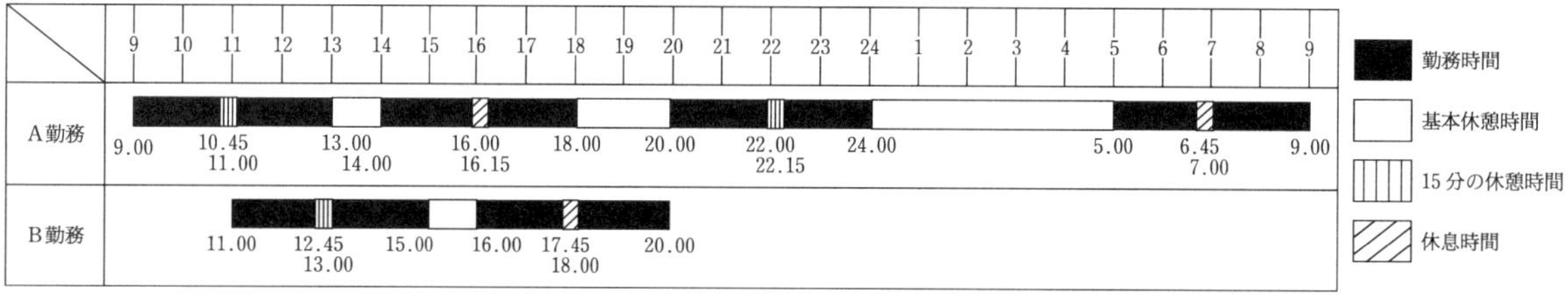

(イ)　休憩・休息時間

	勤務開始	勤務終了	休息時間	基本休憩時間	15分の休憩時間	拘束時間	実働時間
A勤務	9.00	翌日9.00	16.00～16.15 6.45～7.00	13.00～14.00 18.00～20.00 0.00～5.00	10.45～11.00 22.00～22.15	24.00	15.30
B勤務	11.00	20.00	17.45～18.00	15.00～16.00	12.45～13.00	9.00	7.45

(ウ)　勤務日割

年・月	氏名＼日	1	2	3	4	5	6	7	8	9	10	11	12	13	14	15	16	17	18	19	20	21	22	23	24	25	26	27	28	29	30
令和X年11月	甲	×	×	A	非	B	×	A	非	B	×	A	非	B	×	A	非	B	B	A	非	×	×	A	非	B	×	A	非	B	×
	乙	非	B	×	A	非	B	×	A	非	B	B	A	非	×	×	A	非	B	×	A	非	×	×	A	非	B	×	A	非	B
	丙	A	非	B	B	A	非	×	×	A	非	B	×	A	非	×	×	A	非	B	×	A	非	B	×	A	非	B	×	A	非
	丁	×	A	非	B	×	A	非	×	×	A	非	B	×	A	非	B	×	A	非	B	×	A	非	B	B	A	非	×	×	A

出勤簿の記入例等

a　甲氏の令和X年11月における出勤簿

日付	1	2	③	4	5	6	7	8	9	10	11	12	13	14	15	16	17	18	19	20	21	22	㉓	24	25	26	27	28	29	30
職員の記録	公	公		非		公		非		公		非		公		非				非	公	公		非		公		非		公
事項																														

（注）1　公は，勤務を要しない日を示す。
　　2　非は，非番日を示す。
　　3　日付欄の○印は，休日を示す。

b　甲氏の令和X年11月における勤務時間

日付	1	2	③	4	5	6	7	8	9	10	11	12	13	14	15	16
正規の勤務時間	公	公	A		B	公	A		B	公	A		B	公	A	
	0:00	0:00	11:30	4:00	7:45	0:00	11:30	4:00	7:45	0:00	11:30	4:00	7:45	0:00	11:30	4:00
日付	17	18	19	20	21	22	㉓	24	25	26	27	28	29	30		
正規の勤務時間	B	B	A		公	公	A		B	公	A		B	公		
	7:45	7:45	11:30	4:00	0:00	0:00	11:30	4:00	7:45	0:00	11:30	4:00	7:45	0:00		

c　甲氏の出勤簿の記入結果

日付	1	2	③	4	5	6	7	8	9	10	11	12	13	14	15	16	17	18	19	20	21	22	㉓	24	25	26	27	28	29	30
職員の記録	公	公			(出)	公	(出)	非	(出)	公	(出)	非	(出)	公	(出)	非	(出)	(出)	(出)	非	公	公	(出)	非	(出)	公	(出)	非	(出)	公
事項			(休日)	(年/4)																(年/2)										

（注）1　(休日)は，休日として勤務しなかったことを示す。
　　2　(年/4)，(年/2)は，それぞれ4時間，2時間の年次休暇を示す。

(i)　三日から四日へかけての十五時間三十分のうち、三日の十一時間三十分については、この日は休日であるため、特に「休暇」によることは要せず（別に勤務義務の免除のための行為として勤務命令の撤回がなされる必要がある。）、単に休日として休むこととされ、四日の四時間についてのみ年次休暇

(ii)　二十日の二時間についても年次休暇

ということとなり、この休日あるいは休暇によって勤務しなかった事実は、cのように出勤簿に表示されれば足りることとなる。

第三節　年次休暇

一　年次休暇の意義

年次休暇は、いわゆる週休日のほかに、毎年一定日数の「勤労から解放される日」を設け、これを有給とすることによって、職員に安んじて休養をとらせ、心身の疲労回復、ひいては、労働力の維持培養を図ることをその本来の趣旨としているものであり、現今においては、心身のリフレッシュだけでなく、実勤務時間の短縮を通じた仕事と生活の調和（ワークライフバランス）の実現、自己啓発の推進等の積極面に活用され、勤労意欲の向上はもとより、国公法の趣旨とする公務能率の維持増進に寄与する意味を持つに至っている。

二　年次休暇の性格

従来、公務員の年次休暇が、その根拠を「国家公務員法の規定が適用せられるまでの官吏の任免等に関する法律」におき、国公法の規定に基づく旧人事院規則一五―六によって運用されていた限りにおいては、労基法上の年次有給休暇とはその法的性格等において相異なるものであった。しかしながら、現行休暇制度における年次休暇は、その根拠を勤務時間法におき、職員の権利として明確に位置づけられたことからすれば、労基法上の年次有給休暇の法的性格等に近づくことになったと理解して差し支えない。

○旧規則一五―六（休暇）

１　休暇は、官庁執務時間並びに休暇に関する件（大正十一年閣令第六号）の規定による休暇（以下「年次休暇」という。）その他の従前の例により有給休暇とされていた休暇とする。（昭和四十三年十二月十四日施行）

○官庁執務時間並休暇ニ関スル件（大正十一年閣令第六号）

５　本属長官ハ所属職員ニ対シ七月二十一日ヨリ八月三十一日迄ノ間ニ於テ事務ノ繁閑ヲ計リ二十日以内ノ休暇ヲ与フルコトヲ得但シ事務ノ都合ニ依リ当該期間内ニ於テ休暇ヲ与フルコトヲ得サル場合ニ於テハ他ノ期間ニ於テ之ヲ与フルコトヲ妨ケス

○労基法

（年次有給休暇）

第三十九条　使用者は、その雇入れの日から起算して六箇月間継続勤務し全労働日の八割以上出勤した労働者に対して、継続し、又は分割した十労働日の有給休暇を与えなければならない。

②　使用者は、一年六箇月以上継続勤務した労働者に対しては、雇入れの日から起算して六箇月を超えて継続勤務する日（以下「六箇月経過日」という。）から起算した継続勤務年数一年ごとに、前項の日数に、次の表の上欄に掲げる六箇月経過日から起算した継続勤務年数の区分に応じ同表の下欄に掲げる労働日を加算した有給休暇を与えなければならない。

ただし、継続勤務した期間を六箇月経過日から一年ごとに区分した各期間（最後に一年未満の期間を生じたときは、当該期間）の初日の前日の属する期間において出勤した日数が全労働日の八割未満である者に対しては、当該初日以後の一年間においては有給休暇を与えることを要しない。

六箇月経過日から起算した継続勤務年数	労働日
一年	一労働日
二年	二労働日
三年	四労働日
四年	六労働日
五年	八労働日
六年以上	十労働日

③　次に掲げる労働者（一週間の所定労働時間が厚生労働省令で定める時間以上の者を除く。）の有給休暇の日数については、前二項の規定にかかわらず、これらの規定による有給休暇の日数を基準とし、通常の労働者の一週間の所定労働日数として厚生労働省令で定める日数（第一号において「通常の労働者の週所定労働日数」という。）と当該労働者の一週間の所定労働日数又は一週間当たりの平均所定労働日数との比率を考慮して厚生労働省令で定める日数とする。

一　一週間の所定労働日数が通常の労働者の週所定労働日数に比し相当程度少ないものとして厚生労働省令で定める日数以下の労働者

二　週以外の期間によつて所定労働日数が定められている労働者については、一年間の所定労働日数が、前号の厚生労働省令で定める日数に一日を加えた日数を一週間の所定労働日数とする労働者の一年間の所定労働日数その他の事情を考慮して厚生労働省令で定める日数以下の労働者

④　使用者は、当該事業場に、労働者の過半数で組織する労働組合があるときはその労働組合、労働者の過半数で組織する労働組合がないときは労働者の過半数を代表する者との書面による協定により、次に掲げる事項を定めた場合において、第一号に掲げる労働者の範囲に属する労働者が有給休暇を時間を単位として請求したときは、前三項の規定による有給休暇の日数のうち第二号に掲げる日数については、これらの規定にかかわらず、当該協定で定めるところにより時間を単位として有給休暇を与えることができる。

一　時間を単位として有給休暇を与えることができることとされる労働者の範囲

二　時間を単位として与えることができることとされる有給休暇の日数（五日以内に限る。）

三　その他厚生労働省令で定める事項

⑤　使用者は、前各項の規定による有給休暇を労働者の請求する時季に与えなければならない。ただし、請求された時季に有給休暇を与えることが事業の正常な運営を妨げる場合においては、他の時季にこれを与えることができる。

⑥　使用者は、当該事業場に、労働者の過半数で組織する労働組合がある場合においてはその労働組合、労働者の過半数で組織する労働組合がない場合においては労働者の過半数を代表する者との書面による協定により、第一項から第三項までの規定による有給休暇を与える時季に関する定めをしたときは、これらの規定による有給休暇の日数のうち五日を超える部分については、前項の規定にかかわらず、その定めにより有給休暇を与えることができる。

⑦　使用者は、第一項から第三項までの規定による有給休暇（これらの規定により使用者が与えなければならない有給休暇の日数が十労働日以上である労働者に係るものに限る。以下この項及び次項において同じ。）の日数のうち五日については、基準日（継続勤務した期間を六箇月経過日から一年ごとに区分した各期間（最後に一年未満の期間を生じたときは、当該期間）の初日をいう。以下この項において同じ。）から一年以内の期間に、労働者ごとにその時季を定めることにより与えなければならない。ただし、第一項から第三項までの規定による有給休暇を当該有給休暇に係る基準日より前の日から与えることとしたときは、厚生労働省令で定めるところにより、労働者ごとにその時季を定めることにより与えなければならない。

⑧　前項の規定にかかわらず、第五項又は第六項の規定により第一項から第三項までの規定による有給休暇を与えた場合においては、当該与えた有給休暇の日数（当該日数が五日を超える場合には、五日とする。）分については、時季を定め

ることにより与えることを要しない。

⑨　使用者は、第一項から第三項までの規定による有給休暇の期間又は第四項の規定による有給休暇の時間については、就業規則その他これに準ずるもので定めるところにより、それぞれ、平均賃金若しくは所定労働時間労働した場合に支払われる通常の賃金又はこれらの額を基準として厚生労働省令で定めるところにより算定した額の賃金を支払わなければならない。ただし、当該事業場に、労働者の過半数で組織する労働組合がある場合においてはその労働組合、労働者の過半数で組織する労働組合がない場合においては労働者の過半数を代表する者との書面による協定により、その期間又はその時間について、それぞれ、健康保険法（大正十一年法律第七十号）第四十条第一項に規定する標準報酬月額の三十分の一に相当する金額（その金額に、五円未満の端数があるときは、これを切り捨て、五円以上十円未満の端数があるときは、これを十円に切り上げるものとする。）又は当該金額を基準として厚生労働省令で定めるところにより算定した金額を支払う旨を定めたときは、これによらなければならない。

⑩　労働者が業務上負傷し、又は疾病にかかり療養のために休業した期間及び育児休業、介護休業等育児又は家族介護を行う労働者の福祉に関する法律第二条第一号に規定する育児休業又は同条第二号に規定する介護休業をした期間並びに産前産後の女性が第六十五条の規定によつて休業した期間は、第一項及び第二項の規定の適用については、これを出勤したものとみなす。

労基法上の年次有給休暇については、その法的性格を請求権とみるか形成権とみるかとで争われていたが、昭和四十八年三月二日、最高裁判所第二小法廷は、「全林野白石営林署事件」及び「国労郡山事件」の判決において、この年次有給休暇についての最終的な結論を打ち出した。

この両事件とも、労働者の年次有給休暇の請求に対して、使用者がその成立を認めず賃金カットを行った点が争われたものであるが、この判決によれば、年次有給休暇の権利は、労基法第三十九条第一項、第二項及び第三項の要件が満たされることによって法律上当然に労働者に生ずる権利であって、同条第五項にいう「請求」とは、休暇の時季のみにかかる文言であって、その趣旨は、休暇の時季の指定にほかならないとしていわゆる時季指定権説の立場を明らかにした。したがって、労働者が具体的な休暇の始期と終期を特定して時季指定をしたときは、客観的に請求された時季に有給休暇を与えることが事業の正常な運営を妨げることが明らかな場合であって、かつ、使用者がこれを理由として時季変更権の行使をしない限り、年次有給休暇が成立し、当該労働日における労働者の就労義務は消滅することになり、年次有給休暇の成立要件として使用者の「承認」の観念を容れる余地はないこととしている。

また、同判決は、年次有給休暇の性格をこのように解した上で年次有給休暇の利用目的についても言及し、「年次有給休暇の利用目的は労基法の関知しないところであり、休暇をどのように利用するかは、使用者の干渉を許さない労働者の自由である。」とした。

さらに、年次有給休暇の自由利用の原則を踏まえながら、年次有給休暇と争議行為との関係については、全員一斉に休暇届を提出して職場を放棄、離脱するいわゆる一斉休暇闘争は、年次有給休暇に名を借りた同盟罷業にほかならないとして年次有給休暇の成立を否定しながらも、他の事業場における争議行為に参加したり、これを応援したりすることは、年次有給休暇の成否に何ら影響を与えるものではないとした。

以上のように、この判決は、労基法上の年次有給休暇の法的性格を明確にするとともに、その自由利用の原則を打ち出し、争議行為の応援にも休暇の成立を否定しなかった等の点で、これまでの運用に比してかなり画期的な判決であったものといえよう。

○右判決時の労基法

（年次有給休暇）

第三十九条　使用者は、一年間継続勤務し全労働日の八割以上出勤した労働者に対して、継続し、又は分割した六労働日の有給休暇を与えなければならない。

②　使用者は、二年以上継続勤務した労働者に対しては、一年を超える継続勤務年数一年について、前項の休暇に一労働日を加算した有給休暇を与えなければならない。但し、この場合において総日数が二十日を超える場合においては、その超える日数については有給休暇を与えることを要しない。

③　使用者は、前二項の規定による有給休暇を労働者の請求する時季に与えなければならない。但し、請求された時季に有給休暇を与えることが事業の正常な運営を妨げる場合においては、他の時季にこれを与えることができる。

公務員の年次休暇の法的性格については、労基法の年次有給休暇に近づいたとはいっても、同一ではない。すなわち、年次休暇の成立要件として、各省各庁の長の「時期」についての「承認」が規定されており、この意味において、年次有給休暇のような労働者の時季指定権やこれに対する使用者の時季変更権という観念を容れる余地はない。また、争議行為について、「他の事業場」という観念を公務に認めることは困難であるとしても、権利の濫用に当たる場合には、年次休暇の成立を否定するものと考えられており、この点においても年次有給休暇の場合と異なっている。

三　年次休暇の日数

１　原則となる日数

年次休暇は、一の年ごとにおける休暇である。この「一の年」とは、一月一日から十二月三十一日までの一暦年である。

年次休暇の日数は、「二十日」を原則的な日数とする。職員は、一年間において、基本的に自由な時期に、自由な目的のために、二十日の年次休暇を利用できる権利を有しているわけである。

なお、休業、休職、停職、病気休暇等により、長期間勤務しない期間があっても、その年あるいは翌年の年次休暇の日数に影響を与えるものではない。

○勤務時間法

（年次休暇）

第十七条　年次休暇は、一の年ごとにおける休暇とし、その日数は、一の年において、次の各号に掲げる職員の区分に応じて、当該各号に掲げる日数とする。

一　次号及び第三号に掲げる職員以外の職員　二十日（定年前再任用短時間勤務職員にあっては、その者の勤務時間等を考慮し二十日を超えない範囲内で人事院規則で定める日数）

○規則一五—一四運用通知

第十二　年次休暇関係

1　勤務時間法第十七条第一項の「一の年」とは、一暦年をいう。

2　日数の特例

しかし、この「一暦年について二十日」が、すべての職員（年の中途に採用された職員を含む。）に適用されるとすれば、職員間の均衡上、好ましくない面があることから、その特例が設けられている。

勤務時間法では、その特例に関し、次のように規定し、これを受けて規則一五—一四で詳細に定めている。

○勤務時間法

（年次休暇）

第十七条　年次休暇は、一の年ごとにおける休暇とし、その日数は、一の年において、次の各号に掲げる職員の区分に応じて、当該各号に掲げる日数とする。

二　次号に掲げる職員以外の職員であって、当該年の中途において新たに職員となり、又は任期が満了することにより退職することとなるもの　その年の在職期間等を考慮し二十日を超えない範囲内で人事院規則で定める日数

三　当該年の前年において独立行政法人通則法（平成十一年法律第百三号）第二条第四項に規定する行政執行法人の職員、特別職に属する国家公務員、地方公務員又は沖縄振興開発金融公庫その他その業務が国の事務若しくは事業と密接な関連を有する法人のうち人事院規則で定めるものに使用される者（以下この号において「行政執行法人職員等」という。）であった者であって引き続き当該年に新たに職員となったものその他人事院規則で定める職員　行政執行法人職員等としての在職期間及びその在職期間中における年次休暇に相当する休暇の残日数等を考慮し、二十日に次項の人事院規則で定める日数を加えた日数を超えない範囲内で人事院規則で定める日数

○規則一五—一四

（年次休暇の日数）

第十八条　勤務時間法第十七条第一号（育児休業法第十七条又は第二十五条の規定により読み替えて適用する場合を含む。第十八条の三において同じ。）の人事院規則で定める日数は、次の各号に掲げる職員の区分に応じ、当該各号に定める日数（一日未満の端数があるときは、これを四捨五入して得た日数）とする。

一　斉一型短時間勤務職員（定年前再任用短時間勤務職員等及び育児短時間勤務職員等のうち、一週間ごとの勤務日の日数及び勤務日ごとの勤務時間の時間数が同一であるものをいう。以下同じ。）　二十日に斉一型短時間勤務職員の一週間の勤務日の日数を五日で除して得た数を乗じて得た日数

二　不斉一型短時間勤務職員（定年前再任用短時間勤務職員等及び育児短時間勤務職員等のうち、斉一型短時間勤務職員以外のものをいう。以下同じ。）　百五十五時間に育児休業法第十七条若しくは第二十五条の規定により読み替えられた勤務時間法第五条第一項又は勤務時間法第五条第二項の規定に基づき定められた不斉一型短時間勤務職員の勤務時間を三十八時間四十五分で除して得た数を乗じて得た時間数を、七時間四十五分を一日として日に換算して得た日数

第十八条の二　勤務時間法第十七条第一項第二号の人事院規則で定める日数は、次の各号に掲げる職員の区分に応じ、当

該各号に定める日数とする。
一　当該年の中途において、新たに職員となり、又は任期が満了することにより退職することとなる職員（次号に掲げる職員を除く。）　その者の当該年における在職期間に応じ、別表第一の日数欄に掲げる日数（定年前再任用短時間勤務職員等及び育児短時間勤務職員等にあっては、その者の勤務時間等を考慮し、人事院が別に定める日数）（以下この条において「基本日数」という。）
二　当該年において、行政執行法人職員等（勤務時間法第十七条第一項第三号に規定する行政執行法人職員等をいう。以下この条において同じ。）となった者であって引き続き新たに職員となったもの又は官民人事交流法第二条第二項に規定する民間企業に雇用された者であって引き続き官民人事交流法第二十条に規定する交流採用職員となったもの　行政執行法人職員等となった日又は同条に規定する交流元企業に雇用された日において新たに職員となったものとみなした場合におけるその者の在職期間に応じた別表第一の日数欄に掲げる日数から、新たに職員となった日の前日までの間に使用した年次休暇に相当する休暇の日数を減じて得た日数（この号に掲げる職員が定年前再任用短時間勤務職員等である場合にあっては、その者の勤務時間等を考慮し、人事院が別に定める日数）（当該日数が基本日数に満たない場合にあっては、基本日数）

2　勤務時間法第十七条第一項第三号の人事院規則で定める法人は、沖縄振興開発金融公庫のほか、次に掲げる法人とする。
一　国家公務員退職手当法施行令（昭和二十八年政令第二百十五号）第九条の二各号に掲げる法人
二　国家公務員退職手当法施行令第九条の四各号に掲げる法人（沖縄振興開発金融公庫及び前号に掲げる法人を除く。）
三　前二号に掲げる法人のほか、人事院がこれらに準ずる法人であると認めるもの

3　勤務時間法第十七条第一項第三号の人事院規則で定める職員は、次に掲げる職員とする。
一　当該年の前年において官民人事交流法第八条第二項に規定する交流派遣職員であった者であって引き続き当該年に職務に復帰したもの
二　当該年の前年において官民人事交流法第二条第二項に規定する民間企業に雇用されていた者であって引き続き当該年に官民人事交流法第二十条に規定する交流採用職員となったもの

三　当該年の前年において職員であった者であって引き続き当該年に行政執行法人職員等となり引き続き再び職員となったもの
四　当該年の前年において職員であった者であって引き続き当該年に官民人事交流法第八条第二項に規定する交流派遣職員となり引き続き職務に復帰したもの
4　勤務時間法第十七条第一項第三号の人事院規則で定める日数は、次の各号に掲げる職員の区分に応じ、当該各号に定める日数（当該日数が基本日数に満たない場合にあっては、基本日数）とする。
一　次号に掲げる職員以外の職員　次に掲げる場合に応じ、次に掲げる日数
イ　当該年の初日に職員となった場合　二十日（当該年の中途において任期が満了することにより退職することとなる場合にあっては、当該年における在職期間に応じ、別表第一の日数欄に掲げる日数）に当該年の前年における年次休暇に相当する休暇又は年次休暇の残日数（当該残日数が二十日を超える場合にあっては、二十日）を加えて得た日数
ロ　当該年の初日後に職員となった場合　この号イの日数から職員となった日の前日までの間に使用した年次休暇に相当する休暇又は年次休暇の日数を減じて得た日数
二　定年前再任用短時間勤務職員等　その者の勤務時間等を考慮し、人事院が別に定める日数
5　第一項第二号に掲げる職員及び前項の規定の適用を受ける職員のうちその者の使用した年次休暇に相当する休暇の日数が明らかでないものの年次休暇の日数については、これらの規定にかかわらず、人事院が別に定める日数とする。

すなわち、「一暦年につき二十日」の年次休暇の日数については、基本的に一暦年の全期間にわたって在職することを前提としている職員に適用するという趣旨のもとに、一月一日において、現に任期の定めのない常勤職員（その年に定年退職する職員を含む。）について適用されるわけであって、次に掲げる場合については、特例が設けられているのである。

①　年の中途において新たに採用された場合

②　年の中途において任期が満了し退職することとなっている場合

③　行政執行法人職員等から人事交流等によって異動してきた場合

右の①及び②の場合は、勤務時間法第十七条第一項第二号に、③の場合は、同項第三号に、それぞれ規定されているところである。

(1)　年の中途において新たに採用された者についての特例

「当該年の中途において新たに職員となるもの」の最も典型的な例が新規採用者である。

この勤務時間法第十七条第一項第二号の適用職員は、「次号に掲げる職員以外の職員」であるので、第三号の行政執行法人職員等から人事交流等によって異動してきた職員も、任用制度上は「新たに職員となるもの」であるが、第二号の適用職員からは除外されている。

ただし、行政執行法人職員等からの異動であっても、その異動の年に行政執行法人職員等に採用された者については、第二号の適用職員となるので注意を要する。

ア　新規採用者

規則一五―一四第十八条の二第一項第一号の場合である。この場合の日数は、その者のその年の在職期間に応じて定められており、規則の別表第一に示されている。この表に示される日数は、二十日にその年の在職月数を十二で除した数を乗じて得た日数について、一日未満の端数を四捨五入したものである。

例えば、四月一日採用の場合は、在職期間が九月であるので、十五日となるわけである。なお、一月一日採用の場合は、年の中途における採用ではないので、勤務時間法第十七条第一項第一号の適用となり、二十日である。

また、「新たに職員となったもの」の実際の取扱いには、若干の問題がある。

まず、非常勤職員から引き続き常勤職員となった場合がある。例えば、非常勤職員が国家公務員採用試験に合格したことから、常勤職員として配置換されるケースがあり得る。この場合には、「新たに職員となった者」に含まれるとされているので、その者の年次休暇の日数は、新規採用者の場合の原則に従い、その年の在職期間に応じた規則一五―一四別表第一の日数となる。したがって、その者が非常勤職員として規則一五―一五第三条の年次休暇を有していたとしても、常勤職員への異動とともに、その休暇の残日数の効力は失われることとなる。

次に、諸般の事情から、いったん退職した後に、即日又は翌日に同一府省又は他府省に採用される職員の場合である。この場合には、その勤務関係の実質的な継続性に着目すれば、「新たに職員となった者」には当たらないと解されるので、従前の休暇の残日数をそのまま引き継ぐこととなる。

〇勤務時間法

（年次休暇）

第十七条

１二　次号に掲げる職員以外の職員であって、当該年の中途において新たに職員となり、又は任期が満了することにより退職することとなるもの　その年の在職期間等を考慮し二十日を超えない範囲内で人事院規則で定める日数

〇規則一五―一四

第十八条の二　勤務時間法第十七条第一項第二号の人事院規則で定める日数は、次の各号に掲げる職員の区分に応じ、当該各号に定める日数とする。

一　当該年の中途において、新たに職員となり、又は任期が満了することにより退職することとなる職員（次号に掲げる職員を除く。）　その者の当該年における在職期間に応じ、別表第一の日数欄に掲げる日数（定年前再任用短時間勤務職員等及び育児短時間勤務職員等にあっては、その者の勤務時間等を考慮し、人事院が別に定める日数）（以下この条において「基本日数」という。）

別表第一（第十八条の二関係）

在職期間	日数
一月に達するまでの期間	二日
一月を超え二月に達するまでの期間	三日
二月を超え三月に達するまでの期間	五日
三月を超え四月に達するまでの期間	七日
四月を超え五月に達するまでの期間	八日
五月を超え六月に達するまでの期間	十日
六月を超え七月に達するまでの期間	十二日
七月を超え八月に達するまでの期間	十三日
八月を超え九月に達するまでの期間	十五日
九月を超え十月に達するまでの期間	十七日
十月を超え十一月に達するまでの期間	十八日
十一月を超え一年未満の期間	二十日

○規則一五―一四運用通知

第十二　年次休暇関係

2　勤務時間法第十七条第一項第二号の新たに職員となった者には、非常勤職員（定年前再任用短時間勤務職員等を除く。）から引き続き常勤職員となった者を含む。

このほか、年の中途において臨時的職員又は任期付職員として採用された場合には、その任期の終期（退職時期）がその年ではない限り、これらの職員は「年の中途において新たに職員となった者」に当たり、その者の年次休暇の日数はその年の在職期間に応じた日数（規則一五—一四別表第一）となる。また、これらの職員の任期の始期（採用時期）と終期（退職時期）が同一年である場合には、いわば「年の中途において新たに職員となった者」と「年の中途において任期が満了することにより退職することとなる職員」の二つの要件を満たすことになるが、いずれにしても、規則一五—一四第十八条の二第一項第一号により、その年の在職期間に応じた日数（別表第一）の年次休暇となるわけである。例えば、四月一日から九月三十日まで六月間の任期であれば、年次休暇の日数は十日になる。仮にこれらの任期が翌年三月三十一日まで延長されれば、先の任用で定められた任期はなかったものとして、四月一日から十二月三十一日までの期間九月に対し十五日（九月までの使用した日数は差し引く。）、翌年一月一日から三月三十一日までの期間三月に対し五日の年次休暇となる。

イ　行政執行法人職員等に採用され、その年に引き続き新たに職員となったもの

規則一五—一四第十八条の二第一項第二号の場合である。例えば、四月一日に地方公務員として採用され、その年の七月一日に勤務時間法が適用される一般職国家公務員に異動するようなケースである。

「引き続き新たに職員となったもの」とは、人事交流等により採用された者及び行政執行法人職員等から異動した者をいうとされている。ここでいう「人事交流」とは、必ずしも相互間の人事異動でなければならないということではなく、任命権者の要請に基づいて異動する場合はすべて含まれると考えてよい。他方、公庫等の職員が自ら国家公務員採用試験を受けて国家公務員に採用されたという場合には、「引き続き新たに職員となったもの」に該当せず、当該職員は新規採用者扱いとなる。

この場合の年次休暇の日数は、いわゆる再計算方式によって算定される。すなわち、行政執行法人職員等に採用さ

れた日に勤務時間法が適用される一般職国家公務員に採用されたものとみなして、年次休暇の日数を計算して、その日から行政執行法人職員等として使用した年次休暇に相当する休暇の日数を差し引いた日数をこの者の年次休暇の日数とするものである。「使用した年次休暇に相当する休暇の日数」に一日未満の端数があるときは、これを切り上げることとされている。ただし、これにより算定された日数が、勤務時間法が適用される一般職国家公務員に新たに採用になった時点での通常の計算方式による年次休暇の日数（基本日数）に満たない場合にあっては、その基本日数を保障することとしている。

ここで具体例をあげて説明すれば、次のようになる。

四月一日付で地方公務員に採用され、七月一日に勤務時間法が適用される一般職国家公務員に異動した場合で、その四月から六月末まで三月間に年次有給休暇を四日使用したと仮定する。この例では、四月一日に一般職国家公務員に採用されたものとみなすと十五日の年次休暇の日数になり、十五日から四日を差し引いた十一日がこの者の年次休暇の日数となる。七月一日に新規採用されれば、在職期間六月で年次休暇の日数は十日（基本日数）となるので、再計算方式により一日有利になっていることになる。

一方、右の場合で、四月から六月末まで三月間に年次有給休暇を六日使用したと仮定する。この例では、十五日から六日を差し引いた九日が再計算方式による日数となる。しかしながら、この日数では、七月一日に新規採用された場合より一日不利になるので、基本日数の十日がこの者の年次休暇の日数となる。

なお、民間資金等の活用による公共施設等の整備等の促進に関する法律（平成十一年法律第百十七号）により、平成二十七年十二月一日から、同法に規定する国派遣職員（任命権者の要請に応じ、公共施設等運営権者の職員となっている者）が、勤務時間法第十七条第一項第三号の行政執行法人職員等とみなされている。

○規則一五―一四

第十八条の二

１二　当該年において、行政執行法人職員等（勤務時間法第十七条第一項第三号に規定する行政執行法人職員等をいう。以下この条において同じ。）となった者であって引き続き新たに職員となったもの又は官民人事交流法第二条第二項に規定する民間企業に雇用された者であって引き続き官民人事交流法第二十条に規定する交流採用職員となったもの　行政執行法人職員等となった日又は同条に規定する交流元企業に雇用された日において新たに職員となったものとみなした場合におけるその者の在職期間に応じた別表第一の日数欄に掲げる日数から、新たに職員となった日の前日までの間に使用した年次休暇に相当する休暇の日数を減じて得た日数（この号に掲げる職員が定年前再任用短時間勤務職員等である場合にあっては、その者の勤務時間等を考慮し、人事院が別に定める日数）（当該日数が基本日数に満たない場合にあっては、基本日数）

○規則一五―一四運用通知

第十二　年次休暇関係

６　勤務時間法第十七条第一項第三号並びに規則第十八条の二第一項第二号及び同条第三項第三号の引き続き職員となった者とは、人事交流等により採用された者及び独立行政法人通則法第二条第四項に規定する行政執行法人の職員から異動した者をいう。

７　規則第十八条の二第一項第二号の「使用した年次休暇に相当する休暇の日数」及び同条第四項第一号ロの「使用した年次休暇に相当する休暇又は年次休暇の日数」に一日未満の端数があるときは、これを切り上げた日数とし、同号イの「年次休暇に相当する休暇又は年次休暇の残日数」が二十日を超えない場合で一日未満の端数があるときは、これを切り捨てた日数とする。

○民間資金等の活用による公共施設等の整備等の促進に関する法律（平成十一年法律第百十七号）

（国派遣職員に係る特例）

第七十八条　国派遣職員（国家公務員法（昭和二十二年法律第百二十号）第二条に規定する一般職に属する職員が、任命権者又はその委任を受けた者の要請に応じ、公共施設等運営権者の職員（常時勤務に服することを要しない者を除き、公共施設等の運営等に関する専門的な知識及び技能を必要とする業務に従事する者に限る。以下この項及び次条第一項において同じ。）となるため退職し、引き続いて当該公共施設等運営権者の職員となり、引き続き当該公共施設等運営権者の職員として在職している場合における当該公共施設等運営権者の職員をいう。以下この条及び次条第三項において同じ。）は、同法第八十二条第二項の規定の適用については、同項に規定する特別職国家公務員等とみなす。

2　国家公務員法第百六条の二第三項に規定する退職手当通算法人には、公共施設等運営権者を含むものとする。

3　国派遣職員は、一般職の職員の給与に関する法律（昭和二十五年法律第九十五号）第十一条の七第三項、第十一条の八第三項、第十二条第四項、第十二条の二第三項及び第十四条第二項の規定の適用については、同法第十一条の七第三項に規定する行政執行法人職員等とみなす。

4　国派遣職員は、国家公務員退職手当法（昭和二十八年法律第百八十二号）第七条の二及び第二十条第三項の規定の適用については、同法第七条の二第一項に規定する公庫等職員とみなす。

5　公共施設等運営権者又は国派遣職員は、国家公務員共済組合法（昭和三十三年法律第百二十八号）第百二十四条の二（第四項を除く。）の規定の適用については、それぞれ同条第一項に規定する公庫等又は公庫等職員とみなす。

6　国派遣職員は、一般職の職員の勤務時間、休暇等に関する法律（平成六年法律第三十三号）第十七条第一項の規定の適用については、同項第三号に規定する行政執行法人職員等とみなす。

7　国派遣職員は、国家公務員の留学費用の償還に関する法律（平成十八年法律第七十号）第四条（第五号に係る部分に限る。）及び第五条（同号に係る部分に限る。）の規定の適用については、同法第二条第四項に規定する特別職国家公務員等とみなす。

また、「使用した年次休暇に相当する休暇の日数」が明らかでない場合、例えば特別職の秘書官、地方公共団体の副知事等のように休暇の日数が把握できない場合には、これらの者の年次休暇の日数は、規則一五―一四第十八条の二第一項第二号の規定にかかわらず、人事院が別に定めるとされている（同条第五項）。具体的には、規則一五―一四運用通知において定められているところであるが、使用した休暇の日数が把握できない期間（秘書官等として在職していた期間）については、その期間に応ずる年次休暇に相当する休暇の日数をすべて使用したものとみなして、再計算する。例えば、四月一日秘書官採用、十月一日に一般職員に異動するケースにおいては、四月から九月末までの六月間の秘書官の在職期間に応ずる年次休暇の日数十日をすべて使用したものとみなすわけであるから、十五日から十日を差し引いて五日の年次休暇となるわけである。したがって、通常は基本日数と同様となる。

以上のような取扱いとしたのは、昭和五十七年一月以降であり、それ以前は新規採用者の扱いしかされていなかったところである。

○規則一五―一四

第十八条の二

５　第一項第二号に掲げる職員及び前項の規定の適用を受ける職員のうちその者の使用した年次休暇に相当する休暇の日数が明らかでないものの年次休暇の日数については、これらの規定にかかわらず、人事院が別に定める日数とする。

○規則一五―一四運用通知

第十二　年次休暇関係

11　規則第十八条の二第五項の「使用した年次休暇に相当する休暇の日数が明らかでないもの」とは、行政執行法人職員等として在職した期間において使用した年次休暇に相当する休暇の日数又は当該年の前年の末日における年次休暇に相当する休暇の残日数が把握できない者をいい、その者の年次休暇の日数は、当該使用した年次休暇に相当する休暇の日数を把握できない期間において当該期間に応じて規則別表第一の日数欄に掲げる日数の年次休暇に相当する休暇を使用したものとみなし又は当該把握できない残日数を二十日とみなして、それぞれ規則第十八条の二第一項第二号又は同条第四項の規定を適用した場合に得られる日数とする。

(2)　年の中途において任期が満了することにより退職することとなる者の特例

年の中途において任期が満了することにより退職することとなる者としては、臨時的職員、任期付職員（地方更生保護委員会の委員等）等が挙げられる。

一方、定年により退職する職員、勤務延長となりその期限が到来することにより退職する職員については、「任期」の満了により退職するとは位置づけられてはいないので、これらの職員の退職する年の年次休暇の日数は、原則どおり二十日である。また、いわゆる常勤労務者（任期を二か月と定め、任命権者が別段の措置をしない限りその任用を更新することとして任用されている職員）の場合も同様である。

年の中途において任期が満了することにより退職することとなる者の年次休暇の日数は、規則一五―一四第十八条の二第一項第一号の規定に基づき、その者のその年の在職期間に応じ、別表第一の日数となる。

なお、当初の任期が更新されたときは、先の任期がなかったものとして再計算することは、前述（五二一頁）のとおりである。

○勤務時間法

（年次休暇）

第十七条

1二　次号に掲げる職員以外の職員であって、当該年の中途において新たに職員となり、又は任期が満了することにより退職することとなるもの　その年の在職期間等を考慮し二十日を超えない範囲内で人事院規則で定める日数

○規則一五―一四

第十八条の二

1一　当該年の中途において、新たに職員となり、又は任期が満了することにより退職することとなる職員（次号に掲げ

る職員を除く。）　その者の当該年における在職期間に応じ、別表第一の日数欄に掲げる日数（定年前再任用短時間勤務職員等及び育児短時間勤務職員等にあっては、その者の勤務時間等を考慮し、人事院が別に定める日数）（以下この条において「基本日数」という。）

○規則一五—一四運用通知

第十二　年次休暇関係

3　勤務時間法第十七条第一項第二号の任期が満了することにより退職することとなる者には、国家公務員法第八十一条の六第一項の規定に基づき退職することとなる職員、同法第八十一条の七第一項の期限又は同条第二項の規定により延長された期限が到来することにより退職することとなる職員及び任期を定めて任用されている職員のうち別段の定めをしない限り繰り返し任用することとされている職員を含まない。

(3)　行政執行法人職員等から引き続き新たに職員となったものの特例

勤務時間法第十七条第一項第三号に規定する場合である。この号の適用を受ける職員は、「当該年の前年において……行政執行法人職員等……であった者であって引き続き当該年に新たに職員となったもの」及び「その他人事院規則で定める職員」である。前者の職員と規則一五—一四第十八条の二第一項第二号の職員とで異なる点は、前年から行政執行法人職員等であったことである。後者の「その他人事院規則で定める職員」は、例えば、規則で「当該年の前年において職員であった者であって引き続き当該年に行政執行法人職員等になり引き続き再び職員となったもの」と定められており、同じ年に職員──→行政執行法人職員等──→職員と二回異動がある場合で、実際のケースは少ないと考えられる。

これらの職員の年次休暇の日数は、再計算方式によって算定される。すなわち、二十日に前年の年次休暇に相当する休暇又は年次休暇の残日数（二十日限度）を加え、その日数からその年にこれまで使用した年次休暇に相当する休暇又は年次休暇の日数を差し引くこととなる。ただし、その日数が基本日数に満たない場合にあっては、基本日数を保障することとしている。

この再計算方式による取扱いは、人事交流等を円滑化するために認められている特例であり、前年の休暇の繰越し日数分を考慮した有利なものとなっている。

なお、この特例の適用を受けるのは、人事交流等により採用された者及び行政執行法人職員等から異動した者をいうとされている点は、規則一五―一四第十八条の二第一項第二号の場合と同様である。

また、再計算の際に一日未満の端数があるときであるが、使用した日数は切り上げ、残日数は切り捨てることとされている。

ここで具体例をあげて説明すれば、次のようになる。

四月一日付で人事交流によって地方公務員から勤務時間法適用職員になった場合で、かつ、この職員の異動前の休暇の使用状況は、前年の十二月三十一日現在の残日数（保有日数）が、十八日と五時間四十五分、一月一日から異動の日の前日までに使用した日数が四日と二時間であるとき、この職員の年次休暇の日数はどうなるかである。二十日に残日数十八日を加えて三十八日、三十八日から五日を差し引いて三十三日ということになる。

右の場合で、一月一日から異動日の前日までに使用した日数が二十三日を超えるときは、基本日数の十五日が年次休暇の日数となる。

○勤務時間法
（年次休暇）
第十七条

1三　当該年の前年において独立行政法人通則法（平成十一年法律第百三号）第二条第四項に規定する行政執行法人の職員、特別職に属する国家公務員、地方公務員又は沖縄振興開発金融公庫その他その業務が国の事務若しくは事業と密接な関連を有する法人のうち人事院規則で定めるものに使用される者（以下この号において「行政執行法人職員等」という。）であった者であって引き続き当該年に新たに職員となったものその他人事院規則で定める職員　行政執行法人職員等としての在職期間及びその在職期間中における年次休暇に相当する休暇の残日数等を考慮し、二十日に次項の人事院規則で定める日数を加えた日数を超えない範囲内で人事院規則で定める日数

○規則一五―一四

第十八条の二

2　勤務時間法第十七条第一項第三号の人事院規則で定める法人は、沖縄振興開発金融公庫のほか、次に掲げる法人とする。

一　国家公務員退職手当法施行令（昭和二十八年政令第二百十五号）第九条の二各号に掲げる法人

二　国家公務員退職手当法施行令第九条の四各号に掲げる法人（沖縄振興開発金融公庫及び前号に掲げる法人を除く。）

三　前二号に掲げる法人のほか、人事院がこれらに準ずる法人であると認めるもの

3　勤務時間法第十七条第一項第三号の人事院規則で定める職員は、次に掲げる職員とする。

一　当該年の前年において官民人事交流法第八条第二項に規定する交流派遣職員であった者であって引き続き当該年に職務に復帰したもの

二　当該年の前年において官民人事交流法第二条第三項に規定する民間企業に雇用されていた者であって引き続き当該年に官民人事交流法第二十条に規定する交流採用職員となったもの

三　当該年の前年において職員であった者であって引き続き当該年に行政執行法人職員等となり引き続き再び職員となったもの

四　当該年の前年において職員であった者であって引き続き当該年に官民人事交流法第八条第二項に規定する交流派遣職員となり引き続き職務に復帰したもの

4　勤務時間法第十七条第一項第三号の人事院規則で定める日数は、次の各号に掲げる職員の区分に応じ、当該各号に定める日数（当該日数が基本日数に満たない場合にあっては、基本日数）とする。

一　次号に掲げる職員以外の職員　次に掲げる場合に応じ、次に掲げる日数

イ　当該年の初日に職員となった場合　二十日（当該年の中途において任期が満了することにより退職することとなる場合にあっては、当該年における在職期間に応じ、別表第一の日数欄に掲げる日数）に当該年の前年における年次休暇に相当する休暇又は年次休暇の残日数（当該残日数が二十日を超える場合にあっては、二十日）を加えて得た日数

ロ　当該年の初日後に職員となった場合　この号イの日数から職員となった日の前日までの間に使用した年次休暇に相当する休暇又は年次休暇の日数を減じて得た日数

二　定年前再任用短時間勤務職員等　その者の勤務時間等を考慮し、人事院が別に定める日数

○規則一五―一四運用通知

第十二　年次休暇関係

6　勤務時間法第十七条第一項第三号並びに規則第十八条の二第一項第二号及び同条第三項第三号の引き続き職員となった者とは、人事交流等により採用された者及び独立行政法人通則法第二条第四項に規定する行政執行法人の職員から異動した者をいう。

7　規則第十八条の二第一項第二号の「使用した年次休暇に相当する休暇の日数」及び同条第四項第一号ロの「使用した年次休暇に相当する休暇又は年次休暇の日数」に一日未満の端数があるときは、これを切り上げた日数とし、同号イの「年次休暇に相当する休暇又は年次休暇の残日数」が二十日を超えない場合で一日未満の端数があるときは、これを切り捨てた日数とする。

9　規則第十八条の二第二項第三号の人事院が認める法人は、特別の法律の規定により、国家公務員退職手当法（昭和二十八年法律第百八十二号）第七条の二の規定の適用について、同条第一項に規定する公庫等職員とみなされる者を使用する法人とする。

また、特別職の秘書官、地方公共団体の副知事等のように使用した休暇の日数が明らかでないものから異動した場

合には、その把握できない期間についてはその期間に応ずる年次休暇に相当する休暇の日数をすべて使用したものとみなすことは、規則一五―一四第十八条の二第五項の場合と同様である（五二四頁参照）が、前年の残日数が把握できないときはそれを二十日とみなして再計算することとされている。したがって、通常は、基本日数に二十日を加えた日数となる。

○規則一五―一四

第十八条の二

５　第一項第二号に掲げる職員及び前項の規定の適用を受ける職員のうちその者の使用した年次休暇に相当する休暇の日数が明らかでないものの年次休暇の日数については、これらの規定にかかわらず、人事院が別に定める日数とする。

○規則一五―一四運用通知

第十二　年次休暇関係

11　規則第十八条の二第五項の「使用した年次休暇に相当する休暇の日数が明らかでないもの」とは、行政執行法人職員等として在職した期間において使用した年次休暇に相当する休暇の日数又は当該年の前年の末日における年次休暇に相当する休暇の残日数が把握できない者をいい、その者の年次休暇の日数は、当該使用した年次休暇に相当する休暇の日数を把握できない期間において当該期間に応じて規則別表第一の日数欄に掲げる日数の年次休暇に相当する休暇を使用したものとみなし又は当該把握できない残日数を二十日とみなして、それぞれ規則第十八条の二第一項第二号又は同条第四項の規定を適用した場合に得られる日数とする。

年次有給休暇（年次休暇）使用状況証明書

1　異動者の氏名＿＿＿＿＿＿＿＿＿＿

2　異動時の職名＿＿＿＿＿＿＿＿＿＿

3　異動年月日＿令和　　年　　月　　日＿

4　前年の12月31日現在において保有していた年次有給休暇（年次休暇）の日数＿＿日と＿＿時間

5　本年1月1日から異動の日の前日までの間において使用した年次有給休暇(年次休暇)の日数＿＿日と＿＿時間

上記のとおり相違ないことを証明します。

令和　　年　　月　　日

機関名＿＿＿＿＿＿＿＿

職　名＿＿＿＿＿＿＿＿

氏　名＿＿＿＿＿＿＿＿

以上が行政執行法人職員等から異動してきた場合の特例措置の内容であるが、年次休暇の日数の算定に当たっては、秘書官等からの異動者を除き、異動前の機関における異動の年の前年の十二月三十一日現在の年次休暇（年次有給休暇）の日数、一月一日から異動の日の前日までの間において使用した年次休暇（年次有給休暇）の日数を確実に把握する必要がある。保有日数及び使用日数を把握する方法にはいろいろあるが、電話や口頭で照会するようなことは、聞き間違い等が生ずるおそれがあることから適当ではない。そのため、旧制度下においては、次のような事務連絡を出し、出勤簿の写し、休暇使用状況の証明書（上）等何らかの書類を作成するよう指導がなされていたが、この取扱いは現行制度においても踏襲されるべきものと考えられる。

○規則一五―六（休暇）の運用通達の一部改正に伴う休暇の取扱いについて（事務連絡）（昭五七・一・八　職員局職員課長補佐）

今般、人事院規則一五―六（休暇）の運用について（昭和四十三年十二月七日付職職―一〇三六）の一部が改正され、現業職員等から人事交流によって給与法適用職員となった場合の年次休暇の付与日数の特例措置の範囲が拡大されるとともに、付与日数の算出方法も変更されることとなりました。

つきましては、これら異動職員に付与すべき年次休暇の日数を算出するに当たっては、異動日の属する年の前年の末日（十二月三十一日）現在において保有していた年次休暇又は年次有給休暇の日数と異動日の属する年の一月一日から異動日の前日までの間において使用した年次休暇又は年次有給休暇の日数を把握し、確認する必要がありますので、今後、異動職員につきましては、これらを確認できる資料（例えば、異動前の機関における出勤簿の写し、休暇経理簿の写し、休暇使用状況の証明書等）を作成し保管するようお願いします。

なお、地方出先機関等の担当者に対してもこの旨周知徹底方お願いします。

四　年次休暇の繰越し

１　繰越し制度の趣旨

年次休暇は、職員に休息、娯楽及び能力の啓発等のための機会を確保することを目的として、一年間に職員が休むために設けられているものであるが、仕事上のあるいは個人的な都合によって現実問題として当該年にすべての日数を休まない場合もあるので、年次休暇を有効に活用できるよう翌年に限って繰り越せるとしているものである。

（注）　繰り越された年次休暇が更に翌年に繰り越されることはない。

なお、労基法上の年次有給休暇については、その権利は、同法第百十五条により二年間で時効消滅するとの解釈のもとに運用されている。

○勤務時間法

（年次休暇）

第十七条

２　年次休暇（この項の規定により繰り越されたものを除く。）は、人事院規則で定める日数を限度として、当該年の翌年に繰り越すことができる。

○労基法

（時効）

第百十五条　この法律の規定による賃金の請求権はこれを行使することができる時から五年間、この法律の規定による災害補償その他の請求権（賃金の請求権を除く。）はこれを行使することができる時から二年間行わない場合においては、時効によつて消滅する。

2　繰り越し得る年次休暇の日数

一の年における年次休暇の残日数のうち、翌年に繰り越し得る年次休暇の日数は、二十日を限度とされている。

この繰り越し得る年次休暇の日数は、平成六年までは十日を限度としていたものであるが、近年の使用日数が漸減傾向にあったこと、職員が不測の事態に備え年次休暇を残している実態が見られたこと及び民間における取扱い等を考慮し、職員にとって使用しやすい環境を整備し、年次休暇の使用促進を図る観点から平成七年への繰り越しから二十日を限度としたものである。

すなわち、翌年へ繰り越される日数は、規則一五—一四第十九条により、二十日を超えない範囲内の残日数（一日未満の端数があるときは、これを切り捨てた日数）とされている。

したがって、例えば、令和五年中において二十日の年次休暇の日数のうち、八日と四時間使用した職員の場合であれば、一日未満の端数を切り捨てた十一日が令和六年に繰り越されることとなる。なお、年次休暇の残日数は翌年に限って繰り越せるため、この十一日を令和六年中に使用しきれない場合でもその残日数を令和七年に繰り越すことはできない。

（注）　この繰越し制度は、臨時的職員、任期付職員等にも当然適用になるものである。

○規則一五—一四

（年次休暇の繰越し）

第十九条　勤務時間法第十七条第二項の人事院規則で定める日数は、一の年における年次休暇の二十日（第十八条各号に掲げる職員にあっては、同条の規定による日数）を超えない範囲内の残日数（当該年の翌年の初日に勤務形態が変更される場合にあっては、当該残日数に前条各号に掲げる場合に応じ、当該各号に定める率を乗じて得た日数とし、一日未満の端数があるときはこれを切り捨てた日数とする。）とする。

３　繰越し制度の運用

年次休暇に繰越し制度があることに伴い、職員は、年の初日において、その年に使用できる年次休暇の日数として、当年分の二十日と前年からの繰越し分何日かとを合算した日数を有することになるが、この場合、その年には、当年分の二十日から先に使用するか、繰越し分から先に使用するかという問題が生ずるわけである。

仮に、当年分から先に使用するとすれば、当年分二十日を使用した後にのみ繰越しの効果が生じることになり、折角、繰越し制度を認めた趣旨が生かされないばかりか、民間等における繰越し日数の運用ともかけ離れることになるので、この場合、繰り越された年次休暇から先に請求されたものとして取り扱うこととされている。

例

令和四年における年次休暇の日数……二十日

令和四年中における年次休暇の使用日数……九日

令和四年から令和五年への繰越し日数……十一日

令和五年中に使用し得る年次休暇の日数……三十一日

（令和四年からの繰越し分……十一日　令和五年発生分……二十日）

令和五年中における年次休暇の使用日数……二十五日と三時間

（令和四年からの繰越し分から……十一日　令和五年発生分から……十四日と三時間）
令和五年から令和六年への繰越し日数……五日
（二十日−十四日と三時間、端数切捨て）
令和六年中に使用し得る年次休暇の日数……二十五日
（令和五年からの繰越し分……五日　令和六年発生分……二十日）

○規則一五—一四運用通知
第十二　年次休暇関係
14　勤務時間法第十七条第二項の規定により繰り越された年次休暇がある職員から年次休暇の請求があった場合は、繰り越された年次休暇から先に請求されたものとして取り扱うものとする。

五　承認の基準

労基法上の年次有給休暇の成立要件には、労働者による「休暇の請求」に対する使用者の「承認」の観念を容れる余地はないが、これと法的根拠を異にして、勤務時間法及び規則一五—一四によって運用される年次休暇は、各省各庁の長の「休暇の時期についての承認」（及び手続的にその前提として職員の「休暇の承認についての請求」）を必要としている。

このように年次休暇について承認制をとることとした理由は、年次休暇は職員が希望する時期にその理由を問われることなく給与を受けながら休むことができることを基本としているが、一方、国家公務員は国民に対し、常に適切かつ安定した行政サービスを提供する役割を負っており、その責務は職員の権利の行使によっても妨げられることがあってはならないと判断されるからである。このような国の責務と職員の権利行使を併せ考慮し、職員が休暇を取得するに当たっては、各省各庁の長の承認を受ける必要があることとするとともに、各省各庁の長が休暇を不承認とする事由については、「公務の運営の支障」がある場合に限るという制限が加えられているところである。

また、年次休暇については、法文上「その時期につき、各省各庁の長の承認を受けなければならない」とあるが、これは、各省各庁の長としては、理由を問うことなく、職員が請求した時期において公務の運営の支障があるかないかを判断し、その時期について承認するか否かを決定するという意味である。すなわち、職員の年次休暇の日数は、法律の規定によって二十日とされているものであり、各省各庁の長の承認権が及ぶのは職員が年次休暇を取得しようとする時期の点である。

○勤務時間法

（年次休暇）

第十七条

３　年次休暇については、その時期につき、各省各庁の長の承認を受けなければならない。この場合において、各省各庁の長は、公務の運営に支障がある場合を除き、これを承認しなければならない。

１　利用目的の自由

年次休暇は、基本的に、職員が希望する時期に、理由を問われることなくとれる休暇である。その趣旨とするところは、前述したように、職員を有給で毎年一定日数勤務から解放することによって、職員に安んじて休息、娯楽その他能力の啓発等のための機会を確保することにあるわけである。したがって、原則としてその利用目的は自由であり、特別の制限はない。

例えば病気のため休む場合には、病気休暇という制度はあるが、年次休暇を利用して休むことは許されており、実際上、軽い病気の場合や、長期の病気休暇に入る前の場合などに年次休暇が利用されることがある。

このほか、次のような事例についても、年次休暇を利用することは可能である。

① 勤務時間の途中において親族が死亡したとの連絡を受けた職員が、その日の残りの勤務時間については年次休暇とする場合（翌日から特別休暇を利用する。）

② 自己の都合で退職する職員が、退職日の前日までに、その有する年次休暇の全日数を消化したいとする場合

③ 職員団体の会合（組合大会）に参加する場合

④ 無報酬で営利企業以外の事業に従事するため勤務時間を割く必要がある場合

⑤ 民事事件の当事者として裁判所へ出頭するため勤務時間を割く必要がある場合

以上のように年次休暇の自由利用の原則からすれば、各省各庁の長としては、その利用目的が何かを職員に問うことなく、公務の運営の支障の有無のみを判断して承認するか否かを決定するのが一般的な制度上の考え方である。したがって、年次休暇用の休暇簿には、病気休暇用や特別休暇用の休暇簿のような「理由欄」は設けられていないところである。

しかしながら、運用上は、後述するようにその理由の重大性によって公務の運営の支障の有無の判断に多少の幅をもち得ることからすれば、各省各庁の長が職員に休暇の理由を問うこともあり得る。また、一斉休暇闘争の争議行為が予定されているときに、休暇を請求する職員に理由を問うことは、管理者として当然の行為であろう。このように、年次休暇の自由利用の原則があるからといって、各省各庁の長がその理由を問うことが禁止されているものではない。

また、問題となるのは、争議行為等の違法行為のために年次休暇を利用することができるかという点である。次に

説明することとする。

２　争議行為等の違法行為と年次休暇

(1)　争議行為に参加することを目的とする場合

争議行為に参加することを目的とする場合には、年次休暇は承認すべきではないと解されている。国公法は、その第九十八条第二項で「職員は、政府が代表する使用者としての公衆に対して同盟罷業、怠業その他の争議行為をなし、又は政府の活動能率を低下させる怠業的行為をしてはならない。」としている。ところで、ここでいう「争議行為」とは、ストライキ、サボタージュその他の行為であって、職員団体等がその主張を貫徹することを目的として、業務の正常な運営を阻害する行為をいうものとされる。

職員団体等の行動が、争議行為に当たるかどうかの判断は、具体的には、個々の行為について個別になされることになるが、ここで特に休暇承認との関係において問題の多い一斉休暇について触れておこう。

いうまでもなく一斉休暇とは、職員団体の戦術として、個々の組合員が時期を一にして「権利として」年次休暇を申請するものである。

したがって、個々の職員について個別に判断すれば、形式的には、当然の権利行使ということができるわけであるが、これが、集団の意思により、しかも、同一時期に請求されるときは、まさに、公務（事業）の正常な運営を阻害する結果を招くわけであって、実態として、争議行為性をおびてくるのである。

この点に関しては、前掲の最高裁判決（五一一頁～）も、一斉休暇闘争が労働者がその所属する事業場において、その業務の正常な運営の阻害を目的として、全員一斉に職場を放棄、離脱するものであるときは、年次有給休暇に名を借りた同盟罷業にほかならないものとみて年次有給休暇権の行使を否定して、その間の労働者の賃金請求権は発生しないものとしている。

公務の場合においても、この最高裁判決と同様の立場に立って、争議行為のための年次休暇利用は否定されなければならない。

同判決は、他の事業場における争議行為等に休暇中の労働者が参加したか否かは、年次有給休暇の成否に何ら影響を与えるものではないとしているが、公務の場合、国公法第九十八条第二項で禁止する争議行為は国の業務の正常な運営を阻害する行為であると解されており、正常な運営が阻害される業務が国の業務でさえあれば争議行為として評価されることになる。

したがって、職員が自己の所属する機関以外の国の機関における争議行為に参加する場合、参加の態様が国の業務の正常な運営を阻害するものであるときは、そのための年次休暇の行使は否定されなければならない。この点が、労基法第三十九条の場合と異なる点である。

ところで、争議行為を目的とする場合には年次休暇を承認すべきではないとするが、年次休暇の請求の実際の場では、必ずしも、その利用目的が明確に把握されない場合が多い。

請求者本人が、「ストライキ参加」を明示して請求した場合には、直ちに不承認とすることはできても、このようにその利用目的を明確に申し出ることとは、実際には極めて稀であると考えられる。

多くの場合には、理由を聞かれても「家事都合」、「私用」という目的が述べられるか、「理由は言う必要がない」と言われるであろう。

そこで、当局側としては、個々の年次休暇の請求について、少なくとも、その利用の背景を承知しておく必要が生ずる。指令が流れ、あるいは、本人が公言しているような場合であれば、その間の事情により詳細に調査したうえ、違法行為に参加することが客観的に明白であると認められるときには、これを承認しないことが適当である。なお、いったん承認した年次休暇について争議行為を目的として利用されることが、あるいは利用されていることが客観的に明白となった場合については、承認に重大な誤りがあったものとして承認を取り消すことができると解されよう。

(2)　政治的行為その他

国公法で禁止する行為には、争議行為のほか、政治的行為がある。

国公法では、その第百二条第一項で「職員は、政党又は政治的目的のために、寄附金その他の利益を求め、若しくは受領し、又は何らの方法を以てするを問わず、これらの行為に関与し、あるいは選挙権の行使を除く外、人事院規則で定める政治的行為をしてはならない」としている。

例えば職員が、衆議院議員立候補者、都道府県議会議員立候補者の応援演説を目的として、あるいは都道府県、市町村の条例制定の請求のために、代表者となって署名集めをする目的で、年次休暇を利用するような場合に、これを承認してよいかどうかという問題がある。

政治的行為は、国公法で禁止されているといっても、争議行為のように、国の業務の正常な運営を阻害すること自体を目的とするものではない。したがって、政治的行為を行うことが予測されるという状況だけでは、年次休暇の承認を否定する理由としては薄弱と言わざるを得ないであろう。

すなわち、各省各庁の長は、服務統督権者としてそのような行為をする機会を与えることがないように最大限の努力を払うべきであることは当然であるが、職員には年次休暇の利用目的を申告すべき義務はないので、どうしても理由を述べない場合には、基本的には、「公務の運営の支障」の有無をもって判断せざるを得ず、公務の運営上支障がある場合には不承認として対応することになる。仮に上司の説得に反し違法行為に及んだ場合には、厳正な処分をもって臨むことになろう。

（注）政治的行為は、職員が、職員たる身分を有する限りにおいて、勤務時間外の行為であっても禁止されるわけであるが、政治上の主義主張あるいは政党その他の政治団体の表示に用いられる腕章・記章・えり章・服飾等を勤務時間外に、単

に着用することは禁止されないものであり(「人事院規則一四―七(政治的行為)の運用方針について」(昭二四・一〇・二一　法審発二〇七八)三の(6)参照)、この場合、勤務時間外とは、休暇を承認された時間を含むものとされている。

○規則一四―七(政治的行為)

4　法又は規則によつて禁止又は制限される職員の政治的行為は、第六項第十六号に定めるものを除いては、職員が勤務時間外において行う場合においても、適用される。

(政治的行為の定義)

6　法第百二条第一項の規定する政治的行為とは、次に掲げるものをいう。

十五　政治的目的をもつて、政治上の主義主張又は政党その他の政治的団体の表示に用いられる旗、腕章、記章、えり章、服飾その他これらに類するものを製作し又は配布すること。

十六　政治的目的をもつて、勤務時間中において、前号に掲げるものを着用し又は表示すること。

【事例】

(質問)

2　人事院規則一四―七(政治的行為)の運用方針についての三の(6)の終りに「……服飾等を勤務時間外に単に着用することは禁止されない。」とあるが休暇届を提出後の(休暇中の)場合は勤務時間外と解釈しても良いか。

(昭三七・六　全農林労働組合熊本県本部菊地分会執行委員長)

(回答)

2　人事院規則一四―七(政治的行為)第六項第十六号及び「人事院規則一四―七(政治的行為)の運用方針について」(昭和二十四年十月二十一日付人事院事務総長通ちょう)三の(6)における「勤務時間」とは、当該職員が現実かつ具体的に勤務すべき時間をさすものであり、所轄庁の長により承認を受けた休暇中の時間は含まれません。したがって、この休暇中の時間に政治的団体等の表示に用いられる服飾等を単に着用することは差し支えありません。

(昭三七・八・二二　公平―四九三　公平局首席審理官)

国公法では、このほか職員の信用失墜行為を禁止し（同法第九十九条）、あるいは秘密を守る義務を課し（同法第百条）、営利企業の役員等との兼職を禁止している（同法第百三条）が、職員が、これらの禁止又は義務に違反する目的で年次休暇を利用する場合も政治的行為の場合と同様である。

なお、非営利企業の役員等の兼業については、内閣総理大臣及び所轄庁の長の許可を要する（国公法第百四条）が、この場合兼業の許可があったときは、その許可の範囲内で、その割り振られた勤務時間の一部を割くことができる（職員の兼業の許可に関する政令（昭和四十一年政令第十五号）第二条）とされているので、この場合には、職務専念義務との関係からすれば、特に年次休暇の承認を要しないことになる。

以上のほか、年次休暇の期間中、計画的ではなく、刑罰をもって臨まれるような反社会的行為を行ってしまったような場合、年次休暇の承認に影響を及ぼすかどうかという問題がある。

年次休暇を承認された職員が、その休暇中にドライブに出かけ、スピード違反又は飲酒運転によって逮捕された場合、あるいは、その休暇中外出した先でたまたま言いがかりをつけられ、口論の末、暴行の現行犯で逮捕された場合等である。

職員が反社会的行為を犯すことについては、本来、厳に慎しまなければならないことではあるが、その責任は、刑罰あるいは懲戒罰をもって追及されれば足りるわけであって、年次休暇の承認に影響はないものと考えられる。

なお、これと関連して、職員が刑事事件の被疑者として逮捕され、数日間にわたって勾留された場合のその期間、裁判所の傍聴に出かけた職員が法廷等の秩序維持に関する法律（昭和二十七年法律第二百八十六号）第二条による監置処分に処せられた期間等について、年次休暇の承認が可能かどうかも問題となる。

これについては、事後的に請求があった場合には、事後請求の要件である「やむを得ない事由」（規則一五―一四第二十七条第一項）に該当しないものとして承認しないこととなるが、勾留中あるいは監置中に弁護士等の代理人を通じて将来に向かって年次休暇の請求が行われた場合には、基本的には「公務の運営の支障」の有無を判断して承認するかどうかを決定せざるを得ないであろう。なお、逮捕勾留前あるいは監置処分に処せられる前に既に年次休暇を承認している場合は、これらを理由として当該承認を取り消し、あるいは撤回することはできないと解されよう。

3　公務の運営の支障の有無

年次休暇については、承認制をとっているが、職員の権利をより保障するという基本的な考え方から、承認に際しては、公務の運営に支障のない限り、承認することとしているところである。

この場合、職員一人が公務から解放されればその分だけ公務の運営に支障を来たすのは当然のことであるので、このように、通常の公務運営に際し、通常予測される支障は、ここでいう公務に支障のある場合には当たらないものと考えられる。

この意味においては、一般的に「公務の運営の支障」の有無の判断は、支障の程度が相当高いと見込まれる場合がこれに該当すると考えられる。具体的な判断に当たっては、請求に係る休暇の時期における職員の業務内容、業務量、代替者の配置の難易等を総合して行われることとなる。

問題となるのは、業務量が多い場合、代替勤務要員による補充が困難な場合、時期を同じくして多数の職員から同時に請求があった場合等であろう。

なお、公務の運営の支障の有無を判断するに当たり、職員の能力、すなわち、業務の質の面は、特定の会議に出席する場合等は別として、原則として、判断の基準とはなし難いものと考える。

業務の質が複雑、高度であり、それに従事する職員が極めてすぐれた能力を有し、余人をもってしては公務の能率が低下するからといって、この職員に対して年次休暇を認めないとするときは、この職員は、その担当業務が変わらない限り、おそらくは年次休暇を認められる機会は皆無に等しくなるわけであって、公務員の休暇制度といえども、そこまでは、要請していないものというべきである。

〇規則一五―一四運用通知

第十七　休暇の承認関係

１　各省各庁の長は、勤務時間法第十七条第三項、規則第二十五条及び第二十六条の「公務の運営」の支障の有無の判断に当たっては、請求に係る休暇の時期における職員の業務内容、業務量、代替者の配置の難易等を総合して行うものとする。

ア　業務の緊急性と公務の運営の支障

業務量の多寡は、原則的には、公務の運営の支障の判断の要素となり得るものと解されるが、この場合、恒常的に業務量の多い場合と臨時緊急に業務量が多くなった場合とに区別される。

前者の場合には、職員は、一般的には慢性疲労の状態に陥ることが多く、このような場合は、本来はその業務に従事する職員数の増加を図るべきであって、それが早急に実現困難である場合には、むしろ積極的かつ計画的に年次休暇を活用せしめることが望ましく、この場合に、公務の運営に支障があるとして休暇を承認しないことには問題があろう。

これに対して後者の場合は、いわば、公務運営上の非常事態といえる。

期限を切られた業務のために、特定の時期に、特定の期間、業務量が急増したような場合である。

このような時期における請求に対しては、業務の進捗状況、応援要員の確保の可能性、請求理由の重大性を考慮することになろう。

一週間先の某月某日までに報告書を作成するといったような業務が生じた場合、その量、作業に従事する職員の数、能力等に照らして、およそ五日間程度で十分作成できるような事情にあるとき、一人の職員から一日の年次休暇が請求されたような場合には、一般的には、公務の運営に支障を生じない場合に該当するとして、その請求どおり承認することが適当であろう。

これに対して、三日後にはどうしても完成しなければならないような臨時、緊急の業務が生じ、担当職員全員に相当時間の超過勤務を命じても、なおその期限に間に合うかどうか疑問だと判断されるような事情のもとにおいて、担当職員の中から年次休暇の請求があったような場合には、一般的には、公務の運営に支障を生じるものと判断して、その請求に係る時期とは別の、業務が完成した後の時期に、休暇を承認することが適当と考えられる。

なお、期限付きの業務に従事しない職員の場合であっても、業務の性格、配置人員の関係で、仮に、職員の請求した時期に休暇を承認すると、その時期については勤務者が皆無になってしまって、公務の運営が成り立たなくなってしまうというような事情がある場合には、他に代替勤務要員を求め得ない限りにおいて、公務の運営に支障を生ずる場合に当たると判断しても差し支えなかろう。

イ　職員の代替性と公務の運営の支障

公務の運営の支障の有無の判断は、業務量の多寡とともに、代替要員の補充の困難度に応じても左右される。

この場合、二つのケースが考えられる。

その一は、会議等における発表者、司会者としての業務を割り当てられている職員の場合であり、その二は、研修に参加する職員の場合である。

その一は、某月某日に予定される重要会議に説明を命じられた職員から、当日、友人の結婚式に参加するとして年次休暇の請求が出されたような場合がこれに当たるであろう。

友人の結婚式に参加することについては、何らとがめだてするいわれもないが、この職員に休暇を承認したとき、これと同等又はそれ以上に会議の運営をスムーズに行い得る職員がいる場合はともかく、スケジュールに従って会議を運営する上で、この職員以外に、他にこれに代り得る職員がみつからないということであれば、この場合、公務の運営に支障があるとして、その請求を承認しないことも当を失したものとはいえまい。

某月某日、会計監査が実施されることになった場合に、当日、会計係長が学生時代の同窓会に参加するとして、年次休暇を請求したような場合にも、同様に取り扱って差し支えあるまい。

その二の研修を命じられている職員からの請求の場合には、若干事情が異なるが、研修という公務が、個々の職員の能力啓発というところにその趣旨があるところから、「職員の代替性」については全くその余地がなく、したがって「公務の運営の支障」の判断は、上述の場合に比し、より強く作用するものと考えられる。

すなわち、研修は、一般に個々の職員の能力啓発のために、特定の期間を限って、計画的に実施されるものであるから、その計画された研修の課程を修めない場合には、研修の効果は極端に阻害されることになる。

もちろん、研修の効果が阻害されることは、研修が公務運営上の必要に基づくものであることに照らし、間接的には公務の運営に支障を生ぜしめることになると考えられるわけである。

一か月間の集合研修に参加した職員が、研修期間の大半を趣味の活動に費やすために休むというようなことは研修を命じた以上認めがたいというほかなく、また、研修期間中、研究発表を割り当てられた日、あるいは研修効果を測定しようとする日（試験日）に私用のために年次休暇の請求をしたような場合には、原則として、公務の運営に支障があると判断して、これを不承認とするのが適当であろう。

なお、相当長期間におよぶ研修期間中の年次休暇の取扱いについては、次の行政事例を参考に判断することが適当である。

○行政事例

研修受講中の職員の年次休暇の取扱いについて

（照会）　1　研修受講中の職員の年次休暇の取扱いは、どのように考えたらよいか。

2　長期の研修期間中、ゴールデンウィーク等の時期に、研修カリキュラム中に「自主研究日」等を置くことは妥当か。

（平六・六・三　第二三回研修所長等会議における質疑）

（回答）　1　研修受講中の職員から研修課業時間について年次休暇の請求がなされた場合には、①研修は、当該受講を命じられた個々の職員の能力啓発にその本旨を置くものであり、他の職員による代替の余地はないこと、②研修は、研修ニーズに即して体系的に編成された研修カリキュラムにより実施されていることを踏まえて、課業を欠くことについての公務の運営への支障の有無を判断することとなります。

2　長期の研修においては、研修目的の達成や休暇の趣旨等の観点を踏まえて、休暇の効果的な活用を図ることが期待できるいわゆるゴールデンウィーク等の時期及び盆等の諸行事や心身の休養等が必要とされる夏季などに、全日「自主研究」等の課業を設定する「自主研究日」を、必要と認められる範囲で、研修カリキュラム中に置くことは適当なことであると考えます。

なお、「自主研究日」は、課業の計画的設定であり、「自主研究日」についても、休暇の請求は、他日と変わらず、職員から各個に行われるものであって、休暇の請求を強制するものではありません。

（平六・七・二八　管研―七九二　人事院管理局研修審議室長）

ウ　請求の事由と公務の運営の支障との相関関係

以上みてきたように、公務の運営の支障の有無の判断は、文字どおり、公務の運営上の要請の見地に立って行われるものであるが、さればといって、「『公務の運営の支障』は『有』か『無』かの二者択一であり、仮に公務の運営の支障が有と判断された場合には、他の職員にとってはいざ知らず、少なくとも、請求者本人に関しては、もはや、その理由（休暇の利用目的）のいかんは、論ずる余地がない。」とするほど厳格に解さなければならないものではあるまい。

すなわち、公務の運営の支障の有無の判断は、実際の運営に当たっては、その理由の重大性によって、多少の幅をもち得ると考えられるのである。

年次休暇が、その本来の趣旨に則って、休養、レクリエーションに限って活用されている場合はともかく、その無因休暇としての性格から、家事都合、私用、すなわち配偶者、子弟の病気、市町村役場への届出といったような場合を含めて、本人の病気の場合にまで活用されている事情に照らせば、本来は、公務の運営にかなりの支障は認められても、その理由の重大性にかんがみて、公務を何とかやりくりすることも、一面、管理者の責務かとも思われる。

前述の例に照らしてみても、たとえ研修期間中の職員であっても、ある日突然に父が危篤状態に陥ったというような場合であれば、研修スケジュールのいかんによっては、年次休暇を承認することも致し方あるまいし、また、会計監査の当日とはいえ、配偶者が急病のため入院することになったというような場合であれば、事情の許す限り、年次休暇を承認することが妥当であろう。

このほか、多数の職員が同一時期に同時に年次休暇の請求を行った場合にも、請求理由の重大性を勘案する必要が生じよう。

したがって、職員が休暇をいかに利用するかは原則として自由であって、休暇を請求する場合にその利用目的を明らかにすることは必要としないともいえるが、公務運営に支障があると判断される場合であっても、請求の理由のいかんによっては承認を与えることもあり得ることを考えれば、各省各庁の長が職員に対し、休暇の目的を明らかにすることを求めることは、あながち不当とはいえない場合もあろう。

一斉休暇は、実態として争議行為としての性格を有する場合も出てこようが、年末年始、ゴールデンウィーク、夏季等を利用して、旅行に出かけるような場合には、その人数によっては、公務への影響が出てくる。このような場合には、管理者としては事前に職員間で調整を行うよう勧めることが望ましいともいえるが、個々の職員からその利用目的を説明させ、その利用目的が重大なものから順次年次休暇を承認することも許されよう。

なお、年次休暇の利用目的の重大性にかんがみ、特に年次休暇を承認した場合においてその請求理由に虚偽があったようなときは、いったん承認した年次休暇を事後において取り消すことも可能であると解されよう。

六　休暇の撤回、取消し

年次休暇は、これまでに述べてきたように、公務の運営に支障がないと認められる場合、その利用目的が争議行為に該当しない場合にはじめて承認されるものであり、いったん承認した休暇については、原則として、その承認を撤回し、又は取り消すことができないとされている。しかしながら、年次休暇の承認後、事情の変更により、特に公務の運営に支障を生ずるに至った場合、年次休暇の承認の手続に重大な瑕疵があった場合及び年次休暇が争議行為を目的として利用された場合には、例外として、将来に向かって撤回し、又は既往に遡って取り消すことができると解される。

ただし、年次休暇の既往に遡った取消しは、いったん勤務義務を正当に免除しながら、遡ってこれを免除しないこととするものであり、その対象となる勤務時間について欠勤として俸給が減額されることになるのは当然のこととして、国公法第百一条で規定する職務に専念する義務に違反する状態を作り出すことになり、その結果、国公法違反として同法第八十二条第一項第一号に該当し懲戒処分の対象となってくることもあると考えられるので、各省各庁の長は、仮に年次休暇の承認を取り消すような場合には、人事院の公平審理あるいは裁判を通じて対抗できるだけの十分な証拠に基づく必要があり、それだけ慎重に事に臨む必要があろう。

1　承認事由に変更があった場合（休暇使用前）

年次休暇は、公務の運営に支障がないと認められる場合に限って承認されるものであるので、いったん承認した後において突発的事情が生じ、前の判断によることができなくなった場合には、年次休暇が未だ使用されていない場合に限り、将来に向って、すなわち、将来の時期に係る承認を撤回することができると解される。

例えば、七月二十五日から三十一日までの間、登山するとして七月十日に年次休暇の承認申請があり、七月十二日、その頃は、公務の運営上も特段の支障が見込まれないとして、これを承認した場合に、七月二十日に至り、急に当該職員を部内で計画された七月二十五日から八月二十四日までの間の業務研修に参加させることとなったというようなときは、その事情変更の状況に照らし、あらかじめ承認した七月二十五日から三十一日までの年次休暇を撤回するとともに、研修への参加を命じることとなろう。

2　承認手続に重大な瑕疵があった場合

さきに触れたように、本来、休暇の承認に当たっては、その利用目的は問わないとされるが、公務の運営の支障の有無の判断に際し、その目的の重大性を斟酌することとして、利用目的を徴することがある。

この場合、その申出に虚偽があり、あるいは欺もうがあって、公務の運営の支障の判断を狂わせるものである場合には、既往に遡って、いったん承認した年次休暇を取り消すことができ得る場合があると解されよう。

すなわち、公務の運営の状況に照らせば通常レクリエーションというような理由では、到底年次休暇を承認できる状態にないが、特にその願出の重大性を考慮して、やむなくその申請を承認した場合に、事後に、その申出に虚偽があったというような場合である。

3　争議行為を行うことを目的として利用された場合

争議行為を目的とする年次休暇の請求については、これを承認すべきでないことについては、五三九頁で述べてきたところであるが、それとは気がつかずに年次休暇を承認した場合は、結果として、これが争議行為に利用されることがある。

あらかじめ年次休暇を承認された職員が、争議行為に該当すると認められるピケッティングに参加していたような場合である。

このように、年次休暇承認期間中に争議行為を行ったことが後で判明した場合においては、そのことを理由に既往に遡った承認の取消しをすることができると解され、また、当該争議行為が継続している場合においては、年次休暇承認期間中の未使用部分についても将来に向って当該承認を撤回することができると解される。なお、職員が争議行為に参加する疑いがある場合に、当該行為に参加しないものであることを前提として、「家事都合」等の理由によって、これを承認した場合に、結果として、その請求に虚偽があり、争議行為に参加した事実が認められたようなときも、その年次休暇の承認を取り消すことが可能となろう。

七　年次休暇の使用促進

民間労働法制において、年次有給休暇は、労働者の心身のリフレッシュを目的として、原則として、労働者が請求する時季に与えることとされている。しかしながら、同僚への気兼ねや請求することへのためらいなどから、同休暇の取得率が低調な状況にあり、同休暇の取得促進が課題とされていたことから、労働者がそれぞれの事情に応じた多様な働き方を選択できる社会を実現することを目的とする措置を講ずるために制定された「働き方改革を推進するための関係法律の整備に関する法律」（平成三十年法律第七十一号）により労基法が改正され、平成三十一年四月から、年十日以上の年次有給休暇が付与される労働者（管理監督者を含む。）に対して、同休暇の日数のうち年五日については、使用者が時季を指定して取得させることが義務付けられた。

この民間労働法制における措置を踏まえ、公務においても年次休暇の使用を促進するため、各省各庁の長は、休暇の計画表の活用等により、一の年の年次休暇の日数（前年からの繰越し日数は含まない。）が十日以上である職員について、当該年に五日以上の年次休暇を使用することができるよう配慮することを内容とする「計画表の活用による年次休暇及び夏季休暇の使用の促進について（通知）」（平成三十年十二月七日職職―二五二　人事院事務総局職員福祉局長）が発出され、平成三十一年一月一日に施行されている。

なお、前述のとおり、民間労働者については年五日の有給休暇を使用者が時季を指定して取得させることが義務付けられているが、公務においては前記通知により「年に五日以上の年次休暇を使用することができるよう配慮すること」とされており、義務的に使用させることとはされていない。このことについては、①職員からの請求に基づき休暇承認権者が公務の運営の支障を考慮して承認する仕組みである公務の年次休暇の性格を考慮すると、職員からの請求がない場合でも職員に年次休暇を義務的に使用させることには慎重を期す必要があること、②多くの職員が年五日以上の年次休暇を使用できている状況にあること（平成二十八年における年次休暇の平均使用日数　十八・八日、使用日数が五日未満であった職員の全体に占める割合　六・七パーセント）から、年次休暇を義務的に使用させるのではなく、一の年に五日以上使用することができるよう計画表を活用すること等の措置が適当であると判断されたことによっている。

○計画表の活用による年次休暇及び夏季休暇の使用の促進について（通知）（平成三十年十二月七日　職職―二五二　人事院事務総局職員福祉局長）

年次休暇及び夏季休暇（人事院規則一五―一四（職員の勤務時間、休日及び休暇）第二十二条第一項第十五号に規定する休暇及び人事院規則一五―一五（非常勤職員の勤務時間及び休暇）第四条第一項第八号に規定する休暇をいう。以下同じ。）のより一層の計画的な使用を図るとともに、年次休暇を年五日以上確実に使用することを確保するため、計画表を作成し、活用することとしましたので、平成三十一年一月一日以降は、以下の点に留意の上、両休暇の使用促進に努めてください。なお、「計画表の活用による年次休暇及び夏季休暇の使用の促進について（平成四年十二月九日職職―五九八）」は、廃止します。

記

1　「職員の勤務時間、休日及び休暇の運用について（平成六年七月二十七日職職―三二八）」第十七の第二項に規定する計画表（以下「計画表」という。）は、年次休暇については年間、夏季休暇については七月から九月までの期間について作成すること。

2　計画表の様式は、各職場の実情に応じて職員が業務と休暇との調整を図れるように工夫して定めること。

3　計画表の作成に当たっては、公務の円滑な運営及び職員の希望する休暇使用時期について十分配慮するとともに、作成された計画表は適宜各職員に周知すること。

4　計画表は、原則として年初において作成することとし、年の中途において新たに職員となった者等についても、その都度速やかに作成すること。

5　計画表は、職員の希望する休暇使用時期の変更や公務の運営に支障がある場合の休暇使用時期の変更に適宜対応できるものとすること。

6　計画表の活用による年間を通じた年次休暇の使用促進に当たっては、公務の円滑な運営に留意しつつ、職場の実情に応じた年次休暇のまとめ取り期間の設定などに努めるほか、夏季休暇等の前後における年次休暇使用による連続した休暇使用、当該職員にとっての記念日又は行事に合わせた休暇使用等ができるよう配慮すること。

7　一の年の年次休暇の日数（前年からの繰越し日数は含まない。）が十日以上である職員の計画表の作成及び変更に当たっては、当該年に五日以上の年次休暇を使用することができるよう配慮することとし、毎年九月末日時点で当該年における年次休暇の使用日数の累計が五日に達していない職員に対しては、年次休暇の使用を促すとともに、職員の希望を考慮して計画表を変更し、当該年において五日以上の年次休暇を使用することができるよう配慮すること。ただし、職員が、育児、介護その他の事情により、計画表に記載して当該年に五日以上の年次休暇を使用することを希望しない場合は、この限りではないこと。

8　勤務時間法第二十三条に規定する常勤を要しない職員（以下「非常勤職員」という。）についても、常勤職員の休暇表の例により休暇の表を作成し、活用することとし、年次休暇及び夏季休暇の使用促進に努めること。

9　非常勤職員については、その任期等の事情を考慮し、年次休暇を使用できることとなった日から次の一年間において五日以上の年次休暇を使用することができるよう配慮すること。

10　年次休暇の使用を促進するため、業務の計画的遂行、応援体制の整備等により、職員が年次休暇等を使用しやすい環境作りに努めること。

〇労基法

（年次有給休暇）

第三十九条

⑦　使用者は、第一項から第三項までの規定による有給休暇（これらの規定により使用者が与えなければならない有給休暇の日数が十労働日以上である労働者に係るものに限る。以下この項及び次項において同じ。）の日数のうち五日については、基準日（継続勤務した期間を六箇月経過日から一年ごとに区分した各期間（最後に一年未満の期間を生じたときは、当該期間）の初日をいう。以下この項において同じ。）から一年以内の期間に、労働者ごとにその時季を定めることにより与えなければならない。ただし、第一項から第三項までの規定による有給休暇を当該有給休暇に係る基準日より前の日から与えることとしたときは、厚生労働省令で定めるところにより、労働者ごとにその時季を定めることにより与えなければならない。

第四節　病気休暇

一　病気休暇の意義及び事由

病気休暇は、負傷又は疾病のために勤務できない職員に対し、医師の証明書等に基づき、療養のため勤務しないことがやむを得ないと認められる必要最小限度の期間、その療養に専念させる目的で、勤務することを免除する制度である。この病気休暇は、広義において年次休暇以外の休暇として特別休暇の一事由として措置することも可能であるが、「病気」という事由の一般性及び給与上の取扱いが他の休暇とは異なることに着目して、一個の独立した休暇となっている。この休暇については、公務上及び通勤上の傷病等を除き、一定期間経過後には、俸給が半減されることとされており、一部有給制をとっているが、これらは、年次休暇、特別休暇の制度と大いに異なるところである。

この休暇は、明治時代の勅令、官吏俸給令（昭和二十一年勅令第百九十二号）等を経て戦後の休暇制度に引き継がれ、その期間については「必要最小限度の期間」とされてきたが、①取得日数に上限が設けられていない制度を民間企業における状況を踏まえたものとする必要があること、②長期にわたる病気休暇を取得する者の割合が上昇傾向にあり、欠員補充が可能となる休職との役割を明確にすることが求められてきたこと、③断続的に病気休暇を取得する職員に対する適切な健康管理及び服務管理を行う必要があること等から、病気休暇の期間に上限（九十日）を設けることなどを内容とする病気休暇制度の見直しが行われ、平成二十三年一月から施行された。

その実際の運用に当たっては、いわゆる詐病に対する厳格なチェックを含めて不適切な病気休暇の取得を防止するとともに、断続的に病気休暇を取得している職員に対しては療養に専念させること等職員自身の健康状況を踏まえた適切な人事管理を行うことが重要であり、日頃から病気休暇を取得している職員の病状等を把握する等人事当局による積極的な関与が求められていると考えられる。

○勤務時間法

（病気休暇）

第十八条　病気休暇は、職員が負傷又は疾病のため療養する必要があり、その勤務しないことがやむを得ないと認められる場合における休暇とする。

○官吏俸給令（昭二一・四・一　勅令一九二）

第七条　病気ノ為執務セザルコト九十日ヲ超ユル者及私事ノ故障ニ因リ執務セザルコト三十日ヲ超ユル者ハ俸給ノ半額ヲ減ズ但シ公務ノ為傷痍ヲ受ケ若ハ疾病ニ罹リ又ハ服忌ヲ受クル者及特旨ニ依リ賜暇休養ヲスル者ハ此ノ限ニ在ラズ

病気休暇は、負傷又は疾病という事実に基づいて承認されるものであるが、ここでいう「負傷又は疾病」とは、いわば、身体的に不健康に陥っている状態、心身に故障のある状態をいうものとされ、いわゆる風邪、腹痛、頭痛等も「負傷又は疾病」に該当し、療養のため勤務しないことがやむを得ない場合は病気休暇を承認することができる。また、「疾病」には、予防接種による著しい発熱、生理により就業が著しく困難な症状等が含まれるとされている。

この場合、原則的には、医師による診療行為が行われるものであることが要件となるが、絶対的なものとは考えられない。長期病気療養の後に、職場復帰のためにいわゆるリハビリテーションを受けるような場合も、その期間、病気休暇を承認することができるものと解されている。

○規則一五―一四運用通知

第十三　病気休暇関係

１　勤務時間法第十八条の「疾病」には、予防接種による著しい発熱、生理により就業が著しく困難な症状等が、「療養する」場合には、負傷又は疾病が治った後に社会復帰のためリハビリテーションを受ける場合等が含まれるものとする。

病気休暇の原因となる心身の故障については、それが先天的なものと後天的なものとによって区別されることはない。例えば、斜視の手術等医師の診療行為を伴うような場合であれば、先天性疾患が原因となっている場合にも、病気休暇の事由に該当すると解されている。

また、吃音の矯正のためにスピーチクリニック学校に入校するような場合も考えられるが、単に発声訓練を受けるような場合であれば、その期間病気休暇を認めることは困難といえる。

健康診断の受診については、心身の故障を訴え、そのために精密検査を受けるような場合であれば病気休暇の事由に該当するが、特に心身の故障はないが、予防的な意味で、自発的かつ定期的に受けるものである場合には、病気休暇の事由に該当する余地はないといえる。

したがって、健康管理の一環として健康状態を把握するための人間ドックを受診する場合は、病気休暇は認められない。このために勤務時間を割く必要がある場合には、規則一〇―四第二十一条の二に基づく、職員の健康の保持増進のための総合的な健康診査として一定の範囲で職務専念義務を免除することができることとされている。また、高齢者の医療の確保に関する法律において、特定健康診査（いわゆるメタボ健診）の結果により行うこととされている特定保健指導の受診時間については、同第二十四条の三により、一日の範囲内で職務専念義務を免除できることとされている。

○規則一〇―四（職員の保健及び安全保持）

（職員の健康の保持増進のための総合的な健康診査）

第二十一条の二　各省各庁の長は、職員が請求した場合には、その者が総合的な健康診査で人事院が定めるもの（以下「総合健診」という。）を受けるため勤務しないことを承認することができる。

２　前項の規定により勤務しないことを承認することができる時間は、一日（交通機関の状況から、請求した職員が前項の承認に係る総合健診を受けるためには総合健診が行われる日又はその前日に宿泊することが必要であると認められる場合（以下この項において「宿泊を要する場合」という。）にあつては、一日に各省各庁の長が宿泊のため必要と認める日数を加えた日数）の範囲内で各省各庁の長が必要と認める時間とする。ただし、前項の承認に係る総合健診が二日にわたるものである場合で、次のいずれかに該当するときは、二日（宿泊を要する場合にあつては、二日に各省各庁の長が宿泊のため必要と認める日数を加えた日数）の範囲内で各省各庁の長が必要と認める時間とする。

一　当該総合健診が、正午以後に始まり、翌日の午前中に終了するものであるとき。

二　当該総合健診が、請求した職員の健康管理上健康管理医が特に必要と認める検査の項目を含むものであるとき（請求した職員が、当該検査項目を含む一日又は半日の総合健診を受けることができない場合に限る。）。

三　請求した職員が、離島振興法（昭和二十八年法律第七十二号）に基づく離島振興対策実施地域又は山村振興法（昭和四十年法律第六十四号）に基づく振興山村に勤務しているとき。

四　各省各庁の長又は国家公務員共済組合法（昭和三十三年法律第百二十八号）第三条の規定により設置された国家公務員共済組合と総合健診を実施する病院等との契約上、一日又は半日の総合健診のみでは希望する職員のすべてが総合健診を受けることができない状況にあるため、請求した職員が二日にわたる総合健診を受けることがやむを得ないと認められるとき。

（特定保健指導）

第二十四条の三　各省各庁の長は、高齢者の医療の確保に関する法律（昭和五十七年法律第八十号）第十八条第一項に規定する特定健康診査の結果により健康の保持に努める必要がある職員（人事院の定める職員に限る。）が請求した場合には、その者が同法第二十四条の規定による特定保健指導を受けるため勤務しないことを承認することができる。

2　前項の規定により勤務しないことを承認することができる時間は、一日の範囲内で各省各庁の長が必要と認める時間とする。

検眼については、いわゆる眼疾のおそれがあってこれを受ける場合には、病気休暇を承認する余地があるが、一般的な遠視、近視を矯正するための眼鏡購入を目的とするような場合には、病気休暇を認める余地はないものと解されている。

投薬を受ける場合は、原則的には医師の診療行為が前提となるものと認められるので、病気休暇を承認する余地があると解されるが、病院の窓口や処方箋薬局に昼の休憩時間中に受け取りに行けば足りるというような事情のもとにあるような場合には、「勤務しないことがやむを得ない場合」には該当しないと認められるので、正規の勤務時間について病気休暇を承認することは、妥当でないといえよう。

なお、病気休暇は、負傷又は疾病の事実がある限り、承認される余地があるものであり、職員が出張中である場合も、その例外ではない。

【事例】

（質問）

2　職員が長期にわたる出張中、病気により勤務しなかった場合は、給実甲第二十八号第十六条関係第三項の「公務により旅行中の職員は、その旅行期間中正規の勤務時間を勤務したものとみなす。」の規定にかかわらず、職員の届出に基づき病気休暇として処理すると解してよいか。

（昭三三・一・一三　名地一―一九　人事院名古屋地方事務所長）

（回答）

2　貴見のとおりと解する。

（昭三三・三・六　給三―七四　給与局長）

（質問）　職員が勤務地から国鉄線一六〇・六キロの出先機関に二泊三日の出張を命ぜられたが、出張先に到着の翌日発病（私傷病）し午前中は事務打合せをしたが病状悪化し、当日の午後から出張先の病院に入院、入院の日から十日目に帰宅、引き続き入院し、病気休暇をとった場合、出張旅費の支給にかかわらず出張中入院した日から引き続き病気休暇として取り扱うのか、又は帰宅の翌日から病気休暇として取り扱うのか疑義が生じ、とりあえず私傷病休九十日の計算に必要なので至急御回答願います。

なお、当該出張中の旅費の支給については、建設省所管旅費取扱規程第八条第六項（別記注参照）の規定に基づき発病入院の日から、日当、宿泊料の二分の一を支給し、入院の日から十日目の帰宅の際の旅費は国家公務員等の旅費に関する法律による鉄道賃日当の定額を支給していることを附記いたします。〔別記注略〕

（昭三六・一一・七　仙地一―一一五四　人事院仙台地方事務所長）

（回答）　御設例の場合については、職員の届出に基づいて、疾病により勤務しなかった時から病気休暇として取り扱う。この場合において、出張旅費の有無とは関係ない。

なお、昭和三十三年三月六日付給三―七四を参照されたい。（昭三六・一一・一八　給二―四三四　給与局給与第二課長）

二　病気休暇の期間

１　原則となる期間

病気休暇が認められる期間については、勤務時間法第十八条の規定の解釈として、人事院規則において規定しているが、負傷又は疾病の内容に関係なく、「療養のため勤務しないことがやむを得ないと認められる必要最小限度の期間」を原則としている。ただし、①生理日の就業が著しく困難である場合、②公務災害、通勤災害の場合、③規則一〇―四に基づく勤務の軽減措置を受けた場合以外の場合における病気休暇の期間は、①から③までの病気休暇を使用した日その他の人事院が定める日を除き、連続して九十日を超えることはできないこととされている。「九十日」とされたのは、病気休暇及び病気休職制度に類する制度がある民間企業における休暇日数の最頻値及び中央値が九十日であったこと、俸給の半減期間（九十日）を超えて療養が必要な場合にはその超える時点で病気休職発令を行うことが一般的であったという公務における運用の実態を踏まえたものである。また、病気休暇は、病気等のため療養する必要があり、勤務しないことがやむを得ないと認められる場合の休暇であるため、病気休暇期間中に当初の病気休暇の原因である心身の故障の内容とは異なる病気に罹った場合は、その異なる病気ごとに新しい病気休暇を認めることも考えられるところであるが、現実には病気の種類が異なるか否かの判断は難しく運用上その取扱いにバラツキが生じるおそれがあること等を考慮し、原則として病気休暇期間中の病気の種類又は数にかかわらず、病気休暇の期間が設定されることとなった。いわば病気休暇の期間は、一回の病気休暇に対して、その始まりの時点から一定期間を保障するという発想の下に設定されたものといえよう。

これを受けて、病気休暇の「連続して九十日」に係る期間計算においては、時間及び分単位で病気休暇を取得した日も、全日病気休暇を取得した日として取り扱うこととされているほか、病気休暇と病気休暇の間に挟まれている週休日、休日、病気休暇以外の休暇等により勤務しない日（一日の勤務時間の一部を勤務しない日を含む。）については、病気休暇を取得した日とみなして期間計算を行うこととされている（後掲〔例1〕〔例2〕）。

また、病気休暇の期間計算に算入されない「人事院が定める日」は、①から③までの場合の病気休暇を取得した日及び①から③までの病気休暇と病気休暇の間に挟まれている週休日、休日、病気休暇以外の休暇等により勤務しない日（一日の勤務時間の一部を勤務しない日を含む。）とされている（後掲〔例3〕）。なお、派遣法等に基づき派遣された国際機関等で業務災害又は通勤災害に遭った職員が職務に復帰した場合の病気休暇の期間の取扱いについては、②の公務災害の場合として取り扱うものとされている。

この点、例えば、元々の病気により病気休暇を取得している期間中に生理日の就業が著しく困難である場合に該当することとなった場合の期間計算の取扱いが問題となるが、元々の病気の療養のために休む必要がある限り、当該日についても病気休暇の期間計算に算入することとされている。また、規則一〇—四に基づく勤務の軽減措置を受けている期間において、当該軽減措置により勤務しないことが認められている時間帯以外の時間帯に病気休暇を取得した日についても、病気休暇の期間計算に算入する取扱いとされている。

他方、病気休暇の期間計算に関して、人事交流により行政執行法人職員等であった期間において病気により休む必要が生じ、引き続いて勤務時間法適用職員となった日以降も病気休暇を取得する必要がある場合に、行政執行法人職員等であった期間において取得した病気休暇（これに相当する休暇を含む。）の日数を含めるのかどうかという点については、行政執行法人職員等であった期間における病気等により休むための制度は、それぞれの法人や団体ごとに区々であり、勤務時間法に定める病気休暇制度と同じものであるとは限らないことから、このような場合には、勤務時間法適用職員となった日を起算日として期間計算を行うこととなると考えられる。

また、国公法第七十九条第一号において、「心身の故障のため、長期の休養を要する場合」には、職員を休職にすることができるとされている。病気休暇制度と休職制度との関係についてはかねてより議論の対象とされてきたところだが、もとより、休職については、公務能率の維持増進の観点から行われるものであり、医師の診断の結果に基づき、心身の故障のため、長期の休養を要すると任命権者が判断すれば、職員を休職にすることができることとされており、いつから休職とするかを含め、個別の事案に即して任命権者が判断するものであると考えられる。なお、引き続いて病気休暇を取得している場合で、その上限期間（九十日）に達する日以降も長期の休養を要すると見込まれる場合には、「九十日」に達した日後の期間について、人事当局が休職発令手続を行う期間を確保するために職員に年次休暇を請求させることは、無因休暇である年次休暇の性格にかんがみて適当ではないと考えられることから、病気休暇の期間中に必要な手続を準備するなど、各府省において適切に対応する必要があろう。

○規則一五―一四

（病気休暇）

第二十一条　病気休暇の期間は、療養のため勤務しないことがやむを得ないと認められる必要最小限度の期間とする。ただし、次に掲げる場合以外の場合における病気休暇（以下この条において「特定病気休暇」という。）の期間は、次に掲げる場合における病気休暇を使用した日その他の人事院が定める日（以下この条において「除外日」という。）を除いて連続して九十日を超えることはできない。

一　生理日の就業が著しく困難な場合

二　公務上負傷し、若しくは疾病にかかり、又は通勤（補償法第一条の二に規定する通勤をいう。）により負傷し、若しくは疾病にかかった場合

三　規則一〇―四第二十三条の規定により同規則別表第四に規定する生活規正の面Bの指導区分の決定又は同表に規定する生活規正の面Bへの指導区分の変更を受け、同規則第二十四条第一項の事後措置を受けた場合

○規則一五―一四運用通知

第十三　病気休暇関係

2　規則第二十一条第一項の「人事院が定める日」は、同項各号に掲げる場合における病気休暇を使用した日及び当該病気休暇に係る負傷又は疾病に係る療養期間中の週休日、休日、代休日その他の病気休暇の日以外の勤務しない日とする。

3　前項の「病気休暇の日以外の勤務しない日」には、年次休暇又は特別休暇を使用した日等が含まれ、また、一日の勤務時間の一部を勤務しない日が含まれるものとする。

4　規則第二十一条第一項第二号の「公務」には、国際機関等に派遣される一般職の国家公務員の処遇等に関する法律（昭和四十五年法律第百十七号）第三条に規定する派遣職員の派遣先の機関の業務並びに国と民間企業との間の人事交流に関する法律（平成十一年法律第二百二十四号）第十六条、法科大学院への裁判官及び検察官その他の一般職の国家公務員の派遣に関する法律（平成十五年法律第四十号）第九条（同法第十八条において準用する場合を含む。）、福島復興再生特別措置法（平成二十四年法律第二十五号）第四十八条の九若しくは第八十九条の九、令和三年東京オリンピック競技大会・東京パラリンピック競技大会特別措置法（平成二十七年法律第三十三号）第二十三条、平成三十一年ラグビー

ワールドカップ大会特別措置法（平成二十七年法律第三十四号）第十条、令和七年に開催される国際博覧会の準備及び運営のために必要な特別措置に関する法律（平成三十一年法律第十八号）第三十一条又は令和九年に開催される国際園芸博覧会の準備及び運営のために必要な特別措置に関する法律（令和四年法律第十五号）第二十一条の規定（以下この項において「特定規定」という。）により一般職の職員の給与に関する法律（昭和二十五年法律第九十五号）第二十三条第一項及び附則第六項の規定の適用に関し公務とみなされる業務及び特定規定に規定する通勤が含まれるものとする。

2　病気休暇の期間が連続しているものとみなされる場合

一回の病気休暇について連続九十日という上限期間を設けても、再取得に関するルールがなければ、例えば、連続九十日間病気休暇を取得した職員が職務に復帰後、一日でも勤務すると、再び連続九十日間の病気休暇の取得が可能になる。同一職員が上限日数に達するまでの病気休暇を繰り返して取得することは制度の悪用と受け取られても仕方がない面があり、そのような事態が生じることへの対応策として、民間企業では復帰後一定期間に同一又は類似の傷病により休む場合に復帰前後の休暇期間を通算する制度がある企業が約七割を占めていたこと、職務に復帰した後、職員が勤務を十全にこなせる状態にまで病気から回復しているかを確認する期間が必要と考えられたことを踏まえ、一定期間内に病気休暇を再度取得する場合には、前後の病気休暇の期間を連続しているものとみなす制度が設けられている。

具体的には、連続する八日以上の期間（当該期間中の要勤務日の日数が少ない場合として人事院が定める場合は、人事院が定める期間）の病気休暇を取得した職員が、その病気休暇の期間の末日の翌日から、一回の勤務に割り振られた勤務時間（育児時間その他の人事院が定める時間がある場合には、当該時間以外の時間）のすべてを勤務した日（実勤務日）の日数が二十日に達する日までの間（病休通算判定期間（クーリング期間））に、再び病気休暇を使用したときは、その前後の病気休暇の期間は連続しているものとみなされることとされている（後掲〔例4〕）。この場合、当初の病休通算判定期間においてカウントされた実勤務日数はリセットされ、再度の病気休暇から職務に復帰後に実勤務日数の日数計算が改めてスタートすることとなる（後掲〔例5〕）。また、二回目の病休通算判定期間において再び病気休暇を取得した場合にも、その前後の病気休暇の期間は連続しているものとみなされることとなるとともに、実勤務日数の日数計算についてもその病気休暇から職務に復帰後に改めて行うこととなる（三回目以降は、これを繰り返していくこととなる。）。

「連続する八日」は、医師の診断書等の提出を求める場合の「連続する八日」の取扱いと同様であり、病気休暇と病気休暇の間に挟まれている週休日、休日、病気休暇以外の休暇等により勤務しない日（一日の勤務時間の一部について勤務しない日を含む。）も含まれる。例えば、日曜日及び土曜日を週休日とする一般の職員が、ある週の月曜日から病気休暇を取得した場合には、翌週の月曜日以後も引き続いて病気休暇を取得する場合に、病休通算判定期間が発生することとなる。しかしながら、例えば、年末の仕事納めと年始の仕事始めだけ病気休暇を取得した場合でも病休通算判定期間が発生する取扱いとすることは、その発生が病気休暇の取得可能日数という職員の勤務条件に直接関わるものであることを踏まえると、著しい不公平感を与えるものであると考えられる。このため、「連続する八日以上の期間」に含まれる「要勤務日の日数が少ない場合として人事院が定める場合」は、療養期間中の要勤務日が三日以下である場合とされ、「人事院が定める期間」は、当該期間中の要勤務日の日数が四日以上である期間とされている。例えば、年末年始において十二月二十八日と一月四日に休んだ場合、「連続する八日」ではあるが要勤務日の日数が三日以下であるので、要勤務日で四日目となる日に休んだ場合に病休通算判定期間が発生することとなる。なお、「四日目」としたのは、通常の暦の場合、「連続する八日以上の期間」に含まれる要勤務日数は六日であり、その過半数となる日数（四日）を考慮したものと考えられる（後掲〔例6〕）。

次に、病休通算判定期間は病気からの回復の程度を確認する期間であることが設置趣旨の一つであることを踏まえ、病休通算判定期間における実勤務日の数え方としては、一回の勤務に割り振られた勤務時間のすべてを勤務した日を実勤務日の一日として算入することを原則としている。したがって、例えば、病休通算判定期間において時間単位の年次休暇や特別休暇を取得した日については、実勤務日の一日から除かれることとなるが、一日三時間五十五分勤務の育児短時間勤務職員が一回の勤務に割り振られた勤務時間のすべてを勤務した日については、実勤務日の一日として算入されることとなる。なお、一回の勤務に割り振られた勤務時間が二日にまたがる交替制等勤務職員が当該勤務時間のすべてを勤務した場合には、これらの日を実勤務日の二日として算入することとなる。他方、制度的に一定期間にわたる継続的な利用が認められており、そのような実態があると認められるもの及び母性保護の観点から設けられているものである、①育児時間、②保育時間、③通勤緩和、④時間単位の介護休暇、⑤介護時間、⑥生理日の就業が著しく困難である場合の時間及び分単位の病気休暇、⑦健康診査及び保健指導のための職務専念義務の免除、⑧休息、補食のための職務専念義務の免除により一回の勤務に割り振られた勤務時間の一部について勤務しない日については、①から⑧までにより勤務しない時間以外の勤務時間のすべてを勤務した場合に、例外的に実勤務日の一日として算入する取扱いとされている（後掲〔例７〕）。

また、例えば、連続九十日間病気休暇を取得後、引き続いて休職とされる場合の病休通算判定期間の取扱いが問題となるが、病休通算判定期間は病気休暇の期間の末日の翌日から実勤務日が二十日に達する日までの間であるとされていることから、実勤務日がない休職期間中は、その日数計算は停止している状態にあると考えられる。したがって、この場合には、休職から復職して一回の勤務に割り振られた勤務時間のすべてを勤務した日から実勤務日の日数計算がスタートすることとなる。この点、病気休暇から職務に復帰するに当たって、規則一〇―四に基づく勤務の軽減措置を受けた場合についても、その期間中は日数計算は停止することとなる。

○規則一五―一四
（病気休暇）
第二十一条
2　前項ただし書、次項及び第四項の規定の適用については、連続する八日以上の期間（当該期間における週休日等以外の日の日数が少ない場合として人事院が定める場合にあっては、その日数を考慮して人事院が定める期間）の特定病気休暇を使用した職員（この項の規定により特定病気休暇の期間が連続しているものとみなされた職員を含む。）が、除外日を除いて連続して使用した特定病気休暇の期間の末日の翌日から、一回の勤務に割り振られた勤務時間（一回の勤務に割り振られた勤務時間の一部に育児休業法第二十六条第一項に規定する育児時間の承認を受けて勤務しない時間その他の人事院が定める時間（以下この項において「育児時間等」という。）がある場合にあっては、一回の勤務に割り振られた勤務時間のうち、育児時間等以外の勤務時間）のすべてを勤務した日の日数（第四項において「実勤務日数」という。）が二十日に達する日までの間に、再度の特定病気休暇を使用したときは、当該再度の特定病気休暇の期間と直前の特定病気休暇の期間は連続しているものとみなす。

○規則一五―一四運用通知
第十三　病気休暇関係
5　規則第二十一条第二項の「人事院が定める場合」は、連続する八日以上の期間における週休日、勤務時間法第十三条の二第一項の規定により割り振られた勤務時間の全部について超勤代休時間が指定された勤務日等、休日及び代休日以外の日（以下この項及び第十七の第三項において「要勤務日」という。）の日数が三日以下である場合とし、規則第二十一条第二項の「人事院が定める期間」は、当該期間における要勤務日の日数が四日以上である期間とし、同項の「人事院が定める時間」は、次に掲げる時間とする。
(1)　育児休業法第二十六条第一項に規定する育児時間の承認を受けて勤務しない時間
(2)　生理日の就業が著しく困難な場合における病気休暇により勤務しない時間
(3)　人事院規則一〇―七第五条、第六条第二項、第七条又は第十条の規定により勤務しない時間
(4)　規則第二十二条第一項第八号に掲げる場合における特別休暇により勤務しない時間

(5)　介護休暇により勤務しない時間

(6)　介護時間により勤務しない時間

3　明らかに異なる病気等にかかった場合

先述のとおり、病気休暇の期間は、病気の種類又は数により設定されておらず、ある始まりの時点から見た一回の病気休暇について設定されている。

しかしながら、当初の病気休暇の原因である心身の故障の内容とはその症状等が明らかに異なる病気等にかかった場合、すなわち病因の同一性が明らかに認められない場合には、先述した病気休暇制度の趣旨も踏まえ、当該明らかに異なる病気等の療養のために限り、当初の病気休暇の上限期間である九十日を超えて病気休暇を承認することができるものとされている。この場合、その病気休暇の期間は、明らかに異なる病気等にかかった日から連続して九十日を超えることはできないこととされている。また、当該明らかに異なる病気等に係る病気休暇から職務に復帰後の病休通算判定期間においても、当該明らかに異なる病気等以外の病気等の療養のために、病気休暇を承認することはできないものとされている。なお、「当該明らかに異なる病気等の療養のために限り」としたのは、当初の病気休暇の期間中に明らかに異なる病気等にかかることはレアケースであると考えられること、また、例外を複数認めることとした場合には、制度が濫用されるおそれがあること等を踏まえたものであると考えられる。

次に、本事例の適用対象となる場合は、当初の病気等とはその症状等が明らかに異なる病気等の療養のため、九十日に達した日後において病気休暇により休む必要がある場合である。この場合、明らかに異なる病気等にかかった日が九十日に達する日以前である場合と明らかに異なる病気等にかかった日が九十日に達した日後の病休通算判定期間内である場合と二通りが考えられることから、人事院規則においては、法技術的な理由から二つの項に分けて規定されていると考えられる〔後掲〔例8〕〔例9〕〕。したがって、明らかに異なる病気等にかかった場合であっても、九十日に達する日以前に当該明らかに異なる病気等が快復して職務に復帰した場合には、本事例の適用対象とはならず、当該明らかに異なる病気等に係る病気休暇の期間も含めて期間計算を行うこととなるという点に注意する必要があろう。

また、「明らかに異なる病気等」には、症状が明らかに異なると認められるものであっても、病因が異なると認められないものは含まれず、各省各庁の長は、医師が一般に認められている医学的知見に基づき行う症状や病因等についての診断を踏まえ、明らかに異なる病気等に該当するかどうかを判断するものとされている。また、明らかに異なる病気等にかかった日については、各省各庁の長が、当該診断を踏まえ、判断するものとされている。

なお、この期間計算に係る例外は、病気休暇制度独自のものであり、俸給の半減制度には設けられていない。このため、明らかに異なる病気等により当初の病気休暇の上限期間である九十日を超えて病気休暇を取得している期間については、俸給が半減されることになる点に注意が必要である。

○規則一五―一四

（病気休暇）

第二十一条

3　使用した特定病気休暇の期間が除外日を除いて連続して九十日に達した場合において、九十日に達した日後においても引き続き負傷又は疾病（当該負傷又は疾病の症状等が、当該使用した特定病気休暇の期間の初日から当該負傷をし、又は疾病にかかった日（以下この項において「特定負傷等の日」という。）の前日までの期間における特定病気休暇に係る負傷又は疾病の症状等と明らかに異なるものに限る。以下この項において「特定負傷等」という。）のため療養する必要があり、勤務しないことがやむを得ないと認められるときは、第一項ただし書の規定にかかわらず、当該九十日に達した日の翌日以後の日においても、当該特定負傷等に係る特定病気休暇を承認することができる。この場合において、特定負傷等の日以後における特定病気休暇の期間は、除外日を除いて連続して九十日を超えることはできない。

4　使用した特定病気休暇の期間が除外日を除いて連続して九十日に達した場合において、九十日に達した日の翌日から実勤務日数が二十日に達する日までの間に、その症状等が当該使用した特定病気休暇の期間における特定病気休暇に係る負傷又は疾病の症状等と明らかに異なる負傷又は疾病のため療養する必要が生じ、勤務しないことがやむを得ないと認められるときは、第一項ただし書の規定にかかわらず、当該負傷又は疾病に係る特定病気休暇を承認することができる。この場合において、当該特定病気休暇の期間は、除外日を除いて連続して九十日を超えることはできない。

○規則一五—一四運用通知

第十三　病気休暇関係

6　規則第二十一条第三項及び第四項の「明らかに異なる負傷又は疾病」には、症状が明らかに異なると認められるものであっても、病因が異なると認められないものは含まれないものとし、各省各庁の長は、医師が一般に認められている医学的知見に基づき行う症状や病因等についての診断を踏まえ、明らかに異なる負傷又は疾病に該当するかどうかを判断するものとし、同条第三項の「特定負傷等の日」は、各省各庁の長が、当該診断を踏まえ、これを判断するものとする。

4　病気休暇の期間計算

病気休暇の期間計算については、暦日を単位として行うものとし、全日病気休暇を取得した日に限らず、時間及び分単位で病気休暇を取得した日についても、病気休暇を取得しなければならない状況が暦日で見ると引き続いていることから、全日病気休暇を取得した日として取り扱うものとされている。また、病気休暇と病気休暇の間に挟まれている週休日、休日、病気休暇以外の休暇等により勤務しない日については、療養する必要がある状態が引き続いていると考えることが適当であることから、病気休暇を取得した日とみなして期間計算を行うものとされている。なお、「病気休暇等により勤務しない日」には、年次休暇又は特別休暇を使用した日等や一日の勤務時間の一部を勤務しない日が含まれるものとされている。

他方、病気休暇と実勤務日の間に挟まれている週休日等や病休通算判定期間において実勤務日と実勤務日の間に挟まれている週休日等については、療養する必要がある状態が引き続いているとは限らないことから、病気休暇の期間計算には算入しない取扱いとなっている。

また、病気休暇の期間計算における起算日は、必ず病気休暇を取得した日（時間及び分単位の病気休暇を取得した日を含む。）とされている。したがって、例えば、病気休暇を取得する日前に療養のために年次休暇を取得していた場合であっても、病気休暇の期間計算における起算日は、年次休暇を最初に取得した日ではなく、病気休暇を最初に取得した日となる。

○規則一五―一四
（病気休暇）
第二十一条
5　療養期間中の週休日、休日、代休日その他の病気休暇の日以外の勤務しない日は、第一項ただし書及び第二項から前項までの規定の適用については、特定病気休暇を使用した日とみなす。

○規則一五―一四運用通知
第十三　病気休暇関係
7　規則第二十一条第五項の「病気休暇の日以外の勤務しない日」には、年次休暇又は特別休暇を使用した日等が含まれ、また、一日の勤務時間の一部を勤務しない日（当該勤務時間の一部に同条第二項に規定する育児時間等がある日であって、当該勤務時間のうち、当該育児時間等以外の勤務時間のすべてを勤務した日を除く。）が含まれるものとする。
8　病気休暇は、必要に応じて一日、一時間又は一分を単位として取り扱うものとする。ただし、特定病気休暇の期間の計算については、一日以外を単位とする特定病気休暇を使用した日は、一日を単位とする特定病気休暇を使用した日として取り扱うものとする。

5　臨時的職員、条件付採用期間中の職員及び検察官に対する特例

臨時的職員、条件付採用期間中の職員及び検察官については、国公法や検察庁法（昭和二十二年法律第六十一号）において休職制度の適用が除外されていることから、病気休暇の上限期間に関する規定を適用させることとした場合には、その上限期間を超えて療養する必要がある場合に適法に休むことができなくなるという問題が生じることとなる。したがって、このような休職制度が適用されない臨時的職員、条件付採用期間中の職員及び検察官に対する病気休暇の期間については、上限期間に関する規定の適用を除外して、療養のため勤務しないことがやむを得ないと認められる必要最小限度の期間とされている。

なお、条件付採用期間中に病気休暇を取得していた職員が条件付採用期間終了後も引き続いて病気休暇を取得する場合の病気休暇の期間計算に関する取扱いとしては、条件付採用期間中に取得した病気休暇の期間の初日を起算日として期間計算を行うものとされている。

○規則一五―一四

（病気休暇）

第二十一条

6　第一項ただし書及び第二項から前項までの規定は、臨時的職員、条件付採用期間中の職員及び検察官には適用しない。

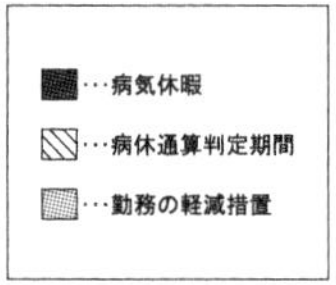

【例1】原則となる期間の例

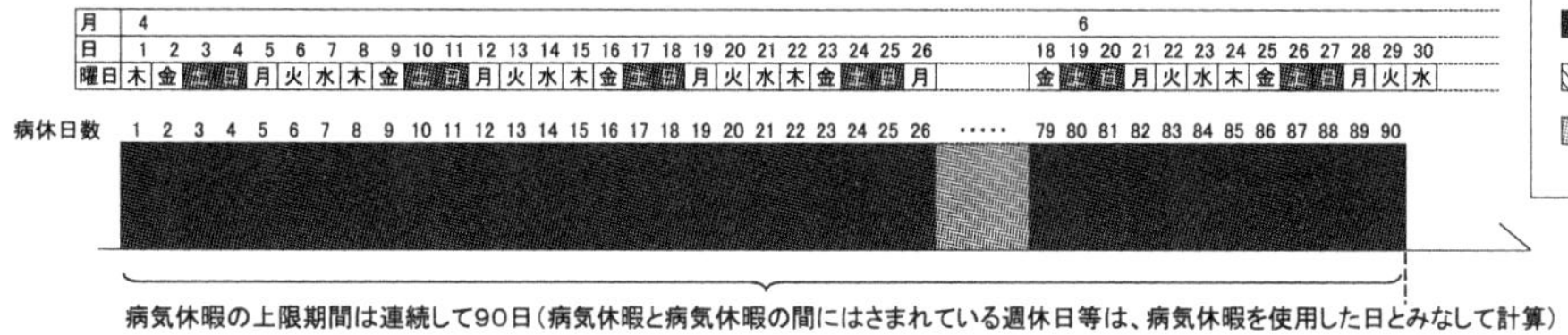

【例2】途中で時間単位の病気休暇を取得する例

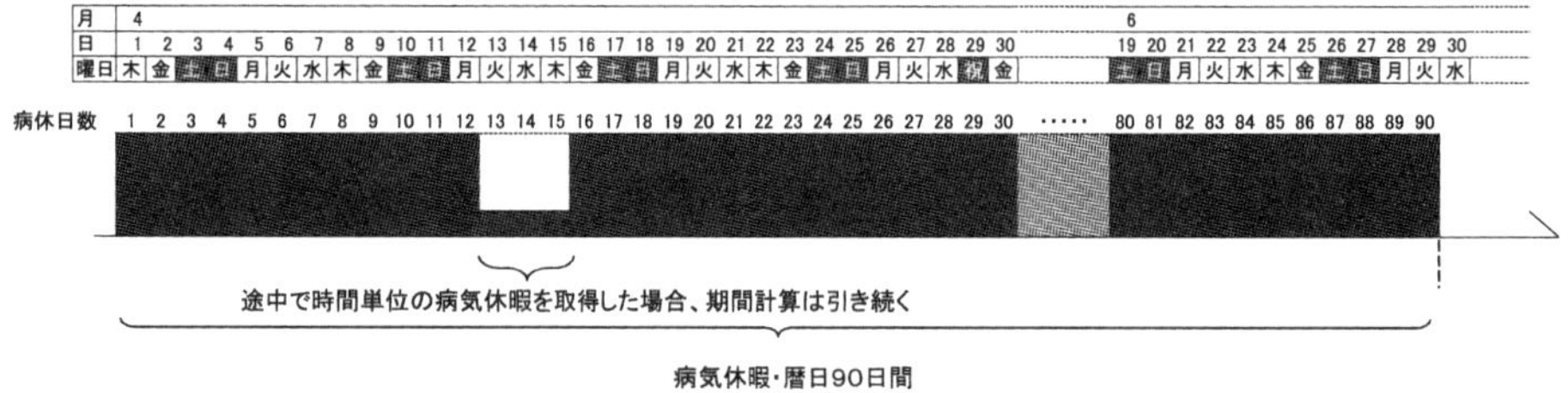

【例3】病気休暇と病気休暇の間に期間計算に算入されない「人事院が定める日」がはさまれている例

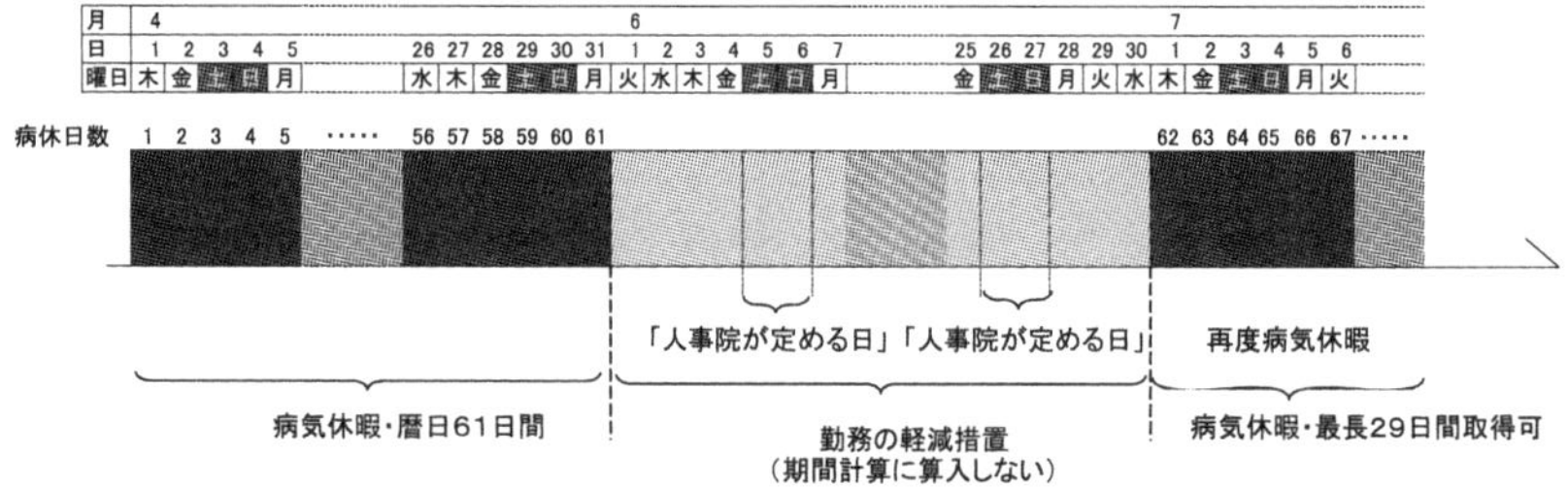

【例4】病休通算判定期間に再度病気休暇を取得する例

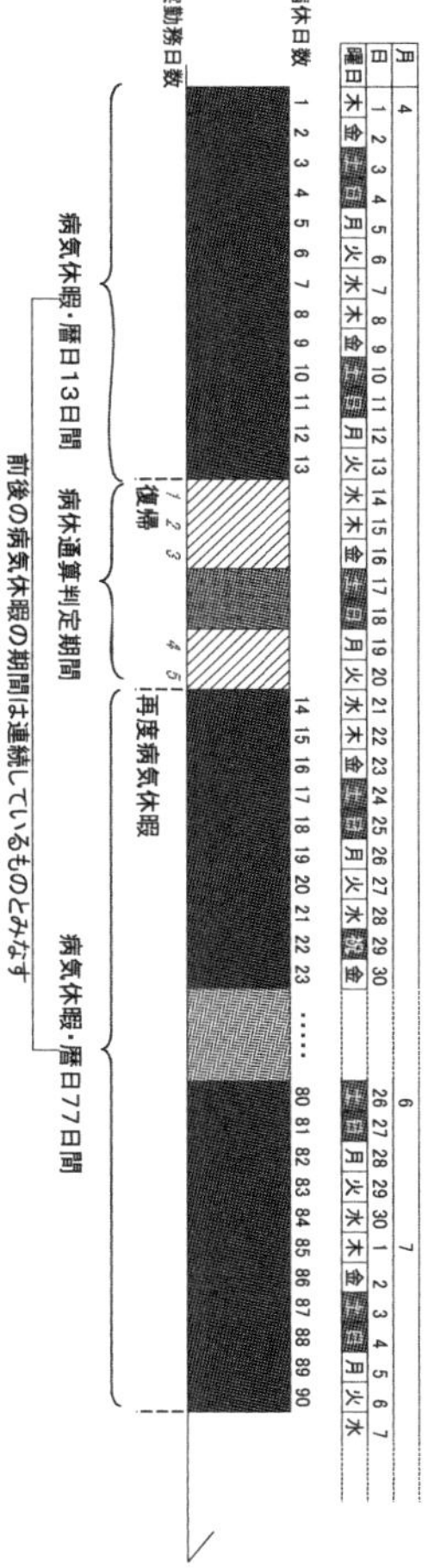

【例5】病休通算判定期間における実勤務日数の日数計算の例

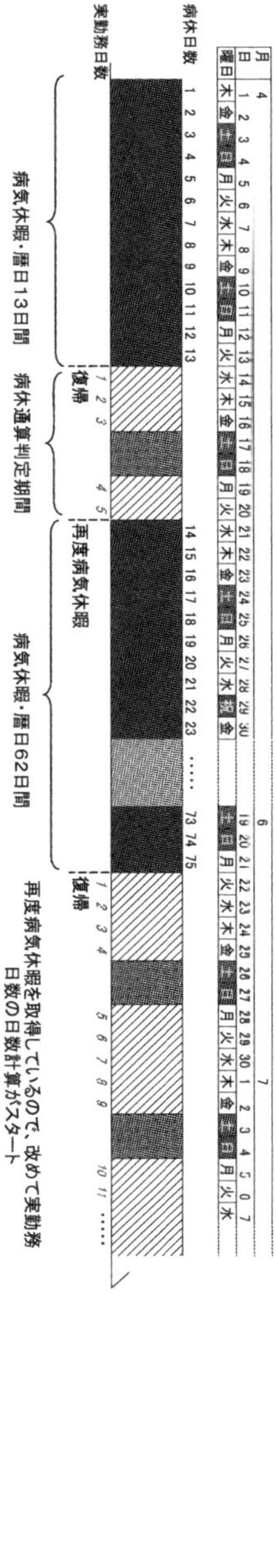

【例6】「連続する8日以上の期間」に含まれる要勤務日数が少ない例

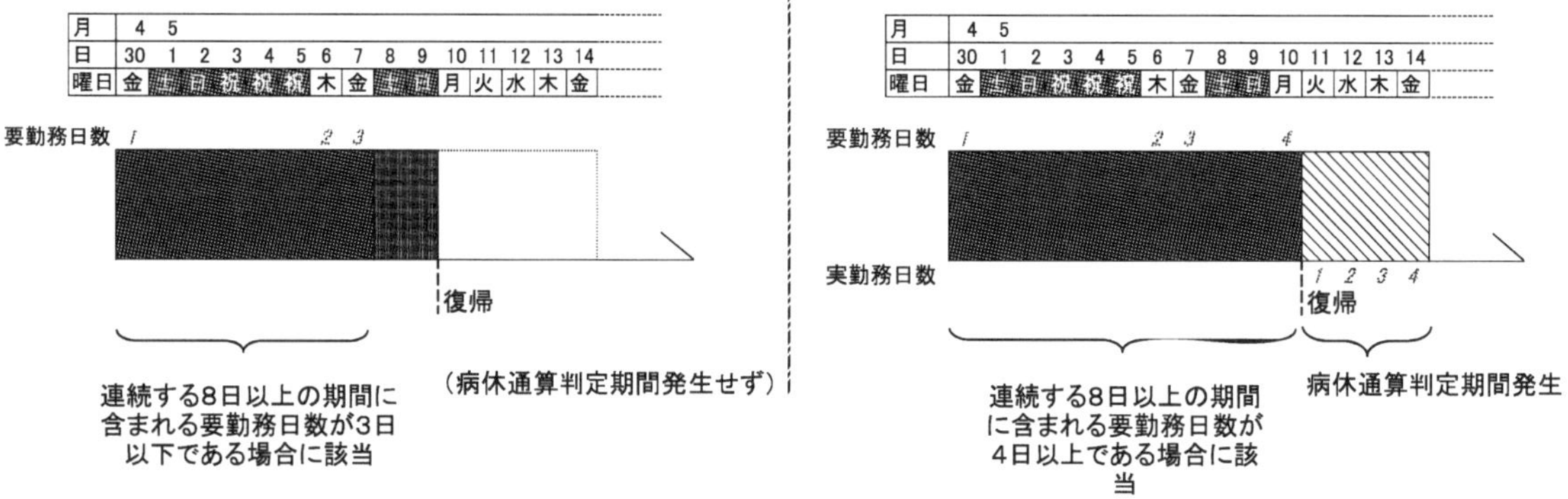

【例7】病休通算判定期間に育児時間等により勤務しない時間がある例

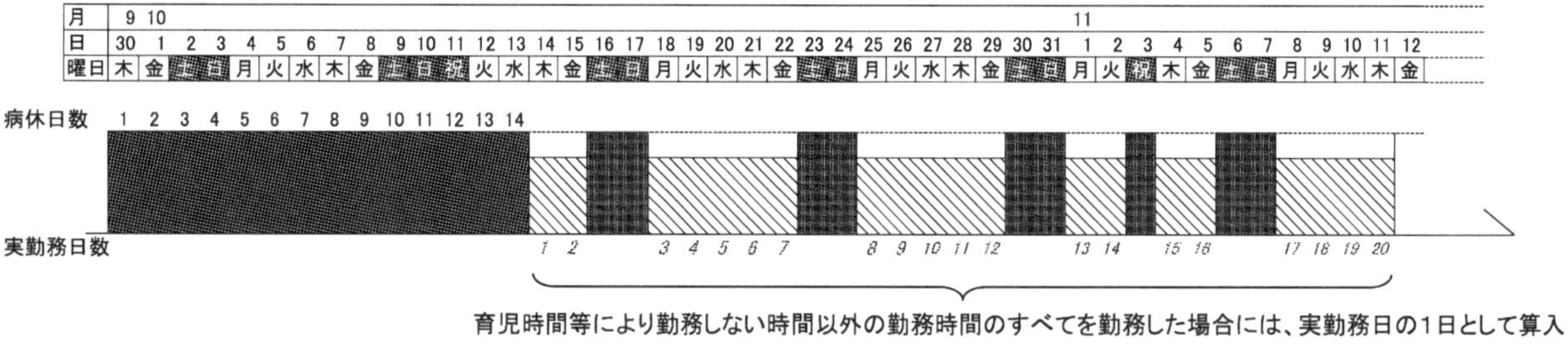

【例８】明らかに異なる病気等にかかった例（明らかに異なる病気等にかかった日が、90日に達する日以前である場合）

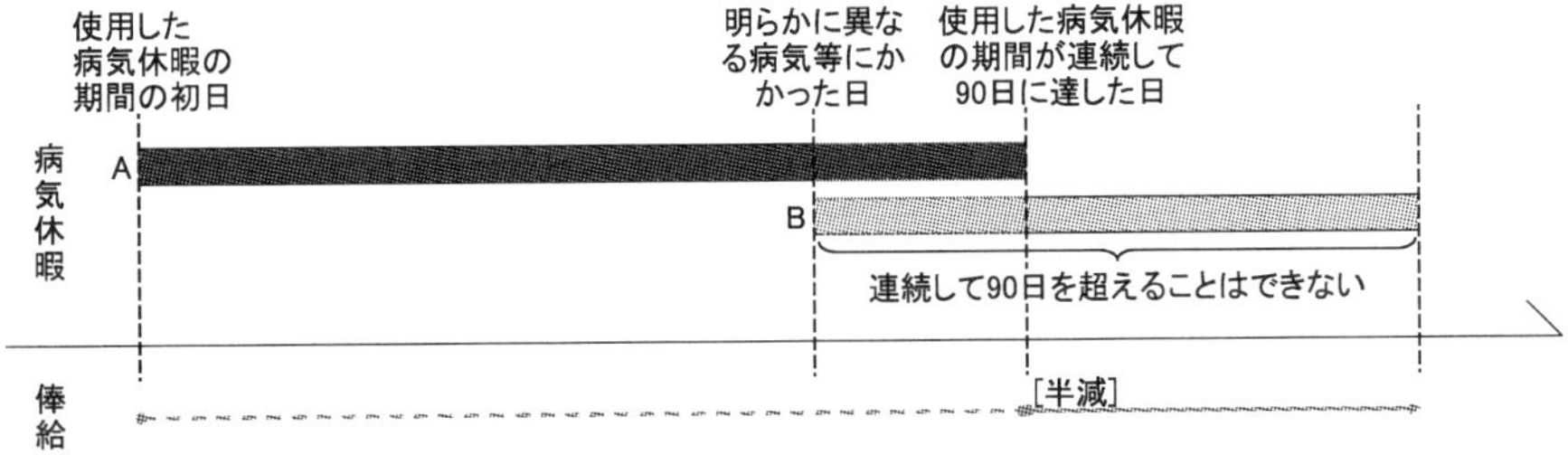

A：使用した病気休暇の期間の初日から当該負傷をし、又は疾病にかかった日の前日までの期間における病気休暇に係る負傷又は疾病
B：Aの症状等と明らかに異なる負傷又は疾病

【例９】明らかに異なる病気等にかかった例（明らかに異なる病気等にかかった日が、90日に達した日後の病休通算判定期間内である場合）

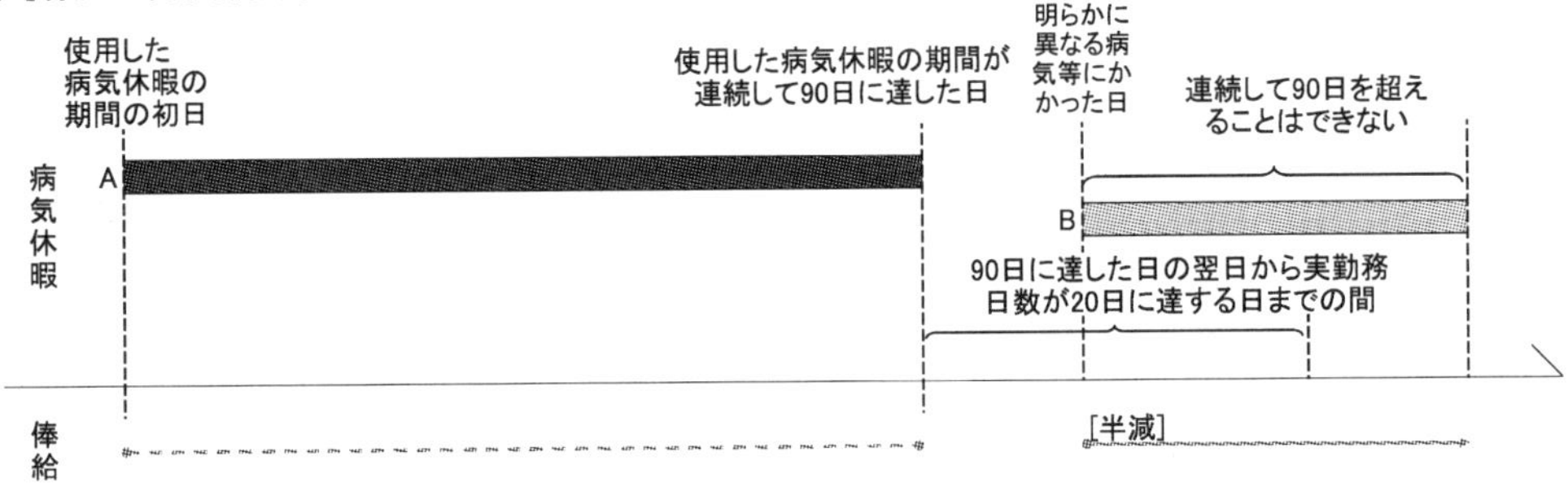

A：使用した病気休暇の期間の初日から当該負傷をし、又は疾病にかかった日の前日までの期間における病気休暇に係る負傷又は疾病
B：Aの症状等と明らかに異なる負傷又は疾病

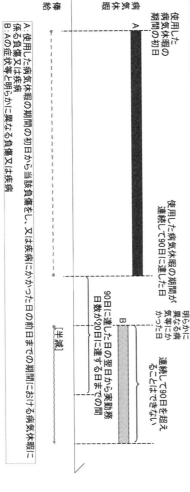

三　病気休暇と給与との関係

職員が病気休暇によって勤務しない場合には、俸給が半減されることがある。

俸給の支給に関しては、給与法は、その第十五条で、「職員が勤務しないときは、……休暇による場合……を除き、その勤務しない一時間につき、第十九条に規定する勤務一時間当たりの給与額を減額して給与を支給する。」と規定しており、介護休暇及び介護時間については、勤務時間法第二十条第三項及び第二十条の二第三項において、給与法「第十五条の規定にかかわらず、その期間の勤務しない一時間につき、同法第十九条に規定する勤務一時間当たりの給与額を減額する。」と規定されていることから、給与が減額されるが、その他の休暇については、一般には、休暇が承認された期間は、給与が減額されることはない。

○給与法

（給与の減額）

第十五条　職員が勤務しないときは、勤務時間法第十三条の二第一項に規定する超勤代休時間、勤務時間法第十四条に規定する祝日法による休日（勤務時間法第十五条第一項の規定により代休日を指定されて、当該休日に割り振られた勤務時間の全部を勤務した職員にあつては、当該休日に代わる代休日。以下「祝日法による休日等」という。）又は勤務時間法第十四条に規定する年末年始の休日（勤務時間法第十五条第一項の規定により代休日を指定されて、当該休日に割り振られた勤務時間の全部を勤務した職員にあつては、当該休日に代わる代休日。以下「年末年始の休日等」という。）である場合、休暇による場合その他その勤務しないことにつき特に承認のあつた場合を除き、その勤務しない一時間につき、第十九条に規定する勤務一時間当たりの給与額を減額して給与を支給する。

しかしながら、給与法附則第六項において、病気休暇が長期に及んだ場合には、俸給を半減する旨の規定が置かれている。

この規定は、休暇制度の法的整備に伴い、昭和六十年の給与法改正の際、同法に取り込まれたものである。それ以前は、いわゆる官吏任免法の「従前の例」を根拠として、給与法の運用方針において規定されていたものであるが、休暇そのものが「従前の例」から脱却し給与法において規定されることとなったこととの関連で、俸給の半減に係る規定も、同法で明記されることになったものである。

○給与法・附則

６　当分の間、第十五条の規定にかかわらず、職員が負傷（公務上の負傷及び通勤による負傷を除く。）若しくは疾病（公務上の疾病及び通勤による疾病を除く。以下この項において同じ。）に係る療養のため、又は疾病に係る就業禁止の措置（人事院規則で定める措置に限る。）により、当該療養のための病気休暇又は当該措置の開始の日から起算して九十日（人事院規則で定める場合には、一年）を超えて引き続き勤務しないときは、その期間経過後の当該病気休暇又は当該措置に係る日につき、俸給の半額を減ずる。ただし、人事院規則で定める手当の算定については、当該職員の俸給の半減前の額をその算定の基礎となる俸給の額とする。

俸給半減の制度は、病気が公務上のものか、通勤によるものか、公務外のものかの別に応じて定められており、その内容は、

①　公務上の場合又は通勤による場合には、俸給は、半減しない。

②　公務外の場合には、九十日を超えて引き続き勤務しない場合に、俸給を半減する。

というものである。

なお、平成二十三年一月前においては、公務外の場合で、その傷病が結核性のものであるときは、一年を超えて引き続き勤務しない場合に、俸給を半減するものとされていたが、この結核性疾患に係る「一年」の取扱いは、官庁職員結核対策要綱による措置を引き継いでいるものであった。

【官庁職員結核対策要綱】（昭一九・一・二七　次官会議決定）

二　実施要領

㈤　命令ニ依ル休養又ハ療養ノ為執務スルコト能ハサル者ニ対シテハ一ケ年間ヲ限リ明治四十三年勅令第百三十四号第二十九条ノ但書ノ趣旨ニ準シテ取扱フコト雇傭人ニ対シテモ右ニ準スルコト

（注）明治四十三年勅令第百三十四号とは高等官官等俸給令であり、その第二十九条は官吏俸給令（昭和二十一年勅令第百九十二号）第七条（五五七頁）と同文である。

しかしながら、病気休暇の期間に上限（九十日）を設けることなどを内容とする病気休暇制度の見直しにおいては、①結核罹患率や平均入院日数が長期低下傾向にあるなど俸給半減制度が制定された時点と比較して結核を取り巻く状況が大きく変化していること、②民間企業において病気の種類によって病気休暇の期間の取扱いが異なる企業は少数であること、③公務における結核性疾患の罹患者数が少ないこと、④長期間の療養を必要とする場合には、休暇後に休職処分により引き続き勤務に従事しないことができることから、病気休暇の特例的上限期間を設けなくても対応できること等を考慮して、結核性疾患を含め特定の病気を対象とした特例的上限期間は設定しないこととされた。これを踏まえ、平成二十三年一月から、俸給半減制度において、結核性疾患による病気休暇等に係る「一年」の特例は廃止されることとなった。

1　「公務上の場合」

前述のように、病気休暇を原因とする俸給の半減は、公務外の負傷又は疾病の場合についてのみ適用されるので、傷病が公務上であるか通勤によるものであるか公務外であるかの判断は、俸給の半減に関し、決定的な意味をもっている。

職員が負傷又は疾病にかかった場合において、それが公務上又は通勤によるものであるときは、国家公務員災害補償法（昭和二十六年法律第百九十一号。以下「補償法」という。）の定めるところにより、国が、その負傷又は疾病の災害に対し治療費の支給その他、その災害に対する補償の責に任ずることとされており、ここでいう公務上か通勤によるものか公務外かの判断は、原則として、補償法に基づき判断することとなる。

ただし、補償法上は、公務上又は通勤による傷病のため療養している者について、医療効果が期待できなくなった場合、症状が固定した場合等には、「治った」と認定し、治療費の支給を打ち切り、障害補償を行うことがあるわけであり、この場合、「治った」と認定された後におけるリハビリテーションの期間も、それ以前の療養、休養の継続と評価し、その病気休暇についても、引き続き「公務上」又は「通勤」に該当するものとして、俸給は半減しないこととなろう。

【事例】

（質問）

1　給実甲第二十八号第十五条関係第一項第九号の公務による病気休暇は、国家公務員災害補償法（昭和二十六年法律第百九十一号）第十条、第十一条の療養補償及び第十二条の休業補償の適用を受け勤務しない期間についてのみ認められると解してよいか。

したがって、同法第十三条の障害補償又は第十九条の打切補償をうけ、その後当該部位の神経障害又は引き続く当該疾病のため勤務しないときにおいても、当該疾病等が療養補償又は休業補償の対象とならない限り、公務による病気休暇とはしないと解してよいか。

２　給実甲第百四十四号第一項第一号の「公務に起因する病気休暇」とは、昭二六・七・七付　二四―三七五　事務総長通知「国家公務員災害補償法の取扱いについて」の別紙第一「公務上の災害の認定基準」の「公務に起因し……」と同様であり、したがって上述と同様と解して差し支えないか。

（昭三三・七・二五　名地一―六四〇　人事院名古屋地方事務所長）

（回答）

１　職員が国家公務員災害補償法による補償を受けて治ゆした後においても、直ちに勤務に復することができないような場合には、給実甲第二十八号第十五条関係一の九の公務による病気休暇として取り扱って差し支えない。ただし、この場合、長期にわたり病気休暇を承認することは、休暇制度の本来の趣旨にかんがみて妥当を欠く措置と思われるから、休職その他の措置を考慮すべきものと解する。

２　給実甲第百四十四号第一項第一号にいう「公務に起因する」については、お示しの「公務上の災害の認定基準」にいう「公務に起因し……」に準じて解釈して差し支えない。

（昭三三・一〇・三一　給二―四六七　給与局給与第二課長）

（注）１　国家公務員災害補償法第十九条はその後削除され、現在打切補償の制度はない。

２　給実甲第二十八号（一般職の職員の給与に関する法律の運用方針）第十五条関係については、給与法附則第六項参照。

３　給実甲第百四十四号については、給実甲第三百二十六号（人事院規則九―八の運用について）参照。

２　「九十日」の計算

俸給半減制度における「九十日」の期間計算については、原則として、病気休暇の期間計算の取扱いに合わせることとされている。具体的には、①生理日の就業が著しく困難である場合、②公務災害、通勤災害の場合、③規則一〇―四に基づく勤務の軽減措置を受けた場合における病気休暇を取得した日その他の人事院が定める日については、

「九十日」の期間計算に算入しないこととし、九十日経過後に①から③までの病気休暇を取得した日については、俸給を半減しないこととされている。なお、「人事院が定める日」は、①から③までの場合の病気休暇を使用した日と①から③までの病気休暇と病気休暇の間に挟まれている週休日、休日、病気休暇以外の休暇等により勤務しない日（一日の勤務時間の一部を勤務しない日を含む。）とされている。

また、「九十日」の期間計算においては、暦日を単位として取り扱うものとし、時間及び分単位の病気休暇を取得した日についても、「一日」として算入されることとされているほか、病気休暇と病気休暇の間に挟まれている週休日、休日、病気休暇以外の休暇等により勤務しない日（一日の勤務時間の一部を勤務しない日を含む。）についても、病気により勤務しない状態が引き続いていると考えられることから、「九十日」に含まれることとされている。なお、病気休暇等と病気休暇等の間に挟まれている①から③までの病気休暇の期間の前後の病気休暇の期間又は病休通算判定期間の前後の病気休暇の期間は引き続いているものとして「九十日」の期間計算を行うこととされている。

「九十日」の計算の起算日は、給与法附則第六項において規定されているように、職員が負傷又は疾病に係る療養のため病気休暇を承認されたその最初の日とされる。したがって、その療養のため勤務できなくなった職員がその最初の頃、年次休暇を利用し、又は欠勤によったような場合には、その年次休暇の期間、欠勤の期間は、「九十日」の起算日の計算に含まれないことになる。

ところで、病気休暇の期間について、その上限期間が原則として連続九十日とされていることから、例外的に病気休暇により俸給の半減が適用されるのは、①当初の病気等とはその症状等が明らかに異なる病気等の療養のため、九十日を超えて病気休暇により休む必要がある場合、②病気休暇の期間に上限が設定されていない条件付採用職員及び臨時的職員が九十日を超えて病気休暇を取得した場合に限られることとなっている点に注意する必要があろう。

【事例】

（質問）欠勤に引き続く病気休暇の場合は、病気休暇承認の日を俸給半減の起算日として差し支えないか。

（昭三四・一二・八　人事院広島地方事務所長）

（回答）俸給半減の起算日は、承認された病気休暇の最初の日と解します。

（昭三四・一二・一六　給二―五九四　給与局給与第二課長）

また、俸給の半額が減ぜられるのは、「九十日」経過後の引き続く勤務しない期間において、一回の勤務に割り振られた勤務時間のすべてを病気休暇等により勤務しない日とされている。したがって、例えば、九十日経過後に時間及び分単位の病気休暇を取得した日については、俸給は半減されないこととされているほか、九十日経過後の病気休暇と病気休暇の間に挟まれている週休日、休日、病気休暇以外の休暇等により勤務しない日（一日の勤務時間の一部を勤務しない日を含む。）についても、俸給は半減されないこととされている。

○規則九―八二

（勤務しない期間の範囲）

第四条　給与法附則第六項の勤務しない期間には、病気休暇等（次に掲げる場合における病気休暇（以下「生理休暇等」という。）以外の病気休暇又は同項に規定する就業禁止の措置をいう。以下同じ。）の日（一日の勤務時間の一部を病気休暇等により勤務しない日を含む。）のほか、当該療養期間中の週休日（勤務時間法第六条第一項に規定する週休日をいう。以下同じ。）、給与法第十五条に規定する祝日法による休日等及び年末年始の休日等その他の勤務しない日（一日の勤務時間の一部を勤務しない日を含み、生理休暇等の日その他の人事院が定める日を除く。）が含まれるものとする。

一　生理日の就業が著しく困難な場合

二　公務上負傷し、若しくは疾病にかかり、又は通勤（補償法第一条の二に規定する通勤をいう。）により負傷し、若しくは疾病にかかつた場合

三　規則一〇―四第二十三条の規定により同規則別表第四に規定する生活規正の面Ｂの指導区分の決定又は同表に規定する生活規正の面Ｂへの指導区分の変更を受け、同規則第二十四条第一項の事後措置を受けた場合

（俸給の半額を減ずる日）

第五条　一の負傷又は疾病による病気休暇等が引き続いている場合においては、当該病気休暇等の開始の日から起算して九十日の引き続き勤務しない期間を経過した後の引き続く勤務しない期間における病気休暇等の日（一回の勤務に割り振られた勤務時間のすべてを病気休暇等により勤務しなかつた日に限る。次項において同じ。）につき、俸給の半額を減ずる。

２　一の負傷又は疾病が治癒し、他の負傷又は疾病による病気休暇等が引き続いている場合においては、当初の病気休暇等の開始の日から起算して九十日の引き続き勤務しない期間を経過した後の引き続く勤務しない期間における病気休暇等の日につき、俸給の半額を減ずる。

３　前二項の規定の適用については、生理休暇等の期間その他の人事院が定める期間の前後の勤務しない期間は、引き続いているものとする。

〇人事院規則九―八二（俸給の半減）の運用について（平二二・一一・一　給実甲一一二六）

第四条関係

１　この条の「その他の勤務しない日」には、年次休暇（一般職の職員の勤務時間、休暇等に関する法律（平成六年法律第三十三号。以下「勤務時間法」という。）第十七条に規定する年次休暇をいう。以下同じ。）又は特別休暇（勤務時間法第十九条に規定する特別休暇をいう。以下同じ。）を使用した日等が含まれる。

２　この条の「人事院が定める日」は、次に掲げる日とする。

一　この条に規定する生理休暇等（以下「生理休暇等」という。）の日

二　生理休暇等に係る負傷又は疾病に係る療養期間中の週休日（勤務時間法第六条第一項に規定する週休日をいう。以下同じ。）、一般職の職員の給与に関する法律（昭和二十五年法律第九十五号）第十五条に規定する祝日法による休日等及び年末年始の休日等（以下「休日等」という。）その他のこの条に規定する病気休暇等（以下「病気休暇等」という。）の日以外の勤務しない日

三　一日の勤務時間の一部に人事院規則一五—一四（職員の勤務時間、休日及び休暇）（以下「規則一五—一四」という。）第二十一条第二項に規定する育児時間等がある日であって、当該勤務時間のうち、当該育児時間等以外の勤務時間のすべてを勤務した日

3　前項第二号の病気休暇等の日以外の勤務しない日には、年次休暇又は特別休暇を使用した日等が含まれ、また、一日の勤務時間の一部を勤務しない日が含まれるものとする。

第五条関係

1　この条の第三項の「人事院が定める期間」は、次に掲げる期間とする。

一　生理休暇等の期間（生理休暇等に係る負傷又は疾病に係る療養期間中の週休日、休日等その他の病気休暇等の期間以外の勤務しない期間を含む。）

二　引き続き勤務しない期間が八日以上の期間（当該期間における週休日、勤務時間法第十三条の二第一項の規定により割り振られた勤務時間の全部について超勤代休時間が指定された勤務時間法第十条に規定する勤務日等及び休日等以外の日の日数が四日以上である期間に限る。）にわたる職員（この条の第三項の規定により勤務しない期間が引き続いているものとされる職員を含む。）が、引き続く勤務しない期間の末日の翌日から規則一五—一四第二十一条第二項に規定する実勤務日数が二十日に達する日までの間に再度勤務しないこととなった場合における当該引き続く勤務しない期間の末日の翌日から当該再度勤務しないこととなった期間の初日の前日までの期間

2　前項第二号の「引き続き勤務しない」には、同項第一号に該当してこの条の第三項の規定により勤務しない期間が引き続いているものとされる場合は含まれないものとする。

3　「引き続き」の判断

俸給が半減されるに至るのは、病気休暇が承認された日を起算日として「引き続き」九十日を超える場合であるが、ここでいう「引き続き」は、「病気により勤務しない状態が引き続いている状態」を意味するから、傷病の同一性は問題とならない。例えば、胃腸病によって休暇療養中の職員が九十日を超える前に治ゆし、同日から続けて高血

圧症等その症状等が明らかに異なる病気等によって勤務しないこととなった場合についても、「引き続い」ているわけであり、したがって、胃腸病によって病気休暇を承認された日から起算して九十日を超えるときから、この職員は、俸給が半減されることとなる。

病気休暇によって長期間勤務しなかった職員がいったん勤務に従事し、再び病気休暇で勤務しなくなるというような場合について、これを「引き続き」に該当すると判断するかどうかについては、従前より議論の対象とされてきたが、病気休暇制度の見直しに合わせて、平成二十三年一月以降は、病休通算判定期間の前後の病気休暇の期間については、「引き続い」ているものとすることで立法的な決着をみたところである。

また、病気休暇中の職員が、産前期間に入る等特別の事情にある場合には、病気休暇を取り消し、特別休暇を承認しても差し支えないものと解されているが、この場合における九十日の計算については、この期間実態として「病気」の状態にあったとすれば、引き続き承認された病気休暇の取扱いにおいて、この特別休暇の期間の日数も通算されることとなっている。

しかしながら、このように特別休暇の期間を「病気休暇が引き続いている期間」と判断したとしても、その期間は、あくまでも特別休暇として承認されているわけであるから、仮に俸給半減期（九十日）を過ぎた後に何日かの特別休暇が承認されたとしても、その期間については俸給が半減されることはなく、また仮に、特別休暇を承認された期間中に俸給の半減期が到達したような場合には、この期間が終わった後の最初の病気休暇の承認日から俸給が半減されることとなろう。

４　俸給半減の効果

公務災害、通勤災害によらない傷病による病気休暇により九十日を超えて引き続き勤務しないときは、俸給が半減され（給与法附則第六項、規則九―八二）、その効果として、人事院規則で定める手当（特地勤務手当）を除き、俸給を基礎として計算される他の給与（期末・勤勉手当、地域手当、広域異動手当及び研究員調整手当）についてもその基礎となる俸給は半減された俸給の額となるとともに、寒冷地手当については、その半額を減じた額となる。

○規則九―八二

（半減前の俸給の額が算定の基礎となる手当）

第三条　給与法附則第六項の人事院規則で定める手当は、特地勤務手当（給与法第十四条の規定による手当を含む。）とする。

5　昇給

職員が病気休暇（公務上の負傷又は疾病による病気休暇、生理日の就業が著しく困難であることによる病気休暇（連続する最初の二暦日に限る。）等を除く。）により、評価終了日（九月三十日）以前一年間の六分の一以上二分の一未満に相当する期間の日数を勤務しなかった場合には、原則として、その職員の昇給区分はＤ（昇給の号俸数が標準を下回る）とされ、二分の一に相当する期間の日数以上の日数を勤務しなかった場合には、原則として、その職員の昇給区分はＥ（昇給しない）とされる。この場合、日数の計算に当たっては、時間単位の病気休暇については、七時間四十五分をもって一日とすることとされている。

なお、昇給区分の決定の場合は、俸給の半減とは異なり「引き続く」必要はなく、評価終了日以前一年間のすべての病気休暇の期間を合計したものとなる。

○規則九―八（初任給、昇格、昇給等の基準）

（昇給区分及び昇給の号俸数）

第三十七条　評価終了日以前における直近の能力評価及び直近の連続した二回の業績評価の全体評語（以下この条におい

て「昇給評語」という。）がある職員の勤務成績に応じて決定される昇給の区分（以下「昇給区分」という。）は、当該職員が次の各号に掲げる職員のいずれに該当するかに応じ、当該各号に定める昇給区分に決定するものとする。この場合において、第一号イ若しくはロ又は第三号イ若しくはロに掲げる職員に該当するか否かの判断は、人事院の定めるところにより行うものとする。

一　昇給評語がいずれも「良好」の段階以上である職員（直近の能力評価の全体評語が「優良」の段階以上であり、かつ、直近の連続した二回の業績評価の全体評語がいずれも「良好」の段階である職員及び直近の能力評価の全体評語が「良好」の段階である職員にあつては、人事院の定める者に限る。）のうち、勤務成績が特に良好である職員　次に掲げる職員のいずれに該当するかに応じ、次に定める昇給区分

イ　勤務成績が極めて良好である職員　Ａ

ロ　イに掲げる職員以外の職員　Ｂ

二　前号及び次号に掲げる職員以外の職員　Ｃ

三　昇給評語のいずれかが「やや不十分」の段階以下である職員、評価終了日以前一年間において懲戒処分を受けた職員及び第三十五条に規定する事由に該当した職員並びに給与法第八条第六項後段の適用を受けることとなつた職員　次に掲げる職員のいずれに該当するかに応じ、次に定める昇給区分

イ　勤務成績がやや良好でない職員　Ｄ

ロ　勤務成績が良好でない職員　Ｅ

２　前項の場合において、同項第三号に掲げる職員について、その者の勤務成績を総合的に判断した場合に同号に定める昇給区分に決定することが著しく不適当であると認められるときは、同号の規定にかかわらず、人事院の定めるところにより、同号イに掲げる職員にあつてはＣの昇給区分に、同号ロに掲げる職員にあつてはＣ又はＤの昇給区分に決定することができる。

３　次に掲げる職員の昇給区分は、第一項の規定にかかわらず、人事院の定めるところにより、同項に定める昇給区分のいずれかに決定するものとする。

一　国際機関又は民間企業に派遣されていたこと等の事情により、昇給評語の全部又は一部がない職員

二　昇給評語を付された時において、人事評価政令第六条第二項第一号又は第二号に掲げる職員であつた職員

4　次の各号に掲げる職員の昇給区分は、前三項の規定にかかわらず、当該各号に定める昇給区分に決定するものとする。

一　人事院の定める事由以外の事由によつて評価終了日以前一年間（当該期間の中途において新たに職員となつた者にあつては、新たに職員となつた日から評価終了日までの期間。次号において「基準期間」という。）の六分の一に相当する期間の日数以上の日数を勤務していない職員（第一項第三号ロに掲げる職員に該当する職員及び次号に掲げる職員を除く。）　D

二　人事院の定める事由以外の事由によつて基準期間の二分の一に相当する期間の日数以上の日数を勤務していない職員　E

5　前項の規定により昇給区分を決定することとなる職員について、その者の勤務成績を総合的に判断した場合に当該昇給区分に決定することが著しく不適当であると認められるときは、同項の規定にかかわらず、あらかじめ人事院と協議して、当該昇給区分より上位の昇給区分（A及びBの昇給区分を除く。）に決定することができる。

○規則九―八（初任給、昇格、昇給等の基準）の運用について（通知）（給実甲三二六号）

第三十七条関係

12　この条の第四項各号の「人事院の定める事由」は、次に掲げる事由とする。

(1)　一般職の職員の勤務時間、休暇等に関する法律（平成六年法律第三十三号。以下「勤務時間法」という。）第十三条の二第一項に規定する超勤代休時間

(2)　勤務時間法第十六条に規定する休暇のうち、年次休暇、公務上の負傷若しくは疾病若しくは国家公務員災害補償法（昭和二十六年法律第百九十一号。以下「補償法」という。）第一条の二に規定する通勤による負傷若しくは疾病（派遣法第三条に規定する派遣職員（以下「派遣職員」という。）の派遣先の業務上の負傷若しくは疾病又は補償法第一条の二に規定する通勤による負傷若しくは疾病を含む。⒂において同じ。）又は国と民間企業との間の人事交流に関する法律（平成十一年法律第二百二十四号。以下「官民人事交流法」という。）第十六条、法科大学院への裁判官及び検察官その他の一般職の国家公務員の派遣に関する法律（平成十五年法律第四十号。以下「法科大学院派遣法」という。）第九条（法科大学院派遣法第十八条において準用する場合を含む。）、福島復興再生特別措置法（平成二十四年法律第

二十五号）第四十八条の九若しくは第八十九条の九、令和三年東京オリンピック競技大会・東京パラリンピック競技大会特別措置法（平成二十七年法律第三十三号。以下「令和三年オリンピック・パラリンピック特措法」という。）第二十三条、平成三十一年ラグビーワールドカップ大会特別措置法（平成二十七年法律第三十四号。以下「平成三十一年ラグビーワールドカップ特措法」という。）第十条、令和七年に開催される国際博覧会の準備及び運営のために必要な特別措置に関する法律（平成三十一年法律第十八号。以下「令和七年国際博覧会特措法」という。）第三十一条若しくは令和九年に開催される国際園芸博覧会の準備及び運営のために必要な特別措置に関する法律（令和四年法律第十五号。以下「令和九年国際園芸博覧会特措法」という。）第二十一条の規定（以下この項において「特定規定」という。）により給与法第二十三条第一項及び附則第六項の規定の適用に関し公務とみなされる業務に係る業務上の負傷若しくは疾病若しくは特定規定に規定する通勤による負傷若しくは疾病に係る病気休暇及び特別休暇

(25)　生理日の就業が著しく困難であることによる病気休暇（人事院規則一〇―七（女子職員及び年少職員の健康、安全及び福祉）の運用について（昭和六十一年三月十五日職福―一二一）第二条関係後段に定める期間に係るものに限る。）

13　この条の第四項第一号の基準期間の六分の一に相当する期間の日数及び同項第二号の基準期間の二分の一に相当する期間の日数は、勤務時間法第六条第一項に規定する週休日並びに給与法第十五条に規定する祝日法による休日等及び年末年始の休日等を除いた現日数の六分の一又は二分の一の日数（その日数に一日未満の端数があるときは、これを一日に切り上げた日数）とする。また、職員の勤務しなかった時間のうち一時間を単位とする病気休暇等の時間を日に換算するときは、七時間四十五分をもって一日とし、換算の結果を合計した後に一日未満の端数を生じたときは、これを切り捨てる。

なお、勤務時間法第六条第二項の規定により勤務時間が一日につき七時間四十五分となるように割り振られた日又はこれに相当する日以外の同法第十条に規定する勤務日等については、日を単位とせず、時間を単位として取り扱い、それを日に換算するときは、七時間四十五分をもって一日とするものとする。

6　勤勉手当

勤勉手当の勤務期間の計算に当たっては、負傷又は疾病により勤務しなかった期間（公務上の場合を除く。）から、

週休日及び祝日法による休日等、年末年始の休日等を除いた日数が三十日を超える場合には、その勤務しなかった全期間を在職した期間から除算することとされている。

この場合、勤務しなかった期間の計算において、規則一〇―四（職員の保健及び安全保持）第二十四条に基づく事後措置としての軽勤務者の病気休暇の時間及び生理日の就業が著しく困難な場合の病気休暇のうち連続する最初の二暦日に係る期間については、勤務しなかった期間には含めず除算しないこととしている。

○規則九―四〇（期末手当及び勤勉手当）

（勤勉手当に係る勤務期間）

第十一条　前条に規定する勤務期間は、給与法の適用を受ける職員として在職した期間とする。

2　前項の期間の算定については、次に掲げる期間を除算する。

九　負傷又は疾病（公務上の負傷若しくは疾病若しくは補償法第一条の二に規定する通勤による負傷若しくは疾病（派遣職員の派遣先の業務上の負傷若しくは疾病又は補償法第一条の二に規定する通勤による負傷若しくは疾病を含む。）又は官民人事交流法第十六条、法科大学院派遣法第九条（法科大学院派遣法第十八条において準用する場合を含む。）、福島復興再生特別措置法第四十八条の九若しくは第八十九条の九、令和三年オリンピック・パラリンピック特措法第二十三条、平成三十一年ラグビーワールドカップ特措法第十条、令和七年国際博覧会特措法第三十一条、令和九年国際園芸博覧会特措法第二十一条若しくは判事補及び検事の弁護士職務経験に関する法律第十条の規定（以下この号において「特定規定」という。）により給与法第二十三条第一項及び附則第六項の規定の適用に関し公務とみなされる業務に係る業務上の負傷若しくは疾病若しくは特定規定に規定する通勤による負傷若しくは疾病を除く。）により勤務しなかった期間から勤務時間法第六条第一項に規定する週休日、勤務時間法第十三条の二第一項の規定により割り振られた勤務時間の全部について同項に規定する超勤代休時間を指定された日並びに給与法第十五条に規定する祝日法による休日等及び年末年始の休日等（次号において「週休日等」という。）を除いた日が三十日を超える場合には、その勤務しなかった全期間。ただし、人事院の定める期間を除く。

○期末手当及び勤勉手当の支給について（昭三八・一二・二〇　給実甲二二〇）

33　規則第十一条第二項第九号の「勤務しなかつた期間」とは、病気休暇（公務上の負傷若しくは疾病若しくは補償法第一条の二に規定する通勤による負傷若しくは疾病（派遣職員の派遣先の業務上の負傷若しくは疾病又は補償法第一条の二に規定する通勤による負傷若しくは疾病を含む。）又は官民人事交流法第十六条、法科大学院派遣法第十八条において準用する場合を含む。）、福島復興再生特別措置法第四十八条の九若しくは第八十九条の九、令和三年オリンピック・パラリンピック特措法第二十三条、平成三十一年ラグビーワールドカップ特措法第十条、令和七年国際博覧会特措法第三十一条、令和九年国際園芸博覧会特措法第二十一条若しくは判事補及び検事の弁護士職務経験に関する法律（平成十六年法律第百二十一号）第十条の規定（以下この項において「特定規定」という。）により給与法第二十三条第一項及び附則第六項の規定の適用に関し公務とみなされる業務に係る業務上の負傷若しくは疾病若しくは特定規定に規定する通勤による負傷若しくは疾病に起因する場合を除く。）を与えられた期間及び規則一〇―四（職員の保健及び安全保持）第二十四条第二項又は規則一〇―八（船員である職員に係る保健及び安全保持の特例）第七条第一項の規定に基づいて就業を禁ぜられたことにより勤務しなかった期間の全ての期間を合算したものをいい、規則一〇―四第二十四条第一項の規定に基づいて病気休暇（日単位のものを除く。）の方法により勤務を軽減された者についてのその病気休暇の時間及び生理日の就業が著しく困難なため病気休暇の承認を得て勤務しなかった者についてのその病気休暇の期間（「人事院規則一〇―七（女子職員及び年少職員の健康、安全及び福祉）の運用について（昭和六十一年三月十五日職福―一二一）」第二条関係後段に定める期間に限る。）は、これに含まない。

34　規則第五条、第六条、第十一条及び第十二条の期間の計算については、次に定めるところによる。

一　月により期間を計算する場合は、民法第百四十三条の例による。

二　一月に満たない期間が二以上ある場合は、これらの期間を合算するものとし、これらの期間の計算については、日を月に換算する場合は三十日をもって一月とし、時間を日に換算する場合は七時間四十五分（定年前再任用短時間勤務職員又は任期付短時間勤務職員であった期間にあっては、当該期間（当該期間において週その他の一定期間を周期として一定の勤務時間数が繰り返されていた場合にあっては、当該一定期間。以下この号において「算定期間」という。）における勤務時間数を算定期間における勤務時間法第六条第二項本文の規定の適用を受ける職員の勤務時間数で除して得た数に七・七五を乗じて得た時間）をもって一日とする。
三　前号の場合における負傷又は疾病により勤務しなかった期間（休職にされていた期間を除く。）及び介護休暇又は規則一五―一五（非常勤職員の勤務時間及び休暇）第四条第二項第四号の休暇の承認を受けて勤務しなかった期間並びに規則第十一条第二項第九号及び第十号に定める三十日を計算する場合は、次による。
(1)　勤務時間法第六条第一項に規定する週休日、勤務時間法第十三条の二第一項の規定により割り振られた勤務時間の全部について同項に規定する超勤代休時間を指定された日並びに給与法第十五条に規定する祝日法による休日等及び年末年始の休日等（第五号において「週休日等」という。）を除く。
(2)　勤務時間法第六条第二項の規定により勤務時間が一日につき七時間四十五分（定年前再任用短時間勤務職員又は任期付短時間勤務職員であった期間にあっては、前号括弧書の規定により求めた時間）となるように割り振られた日又はこれに相当する日以外の同法第十条に規定する勤務日等については、日を単位とせず、時間を単位として取り扱うものとする。
四　前三号の規定にかかわらず、育児短時間勤務職員等として在職した期間における規則第十一条第二項第七号及び第八号に規定する期間を計算する場合は、日又は月を単位とせず、時間を単位として計算するものとし、計算して得た時間については、時間を日に換算するときは七時間四十五分をもって一日とし、日を月に換算するときは三十日をもって一月とする。
五　前各号の規定にかかわらず、育児短時間勤務職員等として在職した期間における負傷又は疾病により勤務しなかった期間及び介護休暇の承認を受けて勤務しなかった期間並びに規則第十一条第二項第九号及び第十号に定める三十日を計算する場合は、次による。
(1)　週休日等を除く。
(2)　日又は月を単位とせず、時間を単位として計算するものとし、計算して得た時間については、時間を日に換算するときは七時間四十五分をもって一日とし、日を月に換算するときは三十日をもって一月とする。
六　定年前再任用短時間勤務職員、育児短時間勤務職員等又は任期付短時間勤務職員であった期間のうち、第二号から前号までの規定により難い期間の計算については、あらかじめ事務総長に協議するものとする。

四　生理日の就業が著しく困難な場合の取扱い

従前、女性に特有な生理時における身体的な苦痛により、就業することが著しく困難な職員については、規則一〇―七において使用者たる各省各庁の長に対する就業禁止措置を課すとともに、二日の範囲内の期間の特別休暇が認められていた。

昭和六十年の女子差別撤廃条約の批准に伴う関係国内法令の整備の一環として、労基法改正のための検討過程において、生理日の休暇が母性保護措置として必要であるかどうかについて、種々議論が展開されたが、結局、医学的に生理日の就業が著しく困難な女性がいることは明らかであることから、労基法の改正が行われた。

〇労基法

（生理日の就業が著しく困難な女性に対する措置）

第六十八条　使用者は、生理日の就業が著しく困難な女性が休暇を請求したときは、その者を生理日に就業させてはならない。

国家公務員についても、生理日の就業が著しく困難な場合をどのように取り扱うか検討されたが、生理日における下腹痛、腰痛、頭痛等の強度の苦痛により、就業が困難な場合は医学的にも月経困難症の範ちゅうに属し、疾患の一つと考えられるところから、病気休暇の要件である「疾病のため療養する必要があり、その勤務しないことがやむを得ないと認められる場合」に該当するものと判断し、昭和六十一年四月から、病気休暇として取り扱うものとしている。

また、生理日の就業が著しく困難な場合を病気休暇として取り扱うことを明確にするため、規則一五―一四運用通知において、「勤務時間法第十八条の「疾病」には、……生理により就業が著しく困難な症状等……が含まれるものとする。」旨明記している。

○規則一五―一四運用通知

第十三　病気休暇関係

1　勤務時間法第十八条の「疾病」には、予防接種による著しい発熱、生理により就業が著しく困難な症状等が、「療養する」場合には、負傷又は疾病が治った後に社会復帰のためリハビリテーションを受ける場合等が含まれるものとする。

○規則一〇―七（女子職員及び年少職員の健康、安全及び福祉）

（生理日の就業が著しく困難な女子職員に対する措置）

第二条　各省各庁の長は、生理日の就業が著しく困難な女子職員が休暇に関する法令の定めるところにより休暇を請求した場合には、その者を生理日に勤務させてはならない。

○規則一〇―七運用通知

第二条関係

この条の請求は、一般職の職員の勤務時間、休暇等に関する法律（平成六年法律第三十三号。以下「勤務時間法」という。）第十八条に定める場合又は人事院規則一五―一五（非常勤職員の勤務時間及び休暇）第四条第二項第六号に定める場合に該当するときに生理日の就業が著しく困難である旨を休暇簿に明示して行うものとし、勤務時間法第三条に規定する各省各庁の長は、人事院規則一五―一四（職員の勤務時間、休日及び休暇）第二十五条（人事院規則一五―一五（非常勤職員の勤務時間及び休暇）の運用について（平成六年七月二十七日職職―三二九）第四条関係第四項の定めるところにより、その例による場合を含む。）に定めるところにより、当該休暇を承認しなければならない。この場合には、承認した当該病気休暇の期間のうちの連続する最初の二暦日に係る期間を出勤簿に記入するものとする。

前記規則一〇―七運用通知では、生理日に就業が著しく困難である女性職員は、その旨を休暇簿に明示することになっているが、具体的には、単に「生理のため」だけというのではなく、例えば「生理による頭痛、腹痛等のため」のような具体的な症状の記載のほか「生理に伴い就業が著しく困難であるため」といった表現を用いて記入することが必要である。

なぜなら、生理日において就業が著しく困難な程度に至るものは医学的に、「月経困難症」と位置付けられており、これが病気休暇として認められているからである。ただし、この病気の事由を確認するに当たっては、この疾病の性質等から見て、一般的には、医師の診断書等の厳格な証明によることなく、同僚の証言程度の簡単な証明により取り扱うことが望ましいものとされている。

【労基法解釈例規】（昭二三・五・五　基発六八二号、昭六三・三・一四　基発一五〇号、婦発四七号）

（質問）「生理日の就業が著しく困難」という就業困難の挙証責任は女性労働者にあると思うが如何。

なお、この場合のその挙証について客観的な妥当性例えば医師の診断書等を欠く場合において使用者はこれを拒否し得るか。

（回答）　生理日の就業が著しく困難な女性が休暇を請求したときは、その者を生理日に就業させてはならないが、その手続を複雑にすると、この制度の趣旨が抹殺されることになるから、原則として特別の証明がなくても女性労働者の請求があった場合には、これを与えることにし、特に証明を求める必要が認められる場合であっても、右の趣旨に鑑み、医師の診断書のような厳格な証明を求めることなく、一応事実を推断せしめるに足れば充分であるから、例えば同僚の証言程度の簡単な証明によらしめるよう指導されたい。

また、生理日の就業が著しく困難な場合における病気休暇の取扱いについては、病気休暇の上限期間である九十日に算入しないものとされているほか、病休通算判定期間において生理日の就業が著しく困難な場合における病気休暇を取得した場合でも、病休通算判定期間における実勤務日の日数計算はリセットされず、当該病気休暇から職務に復帰後、既に経過した実勤務日数から引き続いて日数計算を行うものとされている。なお、従来の経緯等を考慮し、承認したその病気休暇の期間のうち、連続する最初の二暦日に係る期間については、前述のように、昇給及び勤勉手当の取扱いが不利とならないよう給与上の措置が講ぜられている。

このため、その対象となる二暦日を出勤簿上に明示する必要が生じるが、具体的な表示方法としては、例えば、㊓、㋪等生理のための病気休暇であることがわかれば、どのような記号でもよいこととされている。

第五節　特別休暇

一　特別休暇の意義

職員は、専ら職員側の私的生活上ないしは社会生活上の事由等から、勤務義務を履行し難いことがある。そのような場合で、その勤務しないことが社会慣習上や物理上等から真にやむを得ないものと認められ、かつ、勤務条件として法律又は人事院規則をもって保障することが相当であると認められるものが特別休暇である。前述のように、負傷又は疾病のための療養を事由とする病気休暇も、概念上はこのような休暇の一種であるものの、休暇の性格、内容、給与の取扱い等でやや異なるものであることに着目し、この特別休暇から独立した休暇として位置づけている。

法形式としては、法律で事由を例示することによりその概念の枠組みを示し、個別具体的な事由及び期間については人事院規則で規定することとしている。

具体的には、人事院規則一五―一四第二十二条第一項ですべての事由につきそれぞれの期間を定める構成となっており、事由の性格からはその期間が確定的に定まらない同項の一号、二号、三号、十七号及び十八号の事由を除きそれぞれ具体的な期間を定めている。

１　職務専念義務の免除と特別休暇

休暇は、年次休暇を含め「休むことができる」という勤務条件としての側面ばかりでなく、問責されることなく正当に職務専念の義務が免除されるという服務の側面を持つことから職務専念義務の免除の一態様でもある。そこで、特別休暇の概念を整理、明確にするため、代表的な職務専念義務の免除との関係について、説明することとする。

(1)　出産（産前・産後）及び保育時間（規則一〇―七第八条から第十条）

出産及び保育時間については、規則一〇―七（女子職員及び年少職員の健康、安全及び福祉）で使用者たる各省各庁の長に対し勤務の規制措置を課しているが、反面、これらは職員側の事由を契機とするものであり、かつ、勤務条件として法律又は人事院規則をもって保障するにふさわしい性質も有しているので、特別休暇としても措置している。

(2)　妊産婦の健康診査及び保健指導、妊婦の通勤緩和措置（規則一〇―七第五条及び第七条）

職員の私的生活上の事由によるものであるが、男女雇用機会均等法等においても、従来、事業主の配慮義務として規定されていることからみて、保護する権利性もそれほど強くないと考えられるので、特別休暇としては措置していなかった。なお、これらについては男女雇用機会均等法の改正に併せ、平成十年二月十三日に規則が改正され同年四月一日から義務規定化されたが、特別休暇としては措置していない。

(3)　総合的な健康診査（人間ドック）（規則一〇―四第二十一条の二）

短期間の集中的な検査による病気の早期発見は、職員個人の健康増進はもちろん職場全体の健康意識及び能率の向上につながるものであり、その受診時間につき必要最小限の範囲内で職務専念義務を免除する措置をとることとしたものであり、特別休暇としては措置していない。

(4)　特定保健指導（規則一〇—四第二十四条の三）

高齢者の医療に関する法律において、特定健康審査（いわゆるメタボ健診）の結果により行うこととされている特定保健指導の受診時間については、生活習慣病の発症リスクが高い対象者に対して生活習慣の見直しをサポートすることで、職員の健康の保持増進及び能率の向上に寄与することが期待されることなどから、一日の範囲内で職務専念義務を免除する措置をとることとしたものであり、特別休暇としては措置していない。

(5)　レクリエーション行事参加（規則一〇—六第五条）

官側の能率増進のために行われる行事に参加させるために、特に勤務義務を免除するものであり、特別休暇として措置していない。

(6)　年末年始の休日（勤務時間法第十四条）

年末年始については、職員の個別の事由というよりは、むしろ、社会慣習上の定型的な特定の日であるとの観点から、祝日法の休日と同じ範ちゅうに入れ、「年末年始の休日」として措置している。

(7)　伝染性疾患による就業禁止の措置（規則一〇—四第二十四条第二項）

官側が、伝染性疾患の他の職員への感染のおそれを考慮して、他の職員の保健の面から、伝染性疾患の患者である本人の就業を禁止するものであり、特別休暇としていない。

(8)　行政措置要求事案の審査への出頭（規則一三—二第七条第一項）

雇用関係の場において、職員に対する権利保障等の適正な勤務条件の確保に関する措置であり、職員の私的ないし社会生活上の事由によって勤務し得ないものではないので、特別休暇として措置していない。

２　昭和六十一年改正時に整理された特別休暇

特別休暇は昭和六十一年一月に全面改正され、おおむねそれまでの特別休暇の事由、内容を引き継ぐものとされたが、その時の改正で次の点が整理された。
(1)　結婚休暇（五日）及び配偶者の出産休暇（二日）の新設
民間における普及状況等を考慮したものである。
(2)　親族の死亡を事由とする休暇について、配偶者のおじ、おばの死亡の場合を廃止し、配偶者の死亡の場合の日数を十日から七日に縮減
民間における実施状況等を考慮したものである。
(3)　父母の追悼行事を事由とする休暇について、一定の制限措置
民間における実施状況等を考慮し、父母の死亡後一定の年数（十五年）内に行われるものに限ったものである。
(4)　女性職員が出産した場合を休暇としても措置
産後は、母性保護の見地から就業禁止の措置がとられているが、産後の休養は勤務条件でもあるため休暇としても併せ措置したものである。
(5)　年末年始の特別休暇を「年末年始の休日」へ移行
年末年始は、祝日法による休日と同様に定型的な特定の日であるとの観点から、勤務条件として「休日」の一態様として体系整理したものである。
(6)　レクリエーション行事参加を事由とする場合を休暇から分離
公務能率増進の観点から官主導で行われる行事であるため、特別休暇の要件を満たさず、職務専念義務の免除の措置としたものである。
(7)　生理を事由とする休暇を病気休暇に吸収
生理日の就業が著しく困難な場合は、医学上は月経困難症とされ、疾病と認められるので、病気休暇として整理し

たものである。

(8)　所轄庁の事務の全部又は一部の停止を事由とする休暇の廃止

「事務の停止」は、官側の都合によるものであるので、休暇の事由から除外したものである。ただし、従来「事務の停止」の中に含まれていた「台風の来襲等による事故発生の防止のための措置」については、視点を変えれば、その要件が特別休暇の概念に該当するため、この部分に関して休暇の事由として存続させたものである。

なお、「事務の停止」は、従前は資材、電源、天候等の事情により事務が正常に運営できない場合を想定して設けられていたが、このようなケースは現在ではほとんど起こり得ない事態であること、また、仮にあったとしても、通常は、業務管理の問題として別の職務が与えられるべきものと考えられるので、一般の職務専念義務の免除の措置も講じないものとした。

3　特別休暇の種類

その後、民間の状況や個別の必要性等に基づき、所要の見直し等を行い、現行休暇制度の特別休暇の事由は十九種となり、それらの事由は、大別すれば次のように分類される。

(1)　国民としての権利の行使又は義務を行うことについて正当性が認められるもの

①　職員が選挙権その他公民としての権利を行使する場合

②　職員が裁判員、証人、鑑定人、参考人等として国会、裁判所、地方公共団体の議会その他官公署へ出頭する場合

(2)　国民としての権利義務ではないが、職員の行う行為が、公に対する貢献性が認められ、勤務を欠くことの妥当性が認められるもの

①　職員が骨髄移植のための骨髄若しくは末梢《しょう》血幹細胞移植のための末梢血幹細胞の提供希望者として必要な

行為を行う場合
② 職員が自発的に、かつ、報酬を得ないで社会に貢献する活動を行う場合
(3) 社会の慣習や常識、女性職員の健康の確保、母性保護の観点及び仕事と生活の調和の推進の観点等からみて勤務に就かないことについて妥当性が認められるもの
① 職員が結婚する場合
② 職員が不妊治療に係る通院等をする場合
③ 六週間（多胎妊娠の場合にあっては、十四週間）以内に出産する予定である女性職員が申し出た場合
④ 女性職員が出産した場合
⑤ 職員が生後一年に達しない子に授乳等を行う場合
⑥ 職員の配偶者が出産する場合
⑦ 職員の配偶者が出産する場合で職員が当該出産に係る子又は小学校就学前の子を養育するため勤務しないことが相当と認められる場合
⑧ 職員が負傷し、若しくは疾病にかかった小学校就学前の子の世話又は疾病の予防を図るために必要な世話を行うため勤務しないことが相当と認められる場合
⑨ 職員が負傷、疾病又は老齢により二週間以上の期間にわたり日常生活を営むのに支障がある要介護者の介護その他の世話を行うため勤務しないことが相当と認められる場合
⑩ 職員の親族が死亡した場合
⑪ 職員が父母の追悼のため特別な行事を行う場合
⑫ 夏季における家庭生活の充実等の場合

(4)　災害、交通機関の事故等により勤務することが著しく困難なもの
①　地震、水害、火災その他の災害により職員の現住居が滅失し、又は、損壊した場合等
②　地震、水害、火災その他の災害又は交通機関の事故等により出勤することが著しく困難な場合
③　地震、水害、火災その他の災害時において、職員が退勤途上における身体の危険を回避する場合
以下、特別休暇の事由別にその具体的内容について説明する。

○勤務時間法

（特別休暇）

第十九条　特別休暇は、選挙権の行使、結婚、出産、交通機関の事故その他の特別の事由により職員が勤務しないことが相当である場合として人事院規則で定める場合における休暇とする。この場合において、人事院規則で定める特別休暇については、人事院規則でその期間を定める。

○規則一五―一四

（特別休暇）

第二十二条　勤務時間法第十九条の人事院規則で定める場合は、次の各号に掲げる場合とし、その期間は、当該各号に定める期間とする。

一　職員が選挙権その他公民としての権利を行使する場合で、その勤務しないことがやむを得ないと認められるとき　必要と認められる期間

二　職員が裁判員、証人、鑑定人、参考人等として国会、裁判所、地方公共団体の議会その他官公署へ出頭する場合で、その勤務しないことがやむを得ないと認められるとき　必要と認められる期間

三　職員が骨髄移植のための骨髄若しくは末梢《しょう》血幹細胞移植のための末梢血幹細胞の提供希望者としてその登録を実施する者に対して登録の申出を行い、又は配偶者、父母、子及び兄弟姉妹以外の者に、骨髄移植のため骨髄若しくは末梢血幹細胞移植のため末梢血幹細胞を提供する場合で、当該申出又は提供に伴い必要な検査、入院等のため勤務しな

いことがやむを得ないと認められるとき　必要と認められる期間
四　職員が自発的に、かつ、報酬を得ないで次に掲げる社会に貢献する活動（専ら親族に対する支援となる活動を除く。）を行う場合で、その勤務しないことが相当であると認められるとき　一の年において五日の範囲内の期間
イ　地震、暴風雨、噴火等により相当規模の災害が発生した被災地又はその周辺の地域における生活関連物資の配布その他の被災者を支援する活動
ロ　障害者支援施設、特別養護老人ホームその他の主として身体上若しくは精神上の障害がある者又は負傷し、若しくは疾病にかかった者に対して必要な措置を講ずることを目的とする施設であって人事院が定めるものにおける活動
ハ　イ及びロに掲げる活動のほか、身体上若しくは精神上の障害、負傷又は疾病により常態として日常生活を営むのに支障がある者の介護その他の日常生活を支援する活動
五　職員が結婚する場合で、結婚式、旅行その他の結婚に伴い必要と認められる行事等のため勤務しないことが相当であると認められるとき　人事院が定める期間内における連続する五日の範囲内の期間
五の二　職員が不妊治療に係る通院等のため勤務しないことが相当であると認められる場合　一の年において五日（当該通院等が体外受精その他の人事院が定める不妊治療に係るものである場合にあっては、十日）の範囲内の期間
六　六週間（多胎妊娠の場合にあっては、十四週間）以内に出産する予定である女子職員が申し出た場合　出産の日までの申し出た期間
七　女子職員が出産した場合　出産の日の翌日から八週間を経過する日までの期間（産後六週間を経過した女子職員が就業を申し出た場合において医師が支障がないと認めた業務に就く期間を除く。）
八　生後一年に達しない子を育てる職員が、その子の保育のために必要と認められる授乳等を行う場合　一日二回それぞれ三十分以内の期間（男子職員にあっては、その子の当該職員以外の親（当該子について民法（明治二十九年法律第八十九号）第八百十七条の二第一項の規定により特別養子縁組の成立について家庭裁判所に請求した者（当該請求に係る家事審判事件が裁判所に係属している場合に限る。）であって当該子を現に監護するもの又は児童福祉法第二十七条第一項第三号の規定により当該子を委託されている養子縁組里親である者若しくは養育里親である者（同法第四

項に規定する者の意に反するため、同項の規定により、養子縁組里親として委託することができない者に限る。）を含む。）が当該職員がこの号の休暇を使用しようとする日におけるこの号の休暇（これに相当する休暇を含む。）を承認され、又は労働基準法（昭和二十二年法律第四十九号）第六十七条の規定により同日における育児時間を請求した場合は、一日二回それぞれ三十分から当該承認又は請求に係る各回ごとの期間を差し引いた期間を超えない期間

九　職員が妻（届出をしないが事実上婚姻関係と同様の事情にある者を含む。次号において同じ。）の出産に伴い勤務しないことが相当であると認められる場合　人事院が定める期間内における二日の範囲内の期間

十　職員の妻が出産する場合であってその出産予定日の六週間（多胎妊娠の場合にあっては、十四週間）前の日から当該出産の日以後一年を経過する日までの期間にある場合において、当該出産に係る子又は小学校就学の始期に達するまでの子（妻の子を含む。）を養育する職員が、これらの子の養育のため勤務しないことが相当であると認められるとき　当該期間内における五日の範囲内の期間

十一　小学校就学の始期に達するまでの子（配偶者の子を含む。以下この号において同じ。）を養育する職員が、その子の看護（負傷し、若しくは疾病にかかったその子の世話又は疾病の予防を図るために必要なものとして人事院が定めるその子の世話を行うことをいう。）のため勤務しないことが相当であると認められる場合　一の年において五日（その養育する小学校就学の始期に達するまでの子が二人以上の場合にあっては、十日）の範囲内の期間

十二　勤務時間法第二十条第一項に規定する要介護者（以下「要介護者」という。）の介護その他の人事院が定める世話を行う職員が、当該世話を行うため勤務しないことが相当であると認められる場合　一の年において五日（要介護者が二人以上の場合にあっては、十日）の範囲内の期間

十三　職員の親族（別表第二の親族欄に掲げる親族に限る。）が死亡した場合で、職員が葬儀、服喪その他の親族の死亡に伴い必要と認められる行事等のため勤務しないことが相当であると認められるとき　親族に応じ同表の日数欄に掲げる連続する日数（葬儀のため遠隔の地に赴く場合にあっては、往復に要する日数を加えた日数）の範囲内の期間

十四　職員が父母の追悼のための特別な行事（父母の死亡後人事院の定める年数内に行われるものに限る。）のため勤務しないことが相当であると認められる場合　一日の範囲内の期間

十五　職員が夏季における盆等の諸行事、心身の健康の維持及び増進又は家庭生活の充実のため勤務しないことが相当

であると認められる場合　一の年の七月から九月までの期間内における、週休日、勤務時間法第十三条の二第一項の規定により割り振られた勤務時間の全部について超勤代休時間が指定された勤務日等、休日及び代休日を除いて原則として連続する三日の範囲内の期間

十六　地震、水害、火災その他の災害により次のいずれかに該当する場合その他これらに準ずる場合で、職員が勤務しないことが相当であると認められるとき　七日の範囲内の期間

イ　職員の現住居が滅失し、又は損壊した場合で、当該職員がその復旧作業等を行い、又は一時的に避難しているとき。

ロ　職員及び当該職員と同一の世帯に属する者の生活に必要な水、食料等が著しく不足している場合で、当該職員以外にはそれらの確保を行うことができないとき。

十七　地震、水害、火災その他の災害又は交通機関の事故等により出勤することが著しく困難であると認められる場合　必要と認められる期間

十八　地震、水害、火災その他の災害又は交通機関の事故等に際して、職員が退勤途上における身体の危険を回避するため勤務しないことがやむを得ないと認められる場合　必要と認められる期間

二　特別休暇の内容

1　職員が選挙権その他公民としての権利を行使する場合

職員は、民主主義を基調とする憲法の下において、国民の一人として選挙権その他公民としての権利を保障されなければならない。

この事由による特別休暇は、この権利を行使するため、勤務しないことがやむを得ないと認められる場合に、その行使を保障する趣旨で休暇事由の一つとして認められているものである。

○規則一五―一四

（特別休暇）

第二十二条

1　一　職員が選挙権その他公民としての権利を行使する場合で、その勤務しないことがやむを得ないと認められるとき必要と認められる期間

なお、いわゆる公民権行使の保障については、労基法にも同様の規定があるが、同法では休暇とは必ずしも位置づけられておらず、また、有給無給は労使両当事者間の自由に委ねられている。

○労基法

（公民権行使の保障）

第七条　使用者は、労働者が労働時間中に、選挙権その他公民としての権利を行使し、又は公の職務を執行するために必要な時間を請求した場合においては、拒んではならない。但し、権利の行使又は公の職務の執行に妨げがない限り、請求された時刻を変更することができる。

(1)　「選挙権その他公民としての権利」の範囲

「公民としての権利」は、国民に認められる国家又は地方公共団体の公務に参画する権利をいうものとされる。職員にとってその具体的なものとしては次のようなものが挙げられる。

①　選挙権

②　最高裁判所裁判官の審査権

③　憲法改正の場合の国民投票権

④　地方公共団体の議員、長の解職の投票権

⑤　一地方公共団体のみに適用される特別法についての同意を求める住民投票の権利

○規則一五—一四運用通知

第十四　特別休暇関係

1　規則第二十二条第一項の特別休暇の取扱いについては、それぞれ次に定めるところによる。

(1)　第一号の「選挙権その他公民としての権利」とは、公職選挙法（昭和二十五年法律第百号）に規定する選挙権のほか、最高裁判所の裁判官の国民審査及び普通地方公共団体の議会の議員又は長の解職の投票に係る権利等をいう。

【事例】

（質問）

1　消防組織法第十五条の二第三項の規定による非常勤の消防団員の職を兼ねる職員が消火に従事した場合給実甲第二十八号第十五条関係第六号「選挙権その他公民としての権利」には該当しないものとし、したがって特別休暇を附与できないものと解して差し支えないか。

2　前述の給実甲第二十八号第十五条関係第六号にいう「公民としての権利の行使」とはいかなる行為を指すのか。具体的に御教示願いたい。

（昭三〇・六・三　〇四—一三三七　人事院名古屋地方事務所長）

（回答）

1　貴見のとおりと解する。

2　公民としての権利の行使とは、選挙権のほか、最高裁判所の裁判官の国民審査（憲法第七十九条第二項）、一の地方公共団体にのみ適用される特別法についての同意を求める住民投票（憲法第九十五条）、憲法改正の場合の国民投票（憲法第九十六条）並びに地方公共団体の議員及び長の解職の請求があった場合の投票（憲法第十五条並びに地方自治法第八十条第三項及び同法第八十一条第二項）等公民に認められる国家又は公共団体の公務に参加する権利の行使をさすもの

と解する。

（昭三〇・七・二三　三三―二二四　給与局給与第二課長）

（注）１　消防組織法第十五条の二第三項については、現行第二十三条第一項参照。

２　給実甲第二十八号第十五条関係については、規則一五―一四第二十二条第一項第一号参照。

この事由に該当する選挙権は、公職に就く者を選挙する権利を意味する。

したがって、代表的なものは、公職選挙法（昭和二十五年法律第百号）が適用される衆議院議員、参議院議員、地方公共団体の議会の議員、地方公共団体の長の選挙権である。

⑵　休暇の期間

この事由による特別休暇は、「必要と認められる期間」承認されることとされている。

選挙権その他公民としての権利の行使は、忌引などの場合と異なり、一日、二日と日を単位とすることが実態的にほとんどあり得ないので、一般的には、一日の勤務時間の一部を承認することになる。

この休暇は、勤務時間を割かなければ、権利の行使が妨げられる場合に、そのために要する期間認められる。この場合において、請求にかかる時期について承認すれば、公務の運営に支障が生じ、他の時期に変更しても、権利の行使に妨げがないと認められるときは、他の時期に変更して承認できることとなっている。

ところで、この事由による特別休暇は、あらかじめ定められた投票日以外の日にも承認することがあり得る。公務出張のため期日前投票（公職選挙法第四十八条の二）を行う必要があるといったような場合である。

出張期間があらかじめ定められた投票日を挟んで一週間とされているような場合には、その投票日には、事実上、投票が不可能であるから、その期日前投票に要する期間につき、特別休暇を承認することとなろう。

２　裁判員、証人、鑑定人、参考人等としての官公署への出頭の場合

この事由による特別休暇は、職員が市民としての立場で、法令の規定に従い、国の立法、司法、行政の各部の活動に義務として協力し、又は地方公共団体の議会活動、行政に義務として協力する場合、勤務しないことがやむを得ないと認められるときに認められる休暇である。

○規則一五―一四

（特別休暇）

第二十二条

１二　職員が裁判員、証人、鑑定人、参考人等として国会、裁判所、地方公共団体の議会その他官公署へ出頭する場合で、その勤務しないことがやむを得ないと認められるとき　必要と認められる期間

したがって、この休暇が承認できるかどうかの判断は、裁判員、証人、鑑定人、参考人等という名称が付されて出頭するかどうかということもさることながら、法的強制力を持った出頭要請であるかどうか、及び出頭の公益性があるかどうかに着目してなされることになる。すなわち、週休日の出頭は許されないかどうか、代人の出頭では事が足りないのかどうか、出頭の要請が職員本人の行為に起因していないかどうかというようなことが判断のポイントとなる。

なお、この休暇は、昭和三十二年四月以前は、「職務に関し証人、鑑定人、参考人等として」出頭する場合に限られていたが、職務に関しての出頭であれば、むしろ、それは職務そのものとして、場合によっては、出張命令を発すべきものとして取り扱うことが妥当であるとの判断から、「職務に関しない出頭」に限られるべきものとして改められ、現在に至っている。

(1)「裁判員、証人、鑑定人、参考人等」の範囲

裁判員、証人、鑑定人、参考人等の範囲は、先に触れたように、これらの名称の有無もさることながら、出頭要請の法的強制力、あるいは出頭の公益性、つまり、「公の職務」への貢献の度合といったものから判断される。

ア　裁判員の場合

裁判員の参加する刑事裁判に関する法律（平成十六年法律第六十三号）（以下「裁判員法」という。）に基づく裁判員制度は、国民が裁判過程に参加し、その感覚が裁判の内容に反映されることにより、司法に対する国民の理解及び信頼が深まることが期待される制度である。裁判員候補者、裁判員、補充裁判員及び選任予定裁判員（以下「裁判員等」という。）はその目的を達するために国民から無作為で選任され、選任された者は裁判員等の職務を遂行することが裁判員法で義務付けられており、そのために勤務しないことがやむを得ないと認められるものであることから、職員が安んじて裁判員等としての職務を遂行することができるよう、裁判員法の施行に合わせて、平成二十一年五月から特別休暇として認められることとなった（規則に明記されている裁判員以外の裁判員候補者、補充裁判員、選任予定裁判員は「裁判員、証人、鑑定人、参考人等」の「等」に該当することとしている。）。

裁判員等としての出頭の場合には、裁判員候補者、裁判員、補充裁判員及び選任予定裁判員としての出頭の場合があり、その職務は裁判員法によって次のとおり定められている。

①　義務的なもの

(ア)　裁判員等選任手続のための出頭　　裁判員候補者、選任予定裁判員として裁判所へ出頭する場合で、特別休暇が認められる場合としては、裁判員法第二十九条第一項及び第九十二条第二項を根拠とする場合である。

(イ)　審理、尋問及び検証のための出頭　　裁判員、補充裁判員として裁判所へ出頭する場合で、特別休暇が認められる場合として、裁判員法第五十二条を根拠とする場合である。

(ウ)　判決の宣告等　裁判員として裁判所へ出頭する場合で、特別休暇が認められる場合として、裁判員法第六十三条を根拠とする場合である。

(エ)　評議　裁判員として裁判所へ出頭する場合で、特別休暇が認められる場合として、裁判員法第六十六条第二項を根拠とする場合である。

②　裁判員等が職責上の判断により参加するもの

(ア)　裁判員等の審理立会い　裁判員、補充裁判員として裁判所へ出頭する場合で、特別休暇が認められる場合として、裁判員法第六十条を根拠とする場合である。

(イ)　構成裁判官による評議　裁判員として裁判所へ出頭する場合で、特別休暇が認められる場合として、裁判員法第六十八条第三項を根拠とする場合である。

(ウ)　補充裁判員の傍聴等　補充裁判員として裁判所へ出頭する場合で、特別休暇が認められる場合として、裁判員法第六十九条を根拠とする場合である。

①及び②のいずれの場合も特別休暇が認められることとなるが、いわゆる模擬裁判への参加は、法令上の根拠に基づく義務ではないことから、特別休暇は認められない。

イ　証人の場合

証人としての出頭の場合には、裁判所への出頭、国会への出頭、行政機関への出頭がある。

(ア)　裁判所への出頭　証人として裁判所へ出頭する場合で、特別休暇が認められる場合としては、民事訴訟法第百九十条及び刑事訴訟法第百四十三条を根拠とする場合がある。

(イ)　国会への出頭　証人として国会へ出頭する場合で、特別休暇が認められる場合としては、衆議院規則第五十三条、同規則第二百五十七条、参議院規則第百八十二条を根拠とする場合がある。

(ウ)　行政機関への出頭　行政機関への証人としての出頭で、特別休暇が承認され得るものとしては、人事院規則一三—一（不利益処分についての審査請求）第四十七条又は第五十二条を根拠とする場合、人事院規則一三—二（勤務条件に関する行政措置の要求）第八条を根拠とする場合等がある。

ウ　鑑定人の場合

鑑定人としての出頭は、民事訴訟法第二百十二条以下、刑事訴訟法第百六十五条を根拠とする場合等が該当することになる。刑事訴訟法第二百二十三条を根拠に、検察官、検察事務官、司法警察職員から鑑定を嘱託された場合にも、これに当たると解されよう。

なお、民事訴訟法第二百十八条に基づき、職員個人ではなく官庁等国の機関に対して鑑定の嘱託があり、機関の長からその業務を命ぜられた職員については、一般的には、その鑑定に関する業務は、その職員の職務そのものとみることになろう。

エ　参考人の場合

参考人としての出頭で、特別休暇が認められる場合としては、次のようなものがある。

(ア)　刑事訴訟法第二百二十三条を根拠とする被疑者以外の者としての検察、司法警察当局への出頭の場合

(イ)　衆議院規則第八十五条の二、参議院規則第百八十六条を根拠とする国会への出頭の場合

(ウ)　土地収用法第六十五条第一項第一号を根拠とする土地収用委員会への出頭の場合

オ　裁判員、証人、鑑定人、参考人以外の場合

裁判員、証人、鑑定人、参考人としての出頭の場合は、以上のように、法令上の根拠に基づいて出頭する場合に限られるが、「裁判員、証人、鑑定人、参考人等」の「等」としての出頭の場合であっても、法令上の根拠がある場合に限られる。

なお、この「等」に該当するかどうかの判断は、先に触れたように、学識あるいは経験を有する職員が市民としての立場で、公の機関に義務として出頭するかどうかなどに係るものであるので、法令上、同じ公の機関への出頭の場合であっても、「等」に該当する場合と該当しない場合が生じてくることもある。以下、個別的に例を示すと次のとおりである。

(ア)　検察審査会法に基づく検察審査員又はその補充員として選任された者の出頭の場合　　検察審査会の審査員及び補充員の職はいずれも特別職の職であるが、勤務時間法適用の職員がこれらに選任されて招集を受けて、審査会に出頭する場合、職員は検察審査員の職務を辞退することも可能であるものの、その出頭の強制力及び公益性にかんがみ特別休暇を認めることが適当であるとされている。

(イ)　公述人として国会へ出頭する場合　　衆議院規則第八十一条、参議院規則第六十七条に基づき、職員が公聴会の公述人に選定されることがあるが、この公述人は、公募に応じた者、各政党から推せんされ同意した者の中から選定されることとなっており、出頭の前提において強制力はないので、特別休暇を認めることはできないとされている。

(ウ)　選挙管理委員会へ出頭する場合　　公職選挙法第二百十二条に基づき、選挙管理委員会へ出頭する場合は、異議の申立てをし、又は訴願の提起をした本人でない限り、特別休暇を認められよう。

なお、地方自治法第七十四条の三第三項に基づき、選挙管理委員会へ出頭する場合には、仮に本人が署名者であったとしても、特別休暇が認められよう。

(エ)　投票立会人又は開票立会人として出頭する場合　　公職選挙法第三十八条第二項の規定により選任された投票立会人、又は同法第六十二条第八項の規定により選任された開票立会人は、選挙管理委員会が一方的に選任するものであり、正当の理由なくしては辞任できない強制力をもつものであるので、これを特別休暇として認めることととしている。しかし、同法に規定するその他の投票立会人及び開票立会人並びに投票管理者、開票管理者については、その選任に当たっては本人の承諾を前提とするものであるので、この事由による特別休暇は認められない。

(オ)　国家公務員災害補償法に基づく出頭の場合　国家公務員災害補償法第二十六条の規定によれば、人事院又は実施機関は、審査又は補償の実施のため必要があると認めるときは、補償を受け若しくは受けようとする者又はその他の関係人に対して、出頭を命ずることができる。この場合、補償を受け若しくは補償を受けようとする職員本人については、同条に基づく一般の職務専念義務の免除として取り扱い、その他の関係人については、出頭することが職員の職務でない限り、この事由による休暇が認められる。

(カ)　人事院の行う口頭審理に出席する場合　不利益処分についての審査請求、勤務条件に関する行政措置の要求を審理するため、人事院に設けられる公平委員会等は、いわゆる口頭審理を開くことがある。この場合、口頭審理に請求者本人として出席するときは、人事院規則一三―一又は一三―二の規定に基づく職務専念義務の免除として取り扱い、また、請求者の代理人、傍聴人として出席するときは、これは専らその職員の発意によるものであるので、特別休暇として処理することはできない。

なお、職員が国公法第九十条の規定による審査請求又は同法第八十六条の規定による行政措置の要求をする手続に関する場合については、法令の規定により勤務しないことが認められている場合にも該当せず、また、特別休暇の場合にも該当しないものと解されている。

【事例】

（質問）　行政措置の要求に関する公開口頭審理に際し、請求者側（組合）がその指名する十数名を証人として出席させるため、苦情処理委員長宛に証人出席請求書を提出したまま審理場に待機せしめたが、苦情処理委員長より呼出状の交付を受けず、したがって証人として証言を行わなかった場合、これ等の証人候補者に対し、一般職の職員の給与に関する法律の運用方針（給実甲第二十八号）第十五条関係左表中第五号の特別休暇を附与すべきであるかどうかについて疑義を生じたので至急御回答をお願いする。

（昭三二・四・九　官人五五三　運輸大臣官房人事課長）

（回答）　おたずねの場合において、証人呼出状の交付を受けなかったとしても、苦情処理委員長が証人出席請求書に基づいて証人として出席することにつきあらかじめその意見を明示していたとすれば、これに基づいて審理場に待機していた者は、委員長の証明等を得て特別休暇を付与しても差し支えないものと解する。

（昭三二・四・一九　管法三四三　管理局法制課長）

（注）　給実甲第二十八号第十五条関係左表中第五号については、規則一五―一四第二十二条第一項第二号参照。

（質問）　職員が人事院の公平審理に請求者の代理人として出席するため勤務しない場合には給実甲第二十八号第十五条関係一の五の基準に該当するものとして、特別休暇を承認することができるか。

（昭三四・五・一八　官人四―五八　国税庁長官）

（回答）　御照会の場合には、給実甲第二十八号第十五条関係一の五の基準に該当しないものと解する。

（昭三四・六・八　給二―三一七　事務総長）

（注）　給実甲第二十八号第十五条関係一の五については、規則一五―一四第二十二条第一項第二号参照。

（質問）　昭和三十四年第三十号金沢国税局関係事案の準備審理（十月五日K準備公平委員長）において、代理人の欠勤扱いについて、処分者側と殆ど一日にわたり討論が行われた。これについて全国税北陸地方連合会より、金沢局関係事案公平委員会宛に正式の質問書がすでに提出されてあるが、当日の経緯から思考するに、処分者側の判断にも大分混乱がみられ、さらにその上準備公平委員長の決定にも、不可解な点がみられる。

この際、一般的にこの事案のみでなく、代理人その他の取扱いについて、統一的見解を明らかにされたい。

一　処分者側はしばしば請求者についてすら特別休暇扱いにしないというような妨害的事例がみられる。この点について貴院より調査され今後このような妨害行為のないよう処分者側に勧告されたい。（最近では青森事案における妨害）

一　金沢事案準備審理にさいしても、代理人の欠勤扱いについては、委員長は「処分者側代理人の職務扱いに対して請求者代理人の取扱いは権衡を害う」といっているにもかかわらず欠勤は違法でないとしている。
われわれ国家公務員については、争議行為の禁止にともなって法の保護によって職員の権利を守られている立場にある。憲法第三十二条等の精神に照しても審理中の請求者及び請求者依頼の代理人については、厚い被護が加えられてこそしかるべきと考える。法的根拠も検討したが特に請求者側代理人のみを欠勤扱いにしなければならぬという積極的規程はみ当らない。右の点から、当然貴院は処分者側に対して特別休暇扱いの積極的な勧告を出すのが法の建前上然るべきと思われる。
以上についての誠意ある積極的な見解を、早期に文書を以て回答されるよう要請する。

（昭三四・一〇・二四　全国税労働組合中央執行委員長）

(回答)

1　職員が国家公務員法（以下「法」という。）第九十一条に基づく口頭審理に請求者として出席する場合には、給与法上の特別休暇扱いをするのではなく、法令の規定により勤務しないことが認められている場合（いわゆる出勤扱い）として処理されるものと解する。
なお、この点に関しては、国税当局においてもすでに了知しているところである。

2　職員が法第九十一条に基づく口頭審理に請求者の代理人として出席する場合には、これが欠勤扱いとされてもやむをえないものと解する。
また、その場合、特別休暇扱いとされないことは、すでに昭和三十四年六月八日付で人事院事務総長から国税庁長官に回答したとおりである。

（昭三四・一〇・三〇　公訴―一二三八七　事務総長）

(質問)

1　請求者及び同代理人が公平審理に出席する場合の取扱いについて

(1)　昭和三十四年十月三十日付公訴―一二三八七による行政事例「請求者及び同代理人が公平審理に出席した場合の取扱いについて」のうち不利益処分の審査請求事案に関し、請求者たる職員が国家公務員法（以下「法」という。）第九十一条に基づく口頭審理に出席する場合は、法令の規定により勤務しないことが認められている場合に該当し、いわゆる出勤扱いとして処理されるものであるとの見解が示されているが、この趣旨は、代理人を選任している場合も証人尋問その他審査関係について請求者が自ら発問する等の事情もあるので同様に解してよいか。

(2)　ここにいう「法令の規定により勤務しないことが認められている場合」の法令とはいかなる法令を指すか、また、これに該当するものには前記一の場合を除きいかなるものがあげられるか。

(3)　次の場合はどのように扱われるか。(ロ)については代理人を選任している場合を含めて示されたい。

(イ)　法第九十条の不利益処分の審査を請求する場合

(ロ)　法第八十六条の行政措置の要求をすること及び第八十七条の規定に基づく口頭審理に出席する場合

(ハ)　法第九十八条第二項後段にいわゆる不満を表明し、又は意見を申し出る場合

（昭三五・六・二五　媛人委七三九　愛媛県人事委員会事務局長）

(回答)

１について

(1)　貴見のとおりと解する。

(2)　(1)の場合の法令の規定は国家公務員法（以下単に「法」という。）第九十一条第三項である。

なお、「法令の規定により勤務しないことが認められている場合」の他の一例としては、法第八十七条に基づく口頭審理に出席する場合があげられる。

(3)(イ)　おたずねの趣旨が必ずしも明らかでないが、審査請求を提起する手続に関する場合のことであれば、法令の規定により勤務しないことが認められている場合に該当せず、また、特別休暇として処理することもできないと解する（代理人を選任している場合であると否とを問わない）。

(ロ)　職員が法第八十六条の規定による行政措置の要求をする場合及び第八十七条の規定による口頭審理に出席する場合の取扱いは、それぞれ法第九十条の規定による不利益処分の審査を請求する場合及び法第九十一条の規定による口頭審理に出席する場合の取扱いと同様に解する。

(ハ)　おたずねの趣旨が明らかでないので明確にはお答えしかねるが、職員が不満を表明し又は意見を申し出るために、人事院規則一四―一第五項の規定によって勤務時間中に当局と交渉を行った場合は、法令の規定により勤務しないことが認められている場合に該当するものと解する。

（昭三五・九・九　管法―八六一　管理局長）

（注）　人事院規則一四―一第五項については、現行国家公務員法第百八条の五第八項参照。

このほか、職員が刑事事件に関し勾留されている期間、民事事件の当事者（被告又は原告）として裁判所へ出頭する場合については、勾留、出頭の原因が本人の行為ないしは都合に起因しているので、この事由の特別休暇には該当しない。

【事例】

（質問）　一般職の職員の給与に関する法律の運用方針（給実甲第二十八号）第十五条関係第一の五「証人、鑑定人、参考人等として国会、裁判所その他の官公署への出頭」の理由により、職員が勤務しないことにつき所轄庁の長が特に承認を与える場合（特別休暇）のうちに下記のような場合が含まれるかどうか。〔後略〕

記

職員が任意出頭後、逮捕状による逮捕に切替えられ勾留されている場合、逮捕勾留中の期間。

（昭三三・四・三〇　経企給五〇　経済企画事務次官）

（回答）　給実甲第二十八号第十五条関係一の五に掲げる理由により特別休暇を与えることができるのは、職員本人の責によらないで証人、鑑定人、参考人等として官公署に出頭する場合に限られるので、おたずねのように被疑者として出頭した場合には特別休暇を与えることはできないものと解する。

（昭三三・五・二九　給二―一七七　事務総長）

（注）　給実甲第二十八号第十五条関係一の五については、規則一五―一四第二十二条第一項第二号参照。

（質問）１　民事訴訟における原告又は被告として裁判所から裁判のため出頭を命ぜられ、そのために休暇をとるときは、人事院規則一五―六（休暇）の運用について（通知）の第一項関係２の(5)に掲げる「証人、鑑定人、参考人等として国会、裁判所、地方公共団体の議会その他の官公署への出頭」による特別休暇に該当しないものと解してよろしいか。

２　民事訴訟法第三百三十六条による当事者尋問のため裁判所から出頭を命ぜられた場合も、この尋問が申立によるか職権によるかにかかわらず、上記人事院通知の「証人、鑑定人、参考人等として国会、裁判所、地方公共団体の議会その他の官公署への出頭」による特別休暇に該当しないものと解してよろしいか。

（昭四六・一一・一二　宮人委総一一七　宮崎県人事委員会事務局長）

（回答） 貴職から照会のあった標記の件については、いずれも貴見のとおり解して差し支えありません。

（昭四七・一・一四　職職—三八　職員局職員課長）

（注） 規則一五—六（休暇）の運用について（通知）の第一項関係2の⑸については、規則一五—一四第二十二条第一項第二号参照。民事訴訟法第二百三十六条については、同法第二百七条参照。

なお、冒頭でも触れたように、裁判員、証人、鑑定人、参考人等としての裁判所、国会等への出頭の場合であっても、「職務として」出頭する場合には、当然に特別休暇による必要はないものであるので、例えば、

① 私的独占の禁止及び公正取引の確保に関する法律第四十七条第一項第一号又は第二号の規定による参考人又は鑑定人としての出頭

② 金融商品取引法第百八十七条第一項第一号又は第二号の規定による参考人又は鑑定人としての出頭の場合等については、多くの場合、特別休暇によることは必要としないことになろう。

(2)　「官公署への出頭」の意味

「官公署への出頭」は、必ずしも、「役所の建物」への出頭を意味しないものと解される。例えば、国家公務員災害補償法第二十六条に基づく出頭の場合、災害補償審査委員会が事故の現場で調査を行い、その現場に関係者である職員が出頭を命ぜられたとしても「人事院への出頭」に該当し、また同条の規定により、医師の診断を受けさせられる場合もその態様いかんによってはこれに該当することとなる場合もあり得よう。

(3)　休暇の期間

この事由による特別休暇は、「必要と認められる期間」承認される。必要と認められる期間の判断は、裁判員、証

人、鑑定人、参考人等として、官公署へ出頭するために勤務時間を割く期間が基準となり、官公署が隔遠の地にあるような場合には、往復に要する期間も、原則として、この期間に含まれる。

ただし、国会に参考人として呼び出されたのを機会に、年次休暇を利用して、東京で観光するというような場合に、その復路についてこの事由による特別休暇が認められないのは当然であり、この場合には、参考人としての供述が終了した時点までが必要な期間と認められることとなろう。

3　職員が骨髄移植のための骨髄若しくは末梢血幹細胞の提供者となる場合

職員が白血病等の血液難病の有効な治療法である骨髄移植療法の骨髄若しくは末梢血幹細胞の提供者（ドナー）となる場合には、広く不特定の患者に対する提供行為と見ることができ、その意味ではいわゆる公に対する貢献性が認められ、それはいわば職員が仕事を通じて広く国民一般に奉仕をすることと同程度に評価し得るものと考えられる。

この事由による特別休暇（ドナー休暇）は、前記のような場合には、骨髄若しくは末梢血幹細胞提供のために勤務を欠くことは相当であると認め得ることから、平成五年四月から休暇事由の一つとして加えられたものである。なお、末梢血幹細胞の提供については、平成二十四年七月に事由に追加されたものである。

〈ドナー休暇導入の背景〉

① 骨髄移植療法は、現状では白血病等の血液難病の唯一の有効な治療法であり、他に適当な治療法がないことから、このような場合における骨髄液の提供は、いわば直接に人命にかかわる問題であること

② 骨髄移植療法では、白血球の型が一致していることが不可欠であるが、この一致率は兄弟姉妹の親族間で四分の一、非親族間では数百から数万分の一と極めて低いため、仮に一致した場合には容易には代替者は得られないこと（その職員でなければならないこと）

③ 骨髄移植療法を推進するためには、②のとおり非親族間では白血球の型の一致率が極めて低いため、数多くの

提供者を募る必要があり、それを国（厚生省（現厚生労働省））が骨髄バンク事業として積極的に推進をしていること

④　社会的にも、このような場合に雇用の場における特別の配慮を講ずることについて強い要請が認められたこと

このような諸事情について総合的に勘案すると、職員に課せられた勤務義務との調整を図り、希望者がドナーとなりやすい環境の整備を図るという視点から、休暇として措置をすることが適当であると判断したものである。なお、民間におけるこのような休暇の普及率は高くはないが、この休暇の目的が職員の福利等を増進させるというようなものではないこと、また、公務における人事行政制度の中で政策的に協力することにも意義が認められることなどから、特に普及率という意味での民間準拠にはよらない措置となったものである。

さらに、平成二十四年七月から、末梢血幹細胞の提供についても当該休暇が認められることとなった。白血病等血液難病の治療法について、白血球を増やす薬（G―CSF）を注射することにより、末梢血（全身を流れる血液）中にも造血幹細胞が増加することが判明し、これにより増加した造血幹細胞を採取し移植する末梢血幹細胞移植手法が開発された。開発後、平成二十二年八月の厚生科学審議会疾病対策部会造血幹細胞移植委員会において、非血縁者間での末梢血幹細胞移植について骨髄バンク事業への導入が了承され、同年九月、厚生労働省局長通知（「非血縁者間骨髄移植の実施に関する指針」、平成十五年健発第一二一九〇〇五号）においても「骨髄移植」が「骨髄移植又は末梢血幹細胞移植」と改められ、同指針に基づき、同年十月から骨髄移植推進財団にて末梢血幹細胞移植事業が開始された。同財団における末梢血幹細胞の提供者は、当初は骨髄の提供経験者に限っていたが、平成二十四年にはそれに限定せずに既ドナー登録者まで対象を拡大させており、同年六月に同財団のシステム改修が完了することにより、末梢血幹細胞移植事業が本格化することとなった。

当初、ドナー休暇は、骨髄液の提供の場合に限られていたが、骨髄液の移植による治療法に関する事情について

は、末梢血幹細胞の提供についても何ら変わるところはなく、骨髄移植と末梢血幹細胞移植の取扱いに差異を設ける必要性は見受けられないことから、末梢血幹細胞移植事業が本格化するのに合わせて人事院規則を改正し、末梢血幹細胞の提供についてもドナー休暇を取得可能とすることとなった。

○規則一五—一四

（特別休暇）

第二十二条

1三　職員が骨髄移植のための骨髄若しくは末梢《しょう》血幹細胞移植のための末梢血幹細胞の提供希望者としてその登録を実施する者に対して登録の申出を行い、又は配偶者、父母、子及び兄弟姉妹以外の者に、骨髄移植のため骨髄若しくは末梢血幹細胞移植のため末梢血幹細胞を提供する場合で、当該申出又は提供に伴い必要な検査、入院等のため勤務しないことがやむを得ないと認められるとき　必要と認められる期間

(1)　骨髄若しくは末梢血幹細胞の提供希望者として登録の申出を行うこと

骨髄移植を推進するためには、前記のとおり数多くの希望者を募り、患者の白血球の型と一致する提供者を確保する必要がある。このため、当時の厚生省（現厚生労働省）の主導の下に骨髄移植推進財団（平成二十五年十月より日本骨髄バンク）が設立され、骨髄バンク事業が展開されており、提供希望者の白血球の型等の情報管理を日本赤十字社が行っている。骨髄若しくは末梢血幹細胞の提供希望者は、まず日本赤十字社の血液センターや保健所、献血ルームに出掛け希望者としての登録の申出を行うとともに、そのための白血球の型の一次検査を行うこととされている。この登録のために必要とされている検査等に要する期間も特別休暇として認められるものである。

(2)　配偶者、父母、子及び兄弟姉妹以外の者に骨髄若しくは末梢血幹細胞を提供する場合

休暇が必要となるドナー登録から骨髄又は末梢血幹細胞提供までの流れ

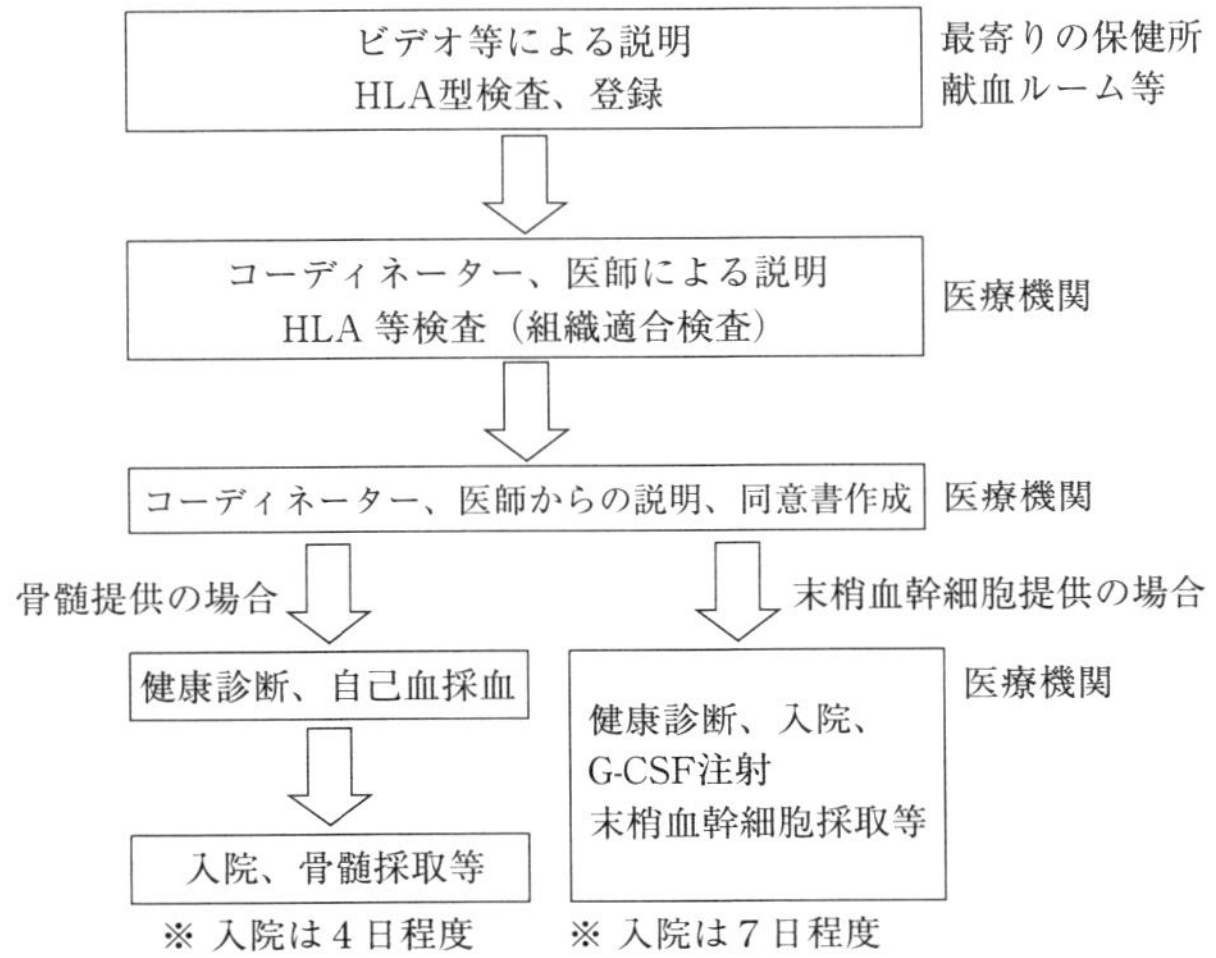

骨髄バンク事業を通じた骨髄若しくは末梢血幹細胞の提供は、提供者として誰に提供されるのかが知り得ないシステムとなっていることから、いわば不特定のものに対する貢献であると認められること、また、非親族間における骨髄移植のためには数多くの提供者を募る必要があり、そのために勤務義務との調整を図ってドナーとなりやすい環境整備を進めることが特に重要であると認められた。

一方、一定の親族間における骨髄若しくは末梢血幹細胞の提供行為は、不特定の患者に対するものと異なりいわゆる公的な貢献性といった観点からの評価からはややその趣を異にし、さらに、骨髄若しくは末梢血幹細胞の提供を促進するために特別な環境整備を図らなければならないものでもないといえることから、配偶者、父母、子（平成二十九年一月から子の範囲が拡大され特別養子縁組監護期間中の者等の勤務時間法第六条第四項第一号において子に含まれるものとされる者を含むことになっている。）及び兄弟姉妹に対する提供行為については特別休暇の対象とはしないとしたものである。なお、このような親族に対する提供の場合には、状況に応じて年次休暇等を使用することとなる。

(3)　検査、入院等

骨髄バンク事業を通じた骨髄若しくは末梢血幹細胞の移植の場合には、提供者は前頁の図のような流れに従い数回の検査等を経て、入院し骨髄等の採取に至るが、この流れ図にある行為を行う場合にはそれぞれについて特別休暇が認められるものである。なお、ドナー休暇は骨髄若しくは末梢血幹細胞の提供が要件とはなっていないことから、途中の検査で不適合となったとしてもそこまでは特別休暇として取り扱うことができるものである。

また、この休暇は骨髄バンク事業を通じないで行われる骨髄若しくは末梢血幹細胞の提供についても適用があるが、この場合にもその提供に伴い必要と認められる検査、入院等を行う場合には特別休暇となるものである。

(4)　休暇の期間

ドナー休暇は、骨髄若しくは末梢血幹細胞の提供者として必要な検査、入院等を行うときにそれぞれ必要な期間認められるものである。なお、この場合にあっては検査、入院等のために要する往復の期間も特別休暇として認められる。ちなみに、ドナーとして必要な検査、入院等の行為は、おおむね全体で一週間から十日程度以内に収まると予想される。

また、骨髄若しくは末梢血幹細胞採取後の入院期間については、通常の回復に要する期間とし、予想し得ない疾病を発症し、専らその治療行為を行うようになった場合には、その時点以降は病気休暇として取り扱うこととなる。

4　職員が災害、福祉に関するボランティア活動に参加する場合

職員がボランティア活動に参加することは、行政とは異なる側面から市民生活に触れることとなる等、視野を広め、ひいては行政面でもより良い効果をもたらすものと考えられる。

この事由による特別休暇（ボランティア休暇）は、ボランティア活動に参加しやすくするためのきっかけとなるものとして、被災者、障害者、高齢者等に対する援助活動に参加する場合には勤務しないことが相当であると認められ

ることから、休暇事由の一つとして加えられたものである。

〈ボランティア休暇導入の背景〉

ボランティア活動については、平成七年一月に発生した阪神・淡路大震災の被災地において多くのボランティアが活躍したことを契機として、その意義、必要性についての認識が社会一般に浸透するとともに、高齢社会に対応するための多様な活動の一つとしてその重要性が認識され、各方面から活動しやすい環境整備などボランティア活動を支援していくことの必要性が打ち出されており、ボランティア活動は、行政や民間部門等の活動と相互に協力していく中で、今後社会的に重要な役割を担うものとの認識が広まってきていた。

ボランティア休暇は、このような状況を踏まえ、ボランティア活動に参加しやすい環境整備の一環として人事行政の側面からボランティア活動を支援するものとして、平成八年の人事院勧告時の報告において導入を表明し、同年十二月の規則一五―一四の改正により平成九年一月から特別休暇の事由として措置されたものである。

ところで、ボランティア活動は、一般的に「自発的な意志に基づいて他人や社会に貢献する（無償の）活動」といわれているものの、時代や社会の価値観のもとで変化していくものであり、また、個々人の考え方によっても異なるものであることから、ボランティア活動そのものを定義付けて、その全体を休暇の対象とすることは困難であるとともに、ボランティア活動の実態、公務員が勤務時間を割いて活動するものであることなどを考慮し、ボランティア休暇の対象となる活動は、従来からボランティア活動に関し広く社会一般に認められてきており、大方の国民の目から見て異論のないと思われる被災者、障害者、高齢者等に対する援助活動に参加する場合としている。

したがって、規則上も「ボランティア」という用語は使用しておらず、「職員が自発的に、かつ、報酬を得ないで社会に貢献する活動を行う場合」とし、具体的な活動を列挙している。なお、俗称として「ボランティア休暇」と称することは導入の趣旨からみて差し支えないものといえる。

○規則一五―一四

（特別休暇）

第二十二条

1四　職員が自発的に、かつ、報酬を得ないで次に掲げる社会に貢献する活動（専ら親族に対する支援となる活動を除く。）を行う場合で、その勤務しないことが相当であると認められるとき　一の年において五日の範囲内の期間

イ　地震、暴風雨、噴火等により相当規模の災害が発生した被災地又はその周辺の地域における生活関連物資の配布その他の被災者を支援する活動

ロ　障害者支援施設、特別養護老人ホームその他の主として身体上若しくは精神上の障害がある者又は負傷し、若しくは疾病にかかった者に対して必要な措置を講ずることを目的とする施設であって人事院が定めるものにおける活動

ハ　イ及びロに掲げる活動のほか、身体上若しくは精神上の障害、負傷又は疾病により常態として日常生活を営むのに支障がある者の介護その他の日常生活を支援する活動

(1)　休暇の対象となる活動

ア　「報酬を得ないで」の意味

ボランティア活動として行われる被災者、障害者、高齢者等に対する援助活動には多様な形態が見られるが、例えば一時間当たり数百円といった有償で行われる介護サービスに参加する場合やいわゆるボランティア切符（時間貯蓄）のように将来的な見返りを期待する場合など、活動に対する報酬を受け取る場合にはこの休暇は認められない。なお、交通費や弁当代等のように活動するに当たって実際に要した費用を受け取ることについては、一般的には活動に対する報酬には当たらないといえよう。

イ　「専ら親族に対する支援となる活動」について

この休暇の対象となる活動からは「専ら親族に対する支援となる活動」は除かれているが、親族が入所又は通所している施設における活動であっても、その活動が当該施設においてボランティアが行うものとして位置づけられているものであり、職員がボランティアとして参加するものであればこの休暇の対象として差し支えない。なお、ここでいう親族とは民法第七百二十五条にいう親族である六親等内の血族、配偶者、三親等内の姻族をいうものとされている。

ウ　被災地等における被災者を支援する活動

被災者を支援する活動といっても、災害の規模、活動場所や活動内容については多様な形態が見られるが、特別休暇としての事由の特定の必要性、災害時のボランティア活動の実態等を考慮し、被災地において被災者を直接援助する活動をこの休暇の対象としている。

○規則一五―一四運用通知

第十四　特別休暇関係

１　(3)　第四号イの「相当規模の災害」とは、災害救助法（昭和二十二年法律百十八号）による救助の行われる程度の規模の災害をいい、「被災地又はその周辺の地域」とは、被害が発生した市町村（特別区を含む。）又はその属する都道府県若しくはこれに隣接する都道府県をいい、「その他の被災者を支援する活動」とは、居宅の損壊、水道、電気、ガスの遮断等により日常生活を営むのに支障が生じている者に対して行う炊出し、避難場所の世話、がれきの撤去その他必要な援助をいう。

エ　障害者支援施設、特別養護老人ホーム等における活動

障害者や高齢者等を支援する活動は社会福祉施設等を中心に行われている実態が見られることから、障害者や高齢

者等が利用している施設を「人事院が定める施設」として具体的に定めている。

また、そこでの活動は施設の方針やボランティアの希望により障害者や高齢者等を直接援助する活動から間接的な活動まで多様であることから、当該施設においてボランティア活動と位置づけられているものであれば対象とすることとしている。

○規則一五―一四運用通知

第十四　特別休暇関係

１⑷　第四号ロの「人事院が定めるもの」とは、次に掲げる施設とする。

ア　障害者の日常生活及び社会生活を総合的に支援するための法律（平成十七年法律第百二十三号）第五条第十一項に規定する障害者支援施設及びそれ以外の同条第一項に規定する障害福祉サービスを行う施設（ウ及びキに掲げる施設を除く。）、同条第二十七項に規定する地域活動支援センター並びに同条第二十八項に規定する福祉ホーム

イ　身体障害者福祉法（昭和二十四年法律第二百八十三号）第五条第一項に規定する身体障害者福祉センター、補装具製作施設、盲導犬訓練施設及び視聴覚障害者情報提供施設

ウ　児童福祉法（昭和二十二年法律第百六十四号）第七条第一項に規定する障害児入所施設、児童発達支援センター及び児童心理治療施設並びに児童発達支援センター以外の同法第六条の二の二第二項及び第四項に規定する施設

エ　老人福祉法（昭和三十八年法律第百三十三号）第五条の三に規定する老人デイサービスセンター、老人短期入所施設、養護老人ホーム及び特別養護老人ホーム

オ　生活保護法（昭和二十五年法律第百四十四号）第三十八条第一項に規定する救護施設、更生施設及び医療保護施設

カ　介護保険法（平成九年法律第百二十三号）第八条第二十八項に規定する介護老人保健施設及び同条第二十九項に規定する介護医療院

キ　医療法（昭和二十三年法律第二百五号）第一条の五第一項に規定する病院

ク　学校教育法（昭和二十二年法律第二十六号）第一条に規定する特別支援学校

ケ　アからクまでに掲げる施設のほか、これらに準ずる施設であって事務総長が定めるもの

○「職員の勤務時間、休日及び休暇の運用について」第十四の第一項⑷ケの「事務総長が定めるもの」の指定について（平八・一二・二〇　職職―四八九）

身体上又は精神上の障害がある者の職業訓練等を目的として設置されている共同作業所等の施設のうち、利用定員が五人以上であり、かつ、利用者の作業指導等のため当該施設において常時勤務する者が置かれている施設

オ　ウ、エ以外の障害者、高齢者等の日常生活を支援する活動

障害者や高齢者を支援する活動には施設での活動のほか、ボランティア団体等の紹介により居宅を訪問して行う援助活動が見られることから、常態として日常生活を営むのに支障のある者に対して行う調理、洗濯等の直接的な援助活動を対象としている。

なお、この「常態として日常生活を営むのに支障がある」とは、その者にとっての普通の状態が日常生活を営むのに支障を生じているということであり、短期間で治ゆするような負傷、疾病等により支障が生じている者に対する看護等は含まれない。

○規則一五―一四運用通知

第十四　特別休暇関係

１　⑸　第四号ハの「その他の日常生活を支援する活動」とは、身体上の障害等により常態として日常生活を営むのに支障がある者に対して行う調理、衣類の洗濯及び補修、慰問その他直接的な援助をいう。

⑵　休暇の期間

この事由による休暇は、一の年において五日の範囲内の期間とされている。

この「一の年」とは一月一日から十二月三十一日の一年間を指すものであり、活動の実態に合わせ一日毎に分割して取得することも、あるいは五日間まとめて取得することもできる。休暇の単位は、他の特別休暇（特定休暇を除く。）と同様に一日、一時間又は一分を単位として取り扱われるが、一の年における休暇の残日数の算出に当たっては、活動の実態から一日の勤務時間の一部について時間又は分を単位として取得した場合も五日のうちの一日を取得したこととなる。

なお、ボランティア活動のために遠隔の地に赴く場合にあっては、活動期間と往復に要する期間が連続する場合でこれらを合わせた日数が五日の範囲内であれば、当該往復に要する期間についても含まれる。

また、ボランティア活動のための事前講習等に参加する場合については、一日の全部が講習であり実際の活動を伴わない場合はこの休暇の期間に含むことはできないが、実際に活動を行う日の一部の時間が講習に当てられている場合には、その講習の時間についても実際の活動と一体のものとしてこの休暇の期間に含まれる。

○規則一五―一四運用通知

第十四　特別休暇関係

1 (2) 第四号の「一の年」とは、一暦年をいい、同号の「五日」の取扱いについては、暦日によるものとする。

(3)　ボランティア活動計画書の提出

この休暇の申請に当たっては、他の特別休暇と同様に休暇簿に記入して請求することとなるが、その際ボランティア活動の内容が多様なものであることから、休暇の事由の確認を容易にするものとして活動期間、活動の種類、活動場所、活動内容等その計画を明らかにする書類（活動計画書）を添付することとしており、この活動計画書の参考例が示されている。

この活動計画書等の記入に当たっては、ボランティア団体等を通じた活動で当該団体の証明が得られる場合には該当事項について適宜記入を省略できることとしている。また、ボランティア団体を通じて在宅の障害者等を支援する活動に参加する場合には、個々の障害者等の状態に関する記述についても省略することができる。

○規則一五―一四運用通知

第十七　休暇の承認関係

５　各省各庁の長は、規則第二十二条第一項第四号の休暇を承認するに当たっては、活動期間、活動の種類、活動場所、活動内容等活動の計画を明らかにする書類の提出を求めるものとする。なお、各省各庁の長があらかじめ当該書類の様式を定める場合の参考例を示せば、別紙第三のとおりである。

別紙第３

ボランティア活動計画書

所　　属
氏　　名

１．活動期間
令和　　年　　月　　日～令和　　年　　月　　日

２．活動の種類
□被災者への支援活動　　□社会福祉施設等における活動　　□その他

３．活動場所
施設名等：
所 在 地：
電　　話：　　　（　　）

４．具体的な活動内容

５．仲介団体等の有無及び団体名
□有　　　　□無
団 体 名：
電　　話：　　　（　　）

６．備考

注１　「３．活動場所」及び「４．具体的な活動内容」については、当該活動が仲介団体等（社会福祉協議会等主として活動の仲介を行っている団体のほか、自らも活動主体となって活動を行う団体も含まれる。）を通じたものであり、当該仲介団体等による証明が得られる場合には、適宜記入を省略して差し支えない。
２　「３．活動場所」は、活動場所が支援する相手の居宅である場合には、その者の氏名及び住所等を記入する。
３　「６．備考」は、支援する相手の居宅における活動を仲介団体等を通じないで行う場合に、その者の状態について記入する。

5　職員が結婚する場合

この事由による特別休暇（結婚休暇）は、社会慣習上、職員が結婚する場合には、結婚式、旅行その他の結婚に伴う行事等が一般に行われており、勤務しないことが相当であると認められることから、民間企業における高い普及率をも考慮し、昭和六十一年の休暇制度の法的整備に当たり、特別休暇の事由の一つとして加えられたものである。

○規則一五―一四

（特別休暇）

第二十二条

1五　職員が結婚する場合で、結婚式、旅行その他の結婚に伴い必要と認められる行事等のため勤務しないことが相当であると認められるとき　人事院が定める期間内における連続する五日の範囲内の期間

(1)　「結婚する場合」の範囲

「結婚する場合」とは、戸籍法の定めるところにより届出をする婚姻（法律婚）をする場合ばかりでなく、事実上の婚姻（いわゆる内縁―事実婚）をする場合も含まれる。何をもって事実上の婚姻とするかについては、社会通念上「結婚」と認知されるに至る程度にその関係が明らかである必要があり、単なる同棲は、ここで言う「結婚」には該当しない。一般的には、結婚式などの儀式を行えば、夫婦生活すなわち結婚が開始されたと判断されることになる。法律婚ではない事実婚の場合であっても、民法に規定する重婚及び近親婚に相当する場合は、この事由における「結婚」と認められない。

また、この「結婚」には、初婚ばかりでなく再婚の場合、近い将来結婚が予定されている場合も含まれる。

(2)「結婚に伴い必要と認められる行事等」の内容

結婚に伴い必要と認められる行事等としては、規則の条文にあるとおり、結婚式、新婚旅行が代表的なものであるが、それ以外でも、これらの準備、婚姻届、新居の準備、仲人又は親類への挨拶回り等社会通念上結婚に伴い必要とされる行事ないし行為が該当する。これらの行事ないしは行為を行うため、勤務しないことが相当である場合には、この事由による休暇が認められることとなる。

(3)　休暇の期間

この事由による休暇は、「人事院の定める期間内における連続する五日の範囲内の期間」認められる。「人事院の定める期間」とは、運用通知において、「結婚の日の五日前の日から当該結婚の日後一月を経過する日まで」とされている。

このように、この期間について、二重の枠を設けたことは、結婚を事由とする休暇の特殊性に基づくものである。「結婚の日」を原点とする結婚に伴う行事等は、実態的にはその日の前後に集中しているが、職員の個人的な事情等により場合によっては、結婚の日と結婚に伴う諸事の時期が大きく離れることがある。特別休暇は、特別の事由が生じた場合、勤務しないことが相当であるとき付与される休暇として概念が構成されているため、この事由の休暇に関しては、制度運用の適正を図る必要性から、外枠として一定の行使期間の制限を設けているものである。

したがって、結婚式を挙げたが、ある事情により、二、三か月先に新婚旅行を延ばした場合、その新婚旅行のためにこの事由による休暇は認められないことになる。

○規則一五—一四運用通知

第十四　特別休暇関係

１　(6)　第五号の「人事院が定める期間」は、結婚の日の五日前の日から当該結婚の日後一月を経過する日までとし、同号の「連続する五日」とは、連続する五暦日をいう。

「結婚の日」とは、社会的に結婚した日、若しくは結婚すると認められる日であり、一般的には、「結婚式の日」、「婚姻届の日」が挙げられる。婚姻届も結婚式も行わない場合には、「結婚の日」をどの日とするかは、社会通念に基づき、個別具体的に判断せざるを得ない。なお、「結婚の日」とし得る日が複数ある場合について、平成二十五年一月以前はいずれか早い日とされていたが、同年二月に解釈が変更され、当該職員が選択できることとされている。「連続する五暦日」というのは、カレンダーで連続する五日間を意味し、この中には当然、土曜日、日曜日等の週休日、祝日法による休日等が含まれることになる。

なお、この事由による特別休暇の始期は、職員の選択に委ねられており、所定の期間の範囲内で、当該休暇事由に該当すれば自由に選択できることとなっている。例えば、結婚式を金曜日に挙げ、三日後の月曜日から新婚旅行に出かける場合に、この休暇は月曜日から五日間取得することもできる。

6　職員が不妊治療に係る通院等をする場合

この事由による特別休暇（出生サポート休暇）は、国家公務員の不妊治療と仕事の両立を支援するため、不妊治療を受けるための医療機関への通院等のため勤務しないことが相当である場合に認められるもので、令和四年一月一日から休暇事由の一つとして加えられたものである。

なお、規則上「出生サポート」という用語は使用されていないが、この事由による休暇の浸透・普及、職員の取得のしやすさ等を考慮して、「出生サポート休暇」という通称を使用することとされたものと考えられる。

この出生サポート休暇と後述の配偶者出産休暇、育児参加休暇、子の看護休暇及び短期介護休暇は、特に仕事と生活の調和の推進を図る目的で設けられていること、他の特別休暇と休暇の単位の取扱いが異なることから、特別休暇の中でも「特定休暇」として区分されている。

○規則一五—一四

（特別休暇）

第二十二条

１五の二　職員が不妊治療に係る通院等のため勤務しないことが相当であると認められる場合　一の年において五日（当該通院等が体外受精その他の人事院が定める不妊治療に係るものである場合にあっては、十日）の範囲内の期間

〈出生サポート休暇導入の背景〉

人事院は、令和二年十月の人事院勧告時の報告における「不妊治療と仕事の両立に関する実態や職場環境の課題等を把握し、必要な取組の検討を進めていく」との言及を受け、令和三年一月から二月にかけて一般職の国家公務員を対象としたアンケートを実施した。その結果、不妊治療と仕事の両立を支援する措置について、職員のニーズがあること等が確認でき、有識者からも、仕事を続けながら治療を受けることができる環境の整備が重要であるとの意見があったとされている。

職員の休暇等については、従来より、情勢適応の原則の下、民間における普及状況や社会的な要請も踏まえつつ、必要な措置が講じられてきた。令和二年五月に閣議決定された「少子化社会対策大綱」においては、不妊治療と仕事の両立のための職場環境整備を推進することが掲げられた。また、「次世代育成支援対策推進法」に基づく「行動計画策定指針」において、一般事業主行動計画に盛り込むことが望ましい事項として「不妊治療を受ける労働者に配慮した措置の実施」が盛り込まれ、不妊治療と仕事の両立を支援する助成金が設けられるなど、民間企業において取組を促進するための各種施策が講じられていた。さらに、当時、不妊治療への保険適用拡大に向けた検討が進められていた。こうした状況を踏まえて、人事院において、不妊治療を受けやすい職場環境の整備は社会全体の要請であり、公務においても不妊治療と仕事の両立を支援する必要性は高いと判断され、職員の不妊治療のための休暇が新たに設

けられ、令和四年一月一日から実施されたものである。

(1)　休暇の取得要件

ア　「不妊治療」について

出生サポート休暇の対象となる「不妊治療」とは、不妊の原因等を調べるための検査、不妊の原因となる疾病の治療、タイミング法、人工授精、体外受精、顕微授精等をいい、「等」に含まれるものの例示として、排卵誘発法が挙げられている。体外受精に係る移植後の経過観察、ホルモン補充、妊娠判定等のための通院も出生サポート休暇の対象になるとされている。

なお、職員本人が何らの治療を受けず、単に配偶者の通院に付き添うためだけの場合は、この休暇の対象とはならない。ただし、配偶者の診断結果やその後の不妊治療の方針について医師から説明を聞く場合等は、不妊治療に含まれると解されている。

イ　「通院等」について

出生サポート休暇の取得要件としての「通院等」とは、医療機関への通院、医療機関が実施する説明会への出席等をいい、これらの通院や出席において必要と認められる移動（自宅又は職場と医療機関等との間の移動）が含まれる。また、入院も「通院等」に含まれる。

(2)　休暇の期間

出生サポート休暇は、一の年において五日、「人事院が定める不妊治療」に係る通院等の場合は十日の範囲内の期間とされている。「一の年」とは、一暦年をいい、一月一日から十二月三十一日の一年間を指すものである。

不妊治療には様々な段階があり、一般的な流れとして、検査から始まり、タイミング法や人工授精などの一般不妊治療では妊娠しない場合に体外受精や顕微授精などの生殖補助医療を行うこととなる。

厚生労働省「不妊と仕事の両立サポートハンドブック」によると、月経周期（二十五日〜三十八日程度）毎の通院日数目安は、一般不妊治療の場合、女性で「診療時間一回一〜二時間程度の通院が二日〜六日」、生殖補助医療を行う場合、特に女性は頻繁な通院が必要とされ、女性で「診療時間一回一〜三時間程度の通院が四日〜十日、診療時間一回あたり半日〜一日程度の通院が一日〜二日」とされている。

このように、不妊治療のうち、検査や一般不妊治療については生殖補助医療と比較すると通院日数が少ないと考えられること、仕事との両立を支援する目的で設けられている他の事由の休暇との均衡を図る必要があることなどから、休暇の期間は、原則として五日の範囲内とされている。

一方、体外受精や顕微授精を行う場合には、頻繁な通院を要することから、「人事院の定める不妊治療」に係る通院等の場合として、休暇の期間は原則の期間である五日に更に五日を加えた十日の範囲内とされたものである。

(3)　休暇の単位

出生サポート休暇の単位は、この休暇と同じように仕事と生活の調和の推進を図る目的で先に措置されている配偶者出産休暇、育児参加休暇、子の看護休暇及び短期介護休暇と同様、一日又は一時間とされ、残日数に一時間未満の端数がある場合で、当該残日数をすべて使用するときには、当該残日数のすべてを使用することができるものとされている（詳しくは、10(5)（六五五頁）参照）。

○規則一五—一四運用通知

第十四　特別休暇関係

1(7)　第五号の二の「不妊治療」とは、不妊の原因等を調べるための検査、不妊の原因となる疾病の治療、タイミング法、人工授精、体外受精、顕微授精等をいい、同号の「通院等」とは、医療機関への通院、医療機関が実施する説明会への出席（これらにおいて必要と認められる移動を含む。）等をいい、同号の「一の年」とは、一暦年をいい、同号の「人事院が定める不妊治療」は、体外受精及び顕微授精とする。

７　産前の場合

産前の期間については、女性職員の母性保護の観点から、規則一〇―七第八条で使用者である各省各庁の長に就業制限措置を課しているが、他方、この期間は、職員側の事由を契機とする勤務条件としても保障するにふさわしい性格も有しているため、特別休暇の一事由（産前休暇）としても措置されているものである。前記のとおり母性保護の観点からの措置であり、職員の妊娠した時期が在職中であるか在職前であるかは関係なく適用されるものである。

なお、一般法である労基法でも同様の規制措置が講ぜられているが、それを有給とすることまでは同法において規定されていない。

○規則一五―一四（特別休暇）

第二十二条

１六　六週間（多胎妊娠の場合にあっては、十四週間）以内に出産する予定である女子職員が申し出た場合　出産の日までの申し出た期間

○規則一〇―七（女子職員及び年少職員の健康、安全及び福祉）

（産前の就業制限）

第八条　各省各庁の長は、六週間（多胎妊娠の場合にあつては、十四週間）以内に出産する予定の女子職員が請求した場合には、その者を勤務させてはならない。

○労基法

（産前産後）

第六十五条　使用者は、六週間（多胎妊娠の場合にあつては、十四週間）以内に出産する予定の女性が休業を請求した場合においては、その者を就業させてはならない。

(1)　「六週間（多胎妊娠の場合にあっては、十四週間）以内に出産する予定」の意味

「六週間（多胎妊娠の場合にあっては、十四週間）」は、分べん予定日以前の暦のうえでの六週間（十四週間）、四十二日間（九十八日間）をいうものとされ、実際の出産日が分べん予定日より遅れた場合には、分べん予定日から出産した日までについても、産前の休暇として取り扱われることとなる。なお、分べん予定日又は分べん日は、産前の期間に含めることとしている。

○規則一五―一四運用通知

第十四　特別休暇関係

1(8)　第六号の「六週間（多胎妊娠の場合にあっては、十四週間）」は、分べん予定日から起算するものとする。

【事例】

（質問）　産前の休暇六週間を経過したるも出産しないで、なお三日後に分べんした場合は、予定が延びた三日間についても「職員の分べん」のための特別休暇として取り扱ってよいか。

（昭三一・五・二八　名地一―二七五　人事院名古屋地方事務所長）

（回答）　貴見のとおり解して差し支えない。

（昭三一・六・二九　給二―二七〇　給与局給与第二課長）

産前の休暇は、正常な分べん予定日を基準として与えられることになっているが、早産等の異常な分べん（早産以

外には、人工妊娠中絶のうち身体的理由により母体の健康を著しく害する恐れがあるために行う場合、胎児が胎内で死亡し、人工的に摘出する場合等が該当する。）であっても、医師の証明により早産等の日をあらかじめ特定し得る場合には、その日を基準として産前の特別休暇を認めることは可能であるとされている。なお、このような場合、規則一五―一四の「産後」休暇における出産の取扱いが、妊娠満十二週以後となっているところから、産前休暇承認の始期は、妊娠満十二週以後である必要がある。

分べん予定日は、医師の証明する日をもって判断する以外にないが、妊娠末期にいたって、あらかじめ証明された予定日が変更されることが時として生ずる。多くの場合、職員からの申出があろうが、このような場合にも、あくまでも、休暇承認権者が、医師の証明を得て「正確」であると判断する予定日に基づいて、産前休暇を変更することとなろう。

(2)　産前期間と病気休暇、病気休職との関係

切迫流産、妊娠高血圧症候群などの妊娠合併症等によって、病気休暇を承認された職員がその病気休暇を承認された期間中に産前六週間に至った場合の取扱いが問題とされることがある。既に病気休暇が承認されている場合でも、この休暇の趣旨に照らし、その職員から申出があったときには、病気休暇を取り消し、新たに特別休暇（産前休暇）とすることは差し支えないものとされている。また、同様に、出産を予定する女性職員が、母子保健法（昭和四十年法律第百四十一号）の規定による保健指導又は健康診査に基づく指導事項を守るため勤務しないことがやむを得ないと認められる場合に該当して、国家公務員法（昭和二十二年法律第百二十号）第七十九条第一号に規定する病気休職となったときは、産前休暇等の取得要件を満たした時点で産前休暇等を取得できるよう復職させるものとされている。

これに対し、心身の故障のため長期の休養を要するものとして、国公法第七十九条第一号に基づき休職処分に付されていた職員が、産前六週間に至った場合には、休職の要因となった事由が消滅するか、休職期間が満了するまでの間は復職し得ず、いわば公権力をもって公務関係から排除されている状態であるので、この期間中の職員に対して

は、産前休暇を認めることは適当でないと解されている。

【事例】

（質問） 職員が私傷病により休職中に分娩予定日の六週間前となり産前の特別休暇を申請してきた場合、特別休暇を承認してよいか。また、分娩後六週間についてはどう扱うべきか。（東京都　Ｋ生）

（回答） 休職中の職員に対しては、産前の特別休暇は与える余地がなく、また産後の就業を禁止する余地もありません。

なお、おたずねのような場合、休職の事由となった心身の故障が存する限り、特別休暇又はいわゆる「産後期間」の取扱いをするために復職させることは適当ではありません。（昭四三・一　人事院月報相談室）

（注）「分娩後六週間」は、現在は「八週間」となっている。

(3)　休暇の期間

産前休暇の期間は、分べん予定日より遡った六週間（多胎妊娠の場合にあっては、十四週間）から分べんの日までの申し出た期間であり、実際の分べんが予定日より遅れた場合は、その期間だけ申出の更新があったものとみなし延伸される。ここで特に注意を要するのは、この休暇は、出産予定の女性職員から申出があった場合には、その申出期間が、この期間を超えないものである限り、その申出をもって、成立するということである。すなわち、産前休暇は後述する産後休暇と共に、他の休暇とは異なり、休暇の成立要件としての各省各庁の長の承認行為は求められていない。単に手続として職員に対し申出を義務付けているものであるので、それだけ女性職員の権利が強く認められているものであるといえる。

8　産後の場合

産後の期間については、従来は、母性保護の観点から規則一〇―七においてのみ、使用者たる各省各庁の長に絶対的な就業禁止の義務を課しその保護を図っていたところであるが、昭和六十一年の休暇制度の法的整備に当たり、その事由が、職員の権利としてもふさわしい性格のものとして認識することが適当であることから、職員の勤務条件の側面から、特別休暇の一事由（産後休暇）としても措置したものである。なお、産前の場合と同様に、労基法にも同種の規定はあるが、この期間について有給とすることまでは規定されていない。

○規則一五―一四

（特別休暇）

第二十二条

１七　女子職員が出産した場合　出産の日の翌日から八週間を経過する日までの期間（産後六週間を経過した女子職員が就業を申し出た場合において医師が支障がないと認めた業務に就く期間を除く。）

○規則一〇―七

（産後の就業制限）

第九条　各省各庁の長は、産後八週間を経過しない女子職員を勤務させてはならない。ただし、産後六週間を経過した女子職員が請求した場合において、医師が支障がないと認めた業務に就かせることは、差し支えない。

○労基法

（産前産後）

第六十五条

②　使用者は、産後八週間を経過しない女性を就業させてはならない。ただし、産後六週間を経過した女性が請求した場合において、その者について医師が支障がないと認めた業務に就かせることは、差し支えない。

(1)　「出産」の範囲

「出産」とは、妊娠満十二週以後の分べんをいう。妊娠満十二週以後の分べんであれば、生産であれ、死産であれ、流産であれ、早産であれ、その事情は一切問われない。なお、妊娠満十二週を少々過ぎたところで流産した女性職員が、産後六週間の就業制限は長すぎるとして、一、二週間の休養の後に勤務に就くことを希望することがあるが、この場合には、たとえ本人の希望がいかなるものであるにせよ、少なくとも六週間は、各省各庁の長は規則一〇—七に基づき就業禁止の義務を課されているので、仮に、公務が多忙の時期であるという事情にあるような場合であっても、その例外ではなく、産後休暇として処理されることになる。この結果、実務上は、いわゆる流産等の場合においては、産前休暇を認められることのない職員について、産後休暇が発生することもあり得よう。

○規則一五—一四運用通知

第十四　特別休暇関係

１　(9)　第七号、第九号及び第十号の「出産」とは、妊娠満十二週以後の分べんをいう。

【事例】

(質問)　職員が流産をした場合に、在職期間の多少にかかわらず流産した日以後六週間の産後の休暇を与えて差し支えないか。

(昭二七・一一・一七　〇七—七八六　人事院高松地方事務所長)

(回答)　妊娠八十五日以上の早流死産の場合にあっては、給実甲第二十八号第十五条関係一の十による休暇として取り扱って差し支えないものと解する。

(昭二七・一二・二　四三—一五六　給与局実施課長)

(注)　１　給実甲第二十八号第十五条関係一の十については、規則一〇—七第九条参照。

２　産後六週間は、現行「八週間」となっている。

(2)　産後期間と病気休暇、病気休職との関係

産後休暇中に、病気休暇ないし病気休職の事由に該当することもあり得る。この場合は、前述の産前休暇の場合と

同様に、この休暇が母性保護の見地から休暇等として特別に措置されていることに鑑み、産後の期間終了後にそれぞれの事由があれば病気休暇の承認等を行えばよいのであって、産後の特別休暇を取り消して病気休暇等に振り替える必要はないものとされている。

【事例】

（質問）　妊娠八十五日以上の職員が流産し、同時に産じょく性精神病の診断があった。この場合、下記の１及び２の取扱いは、いずれも可能であるか。もし可能であれば、どちらが妥当であるか。

１　産後六週間の休暇を与えることなく、産じょく性精神病を事由として休職を命ずる。

２　産後六週間の休暇を与えたのち、産じょく性精神病を事由として休職を発令する。（名古屋市　Ｔ生）

（回答）　制度としては、１の取扱いを行う余地もあると考えられますが、御質問の事例の場合は、一般に２の取扱いが妥当と考えます。

なお、「産後の休暇」は、規則一〇―四第十七条第五項の規定により、就業させてはならない期間で、特別休暇にも病気休暇にも含まれない期間ですので、２の取扱いの場合、産後六週間の期間が経過したのちの期間について、病気休暇の取扱いを行い、その経過をみてから、休職の発令を考慮するということも考えられます。（昭三五・三　人事院月報相談室）

（注）　１　人事院規則一〇―四第十七条第五項については、人事院規則一〇―七第九条参照。

２　産後期間は現在、特別休暇として取り扱っている。人事院規則一五―一四第二十二条第一項第七号参照。

(3)　休暇の期間

この休暇の期間は、出産の翌日から八週間を経過する日までの期間となっている。ただし、産後六週間を経過した女性職員が就業を申し出た場合において医師が支障がないと認めた業務に就かせることは、差し支えない。

この休暇は、女性職員の出産という事実に基づいて認められるものであるため、各省各庁の長の裁量の余地はなく、出産の事実により休暇は成立することとなっている。出産した場合の女性職員は、速やかにその旨を各省各庁の長に届け出る必要があるが、実際の手続手段としては、家族の電話等による届出になることが多いと思われ、その場合は、この事由の性格上、代人からの届出でも差し支えないと解されている。

なお、産後の期間は、昭和六十一年三月から、女子差別撤廃条約に伴う国内法整備の一環としての規則一〇―七の改正に併せて、六週間（絶対的期間は五週間）から八週間（絶対的期間は六週間）に改正されている。

９　職員が生後一年に達しない子に授乳等を行う場合

この事由による特別休暇（保育時間）は、生後一年に達しない子を育てる職員に対して授乳その他保育のために必要な時間を、所定の休憩時間とは別に確保して、職員の育児について援助を与える趣旨で設けられているものである。

保育時間は、従来女性職員についてのみ認められていたが、男女共同参画社会実現のための家庭生活と職業生活の両立支援策の一環として、平成十年四月一日から男性職員にも認められることとなった。

女性職員については、産前・産後の場合と同様、この休暇事由についても規則一〇―七第十条において使用者の就業規制として併せ措置されている。労基法にも同種の規定が置かれているが、この期間の賃金については、当事者の合意に委ねられている。この制度は、あくまでも、職員が勤務に従事しないことを特に認めるものであって、そのことは、いわゆる勤務時間の短縮を意味するものではないことに注意する必要がある。なお、平成二十九年一月からは民間労働法制における育児休業等の取扱いに即して「子」の範囲が拡大され、特別養子縁組監護期間中の者や養子縁組里親に委託されている者、実親の同意が得られないため、養子縁組里親ではなく養育里親である職員に委託されている児童を含むことになった。また、それに伴い、男性職員が配偶者と同時に取得する場合の調整規定に係る「親」の範囲拡大（特別養子縁組監護期間中の者を監護している者等を含める）もされている。

○規則一五—一四

（特別休暇）

第二十二条

１八　生後一年に達しない子を育てる職員が、その子の保育のために必要と認められる授乳等を行う場合　一日二回それぞれ三十分以内の期間（男子職員にあっては、その子の当該職員以外の親（当該子について民法（明治二十九年法律第八十九号）第八百十七条の二第一項の規定により特別養子縁組の成立について家庭裁判所に請求した者（当該請求に係る家事審判事件が裁判所に係属している場合に限る。）であって当該子を現に監護するもの又は児童福祉法第二十七条第一項第三号の規定により当該子を委託されている養子縁組里親である者若しくは養育里親である者（同条第四項に規定する者の意に反するため、同項の規定により、養子縁組里親として委託することができない者に限る。）を含む。）が当該職員がこの号の休暇を使用しようとする日におけるこの号の休暇（これに相当する休暇を含む。）を承認され、又は労働基準法（昭和二十二年法律第四十九号）第六十七条の規定により同日における育児時間を請求した場合は、一日二回それぞれ三十分から当該承認又は請求に係る各回ごとの期間を差し引いた期間を超えない期間）

○規則一〇—七

（保育時間）

第十条　各省各庁の長は、生後一年に達しない子（勤務時間法第六条第四項第一号において子に含まれるものとされる者を含む。）を育てる女子職員が請求した場合には、人事院の定める保育時間中は、その者を勤務させてはならない。

○規則一〇—七運用通知

第十条関係

「保育時間」とは、生後一年に達しない子（勤務時間法第六条第四項第一号において子に含まれるものとされる者を含む。）を育てる女子職員が、正規の勤務時間等においてその子の保育のために必要と認められる授乳等を行う時間をいい、その時間は、一日二回それぞれ三十分以内とする。

○労基法

（育児時間）

第六十七条　生後満一年に達しない生児を育てる女性は、第三十四条の休憩時間のほか、一日二回各々少なくとも三十分、その生児を育てるための時間を請求することができる。

②　使用者は、前項の育児時間中は、その女性を使用してはならない。

(1)　「生後一年に達しない子」の意味

「生後一年」の計算は、民法の一般原則による。

したがって、子の誕生日の前日の終わりをもって一年に達することとなる。

なお、「子」とは、実子であると養子であるとを問わない。また、いわゆる里子については、ここでいう「子」には該当しないものとされていたが、平成二十九年一月から、民間労働法制における育児休業等の取扱いに即してその範囲が拡大され、特別養子縁組監護期間中の者や養子縁組里親に委託されている者、実親の同意が得られないため、養子縁組里親でなく養育里親である職員に委託されている児童を含むこととされた。

(2)　「子の保育のために必要と認められる授乳等」の意味

「子の保育のために必要と認められる授乳等」とは、子への哺乳に限らず、託児所への送り迎え等、子のための一般的な世話を意味する。したがって、哺乳も、母乳であると人工乳であるとを問わない。

なお、この休暇は、従来女性職員を対象として認められていたものであるが、平成十年四月一日から男性職員にも認められることとなり、共働きの男性職員が子を託児所に送迎する必要があるというような場合や、配偶者が専業主婦でも社会通念上認められる事情（配偶者本人の病気、親の看護等）により保育が困難である場合に、男性職員が授乳等を行う必要があるときには、その男性職員にも保育時間が認められる。

(3)　休暇の期間

この休暇の期間は、一日二回それぞれ三十分以内の期間認められる。「一日二回それぞれ三十分以内の期間」とは、原則として、その前後に勤務することを前提とし、午前及び午後に各一回認めようとするものである。しかしながら例外的に、通勤事情等の関係から、承認権者がやむを得ない事情があると認めた場合には、一日二回分を連続させて認めることもできるとされている。ただし、勤務時間が四時間しか割り振られていないような日、七時間四十五分勤務の日にあらかじめ四時間の年次休暇を使用することが明らかになっているような日などにあっては、一回（三十分以内）に限られることとなる。

なお、ここでいう「三十分以内の期間」とは、実際に必要とする時間が三十分以内であり、その三十分以内の時間について、職員から請求があった分だけ認めようとするものである。

この「三十分」には、託児所への送迎等を目的とする場合におけるその往復に要する時間も含まれることと解されている。

また「男子職員にあっては、……一日二回それぞれ三十分から当該承認又は請求に係る各回ごとの期間を差し引いた期間を超えない期間」とし、男性職員がこの休暇を請求する場合に、配偶者など当該職員以外の親（当該子について民法第八百十七条の二第一項の規定により特別養子縁組の成立について家庭裁判所に請求した者（当該請求に係る家事審判事件が裁判所に係属している場合に限る。）であって当該子を現に監護するもの又は児童福祉法第二十七条第一項第三号の規定により当該子を委託されている養子縁組里親である者若しくは養育里親である者（同条第四項に規定する者の意に反するため、同項の規定により、養子縁組里親として養親となることを希望している者として委託することができない者に限る。）を含む。）が同様の休暇（労基法でいう育児時間など）を取得することとしている場合には調整され、一日二回それぞれ三十分から当該取得することとしている時間を差し引いた時間を超えない範囲内で請求することができることとしている。

【事例】

（質問） 保育時間は、昭和四十八年四月一日付職厚—二四一により「生児を育てるために授乳等を行うに必要とする時間とし、その時間は、一日二回それぞれ三十分とする。」と定められているが、各機関の長がやむを得ない事情があると認める場合は、一日二回分の保育時間を連続させることも差し支えないと解してよいか。

（昭五一・七・六　人関総—三三四　人事院関東事務局長）

（回答） 貴見のとおり解して差し支えありません。

（昭五一・七・二一　職福—四八八　人事院職員局長）

（注） 昭四八・四・一　職厚—二四一については、昭六一・三・一五　職福—一二一参照。

（質問） 給実甲第二十八号第十五条関係第一（別表）第十二号の「一回三十分」には、哺乳のため乳児のところまで往復する時間も含まれていると解してよいか。

（昭三四・九・一二　名地一—九一二　人事院名古屋地方事務所長）

（回答） 貴見のとおりと解する。

（昭三四・九・一六　給二—四六四　給与局給与第二課長）

（注） 給実甲第二十八号第十五条関係第一（別表）第十二号については、規則一五—一四第二十二条第一項第八号参照。

この休暇は、正規の勤務時間中のどの時間帯に保育のための時間を請求するかは、職員の選択にまかせられているので、各省各庁の長は、その請求に係る期間について承認せざるを得ないと解されている。

したがって、休憩時間の前後の請求並びに勤務時間の始め又は終わりにおける請求であった場合でも、その時間について子を育てるための授乳等の事実が認められる限りは承認することとなる。

従来は、勤務時間の始め又は終わりにおける保育時間は、「子を託児所に委託することが必要で、かつ、託児所の受託時間の制限から勤務時間の最初と最後にかからざるを得ない場合」に限り認めるという限定的な運用を行っていたが、昭和六十一年の休暇制度の法的整備を機会に、労基法の運用等を考慮し、「保育の実態」に着目した前述のような運用を行っているところである。

なお、保育時間は、原則として、その前後に勤務することを前提とし、認められるものであることから、例えば、勤務時間の始めに保育時間、引き続いて年次休暇、そののち勤務という運用は認められず、その場合は保育時間を取り消し、勤務時間の始めから年次休暇を請求することとなる。

10　妻が出産する場合

この事由による特別休暇（配偶者出産休暇）は、近年の核家族化の傾向に伴い、職員の妻の出産のための病院の入退院の付添い等を職員自身が行わなければならない場合が増加しており、勤務しないことが相当であると認められるため、民間企業における高い普及率をも考慮し、昭和六十一年の休暇制度の法的整備に当たり、休暇事由の一つとして加えられたものである。

なお、前述のとおり、この配偶者出産休暇と出生サポート休暇並びに後述の育児参加休暇、子の看護休暇及び短期介護休暇は、特別休暇の中でも「特定休暇」として区分されている。

○規則一五—一四

（特別休暇）

第二十二条

１九　職員が妻（届出をしないが事実上婚姻関係と同様の事情にある者を含む。次号において同じ。）の出産に伴い勤務しないことが相当であると認められる場合　人事院が定める期間内における二日の範囲内の期間

(1)　「職員の妻」の範囲

「職員の妻」には、法律上の妻だけでなく、法律上の手続、すなわち、届出を欠くが社会一般から夫婦と認められる実質を有している者をも含むこととされている。ただし、結婚休暇と同様に、いわゆる内縁の関係であったとしても、民法に規定する重婚及び近親婚に相当する場合は、ここでいう「職員の妻」の範囲には含まれない。

(2)　「出産」の範囲

「出産」とは、前述の産後休暇の際の解釈と同様、妊娠十二週以後の分べんをいうものとされており、分べんの結果が、生産、死産であるかの別は問わない。

○規則一五―一四運用通知

第十四　特別休暇関係

1　(9)　第七号、第九号及び第十号の「出産」とは、妊娠満十二週以後の分べんをいう。

(3)　休暇の取得要件

この休暇は、妻の出産に係る入退院の付添い、出産時の付添い、出産に係る入院中の世話、出生の届出等のために取得できるものであるが、従来は、入退院の付添い等に限られていた。しかし、配偶者出産休暇制度がある企業の多くが「出産に伴うものであれば事由を問わない」としていることから、男性職員が家庭責任を果たすことを支援するため、出産に伴う様々な場面で活用できるように、平成十七年一月一日から取得事由を拡大したものである。

(4)　休暇の期間

この事由による休暇は、「人事院が定める期間内における二日の範囲内の期間」認められる。「人事院の定める期間」とは、規則一五―一四運用通知において、「職員の妻の出産に係る入院等の日から当該出産の日後二週間を経過する日まで」とされている。

○規則一五―一四運用通知

第十四　特別休暇関係

1　⑽　第九号の「妻（届出をしないが事実上婚姻関係と同様の事情にある者を含む。次号において同じ。）の出産に伴い勤務しないことが相当であると認められる場合」とは、職員の妻の出産に係る入院若しくは退院の際の付添い、出産時の付添い又は出産に係る入院中の世話、子の出生の届出等のために勤務しない場合をいい、同号の「人事院が定める期間」は、職員の妻の出産に係る入院等の日から当該出産の日後二週間を経過する日までとする。

「出産に係る入院等の日」とは、病院その他の医療施設又は自宅等において出産の準備態勢に入った日を指すものとされている。例えば、職員の妻が出産のため病院に入院したが、出産に至らず一旦退院して後日再び入院する場合がある。この場合、二回の入院とも職員が付添いのための必要があれば、この休暇は二日の範囲内の期間内でそれぞれ承認されることになる。

また、この事由による休暇の行使期限を、出産の日後二週間を経過する日までと定めているのは、通常の出産に伴う付添い等の手伝いは、この範囲内で行われるという実態に基づいたものである。

(5)　休暇の単位

休暇の単位は、一日又は一時間とされている。ただし、残日数のすべてを使用しようとする場合に限っては、当該残日数に一時間未満の端数があるときは、当該残日数のすべてを使用することができるものとなっている。

一日の単位は、一回の勤務に割り振られた勤務時間のすべてを勤務しないときに使用するものとし、一時間を単位として使用した休暇を日に換算する場合には、斉一型短時間勤務職員を除き、七時間四十五分をもって一日とすることとなっている。従来は、正規の勤務時間の一部について休暇が承認された場合にはこれを一日として取り扱っていたが、職員の職業生活と家庭生活の両立のためにより柔軟な取得を可能にするため、平成十七年一月一日から実質的に二日が保証されることとなった。

　また、平成二十一年四月一日の勤務時間の短縮（一週間当たり四十時間→三十八時間四十五分）に伴い、一時間を単位として休暇を使用した場合に、残日数に一時間未満の端数が生じることとなったが、配偶者出産休暇を始めとする特定休暇の休暇の期間内では、一時間を単位として休暇を一度使用すると、その後どのように使用したとしても残日数を使い切ることができない場合があること、両立支援を推進する目的の休暇であることから、平成二十一年四月一日からは、残日数に一時間未満の端数がある場合で、当該残日数をすべて使用するときには、当該残日数のすべてを使用することができるものとされた。

○規則一五—一四

（特別休暇）

第二十二条

２　前項第五号の二及び第九号から第十二号までの休暇（以下この条において「特定休暇」という。）の単位は、一日又は一時間とする。ただし、特定休暇の残日数の全てを使用しようとする場合において、当該残日数に一時間未満の端数があるときは、当該残日数の全てを使用することができる。

３　一日を単位とする特定休暇は、一回の勤務に割り振られた勤務時間のすべてを勤務しないときに使用するものとする。

４　一時間を単位として使用した特定休暇を日に換算する場合には、次の各号に掲げる職員の区分に応じ、当該各号に定める時間数をもって一日とする。

一　次号及び第三号に掲げる職員以外の職員　七時間四十五分

二　斉一型短時間勤務職員　勤務日ごとの勤務時間の時間数（七時間四十五分を超える場合にあっては、七時間四十五分とし、一分未満の端数があるときは、これを切り捨てた時間）

三　不斉一型短時間勤務職員　七時間四十五分

11　男性職員が育児に参加する場合

この事由による特別休暇（育児参加休暇）は、夫たる男性職員が積極的に育児に参加することを推進するために設けられたもので、職員が、妻の出産予定日の六週間前（多胎妊娠の場合は十四週間前）から出産の日以後一年の期間において、出産に係る子又は小学校就学前までの子を養育するため勤務しないことが相当と認められる場合に取得できる。この期間は夫たる男性職員の育児参加が最も必要とされる時期であり、また、子育ての最初の段階で育児に積極的にかかわることをきっかけとして、その後の育児への関心や参加の度合いが高まる効果も期待できることから、平成十七年一月一日から休暇事由の一つとして加えられたものである。

○規則一五—一四

（特別休暇）

第二十二条

1十　職員の妻が出産する場合であってその出産予定日の六週間（多胎妊娠の場合にあっては、十四週間）前の日から当該出産の日以後一年を経過する日までの期間にある場合において、当該出産に係る子又は小学校就学の始期に達するまでの子（妻の子を含む。）を養育する職員が、これらの子の養育のため勤務しないことが相当であると認められるとき　当該期間内における五日の範囲内の期間

〈育児参加休暇導入の背景〉

次世代育成支援対策や少子化社会対策が社会全体の課題となっている中で、男性の育児参加の促進を図ることの重要性が高まってきており、平成十六年七月に出された人事院の「多様な勤務形態に関する研究会」の中間取りまとめにおいても、男性職員の育児参加を促進するため、妻の産前産後の期間における男性職員の育児のための特別休暇を

導入することが提言された。人事院はこのようなことを踏まえ、同年の人事院勧告時の報告において、職員の職業生活と家庭生活の両立支援策の一環として、妻の産前産後の期間における男性職員の育児のための特別休暇の導入について検討することを表明していた。

また、男性の育児参加は社会全体の強い要請であり、公務においても、男性職員の積極的な育児参加を促進することが重要であることを踏まえ、母体の健康維持及び回復に専念するための休養の期間である妻の産前産後の期間に取得できる、男性職員の育児参加のための特別休暇を導入することとしたものである。

(1)　休暇の取得要件

ア　「子を養育する」の意味

「子を養育する」とは、その子と同居し監護することをいうものである。また、出産に係る子が入院中であっても、退院後に職員が同居して監護することが予定されているときは、「同居」として取り扱うものとされている。

イ　「子の養育のため勤務しないことが相当であると認められる場合」の意味

生まれた子への授乳、付添い、上の子の保育所等への送迎など、子の生活上の一般的な世話をするために勤務しない場合をいうものである。

なお、この休暇は、当初妻の産前産後の期間に夫たる男性職員が育児を行うために設けられた休暇であること、また、男性職員の積極的な育児参加のきっかけとなることをも期待して措置する休暇であることから、職員自身が育児に携わることが重要であるため、当該職員以外の養育者がいる場合であっても取得が認められるものである。

(2)　子の範囲

「当該出産に係る子又は小学校就学の始期に達するまでの子（妻の子を含む。）」とされているが、これは、妻の産前産後の期間は母体の健康維持及び回復に専念するための休養の期間であることを考慮して、生まれた子の世話だけでなく、育児が必要な上の子がいる場合にはその子の世話をすることについても、取得事由として認めるものである。本休暇の対象となる子の範囲については、乳幼児は心身が未発達で親が生活上の一般的な世話をする必要性が高いこと、子の看護休暇及び深夜勤務・超過勤務の制限においても小学校就学前の子を持つ職員を対象としていることを踏まえ、小学校就学前までとしているものである。

なお、「小学校就学の始期に達するまで」とは、その子が六歳に達する日（誕生日の前日）の属する年度の三月三十一日までをいう。

また、「子（妻の子を含む。）」の「子」とは、職員の法律上の親子関係にあるもの、すなわち実子及び養子、勤務時間法第六条第四項第一号において子に含まれるものとされる者（民法第八百十七条の二第一項の規定により職員が当該職員との間における同項に規定する特別養子縁組の成立について家庭裁判所に請求した者（当該請求に係る家事審判事件が裁判所に係属している場合に限る。）であって、当該職員が現に監護するもの、児童福祉法第二十七条第一項第三号の規定により同法第六条の四第二号に規定する養子縁組里親である職員に委託されている児童その他これらに準ずる者として人事院規則で定める者（児童福祉法第六条の四第一号に規定する養育里親である職員（児童の親その他の同法第二十七条第四項に規定する者の意に反するため、同項の規定により、同法第六条の四第二号に規定する養子縁組里親として当該児童を委託することができない職員に限る。）に同法第二十七条第一項第三号の規定により委託されている当該児童）を指すものである。したがって、「実子」、「養子」及び括弧書きの「妻の子」、勤務時間法第六条第四項第一号において子に含まれるものとされる者がここでいう「子」に該当する。

(3)　休暇の期間

この休暇が取得できる期間は妻の出産予定日の六週間前（多胎妊娠の場合は、十四週間前）から出産の日以後一年を経過する日までとされている。この休暇の制定時には、夫たる男性職員が育児を行うことが最も必要とされる時期であることを考慮し、女性職員の産前休暇及び産後休暇と同じ期間である妻の産前六週（多胎妊娠の場合は、十四週）から産後八週までの期間とされていたが、子の出生後八週間以内においても二回まで育児休業を取得できるよう育児休業法が改正されたことを踏まえ、これと一体的な措置として、妻の産後の体調回復が思わしくない場合や子が未熟児である場合などに産後八週間経過後もこの休暇を使用することができるよう、令和四年十月一日から期間の拡大が図られたものである。

また、休暇の日数については、「仕事と子育ての両立支援策の方針について」（平成十三年七月六日閣議決定）において「父親の産休五日間」がうたわれていることや、次世代育成支援対策推進法（平成十五年法律第百二十号）に基づく「行動計画策定指針」において「五日間程度」の休暇の取得促進が掲げられていることを踏まえ、連続取得すればある程度まとまった時間を子どもと過ごすことができる日数として「五日の範囲内の期間」としている。

なお、この休暇の単位は、出生サポート休暇、配偶者出産休暇、子の看護休暇及び短期介護休暇と同様である。

12　職員の養育する小学校就学前の子の看護をする場合

この事由による特別休暇（子の看護休暇）は、職業生活と家庭生活の両立を図るための環境を整備する観点からそのような両立を支援するための施策の一つとして設けられたもので、心身が未発達で負傷又は疾病の際に親や家族等による看護を必要とする小学校就学前の乳幼児について、職員の養育するそのような子が負傷又は病気により看護を必要とし、職員がその看護にあたらざるを得ない場合には、その子の看護のために勤務を欠くことは相当であると認められることから、平成十四年四月一日から休暇事由の一つとして加えられたものである。

この休暇は、当初、小学校就学の始期に達するまでの子を養育する職員が、負傷し又は疾病にかかった子の世話を行う場合に、年五日の範囲内の期間で認められていたものである。しかし、休暇の期間が子の人数を考慮したものではないため、複数の子がいる場合に日数が不足するとして日数拡充の要望が多かったこと、取得要件が子が負傷し又は疾病にかかった子の世話に限定されていたため、子の予防接種等の付添い等には年次休暇を使用しなければならなかったこと、また、第一七一回国会で、民間部門において育児休業、子の看護休暇、介護休暇等に関する措置等を内容とする育児・介護休業法の改正法が平成二十一年七月一日に公布（当該措置は平成二十二年六月三十日施行）されたこと等を総合的に考慮し、両立支援を一層推進するため、平成二十二年六月三十日から、休暇の期間を、小学校就学の始期に達するまでの子が二人以上の場合にあっては十日と拡充し、取得要件に、疾病の予防を図るために必要なものとして人事院が定めるその子の世話（具体的には、予防接種又は健康診断を受けさせること）が追加された。なお、ここでいう「子」は、平成二十九年一月からは、民間労働法制における育児休業等の取扱いに即してその範囲が拡大されており、勤務時間法第六条第四項第一号において、現在は職員が養子縁組を結ぶ準備段階にあり、子に準ずるといえるような関係にある者（職員が民法の規定による特別養子縁組の成立に係る監護を現に行う者、児童福祉法の規定により養子縁組里親である職員に委託されている児童及びこれに準ずる者（実親の同意が得られないため、養子縁組里親ではなく養育里親である職員に委託されている児童））についても「子」の範囲に含むこととされている。

○規則一五―一四

（特別休暇）

第二十二条

１十一　小学校就学の始期に達するまでの子（配偶者の子を含む。以下この号において同じ。）を養育する職員が、その子の看護（負傷し、若しくは疾病にかかったその子の世話又は疾病の予防を図るために必要なものとして人事院が定めるその子の世話を行うことをいう。）のため勤務しないことが相当であると認められる場合　一の年において五日（その養育する小学校就学の始期に達するまでの子が二人以上の場合にあっては、十日）の範囲内の期間

〈子の看護休暇導入の背景〉

子の看護休暇については、男女共同参画社会の実現に向けて、男女がともに家庭責任を担いつつ、職業生活と家庭生活の両立を図り得るような環境の整備がわが国の重要な課題とされ、男女共同参画社会基本法に基づく政府の男女共同参画基本計画（平成十二年十二月閣議決定）においても、仕事と子育ての両立の促進に向けた制度の充実の観点から「検討を行い、必要な施策を講じる」とされるなど、その必要性が社会的に高まっていた。公務においては人事院の平成十二年及び十三年の人事院勧告時の報告で導入に向け検討する旨の表明がなされ、他方、民間部門においては、第一五三回国会で育児・介護休業法が改正され「子の看護のための休暇」が事業主に対する措置努力義務規定（平成十四年四月施行）として新設され、国としてもより多くの企業で普及が図られるよう啓発・指導を行っていくこととされた。

このような状況を踏まえ、公務においても男女共同参画社会の実現に向け職業生活と家庭生活の両立のための環境整備に積極的に取り組んでいく観点から、平成十四年四月一日、国家公務員の育児休業法等の改正による育児休業の対象となる子の年齢の引き上げ、介護休暇の期間の延長等の制度の拡充(平成十四年四月一日実施)とあわせて子の看護のための休暇制度が導入された。このようにこれらの施策がいわばパッケージで措置されたのは、係る諸施策を一体的に実施することにより、仕事と育児、介護の両立のための環境整備の一層の推進を図る趣旨からのものである。

(1)　休暇の取得要件

ア　「子を養育する」の意味

「子を養育する」とは、その子と同居し監護することをいう。ここでいう「同居」は、住民票上同居とされている場合のみに限らず、通常は家族と同居しているが、業務の事情等により一時的に住居を異にしている状態にある場合についても「同居」として取り扱うものとされている。

イ　「子の看護（負傷し、若しくは疾病にかかったその子の世話又は疾病の予防を図るために必要なものとして人事院が定めるその子の世話を行うことをいう。）」の意味

ここでいう「看護」とは、負傷し、又は疾病にかかっている子の治療や看病を行うこと及び疾病の予防を図るために必要なものとして人事院が定めるその子の世話の二種類をいう。

負傷し、又は疾病にかかったその子の世話には、子の治療や看病を行うことのほか、医療機関等で受診するための通院や病院等で付き添う必要がある場合等、療養のための世話を行うことも含まれるものである。

なお、負傷又は疾病が治った後のリハビリテーションを受ける場合の介添え等は、基本的に負傷又は疾病の治療のための看病とは異なることからここでいう「看護」には該当しないものとされている。ただし、負傷又は疾病それ自体の治療を目的とした理学療法の処置についてその介助を行う場合なども考えられることから、看護の具体的状況等を把握したうえで判断することが必要である。

疾病の予防を図るために必要な世話として人事院が定めるその子の世話は、子に予防接種又は健康診断を受けさせることをいう。

ウ　「負傷し、若しくは疾病」の意味

一般的にけがをしている、又は病気の状態にあることをいうものであり、治療に要する日数や特定の症状に限るものではなく、風邪、発熱等を含むあらゆる負傷、疾病が含まれるとされている。また、乳幼児の定期健康診断や予防接種を受ける場合は、それら自体は疾病とは異なることからここで言う「疾病」には該当しないものと解されているが、予防接種により著しい発熱などの異常な状態になった場合には、疾病に該当する。

なお、この休暇の申請に当たっては、職員に診断書等の負傷、疾病の証明書類の提出を義務づけることとはしていない。これは、この休暇が一般的には子の風邪や急な発熱等といった比較的短期の疾病等の場合に取得されるという

性格のものであること等の事情を考慮したものであるが、各省各庁の長がその事由を確認する必要があると認めるときは言うまでもなく証明書類の提出を求めることができる（規則一五—一四第二十九条第二項）。

エ「疾病の予防を図るために必要なものとして人事院が定めるその子の世話」について

「人事院が定めるその子の世話」とは、その子に予防接種又は健康診断を受けさせることとされている。

予防接種については、予防接種法に定める定期の予防接種等の法令により接種等が定められているものに加え、法令により接種等が定められていないものも含まれ、例えば、季節性インフルエンザの予防接種等が含まれる。健康診断についても、同様に、学校保健安全法等の法令で定められているものに加え、法令により定められていないものも含まれるものである。

オ「勤務しないことが相当であると認められる場合」について

「勤務しないことが相当であると認められる場合」とは、他に看護可能な家族等がいる場合であっても、職員が子の看護を行う必要があり、実際にその看護に従事する場合をいう。ただし、当然のことであるが、予防接種や健康診断を受けさせることが週休日等で対応可能な場合など、他の時期に変更しても妨げがないと認められるときは、勤務しないことが相当であると認められないこととなる。

平成十七年三月までは、他に看護可能な家族等がいる場合には原則として取得することができないと解されてきたところであるが、同年四月一日から、他に看護可能な家族等がいる場合であっても認めることとした。これは、民間の育児・介護休業法の改正により、平成十七年四月一日から民間の労働者に認められることとなった子の看護のための休暇について、他に看護可能な家族等がいる場合であっても申出により取得できることとされたことを踏まえたものである。

(2)　子の範囲

「小学校就学の始期に達するまでの子（配偶者の子を含む。以下この号において同じ。）」とされているが、これは心身が未発達で傷病に際してその軽重にかかわらず一人で療養することが困難である乳幼児については、親である職員がその看護にあたらざるを得ず、仕事と子育ての両立支援という観点からより切実で必要性が高いものと考えられることによるものである。これは、民間の育児・介護休業法に規定されている子の看護のための休暇の場合も同様の内容となっている。

なお、「小学校就学の始期に達するまで」とは、その子が六歳に達する日（誕生日の前日）の属する年度の三月三十一日までをいう。

また、「子（配偶者の子を含む。以下この号において同じ。）」の「子」とは、職員と法律上の親子関係にあるもの、すなわち実子及び養子と括弧書きの「配偶者の子」、勤務時間法第六条第四項第一号において子に含まれるものとされる者がここでいう「子」に該当する。

(3)　休暇の期間

この事由による休暇は、一の年において五日、養育する小学校就学の始期に達するまでの子が二人以上の場合にあっては、十日の範囲内の期間とされている。「一の年」とは、一暦年をいい、一月一日から十二月三十一日の一年間を指すものである。

休暇の期間が子の人数によって異なっているが、休暇により勤務しない時点における子の人数で判断することとなる。例えば、小学校就学の始期に達するまでの子が一人いる職員に年の途中で第二子が出生した場合、第二子の出生後は休暇により勤務しない時点において小学校就学の始期に達するまでの子が第一子と第二子の二人であることから、休暇の期間が十日の範囲内の期間となる。このように、子の人数が変動すれば、休暇の期間の上限が変動するものであるが、その上限は一年当たり職員一人につき、最大十日である。

子の小学校入学等により年の途中で小学校就学の始期に達するまでの子の人数が二人以上から一人となった場合は、その時点の残日数（残日数が五日を超える場合には、五日）の範囲内で、子の看護休暇を取得することができることとされている。

なお、この休暇も単位は出生サポート休暇、配偶者出産休暇、育児参加休暇及び短期介護休暇と同様である。従来は、正規の勤務時間の一部について休暇が承認された場合にはこれを一日として取り扱っていたが、育児を行う職員にとって特に必要性が高い休暇であり、また、職員の職業生活と家庭生活の両立支援のための施策を一層推進する観点から、平成十七年一月一日から実質的に五日が保証されることとなった。

○規則一五―一四運用通知

第十四　特別休暇関係

1　⑿　第十一号の「小学校就学の始期に達するまでの子（配偶者の子を含む。以下この号において同じ。）を養育する」とは、小学校就学の始期に達するまでの子（配偶者の子を含む。）と同居してこれを監護することをいい、同号の「人事院が定めるその子の世話」は、その子に予防接種又は健康診断を受けさせることとし、同号の「一の年」とは、一暦年をいう。

13　要介護者の介護等を行う場合

この事由による特別休暇（短期介護休暇）は、介護を行う職員の両立支援を推進する観点から設けられたもので、負傷、疾病又は老齢により日常生活を営むのに支障がある要介護者について、主として介護を担当している職員以外の者が疾病等にかかった場合に、職員が一時的に介護を行う必要があるときや、要介護者の通院の付添いを行う必要があるときなど、職員がその介護等にあたらざるを得ない場合には、その介護等のために勤務を欠くことは相当であると認められることから、平成二十二年六月三十日から休暇事由の一つとして加えられたものである。

○規則一五―一四

（特別休暇）

第二十二条

１十二　勤務時間法第二十条第一項に規定する要介護者（以下「要介護者」という。）の介護その他の人事院が定める世話を行う職員が、当該世話を行うため勤務しないことが相当であると認められる場合　一の年において五日（要介護者が二人以上の場合にあっては、十日）の範囲内の期間

〈短期介護休暇導入の背景〉

平成六年に導入された介護休暇制度は、要介護状態の者について比較的長期間にわたり職員が介護を行うために勤務しないことを認める制度として設けられているものである。

しかし、職員以外の主たる介護を行っている家族の病気等により職員が一時的に要介護者を介護しなければならない場合や、要介護者の通院等の付添い、要介護者が介護サービスの提供を受けるために必要な手続の代行等を職員が行う必要が生じる場合が考えられ、従来、このような場合は年次休暇等で対応せざるを得なかったところであった。

他方、民間部門においては、第一七一回国会で育児・介護休業法が改正され、介護のための短期の休暇が事業主に対する措置義務規定として新設され、平成二十一年七月一日に公布され、当該措置は平成二十二年六月三十日から施行されることとなった。

このような状況を踏まえ、公務においても仕事と介護の両立を一層推進させる観点から、平成二十二年六月三十日、職員の配偶者の状況にかかわりなく育児休業等をすることができるようにする等の国家公務員の育児休業法の改

正の施行にあわせて短期介護休暇制度が導入された。

(1)　休暇の取得要件

ア 「介護」

「介護」という言葉は、現在のところ特定法令においてその個々の目的に沿ったかたちで定義され、必ずしも一般用語としての概念が確立されている状況にはないが、一般的には家庭において家族等が傷病等により療養中で正常なる日常生活が営めない状態にあり、そのような者の食事、入浴、着替え、排せつ等の身の回りの世話を行っているかということを考慮することとなる。しかしながら、ここでいう「食事、入浴、着替え、排せつ」は例示にすぎず、あくまで対象者の日常生活全般における支障について総合的に判断する必要がある。

イ 「その他の人事院が定める世話」

「その他の人事院が定める世話」には、要介護者の通院等の付添い、要介護者が介護サービスの提供を受けるために必要な手続の代行といった要介護者の必要な世話が含まれ、いわゆる間接的介護を対象としている。後述する介護休暇と異なり、短期介護休暇では間接的介護のみを行う場合も休暇の対象となり得るところである。

ウ 「勤務しないことが相当であると認められる場合」

「勤務しないことが相当であると認められる場合」とは、職員以外の者が行うことができない介護等について、実態として職員がその介護等をする必要があると認められる場合をいう。職員以外に介護に従事する者がいるような場合に職員が重複して介護をするときや、介護サービスの提供を受けるために必要な手続の代行を行う者が職員以外にいる場合は、勤務しないことが相当であるとは認められない。

(2)　要介護者の範囲

要介護者の範囲について、民間部門において、介護休暇（公務における短期介護休暇に相当）の取扱いを介護休業

（公務における介護休暇に相当）と同様の取扱いとしていることを踏まえ、介護休暇制度における要介護者の範囲と同様の取扱いとするよう、勤務時間法第二十条第一項に規定する要介護者をその範囲としている（七一五頁参照）。

親族が介護を要する事情やその度合いについては、個々のケースごとに様々である。例えば、食事・入浴等の介助は必要がなくとも、重要な意思決定が本人一人ではできず、公的機関において介護サービスを受けるための手続を職員が代行する場合や、医師・ケアマネジャーとの診療方針についてのやりとりにおいて、職員が補助を行う必要がある場合等もあり、そういった場合には、「要介護者」に該当するとも考えられる。近年、社会全体として、仕事と介護の両立が重要な課題となっている中で、短期介護休暇の対象となるか否かについては、実際にどのような介助が必要とされているかといった点を踏まえて、制度の趣旨に沿って適切に判断を行う必要がある。

(3)　要介護者の状態等申出書の提出

この休暇の申請に当たっては、他の特別休暇と同様に休暇簿に記入して請求することとなるが、その際、要介護者の状態を確認する必要があることから、休暇の事由の確認を容易にするものとして、要介護者の氏名、職員との続柄及び職員との同居又は別居の別、その他の要介護者に関する事項並びに要介護者の状態を明らかにする書類（要介護者の状態等申出書）を添付することとしており、この申出書の参考例が規則一五—一四運用通知に示されている。したがって、この休暇の請求の際には、休暇簿に、請求しようとする期間及び理由欄に介護や世話の内容を具体的に記入し、あわせて要介護者の状態等申出書を提出することとなる。なお、各省各庁の長は、要介護者の状態等の変更の有無にかかわらず、この休暇の請求ごとに要介護者の状態等申出書の提出を求めるものとされている。

(4)　休暇の期間

この事由による休暇は、一の年において五日、要介護者が二人以上の場合にあっては、十日の範囲内の期間とされている。休暇の期間が要介護者の人数によって異なるが、子の看護休暇と同様に、休暇により勤務しない時点における要介護者の人数で判断することとなる。

「一の年」及び休暇の単位の取扱いについても子の看護休暇と同様のものである。

○規則一五―一四運用通知

第十四　特別休暇関係

1　⒀　第十二号の「人事院が定める世話」は、次に掲げる世話とし、同号の「一の年」とは、一暦年をいう。

ア　要介護者の介護

イ　要介護者の通院等の付添い、要介護者が介護サービスの提供を受けるために必要な手続の代行その他の要介護者の必要な世話

第十七　休暇の承認関係

6　各省各庁の長は、規則第二十二条第一項第十二号の休暇を承認するに当たっては、要介護者の氏名、職員との続柄及び職員との同居又は別居の別その他の要介護者に関する事項並びに要介護者の状態を明らかにする書類の提出を求めるものとする。なお、各省各庁の長があらかじめ当該書類の様式を定める場合の参考例を示せば、別紙第三の二のとおりである。

別紙第３の２

要介護者の状態等申出書

（　　　　年　　月　　日提出）

所　　属
氏　　名

1　要介護者に関する事項
(1)　氏名

(2)　職員との続柄

(3)　職員との同居又は別居の別
□同居　　　　□別居

(4)　介護が必要となった時期
年　　月　　日

2　要介護者の状態

3　備考

注１　「１(4)介護が必要となった時期」については、その時期が請求を行う時から相当以前であること等により特定できない場合には、日又は月の記載を省略することができる。
２　「２　要介護者の状態」には、職員が要介護者の介護をしなければならなくなった状況が明らかになるように、具体的に記入する。

14　親族が死亡した場合

この事由による特別休暇は、職員の親族が死亡した場合に、葬儀、服喪、相続手続等死亡に伴う諸般の行事等のため、職員が勤務しないことが相当であるとして認められているものであり、従来認められていた「忌引休暇」の内容を基本的に引き継いだものである。

昭和六十一年の休暇制度の法的整備に当たり、民間企業における同種の休暇の実態等を考慮し、休暇の対象となる親族の範囲及びその日数について若干の改正が行われた。改正点は、配偶者のおじ又はおばを親族の範囲から除外したこと、配偶者の日数を十日から七日に縮減したことの二点となっている。

〇規則一五―一四

（特別休暇）

第二十二条

1十三　職員の親族（別表第二の親族欄に掲げる親族に限る。）が死亡した場合で、職員が葬儀、服喪その他の親族の死亡に伴い必要と認められる行事等のため勤務しないことが相当であると認められるとき　親族に応じ同表の日数欄に掲げる連続する日数（葬儀のため遠隔の地に赴く場合にあっては、往復に要する日数を加えた日数）の範囲内の期間

(1)　「職員の親族」の範囲

休暇の対象となる親族の範囲は、規則一五―一四別表第二の親族欄に掲げる親族に限られており、これにそれぞれの休暇日数を加えて表示すると六七六頁のとおりとなる。

「配偶者」には、結婚休暇及び配偶者出産休暇と同様、いわゆる内縁関係の配偶者を含むと解されるが、その場合も重婚及び近親婚関係にある者まで認めることはできない。なお、内縁関係の配偶者の血族については、姻族と同様

に取り扱って差し支えないとされるが、この意味では血族の内縁の配偶者も同様の取扱いとなろう。

「子」の範囲については、平成二十九年一月からは、民間労働法制における育児休業等の取扱いに即してその範囲が拡大されており、勤務時間法第六条第四項第一号において、養子縁組を結ぶ準備段階にあり、子に準ずるといえるような関係にある者（職員が民法の規定による特別養子縁組の成立に係る監護を現に行う者、児童福祉法の規定により養子縁組里親である職員に委託されている児童及びこれに準ずる者（実親の同意が得られないため、養子縁組里親ではなく養育里親である職員に委託されている児童））についても「子」の範囲に含むこととされている。

【事例】

（質問）

3　忌引の場合における配偶者は、一般職の職員の給与に関する法律第十一条第二項第一号に準じ事実上婚姻関係と同様の事情あるものを含むものとし、また姻族の場合も上記のような事情にある者の家族を含むものと解して差し支えないか。

（昭二五・七・一七　某）

（回答）

3　貴見のとおり解して差し支えない。

（昭二五・七・二五　給実発三一二　給与局実施課長）

「父母」は、実父母に限らず養父母も含まれる。また、妊娠満十二週以後の分べんであれば生産であれ、死産であれ、「出産」であるとされていることから、本特別休暇においても、妊娠満十二週以後の死産の場合は「子」に当たるものと解され、当該「子」のために、この特別休暇が取得できる。しかし、女性職員については、産後の特別休暇と競合することとなるため、産後休暇の届出がなされている場合には新たに親族死亡の特別休暇を承認する必要はない。

【事例】

（質問）　死産の場合において忌引（給実甲第二十八号第十五条関係一の基準14）の承認の可否につき照会があったが下記理由により妊娠四か月以上の死産の場合には承認できるものと解してよいか。

1　国家公務員共済組合法（昭三三・五・一　法律第百二十八号）運用上の解釈によれば、妊娠四か月以上（八十五日以後）の死産は、出産として取り扱われ、出産費又は配偶者出産費が支給される。

2　妊娠八十五日以上の死産の場合は、前記給実甲第二十八号の旧規定による産後の特別休暇（現在は就業禁止）が与えられることになっていた。（行政事例　昭二七・一二・二　四三―一五六　給与局実施課長）

3　墓地、埋葬等に関する法律（昭二三・五・三一　法律第四十八号）第二条によれば埋葬については、妊娠四か月以上の死胎は、死体として取り扱うようになっている。（昭三三・七・一五　東地一―五四三　人事院東京地方事務所長）

（回答）　貴見のとおりと解する。（昭三三・七・二二　給二―三二〇　給与局給与第二課長）

（注）　給実甲第二十八号第十五条関係一の基準14については、規則一五―一四第二十二条第一項第十三号参照。

なお、職員が養子縁組をしている場合には、自然血族の関係のほか、養子先との間に法定血族の関係が成立するので、その職員については、実の親族が死亡した場合及び養子先における親族が死亡した場合のいずれについてもこの休暇が認められることとなる。

「父母の配偶者」「祖父母の配偶者」「配偶者の子」については、それぞれ「父母の後ぞい」「祖父母の後ぞい」「配偶者の連れ子」を意味し、職員本人とそれらの者との間に法定血族関係（養子縁組等）が生じていない場合があてはまる。

配偶者が死亡している場合には、生存配偶者は姻族関係終了の意思表示をすることができる（民法第七百二十八条第二項参照）が、この意思表示をしない限り、姻族関係は配偶者が死亡しても存続している。

【事例】

（質問）　姻族一親等の直系尊属中には死亡せる配偶者の直系尊属も含まれるか。

（昭二六・五・一五　〇五―六九一　人事院大阪地方事務所長）

（回答）　給実甲第二十八号別表姻族一親等の直系尊属中には、本人が姻族関係終了の意思表示をしない場合にかぎり死亡した配偶者の直系尊属も含まれる。

（昭二六・五・二二　二三―二九五　給与局実施課長）

（注）　給実甲第二十八号別表については、規則一五―一四別表第二参照。

〇規則一五―一四

別表第二（第二十二条関係）

親族	日数
配偶者	七日
父母	七日
子	五日
祖父母	三日（職員が代襲相続し、かつ、祭具等の承継を受ける場合にあっては、七日）
孫	一日
兄弟姉妹	三日
おじ又はおば	一日（職員が代襲相続し、かつ、祭具等の承継を受ける場合にあっては、七日）
父母の配偶者又は配偶者の父母	三日（職員と生計を一にしていた場合にあっては、七日）
子の配偶者又は配偶者の子	一日（職員と生計を一にしていた場合にあっては、五日）
祖父母の配偶者又は配偶者の祖父母	一日（職員と生計を一にしていた場合にあっては、三日）
兄弟姉妹の配偶者又は配偶者の兄弟姉妹	一日（職員と生計を一にしていた場合にあっては、三日）
おじ又はおばの配偶者	一日

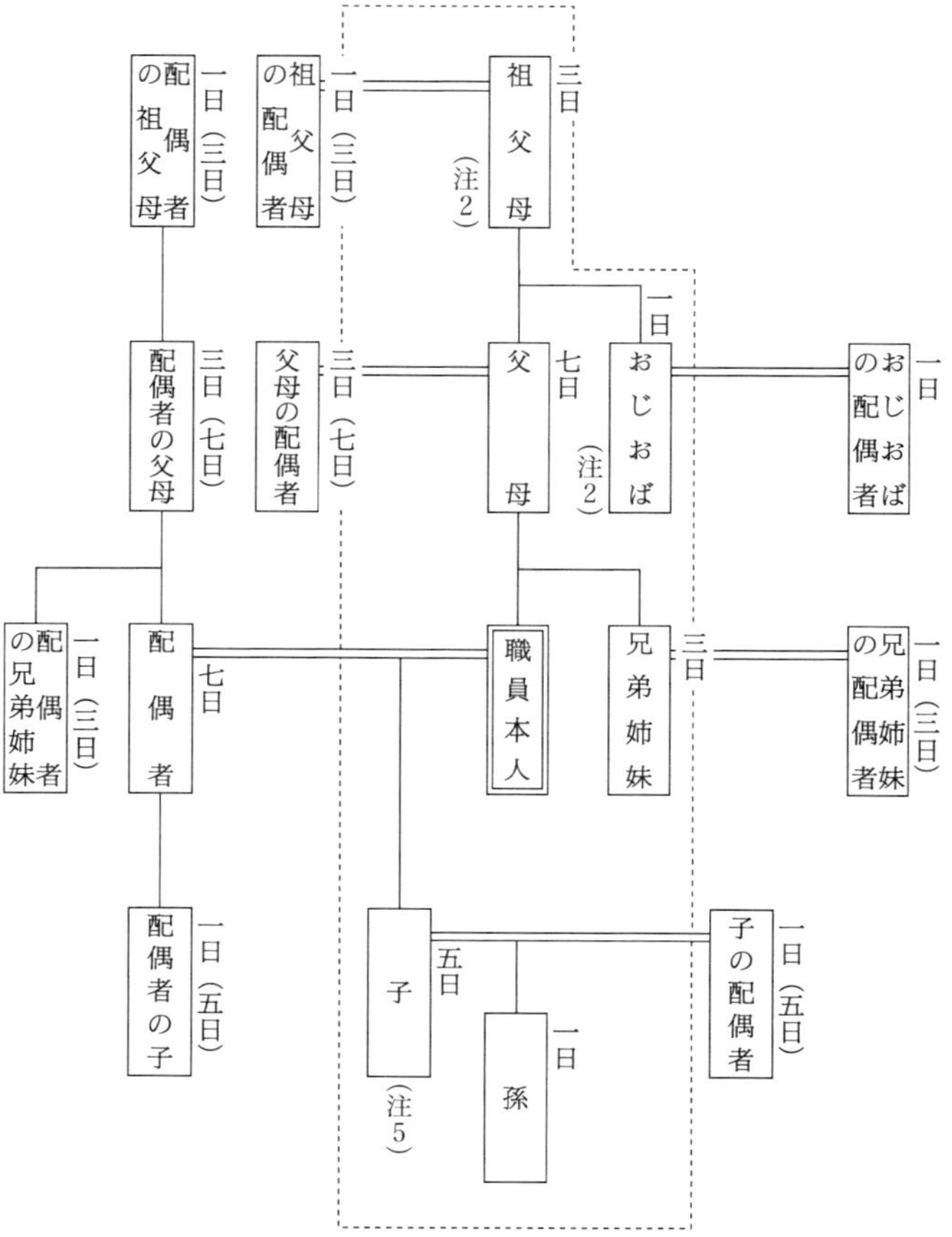

（注）

1　職員と生計を一にする場合の休暇日数は（　）内に示すとおりである。

2　祖父母、おじ又はおばについては職員が代襲相続し、かつ、祭具等の承継を受ける場合は、七日となる。

3　[点線枠]内は血族、[点線枠]外は姻族を示す。

4　配偶者には、届出をしないが事実上婚姻関係と同様の事情にある者を含む。

5　子には、養子縁組を結ぶ準備段階にあり、子に準ずるといえるような関係にある者を含む。

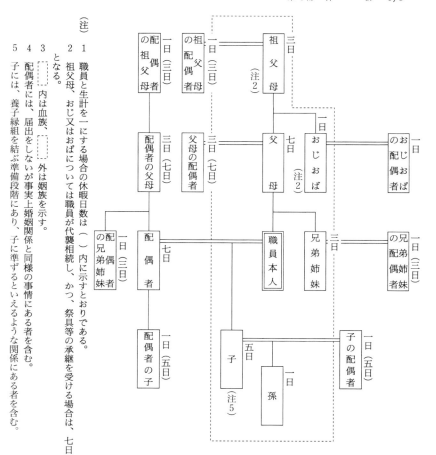

(2)　休暇の期間

この事由による休暇の期間は、前掲の規則別表第二の日数欄に掲げる連続する日数となっている。ただし、葬儀のため遠隔の地に赴く場合にあっては、往復に要する日数を加算した日数とすることができる。

この場合、加算することができる往復日数は、実際に要した往復日数であり、電車で三日要するところを航空機を利用したときは、一日の日数となることもあり得る。

また、交通機関の事故、飛行機の欠航など職員の責のないことが原因で増えた日数についても往復日数に含めても差しつかえないものとされている。しかしながら、職員の都合により、目的地までの距離、利用する交通機関に応ずる通常の所要日数を超えた場合には、その超えた日数までも往復日数に含めることはできないし、この往復日数の加算は、あくまで所定の休暇に継続した期間を意味するものと解されているので、所定の休暇の前後に年次休暇を取得する場合には、それに係る往復日数の加算分はないとされている。

【事例】

（質問）

1　忌引日数には、実際に要した往復日数を加算することができますが（給与法運用方針第十五条関係別表）、ここにいう実際に要した日数とは、通常の所要日数を指すのではなく、字義どおり、例えば船が欠航した場合は、当然船待ち日数も含み、また汽車で三日行程のところでも、航空機利用の場合は一日しか与えない意味でしょうか。

2　前記の往復日数は時間単位でも与えられますか、与えられないとすれば、半日くらいの行程は一日として承認してよろしいか。

（福岡管区気象台　某）

（回答）

1　忌引日数に加算することができる往復日数は、実際に要した往復日数のことを指すのですから、汽車では三日を要するところを航空機を利用した場合には一日の往復日数となることもありましょう。また交通機関の事故、船の欠航など本人の責のないことが明らかな理由でふえた日数についても往復日数に含めて差し支えありませんが、本人の都合などによって、目的地までの距離、利用する交通機関に応ずる通常の所要日数を超えた場合には、その超えた日数までも往復日数に含めることはできません。

2　往復日数に限らず、忌引による休暇は、全て日を単位として承認しなければならないものではありませんから、時間を単位として承認しても差し支えありません。

（昭三四・七　人事院月報相談室）

（注）　給実甲第二十八号（給与法運用方針）第十五条関係別表については、規則一五―一四別表第二参照。

（質問）　忌引に要する往復日数は、本来の忌引のための特別休暇に引き続いた日でなければ、特別休暇として認めることはできないか。例えば、忌引のため給実甲第二十八号（一般職の職員の給与に関する法律の運用方針）第十五条関係の別表に定める日数の特別休暇を与えられた職員が引き続いて数日の年次休暇をとり、その後に復路一日を必要とする場合、この復路の一日を忌引のための特別休暇として取り扱うことはできないと考えるべきか。

（大阪市　K生）

（回答）　忌引の際に必要とする往復日数がある場合には、その日数を給実甲第二十八号第十五条関係の別表所定の日数に加算した日数の範囲内で特別休暇を与えることができますが、これらの別表所定の日数に往復日数を加算した日数は、あくまで継続した期間を意味するものと考えられておりますから、ご質問のような場合の復路に要する日数は、忌引のための特別休暇として取り扱うことはできません。

（昭四一・一二　人事院月報相談室）

（注）　給実甲第二十八号第十五条関係別表については、規則一五―一四別表第二参照。

（質問）　忌引日数には葬祭のため遠隔の地に赴く必要のあるときは、実際に要した往復日数も加算できるが、この場合、遠隔の地が半日程度で行ける場合にも一日として加算して差し支えないか。またこれが差し支えないとすれば忌引日数が一日の場合、葬式当日と往復二日計三日を与えることができるか。

（秋田市　S生）

（回答）　おたずねの事例のように、遠隔の地へ半日で行けるような場合には、その葬儀当日一日及び前日の午後と翌日の午前に実際に往復のため必要とされる時間につき、あらかじめ特別休暇を承認することができます。

（昭四四・六　人事院月報相談室）

ア　代襲相続した場合

死亡した親族が、祖父母、おじ又はおばである場合で、職員が代襲相続し、かつ、祭具等の承継を受けるときは、父母の場合に相当する七日の範囲内の期間が認められている。

「代襲相続」については、民法第八百八十七条第二項等に定めがあり、推定相続人である子又は兄弟姉妹が相続の開始前に死亡等により相続権を失った場合に、その者の子又は兄弟姉妹の傍系卑属が、相続権を失った者に代わって相続することで、例えば、職員の父Ａが祖父Ｂより先に死亡した場合には、職員はＢの相続につきＡの地位を承継することを意味する。

イ　生計を一にしていた場合

「生計を一にしていた」姻族、例えば、配偶者の父母、子の配偶者、配偶者の祖父母等が死亡した場合には、規則一五―一四別表第二に掲げるとおり、血族の場合に準じた日数が認められることとなっている。

ここで「生計を一にしていた場合」とは、いわゆる消費生活の単位が同一の場合をいい、職員との間に生計維持関係（扶養関係）がある場合が典型的な例といえる。

生計同一関係は、必ずしも、同居していることを要せず、例えば別居している場合であっても、生計費を仕送りする等経済的に生計を一にしていた場合も含むと解されている。

【事例】

（質問）　同居している兄の妻が死亡した場合の忌引の日数はどうか。

（昭二五・一一・四　富教指四二七　富士宮市教育委員会委員長）

（回答）　御照会の件について、給本甲第二十四号第二十条関係第二の十一により、二親等の傍系姻族として一日以内の、もし生計を一にしているならば、血族に準じ三日以内の忌引が認められる。

（昭二五・一一・一三　給実回発一、四〇四　給与局実施課長）

（注）給本甲第二十四号については、規則一五―一四第二十二条第一項第十三号参照。

ウ　親族の同時死亡の場合

風水害、交通事故等の同一原因により、職員の親族が複数で死亡した場合、例えば、配偶者と長男が同時死亡の場合の取扱いについては、葬儀等をそれぞれ離れた日に行う等の特段の事情のない限り、一般的には、休暇期間の長い方、配偶者と長男の場合では配偶者の七日を上限として認められることとなる。

【事例】

（質問）標記について、別紙1のとおり山口労働基準局から照会があり、これに対して別紙2のとおり回答したいと思いますが、差し支えないかご教示ください。

別紙1

特別休暇（風水害による住居の滅失、忌引）及び病気休暇の取扱いについて

標記について、当局管内署職員（男・四一才）が、去る「七・一一豪雨」によって、自宅を滅失し、配偶者と次男を失い、同時に本人も負傷する被害を受けました。

つきましては、特別休暇の取扱いについて、次の場合いかにすべきかご教示ください。

3　忌引について、配偶者と子供死亡の場合、本人の申請に基づいて必要と認められる期間がそれぞれ十日、五日であれば十五日間を特別休暇として取り扱ってよいか。

別紙2

3について

配偶者と子について、忌引日数表に定める日数のうち長期の日数（十日）の範囲内で必要と認められる期間である。

（昭四七・九・六　人国総―六五〇　中国事務局長）

〔回答〕

３について

山口労働基準局からの照会のとおり。

なお、この場合、照会文でも触れているように、あくまでも「必要と認められる期間」に限られるので、例えば、同一事由により同じ日に死亡し同じ日に葬儀を行ったようなときには、貴見のとおり、最高限十日として取り扱う。

（昭四七・九・二〇　職職―九五職員課長）

〔注〕　配偶者の日数については、現行「七日」となっている。

(3)　休暇の有効期間

この休暇は、職員の請求に基づき所定の日数の範囲内で認められるものであるが、その行使期間は、社会通念上妥当であると認められる範囲内の期間に限られている。

○規則一五―一四運用通知

第十四　特別休暇関係

１　⒁　第十三号の休暇は、社会通念上妥当であると認められる範囲内の期間に限り使用できるものとし、「連続する日数」の取扱いについては、暦日によるものとする。

「連続する日数」の取扱いについては、結婚休暇等と同様、その期間内に、週休日、祝日法による休日等が含まれていても、暦日によるものとされている。

また、一日の正規の勤務時間の一部の時間についてこの休暇が承認された場合には、その日は連続する日数のうちの一日として計算されることになる。

【事例】

（質問） 職員の父母死亡の場合の忌引は七日とされているが、例えば仮葬と本葬（又は告別式）が行われるような場合、断続しても合計七日の範囲内であれば承認しうるかどうか、次の各事例について回答されたい。

○……勤務した日

●……父母死亡により葬儀等のため勤務しない日

↑……七日……↓

例1　●●○○●●●

例2　●●●○○●●●●

例3　●●●○○○○●●●●

なお、承認しうるとして、往復日数を要する場合は、前後いずれについても認められるか、また前後いずれかのみが認められる場合認められない分について「父母の祭日」として認められるか。

（広島国税局給与係）

（注） 例には、往復所要日数は含まれていない。「父母の祭日」とは、現行の「父母を追悼する場合」の特別休暇（六八三頁参照）を指す。

（回答） 忌引の特別休暇は、一定の期間内において与えられるもので、例えば父母死亡の場合には七日間という継続した現実日数の間において必要な日数だけ承認されます。したがって貴例によれば例1のとおりです。

なお、往復日数については、上記のように忌引日数が一定の幅の範囲内で与えられるものですから、例えば三往復した場合でも、中間の往復所要日数はその幅の中に解消されてしまい、結果的には最初の往復の〝行き〟と最後の〝帰り〟とに要した日数だけ加算して承認されることになります。また、貴例の例2、例3の場合の後の部分について父母の祭日になるかどうかは、父母の祭日の特別休暇の本来の趣旨から適否を判断すべきもので、貴例の仮葬の後の本葬、告別式等は父母の祭日としては承認されません。

（昭三六・二　人事院月報相談室）

この休暇の起算日は、職員の請求に基づき各省各庁の長が承認を与えた最初の日とされている。したがって起算日は、親族の死亡の日又はその旨の連絡を受けた日には限らないが、死亡当日からある程度の期間経過後の請求に関しては、葬儀の日取り等休暇の請求が遅れた理由について、社会通念上妥当性を持つことが必要となる。

【事例】

（質問） 忌引は

１　事実の発生した時からか

２　本人の了知した時からか

３　本人の申請した時からか

（この場合どの程度さかのぼってできるか）

（昭二七・七・二六　〇八―二三三　人事院福岡地方事務所長）

（回答） 忌引による特別休暇は、職員の申請に基づいて、所轄庁の長が給実甲第二十八号別表の忌引日数表に掲げる期間の範囲内で承認を与えた期間の、最初の日に始まるのであって、死亡の事実の発生した日又はその事実を職員が了知した日から始まるのではないと解する。

（昭二七・七・二六　二三―二三三　給与局実施課長）

（注） 給実甲第二十八号別表については、規則一五―一四別表第二参照。

15　父母を追悼する場合

この事由による特別休暇は、父母の追悼のため、社会一般の慣習に従って法要等の特別の行事を行うために勤務しないことが相当である職員に対して認められるものであり、従来は「父母の祭日」と呼称されていたものである。

この休暇は、民間企業における普及率もさほど高くないため、勤務条件の情勢適応の原則から、昭和六十一年の休暇制度の法的整備の際に廃止することも検討されたが、社会慣習としてその必要性が認められること等を考慮し、行使期間について一定の制限を設けた上で存続させているものである。

○規則一五―一四

（特別休暇）

第二十二条

１十四　職員が父母の追悼のための特別な行事（父母の死亡後人事院の定める年数内に行われるものに限る。）のため勤務しないことが相当であると認められる場合　一日の範囲内の期間

(1)　「父母」の意味

ここでいう「父母」とは、実父母又は養父母に限られる。したがって、養子縁組をしていない配偶者の父母（義父母）についてはもちろん、いわゆる継父、継母もこれに含まれない。

【事例】

（**質問**）　所轄庁の長が勤務しないことにつき特に承認を与えた場合の休暇については給実甲第二十八号第十五条関係においてその基準が定められて居る。それによると父母の祭日については、第十二号に特別休暇として認められているが、死別した配偶者の祭日については別段の定めがない。この場合別表（忌引日数表）にては死亡した配偶者については最高十日間の忌引を与えていることからみて、当然配偶者の祭日にも適用するのが妥当ではないかと考えるので、第十二号の基準を配偶者の祭日の場合に準用することが出来ないかどうか、貴見をお伺いする。

（昭三〇・一〇・二五　和大庶八〇六　和歌山大学長）

（**回答**）　配偶者の祭日については、父母の祭日の場合を準用することはできない。

（昭三〇・一一・一六　三三一―三六七　給与局長）

（注）1　給実甲第二十八号第十五条関係第十二号については、規則一五—一四第二十二条第一項第十四号参照。
2　配偶者が死亡した場合の日数は、現行七日となっている。

（質問） 亡父母の祭日に関する特別休暇は、社会一般の慣習に従うものとされているが、この場合の父母には配偶者の父母も含まれるか。
（鹿児島市　M生）

（回答） 父母の祭日に関する特別休暇における父母とは、実父母及び養父母に限ります。
（昭三六・一〇　人事院月報相談室）

（質問） 亡父母の祭日に関する特別休暇が配偶者の父母の場合は含まれない（人事院月報　第二十八号）とのことであるが、次の例においても承認できないものかどうか。
（北海道　T生）

（例）未亡人である職員が、長男であった夫の亡父母の年忌法要を営む場合。

（回答） 父母の祭日の特別休暇における「父母」は実父母、養父母に限ることになっていますので、おたずねのような場合でも、特別休暇は、承認できません。したがって、この場合には年次休暇等によることとなります。
（昭三七・三　人事院月報相談室）

（質問） いわゆる継父又は継母については法律的には親子関係は存在しないと思われるが、特別休暇の事由である「父母の祭日」にいう父母とは実父母又は養父母に限られ、継父又は継母の祭日には特別休暇は認められないと解してよいか。
（東京都　O生）

（回答） 貴見のとおりと解します。継父又は継母と本人との間に養子縁組がなされていれば、その祭日には特別休暇が承認されます。
（昭四二・一〇　人事院月報相談室）

(2)　「追悼のための特別な行事」の意味

「追悼のための特別な行事」とは、各宗教等によって異なっているが、神道にあっては年祭、仏教にあっては回忌等に、祭事、法事等の行事を営むことをいうものと解されている。

「特別な行事」に該当するかどうかは、その行事が社会一般の習慣に従って行われるかの判断如何による。

例えば、父母の命日にかかわりなく仏教習慣に従った慰霊等が行われるいわゆる彼岸会等はこれに該当せず、また、父母の命日に該当するというような場合であっても、習慣に従って特別な行事が行われない限り、この休暇は認められない。

なお、この場合、例えば、仏教による三回忌、七回忌等の行事が必ずしも父母の命日に行われないこともあるが、その行事が命日に行われないことのみをもって、特別休暇として承認しないことはできないと解されている。

この休暇は、従来は、例えば仏教の場合における三十三回忌、五十回忌等のように社会一般の慣習によって特別な行事が行われる限り、無期限に認められていたが、同種の休暇の民間企業における普及状況ないしは宗教によって特別な行事が行われる日に違いがあり、職員間に不均衡が生じていたこと等から、昭和六十一年の休暇制度の法的整備に当たり、規則で「父母の死亡後人事院の定める年数内に行われるものに限る。」との一定の制限を設けることとした。

これを受けた運用通達では、「人事院の定める年数」を「十五年」としている。

なお、行使有効期限を十五年としたのは、平均寿命、人口動態統計等から推計すると、おおむね職員は、社会一般に定着している行事をこの期間内で済ませることができると推断されたためである。

○規則一五—一四運用通知

第十四　特別休暇関係

１　⒂　第十四号の「人事院の定める年数」は、十五年とする。

【事例】

（**質問**）　標記のうち明治六年太政官達第三百十八号による父母の祭日の解釈については昭和二十五年七月二十五日付給実発第三百十二号及び昭和二十六年一月五日付二三—六号の通ちょうが出されているが、これにつきなお疑義があるので左記により御回示願いたい。

記

前記通ちょうによれば、父母の祭日は社会一般の慣習により認定するが、これは仏教慣習上の祭日は含まないことになる。これは例えば、父母の祭日において社会一般の慣習により父母の祭礼慰霊等を行う場合は特別休暇として認定することができるが、命日に該当しない日において行う仏教慣習上の祭礼、慰霊等例えばうら盆、彼岸会等は特別休暇として認定することはできないとの意であるか。

（昭二六・八・一六　〇七—七八六　人事院高松地方事務局長）

（回答） 貴見のとおりと解する。

（昭二六・八・二二　二三—四五三　給与局実施課長）

（質問） 父母の祭日に伴う特別休暇の取扱いについては、一周忌、三回忌、七回忌及び十三回忌等、父母の命日等に法要等を行う場合は特別休暇として認定されるが、社会一般の慣習と考えられる三十五日若しくは四十九日等の法要等を行う際はどうか。

（広島県　S生）

（回答） 父母の祭日に関する特別休暇は、社会一般の慣習に従って認定するもので、ご質問の三十五日、四十九日等も、社会一般の慣習が父母の祭日として法要を行うことになっており、かつ、現実に当該職員の亡父母について法要が営まれるものであれば、特別休暇として承認して差し支えありません。

（昭三五・一一　人事院月報相談室）

(3)　休暇の期間

この休暇は、一日の範囲内の期間とされている。従来は「慣習上最小限度必要と認められる期間」とされ、運用上、一日としていたが、昭和六十一年の休暇制度の法的整備に当たり、に当たり、「一日」という期間を規則で明記することとした。

なお、この休暇は、親族の死亡の場合の休暇とは異なり、父母の命日等に行われる特別な行事が遠隔の地で行われ、それに参加するために往復日数を要するというような場合であっても、その往復に要する日数を、この一日の特別休暇日数に加算することはできないとされている。

【事例】

（質問）一般職の職員の給与に関する法律第十五条に基づく給実甲第二十八号の運用方針第十五条関係第一項中、父母の祭日について左記のとおり疑義があるので何分の御回答を願います。

記

慣習上最小限度必要と認める期間とは、祭日を営む当日一日をさし、生家より遠隔の地に勤務している職員が祭事を行うため帰郷する場合の往復に要する日数を含まないものと解してよいか。

（昭三七・四・一一　東地一―五〇九　人事院東京地方事務所長）

（回答）御照会のありました標題のことにつきましては、貴見のとおりと解します。

（昭三七・四・一九　給二―一一二　給与局長）

（注）給実甲第二十八号の運用方針第十五条関係第一項については、規則一五―一四第二十二条第一項第十四号参照。

16　夏季における家庭生活の充実等の場合

この事由による特別休暇（夏季休暇）は、夏季という一定期間内における休暇が、社会一般に普及し定着していることから、平成三年から休暇事由の一つとして加えられたものである。

従来、わが国においては、夏季、特に盆等において帰省等による休暇が広く普及していたことから、民間企業でもこのような習慣に合わせて休業等による夏季の休暇を取り入れることが広がってきたものと考えられる。民間においてこのような夏季休暇が、一般的に広がってきたこと、また、公務においても夏季における心身の健康の増進等が意義があると認められることから導入されたものである。

○規則一五―一四

（特別休暇）

第二十二条

１十五　職員が夏季における盆等の諸行事、心身の健康の維持及び増進又は家庭生活の充実のため勤務しないことが相当であると認められる場合　一の年の七月から九月までの期間内における、週休日、勤務時間法第十三条の二第一項の規定により割り振られた勤務時間の全部について超勤代休時間が指定された勤務日等、休日及び代休日を除いて原則として連続する三日の範囲内の期間

〇規則一五―一四運用通知

第十四　特別休暇関係

１　⒃　第十五号の「原則として連続する三日」の取扱いについては、暦日によるものとし、特に必要があると認められる場合には一暦日ごとに分割することができるものとする。

第十七　休暇の承認関係

２　各省各庁の長は、年次休暇及び規則第二十二条第一項第十五号の休暇の計画的な使用を図るため、あらかじめ各職員の休暇使用時期を把握するための計画表を作成するものとする。

⑴　盆等の諸行事、心身の健康の維持及び増進又は家庭生活の充実

夏季における休暇は、盆等の帰省などを中心として認められ、それが次第に拡大して夏季の休養等についても認められるようになってきたと考えられる。盆等の諸行事とは、帰省や先祖の墓参り等が、心身の健康の維持及び増進には、スポーツや休養等が、また、家庭生活の充実には、家族旅行等が該当すると考えられる。

なお、この休暇はその趣旨から、明らかに病気療養のためには利用できないと考えられるものの、盆等の諸行事、心身の健康の維持及び増進又は家庭生活の充実という事由を制限的に解することは適当ではないと解されている。

⑵　一の年の七月から九月までの期間内

この休暇は、民間の夏季という特定の時期における休暇を取り入れたものであることから、仮に七月から九月まで

の期間内にこの休暇が利用できない場合であっても、翌年に繰り越されたり、その他の時期に利用したりすることはできないものである。

(3)　週休日、勤務時間法第十三条の二第一項の規定により割り振られた勤務時間の全部について超勤代休時間が指定された勤務日等、休日及び代休日を除いて原則として連続する三日の範囲内の期間

民間の夏季における休暇の付与日数は、おおむね三日程度であるが、この休暇の趣旨目的からまとめて利用することが望まれるところである。このことから、この休暇は週休日、勤務時間法第十三条の二第一項の規定により割り振られた勤務時間の全部について超勤代休時間が指定された勤務日等、休日及び代休日を除いて連続する三日としている。すなわち、日曜日及び土曜日が週休日となる一般の職員の場合、例えば木曜日、金曜日と翌週の月曜日がこの休暇を利用できる期間となる。

なお、すべての職員が連続して利用することが望ましいものの、職場の実態には様々なものがあり得ることから、業務の都合で連続してこの休暇を利用できない等特に必要があると認められる場合には、一暦日ごとに分割して利用することも認めることとしている。ただし、職員の個人的な希望により分割して利用することはできない。

分割して利用することができる場合の例としては、次のようなことが考えられる。

①　職員の希望する期間内に突発的に重要な会議等が開かれることとなり、当該職員以外に適当な代替者が無く、当該職員に休暇を認めると業務に支障を生ずることとなる場合
②　交替制等勤務職員で連続休暇とすると代替要員が確保できず業務に支障を生ずることとなる場合
③　特定の時期に職員の希望が集中し、すべてを希望どおりに認めると業務に支障を生ずることとなる場合
④　夏季休暇の途中で親族が死亡し葬儀に参列する等の他の特別休暇事由が生じたような場合

(4)　計画表の活用

前述のとおり、この休暇は連続して利用することが望ましく、更にこの休暇の前後に年次休暇を利用して連続休暇の拡大を図っていくことが重要である。このため各省各庁の長は計画表を作成し、職員が業務と休暇との調整を図り、計画的にこの休暇や年次休暇を利用できるようにすることとされている（計画表の活用についての人事院の通知は、五五三頁を参照。）。

17　現住居の滅失、損壊等の場合

この事由による特別休暇は、地震、水害、火災その他の災害により、①職員の現住居が滅失又は損壊し、その復旧作業等を行い又は一時的に避難しているとき、②職員及び当該職員と同一の世帯に属する者の生活に必要な水、食料等が著しく不足している場合で、当該職員以外にそれらの確保ができないとき、③①及び②に準じる場合（単身赴任手当の支給に係る配偶者等の現住居が滅失又は損壊した場合でその復旧作業を行う場合）には、その職員は、安んじて公務に専念する状態にはなく、当該住居の復旧作業等にかかわることになり、勤務に就くことを強制することが困難であるばかりでなく、社会感情にも合致しないため、勤務しないことが相当であるものとして認められているものである。なお、②及び③については、東日本大震災を契機に平成二十三年三月に追加されたものである。

○規則一五—一四

（特別休暇）

第二十二条

1十六　地震、水害、火災その他の災害により次のいずれかに該当する場合その他これらに準ずる場合で、職員が勤務しないことが相当であると認められるとき　七日の範囲内の期間

イ　職員の現住居が滅失し、又は損壊した場合で、当該職員がその復旧作業等を行い、又は一時的に避難しているとき。

ロ　職員及び当該職員と同一の世帯に属する者の生活に必要な水、食料等が著しく不足している場合で、当該職員以外にはそれらの確保を行うことができないとき。

○規則一五—一四運用通知

第十四　特別休暇関係

１　⒄　第十六号の「これらに準ずる場合」とは、例えば、地震、水害、火災その他の災害により単身赴任手当の支給に係る配偶者等の現住居が滅失し、又は損壊した場合で、当該単身赴任手当の支給を受けている職員がその復旧作業等を行うときをいい、同号の休暇の期間は、原則として連続する七暦日として取り扱うものとする。

⑴　「地震、水害、火災その他の災害」の意味

「地震、水害、火災その他の災害」とは、例示の災害のほかに、豪雪、落雷、津波、火山活動等の自然現象による災害が考えられるが、人災による災害も含むものとされている。

火災の場合、いわゆる類焼の場合は当然としても、「職員又はその家族の過失による火災」がここでいう「災害」に該当すると認めるかどうかは疑問の存するところであるが、従来からの運用は、このようなケースについても、この事由による特別休暇に該当するものとして取り扱って差し支えないものとされている。

⑵　「現住居」の意味

「現住居」は、「職員が現に居住する住居」に限られるものであるので、単身赴任している場合における別居中の家族が居住する住居、家財等を納める納屋は、ここでいう「現住居」には該当しないものと解されている。

なお、複数の場所が異なる官署に勤務することを要する場合で、それぞれの勤務官署の近隣に住居を構えなければならないようなときには、その生活の実態に応じては、「現住居」が複数となることもあり得る。

⑶　「滅失し、又は損壊」の判断基準

現住居の「滅失し、又は損壊」の意味は、住居の物理的な意味での破壊のみならず、その全部又は大部分が事実上の使用不能の状態にある場合も含まれると解されている。

したがって、洪水による床上浸水等の場合はもちろん、床下浸水の場合であっても、四囲の状況により、現住居の全部又は大部分が使用不能であると認められるときは、この事由による休暇が認められることとなる。また、消火作業によって水をかぶり、そのために住居が十分その用をなさない状態になった場合も、これに該当しよう。

反面、台風の来襲等により家屋の一部が物理的に破壊されたような場合であっても、職員その他の居住者の日常生活に特に不自由を与えない程度のものであれば、「滅失し、又は損壊」の状態にないものとして、特別休暇は承認されないことになろう。

なお、「滅失し、又は損壊」は、現実にその状態に陥った場合に限ってこれに該当することになるものであるので、例えば、津波警報が出され、住居の滅失破壊のおそれ又は家財の流失のおそれがあるとして勤務しない場合、近所に火災がおきて類焼のおそれがあるとして勤務しない場合等については、いずれも、この事由による特別休暇は認められないことになる。

【事例】

（質問）　当地方をおそった豪雨による水害につき、職員の現住居の床に泥土、汚水等が浸入（現住居の滅失又は破かいに至らない。）したため、これを排泄（除）するため特別休暇を願出た場合、現実に滅失または破かいの事実がない限り承認すべきでないか。

（松江地方検察庁　某）

（回答）　風水震火災等及びこれらに原因する事故により、現住居の全部又は大部分が使用不能の状態にあるときは、これを破壊に該当するものとして取り扱って差し支えないものと考えております。御質問の場合も、水害によって現住居の全部又は大部分が使用不能であると認められるのであれば、一週間の範囲内で必要と認める期間を特別休暇として承認して差し支えありません。

（昭三六・一〇　人事院月報相談室）

⑷　「住居の復旧作業等」の意味

「住居の復旧作業等」とは、住居の滅失又は損壊の後における家屋の復旧作業、家財の整理ばかりでなく、現住居の滅失等の事実に基づく避難、盗難予防ないしは関係諸機関との助成金等についての折衝もこれに含まれると解されている。

⑸　休暇の期間

この事由による特別休暇は、七日の範囲内の期間とされ、この七日は原則として連続する七暦日として取り扱うものとされている。

○規則一五―一四運用通知

第十四　特別休暇関係

１　⒄　第十六号の「これらに準ずる場合」とは、例えば、地震、水害、火災その他の災害により単身赴任手当の支給に係る配偶者等の現住居が滅失し、又は損壊した場合で、当該単身赴任手当の支給を受けている職員がその復旧作業等を行うときをいい、同号の休暇の期間は、原則として連続する七暦日として取り扱うものとする。

したがって、仮に一般の職員について日曜日に現住居の滅失又は破壊の状態が生じ、月曜日からこの事由による特別休暇を承認された場合とすれば、この職員は、この災害を原因としては、翌週の月曜日以降は、最早、この事由による特別休暇を承認される余地はない。ただし、大規模災害の場合には、復旧作業、避難、生活必需品の確保が長期間にわたり、七日以内に対応することが難しいことから、災害の被害の状況に応じて、一定期間職務専念義務を免除する人事院指令が発出されることがある。

なお、「七日」は連続する七暦日を意味することから、前記の例の場合、仮に一週間のうちに自己の都合によって、二、三日出勤した日が生じたとしても、その日数分だけ、他の週に休暇の承認を受けるということは認められていないが、この場合、勤務官署も滅失又は破壊の状態にあり、やむなく、官側が職員に出勤を命じたような場合に限り、例外としてこれを認めることは差し支えないものとされている。「原則として」としているのは、そのような場合を想定しているためである。

また、この「連続する七暦日」の取扱い上は、勤務日一日（例えば午前八時三十分から午後五時十五分まで）のうち、一時間でも、この事由による休暇を承認された時間がある日は、一日として扱われる（休暇承認時間、出勤簿表示時間はあくまでも一時間である。）。

【事例】

（質問）

3　（給実甲第二十八号第十五条関係）基準別表第三号により、一週間の特別休暇を承認し、その中途で勤務命令により出勤させた場合、前の特別休暇により休み始めた日より一週間内の残余日数について再び特別休暇を与えることができると解してよいか。

4　今次災害による浸水は非常に長期にわたるために当初救護施設へ避難、身辺整理等のため第三号による特別休暇を使用し、その休暇開始後一週間以上経過した後において再び家財整理、家屋修理等のため休暇を必要とする例が極めて多いが、この場合、後者について再び基準別表第三号による特別休暇を承認することはできないと解せざるを得ないか。

5　今次災害により、かわら、木材等の復旧資材の入手が困難であり、これが入手には相当の時日を要するものと考えられるが、例えば数か月経過後資材を購入して家屋の修理作業にかかる場合において、基準別表第三号の特別休暇を与えることができるか。

（昭三四・一〇・一五　名地一—一〇六四　人事院名古屋地方事務所長）

（回答）

3　当初に承認した一週間の特別休暇のうち、すでに使用した日数を差し引いた残余日数の範囲内において承認して差し支えない。

4　貴見のとおりと解する。

5　災害後別表第三号による休暇が与えられていない場合には承認して差し支えない。

（昭三四・一〇・二三　給二—五二一　給与局給与第二課長）

（注）　給実甲第二十八号第十五条関係基準別表第三号については、規則一五—一四第二十二条第一項第十六号参照。

（質問）　このたび伊勢湾台風による特別休暇について、昭三四・一〇・二三付給二—五二一（以下「回答」という。）により御回答を得ましたが、これに関連して、下記のとおり疑義がありますので御教示ください。

2　回答3は給実甲第二十八号第十五条関係（以下「基準」という。）第一項備考の規定により算定された基準第三号の期間をこえて承認することができるという趣旨ではないと解してよいか。

例えば、九月二十八日〜十月八日の間は基準第二号による特別休暇を与え、十月九日〜十五日の間において、基準第三号による特別休暇を承認したが、職員が十日及び十三日に勤務した場合十二、十四日及び十五日についてのみ特別休暇を与えることができ、十六日以降さらに一日と四時間の特別休暇を承認することはできない。

十月——九日	十日	十一日	十二日	十三日	十四日	十五日
特	出	（日）	特	出	特	特

（注）「特」は基準第三号による特別休暇、「出」は勤務を示す。

5　基準第三号の休暇の趣旨は、家財整理、復旧作業に従事させるためのものであると解してよいか。

また避難、盗難予防等のために勤務しない場合は本号による特別休暇として取扱うこととなるか。

（昭三四・一一・二　名地一—一一五〇　人事院名古屋地方事務所長）

（回答）

２　給実甲第二十八号第十五条関係第一基準別表第三号に掲げる期間とは原則として引き続いた期間をさすが、職務上の必要によりその休暇期間中に出勤させた場合には、さきに承認した休暇期間を経過した後であっても、その勤務した日数の範囲内で再び休暇を承認しても差し支えない。

例示の場合において、十六日以降二日間の範囲内で特別休暇を与えることができる。

５　基準別表第三号の規定は、住居の滅失又は破壊という事実に基づいて与えるものであり、その趣旨は必ずしも御指摘のように狭義に限定する必要はないものと解する。　（昭三四・一一・二六　給二―五五六　給与局給与第二課長）

（注）　給実甲第二十八号第十五条関係第一基準別表第三号については、規則一五―一四第二十二条第一項第十六号参照。

18　災害、交通機関の事故等により出勤が著しく困難な場合

この事由による特別休暇は、地震、水害、火災等の災害又は交通機関の事故等の職員の責めによらない原因によって、事実上、出勤することが著しく困難であると認められる場合には、社会通念に照らし勤務しないことが相当であるものとして認められているものである。

したがって、災害又は交通機関の事故等が発生しても、現実に出勤することが著しく困難である事情が発生していない限り、単にそのおそれがある状況に留まっている場合については、この休暇は認められないことになる。

従来、この事由による特別休暇は、「伝染病予防法による交通しゃ断又は隔離」、「風水震火災その他の非常災害による交通しゃ断」、「交通機関の事故等の不可抗力の事故」という三つの事由に分かれて規定されていたが、各事由とも職員の責めによらない原因により、事実上、職員を勤務に服せしめることが不可能若しくは著しく困難であるという共通の性格をもつところから、昭和六十一年の休暇制度の法的整備に当たり、これらを一つの休暇事由として統合整理したものである。なお、平成十年十月二日をもって伝染病予防法（明治三十年法律第三十六号）は廃止され、平

成十年十月二日に感染症の予防及び感染症の患者に対する医療に関する法律（平成十年法律第百十四号）（以下「感染症予防法」という。）が公布され平成十一年四月一日より施行されている。

○規則一五―一四

（特別休暇）

第二十二条

１十七　地震、水害、火災その他の災害又は交通機関の事故等により出勤することが著しく困難であると認められる場合
　必要と認められる期間

(1)　「地震、水害、火災その他の災害又は交通機関の事故等」の意味

「地震、水害、火災その他の災害」の意味については、前述の現住居の滅失、損壊等の場合に準じて解釈されることになる。

「交通機関の事故」とは、通常の通勤に利用する電車、バス等の交通機関の正常でない運行をいうものと解されている。

したがって、停電、ブレーキ故障、人身事故その他の原因による電車の運休、遅延はもちろん、ストライキその他の争議行為による正常ダイヤによらない運転も含まれ、またバスの満員通過も一応これに該当しよう。台風による船の欠航もこれに該当するものとして差し支えない。

「災害」、「交通機関の事故」以外としては次のような場合がある。

ア　感染症予防法による交通の制限又は遮断

感染症予防法では、その第六条において、感染症について定義している。

○感染症予防法

（定義等）

第六条　この法律において「感染症」とは、一類感染症、二類感染症、三類感染症、四類感染症、五類感染症、新型インフルエンザ等感染症、指定感染症及び新感染症をいう。

２　この法律において「一類感染症」とは、次に掲げる感染性の疾病をいう。

一　エボラ出血熱

二　クリミア・コンゴ出血熱

三　痘そう

四　南米出血熱

五　ペスト

六　マールブルグ病

七　ラッサ熱

７　この法律において「新型インフルエンザ等感染症」とは、次に掲げる感染性の疾病をいう。

一　新型インフルエンザ（新たに人から人に伝染する能力を有することとなったウイルスを病原体とするインフルエンザであって、一般に国民が当該感染症に対する免疫を獲得していないことから、当該感染症の全国的かつ急速なまん延により国民の生命及び健康に重大な影響を与えるおそれがあると認められるものをいう。）

二　再興型インフルエンザ（かつて世界的規模で流行したインフルエンザであってその後流行することなく長期間が経過しているものとして厚生労働大臣が定めるものが再興したものであって、一般に現在の国民の大部分が当該感染症に対する免疫を獲得していないことから、当該感染症の全国的かつ急速なまん延により国民の生命及び健康に重大な影響を与えるおそれがあると認められるものをいう。）

三　新型コロナウイルス感染症（新たに人から人に伝染する能力を有することとなったコロナウイルスを病原体とする感染症であって、一般に国民が当該感染症に対する免疫を獲得していないことから、当該感染症の全国的かつ急速なまん延により国民の生命及び健康に重大な影響を与えるおそれがあると認められるものをいう。）

四　再興型コロナウイルス感染症（かつて世界的規模で流行したコロナウイルスを病原体とする感染症であってその後流行することなく長期間が経過しているものとして厚生労働大臣が定めるものが再興したものであって、一般に現在の国民の大部分が当該感染症に対する免疫を獲得していないことから、当該感染症の全国的かつ急速なまん延により国民の生命及び健康に重大な影響を与えるおそれがあると認められるものをいう。）

ここに定義されている感染症のうちの「一類感染症」が発生した場合、感染症予防法に基づき、行政機関によってそのまん延の防止等の必要性から、交通の制限又は遮断の措置が執られるが、このような原因によって出勤することが事実上不可能となるときは、この休暇が認められることとなる。

したがって、交通の制限又は遮断の措置は、都道府県といった公的行政機関によって講ぜられる場合に限られ、職員自身の判断若しくは地域住民の申合せ、単に感染症の集団発生地に居住すること等によって出勤しないときは、この休暇は認められないこととなる。

○感染症予防法

（交通の制限又は遮断）

第三十三条　都道府県知事は、一類感染症のまん延を防止するため緊急の必要があると認める場合であって、消毒により難いときは、政令で定める基準に従い、七十二時間以内の期間を定めて、当該感染症の患者がいる場所その他当該感染症の病原体に汚染され、又は汚染された疑いがある場所の交通を制限し、又は遮断することができる。

感染症予防法第六条第七項に規定する新型インフルエンザの流行に際しては、職員自身は発症していないものの、感染しているおそれがあるため、①検疫法（昭和二十六年法律第二百一号）第十六条第二項に規定する停留の対象となった場合、②感染症予防法第四十四条の三第二項の規定に基づき、新型インフルエンザ等感染症にかかっていると疑うに足りる正当な理由のある者として、当該者の居宅又はこれに相当する場所から外出しないことを求められた場合及び当該感染症の感染の防止に必要な協力を求められた場合（出勤することが著しく困難であると認められる場合に限る。）は、この休暇を承認して差し支えないとされている。

また、感染症予防法において「新型インフルエンザ等感染症」とされ、国内で多くの発症者・陽性者が見られた「新型コロナウイルス感染症」については、感染拡大防止のため、令和二年三月から、①検疫法第十六条第二項に規定する停留の対象となった場合、②検疫法第十六条の二第一項又は第二項の規定に基づき職員又はその親族が外出しないことその他の必要な協力を求められた場合で、勤務しないことがやむを得ないと認められるとき、③感染症予防法第四十四条の三第一項又は第二項の規定に基づき職員又はその親族が外出しないことその他の必要な協力を求められた場合で、勤務しないことがやむを得ないとき、④発熱等の風邪症状が見られること等から療養する必要があり、勤務しないことがやむを得ないと認められる場合及び⑤新型コロナウイルス感染症対策による子の通う小学校、中学校、高等学校、特別支援学校等の臨時休業等の事情によりこの世話を行う職員がその世話を行うために出勤しないことがやむを得ないと認められる場合に該当する場合にこの休暇の対象として取り扱って差し支えないとされていた。令和五年五月に新型コロナウイルス感染症の感染症予防法上の位置付けが「五類感染症」に変更されたことに伴い、この取扱いは終了した。

なお、「一類感染症」「二類感染症」「三類感染症」が発生した場合、感染症予防法により都道府県知事は、当該感染症にかかっていると疑われる者に対し健康診断を受けさせる旨勧告できることとなっているが、この健康診断に要する期間については、いずれの特別休暇事由にも該当しない。

また、職員自身が感染症にかかり勤務に服せない場合には、その者が隔離された場合を含め、病気休暇として取り扱うこととなる。

【事例】

（質問） 一般職の職員の給与に関する法律の運用方針第十五条関係第一項「その勤務しないことにつき特に承認があつた場合」の基準一「伝染病予防法による交通しゃ断又は隔離」を下記のものに準用して差し支えないか。

記

職員と同一の家に居住している者が伝染病予防法第一条第二項による患者となった場合（同施行規則第二十九条によるコレラ、発疹チフス又はペストを除く。）その職員については一応伝染病菌感染の疑いあるものとして検診に要する期間（例えば赤痢患者の発生の場合は検便の結果判明に要する時間又は日）

（昭二七・三・一七　二七水秘第八九号　水産庁漁政部漁政課長）

（回答） 御照会の件については、一般職の職員の給与に関する法律の運用方針にいう伝染病予防法による交通しゃ断又は隔離のために特に承認を与える期間には、該当しないと解する。

（昭二七・三・二七　二三―九三　給与局実施課長）

（注） 一般職の職員の給与に関する法律の運用方針第十五条関係第一項については、規則一五―一四第二十二条第一項第十七号参照。

（注）

○旧伝染病予防法

第一条　此ノ法律ニ於テ伝染病ト称スルハ「コレラ」、赤痢（疫痢ヲ含ム）、腸「チフス」、「パラチフス」、痘瘡、発疹「チフス」、猩紅熱、「ヂフテリア」、流行性脳脊髄膜炎、「ペスト」及日本脳炎ヲ謂フ

2　前項ニ掲クル十一病ノ外此ノ法律ニ依リ予防法ノ施行ヲ必要トスル伝染病アルトキハ厚生大臣之ヲ指定ス

（質問） 国家公務員の場合、職員が伝染病に罹患して隔離され、勤務することができなかった場合は、一般職の職員の給与に関する法律の運用方針第十五条関係の「一、伝染病予防法による交通しゃ断又は隔離」又は「九、負傷又は疾病」のいずれにより取り扱われるか。

（昭三〇・九・九　人委第四二九号　島根県人事委員会事務局長）

（回答） 職員が伝染病にかかり勤務することができないときは、「九、負傷又は疾病」（病気休暇）として取り扱い、職員

が勤務可能であるにもかかわらず伝染病予防法に基づいて交通しゃ断又は隔離されて勤務することができないときは、「一、伝染病予防法による交通しゃ断又は隔離」（特別休暇）として取り扱う。

（昭三〇・九・二一　三三―二九五　給与局長）

（注）　一般職の職員の給与に関する法律の運用方針第十五条関係の一については、規則一五―一四第二十二条第一項第十七号参照。

○新型コロナウイルス感染症拡大防止において出勤することが著しく困難であると認められる休暇の取扱いについて（令和二年職職―一〇四　人事院事務総局職員福祉局長）（令和五年職職―一三二により廃止）

新型コロナウイルス感染症対策に関し、感染症の予防及び感染症の患者に対する医療に関する法律（平成十年法律第百十四号。以下「感染症法」という。）、新型インフルエンザ等対策特別措置法（平成二十四年法律第三十一号）等を踏まえ、出勤することが著しく困難であると認められる場合の休暇の取扱いについては、下記の事項に留意してください。

記

当分の間、職員が次に掲げる場合に該当するときは、人事院規則一五―一四（職員の勤務時間、休日及び休暇）第二十二条第一項第十七号の休暇（非常勤職員にあっては、人事院規則一五―一五（非常勤職員の勤務時間及び休暇）第四条第一項第四号の休暇）に規定する出勤することが著しく困難であると認められる場合と取り扱って差し支えない。

1　検疫法（昭和二十六年法律第二百一号）第十六条第二項に規定する停留（これに準ずるものを含む。）の対象となった場合

2　検疫法第十六条の二第一項又は第二項の規定に基づき、職員又はその親族が外出しないことその他の新型コロナウイルス感染症の感染の防止に必要な協力を求められた場合（これに準ずる場合を含む。）で、勤務しないことがやむを得ないと認められるとき

3　感染症法第四十四条の三第一項又は第二項の規定に基づき、職員又はその親族が外出しないことその他の新型コロナウイルス感染症の感染の防止に必要な協力を求められた場合で、勤務しないことがやむを得ないと認められるとき

4　職員又はその親族に発熱等の風邪症状が見られること等から療養する必要があり、勤務しないことがやむを得ないと認められる場合

5　新型コロナウイルス感染症対策に伴う小学校、中学校、高等学校、特別支援学校等の臨時休業その他の事情により、子の世話を行う職員が、当該世話を行うため勤務しないことがやむを得ないと認められる場合

以上

イ　自家用自動車による出勤の場合の事故

職員の責めに帰さない追突等の事故により、所定の勤務開始時間までに出勤し得なかった場合においては、この休暇事由に該当することになる。一方、職員の過失運転が認められる事故による遅延の場合においては、この休暇は認められない。

交通渋滞による遅延の場合は、通常の交通事情であれば、十分出勤時刻に間に合ったにもかかわらず、信号機の故障等が原因で遅延したときは、この休暇事由に該当することとなるが、常態的な交通渋滞に陥っている事情にあるときは、職員はその事情を配慮して早目に出勤する義務を負っているというべきであり、この休暇事由には該当しないとされている。

ウ　争議行為等に伴うピケにより庁舎に入れない場合

争議行為等に伴うピケッティングにより、職員が勤務時間開始時までに勤務官署の入口に到着したにもかかわらず、勤務に就くことができない場合は、この事由による休暇に該当する。

なお、このような入庁できない状態にある場合でも、当局側がその出勤を確認し、勤務官署以外の場所を指定して待機を命じたようなときは、その時間中は事実上当局の支配下にあるわけであるので、これを休暇として取り扱うことは適当ではなく、その時間を勤務したものとみなして、いわゆる出勤扱いとして処理することが適当であろう。

【事例】

（質問）午前の勤務時間中の職場大会を行うため、庁舎の出入口に外部労組員等を動員していわゆるピケが張られ、職場大会に参加の意志のない職員（大会不参加の意志表示をした者）の入庁を妨害し、そのため当該職員は大会に参加せず、やむを得ず大会が終了してピケが解除されるまで、庁舎に入ることができなかった場合、この勤務しなかった時間は給実甲第二十八号第十五条関係第一各号列記のいずれにも該当せず、したがって当該職員に特別休暇を附与することはできないか。

（昭三四・四・一八　名地一―三七〇　人事院名古屋地方事務所長）

（回答）御照会の場合には、給実甲第二十八号第十五条関係一の四に該当するものと解する。

（昭三四・五・一　給二―一九四　給与局給与第二課長）

（注）給実甲第二十八号第十五条関係一の四については、規則一五―一四第二十二条第一項第十七号参照。

エ　アからウ以外でも、職員の責めによらない原因によって、出勤することが不可能若しくは著しく困難である場合にも、この事由による休暇が認められる。例えば、洪水、津波等による危害防止のため、警察、知事から避難を命ぜられたため、出勤できない場合がこれに当たる。

⑵　「出勤する」の意味

この事由による特別休暇は、職員の責めによらない原因により、現実に勤務官署に出勤することが著しく困難であると認められることが必要である。なお、在宅勤務（テレワーク）を命じられた職員については、そもそも勤務官署に「出勤する」必要がないことから、この休暇を使用する前提を欠くことになる。

この場合の「出勤する」とは、基本的には職員が通常利用している住居から勤務官署までの経路に限定されると解されている。例えば、年次休暇を利用して帰省中又は登山、ハイキングに出かけた場合において、台風等の災害に遭い、休暇承認期間を過ぎても出勤することができないときは、この休暇を認める余地はない。同様に、遠隔地に単身赴任し週末に家族の元に帰り月曜日に直接勤務官署へ出勤する職員が、月曜日の出勤途上において交通機関の事故等により出勤時刻に間にあわなかった場合についても、この休暇事由には該当しないこととなる。

【事例】

（質問）　職員が年次休暇を利用して旅行したが、途中台風のため船が欠航して承認された年次休暇の期間を過ぎても勤務に就くことができない期間がある場合、その期間については、「人事院規則一五―六（休暇）の運用について（昭四三・一二・七付職職―一〇三六）」第一項関係の2の(2)「風水震火災による交通しゃ断」に基づく特別休暇として取り扱って差し支えないか。

（昭五四・一〇・一八　人関総―六一四　人事院関東事務局長）

（回答）「風水震火災その他の非常災害による交通しゃ断」を事由とする特別休暇は、原則として住居から勤務官署の間において、風水震火災その他の非常災害が発生し現実に交通しゃ断の状態に陥って勤務することができない場合に認められるものである。したがって、御照会のように年次休暇を利用して私的な旅行中に台風のため船が欠航し休暇承認期間を過ぎても勤務することができない場合、当該期間について特別休暇として取り扱うことは適切でないと解する。

（昭五四・一〇・一九　職職―六四八　職員局職員課長）

（注）「規則一五―六の運用について」第一項関係の2の(2)については、規則一五―一四第二十二条第一項第十七号参照。

(3)　「出勤することが著しく困難」の意味

「出勤することが著しく困難」であるかどうかの判断については、個別具体的な事情に即し、経済的、時間的にみて社会通念上「著しく困難」であるかどうかにかかっている。

問題となりうるような具体例を次に若干挙げてみる。

ア　通常の通勤に利用する交通機関に事故があったとしても、徒歩による通勤が可能な場合

自宅から勤務官署まで徒歩で約三十分のところを、毎日バスで通勤している場合で、このバスが運休になったとしても、この事由による特別休暇が当然に認められるわけではない。この場合、この職員は、通常の通勤に比較すれば、早く出勤の途につくことになろうが、これはいわば職員の義務ともいうべきものであろう。

しかしながら、最近の住宅事情からくる遠距離通勤者の増加のなかにおいて、代替交通機関を利用しても、時間的、経済的にみて、本人に出勤を強要することが社会通念上不合理と認められるような場合であれば、一日の全部又は一部の時間について、むしろ不可抗力の事故として、休暇を承認すべき場合もあろう。

イ　代替交通機関による通勤が可能な場合

交通機関の運休により通常の通勤に利用している路線によっては出勤できないが、それと並行する交通機関があり、それを利用すれば、長時間又は多額の費用を要しないで出勤できる場合には、この休暇は認められない。一方、代替交通機関の路線があるが、この路線が極めて通常の時間に比し長時間を要するような場合には、一日又は一部の時間についてこの休暇が認められることになる。なお、振替輸送が実施された場合については、七一〇頁を参照。

また、同一地域の居住者（同一公務員宿舎の居住者）で、同一交通機関を利用している者のうち、一人は午前十一時には出勤できたにもかかわらず、他は一日出勤しなかったというような事情がうかがえるときは、少なくともその一日の全部については、特別休暇が承認される余地はないといえよう。

なお、あらかじめ年次休暇の承認を得ていた日に、通常の通勤に要する交通機関に事故があったからといって、これが特別休暇に振り替えられるというものではないことはいうまでもない。

【事例】

(質問) 私鉄ストにより通常の路線によって出勤できないが、これにかわるバス路線があり、時間的に十分出勤できるのにもかかわらず、私鉄ストを理由に公然と出勤しない場合の取扱いはどのようにすればよいか。

（津市　Ｑ生）

(回答) 通勤のために通常利用している交通機関がストにより利用できなくなった場合、他の交通機関により著しく長時間又は多額の費用を要しないで通勤が可能であるにもかかわらず、出勤しない場合には特別休暇は与えられません。したがって、年次休暇の承認を求めない限り欠勤として取り扱われます。

（昭四〇・八　人事院月報相談室）

(質問) 私鉄の郊外電車を利用している者が、勤務日にその私鉄が二十四時間ストを行い、他に平行した交通機関がなく、その者が通勤不能となったとき、人事院細則九―五―一（給与簿取扱細則）第二条第三号により「その他交通機関の事故等の不可抗力の事故」として特別休暇を与えてよいか。

（金沢大学　Ｋ生）

(注) 人事院細則九―五―一第二条第三号については、規則一五―一四第二十二条第一項第十七号参照。

(回答) 通常、通勤に利用している交通機関が、ストを行ったために利用できなくなった場合でも、他に交通機関があれば、それを利用して通勤することができますし、あるいは徒歩による通勤ということも考えられますから、必ずしも通勤不能にはならないわけです。しかし、通常利用している交通機関による通勤以外の方法による通勤が、多くの時間を要する等のために、非常に困難であって、出勤を要求することが酷であると認められる者については、当該交通機関のストのために通勤不能となったものと考えられます。このような者については、当該交通機関のストを、おたずねの「その他交通機関の事故等の不可抗力の事故」に該当するものとして、特別休暇を与えることは差し支えありません。

（昭三七・七　人事院月報相談室）

なお、職員の住居のある地域が水害によって交通しゃ断の状態に陥り、職員は交通しゃ断の状態に置かれていない救護施設にいったん避難したが、公務その他の都合により相当の困難を排して自宅に立ち帰ったというような場合、単に「自宅に帰ることができた」という事実のみに着目して、出勤可能であると判断することは適当とは認められず、自宅に帰ったために出勤できなかった時間については、この事由による特別休暇を認めて差し支えないものと解される。

⑷　休暇の期間

この事由による特別休暇は、「必要と認められる期間」承認される。

「必要と認められる期間」とは、不可抗力の事故等により、社会通念上、職員を勤務に服せしめることが不合理であると判断される期間をいうものとされている。

したがって、原則として、出勤を妨げていた原因が解除又は回復されるまでの期間と、その後、出勤に要する時間を加えた時間とされる。このため、必要と認められる期間は、数日に及ぶ場合も、時間、分単位となる場合もあろう。

例えば、勤務時間が午前八時三十分から午後五時十五分までの職員について、台風のため、交通がしゃ断し、事実上出勤不可能になっていたところ、午後三時ごろ復旧し、直ちに出勤したとしても午後四時ごろでなければ勤務官署に到着できないとして、一日の特別休暇を認めることはできないのであり、具体的事情により多少のずれはあるとしても、この場合、午後四時以降の一時間十五分については、勤務義務があるといわなければならない。

なお、復旧後直ちに出勤したとしても、勤務官署に到達するのが、勤務時間終了後になるような場合であれば、このような場合には、一日の特別休暇を認めることも差し支えないであろう。

【事例】

（**質問**）当地を襲った大雪により、通常の通勤に利用している交通機関がマヒして、午後四時ごろようやく復旧したが、開通後の最初の電車を利用しても役所に出勤できるのは午後五時を過ぎてしまうような状態であったため、当日は出勤しなかった。

この場合、その日については、一日の特別休暇を承認してもらえないか。

なお、私の勤務時間は、午後五時までである。　（北海道　T生）

（回答）　おたずねの場合、並行する他の交通機関についても運行を中止していたような事情があれば、その日一日について特別休暇を承認して差し支えないものと解します。　（昭四四・七　人事院月報相談室）

また、交通機関の事故で電車が三十分遅延したとした場合、職員が勤務開始時刻より一時間三十分も経ってから出勤してきたようなときは、その事情によっては、三十分の特別休暇についても認められないこともあろう。

なお、振替輸送機関がある場合については、次の事例が参考となる。

【事例】

（質問）　国鉄脱線事故による通勤不能な場合に、人事院規則一五―六（休暇）の運用について（昭和四三・一二・七職職―一〇三六）第一項関係の2の(4)「交通機関の事故等」による特別休暇を次のように与えても差し支えないか。

(1)　他に並行又は振替輸送による交通機関があり、これを利用して勤務時間内に出勤した場合は、課業開始時より出勤時間までの時間につき特別休暇を与える。

(2)　他に並行又は振替輸送による交通機関があるにもかかわらず、本人が自分で出勤不能と判断し出勤しなかった場合は、「交通機関の事故等」には該当しないものと解して年次休暇を与える。　（東京都　S生）

（回答）　「交通機関の事故等」を事由とする特別休暇の取扱いに当たっては、並行する交通機関の事情等を考慮して、個々に判断する必要があり、設問の場合、その具体的事情が明確でないので確答いたしかねますが、一般的には次のように取り扱うことになります。

(1)について

職員が並行する交通機関又は振替輸送による交通機関の順路に従い所要の時間を要して出勤した場合には、始業時から出勤時までの時間について、特別休暇を与えて差し支えありません。

(2)について

並行する交通機関又は振替輸送による交通機関を利用して出勤することが、経済的、時間的にみて社会通念上容易であると認められる場合には、職員の個人的判断にかかわりなく、特別休暇を与えることはできません。

（昭四四・六　人事院月報相談室）

（注）「規則一五―六の運用について」第一項関係2の(4)については、規則一五―一四第二十二条第一項第十七号参照。

19　退勤途上の危険を回避する場合

この事由による特別休暇は、地震、水害、火災その他の災害時において、職員が退勤途上における身体の危険を回避する必要がある場合には、勤務しないことが相当であるとして認められているものである。

この事由は、従来、「所轄庁の事務又は事業の運営上の必要に基づく事務又は事業の全部又は一部の停止」を事由とする休暇の一内容として、「台風の来襲等による事故発生の防止のための措置」として規定されていたものである。

特別休暇の概念のところで述べたように、昭和六十一年の休暇制度の法的整備に当たり、特別休暇とは、官側ではなく職員側に生じた事由により勤務しないことが相当である場合に認められるものとして設定したため、「事務の停止」は、特別休暇の範ちゅうには入らないところから休暇事由から除外している。

しかしながら、「台風の来襲等による事故発生の防止のための措置」については、視点を変えれば、職員側に発生する事情により、勤務しないことが相当であるものとしても認められるところから、この側面から、この内容に関し特別休暇の一事由として規定しているものである。

例えば、台風の接近や大雪等により、交通がしゃ断する可能性が生じた場合、又、洪水のおそれが生じた場合で、病弱者、遠距離通勤者、障害のある職員等が、退勤途上の身体の危険を回避するため請求し、各省各庁の長がこれをやむを得ないと判断したときには、この休暇が認められることとなる。

なお、いかなる事情のもとに、いかなる職員を対象として、承認するかは、各省各庁の長の裁量に委ねられているところではあるが、その運用に当たっては、各地域間、各機関の間において、十分均衡のとれた措置が執られることが適当であろう。

○規則一五―一四

（特別休暇）

第二十二条

１十八　地震、水害、火災その他の災害又は交通機関の事故等に際して、職員が退勤途上における身体の危険を回避するため勤務しないことがやむを得ないと認められる場合　必要と認められる期間

この事由による特別休暇は、「必要と認められる期間」承認される。

この場合、「必要と認められる期間」とは、この休暇が、承認された以後のその日の勤務時間に相当する期間ということになる。例えば、勤務時間が午後五時十五分までの職員の場合、午後三時十五分にこの休暇が認められれば、この休暇の期間は、二時間となる。

なお、この事由による特別休暇は、現に職務に就いている職員について認められるものであるので、勤務についていない職員については承認することはできず、また、一回の勤務に割り振られた勤務時間のすべてについて承認されることもあり得ない。

第六節　介護休暇

一　介護休暇の意義

1　制度の趣旨

介護休暇は、平成六年九月の勤務時間法の施行に伴い、職員の職業生活と家庭生活の調和を図る制度のひとつとして導入されたものである。

〈平成五年人事院勧告時の報告〉

第2　職員の勤務時間等

(4)　介護休暇制度

社会の高齢化等に伴い介護を必要とする者が増加してきており、公的な対応も種々行われてはいるものの、家族による介護が求められる場面が多くなってきている。しかしながら、女性の社会進出や核家族化により家族による介護が容易ではない状況となっている。このような状況の中で、職員が家族を介護しなければならなくなった場合には、肉体的、精神的に職業生活と介護の二重の負担がかかることとなり、職員の職務遂行にも影響を与え、離職のやむなきに至る場合もある。このような場合には、一定期間職務からの離脱を認めることにより、離職を抑制して職務復帰後の十全な勤務を期待することが、職員の勤務条件の確保の視点からも公務全体としての能率の発揮という視点からも有益であると考えられる。

労働省も既に「介護休業制度等に関するガイドライン」により企業内福祉制度としての導入を推奨しているところであるが、ここ数年、介護休暇（休業）制度の普及率の伸びは著しく、本年の職種別民間給与実態調査によれば、介護休暇

（休業）制度を有する事業所に雇用されている従業員の割合は四四・三％に達し、民間事業所の従業員の半数近くはこのような制度を利用できる状況となっていることが認められる。以上のような諸事情を総合勘案すれば、公務においても家族の介護のための休暇の導入に踏み切ることが適当であると認められる。なお、本院の調査によれば、介護休暇（休業）制度を有している事業所のうち七割の事業所が無給としていることから、この休暇は無給のものとすることが適当であると考える。

なお、民間企業における介護休業制度については、前記報告文にあるように当時の労働省が「ガイドライン」を定め導入を推奨してきていたが、その後、平成七年に「育児休業等育児又は家族介護を行う労働者の福祉に関する法律（平成三年法律第七十六号）」の一部改正により（題名を「育児休業、介護休業等育児又は家族介護を行う労働者の福祉に関する法律」に改正）、休暇制度と休業制度という名称の違いはあるものの、対象となる要介護者、対象となる期間については、国家公務員の介護休暇とほぼ同様の内容である介護休業制度が平成十一年四月一日に施行された（法律の公布は平成七年六月九日）。

わが国の人口構成をみると、諸外国に類をみない急速な高齢化が進行しており、それとともに介護を必要とする者も更に増加すると予想される。また、令和五年度から国家公務員の定年が段階的に引き上げられて六十五歳となることから、家族の介護に直面する職員も増えることが見込まれる。このような状況の下で、一般的に、職員が家族を介護しなければならなくなった場合には、肉体的、精神的に職業生活と介護の二重の負担がかかることになり、ひいてはこれが職務遂行にも影響を及ぼすばかりでなく、場合によっては離職のやむなきに至ることも考えられる。このような事態を回避するためには、職員が一定期間職務から離れて家族の介護に専念できる制度を設けることが必要であり、このことは職員の勤務条件の確保及び公務能率の確保という視点からも意義深いものである。

２　休暇制度として位置付けた理由

介護のために職務専念義務を免除する制度を考える場合、制度論としては休暇制度とするかあるいは休業制度とするかという選択肢がある。現在、国家公務員の休業制度の代表的なものとしては、育児休業制度があるが、当該制度は職員が生後三歳に満たない子を三歳に達するまで養育するときに利用できる制度であり、その期間は最大でほぼ三年に及ぶ長期のものとなる。したがって、承認権者側も、その間の職員の業務維持のために、当該期間における職員の配置換えその他代替要員の確保ができるシステムをとっている。しかし、介護の場合は、介護する立場に立つこととなる職員の年齢層が比較的高く、これらの者の職責も重くなっているため、長期間の職場離脱及び代替要員の確保が事実上困難であると考えられること、また、介護には様々な形態があり、必ずしも連続した全日の介護を必要とせず、一日のうちの一部の時間をカバーすれば足り得る場合など多様な形での取得が想定されることもあって、休業制度より休暇制度とした方が適当と判断されたものである。

3　「介護」の意義

ここでいう「介護」の意義については、前述の短期介護休暇における「介護」と同じであり、家庭において家族等が傷病等により療養中で正常なる日常生活が営めない状態にあり、そのような者の食事、入浴、着替え、排せつ等の身の回りの世話やリハビリのための介助といったいわゆる直接的介護のほか、これらに付随する行為、すなわち入院のための手続等や介護に必要となる日用品の購入等といったいわゆる間接的介護も含めて総合的に判断することが適当とされている。

4　要介護者の範囲

民間企業における要介護者の範囲をみると、配偶者、父母、子及び配偶者の父母については、おおむね九割以上の企業において対象としていることが明らかになっていたことから、民間においては既に定着しているものと判断できるとされた。したがって、これらについては法律において「配偶者等」として定めることとし、その他の者については民間における実施割合がなお半数に満たないものであること等に鑑み、取りあえず人事院規則で定めることとされたものである。

「配偶者等」の定義については、勤務時間法第六条第四項第一号の配偶者等の介護を行う職員についての解説（九四頁）を参照されたい。なお、規則一五―一四運用通知第三の第二十三項に規定する「人事院が定めるもの」を平易に示せば次のようになる。

(1) 父母の配偶者……………継父母
(2) 配偶者の父母の配偶者……配偶者の継父母
(3) 子の配偶者………………嫁、婿
(4) 配偶者の子………………継子

その後、平成十一年四月一日に育児・介護休業法の介護休業に関する規定が施行となり、同法に規定する介護休業制度の内容が民間の最低基準となったことに伴い、勤務時間法上の介護休暇における要介護者の範囲のうち孫については所要の改正が行われた。すなわち、それまで孫については規則一五―一四運用通知の中で定められており、その父母のいずれもが死亡している者に限っていたが、これは民間法制に比べて限定的な取扱いとなるため規則一五―一四第二十三条第一項に「孫」を明記することとされた。

さらに、平成二十九年一月一日から、民間労働法制において世帯構造の変化等を踏まえ祖父母、兄弟姉妹及び孫について、同居・扶養の要件が撤廃されたことを踏まえ、公務においてもこれらの者の同居要件を撤廃する人事院規則の改正が行われた。

二　介護休暇の期間

公務においては、これまで休暇制度の期間を決める際には、その休暇の趣旨や目的を踏まえつつ、かつ、民間企業における実態等を勘案しながら考えてきているところであるが、介護の場合は、傷病等によって療養を要する形態には様々なものが考えられ、必ずしも一律的な期間で設定することが馴染まない面がある。そのため、あらゆるケースのそのすべての期間をカバーし得る制度として設計するには自ずと限界があり、平成六年の制度導入に当たっては、取りあえずは同種の制度を持つ民間企業の従業員の利用実態や当時の労働省の介護休業制度等に関するガイドライン等を参考に連続する暦日の三月の期間内としたものである。

その後、民間においては平成十一年四月一日に労働者はその事業主に申し出ることにより最低三月の期間内の介護休業をすることができる旨の介護休業制度が導入され以後広く定着し、その期間も長期化していた。人事院が実施した平成十二年の民間企業の勤務条件制度等調査によれば、介護休業を三月を超える期間としている割合は、従業員割合で五八・二％となっており、その期間もかなり長期のものが多いという状況であった（従業員数割合で五六・九％が六月以上）。このような民間企業の状況を踏まえると、全体として社会一般の情勢に適応するためには、民間の平均的な期間に近いものとすることが適当であり、検討の結果、人事院は平成十三年八月に介護休暇の期間を六月に延長する旨の勤務時間法の改正についての勧告を行い、これに基づいて第一五三回国会において勤務時間法等の改正法が成立し、平成十四年四月一日より、介護休暇の取得可能期間が暦日の三月から六月に延長された。

さらに、民間労働法制における介護休業については、平成二十七年十二月二十一日付けの労働政策審議会の厚生労働大臣に対する建議（仕事と家庭の両立支援対策の充実について）を踏まえて育児・介護休業法が改正され、介護の始期、終期及びその間の期間にそれぞれ対応するという観点から、三回に分割して取得できるよう措置することとされた（平成二十九年一月一日施行）。このような介護のニーズは公務においても同様と考えられたため、人事院は、平成二十八年八月八日に、介護休暇を三回の時期に分割可能とする勤務時間法改正の勧告を行った。この際、公務における介護休暇は、２で述べたように、連続する六月の期間内であれば、育児・介護休業法が想定するような連続した全日の休暇のみならず、時間単位での休暇や勤務日を挟んだ休暇の取得も可能としていたため、同勧告は、介護休暇を「請求できる」期間を三回に分割することとされた。具体的には、介護休暇を請求できる期間を「指定期間」とし、指定期間は、人事院規則の定めるところにより、一の要介護状態ごとに三回以下、通算六月の範囲内で指定することとされた。同勧告に基づき勤務時間法、人事院規則等の改正が行われた結果、平成二十九年一月一日から、公務においても、介護休暇を三回の時期に分割して、通算六月の範囲内で取得できることとなった。

○勤務時間法

（介護休暇）

第二十条　介護休暇は、職員が要介護者（配偶者等で負傷、疾病又は老齢により人事院規則で定める期間にわたり日常生活を営むのに支障があるものをいう。以下同じ。）の介護をするため、各省各庁の長が、人事院規則の定めるところにより、職員の申出に基づき、要介護者の各々が当該介護を必要とする一の継続する状態ごとに、三回を超えず、かつ、通算して六月を超えない範囲内で指定する期間（以下「指定期間」という。）内において勤務しないことが相当であると認められる場合における休暇とする。

２　介護休暇の期間は、指定期間内において必要と認められる期間とする。

○規則一五―一四

（介護休暇）

第二十三条　勤務時間法第二十条第一項の人事院規則で定める期間は、二週間以上の期間とする。

三　介護休暇の取り方

１　指定期間の申出・指定

(1)　申出・指定の方法

介護休暇を取得するには、まず職員が各省各庁の長に指定期間の申出を行い、指定を受けた上で休暇の請求・承認の手続を行う必要がある。具体的には、職員が介護休暇を請求しようとする場合には、指定期間の指定を希望する日の初日と末日を休暇簿に記入して申し出ることとなり、各省各庁の長は、当該初日から末日までの期間を指定期間として指定することが原則とされている。ただし、当該初日から末日までの間に介護休暇を承認できないことが明らかな日がある場合には、その日を除いて指定を行うものとされており、当該初日から末日までの全日について休暇を承認できないことが明らかな場合は、指定期間を指定しないものとされている。この際、「介護休暇を承認できないことが明らか」であるか否かについては、３に後述する介護休暇の承認の基準に従った場合に、指定期間の指定を行う時点で休暇を承認できないことが明らかであるか否かにより判断することとなる。

このように、指定期間の確定には各省各庁の長が関与する仕組みとなっているが、これは、職員の指定期間の浪費を防ぐための措置である。すなわち、介護休暇は公務の運営に支障がある日及び時間については承認しないこともでき、職員の申出のみによって指定期間が確定する仕組みとすると、指定期間中に職員が全く介護休暇の承認を受けることができないという事態も生じ得ることとなり、指定期間は要介護状態ごとに六月に限られているところ、そのような指定期間の浪費が生じ得る仕組みは職員にとって不利益であるため、各省各庁の長において、指定できない日は除いて指定することとしたものである。各省各庁の長の指定行為が挟まるからといって、各省各庁の長がその自由裁量により指定期間の指定の可否を判断できるものではないことに注意が必要である。

なお、指定期間から除かれる日（除算日）がある場合、指定期間は除算日を挟んだ複数の期間に分割されることとなるが、これらは職員からは一回の指定期間として申出があった期間であるため、除算日を挟んでいても一回の指定期間として取り扱っている。

また、除算日が週休日に引き続く場合には、当該週休日についても指定期間から除くものとしている。週休日にはそもそも勤務時間が割り振られておらず、職員が介護を行う場合に介護休暇の承認を受ける必要もないことを踏まえた措置である。

(2)　指定期間の延長・短縮

介護の事情は多種多様であり、いったん指定期間を指定した後、介護事情の変化等により、指定期間の末日より後も引き続き介護休暇を取得する必要が生じる場合や、予定よりも早く介護休暇を請求する必要がなくなる場合も想定される。このような場合には、職員の申出に基づき、指定期間の延長や短縮を行うことを可能とし、介護事情の変動にある程度対応できるよう措置している。一方で、適切な公務運営を行うためには、業務体制の確保の観点から、介護休暇を取得できる期間はあらかじめ定まっていることが適当であることから、延長、短縮には一定の制限を課している。具体的には、延長については、一回の指定期間につき一回までとし、できる限り延長前の指定期間の末日の一週間前までに申し出るものとされており、短縮については、回数制限は設けていないものの、できる限り短縮後の指定期間の末日とすることを希望する日の一週間前までに申し出るものとされている。

なお、延長により新たに指定を希望する期間についても、当初の指定と同様、除算日は除いて指定するものとされており、新たに指定を希望する期間の全てが除算日である場合には延長を行わないものとされている。

(3)　指定期間の通算方法

指定期間は通算して六月までとされているが、この六月の計算については、原則として応当日計算によるものとされており、一月未満の期間が生じた場合であって、その期間を合算する場合には、三十日をもって一月とすることとしている。その具体的な計算の例を示せば、次のとおりである。

【計算例】

申出の期間：令和X年三月一日（水）から五月十九日（金）
指定の期間：令和X年三月一日（水）から二十四日（金）
　令和X年四月三日（月）から五月十九日（金）
　※その他の期間は除算日
計　算：①……令和X年三月一日（水）から二十四日（金）→二十四日
②……令和X年四月三日（月）から五月二日（火）→一月（応当日計算）
③……令和X年五月三日（水）から十九日（金）→十七日
①＋②＋③＝二十四日（①）＋一月（②）＋十七日（③）
＝一月（②）＋四十一日（①＋③）
＝二月十一日
※残り二回の指定期間は、合わせて三月十九日（六月―二月十一日）まで指定可能

○規則一五―一四

（介護休暇）

第二十三条

2　勤務時間法第二十条第一項に規定する職員の申出は、同項に規定する指定期間（以下「指定期間」という。）の指定を希望する期間の初日及び末日を休暇簿に記入して、各省各庁の長に対し行わなければならない。

3　各省各庁の長は、前項の規定による指定期間の指定の申出があった場合には、当該申出による期間の初日から末日までの期間（第六項において「申出の期間」という。）の指定期間を指定するものとする。

4　職員は、第二項の申出に基づき前項若しくは第六項の規定により指定された指定期間を延長して指定すること又は当該指定期間若しくはこの項の申出（短縮の指定の申出に限る。）に基づき次項若しくは第六項の規定により指定された指定期間を短縮して指定することを申し出ることができる。この場合においては、改めて指定期間として指定することを希望する期間の末日を休暇簿に記入して、各省各庁の長に対し申し出なければならない。

5　各省各庁の長は、職員から前項の規定による指定期間の延長又は短縮の指定の申出があった場合には、第三項、この項又は次項の規定により指定された指定期間の初日から当該申出に係る末日までの期間の指定期間を指定するものとする。

6　第三項又は前項の規定にかかわらず、各省各庁の長は、それぞれ、申出の期間又は第二項の申出に基づき第三項若しくはこの項の規定により指定された指定期間の末日の翌日から第四項の規定による指定期間の延長の指定の申出があった場合の当該申出に係る末日までの期間（以下この項において「延長申出の期間」という。）の全期間にわたり第二十六条ただし書の規定により介護休暇を承認できないことが明らかである場合は、当該期間を指定期間として指定しないものとし、申出の期間又は延長申出の期間中の一部の日が同条ただし書の規定により介護休暇を承認できないことが明らかな日である場合は、これらの期間から当該日を除いた期間について指定期間を指定するものとする。

7　指定期間の通算は、暦に従って計算し、一月に満たない期間は、三十日をもって一月とする。

○規則一五―一四運用通知

第十五　介護休暇関係

3　規則第二十三条第四項の規定による指定期間の延長の指定の申出は、できる限り、指定期間の末日から起算して一週間前の日までに行うものとし、同項の規定による指定期間の短縮の指定の申出は、できる限り、当該申出に係る末日から起算して一週間前の日までに行うものとする。

4　各省各庁の長は、規則第二十三条第六項の規定により指定期間を指定する場合において、規則第二十六条ただし書の規定により介護休暇を承認できないことが明らかな日として申出の期間又は延長申出の期間から除く日に週休日が引き続くときは、当該週休日を除いた期間の指定期間を指定するものとする。

2　介護休暇の単位

介護を必要とする形態には要介護者の傷病等の状況に応じて様々なものが想定できる。したがって、必ずしも日の全部について介護に従事する必要がない場合も考えられることから、一日単位だけでなく一時間単位での取得も認めることとしたものである。

なお、時間単位で利用する場合には、仕事と介護が両立していることが大前提であり、そのためには公務能率の維持の観点から、通常想定される一日の勤務時間（七時間四十五分）のうちのおおむね半分以上の時間について連続して勤務することを前提とした仕組みとすることが適当であり、人事院規則で次のように規定している。

○規則一五—一四

第二十三条の二　介護休暇の単位は、一日又は一時間とする。

2　一時間を単位とする介護休暇は、一日を通じ、始業の時刻から連続し、又は終業の時刻まで連続した四時間（当該介護休暇と要介護者を異にする介護時間の承認を受けて勤務しない時間がある日については、当該四時間から当該介護時間の承認を受けて勤務しない時間を減じた時間）を超えない範囲内の時間とする。

3　介護休暇の承認

介護休暇は、通算六月という長期間となり得るものであること、無給の休暇であること、また、職員が介護に従事する期間として最も必要と思われる期間を請求してきていることに鑑みれば、できる限り他の期間に変更することを避けることが望ましい性格の休暇である点において既存の休暇とはやや性質を異にするものではあるが、「介護に従事するため」という一つの事由に基づき承認されるものである点において既存の特別休暇と同種のものであるといえる。このようなことから各省各庁の長が承認の可否について判断するに当たっては、基本的には既存の病気休暇や特別休暇と同様に考えることになるが、介護休暇の場合、最大六月におよぶものであることから、職員からの請求にかかる期間のうちで公務の運営に支障がある日又は時間がある場合には、当該特定の日又は時間につき一部不承認とすることができることとしている。

○勤務時間法

（病気休暇、特別休暇、介護休暇及び介護時間の承認）

第二十一条　病気休暇、特別休暇（人事院規則で定めるものを除く。）、介護休暇及び介護時間については、人事院規則の定めるところにより、各省各庁の長の承認を受けなければならない。

○規則一五—一四

（介護休暇及び介護時間の承認）

第二十六条　各省各庁の長は、介護休暇又は介護時間の請求について、勤務時間法第二十条第一項又は第二十条の二第一項に定める場合に該当すると認めるときは、これを承認しなければならない。ただし、当該請求に係る期間のうち公務の運営に支障がある日又は時間については、この限りでない。

ところで、職員が介護休暇を請求する場合には、介護休暇簿に要介護者の状況及び具体的介護の内容を記載させることとし、承認権者としては一義的にはその内容を見て休暇を与えるか否かの判断をすることになる。なお、職員からの申出内容にやや疑義があるような場合、あるいは病気の内容や介護の必要性において不明な点がある場合には、必要に応じて何らかの証明書を提出させることができるよう措置している。

○規則一五—一四

（休暇の承認の決定等）

第二十九条

２　各省各庁の長は、病気休暇、特別休暇、介護休暇又は介護時間について、その事由を確認する必要があると認めるときは、証明書類の提出を求めることができる。

４　介護休暇の請求

介護休暇は最大六月間認められる制度であり、これまでの休暇に比べかなり長期のものとなる。したがって、承認権者としても職員が休むことによって「公務の運営」にどの程度支障を及ぼすかについて考える必要があり、職員の業務内容、業務量等から、代替者の選定や配置等について総合的に判断しなければならないものである。このようなことから、承認権者としてもその準備のための一定の猶予期間が必要である。そのため、職員が休暇の承認を受けようとする場合には、従来は一週間前までに申請することを義務付けていた。

しかし、家族の急な発病等により職員が直ちに介護休暇の承認を必要とする事態も少なからず想定されることから、そのような場合に直ちに介護休暇を取得することを可能とするために、平成十七年一月一日以降は、請求期限を緩和して「あらかじめ」請求すれば足りることとし、職員が同休暇を必要に応じて活用しやすくすることとした。

一方、前述のとおり、公務の運営に支障が生じないよう措置を講ずる必要も想定されることから、そのための必要な調整を図るための仕組みとして、請求日から起算して一週間経過日後の期間については、従来どおり各省各庁の長に一週間以内の時間的猶予を保障するため、請求日から一週間経過日後の期間が含まれている際には、一週間経過日までにその承認の可否を決定するよう、併せて措置された。

また、介護休暇は相当長期間介護に従事するためのものであること、業務体制の確保の必要性等を踏まえ、各指定期間について職員が初めて介護休暇を利用する場合には、二週間以上の期間について一括して請求することを義務付けている。ただし、指定期間が一週間未満である場合など、二週間以上の期間について一括して請求することができない場合については、この限りでない。また、当該二週間以上の期間の全日について休暇を取得しなければならないものではなく、例えば、三月一日（水）から五月十九日（金）までが指定期間である場合、三月一日から三月十四日までの間の承認を求める日又は時間について一括して請求すればよいことになる。

○規則一五—一四

（介護休暇及び介護時間の請求）

第二十八条　介護休暇又は介護時間の承認を受けようとする職員は、あらかじめ休暇簿に記入して各省各庁の長に請求しなければならない。

２　前項の介護休暇の承認を受けようとする場合において、一回の指定期間について初めて介護休暇の承認を受けようとするときは、二週間以上の期間（当該指定期間が二週間未満である場合その他の人事院が定める場合には、人事院が定める期間）について一括して請求しなければならない。

（休暇の承認の決定等）

第二十九条　第二十七条第一項又は前条第一項の請求があった場合においては、各省各庁の長は速やかに承認するかどうかを決定し、当該請求を行った職員に対して当該決定を通知するものとする。ただし、同項の規定により介護休暇の請求があった場合において、当該請求に係る期間のうちに当該請求があった日から起算して一週間を経過する日（以下この項において「一週間経過日」という。）後の期間が含まれているときにおける当該期間については、一週間経過日までに承認するかどうかを決定することができる。

○規則一五—一四運用通知

第十五　介護休暇関係

５　規則第二十八条第二項の「人事院が定める場合」は、次に掲げる場合とし、同項の「人事院が定める期間」は、次に掲げる場合の区分に応じ、それぞれ次に定める期間とする。

(1)　一回の指定期間の初日から末日までの期間が二週間未満である場合　当該指定期間内において初めて介護休暇の承

認を受けようとする日（以下この項において「初日請求日」という。）から当該末日までの期間

(2)　一回の指定期間の初日から末日までの期間が二週間以上である場合であって、初日請求日から二週間を経過する日（以下この項において「二週間経過日」という。）が当該指定期間の末日より後の日である場合　初日請求日から当該末日までの期間

(3)　一回の指定期間の初日から末日までの期間が二週間以上である場合であって、二週間経過日が規則第二十三条第六項の規定により指定期間として指定する期間から除かれた日である場合　初日請求日から二週間経過日前の直近の指定期間として指定された日までの期間

5　取得パターン

介護休暇の取り方については、介護を必要とする状態には様々な形態があるのと同様に、休暇の設定にも様々な形態があると推測される。例えば、日の全日にわたり連続して介護する場合（全日連続型）、兄弟姉妹等と一日おきあるいは一週間おきに交替で介護する場合（全日断続型）、連続する毎日の一部の時間を介護する場合（時間連続型）、一日おきあるいは一週間おきに日の全日にわたる介護と日の一部の時間の介護を繰り返す場合（時間断続型）、その他これらの組合せにより介護する場合（混合型）が考えられる。

〔取り方のパターン〕

凡例　全日休暇日………●　　△月△日の月曜日から取り始めた場合
　　　時間休暇日………▲
　　　出勤する日………○

①　全日連続型

月　火　水　木　金　土　日　月　火　水　木　金　土　日　月　火　水　木　金

月	火	水	木	金	土	日	月	火	水	木	金	土	日	月	火	水	木	金
●	●	●	●	●			●	●	●	●	●			●	●	●	●	●

②　全日断続型

	月	火	水	木	金	土	日	月	火	水	木	金	土	日	月	火	水	木	金
A	●	○	●	○	●			●	○	●	○	●			●	○	●	○	●
B	●	●	●	●	●			○	○	○	○	○			●	●	●	●	●

③　時間連続型

月	火	水	木	金	土	日	月	火	水	木	金	土	日	月	火	水	木	金
▲	▲	▲	▲	▲			▲	▲	▲	▲	▲			▲	▲	▲	▲	▲

④　時間断続型

	月	火	水	木	金	土	日	月	火	水	木	金	土	日	月	火	水	木	金
C	▲	○	▲	○	▲			▲	○	▲	○	▲			▲	○	▲	○	▲
D	▲	▲	▲	▲	▲			○	○	○	○	○			▲	▲	▲	▲	▲

⑤　混合型

月	火	水	木	金	土	日	月	火	水	木	金	土	日	月	火	水	木	金
●	●	○	▲	▲			●	●	○	▲	▲			●	●	○	▲	▲

また、時間を単位とする介護休暇のパターンとしては、次のようなものが考えられる（勤務時間が八時三十分から十七時十五分とされている場合）。なお、先述のとおり、介護休暇が仕事と介護の両立を推進する観点から措置されたものであることから、時間を単位とする介護休暇は、始業又は終業の時刻に引き続いていることを前提としている。よって、例えば、始業時から時間を単位とする介護休暇が承認されており、引き続き他の休暇を取得する必要がある場合には、介護休暇を取り消し、始業時から当該他の休暇や年次休暇を取得することとなる。ただし、短期介護

休暇に限っては、同じ介護を目的とする介護休暇に引き続いて取得することも想定されることから、時間単位の介護休暇に引き続いて短期介護休暇を取得する場合には、その介護休暇を取り消すことなく短期介護休暇を取得することが可能とされている。

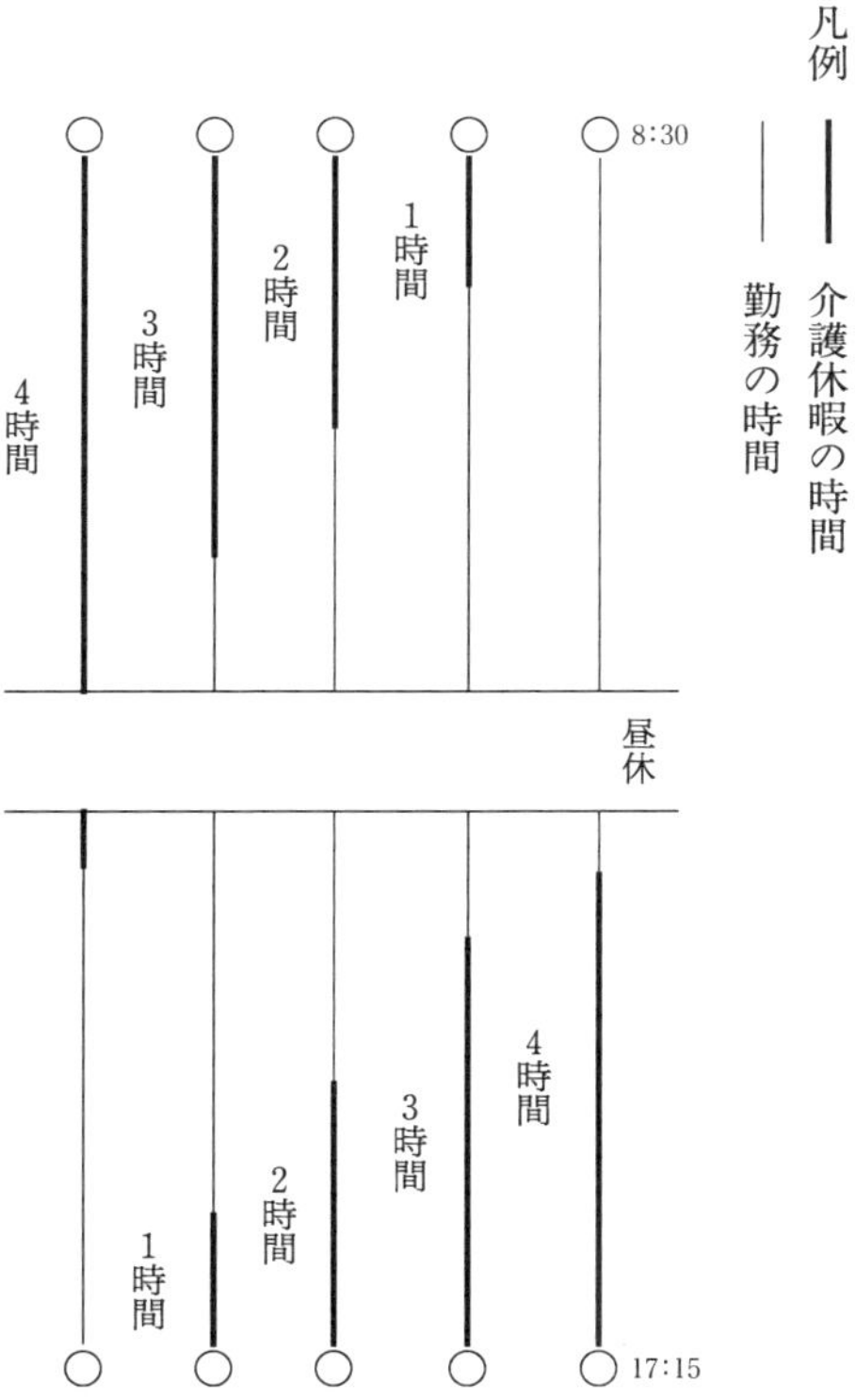

四　介護休暇中の給与

介護休暇中の給与については、民間企業における実態として、なんらかの形で介護のための制度を有する企業のうちの約七割において無給としていたことに鑑み、公務においては俸給及び俸給に準ずる手当については支給しないこととしている。すなわち、民間企業において、従業員が職場を休んでまでも介護に従事しなければならないという事態に配慮するために制度を導入したとしても、その期間が相当長期に及ぶものとなる点を考慮して無給としたものであると考えられ、公務においても、まずこのような民間企業における取扱いに配意する必要があると判断したものである。

その具体的な減額方法は、一般職の職員の給与に関する法律の運用方針（昭和二十六年一月十一日給実甲第二十八号）第十五条関係第二項及び第三項の例によるものとされており、介護休暇によって勤務しない期間における扶養手当などの生活関連手当等については支給することとしているが、その理由は、介護休暇制度は休業等の身分変動を伴う職務からの離脱と異なり、比較的短期間で断続的かつ時間単位での取得をも認める制度であること、また、扶養手当・住居手当・通勤手当等の手当は、勤務に対する対価性の極めて高い俸給等とは異なり、生活の実態を考慮した生活補給的な給与であることから、単に勤務を欠いたからといって支給しないこととすることは手当制度それぞれの趣旨から好ましくないと判断したものである。さらに、昇給区分の決定に当たって、介護休暇を取得した期間があることにより、自動的に下位の昇給区分に決定されることがないよう、当該期間を「勤務していない日数」として取り扱わないこととしている。このほか、介護休暇は長期間の取得も想定される無給の休暇であるため、介護休暇を承認された後に俸給の支給義務者を異にして異動した場合の通知に関して運用通知に規定されている。

〈各種手当の介護休暇期間中の支給の有無〉

①　扶養手当……………………減額しない
②　住居手当……………………減額しない
③　通勤手当……………………減額しない（月の全日にわたり勤務がないときは支給しない又は返納になる）
④　単身赴任手当………………減額しない
⑤　期末手当……………………支給する（在職期間の除算なし）
⑥　勤勉手当……………………支給する（勤務期間の除算あり（時間単位の場合、時間数を日数に換算した期間が三

十日を超える場合には除算））
⑦　地域手当……………………減額する
⑧　広域異動手当………………減額する
⑨　研究員調整手当……………減額する
⑩　寒冷地手当…………………減額しない
⑪　特地勤務手当………………減額しない
⑫　俸給の特別調整額…………減額しない（月の全日にわたり勤務がないときは支給しない）
⑬　本府省業務調整手当………減額しない（月の全日にわたり勤務がないときは支給しない）
⑭　初任給調整手当……………減額しない
⑮　専門スタッフ職調整手当……減額しない（月の全日にわたり勤務がないときは支給しない）

○勤務時間法

（介護休暇）

第二十条

３　介護休暇については、一般職の職員の給与に関する法律第十五条の規定にかかわらず、その期間の勤務しない一時間につき、同法第十九条に規定する勤務一時間当たりの給与額を減額する。

○規則一五―一四運用通知

第十五　介護休暇関係

１　勤務時間法第二十条第三項に規定する給与の減額方法については、給実甲第二十八号（一般職の職員の給与に関する法律の運用方針）第十五条関係第二項及び第三項の例による。

２　職員の介護休暇を承認した各省各庁の長と当該職員が所属する俸給の支給義務者が異なる場合においては、当該各省各庁の長は、当該俸給の支給義務者に介護休暇を承認した旨を通知しなければならない。介護休暇の承認を取り消した場合等においても、同様とする。

６　介護休暇の請求は、できるだけ多くの期間について一括して行うものとする。

第七節　介護時間

一　介護時間の意義

介護時間は、介護休暇と同様、職員が家族の介護を行うために勤務しないことが相当であると認められる場合の休暇であるが、介護休暇が一定期間職務から離れて家族の介護に専念することを想定しているのに対し、介護時間は働きながら介護を行うための時間単位の休暇であり、民間労働法制における介護のための所定労働時間の短縮措置に相当するものである。一日の勤務時間の始め又は終わりにおいて取得可能であり、朝夕の通所介護施設への送迎や、食事介助等を行うために活用されることが想定される。

民間労働法制においては、介護休業の導入（平成十一年四月一日）と同時に、勤務時間の短縮その他の労働者が就業しつつその要介護状態にある対象家族を介護することを容易にするための措置を講ずることが事業主に義務づけられ、①短時間勤務制度、②フレックスタイム制度、③始業・就業時刻の繰り上げ・繰り下げ、④介護サービスの費用補助等の制度のいずれかを介護休業とあわせて三月（平成十七年四月一日以降は九十三日）措置することとされた。その後、介護休業の九十三日経過以降も介護離職者が多く出ていること、在宅における介護を行う労働者が今後増加することが予想され、働きながら日常的な介護ニーズに対応するための制度が必要になること等から、これらの措置を介護休業とは独立して連続する三年以上の期間措置することを事業主に義務づける育児・介護休業法の改正が行われた（平成二十九年一月一日施行）。

これらの動向を踏まえ、平成二十八年八月八日、人事院は、民間労働法制における選択的措置義務を満たす状況が担保されるよう、所定労働時間の短縮措置に相当する介護時間の仕組みを設ける勤務時間法改正の勧告を行った。具体的には、介護のため、連続する三年の期間内において、一日につき二時間の範囲内で勤務しないことを承認できるよう措置するものとされ、同勧告に基づき勤務時間法、人事院規則等の改正が行われた結果、平成二十九年一月一日に、介護時間が新設された。その名称については、育児のための所定労働時間の短縮措置に相当する「育児時間」とその運用が近くなることが想定されたため、制度のわかりやすさの観点から、その名称に倣うこととした。

なお、対象となる介護の内容や要介護者の範囲については、介護休暇と同様である。

二　介護時間の期間

休暇の期間を検討する場合、その休暇の趣旨や目的を踏まえつつ、民間企業における実態も勘案する必要があるが、介護時間については、民間労働法制における選択的措置義務の期間が介護休業から独立して三年の期間とされるのと同時に措置するものであり、民間企業において実際どの程度の期間の措置が講じられるかが明らかではなかったことから、民間労働法制の最低基準である三年の期間内としたものである。なお、民間労働法制において措置の期間を三年以上としているのは、主たる介護者の平均在宅介護期間が約三十四か月であったこと、介護離職の約八割が介護開始から三年までの間に生じていたこと等を踏まえたものとされている。

また、その一日の時間数については、平成二十五年に人事院が実施した民間企業の勤務条件制度等調査において、介護のための所定内労働時間変更制度により短縮できる時間について「一時間超二時間以内」とする企業が六七・八%と最も多かったことや、育児時間における取扱いを踏まえたものである。

介護休暇の指定期間を指定された期間は、介護時間の連続する三年の期間から除くこととされている。これは、介護休暇の時間単位の取得（最大四時間まで可能）により介護時間の効果が実現でき、介護時間の効果は介護休暇の効果にいわば包含されていること、仮に時間単位の介護休暇と介護時間を併用できるとすると、一日最大六時間（介護休暇四時間＋介護時間二時間）の職務専念義務の免除の承認受けることが可能となるが、これらの休暇は、共に一定時間の勤務を前提としており、このような取得を可能とすることは適当でないことによるものである。なお、介護時間の期間は前述のとおり連続する三年間であり、途中に指定期間により除かれる期間があっても、期間は延長されない、すなわち取得可能期間の末日は変わらないことに注意する必要がある。

○勤務時間法

（介護時間）

第二十条の二　介護時間は、職員が要介護者の介護をするため、要介護者の各々が当該介護を必要とする一の継続する状態ごとに、連続する三年の期間（当該要介護者に係る指定期間と重複する期間を除く。）内において一日の勤務時間の一部につき勤務しないことが相当であると認められる場合における休暇とする。

2　介護時間の時間は、前項に規定する期間内において一日につき二時間を超えない範囲内で必要と認められる時間とする。

三　介護時間の取り方

1　介護時間の単位

介護時間は働きながら介護を行いやすくするための時間単位の休暇であるため、日単位の取得は当然できない。時間単位で取得する場合には、その単位は三十分とされている。これは、同種の制度である育児時間の取扱いや、介護時間が長時間反復、継続する場合、あまり小さな単位とすると勤務時間管理が難しいこと、欠勤による給与の減額が三十分未満は減額しないこととしていること、育児時間と介護時間の取得時間数の調整が必要となること等を踏まえたものである。

〇規則一五—一四

（介護時間）

第二十三条の三　介護時間の単位は、三十分とする。

２　介護時間の承認

介護時間の承認については、介護休暇と同様である。すなわち、基本的には病気休暇や特別休暇と同様の判断であるが、公務の運営に支障がある時間がある場合には、一部不承認とすることができるとされている。

また、時間単位の介護休暇と同様、その承認は勤務に引き続いていることが前提とされており、例えば、始業時から介護時間が承認されており、引き続き年次休暇等を取得する必要がある場合には、介護時間を取り消し、始業時から年次休暇等を取得することとなる。ただし、介護時間に引き続いて短期介護休暇を取得する場合には、時間単位の介護休暇と同様、その介護時間を取り消すことなく短期介護休暇を取得することが可能である。

また、介護休暇や育児時間に引き続きあるいはこれらの前に承認を受けることも可能と解されている。これは、制度の趣旨が共通していること、両者を合わせて一定の時間数以内（介護休暇と介護時間は一日につき四時間以内、育児時間と介護時間は一日につき二時間以内）とする調整規定が置かれるなど、勤務時間の短縮措置として一体の制度となっていること等に鑑みた取扱いである。

○規則一五―一四

（介護時間）

第二十三条の三

2　介護時間は、一日を通じ、始業の時刻から連続し、又は終業の時刻まで連続した二時間（育児休業法第二十六条第一項の規定による育児時間の承認を受けて勤務しない時間がある日については、当該二時間から当該育児時間の承認を受けて勤務しない時間を減じた時間）を超えない範囲内の時間とする。

（介護休暇及び介護時間の承認）

第二十六条　各省各庁の長は、介護休暇又は介護時間の請求について、勤務時間法第二十条第一項又は第二十条の二第一項に定める場合に該当すると認めるときは、これを承認しなければならない。ただし、当該請求に係る期間のうち公務の運営に支障がある日又は時間については、この限りでない。

3　介護時間の請求

介護時間を請求する場合には、介護休暇と同様、介護時間の休暇簿に要介護者の状況及び具体的介護の内容を記載させることとされている。また、職員からの申出内容に疑義がある場合にも、同様に、証明書の提出を求めることができるとされている。

○規則一五―一四

（介護休暇及び介護時間の請求）

第二十八条　介護休暇又は介護時間の承認を受けようとする職員は、あらかじめ休暇簿に記入して各省各庁の長に請求しなければならない。

（休暇の承認の決定等）

第二十九条

２　各省各庁の長は、病気休暇、特別休暇、介護休暇又は介護時間について、その事由を確認する必要があると認めるときは、証明書類の提出を求めることができる。

四　介護時間中の給与

介護時間を承認され勤務しなかった時間は無給とされているが、人事院規則等において、昇給区分の決定に当たって、介護時間を承認され勤務しなかったことにより自動的に下位の昇給区分に決定されることがないよう、当該勤務しなかった時間を「勤務していない日数」として取り扱わないこととしているほか、勤勉手当の期間率の算定に当たり、介護時間を承認され勤務しなかった時間を日に換算して三十日に達するまでの期間を勤務時間から除算しないこととする等の措置が講じられている。

○勤務時間法

（介護時間）

第二十条の二

３　介護時間については、一般職の職員の給与に関する法律第十五条の規定にかかわらず、その勤務しない一時間につき、同法第十九条に規定する勤務一時間当たりの給与額を減額する。

第五部　短時間勤務職員の勤務時間・休暇

第一節　定年前再任用短時間勤務職員の勤務時間

一　経緯

1　令和四年度までの再任用短時間勤務職員

平成十三年四月から設けられた再任用制度は、六十歳定年制において国家公務員を定年退職した者等を対象に、最長六十五歳まで再任用することができる仕組みである。

就業意識や健康、体力面での個人差も大きくなる高齢者を雇用するに当たっては、個人の事情も勘案した柔軟な勤務形態を設けることが求められること、また、フルタイム勤務で行われていた業務を短時間勤務として再編成することでより多くのポストを用意することが可能となり、定年退職した職員に多くの雇用機会を確保することができることから、再任用制度では、定年前と同様に週四十時間（平成二十一年四月からは週三十八時間四十五分）勤務する「フルタイム勤務制」のほかに、隔日勤務や半日勤務などによる週十六時間から三十二時間（平成二十一年四月からは週十五時間三十分から三十一時間）までの範囲内の時間で勤務に就く「短時間勤務制」が導入された。

この「短時間勤務制」に就く再任用職員が「再任用短時間勤務職員」である。再任用短時間勤務職員の法的位置付けは、勤務時間による形式的な整理では非常勤職員に当たるとされたが、再任用短時間勤務職員は、常勤職員の行っている業務と同質の業務に従事する者であり、求められる資質等も常勤職員と同質のものであることから、再任用短時間勤務職員の給与その他の勤務条件や身分取扱い等の人事管理上の取扱いは、勤務時間数を反映させるものを除き、常勤職員と同様に設定された。

再任用短時間勤務を含む再任用制度は、定年を段階的に六十五歳まで引き上げること等を目的として行われた令和三年の国公法の改正に伴い、令和四年度末で基本的に廃止された。

○令和三年法改正前の国公法

（定年退職者等の再任用）
第八十一条の四　任命権者は、第八十一条の二第一項の規定により退職した者若しくは前条の規定により勤務した後退職した者若しくは定年退職日以前に退職した者のうち勤続期間等を考慮してこれらに準ずるものとして人事院規則で定める者（以下「定年退職者等」という。）又は自衛隊法の規定により退職した者であつて定年退職者等に準ずるものとして人事院規則で定める者（次条において「自衛隊法による定年退職者等」という。）を、従前の勤務実績等に基づく選考により、一年を超えない範囲内で任期を定め、常時勤務を要する官職に採用することができる。ただし、その者がその者を採用しようとする官職に係る定年に達していないときは、この限りでない。
② 前項の任期又はこの項の規定により更新された任期は、人事院規則の定めるところにより、一年を超えない範囲内で更新することができる。
③ 前二項の規定による任期については、その末日は、その者が年齢六十五年に達する日以後における最初の三月三十一日以前でなければならない。
第八十一条の五　任命権者は、定年退職者等又は自衛隊法による定年退職者等を、従前の勤務実績等に基づく選考により、一年を超えない範囲内で任期を定め、短時間勤務の官職（当該官職を占める職員の一週間当たりの通常の勤務時間が、常時勤務を要する官職でその職務が当該短時間勤務の官職と同種のものを占める職員の一週間当たりの通常の勤務時間に比し短い時間であるものをいう。第三項において同じ。）に採用することができる。
② 前項の規定により採用された職員の任期については、前条第二項及び第三項の規定を準用する。
③ 短時間勤務の官職については、定年退職者等及び自衛隊法による定年退職者等のうち第八十一条の二第一項及び第二

項の規定の適用があるものとした場合の当該官職に係る定年に達した者に限り任用することができるものとする。

２　定年前再任用短時間勤務職員

令和三年六月、国家公務員法等の一部を改正する法律（令和三年法律第六十一号）が公布され、定年は、令和五年四月から二年に一歳ずつ段階的に引き上げられ、令和十三年四月に原則として六十五歳とされることとなった。

これに伴い、令和四年度までの再任用制度は基本的には廃止されることとなったが、六十歳以降の職員の多様な働き方を可能とする措置として、六十歳に達した日以後、定年前に退職した者（国公法又は自衛隊法の規定により失職した者や懲戒免職処分を受けた者を除く。）を従前の勤務実績等に基づく選考により定年前再任用短時間勤務職員として採用することができる定年前再任用短時間勤務制度が設けられた。定年前再任用短時間勤務職員の任期は、採用の日から採用しようとする短時間勤務の官職に定年制の適用があるものとした場合の定年退職日（定年退職日相当日）までとなっている。

定年前再任用短時間勤務職員の勤務時間は、基本的に廃止された再任用短時間勤務職員と同様の取扱い（週十五時間三十分から三十一時間の範囲内）とされている。

○国公法

（定年前再任用短時間勤務職員の任用）

第六十条の二　任命権者は、年齢六十年に達した日以後にこの法律の規定により退職（臨時的職員その他の法律により任期を定めて任用される職員及び常時勤務を要しない官職を占める職員が退職する場合を除く。）をした者（以下この条及び第八十二条第二項において「年齢六十年以上退職者」という。）又は年齢六十年に達した日以後に自衛隊法（昭和二十九年法律第百六十五号）の規定により退職（自衛官及び同法第四十四条の六第三項各号に掲げる隊員が退職する場合を除く。）をした者（以下この項及び第三項において「自衛隊法による年齢六十年以上退職者」という。）を、人事院規則で定めるところにより、従前の勤務実績その他の人事院規則で定める情報に基づく選考により、短時間勤務の官職（当該官職を占める職員の一週間当たりの通常の勤務時間が、常時勤務を要する官職でその職務が当該短時間勤務の官職と同種の官職を占める職員の一週間当たりの通常の勤務時間に比し短い時間である官職をいう。以下この項及び第三項において同じ。）（一般職の職員の給与に関する法律別表第十一に規定する指定職俸給表の適用を受ける職員が占める官職及びこれに準ずる行政執行法人の官職として人事院規則で定める官職（第四項及び第六節第一款第二目においてこれらの官職を「指定職」という。）を除く。以下この項及び第三項において同じ。）に採用することができる。ただし、年齢六十年以上退職者又は自衛隊法による年齢六十年以上退職者がこれらの者を採用しようとする短時間勤務の官職に係る定年退職日相当日（短時間勤務の官職を占める職員が、常時勤務を要する官職でその職務が当該短時間勤務の官職と同種の官職を占めているものとした場合における第八十一条の六第一項に規定する定年退職日をいう。次項及び第三項において同じ。）を経過した者であるときは、この限りでない。

② 前項の規定により採用された職員（以下この条及び第八十二条第二項において「定年前再任用短時間勤務職員」という。）の任期は、採用の日から定年退職日相当日までとする。

③ 任命権者は、年齢六十年以上退職者又は自衛隊法による年齢六十年以上退職者のうちこれらの者を採用しようとする短時間勤務の官職に係る定年退職日相当日を経過していない者以外の者を当該短時間勤務の官職に採用することができず、定年前再任用短時間勤務職員のうち当該定年前再任用短時間勤務職員を昇任し、降任し、又は転任しようとする短時間勤務の官職に係る定年退職日相当日を経過していない定年前再任用短時間勤務職員以外の職員を当該短時間勤務の官職に昇任し、降任し、又は転任することができない。

④ 任命権者は、定年前再任用短時間勤務職員を、指定職又は指定職以外の常時勤務を要する官職に昇任し、降任し、又は転任することができない。

3　暫定再任用短時間勤務職員

令和三年の国公法改正により定年が六十五歳に段階的に引き上げられる経過期間（令和五年度から十三年度）にお

いて、六十五歳前に定年退職した者については、六十五歳に到達する年度の末日まで、従前の勤務実績等に基づく選考により、一年を超えない範囲内で任期を定めて再任用することができるよう、令和四年度までの再任用制度と同様の仕組み（フルタイム勤務又は短時間勤務）である暫定再任用制度が設けられている。（国公法等改正法附則第四条第一項、第五条第一項）

このうち短時間勤務の官職に採用される暫定再任用短時間勤務職員の勤務時間法の規定は、基本的に定年前再任用短時間勤務職員に関する規定を適用するとされている（国公法等改正法附則第七条第九項等）。

したがって、暫定再任用短時間勤務職員の勤務時間等の取扱いについては、以下、特段のことわりがない場合は、定年前再任用短時間勤務職員に関する記述を参照されたい。

○国家公務員法等の一部を改正する法律（令和三年法律第六十一号）**・附則**

第四条　任命権者は、次に掲げる者のうち、年齢六十五年に達する日以後における最初の三月三十一日（以下「年齢六十五年到達年度の末日」という。）までの間にある者であって、当該者を採用しようとする常時勤務を要する官職（指定職を除く。以下この項及び次項並びに附則第六条第四項において同じ。）に係る旧国家公務員法第八十一条の二第二項に規定する定年（施行日以後に設置された官職その他の人事院規則で定める官職にあっては、人事院規則で定める年齢）に達している者を、人事院規則で定めるところにより、従前の勤務実績その他の人事院規則で定める情報に基づく選考により、一年を超えない範囲内で任期を定め、当該常時勤務を要する官職に採用することができる。

一　施行日前に旧国家公務員法第八十一条の二第一項の規定により退職した者

二　旧国家公務員法第八十一条の三第一項若しくは第二項又は前条第五項若しくは第六項の規定により勤務した後退職した者

三　施行日前に旧国家公務員法の規定により退職した者（前二号に掲げる者を除く。）のうち、勤続期間その他の事情を考慮して前二号に掲げる者に準ずる者として人事院規則で定める者

四　施行日前に旧自衛隊法の規定により退職した者（旧自衛隊法第四十四条の三第一項又は第二項及び附則第八条第五項又は第六項の規定により勤務した後退職した者を含む。）のうち、前三号に掲げる者に準ずる者として人事院規則で定める者

２　令和十四年三月三十一日までの間、任命権者は、次に掲げる者のうち、年齢六十五年到達年度の末日までの間にある者であって、当該者を採用しようとする常時勤務を要する官職に係る新国家公務員法定年に達している者を、人事院規則で定めるところにより、従前の勤務実績その他の人事院規則で定める情報に基づく選考により、一年を超えない範囲内で任期を定め、当該常時勤務を要する官職に採用することができる。

一　施行日以後に新国家公務員法第八十一条の六第一項の規定により退職した者

二　施行日以後に新国家公務員法第八十一条の七第一項又は第二項の規定により勤務した後退職した者

三　施行日以後に新国家公務員法第六十条の二第一項の規定により採用された者のうち、同条第二項に規定する任期が満了したことにより退職した者

四　施行日以後に新国家公務員法の規定により退職した者（前三号に掲げる者を除く。）のうち、勤続期間その他の事情を考慮して前三号に掲げる者に準ずる者として人事院規則で定める者

五　施行日以後に新自衛隊法の規定により退職した者のうち、前各号に掲げる者に準ずる者として人事院規則で定める者

３　前二項の任期又はこの項の規定により更新された任期は、人事院規則で定めるところにより、一年を超えない範囲内で更新することができる。ただし、当該任期の末日は、前二項の規定により採用する者又はこの項の規定により任期を更新する者の年齢六十五年到達年度の末日以前でなければならない。

第五条　任命権者は、新国家公務員法第六十条の二第三項の規定にかかわらず、前条第一項各号に掲げる者のうち、年齢六十五年到達年度の末日までの間にある者であって、当該者を採用しようとする短時間勤務の官職に係る旧国家公務員法定年相当年齢（短時間勤務の官職を占める職員が、常時勤務を要する官職でその職務が当該短時間勤務の官職と同種の官職を占めているものとした場合における旧国家公務員法第八十一条の二第二項に規定する定年（施行日以後に設置された官職その他の人事院規則で定める官職にあっては、人事院規則で定める年齢）をいう。）に達している者を、人事

院規則で定めるところにより、従前の勤務実績その他の人事院規則で定める情報に基づく選考により、一年を超えない範囲内で任期を定め、当該短時間勤務の官職に採用することができる。

2　令和十四年三月三十一日までの間、任命権者は、新国家公務員法第六十条の二第三項の規定にかかわらず、前条第二項各号に掲げる者のうち、年齢六十五年到達年度の末日までの間にある者であって、当該者を採用しようとする短時間勤務の官職に係る新国家公務員法定年相当年齢に達している者（新国家公務員法第六十条の二第一項の規定により当該短時間勤務の官職に採用することができる者を除く。）を、人事院規則で定めるところにより、従前の勤務実績その他の人事院規則で定める情報に基づく選考により、一年を超えない範囲内で任期を定め、当該短時間勤務の官職に採用することができる。

3　前二項の規定により採用された職員の任期については、前条第三項の規定を準用する。

第七条

9　暫定再任用短時間勤務職員は、定年前再任用短時間勤務職員とみなして、附則第十九条の規定による改正後の育児休業法（附則第十二条において「新育児休業法」という。）第二十六条第一項並びに附則第二十条の規定による改正後の一般職の職員の勤務時間、休暇等に関する法律第五条第二項、第六条第一項ただし書及び第二項ただし書、第七条第二項、第十一条、第十七条第一項並びに第二十三条の規定を適用する。

○規則一―七九（国家公務員法等の一部を改正する法律の施行に伴う関係人事院規則の整備等に関する人事院規則）**・附則**

（改正後の人事院規則一五―一四における暫定再任用職員に関する経過措置）

第二十二条　暫定再任用職員は、第三十四条の規定による改正後の規則一五―一四第三条第一項第一号に規定する定年前再任用短時間勤務職員等（次項において「定年前再任用短時間勤務職員等」という。）とみなして、同規則第十八条の二第一項（第二号に係る部分に限る。）及び第四項の規定を適用する。

2　暫定再任用短時間勤務職員は、定年前再任用短時間勤務職員等とみなして、第三十四条の規定による改正後の規則一五―一四第三条第一項及び第三項、第十六条の二、第十八条、第十八条の二第一項（第一号に係る部分に限る。）並びに第十八条の三の規定を適用する。

○人事院規則一―七九（国家公務員法等の一部を改正する法律の施行に伴う関係人事院規則の整備等に関する人事院規則）

及び「国家公務員法等の一部を改正する法律の施行に伴う関係人事院事務総長通知の一部改正について」の施行に伴う経過措置について（通知）（令四・二・一八　事企法三八）

9　職員の勤務時間、休日及び休暇の運用について（平成六年七月二十七日職職—三二八）

一　暫定再任用短時間勤務職員は、人事院規則一—七九第三十四条の規定による改正後の人事院規則一五—一四（職員の勤務時間、休日及び休暇）（以下この項において「改正後の規則一五—一四」という。）第三条第一項第一号に規定する定年前再任用短時間勤務職員等（第五号において「定年前再任用短時間勤務職員等」という。）とみなして、令和四年事企法—三七第二十三項の規定による改正後の「職員の勤務時間、休日及び休暇の運用について」（以下この項において「改正後の勤務時間等関係運用通知」という。）第三の第五項、第八項及び第十項並びに第十二の第二項及び第十五項の規定を適用する。

五　暫定再任用職員に対する改正後の勤務時間等関係運用通知第十二の第十三項の規定の適用については、暫定再任用職員は定年前再任用短時間勤務職員等と、暫定再任用短時間勤務職員は定年前再任用短時間勤務職員とそれぞれみなして、同項の規定を適用する。

六　前各号（第二号を除く。）に定めるもののほか、暫定再任用職員の年次休暇に関し必要な事項は、別に定める。

二　定年前再任用短時間勤務職員の勤務時間数

定年前再任用短時間勤務職員の勤務時間は、休憩時間を除き、一週間当たり十五時間三十分から三十一時間までの範囲内で、各省各庁の長が定めることとされている（勤務時間法第五条第二項）。

前述のとおり、定年前再任用短時間勤務職員の勤務時間については、基本的に廃止された令和四年度までの再任用短時間勤務職員の取扱いを踏襲している。再任用短時間勤務職員の勤務時間が一週間当たり十五時間三十分から三十一時間までの範囲内とされたのは、いわゆる官執勤務職員の勤務時間が一日につき七時間四十五分割り振られることから、再任用短時間勤務職員の勤務時間の上限・下限についても七時間四十五分の整数倍が適当とされたためである。なお、下限については、週二日に見合う勤務時間未満では本格的に職務に従事するとは言い難いものと考えられ、週十五時間三十分とされている。

○勤務時間法

（一週間の勤務時間）

第五条

２　国家公務員法第六十条の二第二項に規定する定年前再任用短時間勤務職員（以下「定年前再任用短時間勤務職員」という。）の勤務時間は、前項の規定にかかわらず、休憩時間を除き、一週間当たり十五時間三十分から三十一時間までの範囲内で、各省各庁の長が定める。

三　一般の定年前再任用短時間勤務職員の週休日・勤務時間の割振り

一般の定年前再任用短時間勤務職員の週休日については、日曜日及び土曜日に加えて、月曜日から金曜日までの五日間において設けることができることとなっている（勤務時間法第六条第一項ただし書）。また、一日の勤務時間は、一日につき七時間四十五分を超えない範囲内で割り振ることとされている（勤務時間法第六条第二項ただし書）。

○勤務時間法

（週休日及び勤務時間の割振り）

第六条　日曜日及び土曜日は、週休日（勤務時間を割り振らない日をいう。以下同じ。）とする。ただし、各省各庁の長は、定年前再任用短時間勤務職員については、これらの日に加えて、月曜日から金曜日までの五日間において、週休日を設けることができる。

2　各省各庁の長は、月曜日から金曜日までの五日間において、一日につき七時間四十五分の勤務時間を割り振るものとする。ただし、定年前再任用短時間勤務職員については、一週間ごとの期間について、一日につき七時間四十五分を超えない範囲内で勤務時間を割り振るものとする。

実際の割振りに当たっては、月曜日から金曜日までの各日に一日四時間や六時間の勤務時間を割り振ったり、一日七時間四十五分の勤務時間を隔日に割り振るなど、一週間当たり十五時間三十分から三十一時間までの範囲内で、業務の事情等に応じた多様な勤務形態の選択が可能である。

具体的な例を示すと、次のような例がある。

		(月)	(火)	(水)	(木)	(金)	(土)	(日)
【例一】半日勤務の例		四時間	四時間	四時間	四時間	四時間	週休日	週休日
【例二】隔日勤務の例	a番	七時間四十五分	週休日	七時間四十五分	週休日	七時間四十五分	週休日	週休日
	b番	週休日	七時間四十五分	週休日	七時間四十五分	週休日	週休日	週休日
【例三】週前後半分割の例	a番	七時間四十五分	七時間四十五分	四時間	週休日	週休日	週休日	週休日
	b番	週休日	週休日	四時間	七時間四十五分	七時間四十五分	週休日	週休日

なお、【例二】又は【例三】については、勤務時間法第七条の規定によりa番の職員とb番の職員の勤務時間が平等になるよう、週ごとにa番とb番を交替することも可能であり、場合によっては、月曜日から金曜日までの各日に七時間四十五分の勤務時間を割り振り、二名の定年前再任用短時間勤務職員を一週間ごとに勤務させる隔週勤務も可能とされている（「公務の運営上の事情により特別の形態によって勤務する必要のある職員」である。「五　2　交替制等勤務」参照）。

四　定年前再任用短時間勤務職員の週休日及び勤務時間の割振り等の明示

各省各庁の長は、定年前再任用短時間勤務職員について日曜日及び土曜日以外の日にも週休日を設けた場合には、その内容を明示する必要がある（規則一五―一四第九条第一項）。

また、勤務時間についても、休憩時間を除き、一週間当たり十五時間三十分から三十一時間までの範囲内で各省各庁の長が定めることとされ、常勤職員と異なる多様な割振りが可能であることから、個々の職員に対して、始業時刻、終業時刻、休憩時間などの勤務時間の内容を通知することとされている（「年齢六十年以上退職者等の定年前再任用の運用について（通知）」（令四・二・一八　給生―一八）第十一項）。

○規則一五―一四

（週休日及び勤務時間の割振り等の明示）

第九条　各省各庁の長は、勤務時間法第六条第一項ただし書の規定により週休日を設け、同条第二項の規定により勤務時間を割り振り、勤務時間法第七条の規定により週休日及び勤務時間の割振りを定め、勤務時間法第九条の規定により休憩時間を置き、又は前条の休息時間を置いた場合には、適当な方法により速やかにその内容を明示するものとする。

○年齢六十年以上退職者等の定年前再任用の運用について（通知）（令四・二・一八　給生―一八）

11　定年前再任用する者に対しては、勤務時間の内容（始業及び終業の時刻、休憩時間等を含む。以下この項において同じ。）を通知するものとする。定年前再任用短時間勤務職員の勤務時間の内容に変更が生じた場合も、同様とする。

五　定年前再任用短時間勤務職員の週休日・勤務時間の割振りの特例

１　フレックスタイム制

定年前再任用短時間勤務職員であっても、フレックスタイム制を適用することは可能であり、適用するフレックスタイム制に関する基本的な規定は常勤職員と変わらないが、定年前再任用短時間勤務職員については、次に掲げる特例が定められている。

(1)　特定日における勤務時間の設定の特例

フレックスタイム制の適用を受ける職員の休日等の特定日（六八頁参照）の勤務時間については、常勤職員の場合であれば七時間四十五分を割り振ることとされている。これは、特定日について、いたずらに長時間の勤務時間を設定し、他の勤務日を縮減するなどの恣意的な操作を行うことのないようにさせる趣旨である。

定年前再任用短時間勤務職員の場合、個々の職員ごとに業務の事情等に応じた多様な勤務形態が取り入れられており、その勤務時間数も職員ごとに異なることから、特定日の勤務時間の取扱いについては、一日の平均勤務時間（当該職員の単位期間ごとの期間における勤務時間を当該期間における週休日以外の日数で除して得た時間）を割り振ることとされている。

○規則一五—一四

（勤務時間法第六条第三項の規定に基づく勤務時間の割振りの基準）

第三条　勤務時間法第六条第三項の規定に基づく勤務時間の割振りは、次に掲げる基準に適合するものでなければならない。

一　勤務時間は、次に定めるとおりとすること。

イ　一日につき二時間以上四時間以下の範囲内で各省各庁の長（勤務時間法第三条に規定する各省各庁の長をいう。以下同じ。）があらかじめ定める時間以上とすること。ただし、休日（勤務時間法第十四条に規定する祝日法による休日又は年末年始の休日をいう。以下同じ。）その他人事院の定める日（以下この条及び第四条の三において「休日等」という。）については、七時間四十五分（法第六十条の二第二項に規定する定年前再任用短時間勤務職員及び任期付短時間勤務職員（以下「定年前再任用短時間勤務職員等」という。）にあっては、当該定年前再任用短時間勤務職員等の単位期間（勤務時間法第六条第三項に規定する単位期間をいう。ロ及び第四条の七において同じ。）ごとの期間における勤務時間を当該期間における勤務時間法第六条第一項の規定による週休日（同項に規定する週休日をいう。以下同じ。）以外の日の日数で除して得た時間。次項及び第四条の三第一項第二号イにおいて同じ。）とすること。

ロ　単位期間をその初日から一週間ごとに区分した各期間（単位期間が一週間である場合にあっては、単位期間。次項及び第四条の三第一項において「区分期間」という。）ごとにつき一日を限度として各省各庁の長があらかじめ定める日（休日等を除く。）については、イに定めるあらかじめ定める時間未満とすることができること。

二　月曜日から金曜日まで（前号ロに定めるあらかじめ定める日を除く。）の午前九時から午後四時までの時間帯において、標準休憩時間（各省各庁の長が、職員が勤務する部局又は機関の職員の休憩時間等を考慮して、その時間並びに始まる時刻及び終わる時刻を定める標準的な休憩時間をいう。次項及び第四条の三第一項第三号において同じ。）を除き、一日につき二時間以上四時間以下の範囲内で各省各庁の長が部局又は機関ごとにあらかじめ定める連続する時間は、当該部局又は機関に勤務するこの項の基準により勤務時間を割り振る職員に共通する勤務時間とすること。

三　始業の時刻は午前五時以後に、終業の時刻は午後十時以前に設定すること。

(2)　コアタイム及び一日の勤務時間の特例

フレックスタイム制による勤務時間の割振りは、適切な公務運営の確保の観点から、勤務時間を割り振らなければならないコアタイムや一日に割り振らなければならない最短勤務時間数の基準に適合するよう行うこととされているが、定年前再任用短時間勤務職員については、フルタイムの職員を想定したこれらの基準を適用することが困難な場合がある。また、一日の勤務時間数が短い定年前再任用短時間勤務職員については、午前のみ、午後のみといった特定の時間に勤務する職員も存在しており、このような職員がその基本的な勤務パターンは維持しつつ、各日の勤務時間数を柔軟に設定するためにフレックスタイム制を活用しようとする場合には、従前の勤務時間を前提として公務の運営上の支障の有無を判断することが適当である。これらの事情から、定年前再任用短時間勤務職員については、コアタイム等の基準を適用除外とする特例が規定されている。ただし、これは、定年前再任用短時間勤務職員であれば無制限な申告・割振りを可能とするものではなく、あくまで勤務パターンが職員ごとにまちまちであり、フルタイムの職員とは異なることによる特例であるため、適用除外とする範囲は、職員の業務内容、勤務する部局又は機関の他の職員の勤務時間帯等を考慮して公務の運営に必要と認められる範囲内とされている。

○規則一五―一四
（勤務時間法第六条第三項の規定に基づく勤務時間の割振りの基準）

第三条

３　定年前再任用短時間勤務職員等に七時間四十五分に満たない勤務時間を割り振ろうとする日に係る勤務時間法第六条第三項の規定に基づく勤務時間の割振りについては、人事院の定めるところにより、第一項第一号及び第二号又は前項各号（いずれも休日等に割り振る勤務時間に係る部分を除く。）に定める基準によらないことができるものとする。

○規則一五―一四運用通知

第三　勤務時間法第六条第三項の規定に基づく勤務時間の割振り並びに同条第四項の規定に基づく週休日及び勤務時間の割振り関係

５　規則第三条第三項（規則第四条の三第二項において準用する場合を含む。）の規定により当該規定に規定する基準によらないことができるのは、当該定年前再任用短時間勤務職員等（規則第三条第一項第一号イに規定する定年前再任用短時間勤務職員等をいう。以下同じ。）の業務内容、勤務する部局又は機関の他の職員の勤務時間帯等を考慮して公務の運営に必要と認められる範囲内に限る。

(3)　勤務時間の割振り時の調整、割振り後の変更等の特例

フレックスタイム制を適用する場合であって、申告どおりに勤務時間を割り振ると公務の運営に支障が生ずると認められる場合や勤務時間の割振り等の後に生じた事由により当該割振り等によると公務の運営に支障が生ずると認められる場合には、職員の申告を変更して勤務時間を割り振ったり、割振り後の勤務時間を変更することが可能であることは既に第二部第五節でも述べたところである。その際、常勤職員については七時間四十五分を基準に延長又は短縮を行うこととされているが、定年前再任用短時間勤務職員については、当該職員の一日の平均勤務時間（七五二頁参照）を基準に行うこととされている。

○規則一五―一四

（勤務時間法第六条第三項の規定に基づく勤務時間の割振りの手続）

第四条

2　各省各庁の長は、次の各号に掲げる前項の規定による申告（次項第二号を除き、以下この条において単に「申告」という。）の区分に応じ、当該各号に定めるところにより勤務時間を割り振るものとする。

一　次号に掲げる申告以外の申告　当該申告を考慮して勤務時間を割り振るものとする。この場合において、当該申告どおりの勤務時間の割振りによると公務の運営に支障が生ずると認める場合には、別に人事院の定めるところにより勤務時間を割り振ることができるものとする。

3　各省各庁の長は、次の各号のいずれかに該当する場合には、前項の規定による勤務時間の割振り又はこの項の規定により変更された後の勤務時間の割振りを変更することができる。

一　職員からあらかじめ前項の規定により割り振られた勤務時間又はこの項の規定により割振りを変更された後の勤務時間の始業又は終業の時刻について変更の申告があった場合において、当該申告どおりに変更するとき。

二　職員から第七条第四項の規定により休憩時間の始まる時刻及び終わる時刻についての申告があった場合において、同項の規定により休憩時間を置くために勤務時間の割振りを変更するとき。

三　前項の規定による勤務時間の割振り又はこの項の規定による勤務時間の割振りの変更の後に生じた事由により、当該勤務時間の割振り又は当該変更の後の勤務時間の割振りによると公務の運営に支障が生ずると認める場合において、別に人事院の定めるところにより変更するとき。

○規則一五―一四運用通知

第三　勤務時間法第六条第三項の規定に基づく勤務時間の割振り並びに同条第四項の規定に基づく週休日及び勤務時間の割振り関係

13　規則第四条第二項第一号後段の規定による勤務時間の割振りは、次に定める基準に適合するように行うものとする。この場合において、申告どおりに勤務時間を割り振ると公務の運営に支障が生ずる日について勤務時間数を変更して勤務時間を割り振るときは、必要な限度において、当該支障が生ずる日以外の日について勤務時間数を変更して勤務時間を割り振るものとする。

⑴　申告された勤務時間を延長して勤務時間を割り振る日については、延長後の勤務時間が七時間四十五分（定年前再任用短時間勤務職員等にあっては、その者の単位期間ごとの期間における勤務時間を当該期間における勤務時間法第六条第一項の規定による週休日以外の日の日数で除して得た時間。以下この⑴、第十六項⑴ア及び第二十項⑴において同じ。）を超えないようにし、申告された勤務時間を短縮して勤務時間を割り振る日については、短縮後の勤務時間が七時間四十五分を下回らないようにすること。

⑵　始業の時刻は、申告された始業の時刻、標準勤務時間の始まる時刻又は官庁執務時間（大正十一年閣令第六号（官庁執務時間並休暇に関する件）第一項に定める官庁の執務時間をいう。以下同じ。）の始まる時刻のうち最も早い時刻以後に設定し、かつ、終業の時刻は、申告された終業の時刻、標準勤務時間の終わる時刻又は官庁執務時間の終わる時刻のうち最も遅い時刻以前に設定すること。

15　規則第四条第二項第一号の規定により割り振られた勤務時間に係る同条第三項第三号の場合における変更は、各省各庁の長が当該勤務時間を変更しなければ公務の運営に著しい支障が生ずると認める場合に限るものとし、かつ、第十三項(1)及び(2)に定める基準に適合するように行うものとする。この場合において、勤務時間の割振りを変更しようとする日（以下「変更日」という。）について既に割り振られている勤務時間数を変更して勤務時間を割り振るときは、必要な限度において、当該変更日以外の日について既に割り振られている勤務時間数を変更して勤務時間を割り振ることができるものとし、その日の選択及び勤務時間の割振りの変更に当たっては、できる限り、職員の希望を考慮するものとする。

(4)　申告及び割振りの特例

フレックスタイム制により勤務時間の申告、割振り、変更を行う際には、常勤職員の場合十五分を単位として行うこととされているが、定年前再任用短時間勤務職員についてやむを得ない場合には必要と認められる範囲内でその例外を認めることとされている。

例えば(1)で述べたとおり、四週間の単位期間の中に休日等の特定日がある場合には、特定日に一日の平均勤務時間を割り振ることとされているが、この時間は単位期間における一日の平均勤務時間（七五二頁参照）であることから十五分未満の端数が生じる可能性がある（また、その結果、他の日において十五分未満の端数の調整を要する可能性がある。）。この場合、やむを得ない場合として十五分未満の勤務時間を割り振ることができる。

○規則一五—一四運用通知

第三　勤務時間法第六条第三項の規定に基づく勤務時間の割振り並びに同条第四項の規定に基づく週休日及び勤務時間の割振り関係

10　職員が規則第四条第一項又は第四条の四第一項の申告をする場合には、十五分を単位として行うものとする。各省各庁の長が規則第四条第二項若しくは第四条の四第三項の規定により勤務時間を割り振り、又は規則第四条第三項若しくは第四条の四第四項の規定により勤務時間の割振りを変更する場合においても、同様とする。

11　定年前再任用短時間勤務職員等については、単位期間（勤務時間法第六条第三項に規定する単位期間をいう。以下同じ。）に休日があることその他の事情によりやむを得ない場合には、必要と認められる範囲内において、前項の規定によらないことができる。

2　交替制等勤務

定年前再任用短時間勤務職員であっても、勤務時間法第七条第一項の「公務の運営上の事情により特別の形態によって勤務する必要のある職員」であれば、交替制等勤務による週休日及び勤務時間の割振りを行うことができる。定年前再任用短時間勤務職員については、週休日を四週間ごとの期間につき八日以上設け、勤務時間を当該期間につき一週間当たり十五時間三十分から三十一時間までの範囲内で各省各庁の長が定めた勤務時間となるように割り振ることとなる（勤務時間法第七条第二項）。

○勤務時間法

第七条　各省各庁の長は、公務の運営上の事情により特別の形態によって勤務する必要のある職員については、前条第一項及び第二項の規定にかかわらず、週休日及び勤務時間の割振りを別に定めることができる。

2　各省各庁の長は、前項の規定により週休日及び勤務時間の割振りを定める場合には、人事院規則で定めるところにより、四週間ごとの期間につき八日（定年前再任用短時間勤務職員にあっては、八日以上）の週休日を設け、及び当該期間につき第五条に規定する勤務時間となるように勤務時間を割り振らなければならない。ただし、職務の特殊性又は当該官庁の特殊の必要により、四週間ごとの期間につき八日（定年前再任用短時間勤務職員にあっては、八日以上）の週休日を設け、又は当該期間につき同条に規定する勤務時間となるように勤務時間を割り振ることが困難である職員について、人事院と協議して、人事院規則で定めるところにより、五十二週間を超えない期間につき一週間当たり一日以上の割合で週休日を設け、及び当該期間につき同条に規定する勤務時間となるように勤務時間を割り振る場合には、この限りでない。

六　定年前再任用短時間勤務職員の超過勤務

定年前再任用短時間勤務職員に対しても、勤務時間法第十三条第二項にいう「公務のため臨時又は緊急の必要がある場合」には、正規の勤務時間以外の時間に超過勤務を命ずることができる。しかしながら、定年前再任用短時間勤務職員に対して、結果として常勤職員と同様の勤務形態となってしまうような超過勤務を命ずることは、短時間勤務制を導入した意義が薄れてしまうこととなるため、各省各庁の長は、超過勤務を命ずる際には、定年前再任用短時間勤務職員の勤務時間が常勤職員よりも短く設定されている趣旨に十分留意しなければならない（規則一五―一四第十六条の二）。なお、定年前再任用短時間勤務職員が超過勤務を行った場合の超過勤務手当の支給割合については、フルタイム勤務の職員との均衡等を考慮し、正規の勤務時間が割り振られた日（休日給が支給される日を除く。）における正規の勤務時間を超えて勤務した時間のうち、その超過勤務の時間とその日の正規の勤務時間との合計が七時間四十五分に達するまでの勤務にあっては百分の百（その勤務が深夜の場合は百分の百二十五）、それ以外については、常勤職員と同様の支給割合となる（給与法第十六条第二項）。

○規則一五―一四

第十六条の二　各省各庁の長は、定年前再任用短時間勤務職員等に超過勤務を命ずる場合には、定年前再任用短時間勤務職員等の正規の勤務時間が常時勤務を要する官職を占める職員の正規の勤務時間より短く定められている趣旨に十分留意しなければならない。

○給与法

（超過勤務手当）

第十六条

２　定年前再任用短時間勤務職員が、正規の勤務時間が割り振られた日において、正規の勤務時間を超えてした勤務のうち、その勤務の時間とその勤務をした日における正規の勤務時間との合計が七時間四十五分に達するまでの間の勤務に対する前項の規定の適用については、同項中「正規の勤務時間を超えてした次に掲げる勤務の区分に応じてそれぞれ百分の百二十五から百分の百五十までの範囲内で人事院規則で定める割合」とあるのは、「百分の百」とする。

第二節　育児短時間勤務職員等の勤務時間

一　経緯

育児を行う職員が職務を完全に離れることなく育児の責任も果たせるよう職員の職業生活と家庭生活との両立を支援することを目的として、平成十九年八月一日から、育児のための短時間勤務制度を導入し、併せて、公務サービスの低下を招かないように、育児短時間勤務を行う職員（育児短時間勤務職員）が処理できなくなった業務を処理するため任期を定めて職員を任用する任期付短時間勤務制と、一週間当たり十九時間二十五分から十九時間三十五分までの範囲内で勤務をする育児短時間勤務職員二人を一つの常勤官職に並立的に任用し空いた常勤官職に常勤職員を任用することができる仕組み（並立任用）が導入されている。

二　育児短時間勤務職員の勤務時間

育児短時間勤務の勤務の形態については、育児休業法第十二条第一項等により、七つの勤務形態が設けられている。これは、育児をする時間の確保を図る一方で、公務の円滑な運営の観点から、育児短時間勤務を請求した職員が本来処理すべき業務を処理するための後補充を可能とすることと一体のものとして対処することが必要であり、職員のニーズと人事管理上の必要性との調整を図るために、勤務の形態を限定しているものである。

１　一般の育児短時間勤務職員の勤務時間

育児短時間勤務職員の一週間当たりの勤務時間は、承認を受けた育児短時間勤務の内容に従い、各省各庁の長が定めることとされている（育児休業法第十七条により読み替えられた勤務時間法第五条第一項）。また、各省各庁の長は、育児短時間勤務職員については、必要に応じ、当該育児短時間勤務の内容に従い、日曜日及び土曜日に加えて月曜日から金曜日までの五日間において週休日を設けるものとされ、一週間ごとの期間について一日につき七時間四十五分を超えない範囲内で、当該育児短時間勤務の内容に従い、勤務時間を割り振るものとされている（育児休業法第十七条により読み替えられた勤務時間法第六条第一項ただし書及び同条第二項ただし書）。

育児短時間勤務は、育児休業法第十二条第一項各号に規定されているいずれかの勤務の形態により、職員が希望する日及び時間帯において勤務するものであり、一般の職員（勤務時間法第六条第三項適用職員（フレックスタイム制適用職員）及び交替制等勤務職員以外の職員）の場合は、育児休業法第十二条第一項第一号から第四号までの勤務の形態である、①日曜日及び土曜日を週休日とし、週休日以外の日において一日につき三時間五十五分勤務する形態、②日曜日及び土曜日を週休日とし、週休日以外の日において一日につき四時間五十五分勤務する形態、③日曜日及び土曜日並びに月曜日から金曜日までの五日間のうちの二日を週休日とし、週休日以外の日において一日につき七時間四十五分勤務する形態、④日曜日及び土曜日並びに月曜日から金曜日までの五日間のうちの二日を週休日とし、週休日以外の日のうち、二日については一日につき七時間四十五分、一日については一日につき三時間五十五分勤務する形態のいずれかによることとなる。各省各庁の長は、これらのうち、承認した育児短時間勤務の内容（職員が希望する日及び時間帯）どおりの勤務時間を割り振ることとなる。

休憩時間については、職員から育児短時間勤務請求書が提出された段階で職員の希望する時間帯に置くこととなるが、規則一五—一四における休憩時間の置き方の基準に合致しないときは、そもそも育児短時間勤務を承認することができないこととなる。なお、育児短時間勤務職員については拘束時間を短くすべきと考えられること等を踏まえ、一日四時間五十五分勤務の職員（②の勤務形態の職員）について、休憩時間を置かないことができるよう、「特別の形態によって勤務する必要のある職員の休憩時間及び休息時間の特例について」（平三〇・一二・一三　職職二六〇）において、一日につき五時間以内の勤務時間を割り振る場合において、休憩時間を置かないことができることとする等の特例が設けられている。

なお、早出遅出勤務については、育児短時間勤務として職員が請求した時間帯と異なる時間帯に勤務することになることから併用することはできない（仮に育児短時間勤務職員が勤務時間帯を変更したい場合は、新たに育児短時間勤務の承認を得る必要がある。）。

○育児休業法

（育児短時間勤務の承認）

第十二条　職員（常時勤務することを要しない職員、臨時的に任用された職員その他これらに類する職員として人事院規則で定める職員を除く。）は、任命権者の承認を受けて、当該職員の小学校就学の始期に達するまでの子を養育するため、当該子がその始期に達するまで、常時勤務を要する官職を占めたまま、次の各号に掲げるいずれかの勤務の形態（勤務時間法第七条第一項の規定の適用を受ける職員にあっては、第五号に掲げる勤務の形態）により、当該職員が希望する日及び時間帯において勤務すること（以下「育児短時間勤務」という。）ができる。ただし、当該子について、既に育児短時間勤務をしたことがある場合において、当該子に係る育児短時間勤務の終了の日の翌日から起算して一年を経過しないときは、人事院規則で定める特別の事情がある場合を除き、この限りでない。

一　日曜日及び土曜日を週休日（勤務時間法第六条第一項に規定する週休日をいう。以下この項において同じ。）とし、週休日以外の日において一日につき三時間五十五分勤務すること。

二　日曜日及び土曜日を週休日とし、週休日以外の日において一日につき四時間五十五分勤務すること。

三　日曜日及び土曜日並びに月曜日から金曜日までの五日間のうちの二日を週休日とし、週休日以外の日において一日につき七時間四十五分勤務すること。

四　日曜日及び土曜日並びに月曜日から金曜日までの五日間のうちの二日を週休日とし、週休日以外の日のうち、二日については一日につき七時間四十五分、一日については一日につき三時間五十五分勤務すること。

五　前各号に掲げるもののほか、一週間当たりの勤務時間が十九時間二十五分から二十四時間三十五分までの範囲内の時間となるように人事院規則で定める勤務の形態

（育児短時間勤務職員についての勤務時間法の特例）

第十七条　育児短時間勤務職員についての勤務時間法の規定の適用については、次の表の上欄に掲げる勤務時間法の規定中同表の中欄に掲げる字句は、それぞれ同表の下欄に掲げる字句とする。

第五条第一項	とする	とする。ただし、国家公務員の育児休業等に関する法律（平成三年法律第百九号）第十二条第三項の規定により同条第一項に規定する育児短時間勤務（以下「育児短時間勤務」という。）の承認を受けた職員（以下「育児短時間勤務職員」という。）の一週間

		当たりの勤務時間は、当該承認を受けた育児短時間勤務の内容に従い、各省各庁の長が定める
第六条第一項ただし書及び第二項ただし書、第七条第二項、第十一条並びに第十七条第一項第一号	定年前再任用短時間勤務職員	育児短時間勤務職員
第六条第一項ただし書	これらの日	必要に応じ、当該育児短時間勤務の内容に従い、これらの日
	ことができる	ものとする
第六条第二項ただし書	範囲内で	範囲内で、当該育児短時間勤務の内容に従い、
第六条第三項	次項	以下この条
	できる	できる。ただし、当該職員が育児短時間勤務職員である場合にあっては、単位期間ごとの期間について、当該育児短時間勤務の内容に従い、勤務時間を割り振るものとする
第六条第四項	次に掲げる職員	次に掲げる職員（育児短時間勤務職員を除く。）
第七条第二項	ところにより、四週間ごとの期間につき八日	ところにより、四週間ごとの期間につき八日の週休日
	八日以上）の週休日を設け、及び	四週間ごとの期間につき八日以上で当該育児短時間勤務の内容に従った週休日）を設け、及び

	第五条に規定する勤務時間	第五条に規定する勤務時間（当該育児短時間勤務職員にあっては、当該育児短時間勤務の内容に従った勤務時間）
	必要	必要（育児短時間勤務職員にあっては、当該育児短時間勤務の内容）
	割合で週休日	割合で週休日（育児短時間勤務職員にあっては、五十二週間を超えない期間につき一週間当たり一日以上の割合で当該育児短時間勤務の内容に従った週休日）
	同条に規定する勤務時間	同条に規定する勤務時間（当該育児短時間勤務職員にあっては、当該育児短時間勤務の内容に従った勤務時間）
第十三条第一項	職員	、公務の運営に著しい支障が生ずると認められる場合として人事院規則で定める場合に限り、育児短時間勤務職員
第十三条第二項	公務のため臨時又は緊急の必要がある場合には	公務の運営に著しい支障が生ずると認められる場合として人事院規則で定める場合に限り
	職員	育児短時間勤務職員

○特別の形態によって勤務する必要のある職員の休憩時間及び休息時間の特例について（通知）（平三〇・一二・一三　職職―二六〇）

一般職の職員の勤務時間、休暇等に関する法律（平成六年法律第三十三号。以下「勤務時間法」という。）第七条第一項に規定する公務の運営上の事情により特別の形態によって勤務する必要のある職員（以下「特別の形態によって勤務する必要のある職員」という。）の休憩時間及び休息時間の置き方に関し、下記のとおりとすることについては、平成三十一年一月一日以降、人事院規則一五—一四（職員の勤務時間、休日及び休暇）（以下「規則」という。）第三十二条による人事院の承認があったものとして取り扱って差し支えありません。

なお、これに伴い、平成二十一年二月二十七日付け職職—六五は廃止します。

記

6　国家公務員の育児休業等に関する法律（平成三年法律第百九号）第十二条第一項の規定による育児短時間勤務をしている職員及び同法第二十二条の規定による短時間勤務をしている職員について、一日につき五時間以内の勤務時間を割り振る場合において、次の⑴又は⑵のとおりとすること。

⑴　基本休憩時間を置かないこと。

⑵　基本休憩時間を置かず、かつ、十五分の休憩時間又は休息時間を一回置くこと。

2　フレックスタイム制を適用される職員の育児短時間勤務

フレックスタイム制適用職員（勤務時間法第六条第三項の職員）が育児短時間勤務をする場合の勤務形態は、育児休業法第十二条第一項第五号に基づく規則一九—〇第十九条第一号において、週休日を①日曜日及び土曜日、あるいは②日曜日及び土曜日に加え月曜日から金曜日のうち二日とし、単位期間（原則四週間）の一週間当たりの勤務時間が十九時間二十五分、十九時間三十五分、二十三時間十五分又は二十四時間三十五分とすることが定められている。これにより、この範囲内であれば、育児休業法第十二条第一項第一号から第四号までに掲げる勤務の形態に限らず、例えば、単位期間ごとに各日の勤務時間数を変えるといった、柔軟な育児短時間勤務の形態を選択することができる。

このように、育児短時間勤務においては、「職員が希望する日及び時間帯において勤務すること」について、任命権者の承認を受けていることから、任命権者から育児短時間勤務を承認された職員の勤務時間は、単位期間ごとの期間について、育児短時間勤務の内容に従い割り振るものとされている（育児休業法第十七条の規定による読替後の勤務時間法第六条第三項）。すなわち、各省各庁の長は、任命権者が決定した育児短時間勤務の内容と異なる勤務時間を割り振ることはできないものであり、この結果、勤務時間法体系におけるフレックスタイムの申告・割振りの基準等に係る規定は適用の実益がなくなるため、規則一五―一四第十二条の二において適用除外とされている。

なお、一日の最短勤務時間数及びフレキシブルタイムについては、育児短時間勤務を請求できる勤務の形態は、一日につき午前五時から午後十時までの間において二時間以上（一週間につき一日を限度として二時間未満とすることが可能）勤務するものとされていることから、実質、育児短時間勤務の請求の基準により担保される形となっている（規則一九―〇第十九条第一号）。一方、コアタイムについては、仮に職員が希望する勤務の日及び時間帯が当該職員が勤務する部署のコアタイムの時間帯と異なる場合に、当該育児短時間勤務職員にコアタイムに勤務させることを求めるとすると子を養育しようとする日又は時間帯に養育することができなくなり、育児短時間勤務制度の目的に反することとなるため、育児短時間勤務の請求の基準としても規定されていない。

また、勤務時間の割振りの単位期間は原則として四週間であるが、育児短時間勤務をしようとする期間が四週間で割り切れない場合には、育児短時間勤務をしようとする期間を初日から四週間ごとに区分して最後に生じる四週間未満の期間については、当該期間が単位となる。例えば、十週間の育児短時間勤務を請求する場合、単位期間は、その初日から「四週間＋四週間＋二週間」となる。

○規則一九―〇

（育児休業法第十二条第一項第五号の人事院規則で定める勤務の形態）

第十九条　育児休業法第十二条第一項第五号の人事院規則で定める勤務の形態は、次の各号に掲げる職員の区分に応じ、当該各号に定める勤務の形態（同項第一号から第四号までに掲げる勤務の形態を除く。）とする。

一　勤務時間法第六条第三項の規定の適用を受ける職員　日曜日及び土曜日を週休日（同条第一項に規定する週休日をいう。以下この条において同じ。）とし、又は日曜日及び土曜日並びに月曜日から金曜日までの五日間のうちの二日を週休日とし、四週間ごとの期間（育児短時間勤務をしようとする期間の全てを四週間ごとに区分することができない場合にあっては、人事院の定めるところにより、当該育児短時間勤務をしようとする期間を一週間、二週間、三週間又は四週間に区分した各期間。以下この号において「単位期間」という。）につき一週間当たりの勤務時間が十九時間二十五分、十九時間三十五分、二十三時間十五分又は二十四時間三十五分となるように、かつ、週休日以外の日において一日につき午前五時から午後十時までの間において二時間以上（単位期間をその初日から一週間ごとに区分した各期間（単位期間が一週間である場合にあっては、単位期間）ごとにつき一日を限度として職員があらかじめ指定する日にあっては、二時間未満）勤務すること。

○育児休業等の運用について（平四・一・一七　職福二〇）

第八　育児短時間勤務の承認関係

５　育児短時間勤務をしようとする期間の全てを四週間ごとの期間に区分することができない場合における規則第十九条第一号に定める一週間当たりの勤務時間については、当該育児短時間勤務をしようとする期間をその初日から四週間ごとに区分した各期間及びその最後に生じる四週間未満の期間について、それぞれ当該一週間当たりの勤務時間となるようにするものとする。

○規則一五—一四

（単位期間）

第四条の二　勤務時間法第六条第三項の人事院規則で定める期間は、同項の規定に基づく勤務時間の割振りについては四週間（四週間では適正に勤務時間の割振りを行うことができない場合として人事院の定める場合にあっては、人事院の定めるところにより、一週間、二週間又は三週間）とし、同条第四項の規定に基づく週休日及び勤務時間の割振りについては一週間、二週間、三週間又は四週間のうち職員が選択する期間とする。

（育児短時間勤務職員等についての適用除外等）

第十二条の二　第三条、第四条、第四条の三から第四条の七まで並びに第五条第一項及び第二項の規定は、育児短時間勤務をしている職員及び育児休業法第二十二条の規定による短時間勤務をしている職員（以下「育児短時間勤務職員等」という。）には適用しない。

○規則一五—一四運用通知

第三　勤務時間法第六条第三項の規定に基づく勤務時間の割振り並びに同条第四項の規定に基づく週休日及び勤務時間の割振り関係

18　規則第四条の二の「人事院の定める場合」は次に掲げる場合とし、各省各庁の長は、当該場合の区分に応じ、同条の規定により勤務時間法第六条第三項の規定に基づく勤務時間の割振りに係る単位期間をそれぞれ次に定める一週間、二週間又は三週間とする。

(3)　育児休業法第十七条の規定により読み替えられた勤務時間法第六条第三項の規定により勤務時間を割り振ろうとする職員の育児短時間勤務の期間をその初日から四週間ごとに区分した場合において、最後に四週間未満の期間を生じたとき　当該期間

3　交替制等勤務職員の勤務時間

交替制等勤務職員（勤務時間法第七条第一項の規定の適用を受ける職員）が育児短時間勤務をする場合は、育児休業法第十二条第一項第五号に基づく規則一九—〇第十九条第二号イ又はロに定められている勤務の形態によることとなる。ここで、規則一九—〇第十九条第二号イの勤務形態と、同号ロの勤務形態とを、それぞれ別に定めているのは、もともと交替制等勤務職員の勤務時間の割振りが、勤務時間法第七条第二項により、四週八休の割振りと、五十二週間を超えない期間での割振りとで取扱いが異なっているため、育児短時間勤務を認めるに当たっても明確に区分するためである。

また、交替制等勤務職員であって育児短時間勤務を行う職員に対して適用が除外されている規則一五—一四第五条

第一項及び第二項の規定は、第二部第二章第六節（一一七頁）で述べたとおり、交替制等勤務職員の週休日及び勤務時間の割振りの基準であり、勤務日が引き続き十二日を超えないようにすること、一回の勤務に割り振られる勤務時間が十六時間を超えないようにすることなどを内容とするものである。これらと同趣旨の内容が、規則一九―〇第十九条第二号で定められていることから、規則一五―一四第五条第一項及び第二項の規定は適用除外とされている。

〇規則一九―〇

（育児休業法第十二条第一項第五号の人事院規則で定める勤務の形態）

第十九条　育児休業法第十二条第一項第五号の人事院規則で定める勤務の形態は、次の各号に掲げる職員の区分に応じ、当該各号に定める勤務の形態（同項第一号から第四号までに掲げる勤務の形態を除く。）とする。

二　勤務時間法第七条第一項の規定の適用を受ける職員　次に掲げる勤務の形態（勤務日が引き続き十二日を超えず、かつ、一回の勤務が十六時間を超えないものに限る。）

イ　四週間ごとの期間につき八日以上を週休日とし、当該期間につき一週間当たりの勤務時間が十九時間二十五分、十九時間三十五分、二十三時間十五分又は二十四時間三十五分となるように勤務すること。

ロ　五十二週間を超えない期間につき一週間当たり一日以上の割合の日を週休日とし、週休日が毎四週間につき四日以上となるようにし、及び当該期間につき一週間当たりの勤務時間が十九時間二十五分、十九時間三十五分、二十三時間十五分又は二十四時間三十五分となるように、かつ、毎四週間につき一週間当たりの勤務時間が四十二時間を超えないように勤務すること。

〇規則一五―一四

（育児短時間勤務職員等についての適用除外等）

第十二条の二　第三条、第四条、第四条の三から第四条の七まで並びに第五条第一項及び第二項の規定は、育児短時間勤務をしている職員及び育児休業法第二十二条の規定による短時間勤務をしている職員（以下「育児短時間勤務職員等」という。）には適用しない。

2　育児短時間勤務職員等に対する第五条第三項の規定の適用については、同項中「前項各号の基準に適合し、かつ、週休日」とあるのは、「週休日」とする。

4　裁量勤務職員の勤務時間のみなし

裁量勤務職員（一三〇頁参照）は、勤務時間の割振りが行われず、時間配分の決定等をその裁量に委ねられていることから、実際に勤務した時間数を問われることはないが、他方、裁量勤務職員に適用される規定の中には、例えば給与法第十五条において、職員が勤務時間を実際に勤務しないときには給与を減額して支給することとされているなど、割り振られた勤務時間を勤務することを前提としているものが存しており、これとの調整が必要となる。そのために裁量勤務職員については、実際に勤務した時間にかかわらず、割り振られたものとみなされる勤務時間を勤務したものとみなすこととしており、裁量勤務を行う育児短時間勤務職員については、育児短時間勤務の内容に従った時間帯を割り振られた時間帯とみなすこととされている。これにより、給与法第十五条等の規定の適用に当たっては、実際の勤務時間の長短にかかわらず、割り振られたものとみなされる勤務時間について勤務したものとして取り扱われることとなる。

○育児休業法

（育児短時間勤務職員についての一般職の任期付研究員の採用、給与及び勤務時間の特例に関する法律の特例）

第十八条　育児短時間勤務職員についての一般職の任期付研究員の採用、給与及び勤務時間の特例に関する法律（平成九年法律第六十五号）の規定の適用については、次の表の上欄に掲げる同法の規定中同表の中欄に掲げる字句は、それぞれ同表の下欄に掲げる字句とする。

第八条第二項	については、月曜日から金曜日までの五日間	については、育児休業法第十七条の規定により読み替えられた勤務時間法第六条第一項に規定する週休日以外の日
	勤務時間法第六条第二項	同条第二項ただし書
	七時間四十五分の	育児休業法第十二条第三項の規定により承認を受けた同条第一項に規定する育児短時間勤務の内容に従った

○規則二〇—〇

（勤務時間を割り振られたものとみなす時間帯等）

第十二条

２　育児休業法第十八条の規定により読み替えられた任期付研究員法第八条第二項の人事院規則で定める時間帯は、育児休業法第十二条第三項の規定により承認を受けた同条第一項に規定する育児短時間勤務の内容に従った時間帯（勤務時間法第九条の規定に基づき休憩時間を置かなければならない場合にあっては、当該休憩時間の時間帯を除く。）とする。

５　週休日の振替等

育児短時間勤務職員であっても、公務の運営上必要と認められる場合には、勤務の日を変更する週休日の振替等を行うことはありうるところである。しかしながら、週休日の振替等は、職員が希望する日及び時間帯とは異なる日又は時間帯に勤務を命じることになるものであるから、当該職員に命じなければ公務の運営に重大な支障が生じると認められる場合を除いては、育児短時間勤務職員に対して行うべきものではない。このため、育児短時間勤務職員に週休日の振替等を行う場合には、超過勤務についての規定が育児休業法第十七条の規定により読み替えられ、他の職員よりも厳格な要件が定められていることに留意する旨が定められている。

○規則一五―一四運用通知

第五　週休日の振替等関係

５　各省各庁の長は、勤務時間法第八条の規定に基づき育児短時間勤務職員等に週休日の振替等を行う場合には、当該育児短時間勤務職員等に対する超過勤務については、勤務時間法第十三条第二項の規定が育児休業法第十七条（育児休業法第二十二条において準用する場合を含む。）の規定により読み替えられ、他の職員よりも厳格な要件が定められていることに留意するものとする。

６　正規の勤務時間以外の時間における勤務

育児短時間勤務職員であっても、公務の運営上必要と認められる場合には、勤務の時間帯を変更（延長）し、宿日直勤務や超過勤務を命じられることはあり得るところである。しかしながら、宿日直勤務や超過勤務を命ずることは、育児のために正規の勤務時間が短くされている職員の勤務時間を延長することになり、育児短時間勤務の趣旨に反することになる。このため、各省各庁の長は、公務の運営に著しい支障が生ずると認められる場合として人事院規則で定める場合に限り、育児短時間勤務職員に宿日直勤務又は超過勤務をすることを命ずることができることとされている（育児休業法第十七条により読み替えられた勤務時間法第十三条第一項及び第二項）。これを受けて、特別宿日直勤務については、育児短時間勤務職員等以外の職員に規則一五―一四第十四条第二項の基準に適合するように当該勤務を命ずることができない場合、超過勤務については、公務のため臨時又は緊急の必要がある場合において、育児短時間勤務職員等に超過勤務を命じなければ公務の運営に著しい支障が生ずると認められるときと、それぞれ規則一五―一四第十五条の二において定められている。なお、規則一五―一四第十五条の二第一項において「第十三条第一項第三号に掲げる勤務」とあることから、育児短時間勤務職員に命じることができるのは特別宿日直に限られ、普通宿日直及び常直勤務を命じることはできないこととされている。これは、普通宿日直及び常直勤務は誰でも行うことが可能な内容の業務であり、あえて育児短時間勤務職員に命じる必要はないからである。

○規則一五―一四

（育児短時間勤務職員等に正規の勤務時間以外の時間における勤務を命ずることができる場合）

第十五条の二　育児休業法第十七条（育児休業法第二十二条において準用する場合を含む。以下同じ。）の規定により読み替えられた勤務時間法第十三条第一項の人事院規則で定める場合は、第十三条第一項第三号に掲げる勤務を命じようとする時間帯に、当該勤務に従事する職員のうち育児短時間勤務職員等以外の職員に第十四条第二項の基準に適合するように当該勤務を命ずることができない場合とする。

２　育児休業法第十七条の規定により読み替えられた勤務時間法第十三条第二項の人事院規則で定める場合は、公務のため臨時又は緊急の必要がある場合において、育児短時間勤務職員等に同項に規定する勤務を命じなければ公務の運営に著しい支障が生ずると認められるときとする。

○規則一五―一四運用通知

第十　宿日直勤務及び超過勤務並びに超勤代休時間の指定関係

３　規則第十五条の二第二項の規定は、育児短時間勤務職員等の超過勤務について、他の職員よりも厳格な要件を定める趣旨である。

三　育児短時間勤務職員の例による短時間勤務職員の勤務時間

職員が育児短時間勤務をすることにより処理できなくなる業務を処理するために、育児短時間勤務職員の並立任用や任期付短時間勤務職員の任用をすることができるとされている。例えば、任期付短時間勤務職員が任用される場合は、当該業務は、職員が育児短時間勤務を承認された間、任期付短時間勤務職員が処理することとなる。したがって、育児短時間勤務に係る子が死亡するなど育児短時間勤務の承認が失効し、又は取り消されたことにより育児短時間勤務職員がフルタイム勤務に戻る場合において、任期付短時間勤務職員が任用されており、かつ、他に欠員の常勤官職がなく当該任期付短時間勤務職員が任期付短時間勤務職員として異動できない場合について整理しておく必要がある。任用制度において任期付短時間勤務職員は、育児休業に伴う任期付採用と同様に、その任期中に法律の定めるところによらない限り免職又は降任されることはないとされているため、育児短時間勤務をしていた職員が遂行すべき業務は、仮にフルタイム勤務に戻ったとしても、育児短時間勤務分しか存在しないことから、当該職員に引き続き短時間勤務を命じる必要がある。このため、育児短時間勤務の要件を欠いているものの、育児短時間勤務をしていた職員に、引き続き当該育児短時間勤務と同一の勤務の日及び時間帯において常時勤務を要する官職を占めたまま勤務をさせることができるよう規定されている（育児短時間勤務の例による短時間勤務）。

この場合、従前の育児短時間勤務と同一の勤務の日及び時間帯において勤務することから、勤務時間等については育児短時間勤務職員と同様の取扱いとなる。

○育児休業法

（育児短時間勤務の承認が失効した場合等における育児短時間勤務の例による短時間勤務）

第二十二条　任命権者は、第十四条において準用する第六条の規定により育児短時間勤務の承認が失効し、又は取り消された場合において、過員を生ずることその他の人事院規則で定めるやむを得ない事情があると認めるときは、その事情が継続している期間、人事院規則の定めるところにより、当該育児短時間勤務をしていた職員に、引き続き当該育児短時間勤務と同一の勤務の日及び時間帯において常時勤務を要する官職を占めたまま勤務をさせることができる。この場合において、第十五条から前条までの規定を準用する。

○規則一九―〇

（育児休業法第二十二条の人事院規則で定めるやむを得ない事情）

第二十三条　育児休業法第二十二条の人事院規則で定めるやむを得ない事情は、次に掲げる事情とする。
一　過員を生ずること。
二　当該育児短時間勤務に伴い任用されている任期付短時間勤務職員（育児休業法第二十三条第二項に規定する任期付短時間勤務職員をいう。以下同じ。）を任期付短時間勤務職員として引き続き任用しておくことができないこと。

四　任期付短時間勤務職員の勤務時間

任期付短時間勤務職員の一週間当たりの勤務時間は、一週間当たり十時間から十九時間二十分までの範囲内で、人事院規則の定めるところにより、各省各庁の長が定めることとされている（育児休業法第二十五条により読み替えられた勤務時間法第五条第一項）。任期付短時間勤務職員は、職員が育児短時間勤務をすることにより処理できなくなる業務を処理するために任用された職員であることから、規則一五—一四において、一週間当たりの勤務時間は、三十八時間四十五分から当該育児短時間勤務をしている職員の一週間当たりの勤務時間を減じて得た時間の範囲内とされている。任期付短時間勤務職員は常時勤務を要しない官職を占める職員（非常勤職員）であるが、この基準に適合していることを確認できるよう、各省各庁の長には、非常勤職員のうち誰が任期付短時間勤務職員であるかを把握するとともに、その一週間当たりの勤務時間を記録することなどが求められている。

なお、育児短時間勤務職員の最長の勤務時間は週二十四時間三十五分であるが、育児短時間勤務職員の後補充を任期付短時間勤務職員で行う場合に、必ずしも三十八時間四十五分に足りない時間を任期付短時間勤務職員の勤務時間で埋めなければならないわけではなく、予算の効率的執行の観点から、それよりも短い時間でも認められるものである。一方で、あまりに勤務時間が短いと適格な人材を得ることが難しくなること、通勤手当等の固定人件費の割合が高くなり効率的でないことから、最短の勤務時間は週十時間と設定されている。

一週間の勤務時間数以外の週休日、勤務時間の割振り等については、定年前再任用短時間勤務職員と同様とされている。

○育児休業法

（育児短時間勤務に伴う任期付短時間勤務職員の任用）

第二十三条　任命権者は、第十二条第二項又は第十三条第一項の規定による請求があった場合において、当該請求に係る期間について当該請求をした職員の業務を処理するため必要があると認めるときは、人事院規則で定めるところにより、当該請求に係る期間を任期の限度として、当該請求をした職員が育児短時間勤務をすることにより処理することが困難となる業務と同一の業務を行うことをその職務の内容とする常時勤務を要しない官職を占める職員を任用することができる。この場合において、国家公務員法第六十条の二第三項の規定は、適用しない。

2　第七条第二項から第四項までの規定は、前項の規定により任用された職員（以下「任期付短時間勤務職員」という。）について準用する。

（任期付短時間勤務職員についての勤務時間法の特例）

第二十五条　任期付短時間勤務職員についての勤務時間法の規定の適用については、次の表の上欄に掲げる勤務時間法の規定中同表の中欄に掲げる字句は、それぞれ同表の下欄に掲げる字句とする。

第五条第一項	とする	とする。ただし、国家公務員の育児休業等に関する法律（平成三年法律第百九号）第二十三条第二項に規定する任期付短時間勤務職員（以下「任期付短時間勤務職員」という。）の勤務時間は、一週間当たり十時間から十九時間二十分までの範囲内で、人事院規則で定めるところにより、各省各庁の長が定める
第六条第一項ただし書	定年前再任用短時間勤務	任期付短時間勤務職員

及び第二項ただし書、第七条第二項、第十一条、第十七条第一項第一号並びに第二十三条	職員	

○規則一五―一四

（任期付短時間勤務職員の一週間の勤務時間の基準）

第一条の二　育児休業法第十二条第一項に規定する育児短時間勤務（以下「育児短時間勤務」という。）に伴い任用されている任期付短時間勤務職員（育児休業法第二十三条第二項に規定する任期付短時間勤務職員をいう。以下同じ。）の一週間当たりの勤務時間は、三十八時間四十五分から当該育児短時間勤務をしている職員の一週間当たりの勤務時間を減じて得た時間の範囲内とする。育児休業法第二十二条の規定による短時間勤務に伴い任用されている任期付短時間勤務職員の一週間当たりの勤務時間についても、同様とする。

○規則一五―一四運用通知

第二　任期付短時間勤務職員の一週間の勤務時間の基準関係

各省各庁の長は、国家公務員の育児休業等に関する法律（平成三年法律第百九号。以下「育児休業法」という。）第十二条第一項に規定する育児短時間勤務をしている職員に応じて当該育児短時間勤務に伴い任用されている任期付短時間勤務職員を把握するとともに、それぞれの一週間当たりの勤務時間を記録することその他適当な方法により、当該任期付短時間勤務職員の一週間当たりの勤務時間が規則第一条の二の基準に適合していることを確認できるようにしておかなければならない。育児休業法第二十二条の規定による短時間勤務に伴い任用されている任期付短時間勤務職員の一週間当たりの勤務時間についても、同様とする。

第三節　短時間勤務職員の休暇

定年前再任用短時間勤務職員（暫定再任用短時間勤務職員を含む。以下この節において同じ。）、育児短時間勤務職員、育児短時間勤務職員の例による短時間勤務職員及び任期付短時間勤務職員（以下「短時間勤務職員」という。）については、いずれの場合もフルタイムの常勤職員と同様、勤務時間法適用職員として年次休暇、病気休暇、特別休暇、介護休暇及び介護時間が付与される。

一　年次休暇

1　原則的な休暇の日数

短時間勤務職員の年次休暇については、その者の勤務時間等を考慮して、二十日を超えない範囲内で、その者の勤務形態に応じて比例付与した日数とされている。

具体的には一週間ごとの勤務日の日数及び勤務日ごとの勤務時間の時間数が同一である短時間勤務職員（以下「斉一型短時間勤務職員」という。）の年次休暇の日数は、二十日に当該職員の一週間の勤務日の日数を五日で除して得た数を乗じて得た日数を年次休暇の日数とする。

二〇日×（一週間の勤務日÷五日）＝年次休暇日数

また、一週間ごとの勤務日の日数又は勤務日ごとの勤務時間の時間数のいずれかでも同一でない短時間勤務職員（以下「不斉一型短時間勤務職員」という。）は、一週間の勤務日による比例付与ができないため、フルタイムの常勤職員の年次休暇の総時間数（一日を七時間四十五分として時間に換算する。）に不斉一型短時間勤務職員の一週間当たりの勤務時間数をフルタイムの常勤職員の一週間当たりの勤務時間数で除して得た数を乗じて得た時間数を、七時間四十五分を一日として日に換算して得た日数とされている。この場合において、一日未満の端数があるときは、これを四捨五入して得た日数とする。

〔一五五時間×（一週間当たりの勤務時間数÷三八時間四五分）〕÷七時間四五分＝年次休暇日数

○勤務時間法

（年次休暇）

第十七条　年次休暇は、一の年ごとにおける休暇とし、その日数は、一の年において、次の各号に掲げる職員の区分に応じて、当該各号に掲げる日数とする。

一　次号及び第三号に掲げる職員以外の職員　二十日（定年前再任用短時間勤務職員にあっては、その者の勤務時間等を考慮し二十日を超えない範囲内で人事院規則で定める日数）

○規則一五—一四

（年次休暇の日数）

第十八条　勤務時間法第十七条第一項第一号（育児休業法第十七条又は第二十五条の規定により読み替えて適用する場合を含む。第十八条の三において同じ。）の人事院規則で定める日数は、次の各号に掲げる職員の区分に応じ、当該各号に定める日数（一日未満の端数があるときは、これを四捨五入して得た日数）とする。

一　斉一型短時間勤務職員（定年前再任用短時間勤務職員等及び育児短時間勤務職員等のうち、一週間ごとの勤務日の日数及び勤務日ごとの勤務時間の時間数が同一であるものをいう。以下同じ。）　二十日に斉一型短時間勤務職員の一週間の勤務日の日数を五日で除して得た数を乗じて得た日数

二　不斉一型短時間勤務職員（定年前再任用短時間勤務職員等及び育児短時間勤務職員等のうち、斉一型短時間勤務職員以外のものをいう。以下同じ。）　百五十五時間に育児休業法第十七条若しくは第二十五条の規定により読み替えられた

勤務時間法第五条第一項又は勤務時間法第五条第二項の規定に基づき定められた不斉一型短時間勤務職員の勤務時間を三十八時間四十五分で除して得た数を乗じて得た時間数を、七時間四十五分を一日として日に換算して得た日数

〇規則一五—一四運用通知

第十二　年次休暇関係

4　規則第十八条第二号の「不斉一型短時間勤務職員の勤務時間」に一時間未満の端数がある場合には、これを切り上げるものとする。

2　当該年の中途において再任用等された場合等の特例

定年前再任用短時間勤務職員や任期付短時間勤務職員が年の中途において再任用又は採用され、あるいは任期満了により退職する場合の年次休暇の日数は、フルタイムの常勤職員と同様、その年の在職期間等を考慮して定める日数となっている。

具体的には、その者の当該年における在職期間と、斉一型短時間勤務職員の場合は勤務時間にかかわらず一週間ごとの勤務日の日数に応じて（規則一五—一四運用通知　別表第一参照）、不斉一型短時間勤務職員の場合は一週間当たりの勤務時間数に応じて（同別表第二参照）、年次休暇の日数が定められることとなる。

なお、定年前再任用短時間勤務職員に再任用された場合については、新たに職員となったものと解して年次休暇が付与される取扱いとなっているため、常勤職員から引き続き定年前再任用短時間勤務職員となった場合でも、常勤職員の時の年次休暇の残日数を定年前再任用時に通算することはできない（暫定再任用短時間勤務職員についても、年の途中において新たに再任用された際の年次休暇の取扱いは定年前再任用短時間勤務職員と同様であるが、任期が更新された場合は、在職期間が引き続くこととなるため、任期満了前の年次休暇の残日数は通算されることとなる。）。

○勤務時間法

（年次休暇）

第十七条

1二　次号に掲げる職員以外の職員であって、当該年の中途において新たに職員となり、又は任期が満了することにより退職することとなるもの　その年の在職期間等を考慮し二十日を超えない範囲内で人事院規則で定める日数

○規則一五―一四

第十八条の二　勤務時間法第十七条第一項第二号の人事院規則で定める日数は、次の各号に掲げる職員の区分に応じ、当該各号に定める日数とする。

一　当該年の中途において、新たに職員となり、又は任期が満了することにより退職することとなる職員（次号に掲げる職員を除く。）　その者の当該年における在職期間に応じ、別表第一の日数欄に掲げる日数（定年前再任用短時間勤務職員等及び育児短時間勤務職員等にあっては、その者の勤務時間等を考慮し、人事院が別に定める日数）（以下この条において「基本日数」という。）

○規則一五―一四運用通知

第十二　年次休暇関係

2　勤務時間法第十七条第一項第二号の新たに職員となった者には、非常勤職員（定年前再任用短時間勤務職員等を除く。）から引き続き常勤職員となった者を含む。

5　規則第十八条の二第一項第一号の「人事院が別に定める日数」は、その者の当該年における在職期間に応じ、斉一型短時間勤務職員にあっては別表第一の下欄に掲げる一週間の勤務日の日数の区分ごとに定める日数とし、不斉一型短時間勤務職員にあっては別表第二の下欄に掲げる一週間当たりの勤務時間の区分ごとに定める日数とする。

別表第1（第12の第5項関係）

在職期間		1月に達するまでの期間	1月を超え2月に達するまでの期間	2月を超え3月に達するまでの期間	3月を超え4月に達するまでの期間	4月を超え5月に達するまでの期間	5月を超え6月に達するまでの期間	6月を超え7月に達するまでの期間	7月を超え8月に達するまでの期間	8月を超え9月に達するまでの期間	9月を超え10月に達するまでの期間	10月を超え11月に達するまでの期間	11月を超え1年未満の期間
1週間の勤務日の日数	5日	2日	3日	5日	7日	8日	10日	12日	13日	15日	17日	18日	20日
	4日	1日	3日	4日	5日	7日	8日	9日	11日	12日	13日	15日	16日
	3日	1日	2日	3日	4日	5日	6日	7日	8日	9日	10日	11日	12日
	2日	1日	1日	2日	3日	3日	4日	5日	5日	6日	7日	7日	8日

別表第２（第12の第５項関係）

在職期間		１月に達するまでの期間	１月を超え２月に達するまでの期間	２月を超え３月に達するまでの期間	３月を超え４月に達するまでの期間	４月を超え５月に達するまでの期間	５月を超え６月に達するまでの期間	６月を超え７月に達するまでの期間	７月を超え８月に達するまでの期間	８月を超え９月に達するまでの期間	９月を超え10月に達するまでの期間	10月を超え11月に達するまでの期間	11月を超え１年未満の期間
１週間当たりの勤務時間	30時間を超え31時間以下	１日	３日	４日	５日	７日	８日	９日	11日	12日	13日	15日	16日
	29時間を超え30時間以下	１日	３日	４日	５日	６日	８日	９日	10日	12日	13日	14日	15日
	28時間を超え29時間以下	１日	２日	４日	５日	６日	７日	９日	10日	11日	12日	14日	15日
	27時間を超え28時間以下	１日	２日	４日	５日	６日	７日	８日	10日	11日	12日	13日	14日
	26時間を超え27時間以下	１日	２日	３日	５日	６日	７日	８日	９日	10日	12日	13日	14日
	25時間を超え26時間以下	１日	２日	３日	４日	６日	７日	８日	９日	10日	11日	12日	13日
	24時間を超え25時間以下	１日	２日	３日	４日	５日	６日	８日	９日	10日	11日	12日	13日
	23時間を超え24時間以下	１日	２日	３日	４日	５日	６日	７日	８日	９日	10日	11日	12日
	22時間を超え23時間以下	１日	２日	３日	４日	５日	６日	７日	８日	９日	10日	11日	12日
	21時間を超え22時間以下	１日	２日	３日	４日	５日	６日	７日	８日	９日	９日	10日	11日
	20時間を超え21時間以下	１日	２日	３日	４日	５日	５日	６日	７日	８日	９日	10日	11日
	19時間を超え20時間以下	１日	２日	３日	３日	４日	５日	６日	７日	８日	９日	９日	10日
	18時間を超え19時間以下	１日	２日	２日	３日	４日	５日	６日	７日	７日	８日	９日	10日
	17時間を超え18時間以下	１日	２日	２日	３日	４日	５日	５日	６日	７日	８日	９日	９日
	16時間を超え17時間以下	１日	１日	２日	３日	４日	４日	５日	６日	７日	７日	８日	９日
	15時間を超え16時間以下	１日	１日	２日	３日	３日	４日	５日	６日	６日	７日	８日	８日
	14時間を超え15時間以下	１日	１日	２日	３日	３日	４日	５日	５日	６日	６日	７日	８日
	13時間を超え14時間以下	１日	１日	２日	２日	３日	４日	４日	５日	５日	６日	７日	７日
	12時間を超え13時間以下	１日	１日	２日	２日	３日	３日	４日	４日	５日	６日	６日	７日
	11時間を超え12時間以下	１日	１日	２日	２日	３日	３日	４日	４日	５日	５日	６日	６日
	10時間を超え11時間以下	１日	１日	１日	２日	２日	３日	３日	４日	４日	５日	５日	６日
	10時間	１日	１日	１日	２日	２日	３日	３日	３日	４日	４日	５日	５日

備考　この表の下欄に掲げる勤務時間の区分に応じて定める日数は、７時間45分の年次休暇をもって１日の年次休暇として日に換算した場合の日数を示す。

３　人事交流等の場合の特例

行政執行法人等において定年前再任用短時間勤務職員や任期付短時間勤務職員に相当する職員として採用された者が、人事交流等により引き続き一般職の定年前再任用短時間勤務職員や任期付短時間勤務職員となることも考えられる。

そのため、行政執行法人等の定年前再任用短時間勤務職員等に相当する者（以下「法人定年前再任用短時間勤務職員等」という。）から引き続き定年前再任用短時間勤務職員等となった場合、定年前再任用短時間勤務職員等から引き続き法人定年前短時間勤務職員等となり、更に定年前再任用短時間勤務職員等となった場合についても、行政執行法人職員等であった期間を職員として在職していたものとみなして、それぞれの勤務形態に応じて年次休暇を計算することが運用通知で定められている。

(ア)　その年に法人定年前再任用短時間勤務職員等となった者から、引き続き定年前再任用短時間勤務職員等となった場合（規則一五―一四運用通知第十二第八項(1)）

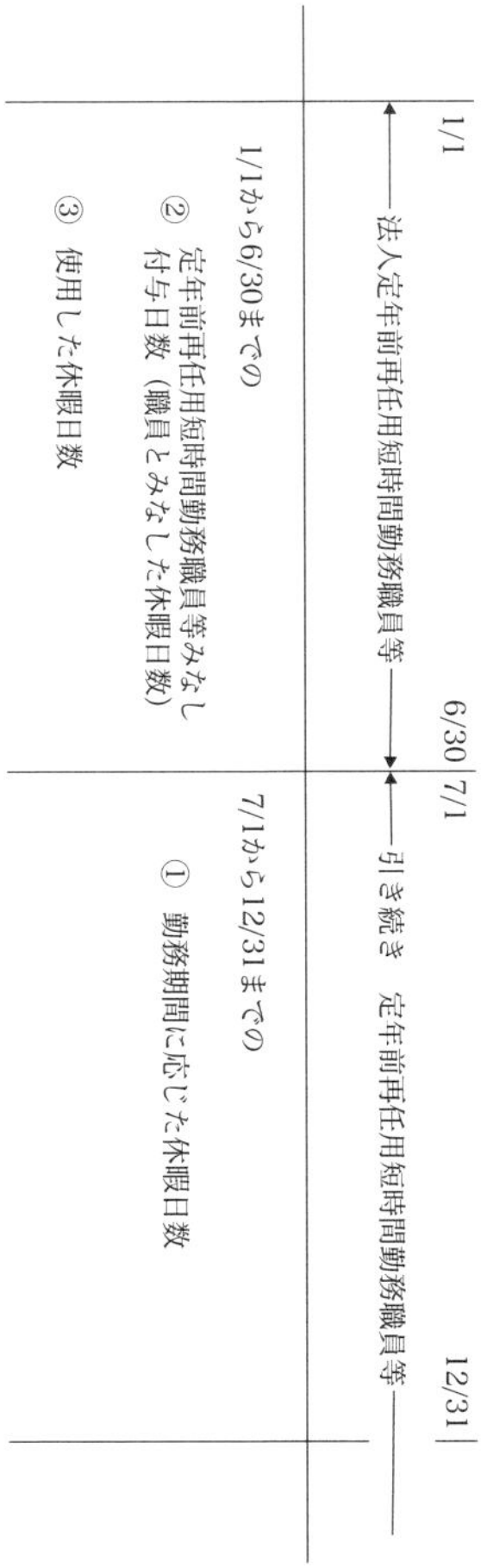

年次休暇付与日数　＝　①＋（②－③）　（①を下回る場合は、①の日数）

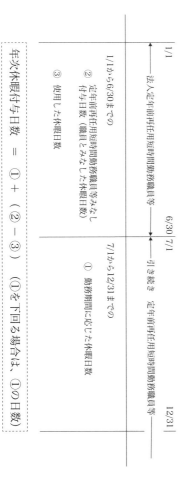

(イ)　その年に定年前再任用短時間勤務職員等となった者が、引き続き法人定年前再任用短時間勤務職員等となり、引き続き定年前再任用短時間勤務職員等となった場合（規則一五―一四運用通知第十二第八項(2)）

1/1 ←定年前再任用短時間勤務職員等→ 3/31｜4/1 ←引き続き 法人定年前再任用短時間勤務職員等→ 6/30｜7/1 ←引き続き 定年前再任用短時間勤務職員等→ 12/31

④　3/31における年次休暇の残日数

②　4/1から6/30までの職員とみなした休暇日数

③　使用した休暇日数

①　7/1から12/31までの勤務期間に応じた休暇日数

年次休暇付与日数　＝　｛①＋（②－③）｝＋④（①を下回る場合は、①の日数）

（←(ア)の日数）

(ウ)　その年の前年に法人定年前再任用短時間勤務職員等であった場合で、その年の初日に定年前再任用短時間勤務職員等となった場合（規則一五―一四運用通知第十二第十項(1)ア）

←法人定年前再任用短時間勤務職員等→｜1/1 ←引き続き　定年前再任用短時間勤務職員等→ 12/31

②　前年の年次休暇に相当する休暇の残日数（前年の残日数。定年前再任用短時間勤務職員等とみなして勤務時間法の規定を適用した場合の付与日数を超えるときは、当該日数。(1)の③も同じ）

①　その年の初日に定年前再任用短時間勤務職員等となった場合の休暇日数

年次休暇付与日数＝①＋②

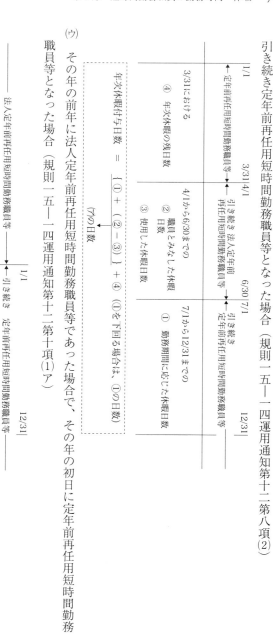

(エ)　その年の前年に法人定年前再任用短時間勤務職員等であった場合で、その年の初日後に定年前再任用短時間勤務職員等となった場合（規則一五—一四運用通知第十二第十項(1)イ）

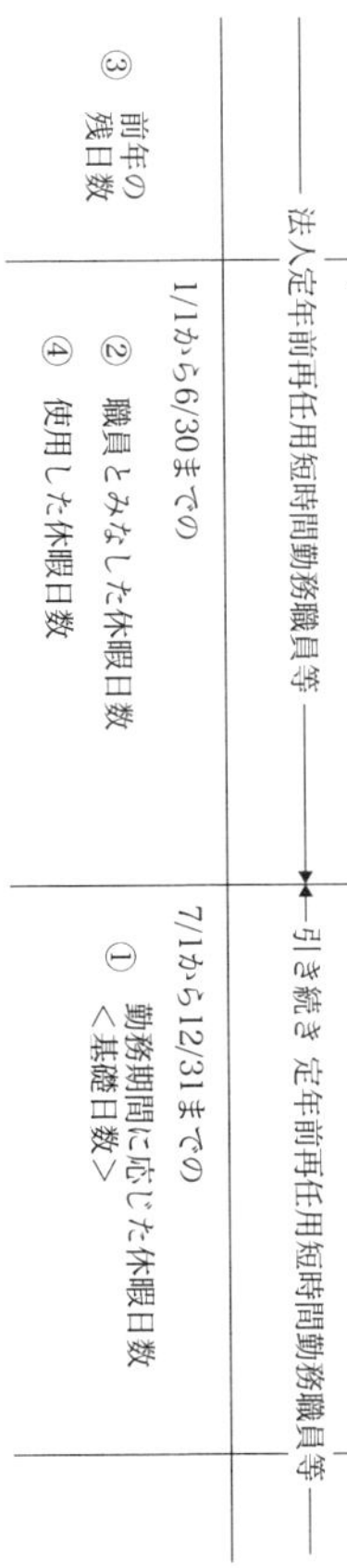

年次休暇付与日数＝①＋｛（②＋③）－④｝（①を下回る場合は、①の日数）

(オ)　その年の前年に定年前再任用短時間勤務職員等であった者が、その年の初日に法人定年前再任用短時間勤務職員等となり、引き続き定年前再任用短時間勤務職員等となった場合（規則一五—一四運用通知第十二第十項(2)ア）

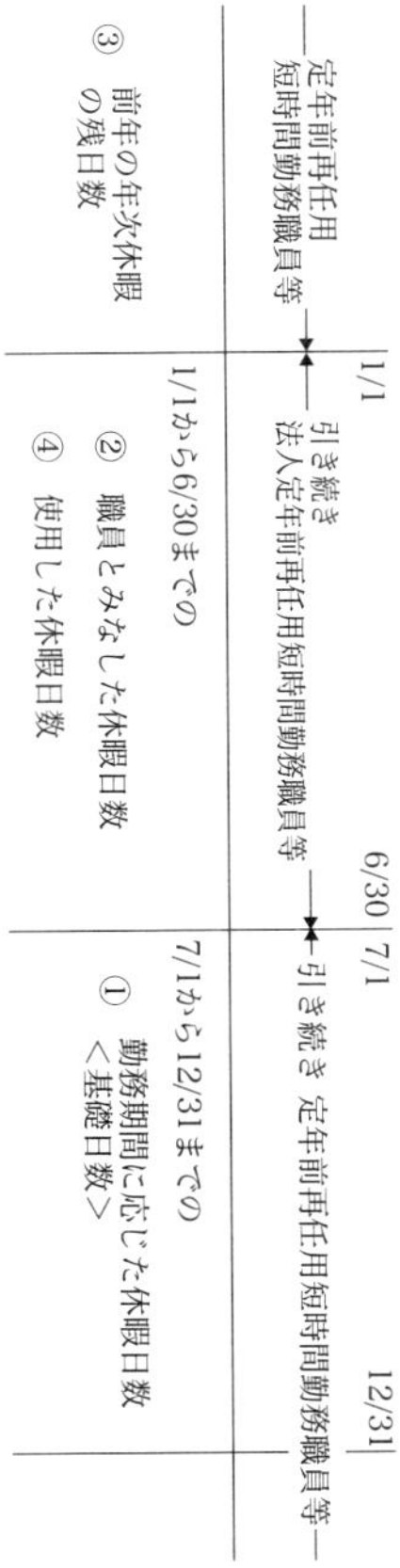

年次休暇付与日数＝①＋｛（②＋③）－④｝（①を下回る場合は、①の日数）

(カ)　その年の前年に定年前再任用短時間勤務職員等であった者が、その年の初日後に法人定年前再任用短時間勤務職

員等となり、引き続き定年前再任用短時間勤務職員等となった場合（規則一五―一四運用通知第十二第十項(2)イ）

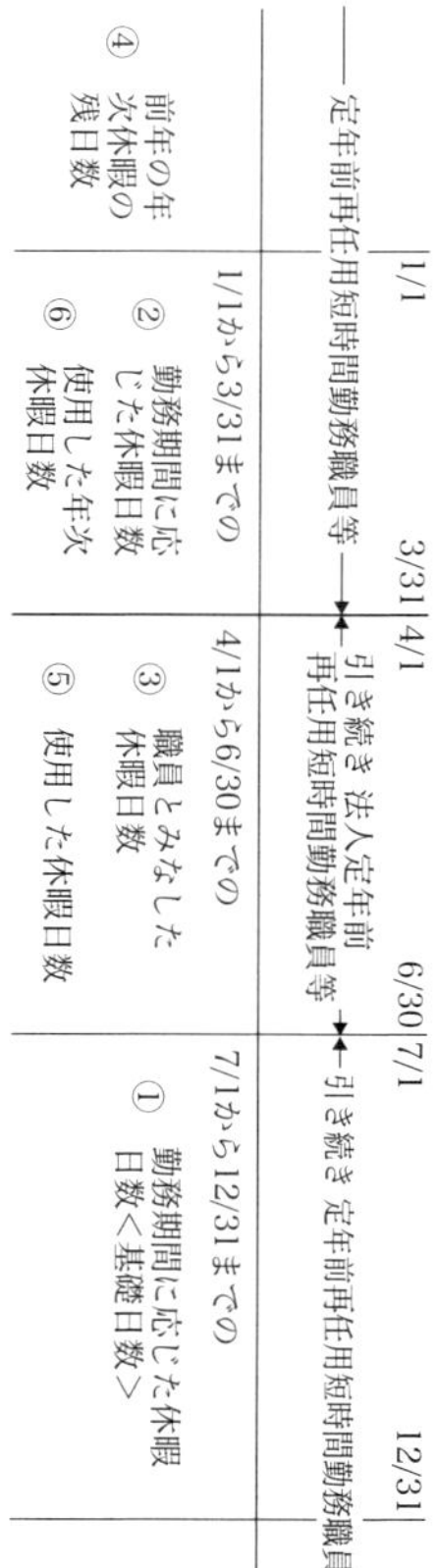

年次休暇付与日数＝①＋②＋③＋④－（⑤＋⑥）（①を下回る場合は、①の日数）

○勤務時間法

（年次休暇）

第十七条

1三　当該年の前年において独立行政法人通則法（平成十一年法律第百三号）第二条第四項に規定する行政執行法人の職員、特別職に属する国家公務員、地方公務員又は沖縄振興開発金融公庫その他その業務が国の事務若しくは事業と密接な関連を有する法人のうち人事院規則で定めるものに使用される者（以下この号において「行政執行法人職員等」という。）であった者であって引き続き当該年に新たに職員となったものその他人事院規則で定める職員　行政執行法人職員等としての在職期間及びその在職期間中における年次休暇に相当する休暇の残日数等を考慮し、二十日に次項の人事院規則で定める日数を加えた日数を超えない範囲内で人事院規則で定める日数

○規則一五―一四

第十八条の二

1二　当該年において、行政執行法人職員等（勤務時間法第十七条第一項第三号に規定する行政執行法人職員等をいう。以

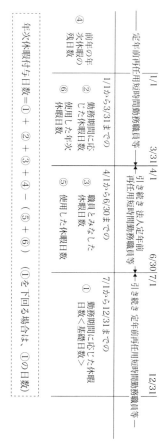

下この条において同じ。）となった者であって引き続き新たに職員となったもの又は官民人事交流法第二条第二項に規定する民間企業に雇用された者であって引き続き官民人事交流法第二十条に規定する交流採用職員となったもの　行政執行法人職員等となった日又は同条に規定する交流元企業に雇用された日において新たに職員となったものとみなした場合におけるその者の在職期間に応じた別表第一の日数欄に掲げる日数から、新たに職員となった日の前日までの間に使用した年次休暇に相当する休暇の日数を減じて得た日数（この号に掲げる職員が定年前再任用短時間勤務職員等である場合にあっては、その者の勤務時間等を考慮し、人事院が別に定める日数）（当該日数が基本日数に満たない場合にあっては、基本日数）

4　勤務時間法第十七条第一項第三号の人事院規則で定める日数は、次の各号に掲げる職員の区分に応じ、当該各号に定める日数（当該日数が基本日数に満たない場合にあっては、基本日数）とする。

一　次号に掲げる職員以外の職員　次に掲げる場合に応じ、次に掲げる日数

イ　当該年の初日に職員となった場合　二十日（当該年の中途において任期が満了することにより退職することとなる場合にあっては、当該年における在職期間に応じ、別表第一の日数欄に掲げる日数）に当該年の前年における年次休暇に相当する休暇又は年次休暇の残日数（当該残日数が二十日を超える場合にあっては、二十日）を加えて得た日数

ロ　当該年の初日後に職員となった場合　この号イの日数から職員となった日の前日までの間に使用した年次休暇に相当する休暇又は年次休暇の日数を減じて得た日数

二　定年前再任用短時間勤務職員等　その者の勤務時間等を考慮し、人事院が別に定める日数

○規則一五—一四運用通知

第十二　年次休暇関係

8　規則第十八条の二第一項第二号の「人事院が別に定める日数」は、次に掲げる職員の区分に応じ、それぞれ次に定める日数とする。

(1)　当該年において、定年前再任用短時間勤務職員等に相当する行政執行法人職員等（勤務時間法第十七条第一項第三号に規定する行政執行法人職員等をいう。以下同じ。）となった者であって、引き続き定年前再任用短時間勤務職員等

となったもの（(2)に掲げる職員を除く。）　当該行政執行法人職員等から引き続き定年前再任用短時間勤務職員等となった日において新たに定年前再任用短時間勤務職員等となったものとして勤務時間法第十七条第一項第二号の規定を適用した場合に得られる日数に、当該行政執行法人職員等となった日において当該行政執行法人職員等が相当する定年前再任用短時間勤務職員等となり、かつ、当該年において定年前再任用短時間勤務職員等となった日の前日において任期が満了することにより退職することとなるものとみなして同号の規定を適用した場合に得られる日数（第十項(2)イにおいて「定年前再任用短時間勤務職員等みなし付与日数」という。）から、同日までの間に使用した年次休暇に相当する休暇の日数（一日未満の端数があるときは、これを切り上げた日数）を減じて得た日数を加えて得た日数

(2)　当該年において、新たに定年前再任用短時間勤務職員等となった者（行政執行法人職員等から引き続き定年前再任用短時間勤務職員等となった者を除く。）であって、引き続き定年前再任用短時間勤務職員等に相当する行政執行法人職員等となり、当該行政執行法人職員等から引き続き定年前再任用短時間勤務職員等となったもの　(1)に定める日数に、当該行政執行法人職員等となった日の前日における年次休暇の残日数（一日未満の端数があるときは、これを切り捨てた日数）を加えて得た日数

10　規則第十八条の二第四項第二号の「人事院が別に定める日数」は、次に掲げる職員の区分に応じ、それぞれ次に定める日数とする。

(1)　当該年の前年に定年前再任用短時間勤務職員等に相当する行政執行法人職員等であった者であって、引き続き当該年に定年前再任用短時間勤務職員等となったもの　次に掲げる場合に応じ、それぞれ次に定める日数

ア　当該年の初日に定年前再任用短時間勤務職員等となった場合　定年前再任用短時間勤務職員等となった日において新たに定年前再任用短時間勤務職員等となったものとして勤務時間法第十七条第一項第一号又は第二号の規定を適用した場合に得られる日数に、当該年の前年における年次休暇に相当する休暇の残日数（一日未満の端数があるときは、これを切り捨てた日数とし、当該日数が当該年の前年における当該行政執行法人職員等として在職した期間を当該行政執行法人職員等が相当する定年前再任用短時間勤務職員等として在職したものとみなして勤務時間法第十七条第一項第一号又は第二号の規定を適用した場合に得られる日数を超えるときは、当該日数。イにおいて同じ。）を加えて得た日数

イ　当該年の初日後に定年前再任用短時間勤務職員等となった場合　当該年において定年前再任用短時間勤務職員等となった日において新たに定年前再任用短時間勤務職員等となったものとして勤務時間法第十七条第一項第二号の規定を適用した場合に得られる日数（(2)において「基礎日数」という。）に、当該年の初日において定年前再任用短時間勤務職員等となり、かつ、当該年において定年前再任用短時間勤務職員等となった日の前日において任期が満了することにより退職することとなるものとみなして同号の規定を適用した場合に得られる日数と当該年の前年における年次休暇に相当する休暇の残日数とを合計した日数から、同日までの間に使用した年次休暇に相当する休暇の日数（一日未満の端数があるときは、これを切り上げた日数）を減じて得た日数を加えて得た日数

(2)　当該年の前年に定年前再任用短時間勤務職員等であった者であって、引き続き当該年に定年前再任用短時間勤務職員等に相当する行政執行法人職員等となり、当該行政執行法人職員等から引き続き定年前再任用短時間勤務職員等となったもの　次に掲げる場合に応じ、それぞれ次に定める日数

ア　当該年の初日に定年前再任用短時間勤務職員等に相当する行政執行法人職員等となった場合　基礎日数に、当該年の初日において定年前再任用短時間勤務職員等となり、かつ、当該年において定年前再任用短時間勤務職員等となった日の前日において任期が満了することにより退職することとなるものとみなして勤務時間法第十七条第一項第二号の規定を適用した場合に得られる日数と当該年の前年における年次休暇の残日数（一日未満の端数があるときは、これを切り捨てた日数。イにおいて同じ。）とを合計した日数から、同日までの間に使用した年次休暇に相当する休暇の日数（一日未満の端数があるときは、これを切り上げた日数）を減じて得た日数を加えて得た日数

イ　当該年の初日後に定年前再任用短時間勤務職員等に相当する行政執行法人職員等となり、当該行政執行法人職員等から引き続き定年前再任用短時間勤務職員等となった場合　基礎日数に、当該年の初日において定年前再任用短時間勤務職員等となり、かつ、当該年において行政執行法人職員等となった日の前日において任期が満了することにより退職することとなるものとみなして勤務時間法第十七条第一項第二号の規定を適用した場合に得られる日数、定年前再任用短時間勤務職員等みなし付与日数及び当該年の前年における年次休暇の残日数を加えて得た日数から、当該年において定年前再任用短時間勤務職員等となった日の前日までの間に使用した年次休暇に相当する休暇の日数及び使用した年次休暇の日数（これらの日数に一日未満の端数があるときは、これを切り上げた日数）を減じて

得た日数

4　定年前再任用短時間勤務職員等の勤務形態に変更があった場合の特例

定年前再任用短時間勤務職員等については、その任期の途中に勤務時間等の勤務形態が変わることはあり得ることである。また、定年前再任用短時間勤務職員となった者が任期の満了後、任期付短時間勤務職員となることもあり得ることである。短時間勤務職員の場合、前述のとおり、一週間当たりの勤務日・勤務時間等に応じて休暇が付与されることから、その勤務形態が変われば休暇の日数が変わることがあるため、本特例はそのような場合について運用通知において規定されたものである。

考え方としては、勤務形態が変更される前の勤務時間・勤務期間に応じた年次休暇日数に、変更後の勤務時間・勤務期間に応じた年次休暇の日数を加えて得た日数から、勤務形態が変更される前までに使用した年次休暇の日数を引いた日数を勤務形態変更後の年次休暇の日数とするものである。例を示せば、次のとおりとなる。

(ア)　その年の初日に定年前再任用短時間勤務職員の勤務時間に変更等があった場合（運用通知第十二第十三項(1)）

(イ)　その年の初日後に定年前再任用短時間勤務職員の勤務時間に変更等があった場合（運用通知第十二第十三項(2)）

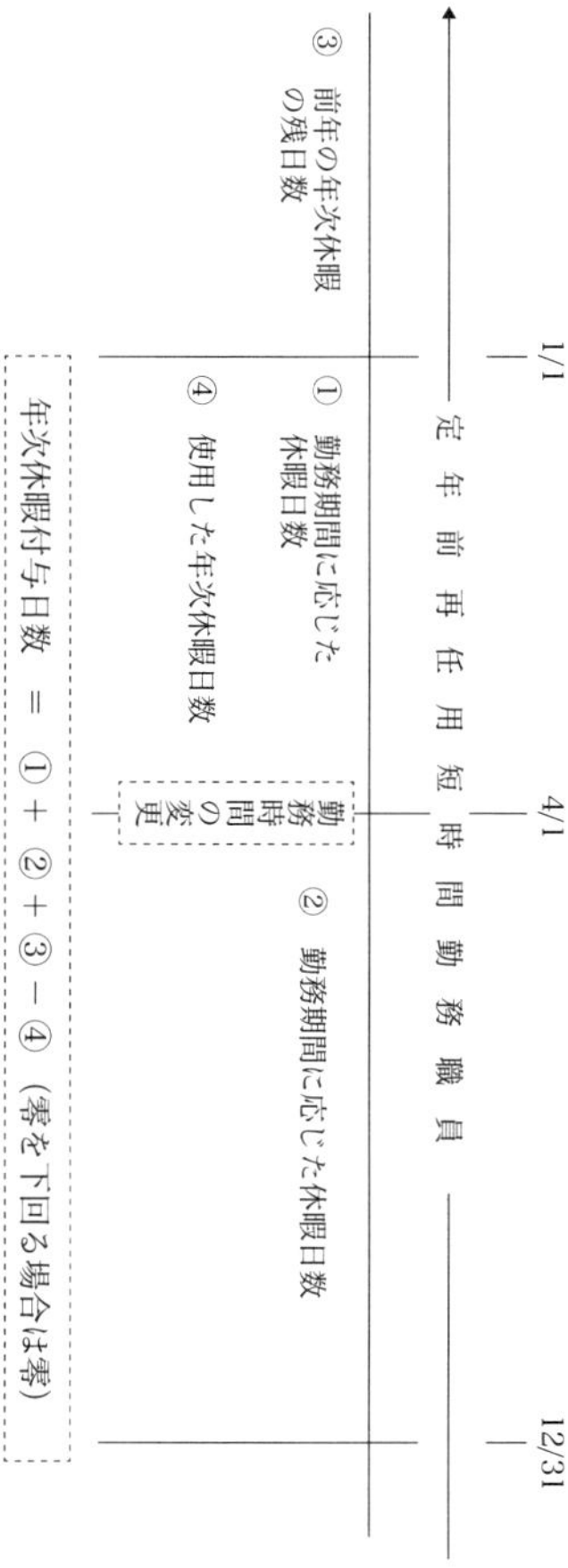

○規則一五―一四運用通知

第十二　年次休暇関係

13　当該年に、定年前再任用短時間勤務職員等が一週間当たりの勤務時間を異にする定年前再任用短時間勤務職員等となり、斉一型短時間勤務職員から一週間当たりの勤務時間を同じくする不斉一型短時間勤務職員となり、若しくは不斉一型短時間勤務職員から一週間当たりの勤務時間を同じくする斉一型短時間勤務職員となったこと又は定年前再任用短時間勤務職員（国家公務員法第六十条の二第二項に規定する定年前再任用短時間勤務職員をいう。以下この項において同じ。）が一週間当たりの勤務時間を同じくする任期付短時間勤務職員となり、若しくは任期付短時間勤務職員が一週間当たりの勤務時間を同じくする定年前再任用短時間勤務職員となったこと（以下この項及び第十四の第三項において「勤務時間の変更等」という。）があった場合における年次休暇の日数は、次に掲げる場合に応じ、それぞれ次に定める日数とする。

(1)　当該年の初日に勤務時間の変更等があった場合　同日において勤務時間の変更等があった日における定年前再任用短時間勤務職員等となったものとみなして勤務時間法第十七条第一項第一号又は第二号の規定を適用した場合に得られる日数に、当該年の前年における年次休暇の残日数（一日未満の端数があるときは、これを切り捨てた日数。(2)において同じ。）を加えて得た日数

(2)　当該年の初日後に勤務時間の変更等があった場合　勤務時間の変更等があった日の前日において任期が満了することにより退職することとなるものとみなして勤務時間法第十七条第一項第二号の規定を適用した場合に得られる日数に、当該勤務時間の変更等があった日において同日における定年前再任用短時間勤務職員等となったものとみなして同号の規定を適用した場合に得られる日数及び当該年の前年における年次休暇の残日数を加えて得た日数から、当該年において同日の前日までの間に使用した年次休暇の日数（一日未満の端数があるときは、これを四捨五入して得た日数）を減じて得た日数（当該日数が零を下回る場合にあっては、零）

5　育児短時間勤務職員等の勤務形態に変更があった場合の特例

フルタイムの常勤職員が育児短時間勤務職員となる場合、育児短時間勤務が終了しフルタイム勤務に戻る場合、育

勤務形態変更の率

変更前＼変更後	①常勤フルタイム勤務職員（7時間45分×5日）	②斉一型短時間勤務職員（3時間55分×5日）	③斉一型短時間勤務職員（4時間55分×5日）	④斉一型短時間勤務職員（7時間45分×3日）	⑤不斉一型短時間勤務職員（7時間45分・7時間45分・3時間55分）
①		5／5	5／5	3／5	19時間25分／38時間45分
②	5／5		5／5	3／5	19時間25分／38時間45分
③	5／5	5／5		3／5	19時間25分／38時間45分
④	5／3	5／3	5／3		19時間25分／23時間15分
⑤	38時間45分／19時間25分	38時間45分／19時間25分	38時間45分／19時間25分	23時間15分／19時間25分	

児短時間勤務の勤務形態を変更する場合（例えば、斉一型短時間勤務から不斉一型短時間勤務への変更や不斉一型短時間勤務から斉一型短時間勤務への変更）など、勤務形態（一週間ごとの勤務日の日数又は勤務日ごとの勤務時間の時間数）の変更前後で休暇の日数が変わってくることがあることから、そのような場合について規定されたものである。

考え方としては、勤務形態変更の前日における残日数に勤務形態変更前後の一週間当たりの勤務日数又は勤務時間数の比率を乗じて得た日数とするものである。

〈勤務形態変更後の日数〉（規則一五—一四第十八条の三）

(ア)　一月一日に勤務形態を変更した場合
（勤務時間法第十七条第一項又は規則一五—一四第十八条の日数）＋（変更前の繰越日数×勤務形態変更の率）
（一日未満の端数は四捨五入）

(イ)　一月一日後に勤務形態を変更した場合
（勤務形態変更の前日における残日数）×（勤務形態変更の率）

○規則一五—一四

第十八条の三　次の各号に掲げる場合において、一週間ごとの勤務日の日数又は勤務日ごとの勤務時間の時間数（以下「勤務形態」という。）が変更されるときの当該変更の日以後における職員の年次休暇の日数は、当該年の初日に当該変更の日の勤務形態を始めた場合にあっては勤務時間法第十七条第一項第一号又は第二号に掲げる日数に同条第二項の規定により当該年の前年から繰り越された年次休暇の日数を加えて得た日数とし、当該年の初日後に当該変更後の勤務形態を始めた場合において、同日以前に当該変更前の勤務形態を始めたときにあっては当該日数から当該年において当該変更の日の前日までに使用した年次休暇の日数を減じて得た日数に、次の各号に掲げる場合に応じ、当該各号に定める率を乗じて得た日数（一日未満の端数があるときは、これを四捨五入して得た日数）とし、当該年の初日後に当該変更前の勤務形態を始めたときにあっては当該勤務形態を始めた日においてこの条の規定により得られる日数から同日以後当該変更の日の前日までに使用した年次休暇の日数を減じて得た日数に、次の各号に掲げる場合に応じ、当該各号に定める率を乗じて得た日数（一日未満の端数があるときは、これを四捨五入して得た日数）とする。

一　定年前再任用短時間勤務職員等及び育児短時間勤務職員等以外の職員が一週間ごとの勤務日の日数及び勤務日ごとの勤務時間の時間数が同一である育児短時間勤務（以下この条において「斉一型育児短時間勤務」という。）を始める場合、斉一型育児短時間勤務職員等が斉一型育児短時間勤務をしている職員が引き続いて勤務形態を異にする斉一型育児短時間勤務を始める場合又は育児短時間勤務職員等が斉一型育児短時間勤務若しくは斉一型短時間勤務（育児休業法第二十二条の規定による短時間勤務のうち、一週間ごとの勤務日の日数及び勤務日ごとの勤務時間の時間数が同一であるものをいう。次号において同じ。）を終える場合　勤務形態の変更後における一週間の勤務日の日数を当該勤務形態の変更前における一週間の勤務日の日数で除して得た率

二　定年前再任用短時間勤務職員等及び育児短時間勤務職員等以外の職員が斉一型育児短時間勤務以外の育児短時間勤務（以下この条において「不斉一型育児短時間勤務」という。）を始める場合、不斉一型育児短時間勤務をしている職員が引き続いて勤務形態を異にする不斉一型育児短時間勤務を始める場合又は育児短時間勤務職員等が不斉一型育児短時間勤務若しくは育児休業法第二十二条の規定による短時間勤務のうち斉一型短時間勤務以外のものを終える場合　勤務形態の変更後における一週間当たりの勤務時間の時間数を当該勤務形態の変更前における一週間当たりの勤務時間の時間数で除して得た率

三　斉一型育児短時間勤務をしている職員が引き続いて不斉一型育児短時間勤務を始める場合　勤務形態の変更後における一週間当たりの勤務時間の時間数を当該勤務形態の変更前における勤務日ごとの勤務時間の時間数を七時間四十五分とみなした場合の一週間当たりの勤務時間の時間数で除して得た率

四　不斉一型育児短時間勤務をしている職員が引き続いて斉一型育児短時間勤務を始める場合　勤務形態の変更後における勤務日ごとの勤務時間の時間数を七時間四十五分とみなした場合の一週間当たりの勤務時間の時間数を当該勤務形態の変更前における一週間当たりの勤務時間の時間数で除して得た率

○規則一五―一四運用通知

第十二　年次休暇関係

12　規則第十八条の三の「当該変更の日の前日までに使用した年次休暇の日数」に一日未満の端数がある場合には、同条の「当該変更の日の前日までに使用した年次休暇の日数を減じて得た日数」は、当該端数を切り上げた日数を減じて得た日数に、当該変更の日の前日において規則第二十条第二項の規定に基づき得られる時間数から当該端数の時間数を減じて得た時間数を当該得られる時間数で除して得た数に相当する日数を加えて得た日数とする。

6　休暇の単位

短時間勤務職員の年次休暇の単位は、常勤職員と同様、原則一日であり、特に必要があると認められるときは、一時間を単位とすることができるとなっている。

なお、一日単位の年次休暇については、不斉一型短時間勤務職員にあっては一回の勤務に割り振られた勤務時間が七時間を超え七時間四十五分（勤務時間法第十一条の規定により勤務時間が延長された職員は八時間）を超えない時間とされている場合でその全てを勤務しないとき、斉一型短時間勤務職員にあっては一日の勤務時間の全てを勤務しないときに使用できることとされている。

また、短時間勤務職員が一時間を単位として使用した年次休暇を日に換算する場合、育児休業法第十二条第一項第一号から第四号までに掲げる勤務形態の育児短時間勤務職員等については、勤務日ごとの勤務時間数をもって、それら以外の斉一型短時間勤務職員については、一日当たりに割り振られた勤務時間（一分未満の端数切り捨て）をもって、育児休業法第十二条第一項第五号に掲げる勤務形態の育児短時間勤務職員等及びそれ以外の不斉一型短時間勤務職員については、七時間四十五分をもって、一日とされている。

○規則一五―一四

（年次休暇の単位）

第二十条　年次休暇の単位は、一日とする。ただし、特に必要があると認められるときは、一時間を単位とすることができる。

2　一時間を単位として使用した年次休暇を日に換算する場合には、次の各号に掲げる職員の区分に応じ、当該各号に定める時間数をもって一日とする。

一　次号から第四号までに掲げる職員以外の職員　七時間四十五分

二　育児休業法第十二条第一項第一号から第四号までに掲げる勤務の形態の育児短時間勤務職員等　次に掲げる規定に掲げる勤務の形態の区分に応じ、次に掲げる時間数

イ　育児休業法第十二条第一項第一号　三時間五十五分

ロ　育児休業法第十二条第一項第二号　四時間五十五分

ハ　育児休業法第十二条第一項第三号又は第四号　七時間四十五分

三　斉一型短時間勤務職員（前号に掲げる職員のうち、斉一型短時間勤務職員を除く。）　勤務日ごとの勤務時間の時間数（一分未満の端数があるときは、これを切り捨てた時間）

四　不斉一型短時間勤務職員（第二号に掲げる職員のうち、不斉一型短時間勤務職員を除く。）　七時間四十五分

○規則一五―一四運用通知

第十二　年次休暇関係

15　一日を単位とする年次休暇は、定年前再任用短時間勤務職員等及び育児短時間勤務職員等以外の職員並びに不斉一型短時間勤務職員にあっては一回の勤務に割り振られた勤務時間が七時間を超え七時間四十五分（勤務時間法第十一条の規定により勤務時間が延長された職員にあっては、八時間）を超えない時間とされている場合において当該勤務時間の全てを勤務しないときに、斉一型短時間勤務職員にあっては一日の勤務時間の全てを勤務しないときに使用できるものとする。

二　不妊治療に係る通院等の場合、妻が出産する場合、男性職員が育児に参加する場合、子の看護をする場合及び要介護者の介護等を行う場合の特別休暇

１　休暇の日数

短時間勤務職員の「不妊治療に係る通院等の場合」、「妻が出産する場合」、「男性職員が育児に参加する場合」、「子の看護をする場合」及び「要介護者の介護等を行う場合」の特別休暇は、常勤職員と同様の日数が付与される。

○規則一五―一四

（特別休暇）

第二十二条

五の二　職員が不妊治療に係る通院等のため勤務しないことが相当であると認められる場合　一の年において五日（当該通院等が体外受精その他の人事院が定める不妊治療に係るものである場合にあっては、十日）の範囲内の期間

九　職員が妻（届出をしないが事実上婚姻関係と同様の事情にある者を含む。次号において同じ。）の出産に伴い勤務しないことが相当であると認められる場合　人事院が定める期間内における二日の範囲内の期間

十　職員の妻が出産する場合であってその出産予定日の六週間（多胎妊娠の場合にあっては、十四週間）前の日から当該出産の日以後一年を経過する日までの期間にある場合において、当該出産に係る子又は小学校就学の始期に達するまでの子（妻の子を含む。）を養育する職員が、これらの子の養育のため勤務しないことが相当であると認められると

き　当該期間内における五日の範囲内の期間

十一　小学校就学の始期に達するまでの子（配偶者の子を含む。以下この号において同じ。）を養育する職員が、その子の看護（負傷し、若しくは疾病にかかったその子の世話又は疾病の予防を図るために必要なものとして人事院が定めるその子の世話を行うことをいう。）のため勤務しないことが相当であると認められる場合　一の年において五日（その養育する小学校就学の始期に達するまでの子が二人以上の場合にあっては、十日）の範囲内の期間

十二　勤務時間法第二十条第一項に規定する要介護者（以下「要介護者」という。）の介護その他の人事院が定める世話を行う職員が、当該世話を行うため勤務しないことが相当であると認められる場合　一の年において五日（要介護者が二人以上の場合にあっては、十日）の範囲内の期間

２　休暇の単位

「不妊治療に係る通院等の場合」、「妻が出産する場合」、「男性職員が育児に参加する場合」、「子の看護をする場合」及び「要介護者の介護等を行う場合」の特別休暇の単位については、フルタイムの常勤職員と同様に、休暇の請求は一日、一時間又は一分を単位として取り扱い、承認は一日又は一時間として取り扱う。また、これらの休暇の残日数のすべてを使用しようとする場合に限り、当該残日数に一時間未満の端数があるときには、当該残日数のすべてを使用することができる。

一日の単位は一回の勤務に割り振られた勤務時間の全てを勤務しないときに使用するものとし、一時間を単位として使用したこれらの休暇を日に換算する場合には、不斉一型短時間勤務職員にあっては七時間四十五分、斉一型短時間勤務職員にあっては勤務日ごとの勤務時間数（七時間四十五分を超える場合にあっては、七時間四十五分とし、一分未満の端数があるときは、これを切り捨てた時間）をもって一日とする。

なお、定年前再任用短時間勤務職員や育児短時間勤務職員などの勤務形態が変わった場合、勤務日ごとの勤務時間

数が異なり、休暇一日に相当する時間数が異なることが起こりうることから、そのような場合について、特別休暇の残日数の一日未満の端数である残時間を対象に調整を行うものとしている。

○規則一五―一四

（特別休暇）

第二十二条

２　前項第五号の二及び第九号から第十二号までの休暇（以下この条において「特定休暇」という。）の単位は、一日又は一時間とする。ただし、特定休暇の残日数の全てを使用しようとする場合において、当該残日数に一時間未満の端数があるときは、当該残日数の全てを使用することができる。

３　一日を単位とする特定休暇は、一回の勤務に割り振られた勤務時間の全てを勤務しないときに使用するものとする。

４　一時間を単位として使用した特定休暇を日に換算する場合には、次の各号に掲げる職員の区分に応じ、当該各号に定める時間数をもって一日とする。

一　次号及び第三号に掲げる職員以外の職員　七時間四十五分

二　斉一型短時間勤務職員　勤務日ごとの勤務時間の時間数（七時間四十五分を超える場合にあっては、七時間四十五分とし、一分未満の端数があるときは、これを切り捨てた時間）

三　不斉一型短時間勤務職員　七時間四十五分

○規則一五―一四運用通知

第十四　特別休暇関係

２　特別休暇は、必要に応じて一日、一時間又は一分を単位として取り扱うものとする。

３　規則第二十二条第一項第五号の二、第十一号若しくは第十二号に規定する一の年の初日から末日までの期間、同項第九号に規定する人事院が定める期間又は同項第十号に規定する出産予定日の六週間（多胎妊娠の場合にあっては、十四週間）前の日から当該出産の日以後一年を経過する日までの期間（以下この項において「対象期間」という。）内において、規則第十八条の三各号に掲げる場合又は勤務時間の変更等に該当したときは、当該該当した日（その日が対象期間の初日である場合を除く。以下この項において「該当日」という。）における特定休暇の日数及び時間数は、次に掲げる場合に応じ、次に掲げる日数及び時間数とする。この場合において、対象期間内に二以上の該当日があるときは、直前の該当日を対象期間の初日と、当該直前の該当日においてこの項の規定を適用した場合に得られる日数及び時間数を当該該当日における特定休暇の日数及び時間数とそれぞれみなして、各々の該当日について同項の規定を順次適用した場合に得られる日数及び時間数とする。

(1)　対象期間の初日から該当日の前日までの間に使用した特定休暇の日数に一日未満の端数がない場合　対象期間の初日における特定休暇の日数から、同日から該当日の前日までの間に使用した当該特定休暇の日数を減じて得た日数

(2)　対象期間の初日から該当日の前日までの間に使用した特定休暇の日数に一日未満の端数がある場合　対象期間の初日における特定休暇の日数から、同日から該当日の前日までの間に使用した当該特定休暇の日数（当該端数を切り上げた日数）を減じて得た日数及び該当日において規則第二十二条第四項の規定により得られる時間数から当該端数の時間数を減じて得た時間数（当該時間数が零を下回る場合にあっては、零）

三　その他の休暇

短時間勤務職員の病気休暇、特別休暇、介護休暇及び介護時間の取扱いについては、フルタイムの常勤職員の場合と基本的に同様となっているものの、短時間勤務職員については勤務時間が短いことから、特別休暇のうち公民権の行使、官公署への出頭、ボランティア活動などは勤務時間外に行える場合もあること、また、介護休暇や介護時間についても、毎週特定の曜日・時間に介護を行うような場合には、勤務時間の割振り上の配慮等による対応も可能であることにも留意する必要がある。

第六部　非常勤職員の勤務時間・休暇等

第一節　非常勤職員の勤務時間等

非常勤職員については、業務の必要に応じて任用することを原則とするところから、その任用形態もまちまちであり、一律に勤務時間を定めることは適当ではないが、少なくともこれらの職員についても適正な勤務条件の確保がなされることが必要である。このため、非常勤職員の勤務時間については、勤務時間法第二十三条の委任に基づく規則一五―一五により、相当の期間任用される職員を就けるべき官職以外の官職である非常勤官職に任用される非常勤職員については一日につき七時間四十五分を超えず、かつ、常勤職員の一週間当たりの勤務時間を超えない範囲内において、その他の非常勤職員については常勤職員の一週間当たりの勤務時間の四分の三を超えない範囲内において、各省各庁の長が任意に定めることとされている。

なお、非常勤職員であっても、定年前再任用短時間勤務職員（暫定再任用短時間勤務職員を含む。）及び任期付短時間勤務職員については、これと異なる取扱いが定められていることについては前述のとおりである。

○勤務時間法

（非常勤職員の勤務時間及び休暇）

第二十三条　常勤を要しない職員（定年前再任用短時間勤務職員を除く。）の勤務時間及び休暇に関する事項については、第五条から前条までの規定にかかわらず、その職務の性質等を考慮して人事院規則で定める。

○規則一五―一五

（勤務時間）

第二条　非常勤職員の勤務時間は、相当の期間任用される職員を就けるべき官職以外の官職である非常勤官職に任用される非常勤職員については一日につき七時間四十五分を超えず、かつ、常勤職員の一週間当たりの勤務時間を超えない範囲内において、その他の非常勤職員については当該勤務時間の四分の三を超えない範囲内において、各省各庁の長（勤務時間法第三条に規定する各省各庁の長をいう。以下同じ。）の任意に定めるところによる。

一　相当の期間任用される職員を就けるべき官職以外の官職である非常勤官職に任用される非常勤職員

1　「相当の期間任用される職員を就けるべき官職以外の官職である非常勤官職」について

従前、非常勤職員の勤務時間については、「日々雇い入れられる職員」と「その他の職員」に分けて規定されていた。

このうち、「日々雇い入れられる職員」については、一日単位の任期に加えて閣議決定により任用予定期間を定めることとされていたものの、特段の事情がない限り、任用予定期間満了まで雇用されており、その後、再度任用される運用も見受けられた。しかし、任期が一日単位とされていることから、任用予定期間中でも退職させることができることとされ、制度上不安定な地位に置かれていた。そこで、現行の関係諸制度の下でとりうる措置として、日々雇用が更新されるという仕組みを廃止し、非常勤職員のうち、相当の期間任用される職員を就けるべき官職以外の官職である非常勤官職であって、一会計年度内に限って、臨時的に置かれるものに就けるために任用された職員（一週間当たりの勤務時間が、勤務時間法第五条第一項に規定する勤務時間の四分の三を超えない時間であるものを除く。以下「期間業務職員」という。）について、会計年度内で臨時的な業務に応じて最長一年間の任期を設置して任用するという期間業務職員制度が、規則八―一二の改正により平成二十二年十月に設けられた。

これに伴い、規則一五―一五が改正され、「日々雇い入れられる職員」の勤務時間についての定めが削除され、「相当の期間任用される職員を就けるべき官職以外の官職である非常勤官職に任用される非常勤職員」の勤務時間についての定めが設けられた。

なお、規則八―一二第四条第十三号では、「相当の期間任用される職員を就けるべき官職以外の官職である非常勤官職であって、一会計年度内に限って臨時的に置かれるもの……に就けるために任用される職員」と規定されており、規則一五―一五と同様、従前の「日々雇い入れられる職員」に代わる非常勤職員を念頭に置いているにもかかわらず、規定ぶりが異なっている。これは、規則八―一二においては、これまでの「日々雇い入れられる職員」が昭和三十六年の閣議決定に基づき同一の会計年度の範囲内で任用予定期間が定められてきたことや期間業務職員制度の導入をめぐり定員管理制度との関係等について関係省庁と議論を積み重ねてきた経緯等を踏まえ、任用制度上、「一会計年度内に限って臨時的に置かれる非常勤官職」は「相当の期間任用される職員を就けるべき官職以外の官職である非常勤官職」であることを確認的に明示する必要があった一方で、規則一五―一五においては、非常勤職員の勤務時間を定めるものであることから、常勤官職かどうかのメルクマールである「相当の期間任用される職員を就けるべき官職以外の官職である非常勤官職」に着目して、「相当の期間任用される職員を就けるべき官職」と規定すれば足りるとの判断があったものと考えられる。加えて、委員、顧問、参与など法令に設置根拠がある非常勤官職を除き、いわゆるパートタイムの非常勤官職がどのように設置されているかを整理することは困難であるが、定員管理制度の趣旨や非常勤職員の給与が予算の範囲内で支給するとされていることも踏まえれば、「相当の期間任用される職員を就けるべき官職以外の官職である非常勤官職」で会計年度を超えて置かれる非常勤官職は想定されないと考えられたことも一因であろう。

また、規則八―一二では「相当の期間任用される……一会計年度内に限って臨時的に置かれるもの（法第六十条の二第一項に規定する短時間勤務の官職その他人事院が定める官職を除く。）」とされ、「人事院が定める官職」とは、一週間当たりの勤務時間が常勤職員の勤務時間の四分の三を超えない時間である官職であるとされている。このように、期間業務職員の対象範囲を定めるに当たって勤務時間の下限が基準として設けられているのは、期間業務職員制度の導入が、一日の勤務時間数が常勤職員と同じであることが一般的であった「日々雇い入れられる職員」の仕組みを廃止し、その「日々雇い入れられる職員」を期間業務職員に置き換えることが基本とされていたことによるものであると考えられる。一方、規則一五―一五においては、勤務時間の上限のみが定められているが、これは、業務の必要に応じて任用される非常勤職員については、当然その業務に必要な任期、勤務時間がそれぞれ設定されることが予定されており、職員の健康と福祉を考慮した適正な勤務条件を確保する観点からは、労基法同様、労働に係る時間の上限さえ規定しておけば足りることによるものである。

○規則八―一二

（定義）

第四条

十三　期間業務職員　相当の期間任用される職員を就けるべき官職以外の官職である非常勤官職であって、一会計年度内に限って臨時的に置かれるもの（法第六十条の二第一項に規定する短時間勤務の官職その他人事院が定める官職を除く。）に就けるために任用される職員

○規則八―一二運用通知

第四条関係

２　この条の第十三号の「人事院が定める官職」は、その官職を占める職員の一週間当たりの勤務時間が、一般職の職員の勤務時間、休暇等に関する法律（平成六年法律第三十三号。以下「勤務時間法」という。）第五条第一項に規定する勤務時間の四分の三を超えない時間であるものとする。

なお、このような任用・勤務形態の見直し後においても、本来定員外に置かれる非常勤職員が、実態的に継続勤務し、外観上も何ら常勤職員と異ならなくなることは、定員規制の面からは当然、人事管理上も必ずしも好ましい現象とはいえない面があると考えられ、期間業務職員制度創設時に開催された人事管理官会議幹事会における旧総務省人事・恩給局からの発言（期間業務職員の採用に当たっては、制度趣旨を十分に踏まえ、任期終了後の再採用を当然に予定するような運用を行ったり、あらかじめ任期終了後の再採用が確実であると期間業務職員に誤解されるような対応を行ったりしないこと等）を踏まえた対応が各省庁には求められている。

2　「一日につき七時間四十五分を超えず、かつ、一週間当たりの勤務時間が三十八時間四十五分を超えない範囲」の取扱い

従前の「日々雇い入れられる職員」については、任期が一日であることから、「一日につき七時間四十五分を超えない範囲内」と、一日の勤務時間の上限のみが定められていたが、「相当の期間任用される職員を就けるべき官職以外の官職である非常勤官職に任用される非常勤職員」である期間業務職員については最大一年を限度としてその任期が定められることとなったことを踏まえ、適正な勤務条件を定める観点から、一週間当たりの勤務時間の上限についても規定されることとなった。「一週間当たり」を任期中のどの期間における一週間とするかに関する定めについては、非常勤職員の任期及び勤務形態が多様で一律的な定めになじまないため設けられていないが、個々の非常勤職員の任期及び勤務形態に応じ、各省各庁の長が常勤職員の勤務時間に関する基準を考慮して適切に定めるべきであろう。

なお、一日の勤務時間を定めるに当たっては、その下限が定められていないことから、一日七時間四十五分の範囲内で、個別具体的な事情に応じて各省各庁の長が定めればよいことになる。

二　一の非常勤職員以外の非常勤職員

一で述べた「相当の期間任用される職員を就けるべき官職以外の官職である非常勤官職に任用される非常勤職員」以外の非常勤職員とは、いわゆるパートタイムの非常勤職員であって、その一週間の勤務時間は、常勤職員の勤務時間が一週間当たり三十八時間四十五分と定められていることから、その四分の三、すなわち二十九時間三分四十五秒以内で定められる。もっとも、半端な単位で勤務時間を設定することは通常は想定し難いところであり、業務の必要性、勤務時間を適正に管理する観点等から適宜定められることとなる。

ところで、常勤職員の勤務時間は一週間当たり三十八時間四十五分と定められているが、例外的に、船舶に乗り組む職員については、四十時間と定めることができることから、四十時間の四分の三、すなわち一週間当たり三十時間以内の勤務時間の非常勤職員があり得るかが問題となる。これについては現在はっきりした行政事例はないが、常識的にみれば、規則にいう「常勤職員の一週間当たりの勤務時間」は、勤務時間法第五条の「一週間当たり三十八時間四十五分とする」とされているものと解されるので、三十八時間四十五分が基本となって、一週間当たり二十九時間三分四十五秒以内と考えるのが妥当であろう。

また、「四分の三」としたのはいかなる理由であるかについては、昭和二十四年の非常勤職員制度創設当時の資料にも積極的に触れたものがないため、類推の域を出ないが、当時制定された行政機関職員定員法との関係で、常勤職員と非常勤職員の勤務時間の差を最小限度四分の一としておけば、その間の混同を生じないと考えたものと解される。

三　勤務時間の定め及び通知

非常勤職員であっても、職員として任用され、職務を担当する以上、担当すべき職務及び勤務すべき時間が定まっていてしかるべきであり、その勤務時間については、単に週二十時間等と定められるばかりでなく、例えば、月曜の午前八時三十分から午後〇時三十分まで、火曜の午後一時から五時まで等と具体的に割り振られていなければならない。また、勤務を提供すべき日及び時間が定められることが、任用の条件になり、職務専念義務が課せられた時間にもなるため、これらについては、明確に定められなければならない。

非常勤職員の勤務時間等を定めるに当たっての基準として、規則一五―一五運用通知において、①非常勤職員の休憩時間及び定められた勤務時間以外の時間における勤務については、常勤職員の例に準じて取り扱うものとすること、②非常勤職員の勤務時間を定めるに当たっては、常勤職員の勤務時間に関する基準を考慮するものとすることが定められている。①は、勤務形態が多様である非常勤職員であっても、休憩時間及び定められた勤務時間以外の勤務に関しては、全ての職員に共通して適用できるものであることから、原則として常勤職員の例に準じて各省各庁の長は定めなければならないことを定めたものであり、②は、それら以外の勤務時間の基準についても、常勤職員の勤務時間に関する基準を原則として考慮して定めなければならないことを定めたものである。なお、②については、「考慮」を求めるものであり、ある非常勤職員の勤務時間の定めについて常勤職員の勤務時間の基準を考慮した結果、その基準によることができないと判断し、異なる取扱いをすることも、各省各庁の責任において許容されていると解される。

このようにして定められた勤務すべき日、始業時刻、終業時刻による勤務すべき時間、休憩時間等は非常勤職員の基本的な勤務条件であることから、人事異動通知書等により適切に通知することが必要である。

○規則一五―一五運用通知

第二条関係

1　各省各庁の長は、非常勤職員の勤務時間の内容（始業及び終業の時刻、休憩時間等を含む。）について、人事異動通知書その他適当な方法により、当該非常勤職員に対して通知するものとする。

2　非常勤職員の休憩時間及び定められた勤務時間以外の時間における勤務については、常勤職員の例に準じて取り扱うものとする。

3　各省各庁の長は、非常勤職員の勤務時間を定めるに当たっては、常勤職員の勤務時間に関する基準を考慮するものとする。

四　非常勤職員の週休日等

非常勤職員の勤務時間制度は、勤務時間法で一律に勤務時間、週休日が定められている常勤職員とは基本的にその制度を異にしており、常勤職員と同じ意味での「週休日」という概念はない。従前の非常勤職員の雇用形態においては、日々雇用職員についてみれば、これらの職員の任期は一日であり、雇用予定期間内で雇用が日々更新されているにすぎないことから、任期一日を前提としての週休日は制度的になじまないものであり、また、日々雇用以外の職員についてみても、もともとこれらの職員の勤務時間は常勤職員のそれを大幅に下回っており、常勤職員との均衡を考慮する必要はないとして、常勤職員と同様の週休日は制度的にも採る余地はないものと考えられていた。

しかしながら、期間業務職員制度の創設に合わせて改正された規則一五―一五運用通知においては、非常勤職員の勤務時間を定めるに当たっては、常勤職員の勤務時間に関する基準を考慮するものとされており、各省各庁の長は、職務の実態、常勤職員との均衡等を考慮しつつ、任用の仕方の中で週休日に相当する日を設定していくことが求められている。

また、国民の祝日に関する法律に規定する休日についても、当然に勤務を要する日か否かが定められなければならないが、この取扱いについては、次の事例にみられるように、常勤職員の勤務との関係等もあり、一般に、休日は常勤職員の週休日に相当する日とすることが適当であろう。

【事例】

（質問）

1　労働基準法第三十五条に定める休日及び国民の祝日に関する法律に定める休日については、標記運用方針に何らふれていないが、これらの休日は非常勤職員においてはどのように取り扱うべきであるか。

（昭三〇・八・一八　〇三―四三二　人事院東京地方事務所長）

（回答）

1　労働基準法第三十五条に定める休日及び国民の祝日に関する法律に定める休日は、常勤職員に準じた勤務日に勤務する非常勤職員が継続して雇用される場合（雇用が継続して更新されることが予定されている場合を含む。）においては、これを、勤務を要しない日として取り扱うことが至当である。したがって、この勤務を要しない日に勤務させなかった場合には給与は支給しない。また勤務させた場合には、その非常勤職員が、相当期間継続して雇用される場合に限り、その者に対して平日の給与額の百分の二十五に相当する割増給与を支給するのが適当である。なお、上記において日々雇用の非常勤職員を、その雇用を引き続き更新することを予定して雇用するに当たっては、その雇用予定期間を人事異動通知書又はこれに代わる文書等によって、明示すべきことについては、人事院の判定においてもすでに要請されていることであるから、この点念のため申し添える。

（昭三〇・八・二六　三四―二七三　給与局長）

しかしながら前記事例は、すべての場合に休日を週休日に相当する日とするとしているものではなく、次の事例の場合のごとく勤務日（勤務を要する日）とすることも当然に考えられる。

【事例】

（質問）

２(イ)　「常勤職員に準じた勤務時間で勤務する非常勤職員」のうちで、当該官署における勤務態様が同様な常勤職員とともに祝日に勤務することが予定されている者には、祝日を「勤務を要する日」として勤務を命ずることができるか。この場合において給与はいかに取り扱うべきか。（昭三二・一・一一　名地一―一五　人事院名古屋地方事務所長）

（回答）

２(イ)　当該祝日に、その官署の非常勤職員が勤務することが常態である旨をあらかじめ明らかに定めている場合にあっては、これを「勤務を要する日」として取り扱うことを妨げるものではない。この場合、当該祝日の勤務に対する給与は、各庁の長が定めるところであるが、その非常勤職員が相当期間継続雇用されている等のために常勤職員の給与との均衡上、適当であると認める場合には、通常の勤務日における給与を割増して支給して差し支えないものと解する。（昭三二・三・六　給三―五　給与局長）

また、年末年始の休日についても、次の事例に示される取扱いにより、あらかじめ週休日に相当する日とするかどうかを定めなければならないが、この場合にも、前記休日の場合についてと同様、勤務関係の実態に即して、個々に判断されることになろう。

【事例】

（質問）

３　非常勤職員については、年末年始の休暇日に相当する日を「勤務を要しない日」として取り扱うか否かは雇用契約いかんによるものと解してもよいか。この際当該休暇日を「勤務日」（何らの契約がなされなかった場合を含む。）とした場合において、勤務しなかったときは雇用期間が明示されている非常勤職員については、１の(イ)により黙示の非常勤職員については、２の取扱いによるものと解してよいか。（昭三〇・九・一三　〇四―四一五　人事院名古屋地方事務所長）

（回答）

3　非常勤職員については、年末年始の休暇日に相当する日を「勤務を要しない日」として取り扱うかどうかは、任命権者の定むべきところであるが、その際日々雇用の非常勤職員に対する当面における実際上の取扱いとしては次に掲げるところによることが適当である。

(イ)　引き続き雇用されている非常勤職員については、当該官署における勤務態様が同様な常勤職員とともに年末、年始の休暇に相当する日に勤務することを常態とする場合、又はこれらの日に正規の勤務を行うことが予定されている場合（例えば守衛等）には、労働基準法第三十五条に定める休日に該当する場合を除き「勤務を要する日」とし、しからざる場合には「勤務を要しない日」とする。

(ロ)　雇用が引き続かない非常勤職員（純然たる日雇者）については、実際に勤務させる日は全て当然「勤務を要する日」とみるべきであるから「勤務を要しない日」としての取扱いは行わない。〔中略〕

なお、規則一五―四第二項に規定する年次有給休暇を与える際の勤務日の計算については、前記の「勤務を要しない日」を「全労働日」の中に含めないことになるので念のため申し添える。

（昭三〇・一二・二八　三四―四二九　給与局給与第三課長）

（注）①　先述のとおり、日々雇用職員の仕組みは廃止され、期間業務職員制度となっている。

②　「年末年始の休暇日」は、現在「年末年始の休日」とされている。

③　規則一五―四第二項は、現在規則一五―一五第三条となっている。

五　非常勤職員の時間外勤務

非常勤職員についても公務のため臨時又は緊急の必要が生ずる場合が当然起こり得るが、その場合にその非常勤職員に対し、あらかじめ定められた勤務時間を超えて勤務を命じ得るかどうかが問題となる。

既に述べてきたとおり、非常勤職員の勤務時間については、「一日につき七時間四十五分を超えず、かつ、常勤職員の一週間当たりの勤務時間を超えない」か、「常勤職員の一週間当たりの勤務時間の四分の三を超えない」という制限があるが、これらの基準だけでなく、一般にあらかじめ定められた勤務時間を超えられないと考える向きもあった。しかし、先述のとおり、規則一五―一五運用通知第二条関係第二項において、非常勤職員の定められた勤務時間以外の時間における勤務については、常勤職員の例に準じて取り扱うものと規定されているため、常勤職員の例に準じて非常勤職員に対して時間外勤務を命じることは制度上可能となっている。この場合の時間外勤務には、勤務時間法第十三条第一項に定める宿日直勤務に相当する勤務も含み得ると解されている。

しかしながら、非常勤職員は必要に応じて任用されることを原則とするものであることから、いわゆる超過勤務手当、宿日直手当に相当する給与を支給すれば、何時間でも時間外勤務を命じても差し支えないとして、これらの職員について、常態的に時間外勤務を命じ、結果的に常勤職員と同様な勤務態様となるようなことは、厳に慎まなければなるまい。

第二節　非常勤職員の休暇

非常勤職員が勤務を続ける間においても、常勤職員と同様に、積極的に労働力の維持増進を図る意味での休養が必要となることもあるし、事故等のため勤務できないことも起こり得る。勤務時間法第二十三条では、非常勤職員の休暇については、その職務の性質等を考慮して人事院規則で定めると規定している。勤務時間法の制定に合わせて、この規定を根拠に規則一五―一五が制定された。従前の規則一五―一二は廃止されたが、その内容は、基本的には引き継がれ、従前同様、休暇を「年次休暇」と「年次休暇以外の休暇」の二種類に分けて規定している。

○勤務時間法

（非常勤職員の勤務時間及び休暇）

第二十三条　常勤を要しない職員（定年前再任用短時間勤務職員を除く。）の勤務時間及び休暇に関する事項については、第五条から前条までの規定にかかわらず、その職務の性質等を考慮して人事院規則で定める。

一　年次休暇

年次休暇の性格は、雇用関係の中で、職員の休息、娯楽、能力啓発等のため、その利用目的の如何にかかわらず保障される休暇で、民間における年次有給休暇に相当するものである。その意味において、非常勤職員の年次休暇の性格は、常勤職員の年次休暇と同様である。

1　年次休暇の要件

年次休暇を与えられる職員は、規則一五―一五第三条において「人事院の定める要件を満たす非常勤職員」とされている。具体的な要件は、規則一五―一五運用通知によって定められており、雇用の日から六月間継続勤務し、全勤務日の八割以上出勤した場合に年次休暇が付与されることになる。この取扱いは労基法と同様である。

他方、常勤職員の年次休暇と比較すれば、非常勤職員の場合、一定の継続勤務、出勤の実績の要件を満たしてはじめて休暇が認められる点において特色を有している。

○規則一五―一五

（年次休暇）

第三条　各省各庁の長は、人事院の定める要件を満たす非常勤職員に対して人事院の定める日数の年次休暇を与えなければならない。

○規則一五―一五運用通知

第三条関係

１　年次休暇が認められる非常勤職員の要件及びその日数は、それぞれ次に定めるとおりとする。

(1)　一週間の勤務日が五日以上とされている職員、一週間の勤務日が四日以下とされている職員で一週間の勤務時間が二十九時間以上であるもの及び週以外の期間によって勤務日が定められている職員で一年間の勤務日が二百十七日以上であるものが、雇用の日から六月間継続勤務し全勤務日の八割以上出勤した場合　次の一年間において十日

(2)　(1)に掲げる職員が、雇用の日から一年六月以上継続勤務し、継続勤務期間が六月を超えることとなる日（以下「六月経過日」という。）から起算してそれぞれの一年間の全勤務日の八割以上出勤した場合　それぞれ次の一年間において、十日に、次の表の上〔左〕欄に掲げる六月経過日から起算した継続勤務年数の区分に応じ同表の下〔右〕欄に掲げる日数を加算した日数

６月経過日から起算した継続勤務年数	日数
１年	１日
２年	２日
３年	４日
４年	６日
５年	８日
６年以上	10日

(3)　一週間の勤務日が四日以下とされている職員（一週間の勤務時間が二十九時間以上である職員を除く。以下この(3)において同じ。）及び週以外の期間によって勤務日が定められている職員で一年間の勤務日が四十八日以上二百十六日以下であるものが、雇用の日から六月間継続勤務し全勤務日の八割以上出勤した場合又は雇用の日から一年六月以上継続勤務し六月経過日から起算してそれぞれの一年間の全勤務日の八割以上出勤した場合　それぞれ次の一年間において、一週間の勤務日が四日以下とされている職員にあっては次の表の上欄に掲げる一週間の勤務日の日数の区分に応じ、週以外の期間によって勤務日が定められている職員にあっては同表の中欄に掲げる一年間の勤務日の日数の区

分に応じ、それぞれ同表の下欄に掲げる雇用の日から起算した継続勤務期間の区分ごとに定める日数

１週間の勤務日の日数		４日	３日	２日	１日
１年間の勤務日の日数		169日から216日まで	121日から168日まで	73日から120日まで	48日から72日まで
雇用の日から起算した継続勤務期間	６月	７日	５日	３日	１日
	１年６月	８日	６日	４日	２日
	２年６月	９日	６日	４日	２日
	３年６月	10日	８日	５日	２日
	４年６月	12日	９日	６日	３日
	５年６月	13日	10日	６日	３日
	６年６月以上	15日	11日	７日	３日

２　前項の「継続勤務」とは原則として同一官署において、その雇用形態が社会通念上中断されていないと認められる場合の勤務を、「全勤務日」とは非常勤職員の勤務を要する日の全てをそれぞれいうものとし、「出勤した」日数の算定に当たっては、休暇、国家公務員法（昭和二十二年法律第百二十号）第七十九条の規定による休職又は同法第八十二条の規定による停職及び国家公務員の育児休業等に関する法律（平成三年法律第百九号。以下「育児休業法」という。）第三条第一項の規定による育児休業の期間は、これを出勤したものとみなして取り扱うものとする。

○労基法

（年次有給休暇）

第三十九条　使用者は、その雇入れの日から起算して六箇月間継続勤務し全労働日の八割以上出勤した労働者に対して、

継続し、又は分割した十労働日の有給休暇を与えなければならない。

② 使用者は、一年六箇月以上継続勤務した労働者に対しては、雇入れの日から起算して六箇月を超えて継続勤務する日（以下「六箇月経過日」という。）から起算した継続勤務年数一年ごとに、前項の日数に、次の表の上欄に掲げる六箇月経過日から起算した継続勤務年数の区分に応じ同表の下欄に掲げる労働日を加算した有給休暇を与えなければならない。ただし、継続勤務した期間を六箇月経過日から一年ごとに区分した各期間（最後に一年未満の期間を生じたときは、当該期間）の初日の前日の属する期間において出勤した日数が全労働日の八割未満である者に対しては、当該初日以後の一年間においては有給休暇を与えることを要しない。

六箇月経過日から起算した継続勤務年数	労働日
一年	一労働日
二年	二労働日
三年	四労働日
四年	六労働日
五年	八労働日
六年以上	十労働日

2　「継続勤務」の取扱い

年次休暇が認められる場合、「継続勤務」であることの要件を満たす必要があり、この場合の「継続勤務」については、規則一五―一五運用通知第三条関係第二項で規定しているように、原則として同一官署において、その雇用形態が社会通念上中断されていないと認められる場合の勤務をいうものとされている。この場合の「官署」とは、「その職員が勤務している官署」という意味であって、場所的観念を基本としつつ総合的に判断されるものであり、「同一官署」とは、府、省、庁、委員会等の国家行政組織法上の行政機関の観念の別を前提として、字句どおり「勤務している官署が同じ」と解することが適当であろう。なお、例えば本館や別館のように庁舎が異なるが一体として利用され、社会通念上「同一」と考えられる場合も含まれよう。さらに、「原則として」とされているとおり、同一官署でなくとも「継続勤務」と認められる場合が想定されている。これについては、官署を異にした場合であっても、同一任命権者においてその雇用形態が社会通念上中断されていないと認められる場合は、「継続勤務」として取り扱って差し支えないものと考えられる。また、この場合の「任命権者」の範囲としては、非常勤職員の任命権は原任命権者から下位の者に委任されていることが一般的と考えられることから、法権限の委任を受けた者と考えることが適当であろう。

ところで、非常勤職員については、任期終了後引き続き採用されることもありうるところであり、若干の雇用中断期間をおいて連続的な雇用が行われている職員について、その中断期間がどの程度であれば社会通念上雇用関係が中断されていないと認められるかが問題となっていた。これについては、過去に次の行政事例があり、労基法の解釈例規と同様に取り扱うことになっており、他の非常勤職員の場合も含め十日間程度の中断であれば、一般的に継続勤務として取り扱われることとなる。

【事例】

（質問）

5　同第二項関係の「雇用関係が社会通念上中断されていないと認められる場合」の認定は、労働基準法における当該事項についての解釈例規と同様のものと解して差し支えないか。

（昭三〇・八・一八　〇三―四三二　人事院東京地方事務所長）

（回答）

5　貴見のとおりと解する。

（昭三〇・八・二六　三四―二七三　給与局長）

【労基法解釈例規】（昭三六・一一・二七　基収五一一五）

2　毎会計年度の初めに、当該年度における公共事業の実施準備等に要する十日程の期間があって、その間当該職員を必要とする業務が行われないために、当該職員が一時的に離職することがあっても、前後を通じて当該公共事業に雇用されている限り一般に当該職員の労働関係は、実質的に継続しているものと認められる。

なお、旧規則一五―四適用当時の事例として次に示すものがある。

【事例】

（質問）　三十年間継続勤務して退職した職員が、退職した翌日から同一の官庁に日々雇用の非常勤職員（官庁執務時間で勤務する職員と同様の勤務）として再雇用されたが、その職員に与えられる年次有給休暇の日数の算出に際しては、常勤職員として勤務した期間は、非常勤職員としての継続勤務期間に含めて計算することはできず、継続勤務期間は非常勤職員として雇用された日から計算すべきものと思われるがどうか。

（千葉県　I生）

（回答）　貴見のとおり取り扱って差し支えありません。

（昭四五・七　人事院月報相談室）

3　「全勤務日」の取扱い

規則一五―一五運用通知第三条関係第一項では年次休暇が認められる場合、「全勤務日の八割以上出勤」を一つの要件としているわけであるが、この場合の「全勤務日」の解釈については、同条関係第二項で「非常勤職員の勤務を要する日の全て」をいうとされており、新規に採用となった者は六月間、また、結果として一年を超えて勤務している者は一年間の総日数から、次に掲げる日等の日数を除いたものとされる。

① 日曜日及び土曜日に相当する勤務を要しないとされた日
② 祝日法による休日及び年末年始の休日に当たる日で勤務を要しないとされた日
③ レクリエーション行事に全日参加した日
④ 雨天等による作業休止日

なお、このようにして定められた全勤務日の八割以上出勤した場合には、一日の勤務時間の多少にかかわらず（一週間二十九時間未満の勤務時間の職員にあっても）、年次休暇が認められるので注意を要する。

また、同項で「出勤した」日数の算定に当たっては、休暇、国家公務員法第七十九条の規定による休職又は同法第八十二条の規定による停職及び育児休業法第三条第一項の規定による育児休業の期間は、これを出勤したものとみなして取り扱うこととされている。一日の一部の時間についてだけ勤務した場合も、当然「出勤した」こととなる。

４　年次休暇の日数

年次休暇の日数は、規則一五―一五第三条において「人事院の定める日数」とされ、具体的な日数は、規則一五―一五運用通知によって定められている。具体的には、週五日以上勤務職員、一週間の勤務日が四日以下とされている職員で一週間の勤務時間が二十九時間以上であるもの及び一年間の勤務日数が二百十七日以上とされているものについては、六月間継続勤務し全勤務日の八割以上出勤した場合は、十日、その後も継続して勤務する場合には、一年ごとに付与日数が増え、六年六月経過で最高二十日までとなる。また、週四日以下（一週間の勤務時間が二十九時間以上のものを除く。）又は年間四十八日以上二百十六日以下の非常勤職員については、常勤職員の所定勤務日数との比率を考慮して、継続勤務年数に応じて定める日数の年次休暇が付与されることになる。

継続勤務していても出勤割合が八割未満であれば、年次休暇の要件は満たさず、その翌年の年次休暇の日数は当然零（繰越しがあれば別）となるが、その年の出勤割合が八割以上であれば、次の年に継続勤務年数に応じた年次休暇が与えられることとなる点は注意を要する。例えば、一年六月から二年六月の間の出勤割合が八割未満の場合、二年六月目の年次休暇（本来は十二日）はないが、二年六月から三年六月の間に八割以上出勤した場合には、三年六月目の年次休暇は十四日となるわけである。

また、非常勤職員の年次休暇の場合、その付与期間は、継続勤務の起算日が当初の採用時点であることから、個々人によって異なっている。したがって、継続勤務の起算日の応当日と翌年の応当日の前日までの間に再採用があり得るが、その採用日は付与期間に影響を与えないわけである。

5　年次休暇の繰越し

年次休暇は、その認められた期間に使用することが原則であるが、何らかの理由により使用しなかった場合、二十日を限度として、残日数（一日未満の端数を含む。）を次の一年間に繰り越すことができる。この繰越しの制度は、旧規則一五―一二の制定の際、労基法の取扱い、常勤職員との均衡等を考慮して十日を限度に認められたものであるが、平成七年一月から年次休暇の使用促進を図る観点から常勤職員の改正に併せ二十日とされた。なお、従前は繰り越す際に一日未満の端数があるときは、これを切り捨てるとされていたが、これについても繰り越せるようにすることが勤務条件の改善に資すると考えられることや民間労働法制においても時間単位の残日数がある場合には繰り越されること等を踏まえ、非常勤職員については、平成二十九年七月一日から、一日未満の残日数についても繰り越すことができることとされた。

この繰越しは、次の一年間に限り認められるものであり、繰り越された年次休暇が更に繰り越されることはあり得ないことは、常勤職員の場合と同様であることから、付与日数が二十日未満の非常勤職員は特に注意が必要である。また、繰越しの年次休暇を有する職員から年次休暇の請求があった場合には、繰り越された分から先に請求されたものとして取り扱うこととされている。

○規則一五―一五運用通知

第三条関係

3　年次休暇（この項の規定により繰り越されたものを除く。）は、二十日を限度として、次の一年間に繰り越すことができる。

4　前項の規定により繰り越された年次休暇がある職員から年次休暇の請求があった場合は、繰り越された年次休暇から先に請求されたものとして取り扱うものとする。

6　年次休暇の承認

年次休暇については、その時期につき、各省各庁の長の承認を受けなければならないこと、この場合、各省各庁の長は、公務の運営に支障がある場合を除き、承認しなければならないことは、常勤職員の場合と同様である。公務の運営の支障の有無の判断基準も同様である。

○規則一五―一五

（年次休暇）

第三条

2　前項の年次休暇については、その時期につき、各省各庁の長の承認を受けなければならない。この場合において、各省各庁の長は、公務の運営に支障がある場合を除き、これを承認しなければならない。

○規則一五―一五運用通知

第三条関係

5　「公務の運営」の支障の有無の判断に当たっては、各省各庁の長は、請求に係る休暇の時期における非常勤職員の業務内容、業務量、代替者の配置の難易等を総合して行うものとする。

7　年次休暇の単位

年次休暇の単位は、平成七年一月前はすべて一日とされていたが、それ以降は、常勤職員と同様に時間単位の年次休暇が認められている。これは同時に改正した繰越し日数の拡大に併せて、年次休暇を使用しやすい環境を整備し年次休暇の使用を促進する観点から措置したものである。

なお、時間単位が認められることにより、時間単位の年次休暇を日に換算する必要が生ずるが、これについては「勤務日一日当たりの勤務時間（一分未満の端数があるときはこれを切り捨てた時間）」をもって一日とすることとなる。

○規則一五―一五運用通知

第三条関係

6　年次休暇の単位は、一日とする。ただし、特に必要があると認められるときは、一時間を単位とすることができる。

7　一時間を単位として与えられた年次休暇を日に換算する場合には、当該年次休暇を与えられた職員の勤務日一日当たりの勤務時間（一分未満の端数があるときはこれを切り捨てた時間。以下同じ。）をもって一日とする。

二　年次休暇以外の休暇

年次休暇以外の休暇の性格は、非常勤職員側の私的生活上ないしは社会生活上の事由によって勤務義務を履行し得ない状態に置かれた場合のうち、その勤務しないことを正当化することが、人倫上、社会慣習上やむを得ないものと認められ、かつ、非常勤職員の勤務条件の一つである休暇として人事院規則により保障するにふさわしいものである。その意味において、非常勤職員の年次休暇以外の休暇の性格は、常勤職員の病気休暇、特別休暇、介護休暇及び介護時間と共通したものを有しているといえる。しかしながら、常勤職員については、民間企業において期間を定めず雇用されている常勤の従業員の休暇の措置状況を踏まえつつ措置してきているが、非常勤職員の場合は、業務の必要に応じてその都度任期や勤務時間が設定されて任用されるという非常勤職員の性格から、民間の有期雇用従業員の休暇の措置状況等を踏まえつつ措置してきており、そのことから、付与要件として勤務日数や雇用期間等の任用要件が設けられている場合や、有給の休暇と無給の休暇の違いがある。

１　有給の休暇

有給の休暇としては、

①　選挙権等公民権の行使の場合
②　官公署に出頭する場合
③　地震、水害、火災その他の災害による現住居の滅失、損壊等の場合
④　災害、交通機関の事故等により、出勤することが困難な場合
⑤　災害時の退勤途上における危険回避の場合
⑥　親族が死亡した場合
⑦　結婚する場合
⑧　夏季における心身の健康の維持及び増進等の場合（六月以上の任期が定められている職員又は六月以上継続勤務している職員（週以外の期間によって勤務日が定められている職員で一年間の勤務日が四十七日以下であるものを除く。）に限る。）
⑨　不妊治療のため通院等する場合（一週間の勤務日が三日以上とされている職員又は週以外の期間によって勤務日が定められている職員で一年間の勤務日が百二十一日以上であるものであって、六月以上の任期が定められて

いるもの又は六月以上継続勤務しているものに限る。「⑫　妻が出産する場合」及び「⑬　育児参加をする場合」において同じ。）

⑩　産前の場合

⑪　産後の場合

⑫　妻が出産する場合

⑬　育児参加をする場合

の十三の場合が定められている。

これらの休暇の運用については、常勤職員の特別休暇として認められる場合と同一に取り扱ってよい。ただし、一日の勤務時間が短い非常勤職員の場合は、①、②の事由のうち「その勤務しないことがやむを得ないと認められるとき」に該当するかどうか疑問となるケースもあり得ると考えられる。

有給の休暇に関する近年の動きとしては、平成二十三年三月から③の現住居滅失等に係る休暇を措置、平成三十一年一月から⑦の結婚休暇を措置及び⑥の忌引き休暇についての任期の限定を廃止、令和二年一月から⑧の夏季休暇を措置（そのため、夏季年次休暇（年次休暇が付与されていない職員に将来付与される年次休暇を夏季に前倒しで付与するもの）を取りやめ）、令和四年一月から⑨の不妊治療のため通院する場合、⑫の妻が出産する場合及び⑬の育児参加をする場合の休暇を措置するとともに、⑩の産前休暇及び⑪の産後休暇を有給化（無給の休暇→有給の休暇）、同年四月から⑬の育児参加をする場合の休暇の対象期間を拡大（出産の日後八週間を経過するまで→出産の日以後一年を経過する日まで）している。

（年次休暇以外の休暇）

第四条　各省各庁の長は、次の各号に掲げる場合には、非常勤職員（第八号、第九号、第十二号及び第十三号に掲げる場合にあっては、人事院の定める非常勤職員に限る。）に対して当該各号に定める期間の有給の休暇を与えるものとする。

一　非常勤職員が選挙権その他公民としての権利を行使する場合で、その勤務しないことがやむを得ないと認められるとき　必要と認められる期間

二　非常勤職員が裁判員、証人、鑑定人、参考人等として国会、裁判所、地方公共団体の議会その他官公署へ出頭する場合で、その勤務しないことがやむを得ないと認められるとき　必要と認められる期間

三　地震、水害、火災その他の災害により次のいずれかに該当する場合その他これらに準ずる場合で、非常勤職員が勤務しないことが相当であると認められるとき　七日の範囲内の期間

イ　非常勤職員の現住居が滅失し、又は損壊した場合で、当該非常勤職員がその復旧作業等を行い、又は一時的に避難しているとき。

ロ　非常勤職員及び当該非常勤職員と同一の世帯に属する者の生活に必要な水、食料等が著しく不足している場合で、当該非常勤職員以外にはそれらの確保を行うことができないとき。

四　非常勤職員が地震、水害、火災その他の災害又は交通機関の事故等により出勤することが著しく困難であると認められる場合　必要と認められる期間

五　地震、水害、火災その他の災害又は交通機関の事故等に際して、非常勤職員が退勤途上における身体の危険を回避するため勤務しないことがやむを得ないと認められる場合　必要と認められる期間

六　非常勤職員の親族（人事院の定める親族に限る。）が死亡した場合で、非常勤職員が葬儀、服喪その他の親族の死亡に伴い必要と認められる行事等のため勤務しないことが相当であると認められるとき　人事院の定める期間

七　非常勤職員が結婚する場合で、結婚式、旅行その他の結婚に伴い必要と認められる行事等のため勤務しないことが相当であると認められるとき　人事院が定める期間内における連続する五日の範囲内の期間

八　非常勤職員が夏季における盆等の諸行事、心身の健康の維持及び増進又は家庭生活の充実のため勤務しないことが相当であると認められる場合　一の年の七月から九月までの期間内における、人事院の定める日を除いて原則として

連続する三日の範囲内の期間

九　非常勤職員が不妊治療に係る通院等のため勤務しないことが相当であると認められる場合　一の年度（四月一日から翌年の三月三十一日までをいう。以下同じ。）において五日（当該通院等が体外受精その他の人事院が定める不妊治療に係るものである場合にあっては、十日）（勤務日ごとの勤務時間の時間数が同一でない非常勤職員にあっては、その者の勤務時間を考慮し、人事院の定める時間）の範囲内の期間

十　六週間（多胎妊娠の場合にあっては、十四週間）以内に出産する予定である女子の非常勤職員が申し出た場合　出産の日までの申し出た期間

十一　女子の非常勤職員が出産した場合　出産の日の翌日から八週間を経過する日までの期間（産後六週間を経過した女子の非常勤職員が就業を申し出た場合において医師が支障がないと認めた業務に就く期間を除く。）

十二　非常勤職員が妻（届出をしないが事実上婚姻関係と同様の事情にある者を含む。次号において同じ。）の出産に伴い勤務しないことが相当であると認められる場合　人事院が定める期間内における二日（勤務日ごとの勤務時間の時間数が同一でない非常勤職員にあっては、その者の勤務時間を考慮し、人事院の定める時間）の範囲内の期間

十三　非常勤職員の妻が出産する場合であってその出産予定日の六週間（多胎妊娠の場合にあっては、十四週間）前の日から当該出産の日以後一年を経過する日までの期間にある場合において、当該出産に係る子（勤務時間法第六条第四項第一号において子に含まれるものとされる者を含む。次項第三号イ及びハを除き、以下同じ。）又は小学校就学の始期に達するまでの子（妻の子を含む。）を養育する非常勤職員が、これらの子の養育のため勤務しないことが相当であると認められるとき　当該期間内における五日（勤務日ごとの勤務時間の時間数が同一でない非常勤職員にあっては、その者の勤務時間を考慮し、人事院の定める時間）の範囲内の期間

○規則一五―一五運用通知

第四条関係

1　年次休暇以外の休暇の取扱いについては、それぞれ次に定めるところによる。

(1)　この条の第一項及び第二項の「人事院の定める非常勤職員」は、次に掲げる休暇の区分に応じ、それぞれ次に定める職員とする。この場合において、ア及びイの「継続勤務」については、第三条関係第二項の規定の例によるものと

する。

ア　この条の第一項第八号及び第二項第九号の休暇　六月以上の任期が定められている職員又は六月以上継続勤務している職員（週以外の期間によって勤務日が定められている職員で一年間の勤務日が四十七日以下であるものを除く。）

イ　この条の第一項第九号、第十二号及び第十三号並びに第二項第二号及び第三号の休暇　一週間の勤務日が三日以上とされている職員又は週以外の期間によって勤務日が定められている職員で一年間の勤務日が百二十一日以上であるものであって、六月以上の任期が定められているもの又は六月以上継続勤務しているもの

ウ　この条の第二項第四号の休暇　同号に規定する申出の時点において、一週間の勤務日が三日以上とされている職員又は週以外の期間によって勤務日が定められている職員で一年間の勤務日が百二十一日以上であるものであって、当該申出において、⒂の規定により指定期間の指定を希望する期間の初日から起算して九十三日を経過する日から六月を経過する日までに、その任期（任期が更新される場合にあっては、更新後のもの）が満了すること及び任命権者（国家公務員法第五十五条第一項に規定する任命権者及び法律で別に定められた任命権者並びにその委任を受けた者をいう。）を同じくする官職に引き続き採用されないことが明らかでないもの

エ　この条の第二項第五号の休暇　初めて同号の休暇の承認を請求する時点において、一週間の勤務日が三日以上とされている職員又は週以外の期間によって勤務日が定められている職員で一年間の勤務日が百二十一日以上であるものであって、一日につき定められた勤務時間が六時間十五分以上である勤務日があるもの

(2)　(1)ウの「引き続き採用」されるものであるかどうかの判断は、その雇用形態が社会通念上中断されていないと認められるかどうかにより行うものとし、(1)ウの「引き続き採用されないことが明らかでない」かどうかの判断は、この条の第二項第四号に規定する申出の時点において判明している事情に基づき行うものとする。

(3)　この条の第一項第一号の「選挙権その他公民としての権利」とは、公職選挙法（昭和二十五年法律第百号）に規定する選挙権のほか、最高裁判所の裁判官の国民審査及び普通地方公共団体の議会の議員又は長の解職の投票に係る権利等をいう。

(4)　この条の第一項第三号の「これらに準ずる場合」とは、例えば、地震、水害、火災その他の災害により単身赴任手

当に相当する給与の支給に係る配偶者等の現住居が滅失し、又は損壊した場合で、当該単身赴任手当に相当する給与の支給を受けている非常勤職員がその復旧作業等を行うときをいい、同号の休暇の期間は、原則として連続する七暦日として取り扱うものとする。

(5)　この条の第一項第六号の「人事院の定める親族」は、人事院規則一五―一四（職員の勤務時間、休日及び休暇）別表第二の親族欄に掲げる親族とし、同号の「人事院の定める期間」は、同規則第二十二条第一項第十三号に規定する休暇の例によるものとする。

(6)　この条の第一項第七号の「人事院が定める期間」は、結婚の日の五日前の日から当該結婚の日後一月を経過する日までとし、同号の「連続する五日」とは、連続する五暦日をいう。

(7)　この条の第一項第八号の「人事院の定める日」は、勤務時間が割り振られていない日とし、同号の「原則として連続する三日」の取扱いについては、暦日によるものとし、特に必要があると認められる場合には一暦日ごとに分割することができるものとする。

(8)　この条の第一項第九号の「不妊治療」とは、不妊の原因等を調べるための検査、不妊の原因となる疾病の治療、タイミング法、人工授精、体外受精、顕微授精等をいい、同号の「通院等」とは、医療機関への通院、医療機関が実施する説明会への出席（これらにおいて必要と認められる移動を含む。）等をいい、同号の「人事院が定める不妊治療」は、体外受精及び顕微授精とし、同号の「人事院の定める時間」は、勤務日一日当たりの勤務時間に五（同号に規定する人事院が定める不妊治療を受ける場合にあっては、十）を乗じて得た数の時間とし、同号の休暇の単位は、一日又は一時間（勤務日ごとの勤務時間の時間数が同一でない非常勤職員にあっては、一時間。ただし、当該非常勤職員の一回の勤務に割り振られた勤務時間であって一時間未満の端数があるものの全てを勤務しない場合には、当該勤務時間の時間数）とする。ただし、同号の休暇の残日数の全てを使用しようとする場合において、当該残日数に一時間未満の端数があるときは、当該残日数の全てを使用することができる。

(9)　この条の第一項第十号の「六週間（多胎妊娠の場合にあっては、十四週間）」は、分べん予定日から起算するものとする。

(10)　この条の第一項第十一号から第十三号までの「出産」とは、妊娠満十二週以後の分べんをいう。

⑾　この条の第一項第十二号の「妻（届出をしないが事実上婚姻関係と同様の事情にある者を含む。次号において同じ。）の出産に伴い勤務しないことが相当であると認められる場合」とは、非常勤職員の妻の出産に係る入院若しくは退院の際の付添い、出産時の付添い又は出産に係る入院中の世話、子（一般職の職員の勤務時間、休暇等に関する法律（平成六年法律第三十三号）第六条第四項第一号において子に含まれるものとされる者を含む。⑿及び⒀において同じ。）の出生の届出等のために勤務しない場合をいい、この条の第一項第十二号の「人事院が定める期間」は、非常勤職員の妻の出産に係る入院等の日から当該出産の日後二週間を経過する日までとし、同号の「人事院の定める時間」は、勤務日一日当たりの勤務時間に二を乗じて得た数の時間とし、同号の休暇の単位は、一日又は一時間（勤務日ごとの勤務時間の時間数が同一でない非常勤職員にあっては、一時間。ただし、当該非常勤職員の一回の勤務に割り振られた勤務時間であって一時間未満の端数があるものの全てを勤務しない場合には、当該勤務時間の時間数）とする。ただし、同号の休暇の残日数の全てを使用しようとする場合において、当該残日数に一時間未満の端数があるときは、当該残日数の全てを使用することができる。

⑿　この条の第一項第十三号の「当該出産に係る子（勤務時間法第六条第四項第一号において子に含まれるものとされる者を含む。次項第三号イ及びハを除き、以下同じ。）又は小学校就学の始期に達するまでの子（妻の子を含む。）を養育する」とは、非常勤職員の妻の出産に係る子又は小学校就学の始期に達するまでの子（妻の子を含む。）と同居してこれらを監護することをいい、同号の「人事院の定める時間」は、勤務日一日当たりの勤務時間に五を乗じて得た数の時間とし、同号の休暇の単位は、一日又は一時間（勤務日ごとの勤務時間の時間数が同一でない非常勤職員にあっては、一時間。ただし、当該非常勤職員の一回の勤務に割り振られた勤務時間であって一時間未満の端数があるものの全てを勤務しない場合には、当該勤務時間の時間数）とする。ただし、同号の休暇の残日数の全てを使用しようとする場合において、当該残日数に一時間未満の端数があるときは、当該残日数の全てを使用することができる。

２　無給の休暇

⑴　休暇の種類

無給の休暇が認められる場合としては、

①　保育時間の場合

②　子の看護をする場合（一週間の勤務日が三日以上とされている職員又は週以外の期間によって勤務日が定められている職員で一年間の勤務日が百二十一日以上であるものであって、六月以上の任期が定められているもの又は六月以上継続勤務しているものに限る。「③　短期の介護をする場合」において同じ。）

③　短期の介護をする場合

④　指定期間内で介護をする場合（指定期間の申出の時点において、一週間の勤務日が三日以上とされている職員又は週以外の期間によって勤務日が定められている職員で一年間の勤務日が百二十一日以上であるものであって、一定の勤務が見込まれる職員に限る。詳細は後述。）

⑤　一日の一部で介護をする場合（休暇の承認を請求する時点において、一週間の勤務日が三日以上とされている職員又は週以外の期間によって勤務日が定められている職員で一年間の勤務日が百二十一日以上であるものであって、一日につき定められた勤務時間が六時間十五分以上である日がある非常勤職員に限る。）

⑥　生理日の就業が著しく困難な場合

⑦　妊産疾病の場合（妊娠中及び出産後一年以内の非常勤職員について、母子保健法による保健指導又は健康診査に基づく指導事項を守るため勤務しないことがやむを得ないと認められる場合。詳細は後述。）

⑧　公務上の負傷等の場合

⑨　私傷病の場合（六月以上の任期が定められている職員又は六月以上継続勤務している職員（週以外の期間に

よって勤務日が定められている職員で一年間の勤務日が年四十七日以下であるものを除く。）に限る。）

⑩　骨髄移植のための骨髄若しくは末梢血幹細胞移植のための末梢血幹細胞の提供の場合

の十の場合がある。

これらの休暇のうち①及び⑩については、常勤職員の特別休暇として認められる場合と同様に取り扱ってよい。⑥から⑨については、常勤職員の病気休暇に相当するもののうち特定の事由を取り出したものである。②から⑤まで及び⑨については、非常勤職員の性質を考慮し、対象となる職員が制限されており、④及び⑨については付与日数が（⑨については週又は年の勤務日の日数に応じて）調整されている。

無給の休暇に関する近年の動きとしては、③の短期介護等について平成二十二年六月三十日から、④の介護休暇について平成二十三年四月から、⑦の妊産疾病について平成二十七年四月から、⑤の介護時間について平成二十九年一月から、それぞれ施行されている。④の介護休暇については、平成二十九年一月から、取得要件が緩和されるとともに分割取得が可能とされ、更に、令和四年四月から、取得要件から在職期間の要件が削除された（介護休暇についての経緯の詳細は後述⑵）。また、令和四年四月からは、②の子の看護休暇及び③の短期介護休暇の任期の要件が緩和（六月以上継続勤務しているもの→六月以上の任期が定められているもの又は六月以上継続勤務しているもの）され、⑤の介護時間の在職期間の要件が削除された。

これらの休暇により休む場合は、いずれも無給である。欠勤する場合も給与が減額されるが、無給の休暇と欠勤については、次のような相違があることに注意を要する。

①　無給の休暇の場合は、職務専念義務（国公法第百一条）が免除されるが、欠勤の場合は免除されず、懲戒の事由に該当し処分を受けることもあり得る。

②　無給の休暇は、年次休暇の要件である出勤率の計算に当たって出勤したものとみなされるが、欠勤の場合はそ

のような取扱いは受けない。

③　退職手当の算定基礎となる勤続期間及び共済組合の加入要件としての継続勤務期間のそれぞれの計算に当たって、無給の休暇は勤務したこととされるが、欠勤の場合はそのような取扱いは受けない。

なお、非常勤職員が規則一〇―七による妊産婦の健康診査・保健指導、妊婦の休息・補食、妊婦の通勤緩和の規定により勤務しない場合は、休暇ではなく、職務専念義務が免除されることの承認を受けることとなる。これらの場合の給与上の取扱いは、いずれも有給とされている。

(2)　介護休暇

介護休暇は、育児休業と同様に、仕事と家庭生活の両立を図り、継続的な勤務を促進することを目的とするものであるが、従前の「日々雇い入れられる職員」の任期は制度的には一日とされていたことから、休暇の目的に合致しないと整理され、育児休業とともに認められていなかった。また、「その他の非常勤職員」の任期は一日に限られるものではなかったが、「日々雇い入れられる職員」との関係を考慮して介護休暇の対象とされていなかった。

しかし、平成二十二年八月に規則八―一二が改正され、一定の任期（最長一年間）を設定して任用される期間業務職員の制度を設けることとされた（同年十月施行）。このことを契機とし、民間の育児・介護休業法における期間を定めて雇用される者については一定の要件の下で育児休業等をすることができること等の状況を踏まえ、非常勤職員について育児休業等をすることができるようにすることが適当と判断され、平成二十二年八月に国家公務員の育児休業等に関する法律の改正に関する意見の申出が行われた。この意見の申出を受けた同法の改正法案が平成二十二年十一月に国会で可決され、平成二十三年四月一日から非常勤職員の育児休業制度が施行されることとなった。

介護休暇についても、平成二十二年八月の勧告時の公務員人事管理に関する報告において、育児休業等とあわせて介護休暇を導入することについて言及され、非常勤職員の仕事と介護の両立を図る観点から、平成二十三年四月一日から新たな休暇事由の一つとして加えられることとなった。また、平成二十九年一月一日からは、民間労働法制と同様に、任期に係る取得要件が緩和されるとともに、同一要介護状態においても三回までの分割取得が可能となった。さらに、令和四年四月一日からは、在職期間についての取得要件が廃止された。

ア　休暇の取得要件

前述のとおり、介護休暇は継続的な勤務を促進することを目的とするものであり、近い将来に勤務が終了する場合など継続的な勤務が見込まれない者等を対象とすることは適当ではないと考えられること、育児・介護休業法においても同様の考え方に基づいて要件が課されていること、民間における実際の取扱いも法定どおりとしている事業所が大多数であることが考慮され、対象職員について、民間法制と同様の要件が課されている。具体的には、次に掲げる非常勤職員が介護休暇の対象となる。

①　指定期間の指定を希望する期間の初日から起算して九十三日を経過する日から六月を経過する日までに、その任期（任期が更新される場合にあっては、更新後のもの）が満了すること及び任命権者を同じくする官職に引き続き採用されないことが明らかでないもの

②　一週間の勤務日が三日以上とされている非常勤職員又は週以外の期間によって勤務日が定められている非常勤職員で一年間の勤務日が百二十一日以上であるもの

なお、要件の確認は、指定期間の申出を行った時点ですることとされているため、介護休暇を分割して取得しようとする場合には、それぞれの分割に係る指定の申出の時点で①及び②の要件を満たしていることを確認する必要がある。このような取扱いは、民間労働法制と同様である。

①の「任期が満了すること及び任命権者を同じくする官職に引き続き採用されないことが明らかでない」とは、要件の確認を行う時点において判明している事情に基づき、任期が更新されないこと及び再び採用されないことが

確実であるか否かによって判断するものであり、業務の廃止が確定していて任期が更新されないことや再び採用されないことが明示されている場合などが該当する。なお、次年度において公募等により結果的に採用される可能性が否定されていない場合は該当しない（引き続き採用されないことが明らかではない）ものである。

イ　介護休暇の期間

介護休暇の期間は、要介護者ごとに通算九十三日（三回まで分割可）の範囲内の期間とされている。常勤職員の介護休暇にあっては、一の要介護状態ごとに通算六月（三回まで分割可）の期間内とされており、期間に差異があるが、これは非常勤職員は長期間任用されることが前提とされていないことを踏まえ、民間労働法制の介護休業の期間と同じ期間及び回数とされたものである。

具体的には、ある要介護者について指定期間の指定を受けたことがある場合には、同一の要介護者についての新たな指定期間は、既に受けた指定期間と合計で最大三回まで、かつ当該指定期間の日数を九十三日から差し引いた日数の範囲内の期間で指定されるとされている。

ウ　その他

「介護」の定義、要介護者の範囲、休暇の単位は、常勤職員の介護休暇の取扱いと同様であり、介護休暇の請求等の手続については、常勤職員の例に準じて取り扱うものとされている。よって、時間を単位とする介護休暇に引き続き他の休暇を取得し、介護休暇と勤務が引き続かない場合には介護休暇を取り消す必要があること、短期介護休暇又は育児時間に限っては同様の場合にあっても介護休暇を取り消す必要がないこととする取扱いについても常勤職員と同様（七二八頁～）である。

(3)　介護時間

平成二十九年一月一日から、非常勤職員についても、民間労働法制における介護のための所定労働時間の短縮措置に相当するものとして、介護時間が導入された。その対象となる非常勤職員は、①一週間の勤務日が三日以上（週以外の期間によって勤務日が定められている非常勤職員については、一年間の勤務日が百二十一日以上）であるもので、②一日につき定められた勤務時間が六時間十五分を超える日があるものとされている。なお、②については、介護時間の取得単位（三十分）と、後述する一日の取得可能時間数をあわせ考えると、この要件を満たさない非常勤職員は介護時間の承認を受けることはできないのであり、いわば当然の要件を確認的に規定したものといえよう。

非常勤職員の介護時間の取得要件やその期間は常勤職員と同様であるが、一日の取得可能時間数については、常勤職員については単に二時間とされているものの、非常勤職員については、一日の勤務時間数から五時間四十五分を減じて得た時間数が二時間を下回る場合には、その時間数とされている点が異なっている。具体的には、一日につき定められた勤務時間が七時間十五分である日には、七時間十五分－五時間四十五分＝一時間三十分の範囲内というように、二時間未満の時間となる場合がある。これは、介護時間が勤務をしながら日常的な介護ニーズに対応するための休暇であり、常勤職員のように原則的な一日の勤務時間数が定まっていない非常勤職員については、一定の実勤務時間数を確保するよう措置しているものである。この取扱いは、同種の制度である育児時間（民間労働法制における育児のための所定労働時間の短縮措置に相当）と同様である。

(4)　妊産疾病の場合

平成二十七年四月一日から、妊娠中及び出産後一年以内の非常勤職員については、母子保健法による保健指導又は健康診査に基づく指導事項を守るため勤務しないことがやむを得ないと認められる場合には、必要と認められる期間無給の休暇を承認できるとされている。

妊産婦である職員が母子保健法の規定による保健指導又は健康診査に基づく指導を受けて職務専念義務を免除することについては、この制度が措置される以前においては特段の規定が設けられておらず、病気（私傷病）休暇の承認で対応していた。

しかしながら、非常勤職員の病気休暇は付与されても最大年十日であるため、現行制度で妊産疾病により長期にわたり休む場合には、病気休暇では対応できない状況となっていたこと、民間労働法制では、事業主は、妊産婦である労働者から先述の指導を受けた旨の申出があった場合には、当該指導に基づき休業等の必要な措置を講じるものとされていること等に鑑み、妊産婦である非常勤職員が母子保健法の規定による保健指導又は健康診査に基づく指導事項を守るため勤務しないことがやむを得ないと認められる場合について、休暇を措置することとされたものである。

○規則一五—一五

（年次休暇以外の休暇）

第四条

２　各省各庁の長は、次の各号に掲げる場合には、非常勤職員（第二号から第五号まで及び第九号に掲げる場合にあっては、人事院の定める非常勤職員に限る。）に対して当該各号に定める期間の無給の休暇を与えるものとする。

一　生後一年に達しない子を育てる非常勤職員が、その子の保育のために必要と認められる授乳等を行う場合　一日二回それぞれ三十分以内の期間（男子の非常勤職員にあっては、その子の当該非常勤職員以外の親（当該子について民法（明治二十九年法律第八十九号）第八百十七条の二第一項の規定により特別養子縁組の成立について家庭裁判所に請求した者（当該請求に係る家事審判事件が裁判所に係属している場合に限る。）であって当該子を現に監護するもの又は児童福祉法（昭和二十二年法律第百六十四号）第二十七条第一項第三号の規定により当該子を委託されている同法第六条の四第二号に規定する養子縁組里親である者若しくは同条第一号に規定する養育里親である者（同法第二十七条第四項に規定する者の意に反するため、同項の規定により、同法第六条の四第二号に規定する養子縁組里親として委託することができない者に限る。）を含む。）が当該非常勤職員がこの号の休暇を使用しようとする日におけるこの号の休暇（これに相当する休暇を含む。）を承認され、又は労働基準法（昭和二十二年法律第四十九号）第六十七条の規定により同日における育児時間を請求した場合は、一日二回それぞれ三十分から当該承認又は請求に係る各回ごとの期間を差し引いた期間を超えない期間）

二　小学校就学の始期に達するまでの子（配偶者の子を含む。以下この号において同じ。）を養育する非常勤職員が、その子の看護（負傷し、若しくは疾病にかかったその子の世話又は疾病の予防を図るために必要なものとして人事院の定めるその子の世話を行うことをいう。）のため勤務しないことが相当であると認められる場合　一の年度において五日（その養育する小学校就学の始期に達するまでの子が二人以上の場合にあっては、十日）（勤務日ごとの勤務時間の時間数が同一でない非常勤職員にあっては、その者の勤務時間を考慮し、人事院の定める時間）の範囲内の期間

三　次に掲げる者（ハに掲げる者にあっては、非常勤職員と同居しているものに限る。）で負傷、疾病又は老齢により二週間以上の期間にわたり日常生活を営むのに支障があるもの（以下この号から第五号までにおいて「要介護者」という。）の介護その他の人事院の定める世話を行う非常勤職員が、当該世話を行うため勤務しないことが相当であると認められる場合　一の年度において五日（要介護者が二人以上の場合にあっては、十日）（勤務日ごとの勤務時間の時間数が同一でない非常勤職員にあっては、その者の勤務時間を考慮し、人事院の定める時間）の範囲内の期間

イ　配偶者（届出をしないが事実上婚姻関係と同様の事情にある者を含む。以下この号において同じ。）、父母、子及び配偶者の父母

ロ　祖父母、孫及び兄弟姉妹

ハ　非常勤職員又は配偶者との間において事実上父母と同様の関係にあると認められる者及び非常勤職員との間において事実上子と同様の関係にあると認められる者で人事院の定めるもの

四　要介護者の介護をする非常勤職員が、当該介護をするため、各省各庁の長が、人事院の定めるところにより、非常勤職員の申出に基づき、当該要介護者ごとに、三回を超えず、かつ、通算して九十三日を超えない範囲内で指定する期間（以下「指定期間」という。）内において勤務しないことが相当であると認められる場合　指定期間内において必要と認められる期間

五　要介護者の介護をする非常勤職員が、当該介護をするため、当該要介護者ごとに、連続する三年の期間（当該要介護者に係る指定期間と重複する期間を除く。）内において一日の勤務時間の一部につき勤務しないことが相当であると

認められる場合　当該連続する三年の期間内において一日につき二時間（当該非常勤職員について一日につき定められた勤務時間から五時間四十五分を減じた時間が二時間を下回る場合は、当該減じた時間）を超えない範囲内で必要と認められる期間

六　女子の非常勤職員が生理日における就業が著しく困難なため勤務しないことがやむを得ないと認められる場合　必要と認められる期間

七　女子の非常勤職員が母子保健法（昭和四十年法律第百四十一号）の規定による保健指導又は健康診査に基づく指導事項を守るため勤務しないことがやむを得ないと認められる場合　必要と認められる期間

八　非常勤職員が公務上の負傷又は疾病のため療養する必要があり、その勤務しないことがやむを得ないと認められる場合　必要と認められる期間

九　非常勤職員が負傷又は疾病のため療養する必要があり、その勤務しないことがやむを得ないと認められる場合（前三号に掲げる場合を除く。）　一の年度において人事院の定める期間

十　非常勤職員が骨髄移植のための骨髄若しくは末梢《しょう》血幹細胞移植のための末梢血幹細胞の提供希望者としてその登録を実施する者に対して登録の申出を行い、又は配偶者、父母、子及び兄弟姉妹以外の者に、骨髄移植のため骨髄若しくは末梢血幹細胞移植のため末梢血幹細胞を提供する場合で、当該申出又は提供に伴い必要な検査、入院等のため勤務しないことがやむを得ないと認められるとき　必要と認められる期間

○規則一五—一五運用通知

第四条関係

1
⒀　この条の第二項第二号の「小学校就学の始期に達するまでの子（配偶者の子を含む。以下この号において同じ。）を養育する」とは、小学校就学の始期に達するまでの子（配偶者の子を含む。以下この⒀において同じ。）と同居してこれを監護することをいい、同号の「人事院の定めるその子の世話」は、その子に予防接種又は健康診断を受けさせることとし、同号の「人事院の定める時間」は、勤務日一日当たりの勤務時間に五（その養育する小学校就学の始期に達するまでの子が二人以上の場合にあっては、十）を乗じて得た数の時間とし、同号の休暇の単位は、一日又は一時間（勤務日ごとの勤務時間の時間数が同一でない非常勤職員にあっては、一時間。ただし、当該非常勤職員の一回の

勤務に割り振られた勤務時間であって一時間未満の端数があるものの全てを勤務しない場合には、当該勤務時間の時間数）とする。ただし、同号の休暇の残日数の全てを使用しようとする場合において、当該残日数に一時間未満の端数があるときは、当該残日数の全てを使用することができる。

⒁　この条の第二項第三号の「同居」には、非常勤職員が要介護者の居住している住宅に泊まり込む場合等を含むものとし、同号の「人事院の定める世話」は、次に掲げる世話とし、同号の「人事院の定める時間」は、勤務日一日当たりの勤務時間に五（要介護者が二人以上の場合にあっては、十）を乗じて得た数の時間とし、同号の「人事院の定めるもの」は、父母の配偶者、配偶者の父母の配偶者、子の配偶者及び配偶者の子とし、同号の休暇の単位は、一日又は一時間（勤務日ごとの勤務時間の時間数が同一でない非常勤職員にあっては、一時間。ただし、当該非常勤職員の一回の勤務に割り振られた勤務時間であって一時間未満の端数があるものの全てを勤務しない場合には、当該勤務時間の時間数）とする。ただし、同号の休暇の残日数の全てを使用しようとする場合において、当該残日数に一時間未満の端数があるときは、当該残日数の全てを使用することができる。

ア　要介護者の介護

イ　要介護者の通院等の付添い、要介護者が介護サービスの提供を受けるために必要な手続の代行その他の要介護者の必要な世話

⒂　この条の第二項第四号の申出及び指定期間の指定の手続については、人事院規則一五―一四第二十三条第二項から第六項までの規定の例によるものとし、同号の休暇の単位は、一日又は一時間とし、一時間を単位とする当該休暇は、一日を通じ、始業の時刻から連続し、又は終業の時刻まで連続した四時間（当該休暇と要介護者を異にするこの条の第二項第五号の休暇の承認を受けて勤務しない時間がある日については、当該四時間から当該休暇の承認を受けて勤務しない時間を減じた時間）の範囲内とする。

⒃　この条の第二項第五号の休暇の単位は、三十分とし、当該休暇は、一日を通じ、始業の時刻から連続し、又は終業の時刻まで連続した二時間（同号に規定する減じた時間が二時間を下回る場合にあっては、当該減じた時間）の範囲内（育児休業法第二十六条第一項の規定による育児時間の承認を受けて勤務しない時間がある日については、当該連続した二時間から当該育児時間の承認を受けて勤務しない時間を減じた時間の範囲内）とする。

(17)　この条の第二項第八号及び第九号の「疾病」には、予防接種による著しい発熱等が、これらの号の「療養する」場合には、負傷又は疾病が治った後に社会復帰のためリハビリテーションを受ける場合等が含まれるものとする。

(18)　この条の第二項第九号の「人事院の定める期間」は、第三条関係第一項(1)に掲げる職員にあっては十日の範囲内の期間とし、同項(3)に掲げる職員のうち、一週間の勤務日が四日以下とされている職員にあっては次の表の上〔右〕欄に掲げる一週間の勤務日の日数の区分に応じ、週以外の期間によって勤務日が定められている職員にあっては同表の中欄に掲げる一年間の勤務日の日数の区分に応じ、それぞれ同表の下〔左〕欄に掲げる日数の範囲内の期間とする。

一週間の勤務日の日数	一年間の勤務日の日数	日数
四日	百六十九日から二百十六日まで	七日
三日	百二十一日から百六十八日まで	五日
二日	七十三日から百二十日まで	三日
一日	四十八日から七十二日まで	一日

3　休暇の単位

年次休暇以外の休暇は、必要に応じて一日、一時間又は一分を単位として取り扱うこととされている。なお、規則一五―一五第四条第二項第二号の休暇（子の看護）及び第三号の休暇（短期介護等）については、常勤職員と同様、休暇の請求が分単位でなされた場合でも承認は時間単位で行われる。ただし、休暇の残日数のすべてを使用しようとする場合で、当該残日数に一時間未満の端数があるときは、分単位でも使用することができるとされている。

また、規則一五―一五第四条第二項第四号の休暇（介護休暇）にあっては、一日又は一時間を単位とし、一時間を単位とするときは、一日を通じ、始業の時刻から連続し、又は終業の時刻まで連続した四時間の範囲内とされており、第五号の休暇（介護時間）にあっては、三十分を単位とし、一日を通じ、始業の時刻から連続し、又は終業の時刻まで連続した二時間の範囲内とされている（規則一五―一五運用通知第四条関係第一項⒂及び⒃）。

○規則一五―一五運用通知

第四条関係

2　前項に規定するもののほか、年次休暇以外の休暇の単位は、必要に応じて一日、一時間又は一分を単位として取り扱うものとする。

3　勤務日ごとの勤務時間の時間数が同一である非常勤職員の一時間を単位として与えられたこの条の第一項第九号、第十二号若しくは第十三号若しくは第二項第二号若しくは第三号の休暇又は一日以外の単位で与えられた同項第九号の休暇を日に換算する場合には、これらの休暇を与えられた職員の勤務日一日当たりの勤務時間をもって一日とする。

4　休暇の承認

年次休暇以外の休暇（産前・産後の休暇を除く。）については、各省各庁の長の承認を受けなければならない。この場合の承認基準等は、人事院の定めるところによることとされており、具体的には常勤職員の例に準じて取り扱うこととされている。すなわち、規則一五―一四第二十五条の例に準じて、休暇の事由に該当すると認めるときは、これを承認しなければならないが、公務の運営に支障があり、他の時期においてもその休暇の目的を達することができると認められる場合は、承認しなくても差し支えないわけである。また、介護休暇及び介護時間については、規則一五―一四第二十六条の例に準じて、休暇の事由に該当すると認めるときは、これを承認しなければならないが、請求に係る期間のうち、公務の運営に支障がある日又は時間については承認しないことができるものである。

なお、産前及び産後の休暇については、常勤職員の場合と同様、各省各庁の長の承認を受ける必要はない。

○規則一五―一五
（年次休暇以外の休暇）
第四条
3　前二項の休暇（第一項第十号及び第十一号の休暇を除く。）については、人事院の定めるところにより、各省各庁の長の承認を受けなければならない。
○規則一五―一五運用通知
第四条関係
4　年次休暇以外の休暇（この条の第一項第十号及び第十一号の休暇を除く。）の承認については、常勤職員の例に準じて取り扱うものとする。

三　休暇の請求等

非常勤職員の年次休暇、年次休暇以外の休暇の請求等の手続については、常勤職員の例に準じて取り扱うこととされている。したがって、規則一五―一四第二十七条及び第二十八条の例に準じて、原則として休暇簿による請求等が必要である。休暇簿の様式は特に定められていないので、各省庁で常勤職員の例に準ずる等適宜の様式を定めることが望ましい。また、介護休暇の指定期間の指定手続についても、同様に、規則一五―一四第二十三条の例に準じて休暇簿により行う必要がある。

○規則一五―一五運用通知
第五条関係
非常勤職員の休暇の請求等の手続については、常勤職員の例に準じて取り扱うものとする。

公務員の勤務時間・休暇法詳解〈第６次改訂版〉

初　　版　　発　　行　昭和56年12月20日
改　題　新　版　発　行　平成６年12月10日
第１次 改 訂 版 発 行　平成10年６月15日
第２次 改 訂 版 発 行　平成14年11月15日
第３次 改 訂 版 発 行　平成19年３月１日
第４次 改 訂 版 発 行　平成23年３月25日
第５次 改 訂 版 発 行　平成30年６月20日
第６次 改 訂 版 発 行　令和５年12月20日
第６次改訂版２刷発行　令和７年４月８日

編著者　一般財団法人　公務人材開発協会
　　　　人　事　行　政　研　究　所

発行者　光　行　　明

学陽書房
東京都千代田区飯田橋１－９－３　〒102-0072
（営業）03（3261）1111
（編集）03（3261）1112
https://www.gakuyo.co.jp/

印刷／東光整版印刷　　製本／東京美術紙工
ISBN978-4-313-13156-9　C 2032